INGLÊS

inglês · português
português · inglês

Martins Fontes
São Paulo 2005

1ª edição
julho de 2005

Gerente editorial
Drª Margaret Cop
Colaboradores
Maria Elisa C. R. Bittencourt, Luciana Capisani, Carla Finger, Glenn C. Johnston, Maria Carmo Massoni, Lynne Reay Pereira, Drª Cristina Stark Gariglio, William Steinmetz
Composição
Info-Satz, Stuttgart
Processamento de dados
Andreas Lang, conText AG für Informatik und Kommunikation, Zürich
Capa
Mai Design
Impressão e acabamento
Yangraf

ISBN 85-336-2169-8

Rua Conselheiro Ramalho, 330 01325-000 São Paulo SP Brasil
Tel. (11) 3241.3677 Fax (11) 3101.1042
e-mail: info@martinsfontes.com.br http://www.martinsfontes.com.br

Contents

Índice

Symbols and Abbreviations
Símbolos e abreviaturas

contraction	=	contração
corresponds to	≈	corresponde a
change of speaker	-	câmbio de interlocutor
registered trademark	®	marca registrada
	◆	phrasal verb
	a.	also
abbreviation of	*abbr of, abr de*	abreviatura de
	a. c.	alguma coisa
adjective	*adj*	adjetivo
administration	ADMIN	administração
adverb	*adv*	adverbio
aerospace	AERO	aeronáutica
agriculture	AGR	agricultura
American English	*Am*	
anatomy	ANAT	anatomia
architecture	ARCHIT, ARQUIT	arquitetura
artículo	*art*	artigo
arte	ARTE	arte
astronomy, astrology	ASTRON	astronomia, astrologia
Australian English	*Aus*	
automobile, transport	AUTO	automobilismo e tráfico
auxiliary verb	*aux*	verbo auxiliar
aviation	AVIAT	
biology	BIO	biologia
botany	BOT	botânica
British English	*Brit*	
Canadian English	*Can*	
cardinal	*card*	cardinal
vulgar	*chulo*	chulo
cinema	CINE	cinema
commerce	COM	comércio
comparative	*comp*	comparativo
conjunction	*conj*	conjunção
	COST	moda e costura

definite	*def*	definido
demonstrative	*dem*	demonstrativo
ecology	ECOL	ecologia
economy	ECON	economia
electricity, electronics	ELEC, ELETR	eletricidade, eletrônica
	ENS	ensino
	ESPORT	esportes
feminine	*f*	feminino
fashion and sewing	FASHION	
	FERRO	estrada de ferro
figurative	*fig*	sentido figurado
philosophy	FILOS	filosofia
finance, banking, stock exchange	FIN	finanças, bolsa
physics	FÍS	física
formal language	*form*	linguagem formal
photography	FOTO	fotografia
soccer	FUT	futebol
games	GAMES	jogos
gastronomy	GASTR	gastronomia
geography, geology	GEO	geografia, geologia
slang	*gíria*	gíria
history, historical	HIST	história, histórico
imperative	*imper*	imperativo
impersonal	*impers, impess*	impessoal
indefinite	*indef*	indefinido
informal language	*inf*	linguagem informal
infinitive	*infin*	infinitivo
information technology	INFOR	informática
inseperable	*insep*	
interjection	*interj*	interjeição
interrogative	*interrog*	interrogativo
invariable	*inv*	invariable
Irish	*Irish*	
ironic, humorous	*iron, irôn*	irônico, humorístico
irregular	*irr*	irregular
law	JUR, LAW	jurisprudência, direito

linguistics, grammar	LING	lingüística, gramática
literature, poetry	LIT	literatura, poesia
literary language	*liter*	
masculine	*m*	masculino
	m ou f	masculino ou feminino
mathematics	MAT	matemática
medicine	MED	medicina
metereology	METEO	meteorologia
	mf	masculino e femenino
military	MIL	exército
mining	MIN	mineração
music	MUS, MÚS	música
nautical, naval	NAUT, NÁUT	náutica, navegação
noun	*n*	
or	*o*	
no plural	*no pl*	
numeral	*num*	número
ordinal	*ord*	ordinal
participle	*part*	particípio
pejorative	*pej*	pejorativo
person, personal	*pers/pess*	pessoa, pessoal
philosophy	PHILOS	
photography	PHOT	
physics	PHYS	
plural	*pl*	plural
politics	POL	política
possesive	*poss*	possessivo
past participle	*pp*	participio pretérito
	PREN	prensa
preposition	*prep*	preposição
present	*pres*	presente
	pret	pretérito
	pret imperf	pretérito imperfeito
	pret perf	pretério perfeito
pronoun	*pron*	pronome
proverb	*prov*	provérbio

psychology	PSYCH, PSICO	psicologia
past tense of	*pt of*	
	QUÍM	química
radio	RADIO, RÁDIO	rádio
railways	RAIL	
reflexive	*refl*	reflexivo
regional	*reg*	regional
relative	*rel*	relativo
religion	REL	religião
school	SCH	
somebody	*sb*	
Scottish	*Scot*	
	sem pl	sem plural
separable	*sep*	
singular	*sing*	singular
sociology	SOCIOL	sociologia
sports	SPORTS	
something	*sth*	
subjunctive	*subj*	subjuntivo
superlative	*superl*	superlativo
	tb.	também
	TEAT	teatro
technology	TEC, TECH	tecnologia
telecommunications	TEL	telecomunicação
theater	THEAT	
	TIPO	tipografia
television	TV	televisão
university	UNIV	universidade
	v.	ver
verb	*vb*	
intransitive verb	*vi*	verbo intransitivo
	vimpess	verbo impessoal
	vr	verbo reflexivo
transitive verb	*vt*	verbo transitivo
vulgar language	*vulg*	
zoology	ZOOL	zoologia

Símbolos fonéticos da língua inglesa
English phonetic symbols

[ɑː]	farm, father
[aɪ]	life
[aʊ]	house
[æ]	man, sad
[b]	been, blind
[d]	do, had
[ð]	this, father
[e]	get, bed
[eɪ]	name, lame
[ɛ]	ago better (*British pronunciation*)
[ɛʊ]	coat, low (*British pronunciation*)
[ɜː]	bird, her
[ʌ]	but, son
[f]	father, wolf
[g]	go, beg
[ŋ]	long, sing
[h]	house
[ɪ]	it, wish
[i]	lovely
[iː]	bee, me, beat, belief
[ɪɛ]	here (*British pronunciation*)
[j]	youth
[k]	keep, milk
[l]	lamp, oil, ill
[m]	man, am
[n]	no, manner
[ɒ]	not, long (*British pronunciation*)
[ɔː]	more law (*British pronunciation*)
[ɔɪ]	boy, oil
[oʊ]	coat, low (*American pronunciation*)
[p]	paper, happy
[r]	red, dry better (*American pronunciation*)
[ʳ]	better (*British pronunciation: "linking r"*)
[s]	stand, sand, yes
[ʃ]	ship, station
[t]	tell, fat
[ţ]	better (*American pronunciation*)
[tʃ]	church, catch
[ʊ]	push, look
[uː]	you, do
[ʊɛ]	poor, sure (*British pronunciation*)
[v]	voice, live
[w]	water, we, which
[z]	zeal, these, gaze
[ʒ]	pleasure
[dʒ]	jam, object
[θ]	thank, health
[x]	loch
[ɑ̃]	genre

Phonetic Symbols for Brazilian Portuguese
Símbolos fonéticos do português do Brasil

[a]	c**a**sa
[ɜ]	c**a**ma, d**a**no
[ɛ]	caf**é**, ab**e**rto
[e]	ab**e**lha, fortal**e**za
[i]	d**i**sco
[i̥]	faculdad**e**, realment**e**, acúst**i**ca
[o]	c**o**co, lumin**o**so
[ɔ]	h**o**ra, lumin**o**sa
[u]	madr**u**gada, mad**uro**
[w]	q**u**arto
[aj]	p**ai**
[ãj]	m**ãe**
[aw]	**au**sência, **al**face
[ɜ̃]	amanh**ã**, maç**ã**, campe**ã**
[ɜ̃ŋ]	d**an**çar
[ɜ̃w]	avi**ão**, coraç**ão**
[ej]	b**ei**ra
[ẽj]	alg**uém**, leg**en**da, l**en**te
[ew]	d**eu**s, mov**el**
[ĩj]	jard**im**
[oj]	c**oi**sa, n**oi**te
[õj]	avi**õe**s
[õw]	c**om**, afr**on**ta
[ũw]	acup**un**tura, com**um**
[b]	**b**om
[x]	**r**io, ca**rr**o
[d]	**d**ormir
[dʒ]	cida**de**
[f]	**f**azer
[g]	**g**olfo
[ʒ]	**j**anela
[k]	**c**arro
[l]	ma**l**a
[ʎ]	verme**lh**o
[m]	**m**ãe
[n]	**n**ata
[ɲ]	ba**nh**o
[ŋ]	aba**n**donar, ba**n**co
[p]	**p**ai
[ɾ]	pa**r**ede, p**r**ovar
[r]	pinta**r**, faze**r**
[s]	**s**olo
[ʃ]	**ch**eio
[t]	**t**otal
[tʃ]	durante
[v]	**v**ida
[z]	dose

Como utilizar o dicionário/How to use the dictionary

Todas as **entradas** (incluindo abreviações, palavras compostas, variantes ortográficas, referências) estão ordenadas alfabeticamente e destacadas em negrito.

Cazaquistão [kazaksˈtɜ̃w] *m* Kazakhstan
CD [seˈde] *m abr de* **compact disc** CD
CV [ˌsiːˈviː] *n abbr of* **curriculum vitae** CV *m*
cybercafé [ˈsaɪbərˌ-] *n* cibercafé *m*
  cybermall [ˈsaɪbərˌmɔːl] *n no pl* shopping center *m* virtual

Os verbos preposicionais (verbo + preposição) vêm logo após o verbo de base e estão assinalados com ◆.

bring [brɪŋ]<brought, brought> **1.** *vt* trazer ◆ **bring about** *vt* provocar

Os algarismos arábicos sobrescritos indicam **palavras homógrafas** (palavras com grafias idênticas, mas significados diferentes).

era[1] [ˈera] *imp de* **ser**
era[2] [ˈera] *f (época)* era

Empregam-se os símbolos da IPA (International Phonetic Assotiation) para a transcrição da **pronúncia do inglês americano e britânico** e do **português do Brasil**.
As indicações das **formas irregulares do plural** e de **formas irregulares de verbos e adjetivos** estão entre os símbolos "menor que" e "maior que" logo após a entrada.

bate-papo [ˈbatʃi̥-ˈpapu] *m inf* chat
basil [ˈbeɪzəl, *Brit:* ˈbæzəl] *n* manjericão *m*
abranger [abrɜ̃ŋˈʒer] *vt* <g→j>
aceitar [asejˈtar] *vt* <*pp* aceito *ou* aceitado>
gel <géis *ou* geles> [ˈʒɛw, ˈʒɛjs, ˈʒɛʎis] *m* gel …

A forma feminina dos substantivos e adjetivos é indicada sempre que difira da forma masculina. Indica-se o gênero dos substantivos em português.

ator, atriz [aˈtor, aˈtris] <-es> *m, f* actor *m*, actress *f*

Os algarismos romanos indicam **categorias gramaticais** distintas. Os algarismos arábicos indicam **acepções** diferentes.

guiar [gi'ar] **I.** *vt (uma pessoa)* to guide; *(um automóvel)* to drive **II.** *vr:* **~-se por a. c.** to go [*o* be guided] by sth
tame [teɪm] **I.** *adj* manso, -a **II.** *vt* domar
track [teɪm] *n* **1.** *(rails)* trilho *m* **2.** *(path)* caminho *m* **3.** SPORTS pista *f*

O **til** substitui a entrada anterior nos exemplos ilustrativos, nas locuções e nos provérbios.

coroa [ko'roa] *f* crown; ***cara ou ~?*** heads or tails?

Várias **indicações** são dadas para orientar o usuário na tradução correta
• Indicações do **campo semântico**

farol <-óis> [fa'rɔw, -'ɔjs] *m* lighthouse; AUTO headlight
U-turn ['ju:tɜ:rn] *n* 1. AUTO meia-volta *f* 2. POL mudança *f* radical

• **Definições** ou **sinônimos, complementos** ou **sujeitos** típicos da entrada

acender [asẽj'der] <*pp* aceso *ou* acendido> *vt (fogo, cigarro)* to light; *(luz)* to turn on
bear[2] <bore, borne> **I.** *vt (tolerate)* tolerar; *(weight)* suportar **II.** *vi* ***to ~ left*** virar à esquerda

• Indicações de **uso regional** tanto na entrada como na tradução

auto-estrada ['autwis'trada] *f (estrada)* highway *Am*, motorway *Brit*
motorway *n Brit* auto-estrada *f*

• Indicações de **estilo**

enrolar [ĩjxo'lar] *vt* **1.** to roll up **2.** *inf (pessoa)* to take for a ride

Quando não é possível traduzir uma entrada ou um exemplo devido a diferenças culturais, é dada uma **explicação** ou uma **equivalência aproximada** (≈). No caso de uma tradução ambígua, acrescenta-se uma explicação entre parênteses.

acerola [ase'rɔla] *f* acerola cherry *(cherrylike tropical fruit rich in vitamin C)*
Big Apple *n* ***the ~*** *nome como é conhecida a cidade de Nova York*

A

A, a [eɪ] *n* **1.** (*letter*) a *m* **2.** MUS lá *m*
a [ə, *stressed:* eɪ] *indef art before consonant,* **an** [ən, *stressed:* æn] *before vowel* **1.** (*in general*) um, uma **2.** (*in rates*) por; **$6 ~ week** $6 por semana
abandon [ə'bændən] *vt* abandonar
abbreviation [əˌbri:vi'eɪʃn] *n* abreviação *f*
abdomen ['æbdəmən] *n* abdome *m*
abdominal [æb'dɑ:mənl] *adj* abdominal
abduct [æb'dʌkt] *vt* seqüestrar
abduction [æb'dʌkʃn] *n* seqüestro *m*
abide [ə'baɪd] <-d *o* abode, -d *o* abode> *vt* suportar
ability [ə'bɪləţi] <-ies> *n* capacidade *f*; (*talent*) aptidão *f*
able ['eɪbl] *adj* capaz
abnormal [æb'nɔ:rml] *adj* anormal
abnormality [ˌæbnɔ:r'mæləţɪ] <-ies> *n* anomalia *f*
aboard [ə'bɔ:rd] **I.** *adv* a bordo **II.** *prep* a bordo de
abolish [ə'bɑ:lɪʃ] *vt* abolir
abolition [ˌæbə'lɪʃn] *n no pl* abolição *f*
abort [ə'bɔ:rt] *vt, vi* cancelar
abortion [ə'bɔ:rʃn] *n* aborto *m*
about [ə'baʊt] **I.** *prep* (*on subject of*) sobre; **how ~ that!** quem diria! **II.** *adv* **1.** (*approximately*) cerca de **2.** (*almost*) quase; **to be ~ to do sth** estar para fazer a. c.
above [ə'bʌv] **I.** *prep* **1.** (*on top of*) em cima de **2.** (*greater than*) acima de **II.** *adv* acima
abroad [ə'brɑ:d] *adv* **to go ~** viajar para o exterior
abrupt [ə'brʌpt] *adj* **1.** repentino, -a **2.** (*person*) brusco, -a
abscess ['æbses] *n* abscesso *m*
absence ['æbsəns] *n no pl* ausência *f*
absent ['æbsənt] *adj* ausente
absent-minded *adj* distraído, -a
absolute ['æbsəlu:t] *adj* absoluto, -a
absolutely *adv* completamente; **~!** *inf* com certeza!
absolve [əb'zɑ:lv] *vt* absolver
absorb [əb'sɔ:rb] *vt* absorver
absorbent [əb'sɔ:rbənt] *adj* absorvente
absorbing *adj* envolvente
absorption [əb'sɔ:rpʃn] *n no pl* absorção *f*
abstain [əb'steɪn] *vi* **to ~** (**from doing sth**) abster-se (de fazer a. c.)
abstinence ['æbstɪnəns] *n no pl* abstinência *f*
abstract ['æbstrækt] *adj* abstrato, -a
absurd [əb'sɜ:rd] *adj* absurdo, -a
absurdity [əb'sɜ:rdəţɪ] <-ies> *n no pl* absurdo *m*
abundance [ə'bʌndəns] *n no pl* abundância *f*
abundant [ə'bʌndənt] *adj* abundante
abuse[1] [ə'bju:s] *n* **1.** *no pl* insulto *m* **2.** *no pl* (*mistreatment*) abuso *m*
abuse[2] [ə'bju:z] *vt* **1.** insultar **2.** (*sexually*) abusar
abusive [ə'bju:sɪv] *adj* ofensivo, -a
abyss [ə'bɪs] *n a. fig* abismo *m*
academic [ˌækə'demɪk] *adj* acadêmico, -a

academy [ə'kædəmi] <-ies> *n* academia *f*

accelerate [ək'seləreɪt] *vt, vi* acelerar

acceleration [əkˌselə'reɪʃn] *n no pl* aceleração *f*

accelerator [ək'seləreɪţər] *n* acelerador *m*

accent ['æksent] *n* sotaque *m*

accept [ək'sept] *vt, vi* aceitar

acceptable *adj* admissível

acceptance [ək'septəns] *n no pl* aceitação *f*

access ['ækses] **I.** *n no pl* entrada *f; a.* INFOR acesso *m* **II.** *vt a.* INFOR acessar

accessible [ək'sesəbl] *adj* acessível

accessory [ək'sesəri] <-ies> *n* acessórios *mpl*

accident ['æksɪdənt] *n* acidente *m;* **by ~** sem querer

accidental [ˌæksɪ'denţl] *adj* acidental

acclaim [ə'kleɪm] *vt no pl* aclamar

accommodate [ə'kɑːmədeɪt] *vt* hospedar

accommodation [əˌkɑːmə'deɪʃn] *n Aus, Brit,* **accommodations** *npl Am* acomodações *fpl*

accompaniment [ə'kʌmpənɪmənt] *n* acompanhamento *m*

accompany [ə'kʌmpənɪ] <-ie-> *vt* acompanhar

accomplice [ə'kɑːmplɪs] *n* cúmplice *mf*

accomplish [ə'kɑːmplɪʃ] *vt* realizar, concluir

accomplished [-'kʌm-] *adj* consumado, -a

accomplishment *n* realização *f*

accord [ə'kɔːrd] *n* acordo *m*

accordance [ə'kɔːrdəns] *n* **in ~ with** de acordo com

accordingly *adv* portanto

according to *prep* segundo

accordion [ə'kɔːrdɪən] *n* acordeão *m*

account [ə'kaʊnt] *n* **1.** FIN conta *f* **2.** (*description*) relato *m;* **on no ~** de modo nenhum

accountability [əˌkaʊnţə'bɪləţɪ] *n no pl* responsabilidade *f*

accountable [ə'kaʊnţəbl] *adj* responsável

accountancy [ə'kaʊntənsi] *n no pl, esp Brit* contabilidade *f*

accountant [ə'kaʊntənt] *n* contador(a) *m(f)*

accumulate [ə'kjuːmjʊleɪt] **I.** *vt* acumular **II.** *vi* acumular-se

accumulation [əˌkjuːmjʊ'leɪʃn] *n* acúmulo *m*

accuracy ['ækjərəsi] *n no pl* exatidão *f*

accurate ['ækjərət] *adj* preciso, -a

accusation [ˌækjuː'zeɪʃn] *n* acusação *f*

accuse [ə'kjuːz] *vt* acusar

accustom [ə'kʌstəm] *vt* habituar

accustomed [ə'kʌstəmd] *adj* **to be ~ to** (**doing**) **sth** estar habituado a (fazer) a. c.

ace [eɪs] *n* ás *m*

ache [eɪk] **I.** *n* dor *f* **II.** *vi* doer

achieve [ə'tʃiːv] *vt* conseguir; (*objective*) alcançar

achievement *n* realização *f*

acid ['æsɪd] *n* ácido *m*

acidic [ə'sɪdɪk] *adj* ácido, -a

acknowledge [ək'nɑːlɪdʒ] *vt* reconhecer; **to ~ receipt** acusar o recebimento

acknowledg(e)ment *n no pl* reconhecimento *m*

acne ['æknɪ] *n no pl* acne *f*

acorn ['eɪkɔːrn] *n* BOT bolota *f*

acoustic [ə'kuːstɪk] *adj* acústico, -a

acoustics [ə'kuːstɪk] *npl* acústica *f*

acquaint [ə'kweɪnt] *vt* **to be ~ed with sb** conhecer alguém

acquaintance [ə'kweɪntəns] *n* conhecido, -a *m, f*

acquire [ə'kwaɪər] *vt* adquirir

acquisition [ˌækwɪ'zɪʃn] *n* aquisição *f*

acquit [ə'kwɪt] <-tt-> *vt* absolver

acquittal [ə'kwɪṭl] *n no pl* absolvição *f*

acrobat ['ækrəbæt] *n* acrobata *mf*

across [ə'krɑːs] **I.** *prep* no outro lado de **II.** *adv* de um lado a outro; **to run ~** atravessar correndo

act [ækt] **I.** *n* **1.** *a.* THEAT ato *m* **2.** LAW lei *f* **II.** *vi* **1.** agir **2.** THEAT atuar **3.** (*pretend*) fingir ◈ **act up** *vi inf* aprontar

acting ['æktɪŋ] **I.** *adj* interino, -a **II.** *n no pl* THEAT atuação *f*

action ['ækʃn] *n* **1.** *no pl* ação *f*; **to take ~** agir **2.** LAW ação *f* judicial

action movie *n* filme *m* de ação

activate ['æktɪveɪt] *vt* ativar

active ['æktɪv] *adj* ativo, -a; (*volcano*) em atividade

activist ['æktɪvɪst] *n* ativista *mf*

activity [æk'tɪvəṭi] <-ies> *n* atividade *f*

actor ['æktər] *n* ator *m*

actress ['æktrɪs] *n* atriz *f*

actual ['æktʃʊəl] *adj* real

actually ['æktʃʊli] *adv* de fato; **~, I saw her yesterday** aliás, eu a vi ontem

acupuncture ['ækjʊpʌŋktʃər] *n no pl* acupuntura *f*

acute [ə'kjuːt] *adj* agudo, -a

ad [æd] *n inf abbr of* **advertisement** anúncio *m* publicitário

A.D. [ˌeɪ'diː] *abbr of* **anno Domini** d. C.

adamant ['ædəmənt] *adj* inflexível

adapt [ə'dæpt] **I.** *vt* adaptar **II.** *vi* adaptar-se

adaptable *adj* adaptável

adaptation [ˌædæp'teɪʃn] *n no pl* adaptação *f*

adaptor [ə'dæptər] *n* adaptador *m*

add [æd] *vt* acrescentar; MAT somar

adder ['ædər] *n* víbora *f*

addict ['ædɪkt] *n* viciado, -a *m, f*

addicted [ə'dɪktɪd] *adj* viciado, -a

addiction [ə'dɪkʃn] *n no pl* vício *m*

addition [ə'dɪʃn] *n* **1.** *no pl* soma *f*; **in ~** além disso **2.** (*thing*) acréscimo *m*

additional [ə'dɪʃənl] *adj* adicional

additionally *adv* em acréscimo

additive ['ædəṭɪv] *n* aditivo *m*

address **I.** ['ædres, *Brit:* ə'dres] *n* **1.** *a.* INFOR endereço *m* **2.** (*speech*) discurso *m* **II.** [ə'dres] *vt* (*person*) dirigir-se a; (*envelope*) endereçar

addressee [ˌædre'siː] *n* destinatário, -a *m, f*

adept [ə'dept, *Brit:* 'ædept] *adj* competente

adequate ['ædɪkwət] *adj* adequado, -a

adhere [əd'hɪr] *vi* **to ~ to** cumprir

adhesive [əd'hiːsɪv] *n no pl* adesivo

m
adjacent [ə'dʒeɪsnt] *adj* adjacente
adjective ['ædʒɪktɪv] *n* adjetivo *m*
adjourn [ə'dʒɜ:rn] *vt* adiar
adjust [ə'dʒʌst] I. *vt* ajustar II. *vi* **to ~ to sth** ajustar-se a a. c.
adjustment *n* ajuste *m*
admin ['ædmɪn] *n inf no pl abbr of* **administration** administração *f*
administer [əd'mɪnɪstər] *vt* administrar
administration [əd,mɪnɪ'streɪʃn] *n* 1. *no pl* administração *f* 2. POL governo *m*
administrative [əd'mɪnɪstrətɪv] *adj* administrativo, -a
administrator [əd'mɪnɪstreɪtər] *n* administrador(a) *m(f)*
admirable ['ædmərəbl] *adj* admirável
admiral ['ædmərəl] *n* almirante *m*
admiration [,ædmə'reɪʃn] *n no pl* admiração *f*
admire [əd'maɪər] *vt* admirar
admirer [əd'mɪərər] *n* admirador(a) *m(f)*
admission [əd'mɪʃn] *n* 1. *no pl* (*to building*) entrada *f*; (*to organization*) admissão *f* 2. (*fee*) ingresso *m*
admit [əd'mɪt] <-tt-> *vt, vi* admitir
adolescence [,ædə'lesns] *n no pl* adolescência *f*
adolescent [,ædə'lesnt] *n* adolescente *mf*
adopt [ə'dɑ:pt] *vt* adotar
adoption [ə'dɑ:pʃn] *n* adoção *f*
adore [ə'dɔ:r] *vt* adorar
adorn [ə'dɔ:rn] *vt form* ornamentar
adrenaline [ə'drenəlɪn] *n, Brit also* **adrenalin** *n no pl* adrenalina *f*
adult [ə'dʌlt, *Brit:* 'ædʌlt] I. *n* adulto, -a *m, f* II. *adj* (*movie*) para adultos
adultery [ə'dʌltəri] <-ies> *n no pl* adultério *m*
advance [əd'væ:ns] I. *vi* progredir II. *vt* 1. avançar 2. (*money*) adiantar III. *n* 1. (*movement*) avanço *m*; **in ~** antecipadamente 2. FIN adiantamento *m*
advanced [əd'væ:nst] *adj* avançado, -a, adiantado, -a
advantage [əd'væ:nt̬ɪdʒ] *n* vantagem *f*
advantageous [,ædvæn'teɪdʒəs] *adj* vantajoso, -a
advent ['ædvənt] *n no pl* advento *m*
adventure [əd'ventʃər] *n* aventura *f*
adventurous [əd'ventʃərəs] *adj* ousado, -a
adverb ['ædvɜ:rb] *n* advérbio *m*
adversary ['ædvəsəri] <-ies> *n* adversário, -a *m, f*
adverse ['ædvɜ:rs] *adj* desfavorável
adversity [əd'vɜ:rsət̬ɪ] <-ies> *n* adversidade *f*
advert ['ædvɜ:rt] *n esp Brit s.* **advertisement**
advertise ['ædvərtaɪz] I. *vt* anunciar II. *vi* fazer propaganda
advertisement [,ædvər'taɪzmənt, *Brit:* əd'vɜ:tɪsmənt] *n* anúncio *m*, propaganda *f*
advertiser ['ædvərtaɪzər] *n* anunciante *mf*
advertising ['ædvərtaɪzɪŋ] *n no pl* publicidade *f*
advertising agency <-ies> *n* agên-

cia *f* de publicidade

advice [əd'vaɪs] *n no pl* conselho *m*

advisable [əd'vaɪzəbl] *adj* aconselhável

advise [əd'vaɪz] *vt* aconselhar; **to ~ against** desaconselhar

adviser [əd'vaɪzər] *n*, **advisor** *n* assessor(a) *m(f)*, orientador(a) *m(f)*

advisory [əd'vaɪzərɪ] *adj* consultivo, -a

advocate ['ædvəkət] *n* defensor(a) *m(f)*

aerial ['erɪəl] **I.** *adj* aéreo, -a **II.** *n Brit* antena *f*

aerobics [er'oʊbɪks] *n + sing/pl vb* ginástica *f* aeróbica

aeronautics [ˌerə'nɑːt̬ɪks] *n + sing vb* aeronáutica *f*

aeroplane ['eərəpleɪn] *n Aus, Brit s.* **airplane**

aerosol ['erəsɑːl] *n* aerossol *m*

aesthetic [es'θet̬ɪk] *adj* estético, -a

aesthetics [es'θet̬ɪks] *n + sing vb* estética *f*

affair [ə'fer] *n* **1.** assunto *m;* **current ~s** atualidades **2.** (*sexual*) caso *m* (amoroso)

affect [ə'fekt] *vt* afetar

affected [ə'fektɪd] *adj* afetado, -a

affection [ə'fekʃn] *n* afeição *f*

affectionate [ə'fekʃənət] *adj* carinhoso, -a

affidavit [ˌæfɪ'deɪvɪt] *n* declaração *f* juramentada

affiliate [ə'fɪlɪeɪt] *vt* filiar a

affiliation [əˌfɪli'eɪʃn] *n* filiação *f*

affirm [ə'fɜːrm] *vt* afirmar

affirmation [ˌæfər'meɪʃn] *n* declaração *f*

affirmative [ə'fɜːrmət̬ɪv] *adj* afirmativo, -a

affix [ə'fɪks] *vt* afixar

afflict [ə'flɪkt] *vt* afligir

affliction [ə'flɪkʃn] *n* aflição *f*

affluence ['æfluəns] *n no pl* riqueza *f*

affluent ['æfluənt] *adj* rico, -a

afford [ə'fɔːrd] *vt* **to be able to ~ sth** ter condições de pagar a. c.

affordable [ə'fɔːrdəbl] *adj* acessível

affront [ə'frʌnt] **I.** *n* afronta *f* **II.** *vt* ofender

Afghan ['æfgæn] *n, adj* afegão, -ã *m, f*

Afghanistan [æf'gænəstæn] *n* Afeganistão *m*

afraid [ə'freɪd] *adj* **to be ~** ter medo

Africa ['æfrɪkə] *n* África *f*

African ['æfrɪkən] *adj, n* africano, -a

Afro-American [ˌæfroʊə'merɪkən] *adj* afro-americano, -a

after ['æftər] **I.** *prep* **1.** depois **2.** (*behind*) atrás **3.** (*following*) em seguida **II.** *adv* depois **III.** *conj* depois que

after-effects *npl* conseqüências *fpl*

afternoon [ˌæftər'nuːn] *n* tarde *f;* **in the ~** à tarde; **good ~!** boa tarde!

after-shave *n* loção *f* pós-barba

afterward ['æftərwərd] *adv Am,* **afterwards** ['ɑːftəwədz] *adv Brit* depois

again [ə'gen] *adv* novamente; **never ~** nunca mais; **once ~** mais uma vez

against [ə'genst] *prep* contra

age [eɪdʒ] **I.** *n* **1.** idade *f;* **to be of ~** ser maior de idade **2.** (*era*) época *f* **II.** *vi, vt* envelhecer

aged [eɪdʒd] *adj* idoso, -a

age group *n* faixa *f* etária
agency ['eɪdʒənsɪ] <-ies> *n* agência *f*
agenda [ə'dʒendə] *n* pauta *m,* agenda *f*
agent ['eɪdʒənt] *n* **1.** agente *mf* **2.** (*of artist*) empresário, -a *m, f*
aggravate ['ægrəveɪt] *vt* agravar; (*annoy*) irritar
aggravating *adj* irritante
aggravation [ˌægrə'veɪʃn] *n no pl, inf* aborrecimento *m*
aggregate ['ægrɪgɪt] *n* conjunto *m*
aggression [ə'greʃn] *n no pl* agressão *f*
aggressive [ə'gresɪv] *adj* agressivo, -a
aggressor [ə'gresər] *n* agressor(a) *m(f)*
agile ['ædʒl, *Brit:* -aɪl] *adj* ágil
agility [ə'dʒɪləṭi] *n no pl* agilidade *f*
agitate ['ædʒɪteɪt] *vt* agitar
agitated *adj* agitado, -a; **to become ~d** ficar nervoso
agitation [ˌædʒɪ'teɪʃn] *n no pl* agitação *f*
ago [ə'goʊ] *adv* **a year ~** um ano atrás; **long ~** há muito tempo
agonize ['ægənaɪz] *vi* atormentar-se
agonizing ['ægənaɪzɪŋ] *adj* (*pain*) atroz; (*delay*) angustiante
agony ['ægənɪ] <-ies> *n* agonia *f*
agree [ə'gri:] **I.** *vi* concordar **II.** *vt* convir
agreeable *adj* agradável
agreement *n* acordo *m*
agricultural [ˌægrɪ'kʌltʃərəl] *adj* agrícola
agriculture ['ægrɪkʌltʃər] *n no pl* agricultura *f*
agritourism [ˌægri'tʊrɪzəm-] *n Am,* **agrotourism** [-rəʊ'tʊər-] *n Brit no pl* agroturismo *m*
ahead [ə'hed] *adv* adiante
aid [eɪd] *n no pl* auxílio *m*
aide [eɪd] *n* ajudante *mf*
AIDS [eɪdz] *n no pl abbr of* **Acquired Immune Deficiency Syndrome** aids *f*
ailing ['eɪlɪŋ] *adj* adoentado, -a
aim [eɪm] **I.** *vi* **1. to ~ at the target** mirar o alvo **2. to ~ to do sth** tencionar fazer a. c. **II.** *vt* apontar **III.** *n* meta *f*
aimless ['eɪmləs] *adj* sem rumo
ain't [eɪnt] *sl* = **am not, are not, is not** *s.* **be**
air [er] **I.** *n no pl* ar *m;* **by ~** de avião **II.** *vt* **1.** TV, RADIO transmitir **2.** (*expose to air*) arejar **air conditioned** *adj* refrigerado, -a **air conditioner** *n* aparelho *m* de ar-condicionado **air conditioning** *n no pl* ar-condicionado *m*
aircraft ['erkræft] *n* aeronave *f* **aircraft carrier** *n* porta-aviões *m inv* **air force** *n* força *f* aérea **air gun** *n* pistola *f* de ar comprimido **airhead** ['erhed] *n* cabeça-de-vento *mf* **airline** *n* companhia *f* aérea **airmail** *n no pl* via *f* aérea **airplane** *n Am* avião *m* **air pollution** *n* poluição *f* do ar **airport** *n* aeroporto *m* **air raid** *n* ataque *m* aéreo **air sick** *adj* enjoado, -a (no avião)
airtight ['ertaɪt] *adj* hermético, -a
airtime ['ertaɪm] **I.** *n* (*of cell phone*) tempo *m* de uso **II.** *adj attr, inv ~*

minutes minutos *mpl* de uso
air traffic *n no pl* tráfego *m* aéreo
airways ['erweɪ] *n* ANAT vias *fpl* aéreas superiores
airy ['eri] *adj* espaçoso, -a
aisle [aɪl] *n* corredor *m*
ajar [ə'dʒɑːr] *adj* entreaberto, -a
alarm [ə'lɑːrm] **I.** *n* alarme *m* **II.** *vt* alarmar
alarm clock *n* despertador *m*
alarmed *adj* alarmado, -a
alarming *adj* alarmante
Albania [æl'beɪnɪə] *n* Albânia *f*
Albanian *adj, n* albanês, -esa
albatross ['ælbətrɑːs] *n* albatroz *m*
album ['ælbəm] *n* álbum *m*
alcohol ['ælkəhɑːl] *n no pl* álcool *m*
alcoholic [ˌælkə'hɑːlɪk] *adj, n* alcoólico, -a
alcoholism *n no pl* alcoolismo *m*
alert [ə'lɜːrt] **I.** *adj* alerta **II.** *n* **to be on the** ~ estar alerta **III.** *vt* alertar
algebra ['ældʒɪbrə] *n no pl* álgebra *f*
Algeria [æl'dʒɪrɪə] *n* Argélia *f*
Algerian *adj, n* argelino, -a
Algiers [æl'dʒɪrz] *n* Argel *f*
alias ['eɪliəs] **I.** *n* nome *m* falso **II.** *adv* vulgo
alibi ['ælɪbaɪ] *n* álibi *m*
alien ['eɪliən] **I.** *adj* estranho, -a **II.** *n* **1. illegal** ~ estrangeiro em situação ilegal **2.** extraterrestre *m*
alienate ['eɪliəneɪt] *vt* alienar
align [ə'laɪn] *vt* alinhar
alignment *n no pl* alinhamento *m*
alike [ə'laɪk] *adj* parecido, -a
alimony ['ælɪmoʊni] *n no pl* pensão *f* alimentícia
alive [ə'laɪv] *adj* vivo, -a; (*active*) ativo, -a
all [ɔːl] **I.** *adj* todo, -a; **on ~ fours** de gatinhas **II.** *pron* **1.** (*everybody*) todos, -as; ~ **of us are going** todos nós vamos **2.** (*everything*) tudo; **nothing at** ~ absolutamente nada **III.** *adv* todo, totalmente
all-around *adj Am* completo, -a, versátil
allegation [ˌælɪ'geɪʃn] *n* alegação *f*
allege [ə'ledʒ] *vt* alegar
alleged [ə'ledʒd] *adj* suposto, -a
allegedly [ə'ledʒɪdli] *adv* supostamente
allegiance [ə'liːdʒəns] *n no pl* lealdade *f*
allegory ['ælɪgɔːri] <-ies> *n* alegoria *f*
allergic [ə'lɜːrdʒɪk] *adj* alérgico, -a
allergy ['ælərdʒi] <-ies> *n* alergia *f*
alleviate [ə'liːvɪeɪt] *vt* aliviar
alley ['æli] *n* beco *m*
alliance [ə'laɪəns] *n* aliança *f*
allied ['ælaɪd] *adj* aliado, -a
alligator ['ælɪgeɪt̬ər] *n* jacaré *m*
allocate ['æləkeɪt] *vt* alocar
allocation [ˌælə'keɪʃn] *n no pl* **1.** alocação *f* **2.** (*share*) distribuição *f*
all-out *adj* total; **an ~ effort** um esforço supremo
allow [ə'laʊ] *vt* permitir; **smoking is not ~ed** é proibido fumar ◈ **allow for** *vt* levar em conta
allowance [ə'laʊəns] *n* (*for child*) mesada *f*; (*for employee*) ajuda *f* de custo
alloy ['ælɔɪ] *n* liga *f*
all-purpose *adj* multiuso

all-purpose flour *n* farinha *f* comum (sem fermento)

all right *adv* tudo bem; **that's** ~ (*after thanks*) de nada; (*after excuse*) está bem

all-round *adj esp Brit s.* **all-around**

all-time *adj* de todos os tempos

allude [ə'lu:d] *vi* **to** ~ **to sth** aludir a a. c.

allure [ə'lʊr, *Brit:* -'lʊəʳ] *n no pl* fascinação *f*

allusion [ə'lu:ʒn] *n* alusão *f*

ally ['ælaɪ] **I.** <-ies> *n* aliado, -a *m, f* **II.** <-ie-> *vt* **to** ~ **oneself with sb** aliar-se a alguém

almanac ['ɔ:lmənæk] *n* almanaque *m*

almighty [ɔ:l'maɪţi] *adj* **1.** *inf* tremendo, -a **2.** todo-poderoso, -a

almond ['ɑ:mənd] *n* amêndoa *f*

almost ['ɔ:lmoʊst] *adv* quase

alone [ə'loʊn] **I.** *adj* sozinho, -a; **let** ~ **...** muito menos ... **II.** *adv* somente

along [ə'lɑ:ŋ, *Brit:* -'lɒŋ] **I.** *prep* por; **all** ~ **the river** ao longo do rio **II.** *adv* **all** ~ o tempo todo; **to bring sb** ~ trazer alguém

alongside [ə'lɑ:ŋsaɪd] **I.** *prep* ao lado de **II.** *adv* ao lado

alphabet ['ælfəbet] *n* alfabeto *m*

alphabetical [ˌælfə'beţɪkl] *adj* alfabético, -a

already [ɔ:l'redi] *adv* já

alright [ɔl'raɪt] *adv s.* **all right**

also ['ɔ:lsoʊ] *adv* também

altar ['ɔ:ltər] *n* altar *m*

alter ['ɔ:ltər] *vt* alterar

alteration [ˌɔ:ltə'reɪʃn] *n* alteração *f*

alternate I. ['ɔ:ltərneɪt] *vi, vt* alternar **II.** [ɔ:l'tɜ:rnət] *adj* alternado, -a

alternating current *n* corrente *f* alternada

alternative [ɔ:l'tɜ:rnəţɪv] **I.** *n* alternativa *f* **II.** *adj* alternativo, -a

alternatively *adv* de outro modo

although [ɔ:l'ðoʊ] *conj* embora, ainda que

altitude ['æltətu:d, *Brit:* -tɪtju:d] *n* altitude *f*

alto ['æltoʊ] *n* (*woman*) contralto *f;* (*man*) tenorino *m*

altogether [ˌɔ:ltə'geðər] *adv* **1.** (*completely*) totalmente **2.** (*in total*) em geral

aluminium [ˌæljʊ'mɪnɪəm] *n Brit,* **aluminum** [ə'lu:mɪnəm] *n no pl, Am* alumínio *m*

aluminum foil *n* papel *m* de alumínio

always ['ɔ:lweɪz] *adv* sempre

am [əm, *stressed:* æm] *vi 1st pers sing of* **be**

a.m. [ˌeɪ'em] *abbr of* **ante meridiem** da manhã

amateur ['æmətʃər] *n, adj* amador(a) *m(f)*

amaze [ə'meɪz] *vt* espantar; **to be** ~**d at sth** admirar-se com a. c.

amazement *n no pl* espanto *m*

amazing *adj* impressionante

Amazon ['æməzɑ:n] *n* **the** ~ o Amazonas

ambassador [æm'bæsədər] *n* embaixador(a) *m(f)*

amber ['æmbər] *n* âmbar *m*

ambiguity [ˌæmbə'gju:əţi] <-ies> *n* ambigüidade *f*

ambiguous [æm'bɪgjʊəs] *adj* ambíguo, -a
ambition [æm'bɪʃn] *n* ambição *f*
ambitious [æm'bɪʃəs] *adj* ambicioso, -a
ambulance ['æmbjʊləns] *n* ambulância *f*
ambush ['æmbʊʃ] **I.** *vt* emboscar **II.** *n* <-es> emboscada *f*
amen [eɪ'men, *Brit:* ɑː'-] *interj* amém
amend [ə'mend] *vt* alterar
amendment *n* emenda *f*
amenities [ə'menət̬iːz, *Brit:* -'miːnə-] *npl* comodidades *fpl*
America [ə'merɪkə] *n* América *f*
American [ə'merɪkən] *adj, n* americano, -a
amiable ['eɪmɪəbl] *adj* amável
amicable ['æmɪkəbl] *adj* amistoso, -a, amigável
ammunition [ˌæmjə'nɪʃn] *n no pl* munição *f*
amnesia [æm'niːʒə] *n no pl* amnésia *f*
amnesty ['æmnəsti] <-ies> *n* anistia *f*
among(st) [ə'mʌŋ(st)] *prep* entre
amorous ['æmərəs] *adj* amoroso, -a
amount [ə'maʊnt] **I.** *n* quantidade *f*; (*of money*) quantia *f* **II.** *vi* **to ~ to sth** chegar a a. c.
amphibian [æm'fɪbiən] *n* anfíbio *m*
ample ['æmpl] *adj* (*space*) amplo, -a; (*evidence, resources*) bastante
amplifier ['æmplɪfaɪər] *n* amplificador *m*
amplify ['æmplɪfaɪ] <-ie-> *vt* amplificar
amputate ['æmpjʊteɪt] *vt* amputar
amuse [ə'mjuːz] *vt* divertir
amusement [ə'mjuːzmənt] *n no pl* diversão *f*
amusement arcade *n Brit* fliperama *m* **amusement park** *n esp Am* parque *m* de diversões
amusing *adj* divertido, -a, engraçado, -a
an [ən, *stressed:* æn] *indef art before vowel s.* **a**
anaemia [ə'niːmiə] *n Brit s.* **anemia**
anaesthetic [ˌænɪs'θetɪk] *n Brit s.* **anesthetic**
analogous [ə'næləgəs] *adj* análogo, -a
analogy [ə'nælədʒɪ] <-ies> *n* analogia *f*
analyse ['ænəlaɪz] *vt Aus, Brit s.* **analyze**
analysis [ə'næləsɪs] <-ses> *n* análise *f*
analyst ['ænəlɪst] *n* **1.** COM, FIN analista *mf* **2.** PSYCH psicoanalista *mf*
analytical [ˌænə'lɪt̬ɪkl] *adj* analítico, -a
analyze ['ænəlaɪz] *vt* analisar
anarchist ['ænərkɪst] *n* anarquista *mf*
anarchy ['ænərki] *n no pl* anarquia *f*
anatomy [ə'næt̬əmi] <-ies> *n no pl* anatomia *f*
ancestor ['ænsestər] *n* antepassado, -a *m, f*
ancestral [æn'sestrəl] *adj* ancestral
ancestry ['ænsestri] <-ies> *n* ascendência *f*
anchor ['æŋkər] **I.** *n* âncora *f* **II.** *vt* ancorar
anchovy ['æntʃoʊvi] <-ies> *n* anchova *f*
ancient ['eɪnʃənt] *adj* antigo, -a, remo-

to, -a

and [ən, ənd, *stressed:* ænd] *conj* e; **more** ~ **more** cada vez mais

Andean ['ændiən] *adj* andino, -a

Andes ['ændi:z] *npl* Andes *mpl*

anecdote ['ænɪkdoʊt] *n* anedota *f*

anemia [ə'ni:miə] *n Am* anemia *f*

anesthetic [ˌænɪs'θeţɪk] *n Am* anestésico *m*

angel ['eɪndʒl] *n* anjo *m*

anger ['æŋgər] I. *n no pl* raiva *f* II. *vt* enfurecer

angle ['æŋgl] *n* ângulo *m*

Anglo-Saxon [ˌæŋgloʊ'sæksən] *adj, n* anglo-saxão, -ã

Angola [æŋ'goʊlə] *n* Angola *f*

Angolan *adj, n* angolano, -a

angry ['æŋgri] *adj* zangado, -a

anguish ['æŋgwɪʃ] *n no pl* angústia *f*

angular ['æŋgjʊlər] *adj* angular

animal ['ænɪml] *n* animal *m*

animate ['ænɪmeɪt] *vt* animar

animated *adj* animado, -a

animation [ˌænɪ'meɪʃn] *n no pl* animação *f*

animosity [ˌænɪ'mɑ:səţɪ] *n no pl* animosidade *f*

ankle ['æŋkl] *n* tornozelo *m*

annex ['æneks] I. *vt* anexar II. *n esp Am* anexo *m*

annexe ['æneks] *n Brit s.* **annex**

anniversary [ˌænɪ'vɜ:rsəri] <-ies> *n* **wedding** ~ aniversário *m* de casamento; **Happy** ~**!** Feliz aniversário!

announce [ə'naʊns] *vt* anunciar; (*results*) comunicar

announcement *n* comunicado *m*

announcer [ə'naʊnsər] *n* locutor(a) *m(f)*

annoy [ə'nɔɪ] *vt* aborrecer, incomodar

annoyance [ə'nɔɪəns] *n* aborrecimento *m,* irritação *f*

annoying *adj* chato, -a, irritante

annual ['ænjʊəl] I. *adj* anual II. *n* anuário *m*

annually *adv* anualmente

annul [ə'nʌl] <-ll-> *vt* anular

annulment [ə'nʌlmənt] *n* anulação *f*

anomaly [ə'nɑ:məli] <-ies> *n* anomalia *f*

anonymity [ˌænə'nɪməţi] *n no pl* anonimato *m*

anonymous [ə'nɑ:nəməs] *adj* anônimo, -a

anorexic [ˌænər'eksɪk] *adj* anoréxico, -a

another [ə'nʌðər] I. *pron* 1. outro, -a 2. **one** ~ um ao outro; **they love one** ~ eles se amam II. *adj* outro, -a; ~ **$30** mais $30

answer ['æ:nsər] I. *n* 1. resposta *f* 2. (*solution*) solução *f* II. *vt* (*phone*) atender a III. *vi* responder
◈**answer back** *vi* retrucar
◈**answer for** *vt* responder por
◈**answer to** *vt* dar satisfações a (alguém)

answering machine *n* secretária *f* eletrônica

ant [ænt] *n* formiga *f*

antagonism [æn'tægənɪzəm] *n* antagonismo *m*

antagonistic [ænˌtægə'nɪstɪk] *adj* antagônico, -a

antagonize [æn'tægənaɪz] *vt* antagonizar

Antarctic [æn'tɑ:rktɪk] I. *adj* antártico, -a II. *n* **the** ~ a Antártida

Antarctica [ænt'ɑ:rktɪkə] *n* Antártida *f*

Antarctic Ocean *n* Oceano *m* Antártico

anteater ['ænt̬i:t̬ər] *n* tamanduá *m*

antelope ['ænt̬ɪloʊp] <-(s)> *n* antílope *m*

antenatal [ˌæntɪ'neɪtl] *adj Brit* pré-natal

antenna [æn'tenə] <-nae *o* -s> *n Am* antena *f*

anthem ['ænθəm] *n* hino *m*

anthology [æn'θɑ:lədʒi] <-ies> *n* antologia *f*

anthropological [ˌænθrəpə'lɑ:dʒɪkl] *adj* antropológico, -a

anthropologist [ˌænθrə'pɑ:lədʒɪst] *n* antropólogo, -a *m, f*

anthropology [ˌænθrə'pɑ:lədʒi] *n no pl* antropologia *f*

anti- ['ænt̬i] *in compounds* anti-

anti-abortion *adj* anti-aborto

anti-aircraft *adj* anti-aéreo, -a

antibiotic [ˌænt̬ɪbaɪ'ɑ:t̬ɪk] *n* antibiótico *m*

antibody ['ænt̬ɪbɑ:di] <-ies> *n* anticorpo *m*

anticipate [æn'tɪsəpeɪt] *vt* 1. (*expect*) prever 2. (*look forward to*) esperar 3. (*act in advance of*) antecipar-se a

anticipation [ænˌtɪsə'peɪʃn] *n no pl* previsão *f*, expectativa *f*

anti-clockwise [æntɪ'klɒkwaɪz] *adv Brit* no sentido anti-horário

antidepressant [ˌæntɪdi'presnt] *n* antidepressivo *m*

antidote ['ænt̬ɪdoʊt] *n* antídoto *m*

antifreeze *n no pl* anticongelante *m*

antihistamine [ˌæntɪ'hɪstəmɪn] *n* antialérgico *m*

Antilles [æn'tɪli:z] *npl* **the** ~ as Antilhas

antiperspirant [ˌænt̬ɪ'pɜ:rspərənt] *n* antiperspirante *m*

antiquated ['æntəkweɪt̬ɪd] *adj* antiquado, -a

antique [æn'ti:k] *n* antiguidade *f*

antiquity [æn'tɪkwət̬i] *n no pl* antiguidade *f*

anti-Semitic [ˌæntɪsə'mɪt̬ɪk] *adj* anti-semita

anti-Semitism [æntɪ'semətɪsm] *n no pl* anti-semitismo *m*

antiseptic [ˌænt̬ə'septɪk] *n* antisséptico *m*

antisocial [ˌæntɪ'soʊʃl] *adj* anti-social

antler ['æntlər] *n* chifre *m*

anus ['eɪnəs] <-es> *n* ânus *m*

anxiety [æŋ'zaɪət̬i] <-ies> *n* ansiedade *f*

anxious ['æŋkʃəs] *adj* 1. (*concerned*) apreensivo, -a 2. (*eager*) ansioso, -a

any ['enɪ] I. *adj* 1. (*some*) algum(a) 2. (*not important which*) qualquer 3. (*negative sense*) nenhum(a) 4. (*soon*) ~ **day now** a qualquer dia 5. **thank you – ~ time** obrigado – disponha II. *adv* **not ~ more** não mais III. *pron* 1. (*some*) algum(a) 2. (*negative sense*) nenhum(a)

anybody ['enɪbɑ:di] *pron indef* 1. (*someone*) alguém 2. (*not important which*) qualquer um 3. (*after* *negative*) ninguém

anyhow ['enɪhaʊ] *adv* **1.** (*well*) enfim **2.** (*randomly*) de qualquer maneira

anyone ['enɪwʌn] *pron indef s.* **anybody**

anyplace ['enɪpleɪs] *adv Am s.* **anywhere**

anything ['enɪθɪŋ] *pron indef* **1.** (*something*) algo **2.** (*each thing*) qualquer coisa

anyway ['enɪweɪ] *adv*, **anyways** *adv Am, inf* de qualquer maneira

anywhere ['enɪwer] *adv* **1.** (*in questions, positive sense*) em algum lugar, em qualquer lugar **2.** (*negative sense*) em lugar nenhum

apart [ə'pɑ:rt] *adv* à distância; **to take sth** ~ desmontar a. c.

apart from *prep* ~ **that** exceto isso

apartment [ə'pɑ:rtmənt] *n Am* apartamento *m*

apartment building *n Am* edifício *m* residencial

ape [eɪp] *n* macaco (antropóide) *m*

aperitif [əˌperə'ti:f] *n* aperitivo *m*

apologetic [əˌpɑ:lə'dʒet̬ɪk] *adj* **to be** ~ **about sth** desculpar-se por a. c.

apologize [ə'pɑ:lədʒaɪz] *vi* desculpar-se

apology [ə'pɑ:lədʒɪ] <-ies> *n* desculpa *f*

apostle [ə'pɑ:sl] *n* apóstolo *m*

apostrophe [ə'pɑ:strəfi] *n* apóstrofo *m*

appal [ə'pɔ:l] <-ll-> *vt esp Brit*, **appall** *vt Am* horrorizar

appalling *adj* estarrecedor(a)

apparatus [ˌæpə'ræt̬əs, *Brit:* -'reɪtəs] *n* **1.** (*equipment*) aparelho *m* **2.** (*organization*) aparato *m*

apparel [ə'perəl] *n no pl* vestuário *m*

apparent [ə'perənt] *adj* **1.** (*clear*) claro **2.** (*seeming*) aparente

appeal [ə'pi:l] **I.** *vi* **1.** atrair **2.** LAW recorrer **II.** *n* **1.** (*attraction*) atrativo *m* **2.** LAW recurso *m*

appealing [ə'pi:lɪŋ] *adj* atraente

appear [ə'pɪr] *vi* **1.** (*be seen*) aparecer **2.** (*seem*) parecer

appearance [ə'pɪrəns] *n* **1.** (*arrival*) surgimento *m* **2.** *no pl* (*looks*) aspecto *m* **3.** (*impression*) aparência *f*

appendicitis [əˌpendɪ'saɪt̬ɪs] *n no pl* apendicite *f*

appendix [ə'pendɪks] *n* <-es> apêndice *m*

appetite ['æpətaɪt] *n* apetite *m*

appetizer ['æpətaɪzər] *n* tira-gosto *m*

appetizing *adj* apetitoso, -a

applaud [ə'plɑ:d] *vi, vt* aplaudir

applause [ə'plɑ:z] *n no pl* aplauso *m*

apple ['æpl] *n* maçã *f* **apple tree** *n* macieira *f*

appliance [ə'plaɪəns] *n* aparelho *m*; **electrical** ~ eletrodoméstico *m*

applicable ['æplɪkəbl] *adj* aplicável

applicant ['æplɪkənt] *n* candidato, -a *m, f*

application [æplɪ'keɪʃn] *n* **1.** (*request*) requerimento *m* **2.** (*use*) aplicação *f* **3.** INFOR aplicativo *m*

apply [ə'plaɪ] **I.** *vi* **1.** (*request*) solicitar **2. to** ~ **to sb/sth** (*be relevant*) aplicar-se a alguém/a. c. **II.** *vt* aplicar

appoint [ə'pɔɪnt] *vt* nomear

appointment *n* **1.** (*to a job*) nomeação *f* **2.** (*meeting*) compromisso *m*, hora *f* marcada

appraisal [ə'preɪzl] *n* avaliação *f*, estimativa *f*

appraise [ə'preɪz] *vt* avaliar, estimar

appreciate [ə'pri:ʃieɪt] **I.** *vt* **1.** (*hard work*) dar valor, apreciar **2.** (*point of view*) compreender **3.** (*sb's help*) agradecer **II.** *vi* FIN valorizar-se

appreciation [əˌpri:ʃi'eɪʃn] *n no pl* **1.** (*gratitude*) gratidão *f* **2.** (*understanding*) compreensão *f*

appreciative [ə'pri:ʃiətɪv] *adj* grato, -a

apprehend [ˌæprɪ'hend] *vt* compreender; (*arrest*) capturar

apprehensive [ˌæprɪ'hensɪv] *adj* apreensivo, -a

apprentice [ə'prenţɪs] *n* aprendiz *mf*

apprenticeship *n* aprendizagem *f*

approach [ə'proʊtʃ] **I.** *vt* **1.** (*come closer*) aproximar-se de **2.** (*a problem*) tratar de; (*a person*) abordar **II.** *vi* aproximar-se **III.** *n* (*methodology*) enfoque *m*

approachable [ə'proʊtʃəbl] *adj* acessível

appropriate [ə'proʊpriət] *adj* apropriado, -a

appropriation [əˌproʊpri'eɪʃn] *n* apropriação *f*

approval [ə'pru:vl] *n no pl* aprovação *f*

approve [ə'pru:v] *vi* **to ~ of sth** aprovar a. c.

approximate [ə'prɑ:ksɪmət] *adj* estimado, -a

approximately *adv* aproximadamente

approximation [əˌprɑ:ksɪ'meɪʃn] *n* aproximação *f*

apricot ['eɪprɪkɑ:t] *n* damasco *m*

April ['eɪprəl] *n* abril *m*

April Fools' Day *n no pl* Dia *m* da Mentira (*1º de abril*)

apron ['eɪprən] *n* avental *m*

apt [æpt] *adj* apto, -a

aquarium [ə'kweriəm] <-s *o* -ria> *n* aquário *m*

Aquarius [ə'kweriəs] *n* Aquário *m*

arbitrary ['ɑ:rbətreri] *adj* arbitrário, -a

arbitrate ['ɑ:rbətreɪt] *vi, vt* arbitrar

arbitrator ['ɑ:rbətreɪţər] *n* mediador(a) *m(f)*

> **Cultura** No **Arbor Day** são plantadas árvores nos Estados Unidos. Em alguns estados é feriado. A data exata varia, já que a época propícia para plantar árvores não é a mesma em todas as regiões.

arc [ɑ:rk] *n* arco *m*

arcade [ɑ:r'keɪd] *n* (*of shops*) galeria *f*; (*entertainment*) fliperama *m*

arch [ɑ:rtʃ] *n* arco *m*

archaeology [ˌɑ:ki'ɒlədʒi] *n no pl, Brit s.* **archeology**

archbishop [ˌɑ:rtʃ'bɪʃəp] *n* arcebispo *m*

archeology [ˌɑ:rki'ɑ:lədʒi] *n no pl, Am* arqueologia *f*

architect ['ɑ:rkətekt] *n* arquiteto, -a *m, f*

architecture ['ɑ:rkətektʃər] *n no pl* arquitetura *f*

archive ['ɑ:rkaɪv] *n* arquivo *m*
Arctic ['ɑ:rktɪk] **I.** *n* **the** ~ o Pólo Ártico **II.** *adj* ártico, -a **Arctic Circle** *n* Círculo *m* Polar Ártico **Arctic Ocean** *n* Oceano *m* Ártico
are [ər, *stressed:* ɑ:r] *vi s.* **be**
area ['erɪə] *n* área *f*
arena [ə'ri:nə] *n a. fig* arena *f*
Argentina [ˌɑ:rdʒən'ti:nə] *n* Argentina *f*
Argentine ['ɑ:rdʒəntaɪn], **Argentinian** [ˌɑ:rdʒən'tɪniən] *adj, n* argentino, -a
arguably *adv* possivelmente
argue ['ɑ:rgju:] *vi* **1.** (*disagree*) discutir **2.** (*reason*) argumentar
argument ['ɑ:rgjəmənt] *n* **1.** (*disagreement*) discussão *f* **2.** (*reason*) argumento *m*
arid ['ærɪd] *adj* árido, -a
Aries ['eri:z] *n* Áries *m*
arise [ə'raɪz] <arose, -n> *vi* surgir
aristocracy [ˌerə'stɑ:krəsi] <-ies> *n + sing/pl vb* aristocracia *f*
arithmetic [ə'rɪθmətɪk] *n no pl* aritmética *f*
ark [ɑ:rk] *n no pl* arca *f*
arm[1] [ɑ:rm] *n* braço *m*
arm[2] [ɑ:rm] MIL **I.** *vt* armar **II.** *n* arma *f*
armchair *n* poltrona *f*
armed [ɑ:rmd] *adj* armado, -a
armed forces *npl* **the** ~ as Forças Armadas
Armenia [ɑ:r'mi:niə] *n* Armênia *f*
Armenian *adj, n* armênio, -a
armor ['ɑ:rmər] *n Am,* **armour** ['ɑ:məʳ] *n no pl, Brit* armadura *f*
armpit *n* axila *f*
arms *n pl* (**fire**) ~ armas *fpl* de fogo
arms control *n* controle *m* de armamento **arms race** *n* **the** ~ a corrida armamentista
army ['ɑ:rmi] <-ies> *n* exército *m*
aroma [ə'roʊmə] *n* aroma *m*
around [ə'raʊnd] **I.** *prep* **1.** (*surrounding*) ao redor de **2.** (*approximately*) em torno de **II.** *adv* **all** ~ por todos os lados; **to walk** ~ dar uma volta; **is Paul** ~**?** o Paul está por aí?
arouse [ə'raʊz] *vt* despertar
arrange [ə'reɪndʒ] *vt* arrumar
arrangement *n* **1.** *pl* (*preparations*) preparativo *mpl* **2.** (*agreement*) acordo *m*
arrest [ə'rest] **I.** *vt* deter **II.** *n* detenção *f*
arrival [ə'raɪvl] *n* chegada *f;* **new** ~ recém-chegado, -a *m, f*
arrive [ə'raɪv] *vi* chegar
arrogance ['erəgəns] *n no pl* arrogância *f*
arrogant ['erəgənt] *adj* arrogante
arrow ['eroʊ] *n* seta *f*
arse [ɑ:s] *n Aus, Brit, vulg* bunda *f,* traseiro *m*
arsenal ['ɑ:rsənl] *n* arsenal *m*
arson ['ɑ:rsn] *n* incêndio *m* criminoso
art [ɑ:rt] *n* arte *f;* ~**s and crafts** artesanato
artefact ['ɑ:tɪfækt] *n Brit s.* **artifact**
artery ['ɑ:rt̬əri] <-ies> *n* artéria *f*
arthritis [ɑ:r'θraɪt̬əs] *n no pl* artrite *f*
artichoke ['ɑ:rt̬ətʃoʊk] *n* alcachofra *f*
article ['ɑ:rt̬ɪkl] *n* **1.** (*item*) artigo *m;*

~ **of clothing** peça *f* de roupa **2.** JOURN reportagem *f*

articulate [ɑːrˈtɪkjələt] *adj* articulado, -a; *(speech)* eloqüente

artifact [ˈɑːrt̬əfækt] *n Am* artefato *m*

artificial [ˌɑːrt̬əˈfɪʃl] *adj* artificial **artificial sweetener** *n* adoçante *m* artificial

artisan [ˈɑːrt̬əzn] *n* artesão, -ã *m, f*

artist [ˈɑːrt̬əst] *n* artista *mf*

artistic [ɑːrˈtɪstɪk] *adj* artístico, -a

artwork [ˈɑːrtwɜːrk] *n no pl* arte *f* gráfica

as [əz, *stressed:* æz] **I.** *prep* como **II.** *conj* **1.** *(in comparison)* **the same name ~ ...** o mesmo nome que ... **2.** *(like; because)* como **3.** *(while)* enquanto; ~ **of** a partir de **4.** *(concerning)* ~ **for me, I'm not coming** quanto a mim, não vou **III.** *adv* ~ **far** ~ até onde; ~ **long as** contanto que *+subj;* ~ **much as** tanto quanto; ~ **soon as** assim que, logo que; ~ **well** também

ash [æʃ] *n no pl* cinza *f*

ashamed [əˈʃeɪmd] *adj* envergonhado, -a

ashtray *n* cinzeiro *m*

Asia [ˈeɪʒə, *Brit:* -ʃə] *n no pl* Ásia *f*

Asian *adj, n* asiático, -a

aside [əˈsaɪd] **I.** *n* aparte *m* **II.** *adv* **to stand ~** afastar-se

aside from *prep* à exceção de

ask [æsk] **I.** *vt* **1.** perguntar; **to ~ sb sth** perguntar a. c. a alguém **2.** *(request)* pedir **II.** *vi* perguntar; **to ~ for sth** pedir a. c.

asleep [əˈsliːp] *adj pred* adormecido, -a

asparagus [əˈsperəgəs] *n* aspargo *m*

aspect [ˈæspekt] *n* aspecto *m*

asphalt [ˈæsfaːlt] *n* asfalto *m*

aspire [əˈspaɪər] *vi* **to ~ to sth** aspirar a a. c.

aspirin® [ˈæsprɪn] *n no pl* aspirina *f*

aspiring [əˈspaɪərɪŋ] *adj* aspirante

ass [æs] <-es> *n* **1.** *Am, vulg* bunda *f* **2.** ZOOL asno *m* **3.** *inf (person)* burro, -a *m, f*

assailant *n* agressor(a) *m(f)*

assassin [əˈsæsən] *n* assassino, -a *m, f*

assassinate [əˈsæsɪneɪt] *vt* assassinar

assassination [əˌsæsɪˈneɪʃn] *n no pl* assassinato *m*

assault [əˈsɔːlt] **I.** *n* assalto *m,* ataque *m* **II.** *vt* assaltar, atacar

assemble [əˈsembl] **I.** *vi* reunir-se **II.** *vt (put together)* montar

assembly [əˈsemblɪ] <-ies> *n (gathering)* reunião *f*

assert [əˈsɜːrt] *vt* afirmar

assertion [əˈsɜːrʃn] *n* afirmação *f*

assess [əˈses] *vt* avaliar

assessment *n* avaliação *f*

asset [ˈæset] *n* **1.** vantagem *f,* posse *m* **2.** **~s** *pl* FIN bens *mpl*

assign [əˈsaɪn] *vt* designar; **to ~ sb to a position** designar alguém para um cargo

assignment *n* tarefa *f*

assist [əˈsɪst] *vt, vi* ajudar, auxiliar

assistance [əˈsɪstəns] *n no pl* auxílio *m*

assistant [əˈsɪstənt] *n* auxiliar *mf,* ajudante *mf*

associate[1] [əˈsoʊʃiɪt] *n* sócio, -a *m, f*

associate² [ə'soʊʃieɪt] I. *vt* associar II. *vi* associar-se

association [əˌsoʊsi'eɪʃn] *n* associação *f*

assorted [ə'sɔːrt̬ɪd] *adj* sortido, -a

assortment [ə'sɔːrtmənt] *n* sortimento *m*

assume [ə'suːm] *vt* 1. (*suppose*) pressupor 2. (*power*) assumir

assumed [ə'suːmd] *adj* suposto, -a

assumption [ə'sʌmpʃn] *n* suposição *f*

assurance [ə'ʃʊrns] *n* 1. garantia *f* 2. *Brit* seguro *m*

assure [ə'ʃʊr] *vt* garantir

asterisk ['æstərɪsk] *n* asterisco *m*

asthma ['æzmə] *n no pl* asma *f*

astonish [ə'stɑːnɪʃ] *vt* assombrar; **to be ~ed** estar perplexo

astonishing *adj* assombroso, -a

astonishment *n no pl* assombro *m*

astound [ə'staʊnd] *vt* estarrecer

astounding *adj* estarrecedor(a)

astrologer [ə'strɑːlədʒər] *n* astrólogo, -a *m, f*

astrology [ə'strɑːlədʒi] *n no pl* astrologia *f*

astronaut ['æstrənɑːt] *n* astronauta *mf*

astronomer [ə'strɑːnəmər] *n* astrônomo, -a *m, f*

astronomical [ˌæstrə'nɑːmɪkl] *adj a. fig* astronômico, -a

astronomy [ə'strɑːnəmi] *n no pl* astronomia *f*

asylum [ə'saɪləm] *n* (*political*) asilo *m;* (**mental**) ~ manicômio *m*

at¹ [ət] *prep* 1. (*place*) em; ~ **home** em casa 2. (*time*) ~ **night** à noite; ~ **once** imediatamente; **all ~ once** de repente 3. (*towards*) **to laugh ~ sb** rir de alguém; **to look ~ sth** olhar para a. c.; **to be mad ~ sb** ficar zangado com alguém 4. (*speed*) ~ **120 km/h** a 120 km/h 5. (*in state of*) ~ **20** aos 20 (anos); ~ **first** no início; ~ **least** pelo menos; **to be ~ war** estar em guerra 6. (*in ability to*) **to be good ~ English** ser bom em inglês 7. **not ~ all!** de modo algum!

at² [ɑːt, æt] INFOR arroba *f*

ate [eɪt, *Brit:* et] *pt of* **eat**

atheism ['eɪθiɪzəm] *n no pl* ateísmo *m*

atheist ['eɪθiɪst] *n* ateu, -éia *m, f*

athlete ['æθliːt] *n* atleta *mf*

athletic [æθ'let̬ɪk] *adj* atlético, -a

athletics *npl* atletismo *m*

Atlantic [ət'lænt̬ɪk] I. *n no pl* **the ~ (Ocean)** o (Oceano) Atlântico II. *adj* atlântico, -a

atlas ['ætləs] <-es> *n* atlas *m inv*

ATM [ˌeɪtiː'em] *n abbr of* **automated teller machine** caixa *m* eletrônico

atmosphere ['ætməsfɪr] *n* atmosfera *f*

atom ['æt̬əm] *n* átomo *m*

atomic [ə'tɑːmɪk] *adj* atômico, -a

atomic bomb *n* bomba *f* atômica

atrocious [ə'troʊʃəs] *adj* atroz

atrocity [ə'trɑːsəti] <-ies> *n* atrocidade *f*

attach [ə'tætʃ] *vt a.* INFOR anexar

attachment [ə'tætʃmənt] *n* 1. (*device*) acessório *m* 2. INFOR anexo *m*

attack [ə'tæk] I. *n* ataque *m* II. *vt* atacar

attempt [ə'tempt] **I.** *n* tentativa *f* **II.** *vt* tentar

attend [ə'tend] *vt* (*class*) assistir a; (*conference*) comparecer a

attendance [ə'tendəns] *n no pl* (*sb's presence*) presença *f,* comparecimento *m*

attendant [ə'tendənt] *n* encarregado, -a *m, f*

attention [ə'tenʃn] *n no pl* atenção *f*

attentive [ə'tenţɪv] *adj* atento, -a

attest [ə'test] *vt, vi* atestar

attic ['æţɪk] *n* sótão *m*

attitude ['æţətu:d, *Brit:* 'ætɪtju:d] *n* atitude *f*

attorney [ə'tɜ:rni] *n Am* advogado, -a *m, f*

attract [ə'trækt] *vt* atrair

attraction [ə'trækʃn] *n* **1.** (*for tourists*) atração *f* **2.** *no pl* (*appeal*) encanto *m*

attractive [ə'træktɪv] *adj* atraente

attribute[1] [ə'trɪbju:t] *vt* atribuir

attribute[2] ['ætrɪbju:t] *n* atributo *m*

aubergine ['əʊbəʒi:n] *n Brit* berinjela *f*

auburn ['ɑ:bərn] *adj* castanho avermelhado, castanho avermelhada

auction ['ɑ:kʃn] *n* leilão *m*

audacious [ɑ:'deɪʃəs] *adj* audacioso, -a

audacity [ɑ:'dæsəţi] *n no pl* audácia *f*

audible ['ɑ:dəbl] *adj* audível

audience ['ɑ:diəns] *n* **1.** (*spectators*) público *m* **2.** (*interview*) audiência *f*

audition [ɑ:'dɪʃn] *n* audição *f*

auditorium [ˌɑ:də'tɔ:riəm] <-s *o* -ria> *n* auditório *m*

aughties ['ɑ:ţiz] *npl* **the** ~ os anos 00

August ['ɑ:gəst] *n* agosto *m*

aunt [ænt, *Brit:* ɑ:nt] *n* tia *f*

au pair [oʊ'per] *n* au pair *f* (*moça geralmente estrangeira que ajuda nos serviços domésticos e nos cuidados das crianças em troca de casa e comida*)

aura ['ɔ:rə] *n* aura *f*

austere [ɑ:'stɪr] *adj* austero, -a

austerity [ɑ:'sterəţi] <-ies> *n* austeridade *f*

Australia [ɑ:'streɪlʒə] *n* Austrália *f*

Cultura O **Australia Day**, 26 de janeiro, é o dia da fundação da primeira colônia britânica em Sydney Cove em 1788. Para os **Aborígines**, é o dia da invasão do seu país. Neste dia há diversos eventos multiculturais.

Australian *adj, n* australiano, -a

Austria ['ɑ:striə] *n* Áustria *f*

Austrian *adj, n* austríaco, -a

authentic [ɑ:'θenţɪk] *adj* autêntico, -a

authenticity [ˌɑ:θən'tɪsəţi] *n no pl* autenticidade *f*

author ['ɑ:θər] *n* autor, -a *m, f*

authoritarian [əˌθɔ:rə'teriən] *adj* autoritário, -a

authoritative [ə'θɔ:rəteɪţɪv] *adj* (*book, account*) fidedigno, -a; (*person, manner*) autoritário, -a

authority [ə:'θɔ:rəţi] <-ies> *n no pl* (*power*) autoridade *f*

authorization [ˌɑ:θərɪ'zeɪʃn] *n no pl* autorização *f*

authorize ['ɑ:θəraɪz] *vt* autorizar

autistic [ɔ:'tɪstɪk] *adj* autista

auto ['ɑ:ţoʊ] *n Am* carro *m*

autobiographical [ˌɑːt̬əbaɪə'græfɪkl] *adj* autobiográfico, -a
autobiography [ˌɑːt̬əbaɪ'ɑːgrəfi] *n* autobiografia *f*
autograph ['ɑːt̬əgræf] *n* autógrafo *m*
automatic [ˌɑːt̬ə'mæt̬ɪk] *adj* automático, -a
automation [ˌɑːt̬ə'meɪʃn] *n no pl* automação *f*
automobile ['ɑːt̬əmoʊbiːl] *n esp Am* automóvel *m*
automotive [ˌɑːt̬ə'moʊt̬ɪv] *adj inv* automotivo, -a
autonomous [ɑː'tɑːnəməs] *adj* autônomo, -a
autonomy [ɑː'tɑːnəmi] *n no pl* autonomia *f*
autopsy ['ɑːtɑːpsi] <-ies> *n* autópsia *f*
autumn ['ɑːt̬əm] *n esp Brit* outono *m*
auxiliary [ɑːg'zɪljri] <-ies> *adj* auxiliar
available [ə'veɪləbl] *adj* disponível
avalanche ['ævəlæntʃ, *Brit:* -ɑːnʃ] *n a. fig* avalanche *f*
Ave. [æv] *n abbr of* **avenue** Av. *f*
avenue ['ævənuː, *Brit:* -njuː] *n* avenida *f*
average ['ævərɪdʒ] **I.** *n* média *f* **II.** *adj a.* MAT médio, -a
aversion [ə'vɜːrʒn, *Brit:* -'vɜːʃn] *n* aversão *f*
aviation [ˌeɪvi'eɪʃn] *n no pl* aviação *f*
avocado [ˌævə'kɑːdoʊ] <-s *o* -es> *n* abacate *m*
avoid [ə'vɔɪd] *vt* evitar
avoidance *n no pl* evasão *f*
await [ə'weɪt] *vt* aguardar
awake [ə'weɪk] <awoke, awoken *o Am also:* -d, awoken> **I.** *vi* acordar **II.** *adj* acordado, -a
award [ə'wɔːrd] *n* prêmio *m;* LAW indenização *f*
aware [ə'wer] *adj* **to be ~ of sth** estar ciente de a. c.
awareness *n no pl* consciência *f*
away [ə'weɪ] *adv* **1.** (*distant*) **10 km ~** a 10 km (de distância) **2.** (*absent*) fora **3. right ~!** agora mesmo!
awe [ɑː] *n no pl* admiração *f*
awesome ['ɑːsəm] *adj* aterrador(a), impressionante
awful ['ɑːfl] *adj* terrível
awfully *adv* terrivelmente; **I'm ~ sorry** sinto muitíssimo
awkward ['ɑːkwərd] *adj* **1.** (*situation*) constrangedor(a), delicado, -a **2.** (*person*) estabanado, -a
awoke [ə'woʊk] *pt of* **awake**
awoken [ə'woʊkən] *pp of* **awake**
ax *n Am,* **axe** [æks] *n* machado *m*
axis ['æksɪs] *n* eixo *m*
axle ['æksl] *n* eixo *m*
Azerbaijan [ˌɑːzərbaɪ'dʒɑːn] *n* Azerbaijão *m*
Azerbaijani *adj, n* azerbaijano, -a
Aztec ['æztek] *adj, n* asteca

B

B, b [biː] *n* b *m*
B & B [ˌbiːənd'biː] *n s.* **bed and breakfast** pensão *f* de família
BA [ˌbiː'eɪ] *n abbr of* **Bachelor of Arts**

bacharel *m* (em Filosofia e Ciências Humanas)

babble ['bæbl] *vi* balbuciar

baboon [bæb'u:n] *n* babuíno *m*

baby ['beɪbi] <-ies> *n* bebê *m*

baby food *n no pl* comida *f* de bebê

babysit ['beɪbɪˌsɪt] <-tt-, irr> *vi* **to ~ for sb** tomar conta das crianças de alguém

babysitter *n* baby-sitter *mf* **baby tooth** *n* dente *m* de leite

bachelor ['bætʃələr] *n* solteiro *m*

> **Cultura** O **Bachelor's degree** é o título dado aos estudantes ao concluírem cursos universitários e tem um nome diferente de acordo com a área: **BA** (**Bachelor of Arts**) em Filosofia e Ciências Humanas, **BSc** (**Bachelor of Science**) em Ciências Biológicas, **BEd** (**Bachelor of Education**) em Pedagogia, **LLB** (**Bachelor of Laws**) em Direito e **BMus** (**Bachelor of Music**) em Música.

back [bæk] **I.** *n* costas *fpl;* (*of house*) fundos *mpl;* (*of car*) traseira *f;* **to do sth behind sb's ~** *a. fig* fazer a. c. pelas costas de alguém; **to turn one's ~ on sb** virar as costas a alguém; **to lie down on your ~** deitar-se de costas **II.** *adj* detrás; (*entrance*) dos fundos **III.** *adv* **to be ~** estar de volta; **to come ~** voltar; **on the way ~** na volta; **~ and forth** para trás e para frente; **to look ~** olhar para trás; **to sit ~** recostar-se na cadeira; **stand ~, please** afaste-se, por favor; **~ in the sixties** nos anos sessenta; **a few months ~** alguns meses atrás **IV.** *vt* apoiar ◈ **back down** *vi* desistir ◈ **back off** *vi* afastar-se ◈ **back out** *vi, vt* voltar atrás ◈ **back up** *vt* dar apoio; **to ~ data** INFOR fazer o backup de dados

backbone *n* coluna *f* vertebral

backfire *vi* (*car*) sair gases pelo escapamento

background *n* fundo *m;* **to have a ~ in finance** ter experiência em finanças

backhand *n no pl* (*in tennis*) revés *m*

backing *n no pl* apoio *m*

backlash *n* reação *f* forte **backlog** *n* trabalho *m* acumulado **backpack** *n* mochila *f* **backside** *n inf* traseiro *m* **backstage** *adv* nos bastidores

backup *n* apoio *m;* INFOR cópia *f* de segurança

backward ['bækwərd] **I.** *adj* (*area*) atrasado, -a **II.** *adv s.* **backwards**

backwards *adv* **to go/walk ~** ir/andar para trás; **she fell over ~** ela caiu de costas; **to do sth all ~** fazer a. c. às avessas

backyard *n* quintal *m*

bacon ['beɪkən] *n* toucinho *m* defumado

bacteria [bæk'tɪriə] *npl* bactérias *fpl*

bad [bæd] <worse, worst> *adj* mau, má, ruim; **to feel ~** sentir-se mal; **to look ~** estar com uma aparência ruim; **how are you? – not ~** como vai você? – tudo bem; **to use ~ language** dizer palavrões; **in ~ taste** de mau gosto; **to have a ~ temper** ter gênio ruim; ~ **times** tempos *mpl* difíceis; **to go from** ~ **to worse** ir de mal a pior; **to be** ~ **for sb** fazer mal a alguém; **I'm** ~ **at football** sou ruim em futebol; **to go** ~ estragar; **to have a** ~ **heart** ter um problema no coração; **to have** ~ **teeth** ter os dentes em mau estado

badge [bædʒ] *n* crachá *m*

badger ['bædʒər] *n* texugo *m*

badly <worse, worst> *adv* mal; **to want sth** ~ querer muito a. c.; ~ **damaged** bastante danificado

badminton ['bædmɪntən] *n no pl* badminton *m*

baffle ['bæfl] *vt* desconcertar

baffling *adj* desconcertante

bag [bæg] *n* (*for shopping, chips, peanuts, etc.*) saco *m*, sacola *f*; (*handbag*) bolsa *f*; (*suitcase*) mala *f*; **to pack one's ~s** fazer a mala

baggage ['bægɪdʒ] *n no pl* bagagem *f*

baggy ['bægi] *adj* largo, -a

baguette *n* baguete *f*

Bahamas [bə'hɑːməz] *npl* **the** ~ as Bahamas

bail [beɪl] *n* fiança *f*; **on** ~ sob fiança; **to stand** ~ **for sb** pagar a fiança de alguém

bailiff ['beɪlɪf] *n Am* oficial *mf* de justiça

bait [beɪt] *n* isca *f*

bake [beɪk] *vt, vi* assar

baker ['beɪkər] *n* padeiro, -a *m, f*

bakery ['beɪkəri] *n* padaria *f*

baking powder *n* fermento *m* em pó **baking soda** *n* bicarbonato *m* de sódio

balance ['bælənts] **I.** *n no pl* (*equilibrium*) equilíbrio, balanço *m*; FIN saldo *m* **II.** *vt* equilibrar; **to** ~ **the books** fazer o balanço

balance sheet *n* balancete *m*

balcony ['bælkəni] <-ies> *n* sacada *f*

bald [bɔːld] *adj* careca

balk [bɔːk] *vi* **to** ~ **at sth** esquivar-se de a. c.

ball [bɔːl] *n* **1.** bola *f*; **to play** ~ jogar bola; *fig* cooperar **2.** (*dance*) baile *m* **3.** (*of wool*) novelo *m*

ballad ['bæləd] *n* canção *f*

ballet [bæl'əɪ] *n* balé *m*

ballet dancer ['bæleɪ-] *n* bailarino, -a *m, f*

balloon [bə'luːn] *n* balão *m*

ballot ['bælət] *n* votação *f*; ~ **paper** cédula *f* eleitoral

ballpoint (**pen**) [ˌbɔːlpɔɪnt-] *n* caneta *f* esferográfica

ballroom *n* salão *m* de baile **ballroom dancing** *n* dança *f* de salão

Baltic ['bɔːltɪk] *n* **the** ~ (**Sea**) o Mar Báltico

bamboo [bæm'buː] *n no pl* bambu *m*

ban [bæn] **I.** *n* proibição *f* **II.** *vt* <-nn-> proibir

banana [bə'nænə] *n* banana *f*

band [bænd] *n* **1.** MUS banda *f* **2.** (*strip*) tira *f*

bandage ['bændɪdʒ] *n* atadura *f*

Band-Aid® *n* Band-Aid® *m*

bandit ['bændɪt] *n* bandido, -a *m, f*

bang [bæŋ] **I.** *n* estrondo *m* **II.** *vi* bater; **to** ~ **on sth** bater em a. c. **III.** *vt* bater (com força)

Bangladesh [bæŋglə'deʃ] *n* Bangladesh *m*

bangs [bæŋz] *npl* franja *f* (de cabelo)

banish ['bænɪʃ] *vt* banir

banister(**s**) ['bænəstər] *n* corrimão *m*

bank[1] [bæŋk] *n* FIN banco *m*

bank[2] [bæŋk] *n* (*of river*) margem *f*

bank account *n* conta *f* bancária

banker ['bæŋkər] *n* banqueiro, -a *m, f*

bank holiday *n esp Brit* feriado *m* (nacional)

banking *n no pl* operações *fpl* bancárias; **online** ~ operações bancárias on-line

bank manager *n* gerente *mf* de banco

bankrupt ['bæŋkrʌpt] *adj* falido, -a; **to go** ~ ir à falência

bankruptcy ['bæŋkrəptsi] *n* <-ies> falência *f*

bank statement *n* extrato *m* bancário

banner ['bænər] *n* faixa *f*

banquet ['bæŋkwət] *n* banquete *m*

banter ['bænţər] *n* zombaria *f*

baptism ['bæptɪzəm] *n* batismo *m*

Baptist ['bæptɪst] *n* REL batista *mf*

baptize ['bæptaɪz, *Brit:* bæp'-] *vt* batizar

bar [bɑ:r] **I.** *n* **1.** (*of gold, chocolate*) barra *f;* (*of soap*) sabonete **2.** (*place to drink*) bar *m* **II.** *vt* <-rr-> barrar **III.** *prep* exceto; ~ **none** sem exceção

Barbados [bɑ:r'bəɪdoʊs] *n* Barbados *m*

barbaric [bɑ:r'berɪk] *adj,* **barbarous** ['bɑ:rbərəs] *adj* bárbaro, -a

barbecue ['bɑ:rbɪkju:] *n* (*grill*) churrasqueira *f;* (*event, meat*) churrasco *m*

barbed wire [bɑ:rbd-] *n* arame *m* farpado

barber ['bɑ:rbər] *n* barbeiro *m*

bare [ber] *adj* **1.** (*naked*) nu(a); (*uncovered*) descoberto, -a **2.** (*cupboard*) vazio, -a

barely *adv* mal

bargain ['bɑ:rgɪn] **I.** *n* (*agreement*) acordo *m;* (*item bought*) pechincha *f* **II.** *vi* pechinchar

barge [bɑ:rdʒ] *n* barcaça *f* ◈ **barge in** *vi* intrometer-se

bark[1] [bɑ:rk] **I.** *n* latido *m* **II.** *vi* latir

bark[2] *n no pl* (*of tree*) casca *f*

barkeeper *n esp Brit s.* **bartender**

barley ['bɑ:rli] *n no pl* cevada *f*

barman ['bɑ:rmən] *n* <-men> barman *m*

barn [bɑ:rn] *n* celeiro *m*

barometer [bə'rɑ:məţər] *n* barômetro *m*

baron ['berən] *n* barão *m*

baroness ['berənəs] *n* baronesa *f*

baroque [bə'roʊk] *adj* barroco, -a

barracks ['berəks] *n + sing/pl vb* quartel *m*

barrel ['berəl] *n* barril *m*

barren ['berən] *adj* (*land*) árido, -a

barricade [ˌberə'keɪd] *n* barricada *f*

barrier ['berɪər] *n* barreira *f*

barrier reef *n* recife *m*

barrister ['berɪstər] *n esp Aus, Brit* advogado, -a *m, f*

bartender ['bɑ:rtendər] *n esp Am: pessoa que serve e/ou prepara bebidas nos bares*

base [beɪs] **I.** *n* base *f* **II.** *vt* basear;

B

to be ~d on ser baseado em
baseball *n* beisebol *m*
basement *n* porão *m*
bash [bæʃ] *vt* bater com
bashful *adj* tímido, -a
basic ['beɪsɪk] I. *adj* básico, -a II. *n* **the ~s** o básico; **to get back to the basics** voltar ao essencial
basically *adv* basicamente
basil ['beɪzəl, *Brit:* 'bæzəl] *n* manjericão *m*
basin ['beɪsn] *n* bacia *f*
basis ['beɪsɪs] *n* <bases> base *f;* **on a weekly ~** semanalmente
bask [bæsk] *vi* **to ~ in the sun** tomar sol
basket ['bæskət] *n* cesto *m;* SPORTS cesta *f*
basketball ['bæskətbɔːl] *n* basquete *m*
bass[1] [beɪs] *n* MUS baixo *m*
bass[2] [bæs] *n* (*fish*) badejo *m*
bastard ['bæstərd] *n pej, inf* canalha *mf*
bat[1] [bæt] *n* ZOOL morcego *m*
bat[2] *n* (*baseball*) taco
batch [bætʃ] *n* <-es> fornada *f;* COM, INFOR lote *m*
bath [bæθ] *n* banho *m;* **to take a ~** tomar banho
bathe [beɪð] *vt* (*wound, eyes*) lavar
bathing cap *n* touca *f* de banho **bathing suit** *n esp Am* maiô *m*
bathroom *n* banheiro *m* **bathtub** *n* banheira *f*
baton [bə'tɑːn, *Brit:* 'bætən] *n* MUS batuta *f;* (*of policeman*) cassetete *m*
battalion [bə'tæljən] *n* batalhão *m*
batter ['bæt̬ər] *n* GASTR massa *f*
battery ['bæt̬əri] <-ies> *n* pilha *f;* (*for car*) bateria *f*
battle ['bæt̬l] *n* MIL batalha *f;* (*struggle*) luta *f*
battle cry *n* grito *m* de guerra **battlefield** *n* campo *m* de batalha **battleship** *n* encouraçado *m*
bawl [bɑːl] *vi* chorar; (*yell*) berrar
bay[1] [beɪ] *n* baía *f*
bay[2] *n* BOT louro *m*
bazaar [bə'zɑːr] *n* bazar *m;* (*for charity*) quermesse *f*
BBC ['biːbiː'siː] *n abbr of* **British Broadcasting Corporation** BBC *f*
B.C. [ˌbiː'siː] *adv abbr of* **before Christ** a.C.
BCC [ˌbiːsiː'siː] *n abbr of* **blind carbon copy** (*in emails*) Cco *f*
be [biː] <was, been> I. *vi* 1. + *adj/n* (*permanent state*) ser; **she's Brazilian** ela é brasileira 2. + *adj* (*mental, physical state*) estar; **to be hot/cold** estar quente/frio; **to ~ hungry** estar com fome; **~ quiet!** fica quieto!; **how are you?** como vai você?; **I'm 21** tenho 21 anos; **to ~ 2 meters long** medir 2 metros de comprimento; **there is/are ...** há ...; **to ~ in Rome** estar em Roma; **I've never ~en there** nunca estive lá II. *impers* **it's sunny** está ensolarado; **it's two o'clock** são duas horas III. *aux* 1. (*expressing continuation*) estar; **don't sing while I'm reading** não cante enquanto estou lendo; **she's leaving tomorrow** ela vai embora amanhã 2. (*expressing*

passive) ser; **to ~ discovered by sb** ser descoberto por alguém; **he was left speechless** ele ficou sem palavras **3.** (*expressing future*) **we are to visit Peru in the winter** vamos viajar para o Peru no inverno; (*expressing obligation*) ; **you are to come here right now** você tem de vir aqui imediatamente; (*in question tags*) ; **she is tall, isn't she?** ela é alta, não é?

beach [bi:tʃ] *n* praia *f*

bead [bi:d] *n* conta *f*

beak [bi:k] *n* bico *m*

beam [bi:m] **I.** *n* ARCHIT viga *f;* (*of light*) raio *m* **II.** *vi* sorrir; **to ~ at sb** sorrir para alguém

bean [bi:n] *n* vagem *f;* **broad ~** fava *f,* feijão *m;* **black ~s** feijão-preto

bear[1] [ber] *n* ZOOL urso, -a *m, f*

bear[2] <bore, borne> **I.** *vt* (*tolerate*) tolerar; (*weight*) suportar **II.** *vi* **to ~ left** virar à esquerda

beard [bɪrd] *n* barba *f*

bearer ['berər] *n* portador *m*

beast [bi:st] *n* besta *f*

beat [bi:t] **I.** *n* **1.** (*of heart*) batimento *m* **2.** (*of drum*) batida *f* **3.** (*rhythm*) ritmo *m* **II.** <beat, beaten> *vt* derrotar; (*eggs*) bater ◈ **beat up** *vt* dar uma surra em

beaten *pp of* **beat**

beating *n* surra *f;* (*of heart*) batimento *m;* **to take a ~** levar uma surra

beautiful ['bju:ţəfl] *adj* bonito, -a; (*weather*) ótimo, -a

beauty ['bju:ţi] <-ies> *n no pl* beleza *f*

beaver ['bi:vər] *n* castor *m*

became [bɪ'keɪm] *pt of* **become**

because [bɪ'kɑ:z] **I.** *conj* porque **II.** *prep* **~ of** por causa de

become [bɪ'kʌm] <became, become> *vi* tornar-se; **to ~ angry** ficar com raiva

bed [bed] *n* cama *f;* **to go to ~** ir dormir; **to make the ~** arrumar a cama; (*of flowers*) canteiro *m;* (*of river*) leito *m;* **sea ~** fundo do mar

BEd [bi:'ed] *abbr of* **Bachelor of Education** bacharel *m* em Pedagogia

bed and breakfast *n* pensão *f* de família

bedding *n no pl* roupa *f* de cama

bedroom *n* quarto *m* **bedside table** *n* mesa *f* de cabeceira **bedtime** *n no pl* hora *f* de dormir

bee [bi:] *n* abelha *f*

beech [bi:tʃ] *n* faia *f*

beef [bi:f] *n no pl* carne *f* de vaca

beefburger *n Brit* hambúrguer *m*

beehive *n* colméia *f*

been [bɪn] *pp of* **be**

beep [bi:p] AUTO **I.** *n* bipe *m* **II.** *vi* bipar

beer [bɪr] *n* cerveja *f*

beet [bi:t] *n Am* beterraba *f*

beetle ['bi:ţl] *n* besouro *m*

beetroot ['bi:tru:t] *n esp Brit* beterraba *f*

before [bɪ'fɔ:r] **I.** *prep* antes de; **~ our eyes** diante dos olhos; **~ everything** antes de mais nada **II.** *adv* antes; **the day ~** o dia anterior; **two days ~** dois dias antes **III.** *conj* **he had a glass ~ he went** ele bebeu um drinque antes de sair

beforehand *adv* de antemão

befriend [bɪ'frend] *vt* fazer amizade com

beg [beg] <-gg-> I. *vt* implorar II. *vi* mendigar

began [bɪ'gæn] *pt of* **begin**

beggar ['begər] *n* mendigo, -a *m, f*

begin [bɪ'gɪn] <-nn-, began, begun> *vt, vi* começar; **to ~ doing sth** começar a fazer a. c.; **to ~ with ...** em primeiro lugar ...

beginner [bɪ'gɪnər] *n* principiante *mf*

beginning *n* começo *m;* (*origin*) origem; **from ~ to end** do início ao fim

begun [bɪ'gʌn] *pp of* **begin**

behalf [bɪ'hæf] *n no pl* **on ~ of** em nome de

behave [bɪ'heɪv] *vi* comportar-se

behavior *n no pl, Am,* **behaviour** [bɪ'heɪvjər] *n no pl, Aus, Brit* comportamento *m*

behind [bɪ'haɪnd] I. *prep* atrás de; **~ the wheel** ao volante; (*late*) atrasado, -a II. *adv* atrás; **to be ~** estar com o pagamento atrasado

beige [beɪʒ] *adj* bege *inv*

being ['bi:ɪŋ] I. *n* ser *m;* **to come into ~** vir a existir II. *pres p of* **be**

Belarus [belə'ru:s] *n* Bielorússia *f*

belch [beltʃ] *vi* arrotar

Belgium ['beldʒəm] *n* Bélgica *f*

belief [bɪ'li:f] *n* crença *f,* convicção *f*

believe [bɪ'li:v] I. *vt* acreditar em, achar; **~ it or not, ...** acredite se quiser, ... II. *vi* crer

believer [bɪ'li:vər] *n* REL crente *mf*

bell [bel] *n* (*of church*) sino *m;* (*on bicycle, at door*) campainha *f*

bellow ['beloʊ] *vi* berrar

belly ['beli] <-ies> *n inf* barriga *f*

belly button *n inf* umbigo *m*

belong [bɪ'lɑ:ŋ] *vi* 1. (*property*) **to ~ to** pertencer a 2. (*be member*) **to ~ to** (*club*) ser sócio de; (*party*) ser afiliado a; **this doesn't ~ here** isso não é daqui; **they ~ together** foram feitos um para o outro

belongings *npl* pertences *mpl*

beloved [bɪ'lʌvɪd] *n no pl* amado, -a *m, f*

below [bɪ'loʊ] I. *prep* abaixo de; **~ sea level** abaixo do nível do mar; **~ freezing** abaixo de zero II. *adv* abaixo, de baixo; **see ~** ver abaixo

belt [belt] *n* FASHION cinto *m;* TECH correia *f*

beltway *n Am* rodoanel *m*

bemused [bɪ'mju:zd] *adj* perplexo, -a

bench [bentʃ] *n* banco *m,* bancada *f*

bend [bend] <bent, bent> I. *n* (*in river, road*) curva *f* II. *vi* fazer uma curva III. *vt* (*legs*) dobrar; (*wire*) entortar

beneath [bɪ'ni:θ] I. *prep* sob; **~ the table** debaixo da mesa II. *adv* abaixo

benefactor ['benɪfæktər] *n* benfeitor(a) *m(f)*

benefit ['benɪfɪt] I. *n* (*advantage*) benefício *m;* (*in pay package*) subsídio *m* II. <-t- *o* -tt-> *vi* **to ~ from** beneficiar-se de III. <-t- *o* -tt-> *vt* beneficiar

benevolent [bɪ'nevələnt] *adj* benevolente

benign [bɪ'naɪn] *adj* (*smile*) gentil;

(*tumor*) benigno, -a
Benin [ben'i:n] *n* Benim *m*
bent [bent] **I.** *pt, pp of* **bend** **II.** *adj* (*not straight*) torto, -a
bereaved *n form* **the** ~ os enlutados
beret [bə'reɪ] *n* boina *f*
Bermuda [bər'mju:də] *n* Bermudas *fpl* **Bermuda shorts** *n* bermudas *fpl* **Bermuda Triangle** *n* Triângulo *m* das Bermudas
berserk [bər'zɜ:rk] *adj* furioso, -a; **to go** ~ *inf* ficar louco de raiva
berth [bɜ:rθ] *n* (*on train*) leito *m*
beside [bɪ'saɪd] *prep* ao lado de
besides [bɪ'saɪdz] **I.** *prep* além de **II.** *adv* além disso
best [best] **I.** *adj superl of* **good** melhor; **the** ~ o(a) melhor; **the** ~ **part** a maior parte; ~ **before March 1** válido até 1º de março **II.** *adv superl of* **well** melhor; **the** ~ o melhor(a); **at** ~ quando muito; **we'd** ~ **stay here** o melhor é ficarmos aqui **III.** *n no pl* **all the** ~ *inf* saudações; **to do one's** ~ fazer o máximo; **to the** ~ **of my knowledge** que eu saiba
best man *n* padrinho *m* de casamento
bestseller ['bestselər] *n* best-seller *m*
bet [bet] <-tt-, bet *o* -ted, bet *o* -ted> **I.** *n* aposta *f* **II.** *vt* apostar; **I** ~ **you don't!** aposto que não! **III.** *vi* apostar; **to** ~ **on sth** apostar em a. c.; **I wouldn't** ~ **on it** eu não confiaria nisso
betray [bɪ'treɪ] *vt* trair
betrayal [bɪ'treɪəl] *n* traição *f*
better ['beţər] **I.** *adj comp of* **good** melhor; **to be** ~ sentir-se melhor; ~ **than nothing** melhor que nada **II.** *adv comp of* **well** melhor; **it'd be** ~ **to tell her** seria melhor dizer a ela; **or** ~ **still ...** ou melhor ainda ...; ~ **late than never** antes tarde do que nunca **III.** *n no pl* melhor; **the sooner, the** ~ quanto antes, melhor
between [bɪ'twi:n] **I.** *prep* entre; ~ **you and me,** cá entre nós, **II.** *adv* (**in**) ~ no meio
beverage ['bevərɪdʒ] *n* bebida *f*
beware [bɪ'wer] *vi* tomar cuidado; ~ **of** cuidado com
beyond [bɪ'jɑ:nd] **I.** *prep* além de; ~ **sb** além da compreensão de alguém; ~ **belief** inacreditável **II.** *adv* mais além; **the next ten years and** ~ os próximos dez anos e em diante
bias ['baɪəs] *n* preconceito *m; no pl* parcialidade *f*
biased *adj Am,* **biassed** *adj esp Brit* parcial
bib [bɪb] *n* babador *m*
Bible ['baɪbl] *n* **the** ~ a Bíblia
bicycle ['baɪsɪkl] *n* bicicleta *f*
bid [bɪd] **I.** *n* (*in auction*) lance *m;* (*attempt*) tentativa *f* **II.** <-dd-, bid, bid> *vi* fazer uma oferta; **to** ~ **for a contract** entrar em licitação para um contrato **III.** <-dd-, bid, bid> *vt* (*money*) oferecer
big [bɪg] <-gg-> *adj* grande; (*problem*) sério, -a; (*raise*) considerável; ~ **toe** dedão *m;* ~ **sister** irmã mais velha
Big Apple *n* **the** ~ *nome como é conhecida a cidade de Nova York*
bigot ['bɪgət] *n* fanático, -a *m, f*

bigoted *adj* fanático, -a

bike [baɪk] *n inf* bicicleta *f;* (*motorcycle*) moto *f*

bikini [bɪ'ki:ni] *n* biquíni *m*

bilingual [baɪ'lɪŋgwəl] *adj* bilíngüe

bill [bɪl] *n* **1.** conta *f;* **the ~, please** a conta, por favor **2.** *Am* (*money*) nota *f*

billboard *n* outdoor *m*

billiards ['bɪljərdz] *n + sing vb* bilhar *m*

billion ['bɪljən] *n* bilhão *m*

bin [bɪn] *n* recipiente *m; Aus, Brit* lata *f* de lixo

bind [baɪnd] <bound, bound> *vt* amarrar; (*book*) encadernar

binder ['baɪndər, *Brit:* -dəʳ] *n* fichário *m*

binge [bɪndʒ] *n inf* farra *f;* **drinking ~** bebedeira

bingo ['bɪŋgoʊ] *n no pl* bingo *m*

binoculars [bɪ'nɑ:kjələrz] *npl* binóculo *m*

bio-attack [ˌbaɪoʊə'tæk] *n* ataque *m* biológico **biochemistry** *n no pl* bioquímica *f* **biodegradable** *adj* biodegradável

bioengineered [ˌbaɪoʊˌendʒɪ'nɪrd] *adj inv* transgênico, -a **bioengineering** *n no pl* bioengenharia *f*

biography [baɪ'ɑ:grəfi] <-ies> *n* biografia *f*

biological [ˌbaɪə'lɑ:dʒɪkəl] *adj* biológico, -a

biology [baɪ'ɑ:lədʒi] *n no pl* biologia *f*

biopsy ['baɪɑ:psi] <-ies> *n* biópsia *f* **biotechnology** *n no pl* biotecnologia *f*

bird [bɜ:rd] *n* pássaro *m;* (*larger*) ave *f*

bird's-eye view *n no pl* vista *f* aérea

biro® ['baɪərəʊ] *n Brit* caneta *f* esferográfica

birth [bɜ:rθ] *n* nascimento *m;* MED parto *m;* **date of ~** data de nascimento; **to give ~ to a child** dar à luz uma criança

birth certificate *n* certidão *f* de nascimento **birth control** *n no pl* controle *m* de natalidade

birthday ['bɜ:rθdeɪ] *n* aniversário *m;* **happy ~!** feliz aniversário!

biscuit ['bɪskɪt] *n Am* pãozinho *m* de minuto; *Aus, Brit* biscoito *m*

bishop ['bɪʃəp] *n* bispo *m*

bit¹ [bɪt] *n* pedaço *m;* **a ~ of** um pouco de; **~ by ~** pouco a pouco

bit² *n* (*horse*) freio *m;* (*drill*) broca *f*

bit³ *pt of* **bite**

bitch [bɪtʃ] *n* ZOOL cadela *f*

bite [baɪt] **I.** <bit, bitten> *vt, vi* morder; (*insect*) picar; **to ~ one's nails** roer as unhas **II.** *n* mordida *f;* (*of insect*) picada *f*

bitten ['bɪtn] *pp of* **bite**

bitter ['bɪt̬ər] *adj* <-er, -est> (*taste*) amargo, -a

bizarre [bɪ'zɑ:r] *adj* esquisito, -a

black [blæk] **I.** *adj* preto, -a; **~ coffee** café preto; **~ humor** humor negro **II.** *n* preto, -a *m, f,* negro, -a *m, f;* **in ~ and white** em branco e preto

◆ **black out** *vi* desmaiar

blackberry ['blækberi] <-ies> *n* amora *f*

blackbird *n* melro *m*

blackboard *n* lousa *f*

blackcurrant *n* cassis *m inv*
blacken ['blækən] *vt* enegrecer; **to ~ sb's name** denegrir o nome de alguém
black eye *n* olho *m* roxo
blacklist *n* lista *f* negra
blackmail I. *n* chantagem *f* II. *vt* chantagear
black market *n* mercado *m* negro
blackout *n* (*faint*) desmaio *m;* (*power*) apagão *m* **Black Sea** *n* Mar *m* Negro
blacksmith ['blæksmɪθ] *n* ferreiro, -a *m, f*
bladder ['blædər] *n* bexiga *f*
blade [bleɪd] *n* (*of knife*) lâmina *f;* (*of propeller*) pá *f*
blame [bleɪm] I. *vt* culpar; **to ~ sb for sth** culpar alguém por a. c.; **to ~ sth on sb** pôr a culpa de a. c. em alguém; **I don't ~ you** não era para menos II. *n no pl* culpa *f*
bland [blænd] *adj* (*food*) insosso, -a
blank [blæŋk] I. *adj* (*page*) em branco; **~ tape** fita virgem; **the screen went ~** a tela apagou II. *n* (*on form*) espaço *m* em branco
blanket ['blæŋkɪt] *n* cobertor *m*
blast [blæst] *n* explosão *f;* (*of air*) rajada *f*
blatant ['bleɪtnt] *adj* flagrante
blaze [bleɪz] I. *vi* resplandecer; (*fire*) arder em chamas II. *n* fogo *m*
blazer ['bleɪzər] *n* blazer *m*
bleach [bli:tʃ] I. *vt* alvejar II. *n* alvejante *f*
bleachers [bli:tʃərz] *npl Am* arquibancada *f*
bleak [bli:k] *adj* (*future*) sombrio, -a; (*landscape*) desolado, -a
bled [bled] *pt, pp of* **bleed**
bleed [bli:d] <bled, bled> *vi* sangrar
blemish ['blemɪʃ] *n a. fig* mancha *f*
blend [blend] I. *n* mistura *f* II. *vt* misturar
blender [blendər] *n* liquidificador *m*
bless [bles] *vt* abençoar; **~ you!** saúde!
blessing *n* bênção *f*
blew [blu:] *pt of* **blow**
blind [blaɪnd] I. *adj* cego, -a II. *n* persiana *f*
blindfold I. *n* venda *f* II. *vt* vendar os olhos de
blink [blɪŋk] I. *vi* piscar II. *n* **in the ~ of an eye** num piscar de olhos
bliss [blɪs] *n no pl* êxtase *m*
blissful *adj* feliz
blister ['blɪstər] *n* bolha *f*
blizzard ['blɪzərd] *n* nevasca *f*
bloated ['bloʊt̬ɪd] *adj* inchado, -a
blob [blɑ:b] *n* bolha *f*
bloc [blɑ:k] *n* POL bloco *m*
block [blɑ:k] I. *n* (*of wood, etc.*) bloco *m; esp Am* (*of houses*) quarteirão *m;* **apartment ~** bloco *m* de apartamentos; **mental ~** bloqueio *m* mental II. *vt* bloquear ◈ **block off** *vt* bloquear
blockade [blɑ:'keɪd] *n* bloqueio *m*
blockage ['blɑ:kɪdʒ] *n* entupimento *m*
bloke [bləʊk] *n Brit, inf* cara *m,* sujeito *m*
blond(e) [blɑ:nd] *adj, n* louro, -a *m, f*
blood [blʌd] *n no pl* sangue *m;* **in**

cold ~ a sangue frio
blood bank *n* banco *m* de sangue
bloodbath *n* banho *m* de sangue
blood pressure *n no pl* pressão *f* arterial
bloodshot *adj* injetado, -a
blood test *n* exame *m* de sangue
bloodthirsty *adj* sangüinário, -a
blood type *n* grupo *m* sangüíneo
bloody ['blʌdi] <-ier, -iest> *adj* ensangüentado, -a
bloom [blu:m] *vi* florir
blossom ['blɑ:səm] *n* **in** ~ em flor
blot [blɑ:t] *n* borrão *m*
blouse [blaʊs, *Brit:* -z] *n* blusa *f*
blow¹ [bloʊ] *n* (*hit*) golpe *m*
blow² I. <blew, blown> *vi* (*air*) soprar; (*fuse*) queimar II. *vt* (*a whistle*) soar em; **to** ~ **one's nose** assoar o nariz ◈ **blow out** *vt* apagar ◈ **blow over** *vi* (*scandal*) passar ◈ **blow up** *vt* 1. (*inflate*) encher 2. (*explode*) explodir 3. PHOT ampliar
blow-dry *vt* secar com secador (de cabelo)
blow-dryer *n* secador *m* de cabelo
blown ['bloʊn] *vt, vi pp of* **blow**
blue [blu:] I. *adj* azul II. *n* azul *m;* **out of the** ~ inesperadamente
blueberry *n* mirtilo *m*
blueprint *n* plano *m*
blues [blu:z] *n no pl* blues *sem pl*
bluff [blʌf] I. *vi* blefar II. *n* blefe *m*
blunder ['blʌndər] *n* erro *m* crasso, gafe *f*
blunt [blʌnt] *adj* (*instrument*) cego, -a; (*remark*) direto, -a
blur [blɜ:r] *vt* <-rr-> turvar
blurred *adj* embaçado, -a; (*picture*) indistinto, -a
blush [blʌʃ] *vi* corar
blusher [blʌʃer] *n* blush *m*
BO [ˌbi:'oʊ] *n abbr of* **body odor** catinga *f*
board [bɔ:rd] I. *n* (*wood*) tábua *f;* (*blackboard*) lousa *f;* **above** ~ às claras; ~ **of directors** diretoria *f;* **room and** ~ casa e comida; **full** ~ *esp Brit* pensão *f* completa; **on** ~ a bordo II. *vt* embarcar
boarding school *n* internato *m*
boast [boʊst] *vi* gabar-se
boat [boʊt] *n* barco *m*
body ['bɑ:di] <-ies> *n* 1. corpo *m;* (*corpse*) cadáver *m* 2. ADMIN órgão *m*
bodyguard *n* guarda-costas *m inv*
body language *n no pl* linguagem *f* corporal **bodywork** *n no pl* carroceria *f*
bog [bɑ:g] *n* pântano *m*
bogeyman ['bʊgimæn] *n inf* bicho-papão *m*
bogus ['boʊgəs] *adj* (*document*) falsificado, -a
boil [bɔɪl] I. *vi, vt* ferver II. *n no pl* **to bring sth to the** ~ deixar a. c. ferver ◈ **boil over** *vi* transbordar
boiler ['bɔɪlər] *n* aquecedor *m*
boiling *adj* (*water*) fervente; **I am** ~ estou morrendo de calor
bold [boʊld] <-er, -est> *adj inv* ousado, -a
Bolivia [bə'lɪvɪə] *n* Bolívia *f*
bolt [boʊlt] I. *vt* (*door*) trancar II. *n* (*on door*) ferrolho *m;* (*screw*) parafu-

so *m*
bomb [bɑːm] **I.** *n* bomba *f* **II.** *vt* bombardear
bombard [bɑːmˈbɑːrd] *vt* bombardear
bomb scare *n* ameaça *f* de bomba
bona fide [ˌboʊnəˈfaɪd] *adj* de boa fé
bond [bɑːnd] *n* vínculo *m;* (*of friendship*) laço *m*
bone [boʊn] *n* osso *m;* (*of fish*) espinha *f*
boneless [ˈboʊnləs] *adj* (*meat*) desossado, -a **bone marrow** *n no pl* medula *f* óssea
bonfire [ˈbɑːnfaɪər] *n* fogueira *f*
bonnet [ˈbɑːnɪt] *n* gorro *m;* (*baby's*) touca *f; Aus, Brit* AUTO capô *m*
bonus [ˈboʊnəs] *n* (*money*) bônus *m*
bony [ˈboʊni] *adj* <-ier, -iest> ossudo, -a; (*fish*) cheio , -a de espinhas
boo [buː] *vi* vaiar
book [bʊk] **I.** *n* livro *m;* (*of tickets*) talão *m* **II.** *vt* reservar
bookcase *n* estante *f*
bookie [ˈbʊki] *n inf* corretor(a) *m(f)* de apostas
booking *n* reserva *f*
bookkeeping *n no pl* contabilidade *f*
booklet [ˈbʊklɪt] *n* folheto *m*
bookmaker *n* corretor(a) *m(f)* de apostas
bookmark *n* marcador *m*
book review *n* resenha *f* literária
bookshelf <-shelves> *n* estante *f*
bookshop *n esp Brit* livraria *f* **bookstore** *n Am* livraria *f*
boom [buːm] *n* (*sound*) estrondo *m;* ECON alta *f* repentina
boost [buːst] *vt* (*profits*) impulsionar; (*morale*) levantar
boot [buːt] *n* FASHION bota *f; Brit, Aus* AUTO porta-malas *m; inv*
booth [buːð] *n* cabine *f*
booze [buːz] *n no pl, inf* bebida *f* alcoólica
border [ˈbɔːrdər] *n* POL fronteira *f*
bore[1] [bɔːr] **I.** *n* (*thing*) chateação *f;* (*person*) chato, -a *m, f* **II.** *vt* chatear
bore[2] *pt of* **bear**
bored *adj* entediado, -a
boredom [ˈbɔːrdəm] *n no pl* tédio *m*
boring *adj* chato, -a
born [bɔːrn] *adj* **to be** ~ nascer; **a** ~ **musician** um músico nato
borne [bɔːrn] *pp of* **bear**
borough [ˈbɜːroʊ] *n* município *m*
borrow [ˈbɑːroʊ] *vt* tomar emprestado; **may I** ~ **your pen?** pode me emprestar sua caneta?
Bosnia [ˈbɑːzniə] *n* Bósnia *f*
Bosnia-Herzegovina [-ˌhertsəgoʊviːnə] *n* Bósnia-Herzegovina *f*
boss [bɑːs] *n* chefe *mf;* (*owner*) patrão, -oa *m, f* ◈ **boss around** *vt inf* mandar em
bossy [ˈbɑːsi] <-ier, -iest> *adj* mandão, -ona
both [boʊθ] **I.** *adj, pron* ambos, ambas; ~ **of us** nós dois, nós duas; ~ **of them went/they** ~ **went** ambos foram/os dois foram **II.** *adv* ~ **Karen and Sarah** tanto Karen como Sarah
bother [ˈbɑːðər] **I.** *n* problema *m,* chateação *f;* **it is no** ~ não custa nada; **it is not worth the** ~ não vale a pena **II.** *vt* incomodar, preocupar

Botox® ['boʊtɑ:ks] *n* botox *m*
Botswana [bɑ:t'swɑ:nə] *n* Botsuana *f*
bottle ['bɑ:ţl] *n* garrafa *f;* (*for perfume*) frasco *m;* (*baby's*) mamadeira *f*
bottled *adj* de garrafa
bottle opener *n* abridor *m* de garrafa
bottom ['bɑ:ţəm] **I.** *n no pl* (*of page*) pé *m;* (*of sea, glass*) fundo *m,* traseiro *m* **II.** *adj* (*shelf*) de baixo
bought [bɑ:t] *vt pt, pp of* **buy**
boulder ['boʊldər] *n* pedregulho *m*
bounce [baʊnts] *vi* quicar; (*check*) ser devolvido
bouncer ['baʊntsər] *n inf* leão-de-chácara *m*
bound¹ [baʊnd] *vi* (*leap*) saltitar
bound² *adj* **to be ~ for ...** rumar para ...
bound³ **I.** *pt, pp of* **bind** **II.** *adj* **she's ~ to come** certamente ela virá; **to be ~ to do sth** ser obrigado a fazer a. c.
boundary ['baʊndri] <-ies> *n a. fig* limite *m;* (*border*) fronteira *f*
bounds *n pl* limites *mpl;* **to know no ~** não ter limites; **this area is out of ~ to civilians** a entrada de civis é proibida nesta área
bouquet [boʊ'keɪ, *Brit:* bʊ'-] *n* buquê *m*
bout [baʊt] *n* (*of illness*) ataque
boutique *n* boutique *f*
bow¹ [boʊ] *n* **1.** (*weapon; of violin*) arco *m* **2.** (*knot*) laço *m*
bow² [baʊ] **I.** *vi* fazer uma reverência **II.** *vt* (*one's head*) inclinar **III.** *n* reverência *f*
bowel ['baʊəl] *n* intestino *m*
bowl [boʊl] *n* tigela *f*
bowling *n no pl* boliche *m*
bowling alley *n* (casa *f* de) boliche
bow tie *n* gravata-borboleta *f*
box¹ [bɑ:ks] *vi* boxear
box² *n* caixa *f;* **the ~** *inf* a TV ◈ **box in** *vt* cercar
boxer ['bɑ:ksər] *n* boxeador(a) *m(f)*
boxing *n no pl* boxe *m*

Cultura O **Boxing Day** é comemorado em 26 de dezembro. É assim chamado porque os aprendizes de um ofício, no dia seguinte ao Natal, coletavam em **boxes** (caixas) as gratificações dadas pelos clientes da oficina de seu mestre. Anteriormente, a gratificação de Natal dada aos empregados era chamada de **Christmas box**.

box office *n* bilheteria *f*
boy [bɔɪ] **I.** *n* menino *m;* (*young man*) rapaz *m* **II.** *interj* **~, was I tired!** nossa, eu estava cansado!
boycott ['bɔɪkɑ:t] **I.** *vt* boicotar **II.** *n* boicote *m*
boyfriend *n* (*friend*) amigo *m;* (*partner*) namorado *m*
boyish *adj* (*enthusiasm*) infantil
bra [brɑ:] *n* sutiã *m*
brace [breɪs] *n pl* (*for teeth*) aparelho *m;* **~s** *Aus, Brit* suspensórios *mpl*
bracelet ['breɪslɪt] *n* pulseira *f*
bracket ['brækɪt] *n pl, esp Brit* parêntese *m*
brag [bræg] <-gg-> *vi inf* gabar-se
braid [breɪd] *n Am* trança *f*
brain [breɪn] *n* cérebro *m*

brainchild *n no pl* idéia *f* original
brain damage *n* lesão *f* cerebral
brainless *adj* estúpido, -a
brainstorm *vi* lançar idéias em grupo
brainwash *vt* fazer lavagem cerebral em **brainwave** *n inf* inspiração *f*
brainy <-ier, -iest> *adj* inteligente
brake [breɪk] I. *n* freio *m;* **to step on the ~s** pisar no freio II. *vi* frear
bran [bræn] *n no pl* farelo *m*
branch [bræntʃ] <-es> *n* (*of tree*) galho *f;* (*of company*) sucursal *f;* (*of bank*) agência ❖ **branch out** *vi* ampliar-se
brand [brænd] I. *n* marca *f* II. *vt* **to ~ sb** (**as**) **sth** taxar alguém de a. c.
brandish ['brændɪʃ] *vt* brandir
brand name *n* marca *f*
brand-new *adj inv* novo, -a em folha
brandy ['brændi] <-ies> *n* conhaque *m*
brash [bræʃ] *adj* insolente
brass [bræs] *n no pl* latão *m*
brat [bræt] *n inf* pirralho, -a *m, f*
bravado [brə'vɑːdoʊ] *n no pl* bravata *f*
brave [breɪv] *adj* corajoso, -a
bravery ['breɪvəri] *n no pl* coragem *f*
brawl [brɑːl] *n* pancadaria *f*
brazen ['breɪzn] *adj* descarado, -a
Brazil [brə'zɪl] *n* Brasil *m*
Brazilian *adj* brasileiro, -a
brazil nut *n* castanha-do-pará *f*
breach [briːtʃ] I. *n* violação *f;* (*of contract*) rompimento *m* II. *vt* (*agreement*) romper
bread [bred] *n* pão *m*
breadcrumbs *npl* farinha *f* de rosca
breaded *adj* empanado, -a
breadth ['bretθ] *n no pl* largura *f*
break [breɪk] I. *n* (*interruption*) intervalo *m;* (*from work*) pausa *f; Brit* SCH recreio *m* II. <broke, broken> *vt* (*leg*) quebrar; (*circuit*) interromper; (*habit*) abandonar; (*the law*) violar; (*promise*) quebrar; **to ~ a record** bater um recorde III. <broke, broken> *vi* quebrar, despedaçar ❖ **break down** I. *vi* quebrar; (*machine*) enguiçar; (*marriage*) acabar; (*psychologically*) sofrer uma crise nervosa II. *vt* (*door*) derrubar ❖ **break in** *vi* invadir ❖ **break into** *vi* arrombar ❖ **break off** *vi* interromper-se ❖ **break out** *vi* começar; (*war*) irromper ❖ **break up** I. *vt* (*marriage*) terminar II. *vi* separar-se
breakdown *n* pane *f;* (**nervous**) ~ crise *f* nervosa
breakfast ['brekfəst] *n* café *m* da manhã
breast [brest] *n* seio *m,* peito *m*
breast cancer *n no pl* câncer *m* de mama
breast feed *vt* amamentar
breast stroke *n* nado *m* de peito
breath [breθ] *n* hálito *m;* **bad ~** mau hálito; **to be out of ~** estar sem fôlego
breathe [briːð] *vi, vt* respirar; **to ~ in/out** inspirar/expirar
breathing *n no pl* respiração *f*
breathless ['breθlɪs] *adj* sem fôlego
breathtaking *adj* impressionante
bred [bred] *pt, pp of* **breed**
breed [briːd] I. *vt* <bred, bred> cri-

B

ar **II.** *vi* <bred, bred> reproduzir-se **III.** *n* raça *f*
breeder ['bri:dər] *n* criador(a) *m(f)*
breeze [bri:z] *n* brisa *f*
brew [bru:] *vt* (*beer*) produzir; (*coffee*) coar
brewery ['bru:əri] <-ies> *n* cervejaria *f*
bribe [braɪb] **I.** *vt* subornar **II.** *n* suborno *m*
bribery ['braɪbəri] *n no pl* suborno *m*
brick [brɪk] *n* tijolo *m*
bricklayer *n* pedreiro *m*
bridal ['braɪdəl] *adj* (*suite*) nupcial; (*gown*) de noiva
bride ['braɪd] *n* noiva *f*; **the ~ and groom** os noivos
bridegroom ['braɪdgru:m] *n* noivo *m*
bridesmaid *n* dama-de-honra *f*
bridge [brɪdʒ] *n* ponte *f*
bridle ['braɪdl] *n* freio *m*
brief [bri:f] **I.** *adj* breve; **in ~** em resumo **II.** *vt* informar
briefcase *n* pasta *f*
briefly *adv* brevemente
brigade [brɪ'geɪd] *n* brigada *f*
bright [braɪt] *adj* (*light*) brilhante; (*room*) claro, -a; (*color*) vivo, -a; (*idea*) brilhante, inteligente
brilliant ['brɪljənt] *adj* brilhante
brim [brɪm] *n* (*of hat*) aba *f*; (*of glass*) borda *f*
bring [brɪŋ] <brought, brought> *vt* trazer ◈**bring about** *vt* provocar ◈**bring back** *vt* devolver ◈**bring down** *vt* (*temperature*) baixar ◈**bring out** *vt* publicar, lançar ◈**bring up** *vt* (*child*) criar
brink [brɪŋk] *n no pl* **on the ~ of** à beira de
brisk [brɪsk] *adj* (*pace*) rápido, -a; (*weather*) fresco, -a
Britain ['brɪtən] *n* Grã-Bretanha *f*
British ['brɪţɪʃ] **I.** *adj* britânico, -a **II.** *n pl* **the ~** os britânicos *mpl*
British Columbia *n* Colúmbia *f* Britânica **British Isles** *n* **the ~** as Ilhas Britânicas
Briton ['brɪtn] *n* britânico, -a *m, f*
brittle ['brɪţl] *adj* frágil, quebradiço, -a
broach [broʊtʃ] *vt* abordar
broad [brɑ:d] *adj* extenso, -a; **a ~ mind** uma mente aberta
broadcast ['brɑ:dkæst] **I.** *n* transmissão *f* **II.** *vi, vt* <broadcast *Am:* broadcasted, broadcast *Am:* broadcasted> transmitir
broaden ['brɑ:dn] *vt* ampliar; **to ~ the mind** abrir a cabeça
broadly *adv* em linhas gerais

Cultura **Broadway** é o nome de uma avenida em Nova York em que está o conhecido bairro da **Broadway**, famoso pela intensa atividade teatral. Lá são encenadas praticamente todas as peças de teatro americanas de importância. As peças de produções baratas ou experimentais são chamadas de **off-Broadway plays**.

broccoli ['brɑ:kləli] *n no pl* brócolis *mpl*
brochure [broʊ'ʃʊr] *n* folheto *m*
broil [brɔɪl] *vt* grelhar
broke [broʊk, *Brit:* brəʊk] **I.** *pt of*

break **II.** *adj inf* duro

broken ['broʊkən] **I.** *pp of* **break** **II.** *adj* quebrado, -a; ~ **English** inglês mal falado

broker ['broʊkər] *n* corretor(a) *m(f)*

bronchitis [brɑːŋ'kaɪţɪs] *n no pl* bronquite *f*

bronze [brɑːnz] *n* bronze *m*

brooch [broʊtʃ] *n* broche *m*

broom [bruːm] *n* vassoura *f*

broomstick *n* cabo *m* de vassoura

broth [brɑːθ] *n no pl* caldo *m*

brothel ['brɑːθl] *n* bordel *m*

brother ['brʌðər] *n* irmão *m*

brotherhood ['brʌðərhʊd] *n + sing/pl vb* fraternidade *f*

brother-in-law <brothers-in-law> *n* cunhado *m*

brought [brɑːt] *pt, pp of* **bring**

brow [braʊ] *n no pl* testa *f*, sobrancelha *f*

brown [braʊn] **I.** *n* marrom *m* **II.** *adj* marrom; (*hair*) castanho, -a; (*skin*) moreno, -a; (*rice*) integral

brownie ['braʊni] *n Am* brownie *m*

brown paper *n* papel *m* pardo **brown sugar** *n* açúcar *m* mascavo

browse [braʊz] *vi* folhear; INFOR navegar

browser ['braʊzər] *n* INFOR navegador *m*

bruise [bruːz] *n* hematoma *m*

brunch [brʌntʃ] *n* brunch *m*

brush [brʌʃ] **I.** *n* (*for hair*) escova *f*; (*for painting*) pincel *m* **II.** *vt* escovar ◈ **brush up** *vt* (*one's English*) desenferrujar, repassar

brussels sprouts *npl* couve-de-bruxelas *f*

brutal ['bruːţəl] *adj* brutal

brute [bruːt] *n* bruto *m*

BSc [ˌbiːes'siː] *abbr of* **Bachelor of Science** bacharel *m* em Ciências

bubble ['bʌbl] **I.** *n* bolha *f* **II.** *vi* borbulhar

bubble bath *n* banho *m* de espuma **bubble gum** *n* chiclete *m*

buck *n Am, Aus, inf* dólar *m*

bucket ['bʌkɪt] *n* balde *m*

buckle ['bʌkl] **I.** *n* fivela *f* **II.** *vt* afivelar ◈ **buckle up** *vi* colocar o cinto de segurança

bud [bʌd] *n* (*of leaf*) broto *m*; (*of flower*) botão *m*

buddy ['bʌdi] *n Am, inf* chapa *m*

budge [bʌdʒ] *vi* mexer-se

budget ['bʌdʒɪt] **I.** *n* orçamento *m* **II.** *vi* **to** ~ **for sth** incluir a. c. no orçamento

budgie ['bʌdʒi] *n inf* periquito *m*

buff [bʌf] *n inf* **film** ~ aficionado, -a *m, f* por cinema

buffalo ['bʌfəloʊ] <-(es)> *n* búfalo *m*

buffer ['bʌfər] *n* pára-choque *m*

buffet [bə'feɪ, *Brit:* 'bʊfeɪ] *n* bufê *m*

bug [bʌg] **I.** *n inf* bicho *m*; *inf* germe *m* **II.** *vt* <-gg-> *inf* atazanar

buggy ['bʌgi] *n* <-ies> *Am* carrinho *m* de bebê

build [bɪld] **I.** *vt* <built, built> construir **II.** *n* estatura *f* ◈ **build up** **I.** *vt* (*debts*) acumular; (*muscles*) fortalecer **II.** *vi* (*pressure*) intensificar-se

builder ['bɪldər] *n* construtor(a) *m(f)*

building *n* edifício *m*

building society *n Aus, Brit* sociedade *f* imobiliária
build-up *n* acúmulo *f*
built [bɪlt] *pt, pp of* **build**
built-in *adj* embutido, -a
bulb [bʌlb] *n* lâmpada *f*
Bulgaria [bʌl'gerɪə] *n* Bulgária *f*
bulge [bʌldʒ] *vi* (*eyes*) ficar saliente; (*bag*) ficar estufado
bulk [bʌlk] *n no pl* volume *m;* **in** ~ a granel
bulky ['bʌlki] <-ier, iest> *adj* volumoso, -a
bull [bʊl] *n* touro *m*
bulldog *n* buldogue *m*
bulldozer ['bʊldoʊzər] *n* escavadeira *f*
bullet ['bʊlɪt] *n* bala *f*
bulletin ['bʊlətɪn] *n* boletim *m*
bulletproof *adj* à prova de bala
bullfight *n* tourada *f* **bullfighter** *n* toureiro, -a *m, f* **bullring** *n* arena *f* para touradas
bull's eye *n* centro *m* do alvo
bullshit *n no pl, sl* bobagem *f*
bully ['bʊli] **I.** <-ies> *n* valentão, -ona *m, f* **II.** <-ie-> *vt* intimidar
bum [bʌm] *n Am* vagabundo, -a *m, f*
bumblebee ['bʌmblbiː] *n* abelhão *m*
bump [bʌmp] **I.** *n* inchaço *m;* (*on head*) galo *m* **II.** *vt* **to ~ one's head against sth** bater com a cabeça em a. c. ◈ **bump into** *vi* esbarrar em, topar com
bumper ['bʌmpər] *n* pára-choque *m*
bumper-to-bumper ['bʌmpərtəˌbʌmpər] *adv* ~ **traffic** tráfego parado
bumpy ['bʌmpi] <-ier, iest> *adj* (*surface*) acidentado, -a; (*journey*) turbulento, -a
bun [bʌn] *n* pãozinho *m;* (*in hair*) coque *m*
bunch [bʌntʃ] <-es> *n* (*of grapes*) cacho *m;* (*of keys*) molho *m;* (*of flowers*) ramalhete *m;* (*of people*) turma *f*
bundle ['bʌndl] *n* (*of clothes*) trouxa *f*
bungalow ['bʌŋgəloʊ] *n* bangalô *m*
bunk bed *n* beliche *m*
buoy ['bɔɪ] *n* bóia *f*
buoyant ['bɔɪjənt] *adj* flutuante; (*disposition*) animado, -a
burden ['bɜːrdən] *n* carga *f*
bureaucracy [bjʊ'rɑːkrəsi] *n* burocracia *f*
bureaucratic [ˌbjʊrə'kræţɪk] *adj* burocrático, -a
burger ['bɜːrgər] *n inf* hambúrguer *m*
burglar ['bɜːrglər] *n* ladrão, -a *m, f*
burglary ['bɜːrgləri] <-ies> *n* roubo *m*
burial ['berɪəl] *n* enterro *m*
Burkina Faso [bɜːrˌkiːnə'fæsoʊ] *n* Burkina *f* Faso
burly ['bɜːrli] <-ier, -iest> *adj* robusto, -a
Burma ['bɜːrmə] *n* Burma *f*
burn [bɜːrn] **I.** <burnt *o* -ed, burnt *o* -ed> *vi* arder **II.** <burnt *o* -ed, burnt *o* -ed> *vt* queimar **III.** *n* queimadura *f* ◈ **burn out** *vi* (*engine*) queimar(-se); (*fire*) extinguir-se
burner ['bɜːrnər] *n* boca *f* (de fogão)
burnt I. *pt, pp of* **burn II.** *adj* queimado, -a
burp [bɜːrp] **I.** *n* arroto *m* **II.** *vi* ar-

rotar

burrow ['bɜːroʊ] *n* toca *f*

burst [bɜːrst] I. *n* (*of fire*) rajada *f* II. <burst, burst> *vi* estourar; **to ~ into flames** pegar fogo; **to ~ into tears** cair no choro III. <burst, burst> *vt* arrebentar ◈ **burst out** *vi* **to ~ laughing** desatar a rir

Burundi [bʊ'rʊndi] *n* Burundi *m*

bury ['beri] <-ie-> *vt* enterrar

bus [bʌs] <-es> *n* ônibus *m*

bus driver *n* motorista *mf* de ônibus

bush [bʊʃ] <-es> *n* arbusto *m*

bushy ['bʊʃi] <-ier, -iest> *adj* (*beard*) cerrado, -a; (*eyebrows*) grosso, -a

business ['bɪznɪs] <-es> *n no pl* negócios *m*; **on ~** a trabalho; **to do ~ with sb** fazer negócios com alguém, empresa *f*; *no pl* assunto *m*; **it's none of your ~!** *inf* não é da sua conta!

businesslike *adj* metódico, -a

businessman <-men> *n* homem *m* de negócios

business trip *n* viagem *f* de negócios

businesswoman <-women> *n* mulher *f* de negócios

bus stop *n* ponto *m* de ônibus

bust¹ [bʌst] *n* ANAT busto *m*

bust² [bʌst] *adj inf* **to go ~** falir

bustle ['bʌsl] *n* **hustle and ~** alvoroço *m*

busy ['bɪzi] <-ier, -iest> *adj* ocupado, -a; (*street*) movimentado, -a; *Am* TEL ocupado

busybody ['bɪzi͵bɑːdi] <-ies> *n inf* enxerido, -a *m, f*

but [bʌt] I. *prep* exceto; **all ~ one** todos menos um; **nothing ~ ...** nada mais que ... II. *conj* mas; **to be tired ~ happy** estar cansado mas feliz; **~ for** se não fosse III. *adv* apenas

butcher ['bʊtʃər] I. *n* açougueiro, -a *m, f* II. *vt* abater

butler ['bʌtlər] *n* mordomo *m*

butt [bʌt] *n* 1. (*of cigarette*) guimba *f* 2. *Am, inf* traseiro *m* 3. (*of rifle*) coronha *f*

butter ['bʌţər] I. *n no pl* manteiga *f* II. *vt* passar manteiga

butterfly <-ies> *n* borboleta *f*

buttock ['bʌţək] *n* nádega *f*

button ['bʌtən] *n* botão *m*

buy [baɪ] I. *n* compra *f*; **a good ~** um bom negócio II. <bought, bought> *vt* comprar; **to ~ sth for sb** comprar a. c. para alguém

buyer ['baɪər] *n* comprador(a) *m(f)*

buzz [bʌz] I. *vi* zumbir; (*doorbell*) tocar II. *n* zumbido *m*; **to give sb a ~** telefonar para alguém

buzzer ['bʌzər] *n* campanhia *f*

by [baɪ] I. *prep* perto de; **close ~ ...** por perto ...; **~ the sea** à beira-mar; **~ day/night** de dia/noite; **~ tomorrow** até amanhã; **a novel ~ Joyce** um romance de Joyce; **to be killed ~ sth/sb** ser morto por a. c./alguém; **~ rail/plane** de trem/avião; **made ~ hand** feito à mão; **~ chance/mistake** por acaso/engano; **we're related by marriage** somos parentes por afinidade; **it's all right ~ me** por mim, está tudo bem; **to be ~ oneself** estar só; **to do sth ~ oneself** fazer a.

B

c. sozinho; **to buy ~ the kilo** comprar por quilo; **to divide ~ 6** dividir por 6; **to increase ~ 10%** aumentar em 10%; **paid ~ the hour** pago por hora; **little ~ little** pouco a pouco; **~ the way, ...** a propósito, ... **II.** *adv* **~ and ~** daqui a pouco; **to go ~** passar; **~ and large** de modo geral

bye(-bye) [ˌbaɪ(ˈbaɪ)] *interj inf* tchau

> **Cultura** O **BYO-restaurant** (**B**ring **Y**our **O**wn) é um tipo de restaurante na Austrália que não tem licença para servir bebidas alcoólicas. Os clientes que desejam consumir este tipo de bebidas precisam trazê-las por conta própria.

by-pass *n* desvio *m*, ponte *f* (no coração)

by-product *n* subproduto *m*; *fig* resultado *m*

byte [baɪt] *n* byte *m*

C

C, c [siː] *n* (*letter*) c *m*

cab [kæb] *n Am, Aus* táxi *m*

cabaret [ˌkæbəˈreɪ, *Brit:* ˈkæbəreɪ] *n* cabaré *m*

cabbage [ˈkæbɪdʒ] *n* repolho *m*

cabin [ˈkæbɪn] *n* cabine *f*

cabinet [ˈkæbɪnɪt] *n* **1.** (*furniture*) armário *m* **2.** POL gabinete *m*

cable [ˈkeɪbl] *n* cabo *m*

cable car *n* teleférico *m* **cable TV** *n no pl* TV *f* a cabo

cactus [ˈkæktəs] <-es *o* cacti> *n* cacto *m*

cadet [kəˈdet] *n* cadete *mf*

Caesarean (section) *n Brit s.* **cesarian**

cafe [kæˈfeɪ, *Brit:* ˈkæfeɪ] *n*, **café** *n* café *m* (bar)

cafeteria [ˌkæfɪˈtɪrɪə] *n* restaurante *m* self-service

caffeine [ˈkæfiːn] *n no pl* cafeína *f*

cage [keɪdʒ] *n* jaula *f*

cake [keɪk] *n* bolo *m*

calamity [kəˈlæməţi] <-ies> *n* calamidade *f*

calcium [ˈkælsiəm] *n no pl* cálcio *m*

calculate [ˈkælkjəleɪt] *vt* calcular

calculation [ˌkælkjəˈleɪʃn] *n* cálculo *m*

calculator [ˈkælkjəleɪţər] *n* calculadora *f*

calendar [ˈkælɪndər] *n* calendário *m*

calf[1] [kæf] <calves> *n* ZOOL bezerro, -a *m, f*

calf[2] <calves> *n* ANAT panturrilha *f*

California [ˌkæləˈfɔːrnjə] *n* Califórnia *f*

call [kɔːl] **I.** *n* **1.** TEL ligação *f*; **on ~** de plantão; **to give sb a ~** telefonar para alguém **2.** (*visit*) visita *f* **3.** (*shout*) grito **II.** *vt* **1.** (*name*) chamar; **what's that actor ~ed?** como se chama aquele ator? **2.** TEL telefonar; **to ~ sb back** ligar de volta para alguém **3.** (*meeting*) convocar ◆ **call for** *vt insep* **1.** (*demand*) exigir **2.** (*pick up*) ir buscar ◆ **call off** *vt* cancelar ◆ **call up** *vt* telefonar

call center [ˈkɑːlˌsenţər] *n* call *m* center

caller ['kɔːlər] *n* pessoa *f* que está ligando
callous ['kæləs] *adj* insensível
calm [kɑːm] **I.** *adj* calmo, -a **II.** *vt* acalmar ◈ **calm down** *vi* acalmar-se
calorie ['kæləri] *n* caloria *f*
calves *n pl of* **calf**
Cambodia [kæm'bɔʊdiə] *n* Camboja *m*
camcorder ['kæmkɔdər] *n* camcorder *f*
came [keɪm] *vi pt of* **come**
camel ['kæml] *n* camelo *m*
camera ['kæmərə] *n* PHOT câmera *f* fotográfica
Cameroon [ˌkæmə'ruːn] *n* República *f* dos Camarões
camomile ['kæməmiːl] *n* ~ **tea** chá *m* de camomila
camouflage ['kæməˌflɑːʒ] *n no pl* camuflagem *f*
camp [kæmp] **I.** *n* **1.** acampamento *m* **2.** (*prisoners*) campo *m* **II.** *vi* acampar
campaign [kæm'peɪn] **I.** *n* campanha *f* **II.** *vi* fazer campanha
camper ['kæmpər] *n* **1.** (*person*) *pessoa que acampa* **2.** trailer *m*
camping *n no pl* **to go** ~ ir acampar
campsite *n* área *f* de camping
campus ['kæmpəs] <-ses> *n* campus *m inv*
can¹ [kæn] *n Am* (*container*) lata *f*
can² [kən] <could, could> *aux* **1.** (*be able to*) poder; **if I could** se eu pudesse **2.** (*have skill*) saber; ~ **you swim?** você sabe nadar? **3.** (*be allowed to*) ter permissão; ~ **I help you?** posso lhe ajudar?; **you can't go** você não pode ir; **could I look at it?** posso dar uma olhada?
Canada ['kænədə] *n* Canadá *m*
canal [kə'næl] *n* canal *m*
canary [kə'neri] <-ies> *n* canário *m*
cancel ['kænsl] <*Am:* -l-, *Brit:* -ll-,> *vt* cancelar
cancellation [ˌkænsə'leɪʃn] *n* cancelamento *m*
Cancer ['kænsər] *n* Câncer *m*
cancer ['kænsər] *n no pl* câncer *m*
candid ['kændɪd] *adj* franco, -a
candidate ['kændɪdət] *n* candidato, -a *m, f*
candle ['kændl] *n* vela *f*
candlelight *n no pl* **by** ~ à luz de velas
candlestick *n* castiçal *m*
candor *n Am*, **candour** ['kændər] *n no pl, Brit, Aus, form* franqueza *f*
candy ['kændi] <-ies> *n Am* bala *f*; (*chocolate*) chocolate
cane [keɪn] *n no pl* **1.** (*for walking*) bengala *f* **2.** (*for furniture*) bambu *m*
canister ['kænəstər] *n* lata *f*
cannabis ['kænəbɪs] *n no pl* maconha *f*
canned [kænd] *adj Am* em conserva
cannibal ['kænɪbl] *n* canibal *mf*
cannon ['kænən] *n* canhão *m*
cannot ['kænɑːt] *aux* = **can not** *s.* **can²**
canny ['kæni] <-ier, -iest> *adj* esperto, -a
canoe [kə'nuː] *n* canoa *f*
canoeing *n no pl* canoagem *f*
can opener *n Am* abridor *m* de latas

canopy ['kænəpi] <-ies> *n* toldo *m*
can't [kænt] = **can + not** *s.* **can**[2]
cantaloupe *n* melão-cantalupo *m*
canteen [kæn'tiːn] *n* **1.** (*for drinks*) cantil *m* **2.** *Brit* cantina *f*
canvas ['kænvəs] <-es> *n* **1.** *no pl* (*cloth*) lona *f* **2.** ART tela *f*
canyon ['kænjən] *n* canyon *m*
cap [kæp] *n* **1.** (*with brim*) boné *m;* (*without brim*) gorro *m* **2.** (*cover*) tampa *f*
capable ['keɪpəbl] *adj* capaz; **to be ~ of doing sth** ser capaz de fazer a. c.
capacity [kə'pæsəţi] <-ies> *n no pl* capacidade *f*
cape[1] [keɪp] *n* GEO cabo *m*
cape[2] *n* (*cloak*) capa *f*
caper *n* BOT alcaparra *f*
Cape Verde ['keɪpvɜːrd] *n* Cabo *m* Verde
capital ['kæpəţl] *n* **1.** (*city*) capital *f* **2.** TYP maiúscula *f* **3.** FIN capital *m*
capital city *n* capital *f* **capital letter** *n* letra *f* maiúscula **capital punishment** *n no pl* pena *f* de morte
cappuccino [ˌkæpə'tʃiːnoʊ] *n* cappuccino *m*
Capricorn ['kæprəkɔːrn] *n* Capricórnio *m*
capsize ['kæpsaɪz, *Brit:* kæp'saɪz] *vt, vi* soçobrar
capsule ['kæpsl, *Brit:* -sjuːl] *n* cápsula *f*
captain ['kæptɪn] *n* capitão, capitã *m, f*
caption ['kæpʃn] *n* legenda *f*
captivate ['kæptəveɪt] *vt* cativar
captive ['kæptɪv] *adj* cativo, -a
capture ['kæptʃər] *vt* capturar
car [kɑːr] *n* **1.** AUTO carro *m* **2.** RAIL vagão *m*
caramel ['kɑːrml, *Brit:* 'kærəmel] *n no pl* caramelo *m*
carat ['kær-] <-(s)> *n Brit s.* **karat**
caravan ['kerəvæn] *n* caravana *f*
carbohydrate [ˌkɑːrboʊ'haɪdreɪt] *n* carboidrato *m*
carbon ['kɑːrən] *n no pl* carbono *m*
carbon paper *n* papel-carbono *m*
carburetor ['kɑːrbəreɪţər] *n Am,* **carburettor** [ˌkɑːbjə'retə'] *n Brit* carburador *m*
carcass ['kɑːrkəs] <-es> *n* carcaça *f*
card [kɑːrd] *n* **1.** cartão *m* **2.** GAMES carta *f;* **pack of ~s** baralho *m*
cardboard *n no pl* papelão *m*
cardiac ['kɑːrdiæk] *adj* cardíaco, -a
cardigan ['kɑːrdɪgən] *n* cardigã *m*
cardinal ['kɑːrdɪnl] *n* REL, ZOOL cardeal *m*
care [ker] **I.** *n* **1.** (*attention*) cuidado *m;* **to take ~ of** tomar conta de; **handle with ~** manusear com cuidado; **take ~!** cuide-se! **2.** **~ of** aos cuidados de **II.** *vi* importar-se; **who ~s?** e daí?
career [kə'rɪr] *n* carreira *f*
carefree *adj* despreocupado, -a
careful *adj* cuidadoso, -a; **be ~!** tenha cuidado!
carefully *adv* cuidadosamente
careless *adj* descuidado, -a
caretaker *n* zelador(a) *m(f)*
cargo ['kɑːrgoʊ] <-(e)s> *n* carga *f*
Caribbean [ˌkerɪ'biːən] *n* **the ~** o Caribe

caricature ['kerəkətjʊr] *n* caricatura *f*
caring *adj* afetuoso, -a
carnation [kɑːr'neɪʃn] *n* cravo *m*
carnival ['kɑːrnəvl] *n* carnaval *m*
car park *n Brit, Aus* estacionamento *m*
carpenter ['kɑːrpnṭər] *n* carpinteiro, -a *m, f*
carpentry *n no pl* carpintaria *f*
carpet ['kɑːrpət] *n* carpete *m*
carriage ['kerɪdʒ] *n* carruagem *f*
carrot ['kerət] *n* cenoura *f*
carry ['keri] <-ies, -ied> *vt* **1.** (*in hands*) levar **2.** (*in vehicle*) transportar **3.** MED transmitir ◈ **carry on** *vt, vi insep* continuar ◈ **carry out** *vt* realizar
cart [kɑːrt] *n* **1.** (*vehicle*) carroça *f* **2.** *Am* (*for shopping*) carrinho *m*
cartel [kɑːr'tel] *n* cartel *m*
carton ['kɑːrtn] *n* **1.** (*box*) caixa *f* de papelão **2.** caixa *f*
cartoon [kɑːr'tuːn] *n* (*animated*) desenho *m* animado; (*in newspaper*) charge *f;* (*in magazine*) história *f* em quadrinhos
cartridge ['kɑːrtrɪdʒ] *n* cartucho *m*
carve [kɑːrv] *vt* **1.** ART esculpir **2.** (*meat*) trinchar
cascade [kæs'keɪd] *n* cascata *f*
case¹ [keɪs] *n* **1.** caso *m;* **in any ~** de qualquer maneira; **in that ~** nesse caso; **in ~ it rains** caso chova **2.** LAW causa *f*
case² *n* (*box*) caixa *f*
cash [kæʃ] **I.** *n no pl* dinheiro *m;* **to pay in ~** pagar em dinheiro (vivo) **II.** *vt* descontar
cashew *n* castanha-de-caju *f*
cashier [kæʃ'ɪr] *n* caixa *mf*
cash machine *n* caixa *m* eletrônico
cash register *n* caixa *f* registradora
casino [kə'siːnoʊ] *n* cassino *m*
cask [kæsk] *n* barril *m*
Caspian Sea ['kæspiən] *n* Mar *m* Cáspio
casserole ['kæsəroʊl] *n* **1.** (*dish*) travessa *f* para forno **2.** GASTR ensopado *m*
cassette [kə'set] *n* cassete *m*
cassette player *n* toca-fitas *m* **cassette recorder** *n* gravador *m*
cast [kæst] **I.** *n* **1.** THEAT, CINE elenco *m* **2.** MED gesso *m* **II.** <cast, cast> *vt* **1. to ~ doubt on sth** lançar dúvida sobre a. c. **2. to ~ a vote** votar ◈ **cast off** *vi* NAUT soltar as amarras
castaway *n* náufrago, -a *m, f*
cast iron I. *n no pl* ferro *m* fundido **II.** *adj* de ferro fundido; *fig* (*alibi*) perfeito, -a
castle ['kæsl] *n* castelo *m*
casual ['kæʒuːəl] *adj* **1.** (*relaxed*) descontraído, -a **2.** (*informal*) informal
casualty ['kæʒuːəlti] <-ies> *n* vítima
cat [kæt] *n* gato, -a *m, f*
catalog ['kæṭəlɑːg] *Am*, **catalogue** ['kætəlɒg] *n Brit* catálogo *m*
catalyst ['kæṭəlɪst] *n* catalisador *m*
catapult ['kæṭəpʌlt] *n* catapulta *f*
cataract *n* catarata *f* (no olho)
catastrophe [kə'tæstrəfi] *n* catástrofe *f*
catch [kætʃ] <-es> **I.** <caught, caught> *vt* **1.** (*ball, a cold*) pegar

2. (*capture*) capturar 3. (*bus*) tomar II. *n* 1. (*fastening device*) trinco *m* 2. (*negative point*) ardil *m* ◈ **catch up** *vi* **to ~ with sb** alcançar alguém

category ['kæţəgɔ:ri, *Brit:* -tɪgəri] <-ies> *n* categoria *f*

cater ['keɪţər] I. *vt* (*party*) fornecer serviço de bufê II. *vi* **to ~ for sth** atender a a. c.

caterpillar ['kæţərpɪlər] *n* lagarta *f*

cathedral [kə'θi:drəl] *n* catedral *f*

Catholic ['kæθəlɪk] *adj, n* católico, -a

cattle ['kæţl] *npl* gado *m*

cat-walk *n* passarela *f*

caught [kɑ:t] *pt, pp of* **catch**

cauliflower ['kɑ:lɪˌflaʊər] *n* couve-flor *f*

cause [kɔ:z] I. *n* causa *f* II. *vt* causar; **to ~ sb to do sth** fazer com que alguém faça a. c.

caution ['kɑ:ʃn] *n no pl* 1. (*carefulness*) cautela *f* 2. (*warning*) aviso *m*

cautious ['kɑ:ʃəs] *adj* cauteloso, -a

cavalry ['kævlri] *n* cavalaria *f*

cave [keɪv] *n* caverna *f* ◈ **cave in** *vi* (*collapse*) desmoronar

cavern ['kævərn] *n* caverna *f*

caviar(e) ['kævɪɑ:r] *n no pl* caviar *m*

cavity ['kævɪţi] <-ies> *n* cárie *f*

CD [ˌsi:'di:] *n abbr of* **compact disc** CD *m*

CD-player *n abbr of* **compact disc player** aparelho *m* de CD **CD-ROM** [ˌsi:di:'rɑ:m] *n abbr of* **compact disc read-only memory** CD-ROM *m*

cease [si:s] *vt,vi form* cessar

cease-fire *n* MIL cessar-fogo *m*

ceaseless *adj form* incessante

ceiling ['si:lɪŋ] *n* teto *m*

celebrate ['selɪbreɪt] *vi* celebrar

celebrated *adj* célebre

celebration [ˌselɪ'breɪʃn] *n* comemoração *f*

celebrity [sə'lebrəţi] *n* <-ies> celebridade *f*

celery ['seləri] *n no pl* aipo *m*

celibate ['selɪbət] *adj* celibatário, -a

cell [sel] *n* 1. (*in prison*) cela *f* 2. BIO célula *f*

cellar ['selər] *n* (*basement*) porão *m;* (*for wine*) adega *f*

cello ['tʃeloʊ] <-s> *n* violoncelo *m*

cell phone *n,* **cellular phone** ['seljʊlər] *n* (telefone) celular *m*

Celsius ['selsiəs] *adj* PHYS Celsius

Celt [kelt, selt] *n* celta *mf*

Celtic ['keltik, 'sel-] *adj* celta

cement [sɪ'ment] *n no pl* cimento *m*

cement mixer *n* betoneira *f*

cemetery ['seməteri, *Brit:* -tri] <-ies> *n* cemitério *m*

censorship *n no pl* censura *f*

census ['sensəs] <-es> *n* censo *m*

cent [sent] *n* centavo *m*

center ['senţər] *n Am* centro *m*

centimeter ['senţəˌmi:ţər] *n Am,* **centimetre** *n Brit, Aus* centímetro *m*

centipede ['senţɪpi:d] *n* centopéia *f*

central ['sentrəl] *adj* (*at the middle*) central; (*street*) do centro; **in ~ Toronto** no centro de Toronto

Central African Republic *n* República *f* Centro-Africana

central heating *n* aquecimento *m* central

centralization [ˌsentrəlɪ'zeɪʃn] *n no pl*

centralização *f*
centre ['sentəʳ] *n Brit s.* **center**
century ['sentʃərɪ] <-ies> *n* século *m*
ceramic [sə'ræmɪk] *adj* de cerâmica
ceramics *n pl* cerâmica *f*
cereal ['sɪrɪəl] *n* cereal *m*
cereal bar ['sɪriəlˌbɑːr] *n* cereal *m* em barra
cerebral ['serəbrəl] *adj* cerebral
ceremony ['serəmoʊni, *Brit:* -əməni] <-ies> *n* cerimônia *f*
certain ['sɜːrtn] *adj* certo, -a; **to be ~ about sth** ter certeza de a. c.; **to make ~ that ...** assegurar-se de que ..., não deixar de ...; **she is ~ to come** ela vem com certeza
certainly *adv* **1.** (*surely*) certamente; **~ not!** de jeito nenhum! **2.** (*gladly*) claro
certainty ['sɜːrtənti] <-ies> *n* certeza *f*
certificate [sər'tɪfɪkət] *n* (*document*) certificado *m;* (*birth*) certidão *f*
certify ['sɜːrtəfaɪ] <-ie-> *vt* atestar
cesarean *n* cesariana *f*
Chad [tʃæd] *n no pl* Tchad *m*
chain [tʃeɪn] **I.** *n* **1.** corrente *f* **2.** (*of stores*) cadeia *f* **II.** *vt* acorrentar; **to ~ sth to sth** acorrentar a. c. a a. c.
chain reaction *n* reação *f* em cadeia
chainsaw *n* motosserra *f*
chain-smoke *vi, vt* fumar um cigarro atrás do outro
chair [tʃer] *n* cadeira *f*
chairman <-men> *n* presidente *m*
chairperson *n* presidente *mf*
chalet [ʃæl'eɪ, *Brit:* 'ʃæleɪ] *n* chalé *m*
chalk [tʃɔːk] *n no pl* giz *m*
challenge ['tʃælɪndʒ] **I.** *n* desafio *m* **II.** *vt* **1.** (*ask to compete*) desafiar; **to ~ sb to a duel** desafiar alguém para um duelo **2.** (*question*) contestar
chamber ['tʃeɪmbər] *n* câmara *f*
chambermaid *n* camareira *f*
champagne [ʃæm'peɪn] *n no pl* champanhe *mf*
champion ['tʃæmpiən] *n* campeão, campeã *m, f*
championship *n* campeonato *m*
chance [tʃæns] **I.** *n* **1.** chance *f;* **by ~** por acaso **2.** risco *m;* **to take a ~** assumir um risco **II.** *vt* **to ~ it** arriscar
chandelier [ʃændə'lɪr] *n* lustre *m*
change ['tʃeɪndʒ] **I.** *n* **1.** (*alteration*) mudança *f;* **for a ~** para variar **2.** *no pl* (*coins*) dinheiro *m* trocado; (*money returned*) troco *m* **II.** *vi* mudar **III.** *vt* (*exchange*) trocar; **to ~ one's clothes** trocar de roupa; **to ~ one's mind** mudar de idéia
channel ['tʃænl] *n* canal *m*
Channel Tunnel *n no pl, inf* túnel *m* do Canal da Mancha
chant [tʃænt] *vi* entoar
chaos ['keɪɑːs] *n no pl* caos *m inv*
chaotic [-'ɑːt̬ɪk] *adj* caótico, -a
chapel ['tʃæpl] *n* capela *f*
chapter ['tʃæptər] *n* capítulo *m*
character ['kerəkt̬ər] *n* **1.** *no pl* (*qualities*) caráter *m* **2.** (*acted part*) personagem *mf*
characteristic [ˌkərəktə'rɪstɪk] **I.** *n* característica *f* **II.** *adj* característico, -a
charcoal ['tʃɑːrkoʊl] *n no pl* carvão *m*
charge [tʃɑːrdʒ] **I.** *n* **1.** (*cost*) preço

m; **free of** ~ grátis **2.** LAW (*accusation*) acusação *f* **3.** *no pl* (*authority*) responsabilidade *f;* **to be in ~ of sb/sth** estar encarregado de alguém/a. c.; **who is in ~ here?** quem é o responsável aqui?; **to take ~ of sth** assumir a responsabilidade de a. c. **II.** *vi,vt* FIN cobrar **III.** *vt* **1.** LAW acusar **2.** ELEC carregar

charity [ˈtʃerəţi] <-ies> *n* **1.** *no pl* (*generosity*) caridade *f* **2.** (*organization*) instituição *f* beneficente

charm [tʃɑːrm] **I.** *n* charme *m* **II.** *vt* encantar

charming *adj* charmoso, -a

chart [tʃɑːrt] *n* **1.** (*for information*) tabela *f* **2.** *pl* MUS **the ~s** a parada de sucessos

charter [ˈtʃɑːrţər] *vt* fretar

chartered *adj* fretado, -a

chase [tʃeɪs] **I.** *n* perseguição *f* **II.** *vt* perseguir

chasm [ˈkæzəm] *n* abismo *m*

chat [tʃæt] **I.** *n* bate-papo *m* **II.** *vi* <-tt-> bater papo; **to ~ with sb** (**about sth**) bater um papo com alguém (sobre a. c.)

chat room *n* INFOR sala *f* de bate-papo

chatter [ˈtʃæţər] *n no pl* tagarelice *f*

chauffeur [ʃoʊˈfər] *n* motorista *mf*

cheap [tʃiːp] *adj* barato, -a; **dirt ~** a preço de banana

cheat [tʃiːt] **I.** *n* trapaça *f* **II.** *vi* (*in school*) colar; **to ~ at sth** trapacear em a. c. **III.** *vt* enganar; **to ~ sb out of sth** lesar alguém em a. c.

check [tʃek] **I.** *n* **1.** (*inspection*) inspeção *f* **2.** *Am* FIN cheque *m* **3.** *Am* (*in restaurant*) conta *f* **II.** *adj* xadrez **III.** *vi, vt* checar ◈ **check in** *vi* fazer o check in ◈ **check out I.** *vi pagar a conta e deixar o hotel* **II.** *vt inf* **to ~ sth out** dar uma conferida

checkbook *n Am* talão *m* de cheques

checkers *npl* damas *fpl*

check-in desk *n* balcão *m* de check in

checkmate *n* xeque-mate *m* **checkpoint** *n* ponto *m* de controle

check-up *n* check-up, m ,

cheek [tʃiːk] *n* bochecha *f*

cheeky <-ier, -iest> *adj esp Brit* descarado, -a

cheer [tʃɪr] **I.** *n* viva *m* **II.** *interj pl* **~s!** (*toast*) saúde! **III.** *vi* **to ~ for sb** torcer para alguém

cheerful *adj* animado, -a

cheerleader *n Am* animadora *f* de torcida

> **Cultura** **Cheerleaders** nos Estados Unidos são as moças que animam um time esportivo. Sua função consiste basicamente em conduzir as canções e gritos de incentivo da torcida e entreter o público com coreografias curtas em que elas usam os característicos **pompons** . Elas costumam usar um vestido curto ou saia e blusa, meias e sapatos de couro, todos das cores do time ou da escola.

cheese [tʃiːz] *n* queijo *m*

cheesecake *n* torta *f* de queijo

chef [ʃef] *n* chef *m* (de cozinha)

chemical ['kemɪkl] **I.** *n* produto *m* químico **II.** *adj* químico, -a
chemist ['kemɪst] *n* **1.** CHEM químico, -a *m, f* **2.** *Brit, Aus* (*pharmacist*) farmacêutico, -a *m, f;* **the ~'s** (**shop**) a farmácia
chemistry ['kemɪstri] *n no pl* química *f*
chemotherapy [ˌki:moʊ'θerəpi] *n no pl* quimioterapia *f*
cheque [tʃek] *n Brit, Aus s.* **check**
cherish ['tʃerɪʃ] *vt* prezar
cherry ['tʃeri] <-ies> *n* cereja *f*
cherub ['tʃerəb] <-s *o* -im> *n* querubim *m*
chess [tʃes] *n no pl* xadrez *m*
chessboard *n* tabuleiro *m* de xadrez
chest [tʃest] *n* **1.** (*torso*) tórax *m* **2.** (*trunk*) baú *m*
chestnut ['tʃesnʌt] **I.** *n* (*nut*) castanha *f;* (*tree*) castanheiro *m* **II.** *adj* castanho, -a
chew [tʃu:] *vt* mastigar ◈ **chew over** *vt inf* ruminar
chic [ʃi:k] *adj* chique
chick [tʃɪk] *n* ZOOL pintinho *m*
chicken ['tʃɪkɪn] *n* **1.** (*bird*) galinha *f* **2.** *no pl* (*meat*) frango *m*
chicken out *vi inf* amarelar
chicken pox *n* catapora *f*
chief [tʃi:f] **I.** *n* chefe *mf* **II.** *adj* principal
chiefly *adv* principalmente
child [tʃaɪld] <children> *n* **1.** (*young person*) criança *f;* **only ~** filho único **2.** (*offspring*) filho, -a *m, f* **childhood** *n no pl* infância *f*
childish *adj pej* infantil
childless *adj* sem filhos
children ['tʃɪldrən] *n pl of* **child**
Chile ['tʃɪli] *n* Chile *m*
chili ['tʃɪli] <-es> *n Am,* **chili pepper** *n Am* pimenta *f* picante
chill [tʃɪl] *n* **to catch a ~** resfriar-se
◈ **chill out** [ˌtʃɪl'aʊt] *vi inf* relaxar
chilli ['tʃɪli] <-es> *n esp Brit s.* **chili**
chill-out ['tʃɪlaʊt] *adj inf* de relax
chilly ['tʃɪli] <-ier, -iest> *adj* frio
chime [tʃaɪm] **I.** *n* repique *m;* **wind ~s** carrilhão *m* **II.** *vi* repicar
chimney ['tʃɪmni] *n* chaminé *f*
chin [tʃɪn] *n* queixo *m*
china ['tʃaɪnə] *n no pl* porcelana *f;* (*dishes*) louça *f*
China ['tʃaɪnə] *n* China *f*
chip [tʃɪp] **I.** *n* **1.** (*of wood, chocolate*) lasca *f* **2.** *pl* batata *f* frita **3.** INFOR chip *m* **4.** (*in casino*) ficha *f* **II.** *vt* <-pp-> lascar
chisel ['tʃɪzl] *n* cinzel *m*
chives ['tʃaɪvz] *n pl* cebolinha *f sing*
chlorine ['klɔ:ri:n] *n no pl* cloro *m*
chocolate ['tʃɑ:klət] *n* **1.** *no pl* chocolate *m;* **hot ~** chocolate quente **2.** (*in box*) bombom *m*
chocolate bar *n* barra *f* de chocolate
choice ['tʃɔɪs] *n* escolha *f*
choir ['kwaɪər] *n* coro *m*
choke [tʃoʊk] **I.** *vi* engasgar-se; **to ~ to death** morrer asfixiado **II.** *n* AUTO afogador *m* **III.** *vt* sufocar
cholera ['kɑ:lərə] *n no pl* cólera *mf*
cholesterol [kə'lestərɑ:l] *n no pl* colesterol *m*
choose [tʃu:z] <chose, chosen> **I.** *vi, vt* (*select*) escolher **II.** *vt* (*de-*

C

cide) **to ~ to do sth** decidir fazer a. c.
choos(e)y ['tʃu:zi] <-ier, -iest> *adj inf* exigente
chop [tʃɑ:p] **I.** *vt* <-pp-> cortar **II.** *n* (*meat*) costeleta *f*
chopper ['tʃɑ:pər] *n inf* helicóptero *m*
chopping board *n* tábua de cortar
choppy *adj* agitado, -a
chopsticks *npl* pauzinhos *mpl* para comida oriental
chord ['kɔ:rd] *n* MUS acorde *m*
chore [tʃɔ:r] *n* tarefa *f*
choreography [ˌkɔ:rɪ'ɑ:grəfi] *n no pl* coreografia *f*
chorus ['kɔ:rəs] <-es> *n* **1.** (*refrain*) refrão *m* **2.** + *sing/pl vb* (*singers*) coro *m*
chose [tʃoʊz] *pt of* **choose**
chosen ['tʃoʊzn] *pp of* **choose**
Christ [kraɪst] *n* Cristo *m*
christen ['krɪsn] *vt* batizar
Christian ['krɪstʃən] *n* cristão, cristã *m, f*
Christmas ['krɪstməs] <-es *o* -ses> *n no pl* Natal *m;* **Merry** [*o Brit* **Happy**] **~!** Feliz Natal!
Christmas carol *n* canção *f* de Natal
Christmas Day *n* Dia *m* de Natal
Christmas Eve *n* Noite *f* de Natal
Christmas tree *n* árvore *f* de Natal
chrome [kroʊm] *n no pl* cromo *m*
chromosome ['kroʊməsoʊm] *n* cromossomo *m*
chronic ['krɑ:nɪk] *adj* crônico, -a
chronological [ˌkrɑ:nə'lɑ:dʒɪkl] *adj* cronológico, -a
chubby *adj* rechonchudo, -a
chuck [tʃʌk] *vt inf* jogar ◈ **chuck out** *vt* jogar fora
chum [tʃʌm] *n inf* amigo, -a *m, f*
chunk [tʃʌŋk] *n* naco *m*
church [tʃɜ:rtʃ] *n* igreja *f;* **to go to ~** ir à igreja
churchyard *n* cemitério *m* da igreja
chute [ʃu:t] *n* calha *f* de escoamento
CIA [ˌsi:aɪ'eɪ] *n Am abbr of* **Central Intelligence Agency** CIA *f*
cider ['saɪdər] *n Am* suco *m* de maçã (não filtrado); *Brit* sidra *f*
cigar [sɪ'gɑ:r] *n* charuto *m*
cigarette [ˌsɪgə'ret] *n* cigarro *m*
cigarette butt *n* ponta *f* de cigarro
cinch *n inf* **to be a ~** ser uma moleza
cinema ['sɪnəmə] *n* cinema *m*
cinnamon ['sɪnəmən] *n no pl* canela *f*
circa ['sɜ:rkə] *prep* por volta de
circle ['sɜ:rkl] **I.** *n* círculo *m* **II.** *vt* circular **III.** *vi* dar a volta
circuit ['sɜ:rkɪt] *n* circuito *m*
circular ['sɜ:rkjələr] *adj* circular
circulate ['sɜ:rkjəleɪt] **I.** *vt* fazer circular **II.** *vi* circular
circulation [ˌsɜ:rkjʊ'leɪʃn] *n no pl* circulação *f*
circumference [sər'kʌmfərəns] *n* circunferência *f*
circumstance ['sɜ:rkəmstæns] *n* circunstância *f;* **under the ~s ...** neste caso ...
circumstantial [ˌsɜ:rkəm'stænʃl] *adj* circunstancial
circus ['sɜ:rkəs] <-es> *n* circo *m*
cistern ['sɪstern] *n* cisterna *f*
cite [saɪt] *vt* citar
citizen ['sɪṭɪzn] *n* **1.** (*of country*) cidadão, cidadã *m, f* **2.** (*of town*) habi-

tante *mf*

citizenship *n no pl* cidadania *f*

citrus fruit *n* fruta *f* cítrica

city ['sɪţi] <-ies> *n* cidade *f*

Cultura Muitas **cities** (grandes cidades) americanas são conhecidas por apelidos. **New York** é conhecida como **Gotham** ou **The Big Apple** . **Los Angeles** como **The Big Orange** ou **The City of the Angels** . Da mesma forma, **Chicago** é conhecida como **The Windy City** . A expressão **The City of Brotherly Love** é usada para se referir à **Philadelphia** . **Denver** , por sua localização, é conhecida como **The Mile-High City** e **Detroit** , por sua indústria automobilística, como **Motor City** .

city hall *n Am* prefeitura *f*

civic ['sɪvɪk] *adj* cívico, -a

civilian [sɪ'vɪljən] *n* civil *m*

civilized ['sɪvlaɪzd] *adj* civilizado, -a

civil rights *npl* direitos *mpl* civis **civil servant** *n* funcionário, -a *m, f* público **Civil Service** *n* Administração *f* Pública

civil war *n* guerra *f* civil

claim [kleɪm] I. *n* 1. (*assertion*) alegação *f* 2. (*written demand*) reivindicação *f* II. *vt* 1. (*assert*) alegar 2. **to ~ damages** reclamar indenização por danos

claimant ['kleɪmənt] *n* reclamante *mf*

clam [klæm] *n* marisco *m*

clamp [klæmp] I. *n* ARCHIT braçadeira *f* II. *vt* (*fasten together*) prender

clan [klæn] *n* + *sing/pl vb* clã *m*

clap [klæp] <-pp-> *vi, vt* 1. aplaudir 2. **to ~ one's hands** bater palmas

claret ['klerət] *n* clarete *m*

clarification [ˌklerɪfɪ'keɪʃn] *n no pl* esclarecimento *m*

clarify ['klerɪfai] <-ie-> *vt* esclarecer

clarinet [ˌklerɪ'net] *n* clarinete *m*

clarity ['klerəţi] *n no pl* claridade *f*

clash [klæʃ] I. *vi* destoar II. <-es> *n* conflito *m*

clasp [klæsp] I. *n* fecho *m* II. *vt* agarrar

class [klæs] I. <-es> *n* classe *f* II. *vt* classificar; **to ~ sb as sth** classificar alguém como a. c.

classic ['klæsɪk] *adj*, **classical** ['klæsɪkl] *adj* clássico, -a

classical music *n* música *f* clássica

classification [ˌklæsəfɪ'keɪʃn] *n* classificação *f*

classified ads *npl* (anúncios) *mpl* classificados

classmate *n* colega *mf* de classe **classroom** *n* sala *f* de aula

clause [klɑːz] *n* cláusula *f*

claw [klɑː] *n* garra *f*; (*of lobster*) pinça *f*

clay [kleɪ] *n no pl* argila *f*

clean [kliːn] I. *adj* (*not dirty*) limpo, -a; (*air*) puro, -a II. *vt* limpar ◈ **clean up** *vt* limpar; (*tidy up*) pôr em ordem

cleaner ['kliːnər] *n* (*person*) faxineiro, -a *m, f*

cleaning *n no pl* limpeza *f*

clear [klɪr] I. *adj* 1. claro, -a; **I'm not too ~ about this** não entendi

C

isso muito bem **2.** (*certain*) evidente **3. a ~ conscience** consciência limpa **II.** *vt* **1.** (*road*) desobstruir; **to ~ the table** tirar a mesa **2.** (*remove doubts*) esclarecer **III.** *vi* (*weather*) melhorar ◈ **clear up I.** *vt* resolver; (*tidy*) arrumar **II.** *vi* abrir (o tempo)

clearance ['klɪrəns] *n no pl* autorização *f*

clearance sale *n* liquidação *f*

clear-cut *adj* claro, -a

clearing *n* clareira *f*

clearly *adv* claramente

clench [klentʃ] *vt* cerrar

clergy ['klɜːrdʒi] *n + sing/pl vb* **the ~** clero *m*

clerk [klɜːrk, *Brit:* klɑːk] *n* (*office worker*) escriturário, -a *m, f;* (*in shop*) vendedor(a) *m(f)*

clever ['klevər] *adj* inteligente

click [klɪk] *vi* **1.** (*make sound*) estalar **2.** INFOR clicar

client ['klaɪənt] *n* cliente *mf*

clientele [ˌklaɪən'tel] *n* clientela *f*

cliff [klɪf] *n* penhasco *m*

climate ['klaɪmɪt] *n* clima *m*

climax ['klaɪmæks] <-es> *n* clímax *m*

climb [klaɪm] **I.** *vt* (*mountain*) escalar; (*stairs*) subir **II.** *vi* subir ◈ **climb down** *vt, vi* descer ◈ **climb up** *vi, vt* subir

climber ['klaɪmər] *n* alpinista *mf*

climbing *n no pl* alpinismo *m;* **to go ~** fazer alpinismo

clingfilm *n Brit* filme *m* de PVC

clinic ['klɪnɪk] *n* clínica *f*

clinical ['klɪnɪkl] *adj* clínico, -a

clip[1] [klɪp] **I.** *n* (*fastener*) presilha *f* **II.** <-pp-> *vt* grampear

clip[2] [klɪp] <-pp-> **I.** *vt* (*cut*) cortar **II.** *n* recorte *m;* **video ~** videoclipe *m*

clique [kliːk] *n* panelinha *f*

cloak [kloʊk] *n* capa *f*

cloakroom *n* chapelaria

clock [klɑːk] *n* relógio *m;* **alarm ~** despertador *m*

clockwise *adj, adv* no sentido horário

clone [kloʊn] **I.** *n* clone *m* **II.** *vt* clonar

cloning *n no pl* clonagem *f*

close[1] [kloʊs] **I.** *adj* **1.** (*near*) perto **2.** (*intimate*) íntimo, -a **3.** (*examination*) minucioso, -a **4.** (*competition*) acirrado, -a **5. ~ to tears/death** à beira do choro/da morte **II.** *adv* **~ by** perto; **~ at hand** bem perto

close[2] [kloʊz] **I.** *vi, vt* (*shut*) fechar **II.** *vi* (*end*) encerrar ◈ **close down** *vt, vi* fechar (em definitivo)

closed *adj* fechado, -a

closely ['kloʊsli] *adv* **1.** (*near*) de perto **2.** (*carefully*) atentamente

closet ['klɑːzɪt] *n esp Am* armário *m* embutido

close-up ['kloʊsʌp] *n* CINE close *m*

clot [klɑːt] **I.** *n* coágulo *m* **II.** <-tt-> *vi* coagular

cloth [klɑːθ] *n* (*material*) tecido *m,* (*for cleaning*) pano *m*

clothes [kloʊðz] *npl* roupa *f*

clothing ['kloʊðɪŋ] *n no pl* vestuário *m*

cloud [klaʊd] *n* nuvem *f*

cloud forest ['klaʊdˌfɔːrɪst] *n* floresta *f* tropical de montanha

cloudy <-ier, -iest> *adj* **1.** (*sky*) nublado, -a **2.** (*liquid*) turvo, -a
clove [kloʊv] *n* cravo-da-índia *m*; ~ **of garlic** dente *m* de alho
clover ['kloʊvər] *n no pl* trevo *m*
clown [klaʊn] *n* palhaço, -a *m, f*
club [klʌb] *n* **1.** (*disco*) boate *f* **2.** (*group*) clube *f* **3.** (*team*) time *m* **4.** SPORTS taco *m* de golfe
clubs *npl* (*in cards*) paus *mpl*
club soda *n* água *f* com gás
clue [klu:] *n* **1.** (*hint*) pista *f* **2.** idéia *f*; **I haven't got a** ~ *inf* não faço a menor idéia
clumsy ['klʌmzi] <-ier, -iest> *adj* desajeitado, -a
clutch [klʌtʃ] **I.** *vt* agarrar **II.** *n* AUTO embreagem *f*
cm *inv abbr of* **centimeter** cm *m*
Co [koʊ] *abbr of* **company** cia. *f*
c/o *abbr of* **care of** a/c
coach [koʊtʃ] **I.** <-es> *n* treinador(a) *m(f)* **II.** *vt* treinar
coal [koʊl] *n no pl* carvão *m*
coalition [ˌkoʊə'lɪʃn] *n* coalizão *f*
coal mine *n* mina *f* de carvão
coarse [kɔ:rs] <-r, -st> *adj* **1.** (*rough*) áspero, -a **2.** (*vulgar*) grosseiro, -a
coast [koʊst] *n* costa *f*
coast guard *n* guarda *f* costeira
coastline *n* litoral *m*
coat [koʊt] *n* **1.** (*overcoat*) casaco *m* **2.** (*of paint*) demão *f* **3.** (*of animal*) pêlo *m*
coat-hanger *n* cabide *m*
coax [koʊks] *vt* **to** ~ **sb into doing sth** persuadir alguém a fazer a. c.
cobblestone ['kɑ:blstoʊn] *n* paralelepípedo *m*
cobweb ['kɑ:bweb] *n* teia *f* de aranha
cocaine [koʊ'keɪn] *n no pl* cocaína *f*
cock [kɑ:k] *n* (*rooster*) galo *m*
cockpit ['kɑ:kpɪt] *n* cockpit *m*
cockroach ['kɑ:kroʊtʃ] <-es> *n* barata *f*
cocktail ['kɑ:kteɪl] *n* coquetel *m*
cocky ['kɑ:ki] <-ier, -iest> *adj inf* convencido, -a
cocoa ['koʊkoʊ] *n no pl* cacau *m*
coconut ['koʊkənʌt] *n* coco *m*
cocoon [kə'ku:n] *n* casulo *m*
cod [kɑ:d] *n inv* bacalhau *m*
code [koʊd] *n* código *m*
co-ed ['koʊed] *adj Am, inf* (*school*) misto, -a
co-education [ˌkoʊedʒʊ'keɪʃn] *n no pl* educação *f* mista
coercion [koʊ'ɜ:rʒn] *n no pl* coerção *f*
coffee ['kɑ:fi] *n* café *m* **coffee shop** *n* café *m* **coffee table** *n* mesa *f* de centro
coffin ['kɔ:fɪn] *n* caixão *m*
cognac ['koʊnjæk] *n* conhaque *m*
cognitive ['kɑ:gnəṭɪv] *adj* cognitivo, -a
coherence [koʊ'hɪrəns] *n no pl* coerência *f*
coherent [koʊ'hɪrənt] *adj* coerente
cohesive [koʊ'hi:sɪv] *adj* coeso, -a
coil [kɔɪl] **I.** *n* rolo *m* **II.** *vi, vt* enrolar(-se)
coiled *adj* enrolado, -a
coin [kɔɪn] *n* moeda *f*
coincide [ˌkoʊɪn'saɪd] *vi* coincidir; **to** ~ **with sth** coincidir com a. c.
coincidence [koʊ'ɪnsɪdəns] *n* coinci-

dência *f;* **what a ~!** que coincidência!

coke [koʊk] *n no pl* **1.** (*drink*) coca-cola *f* **2.** *inf* (*drug*) cocaína *f*

cold [koʊld] **I.** *adj* frio, -a; **to go ~** (*soup*) esfriar **II.** *n* **1.** METEO frio *m* **2.** MED resfriado *m;* **to catch a ~** pegar um resfriado

coleslaw ['koʊlslɑ:] *n no pl* salada *f* de repolho cru

collaborator [kə'læbəreɪţər] *n* **1.** colaborador(a) *m(f)* **2.** *pej* colaboracionista *mf*

collage [kə'lɑ:ʒ] *n* colagem *f*

collapse [kə'læps] *vi* (*bridge*) desmoronar; (*person*) ter um colapso

collar ['kɑ:lər] *n* **1.** (*on shirt*) colarinho *m;* (*on dress*) gola *f* **2.** (*for dog*) coleira *f*

colleague ['kɑ:li:g] *n* colega *mf*

collect [kə'lekt] **I.** *vi* (*gather*) reunir-se **II.** *vt* coletar; (*money*) arrecadar; (*stamps*) colecionar **III.** *adv* **to call (sb) ~** fazer uma ligação a cobrar (para alguém)

collection [kə'lekʃn] *n* **1.** (*act of getting*) coleta *f* **2.** (*money*) arrecadação *f* **3.** (*objects*) coleção *f*

collective [kə'lektɪv] *adj* coletivo, -a

college ['kɑ:lɪdʒ] *n* (*university*) faculdade *f*

collide [kə'laɪd] *vi* colidir; **to ~ with sb/sth** colidir com alguém/a. c.

collision [kə'lɪʒn] *n* colisão *f*

cologne [kə'loʊn] *n no pl, Am* água-de-colônia *f*

Colombia [kə'lʌmbɪə] *n* Colômbia *f*

colon ['koʊlən] *n* **1.** ANAT cólon *m* **2.** LING dois-pontos *mpl*

colonel ['kɜ:rnl] *n* coronel *m*

colonial [kə'loʊniəl] *adj* colonial

colony ['kɑ:ləni] <-ies> *n* colônia *f*

color ['kʌlər] *n Am* cor *f*

color-blind *adj* daltônico, -a

color film *n* filme *m* colorido

colorful *adj Am* colorido, -a

coloring *n no pl* **1.** (*complexion*) tez *f* **2.** (*chemical*) coloração *f*

colorless *adj Am* incolor

colossal [kə'lɑ:sl] *adj* colossal

colour *n Brit s.* **color**

column ['kɑ:ləm] *n* coluna *f*

coma ['koʊmə] *n* coma *m*

comb [koʊm] **I.** *n* pente *m* **II.** *vt* pentear

combat ['kɑ:mbæt] **I.** *n no pl* combate *m* **II.** *vt* combater

combination [ˌkɑ:mbə'neɪʃn] *n* combinação *f*

combine [kəm'baɪn] *vt* combinar; **to ~ sth with sth** combinar a. c. com a. c.

come [kʌm] <came, come, coming> *vi* **1.** (*move towards*) vir **2.** (*go*) **are you coming to the pub with us?** você vem ao pub conosco? **3.** (*arrive*) chegar; **to ~ home** vir para casa **4. my dream has ~ true** o meu sonho se realizou ◈ **come about** *vi* acontecer ◈ **come across** *vt insep* topar com ◈ **come from** *vt* vir de; **where do you ~?** de onde você é? ◈ **come in** *vi* entrar ◈ **come on I.** *vi* (*improve*) progredir **II.** *interj* (*hurry*) vamos; (*in disbelief*) ora, faça-me o favor

comedian [kə'mi:dɪən] *n* comediante

mf

comedy ['kɑːmədi] <-ies> *n* comédia *f*

comet ['kɑːmɪt] *n* cometa *m*

comfort ['kʌmfərt] *n* conforto; (*relief*) consolo *m*

comfortable ['kʌmfərṭəbl] *adj* 1. (*physically*) cmfortável, -a; **to make oneself ~** ficar à vontade 2. (*financially*) em boa situação financeira

comforter *n Am* (*quilt*) edredom *m*

comforting *adj* reconfortante

comic ['kɑːmɪk] **I.** *n* **1.** (*magazine*) história *f* em quadrinhos **2.** (*person*) comediante *mf* **II.** *adj* cômico, -a

comical ['kɑːmɪkl] *adj* cômico, -a

comma ['kɑːmə] *n* vírgula *f*

command [kə'mænd] **I.** *vt* **1. to ~ sb to do sth** ordenar que alguém faça a. c. **2.** (*have command over*) comandar **II.** *n* **1.** (*order*) ordem *f* **2.** (*control*) domínio *m*

commander [kə'mændər] *n* comandante *mf*

commemorate [kə'meməreɪt] *vt* comemorar

commence [kə'ments] *vi form* dar início

comment ['kɑːment] **I.** *n* comentário *m;* **no ~** sem comentários **II.** *vi* comentar

commentary ['kɑːmənteri] <-ies> *n* comentário *m*

commentator ['kɑːmənteɪṭər] *n* comentarista *mf*

commerce ['kɑːmɜːrs] *n no pl* comércio *m*

commercial [kə'mɜːrʃl] **I.** *adj* comercial **II.** *n* propaganda *f*

commission [kə'mɪʃn] *n* comissão *f*

commit [kə'mɪt] <-tt-> *vt* **1.** (*carry out*) cometer; **to ~ suicide** cometer suicídio **2. to ~ oneself to sth** comprometer-se com a. c.

commitment [kə'mɪtmənt] *n* compromisso *m*

committee [kə'mɪṭi] *n* comitê *m*

commodity [kə'mɑːdəṭi] <-ies> *n* mercadoria *f*

common ['kɑːmən] *adj* comum; (*vulgar*) vulgar

commonly *adv* geralmente **common sense** *n no pl* bom senso *m*

commotion [kə'moʊʃn] *n* alvoroço *m*

communal [kə'mjuːnl] *adj* comum

communicate [kə'mjuːnɪkeɪt] *vi, vt* comunicar

communication [kəˌmjuːnɪ'keɪʃn] *n* comunicação *f*

communism ['kɑːmjənɪzəm] *n no pl* comunismo *m*

communist ['kɑːmjənɪst] *n* comunista *mf*

community [kə'mjuːnəṭi] <-ies> *n* comunidade *f*

commute [kə'mjuːt] *vi viajar diariamente para o trabalho*

commuter [kə'mjuːṭər] *n pessoa que viaja diariamente para o trabalho*

compact ['kɑːmpækt] *adj* compacto, -a

compact disc *n* compact *m* disc

compact disc player *n* aparelho *m* de compact disc

companion [kəm'pænjən] *n* companheiro, -a *m, f*

company ['kʌmpəni] <-ies> *n* **1.** (*firm*) empresa *f* **2.** *no pl* (*companionship*) companhia *f;* **to keep sb ~** fazer companhia a alguém
comparable ['kɑːmpərəbl] *adj* comparável
comparatively *adv* comparativamente
compare [kəm'per] *vt* comparar; **to ~ sth/sb to** [*o* **with**] **sth/sb** comparar a. c./alguém a a. c./alguém
comparison [kəm'perɪsn] *n* comparação *f;* **in ~ to sth** em comparação a a. c.
compartment [kəm'pɑːrtmənt] *n* compartimento *m*
compass ['kʌmpəs] <-es> *n* **1.** *a.* NAUT bússola *f* **2.** MAT compasso *m*
compassion [kəm'pæʃn] *n no pl* compaixão *f*
compassionate [kəm'pæʃənət] *adj* compassivo, -a
compatible [kəm'pæţəbl] *adj* compatível
compel [kəm'pel] <-ll-> *vt form* obrigar
compensate ['kɑːmpənseɪt] *vt* (*make up for*) compensar; (*for loss*) indenizar; **to ~ sb for sth** indenizar alguém por a. c.
compensation [ˌkɑːmpen'seɪʃn] *n no pl* compensação *f;* (*for loss*) indenização *f*
compete [kəm'piːt] *vi* competir; **to ~ against sb** competir com alguém
competent ['kɑːmpɪţənt] *adj* competente
competition [ˌkɑːmpə'tɪʃn] *n* competição *f;* **the ~** concorrência *f*
competitive [kəm'peţəţɪv] *adj* competitivo, -a
competitor [kəm'peţəţər] *n* **1.** concorrente *mf* **2.** SPORTS competidor(a) *m(f)*
complain [kəm'pleɪn] *vi* queixar-se; **to ~ about sth/sb** reclamar sobre a. c./alguém
complaint [kəm'pleɪnt] *n* reclamação *f*
complement ['kɑːmplɪmənt] *vt* complementar
complete [kəm'pliːt] **I.** *vt* (*finish*) concluir; (*form*) preencher **II.** *adj* completo, -a
completely *adv* totalmente
complex ['kɑːmpleks] **I.** *adj* complexo, -a **II.** <-es> *n* complexo *m*
complexion [kəm'plekʃn] *n* (*skin*) tez *f;* (*color*) cor *f* da pele
complicate ['kɑːmpləkeɪt] *vt* complicar
complicated *adj* complicado, -a
compliment ['kɑːmpləmənt] **I.** **1.** (*expression of approval*) elogio *m* **2.** *pl* cumprimentos *mpl;* **with ~** com os cumprimentos; **~s of the house** cortesia da casa **II.** *vt* **to ~ sb on sth** felicitar alguém por a. c.
complimentary [ˌkɑːmpləmen'ter- *adj* **1.** (*praising*) lisonjeiro, -a **2.** (*free*) grátis
component [kəm'poʊnənt] *n* componente *mf*
compose [kəm'poʊz] *vi, vt* compor
composer [kəm'poʊzər] *n* compositor(a) *m(f)*

composition [ˌkɑːmpəˈzɪʃn] *n* (*piece of music, etc*) composição *f;* SCH redação *f*

composure [kəmˈpoʊʒər] *n no pl* compostura *f*

compound [ˈkɑːmpaʊnd] *n* composto *m*

comprehend [ˌkɑːmprɪˈhend] *vi, vt* abranger

comprehensive [ˌkɑːmprəˈhensɪv] *adj* abrangente; ~ **coverage** cobertura *f* abrangente

comprise [kəmˈpraɪz] *vt* constituir; **to be ~d of** ser constituído de

compromise [ˈkɑːmprəmaɪz] *n* acordo *f;* **to reach a** ~ chegar a um acordo

compulsory [kəmˈpʌlsəri] *adj* compulsório, -a

computer [kəmˈpjuːtər] *n* computador *m* **computer programer** *n* programador(a) *m(f)* (de computador)

con [kɑːn] <-nn-> *vt inf* enganar

conceal [kənˈsiːl] *vt form* ocultar

concentrate [ˈkɑːnsəntreɪt] *vi, vt* concentrar(-se); **to** ~ **on sth** concentrar-se em a. c.

concentrated *adj* concentrado, -a

concentration [ˌkɑːnsnˈtreɪʃn] *n no pl* concentração *f*

concept [ˈkɑːnsept] *n* conceito *m*

concern [kənˈsɜːrn] **I.** *vt* **1.** referir a; **as far as I'm** ~ no que me diz respeito **2.** (*worry*) preocupar; **to be ~ed about sth** estar preocupado com a. c. **II.** *n* **1.** (*matter of interest*) interesse *m* **2.** (*worry*) preocupação *f*

concerning *prep* a respeito de

concert [ˈkɑːnsərt] *n* show *m*

concerted *adj* em conjunto

concession [kənˈseʃn] *n* concessão *f*

concise [kənˈsaɪs] *adj* conciso, -a

conclude [kənˈkluːd] *vt, vi* concluir

conclusion [kənˈkluːʒn] *n* conclusão *f*

concrete [ˈkɑːnkriːt] **I.** *n no pl* concreto *m* **II.** *adj* concreto, -a

concussion [kənˈkʌʃən] *n* abalo *m*

condemn [kənˈdem] *vt* condenar

condensation [ˌkɑːndenˈseɪʃn] *n no pl* condensação *f*

condition [kənˈdɪʃn] *n* **1.** condição *f;* **on ~ that ...** com a condição de que ...; **on one** ~ sob uma condição **2.** *pl* circunstâncias *fpl*

conditional [kənˈdɪʃənl] *adj* condicional

conditioner [kənˈdɪʃənər] *n* condicionador *m* de cabelos

condom [ˈkɑːndəm] *n* preservativo *m*

condominium [ˌkɑːndəˈmɪniəm] *n* condomínio *m*

condone [kənˈdoʊn] *vt* tolerar

conduct **I.** [kənˈdʌkt] *vt* (*carry out*) realizar **II.** [kənˈdʌkt] *vi* MUS reger **III.** [ˈkɑːndʌkt] *n no pl* conduta *f*

conductor [kənˈdʌktər] *n* **1.** (*of train*) cobrador(a) *m(f)* **2.** MUS regente *mf*

cone [koʊn] *n* **1.** *a.* MAT cone *m* **2.** (*for ice cream*) casquinha *f*

confectioner's sugar *n no pl* açúcar *m* de confeiteiro

confectionery [kənˈfekʃəneri] *n no pl* confeitaria *f*

conference [ˈkɑːnfərəns] *n* conferência *f*

confess [kən'fes] *vi* confessar; **to ~ to a crime** confessar um crime

confession [kən'feʃn] *n* confissão *f*

confidence ['kɑ:nfədəns] *n* confiança *f*

confident ['kɑ:nfədənt] *adj* **1.** (*sure*) seguro, -a **2.** (*self-assured*) confiante

confidential [ˌkɑ:nfə'denʃl] *adj* confidencial

confirm [kən'fɜ:rm] *vt* confirmar

confirmation [ˌkɑ:nfər'meɪʃn] *n* REL crisma *f*

confiscate ['kɑ:nfəskeɪt] *vt* confiscar

conflict ['kɑ:nflɪkt] *n* conflito *m*

conflicting *adj* conflitante

conform [kən'fɔ:rm] *vi* adaptar-se

confuse [kən'fju:z] *vt* confundir

confused *adj* confuso, -a

confusing *adj* confuso, -a

confusion [kən'fju:ʒn] *n no pl* confusão *f*

congested [kən'dʒestɪd] *adj* congestionado, -a

congestion [kən'dʒestʃən] *n no pl* congestionamento *m*

Congo ['kɑ:ŋgoʊ] *n* **the ~** Congo

congratulate [kən'grætʃəleɪt] *vt* congratular; **to ~ sb (on sth)** congratular alguém (por a. c.)

congratulations [kənˌgrætʃə'leɪʃnz] *npl* **~!** parabéns!

congregate ['kɑ:ŋgrɪgeɪt] *vi* congregar-se

congress ['kɑ:ŋgres] *n* congresso *m*

congressman *n* <-men> *Am* deputado *m* federal **congresswoman** *n* <-women> *Am* deputada *f* federal

conifer ['kɑ:nəfər] *n* conífera *f*

connect [kə'nekt] **I.** *vi* conectar-se **II.** *vt* **1.** ligar **2.** (*airplanes*) fazer conexão

connection *n, Brit also* **connexion** [kə'nekʃən] *n* **1.** conexão *f;* **in ~ with** em relação a **2.** *pl* (*special relationship*) contatos *mpl*

conquer ['kɑ:ŋkər] *vt* conquistar

conscience ['kɑ:nʃəns] *n* consciência *f*

conscious ['kɑ:nʃəs] *adj* **1.** (*aware*) consciente **2.** (*effort*) deliberado, -a

consent [kən'sent] **I.** *n* consentimento *m* **II.** *vi* (*agree*) **to ~ to do sth** consentir em fazer a. c.

consequence ['kɑ:nsɪkwəns] *n* conseqüência *f*

consequently *adv* conseqüentemente

conservation [ˌkɑ:nsər'veɪʃn] *n no pl* conservação *f;* ECOL preservação *f*

conservative [kən'sɜ:rvət̬ɪv] *adj* conservador(a)

conservatory [kən'sɜ:rvətɔ:ri] <-ies> *n* conservatório *m*

consider [kən'sɪdər] *vt* considerar; **to ~ doing sth** pensar em fazer a. c.

considerable [kən'sɪdərəbl] *adj* considerável

consideration [kənˌsɪdə'reɪʃn] *n no pl* consideração *f;* **~ of sth** consideração por a. c.; **to take sth into ~** levar a. c. em consideração

considering **I.** *prep* tendo em vista **II.** *conj* **~ (that) …** considerando que …

consist [kən'sɪst] *vi* **to ~ of sth** consistir em a. c.

consistent [kən'sɪstənt] *adj* consistente
consolation [ˌkɑːnsə'leɪʃn] *n no pl* consolo *m*
console¹ [kən'soʊl] *vt* (*comfort*) consolar
console² ['kɑːnsoʊl] *n* (*panel*) console *m*
consonant ['kɑːnsənənt] *n* consoante *f*
conspicuous [kən'spɪkjuəs] *adj* chamativo, -a
constant ['kɑːnstənt] *adj* constante
constantly *adv* constantemente
constipated ['kɑːnstəpeɪtɪd] *adj* com prisão de ventre
constitution [ˌkɑːnstə'tuːʃn] *n* constituição *f*
construct [kən'strʌkt] *vt* construir
construction [kən'strʌkʃn] *n* construção *f*
consul ['kɑːnsl] *n* cônsul, -esa *m, f*
consulate ['kɑːnsələt] *n* consulado *m*
consult [kən'sʌlt] *vi, vt* consultar(-se)
consultant [kən'sʌltənt] *n* **1.** ECON consultor(a) *m(f)* **2.** *Brit* MED especialista *mf*
consume [kən'suːm, *Brit:* -'sjuːm] *vt* consumir
consumer [kən'suːmər, *Brit:* -'sjuːmə^r] *n* consumidor(a) *m(f)*
contact ['kɑːntækt] *n* contato *m;* **to make ~ with sb** fazer contato com alguém
contact lens *n* lente *f* de contato
contagious [kən'teɪdʒəs] *adj a. fig* contagioso, -a
contain [kən'teɪn] *vt* conter
container [kən'teɪnər] *n* contêiner *m*
contaminate [kən'tæmɪneɪt] *vt* contaminar
contemporary [kən'pəreri] **I.** *adj* contemporâneo, -a **II.** *n* contemporâneo *m*
contend [kən'tend] *vi* disputar; **to ~ for sth** disputar a. c.
content¹ ['kɑːntent] *n* conteúdo *m*
content² [kən'tent] *adj* satisfeito, -a
contest I. ['kɑːntest] *n* concurso *m;* **beauty ~** concurso *m* de beleza **II.** [kən'test] *vt* (*oppose*) contestar
context ['kɑːntekst] *n* contexto *m*
continent ['kɑːntnənt] *n* continente *m*
continual [kən'tɪnjuəl] *adj* contínuo, -a
continually *adv* continuamente
continue [kən'tɪnjuː] *vt, vi* continuar
continuous [kən'tɪnjuəs] *adj* ininterrupto, -a
continuously *adv* ininterruptamente
contraception [ˌkɑːntrə'sepʃn] *n no pl* anticoncepção *f*
contraceptive [ˌkɑːntrə'septɪv] *n* anticoncepcional *m*
contract¹ [kən'trækt] **I.** *vi* contrair **II.** *vt* (*disease*) contrair
contract² ['kɑːntrækt] **I.** *n* contrato *m* **II.** *vt* contratar
contractor ['kɑːntræktər] *n* empreiteiro, -a *m, f*
contradict [ˌkɑːntrə'dɪkt] *vi, vt* contradizer(-se)
contrary ['kɑːntrəri] *n no pl* **on the ~** pelo contrário
contrast [kən'træst] **I.** *n* contraste

m; **by** [*o* **in**] ~ em contraste **II.** ['kɑːntræst] *vt* contrastar

contribute [kən'trɪbjuːt] *vi, vt* contribuir; **to** ~ (**sth**) **to sth** contribuir (com a. c.) para a. c.

contribution [ˌkɑːntrɪ'bjuːʃn] *n* contribuição *f*

control [kən'troʊl] **I.** *n* controle *m;* **to be in** ~ estar no controle; **to be under** ~ estar sob controle; **out of** ~ fora de controle **II.** *vt* <-ll-> dominar

controversial [ˌkɑːntrə'vɜːrʃl] *adj* controverso, -a

convenience [kən'viːnjəns] *n no pl* conveniência *f;* **at one's** ~ quando for possível

convenient [kən'viːnjənt] *adj* conveniente

convent ['kɑːnvənt] *n* convento *m*

conventional [kən'ventʃənəl] *adj* convencional

conversation [ˌkɑːnvər'seɪʃn] *n* conversa *f*

convert [kən'vɜːrt] *vi,vt* converter(-se)

convertible *n* (*car*) carro *m* conversível

convey [kən'veɪ] *vt* (*ideas*) expressar; (*carry*) levar

convict I. ['kɑːnvɪkt] *n* presidiário, -a *m, f* **II.** [kən'vɪkt] *vt* condenar

convince [kən'vɪnts] *vt* convencer; **I'm not ~d** não estou convencido

convoy ['kɑːnvɔɪ] *n* comboio *m*

cook [kʊk] GASTR **I.** *n* cozinheiro, -a *m, f* **II.** *vi, vt* cozinhar

cookbook *n* livro *m* de receitas

cookery ['kʊkəri] *n no pl* culinária *f*

cookie ['kʊki] *n Am* biscoito *m*

cooking *n no pl* **1.** arte *f* culinária **2.** (*preparation*) preparo da comida

cool [kuːl] **I.** *adj* **1.** (*slightly cold*) fresco, -a **2.** (*unfriendly*) frio, -a **3.** (*calm*) calmo, -a **4.** *inf* (*fashionable*) **to be** ~ ser legal **II.** *vi, vt* esfriar(-se) ◈ **cool down I.** *vi* (*person*) acalmar-se; (*thing*) esfriar(-se) **II.** *vt* esfriar

cooperate [koʊ'ɑːpəreɪt] *vi* cooperar

cooperation [kəʊˌɒpə'reɪʃn] *n* cooperação *f*

cooperative [koʊ'ɑːpərət̬ɪv] **I.** *n* cooperativa *f* **II.** *adj* cooperativo, -a

copper ['kɑːpər] *n no pl* cobre *m*

copy ['kɑːpi] **I.** <-ies> *n* **1.** (*facsimile*) cópia *f* **2.** (*of a book*) exemplar *m* **II.** <-ie-> *vt* copiar

core [kɔːr] *n* caroço *m*

cork [kɔːrk] *n* (*wine*) rolha *f;* (*material*) cortiça *f*

corn [kɔːrn] *n no pl* **1.** *Am* milho *m* **2.** MED calo *m*

corner ['kɔːrnər] *n* **1.** (*of two roads*) esquina *f* **2.** (*of a room*) canto *m*

cornflour *n Brit,* **cornstarch** *n Am* maisena®, f

Cornwall ['kɔːrnwɔːl] *n* Cornualha *f*

corporal ['kɔːrpərəl] *n* MIL cabo *m*

corpse [kɔːrps] *n* cadáver *m*

correct [kə'rekt] **I.** *vt* corrigir **II.** *adj* correto, -a

correction [kə'rekʃən] *n* correção *f*

correspond [ˌkɔːrə'spɑːnd] *vi* corresponder(-se)

corresponding *adj* correspondente

corridor ['kɔːrədər] *n* corredor *m*

corrugated *adj* ondulado, -a
corrupt [kəˈrʌpt] **I.** *vt* corromper **II.** *adj* corrupto, -a
cosmetic [kɑːzˈmeţɪk] **I.** *n* **~s** cosméticos *mpl* **II.** *adj* cosmético, -a
cost [kɑːst] **I.** *vt* <cost, cost> custar; **how much does it ~?** quanto custa? **II.** *n* custo *m*
Costa Rica [ˌkoʊstəˈriːkə] *n* Costa *f* Rica
costly [ˈkɑːstli] <-ier, -iest> *adj* caro, -a
costume [ˈkɑːstuːm, *Brit:* ˈkɒstjuːm] *n* **1.** (*decorative*) fantasia *f* **2.** (*national dress*) traje *m* típico
cot [kɑːt] *n Am* cama *f* de armar; *Brit* (*baby bed*) berço *m*
cottage [ˈkɑːţɪdʒ] *n* chalé *m;* **country ~** casa *f* de campo
cottage cheese *n no pl* ricota *f*
cotton [ˈkɑːtn] *n* algodão *m*
couch [kaʊtʃ] <-es> *n* sofá *m*
cough [kɑːf] **I.** *n* tosse *f* **II.** *vi* tossir
could [kʊd] *pt, pp of* **can²**
council [ˈkaʊnsl] *n + sing/pl vb* conselho *m;* **city ~** câmara *f* municipal
councillor [ˈkaʊnsələr] *n,* **councilor** *n Am* vereador, -a *m, f*
count¹ [kaʊnt] *n* conde *m*
count² [kaʊnt] **I.** *vt, vi* contar **II.** *vi* (*depend*) **to ~ on sb** contar com alguém
counter [ˈkaʊnţər] *n* **1.** (*service point*) balcão *m* **2.** (*in game*) ficha *f*
countess [ˈkaʊntɪs] *n* condessa *f*
country [ˈkʌntri] *n* **1.** <-ies> país *m* **2.** *no pl* (*rural area*) **the ~** o campo
countryside [ˈkʌntrisaɪd] *n no pl* campo *m*
county [ˈkaʊnti] <-ies> *n* condado *m*
couple [ˈkʌpl] *n* **1.** *no pl* dupla *f* **2.** (*two*) dois, duas *m, f;* (*a few*) alguns, algumas; **the first ~ of weeks** as primeiras duas semanas; **in a ~ of weeks** dentro de algumas semanas **3.** *+ sing/pl vb* (*married*) casal *m*
coupon [ˈkuːpɑːn] *n* cupom *m*
courage [ˈkʌrɪdʒ] *n* coragem *f*
courgette *n Brit* abobrinha *f*
courier [ˈkʊrɪər] *n* (*mail deliverer*) mensageiro, -a *m, f*
course [kɔːrs] *n* **1.** (*route*) rota *f* **2.** (*lessons*) curso *m* **3.** (*of meal*) prato *m* **4. of ~** claro
court [kɔːrt] *n* **1.** (*room*) tribunal *m* **2.** (*judicial body*) corte *f* de justiça **3.** SPORTS quadra *f* **4.** (*sovereign*) corte *f* real
courteous [ˈkɜːrţɪəs] *adj* educado, -a
courtyard *n* pátio *m*
cousin [ˈkʌzn] *n* primo, -a *m, f*
cover [ˈkʌvər] **I.** *n* **1.** (*top*) tampa *f* **2.** (*of book*) capa *f* **II.** *vt* **1.** (*hide: eyes, ears*) tapar; (*head, person*) cobrir **2.** (*with blanket*) cobrir **3.** (*deal with*) abranger ◈ **cover up** *vt* (*protect*) cobrir; (*hide*) esconder
cow [kaʊ] *n* vaca *f*
coward [ˈkaʊərd] *n* covarde *mf*
cowardice [ˈkaʊərdɪs] *n no pl* covardia *f*
cowardly *adj* covarde
cowboy [ˈkaʊbɔɪ] *n* caubói *m*
cozy [ˈkoʊzi] *adj Am* (*armchair*) confortável; (*place*) acolhedor(a)
crab [kræb] *n* caranguejo *m*

crack [kræk] **I.** *n* **1.** (*fissure*) rachadura *f* **2.** *inf* (*drug*) crack *m* **II.** *vt* **1.** (*break*) rachar; (*nut*) quebrar **2.** *inf* (*joke*) fazer **III.** *vi* rachar

cracker ['krækər] *n* GASTR bolacha *f* de água e sal

cradle ['kreɪdl] *n* berço *m*

craft [kræft] *n no pl* (*skill*) arte *f;* (*trade*) ofício *m*

craftsman <-men> *n* artesão *m*

craftswoman *n* artesã *f*

crafty <-ier, -iest> *adj* astuto, -a

cram [kræm] <-mm-> *vt* abarrotar; ~**med with** abarrotado de

cramp [kræmp] *n* cãibra *f;* **stomach** ~**s** cólicas estomacais

cranberry ['krænberi] <-ies> *n* mirtilo *m*

crane [kreɪn] *n* **1.** TECH guindaste *m* **2.** ZOOL grou, grua *m, f*

cranky *adj* mal-humorado, -a

crash [kræʃ] **I.** *n* <-es> **1.** (*accident*) acidente *m* **2.** (*noise*) estrondo *m* **II.** *vi, vt* bater; (*plane*) cair; **to** ~ **into sth** bater em a. c.

crass [kræs] *adj* crasso, -a

crate [kreɪt] *n* engradado *m*

crater ['kreɪţər] *n* cratera *f*

crave [kreɪv] *vt* desejar intensamente

craving *n* ânsia *f;* **to have a** ~ **for sth** ter uma vontade louca de a. c.

crawl [krɑːl] *vi* arrastar-se, engatinhar

crayon ['kreɪɑːn] *n* lápis *m* de cera

craze [kreɪz] *n* mania *f*

craziness ['kreɪzɪnɪs] *n no pl* loucura *f*

crazy ['kreɪzi] <-ier, -iest> *adj* louco, -a; **to go** ~ enlouquecer

creak [kriːk] *vi* ranger

cream [kriːm] *n* creme *m*

cream cheese *n no pl* queijo *m* cremoso

creamy <-ier, -iest> *adj* cremoso, -a

crease [kriːs] *n* vinco *m*

create [kriː'eɪt] *vt* criar

creation [kriː'eɪʃn] *n* criação *f*

creative [kriː'eɪţɪv] *adj* criativo, -a

creator [kriː'eɪţər] *n* criador(a) *m(f)*

creature ['kriːtʃər] *n* criatura *f*

crèche [kreɪʃ] *n Brit, Aus* creche *f*

credentials [krɪ'denʃlz] *npl* credenciais *fpl*

credibility [ˌkredə'bɪləţi] *n no pl* credibilidade *f*

credible ['kredəbl] *adj* verossímil

credit ['kredɪt] *n* **1.** crédito *m;* **to buy sth on** ~ comprar a. c. a crédito **2.** *pl* (*at end of movie*) créditos *mpl*

credit card *n* cartão *m* de crédito

credit limit *n* limite *m* de crédito

creditor ['kredɪţər] *n* credor(a) *m(f)*

creed [kriːd] *n* credo *m*

creek [kriːk] *n* **1.** *Am, Aus* (*stream*) córrego *m* **2.** *Brit* (*narrow bay*) enseada *f*

creep [kriːp] **I.** <crept, crept> *vi* arrastar-se **II.** *n inf* (*flatterer*) puxa-saco *mf*

crepe [kreɪp] *n* GASTR crepe *m*

crept [krept] *pt, pp of* **creep**

crest [krest] *n* crista *f*

crestfallen ['krestˌfɔːlən] *adj* cabisbaixo, -a

crew [kruː] *n + sing/pl vb* tripulação *f*

cricket[1] ['krɪkɪt] *n no pl* SPORTS críquete *m*

cricket² *n* ZOOL grilo *m*
crime [kraɪm] *n* crime *m*
criminal ['krɪmɪnl] *n, adj* criminoso, -a *m, f*
crimson ['krɪmzn] *adj* carmesim
cringe *vi* encolher-se (de medo, de vergonha)
cripple ['krɪpl] **I.** *n* aleijado, -a *m, f* **II.** *vt* aleijar
crisis ['kraɪsɪs] <crises> *n* crise *f*
crisp [krɪsp] **I.** <-er, -est> *adj* crocante **II.** *n Brit pl* batata *f* frita (de pacote)
criterion [kraɪ'tɪrɪən] <-ria> *n* critério *m*
critic ['krɪţɪk] *n* crítica *f*
critical ['krɪţɪkl] *adj* crítico, -a
criticize ['krɪţɪsaɪz] *vt, vi* criticar
Croatia [kroʊ'eɪʃə] *n* Croácia *f*
crochet *n* crochê *m*
crockery ['krɒkəri] *n no pl, Brit* louça *f*
crocodile ['krɑːkədaɪl] <-(s)> *n* crocodilo *m*
crocus <-es> *n* açafrão *m*
crook [krʊk] *n inf* vigarista *mf*
crooked ['krʊkɪd] *adj* **1.** (*not straight*) torto, -a **2.** *inf* (*dishonest*) desonesto, -a
crop [krɑːp] **I.** *n* colheita *f* **II.** *vi* **to ~ up** surgir
cross [krɑːs] **I.** *vt* **1.** (*go across*) atravessar **2. to ~ one's legs** cruzar as pernas **II.** *vi* cruzar **III.** *n* **1.** cruz *f* **2.** BIO cruzamento *m* **IV.** *adj* bravo, -a; **to be ~ about sth** estar bravo com a. c.
crossbar *n* barra *f*; (*of goal*) travessão *m*; (*of bicycle*) quadro *m*
cross-country *adj* cross-country
cross-eyed *adj* vesgo, -a
crossing *n* travessia *f*; **railroad** [*o Brit* **level**] ~ cruzamento *m* de nível; **pedestrian** ~ faixa de pedestre
cross-reference *n* referência *f* cruzada
crossroads *n inv* encruzilhada *f*
crossword (**puzzle**) *n* palavras *fpl* cruzadas
crotch [krɑːtʃ] <-es> *n* **1.** virilha *f* **2.** (*in trousers*) fundilhos *mpl*
crouch [kraʊtʃ] *vi* **to ~** (**down**) agachar-se
crow [kroʊ] *n* corvo *m*
crowbar *n* pé-de-cabra *m*
crowd [kraʊd] *n + sing/pl vb* **1.** (*many people*) multidão *f* **2.** (*audience*) público *m*
crowded *adj* repleto, -a
crown [kraʊn] **I.** *n* coroa *f* **II.** *vt* coroar
crucial ['kruʃl] *adj* crucial
crucifix [ˌkruːsɪ'fɪks] <-es> *n* crucifixo *m*
crucifixion [ˌkruːsɪ'fɪkʃn] *n* crucificação *f*
crude [kruːd] *adj* **1.** (*oil*) cru(a) **2.** (*vulgar*) grosseiro, -a
cruel [krʊəl] <-(l)ler, -(l)lest> *adj* cruel
cruelty ['krʊəlti] <-ies> *n* crueldade *f*
cruise [kruːz] *n* cruzeiro *m*
cruiser ['kruːzər] *n* NAUT cruzeiro *m*
crumb [krʌm] *n* migalha *f*
crumble ['krʌmbl] *vi* (*empire*) desmoronar; (*stone*) esfacelar-se

crumple ['krʌmpl] *vt* amarrotar
crunchy <-ier, -iest> *adj* crocante
crusade [kru:'seɪd] *n* cruzada *f*
crush [krʌʃ] *vt* **1.** (*compress*) esmagar **2.** (*grind*) moer; ~**ed ice** gelo picado
crust [krʌst] *n* (*external layer*) crosta *f;* (*of bread*) casca *f*
crutch [krʌtʃ] <-es> *n* muleta *f*
cry [kraɪ] **I.** <-ie-> *vi* **1.** (*weep*) chorar **2.** (*shout*) gritar **II.** *n* grito *m*
cry-baby *n* chorão, -ona *m, f*
crypt [krɪpt] *n* cripta *f*
cryptic ['krɪptɪk] *adj* enigmático, -a
crystal ['krɪstl] **I.** *n* cristal *m* **II.** *adj* cristalino, -a
cub [kʌb] *n* filhote *m*
Cuba ['kju:bə] *n* Cuba *f*
cube [kju:b] *n* cubo *m*
cubic ['kju:bɪk] *adj* cúbico, -a
cubicle ['kju:bɪkl] *n* (*in shops*) provador *m;* (*in bathroom*) boxe *m*
Cub Scout *n* lobinho *m*
cuckoo ['ku:ku:] *n* cuco *m*
cucumber ['kju:kʌmbər] *n* pepino *m*
cuddle ['kʌdl] **I.** *vi* abraçar **II.** *n* aconchego *m*
cuddly <-ier, -iest> *adj* ~ **toy** bichinho *m* de pelúcia
cue [kju:] *n* taco *m*
cuff [kʌf] *n* punho *m*
cuisine [kwɪ'zi:n] *n no pl* culinária *f*
cul-de-sac ['kʌldəsæk] <-s *o* culs-de-sac> *n a. fig* beco *m* sem saída
culinary ['kʌləneri] *adj* culinário, -a
culprit ['kʌlprɪt] *n* culpado, -a *m, f*
cult [kʌlt] *n* culto *m*
cultivate ['kʌltəveɪt] *vt* cultivar
cultivated *adj* **1.** AGR cultivado, -a **2.** (*person*) culto, -a
cultural ['kʌltʃərəl] *adj* cultural
culture ['kʌltʃər] *n* cultura *f*
cultured *adj* ~ **pearl** pérola cultivada
culture schock *n no pl* choque *m* cultural
cumbersome ['kʌmbəsəm] *adj* (*hard to carry*) volumoso, -a; (*slow*) pesadão
cunning ['kʌnɪŋ] **I.** *adj* engenhoso, -a **II.** *n no pl* esperteza *f*
cup [kʌp] *n* **1.** (*for drinking*) xícara *f;* **egg** ~ porta-ovo *m* **2.** (*trophy*) taça *f;* **the World Cup** Copa do Mundo
cupboard ['kʌbərd] *n* armário *m*
curator ['kjʊreɪţər] *n* curador(a) *m(f)*
curb [kɜ:rb] *n Am* meio-fio *m*
cure ['kjʊr] **I.** *vt* curar **II.** *n* cura *f*
curfew ['kɜ:rfju:] *n* toque *m* de recolher
curiosity [ˌkjʊri'ɑ:səţi] <-ies> *n* curiosidade *f*
curious ['kjʊriəs] *adj* curioso, -a
curl [kɜ:rl] **I.** *n* cacho *m* **II.** *vt* cachear
curly <-ier, -iest> *adj* encaracolado, -a
currant ['kɜ:rənt] *n* **1.** passa *f* de corinto **2. black** ~ cassis *m;* **red currant** groselha *f*
currency ['kɜ:rənsi] <-ies> *n* moeda *f*
current ['kɜ:rənt] **I.** *adj* atual **II.** *n* corrente *f*
current affairs *npl* atualidades *fpl*
currently *adv* atualmente
curriculum [kə'rɪkjələm] <-a *o* -s> *n* currículo *m* escolar
curry ['kɜ:ri] <-ies> *n* curry *m*

curse [kɜ:rs] I. *vi, vt* xingar II. *n* maldição *f*
curtain ['kɜ:rtn] *n* cortina *f*
curve [kɜ:rv] I. *n* curva *f* II. *vi* curvar(-se); (*road*) fazer uma curva
cushion ['kʊʃn] *n* almofada *f*
custard ['kʌstərd] *n no pl* creme *m* (de baunilha)
custody ['kʌstədi] *n no pl* custódia *f*
custom ['kʌstəm] *n* costume *m*
customary ['kʌstəmeri] *adj* habitual
customer ['kʌstəmər] *n* cliente *mf*
cut [kʌt] I. *n* corte *m* II. <cut, cut, -tt-> *vt* 1. (*with scissors, knife*) cortar; **to have one's hair** ~ cortar o cabelo 2. (*decrease*) reduzir ◈ **cut down** I. *vt* (*tree*) derrubar II. *vi, vt* (*reduce*) reduzir; **to** ~ **on sth** diminuir a. c. ◈ **cut in** *vi* (*interrupt*) **to** ~ (**on sb**) interromper (alguém) ◈ **cut off** *vt* 1. (*sever*) cortar 2. (*amputate*) amputar 3. (*isolate*) isolar ◈ **cut out** *vt* **cut it out!** pára com isso!
cute [kju:t] *adj inf* fofo, -a
cutlery ['kʌtləri] *n no pl* talheres *fpl*
cutlet *n* costeleta *f*
cutting *n* (*from plant*) muda *f*; *Brit* (*from newspaper*) recorte *m*
CV [ˌsi:'vi:] *n abbr of* **curriculum vitae** CV *m*
cybercafé ['saɪbərˌ-] *n* cibercafé *m* **cybermall** ['saɪbərˌmɔ:l] *n no pl* shopping center *m* virtual **cyberspace** *n no pl* ciberespaço *m* **cybersquatter** ['saɪbərˌskwɑ:t̬ər] *n pej* cibergrileiro, -a *m, f* **cyberworld** ['saɪbərwɜ:rld] *n no pl, inf* mundo *m* virtual
cycle[1] ['saɪkl] I. *n* bicicleta *f* II. *vi* andar de bicicleta
cycle[2] *n* (*series*) ciclo *m*
cycling *n no pl* ciclismo *m*
cyclist *n* ciclista *mf*
cyclone ['saɪkloʊn] *n* ciclone *m*
cylinder ['sɪlɪndər] *n* cilindro *m*
cynic ['sɪnɪk] *n* cínico, -a *m, f*
cynical ['sɪnɪkl] *adj* cínico, -a
cynicism ['sɪnɪsɪzəm] *n no pl* cinismo *m*
Cyprus ['saɪprəs] *n* Chipre *m*
cyst *n* cisto *m*
czar [zɑ:r] *n* czar *m*
Czech Republic *n* República *f* Tcheca

D

D, d [di:] *n* (*letter*) d *m*
dad ['dæd] *n inf* papai *m*
daddy ['dædi] *n childspeak* papai *m*
daft [dæft] *adj esp Brit, inf* idiota
dagger ['dægər] *n* punhal *m*
daily ['deɪli] I. *adj* diário, -a II. *adv* diariamente
dainty ['deɪnti] <-ier, -iest> *adj* delicado, -a
dairy products *npl* laticínios *mpl*
daisy ['deɪzi] <-ies> *n* margarida *f*
dam [dæm] I. *n* represa *f* II. <-mm-> *vt* represar
damage ['dæmɪdʒ] I. *vt* danificar II. *n no pl* estrago *m*; (*to reputation,*

environment) dano *m*

dame [deɪm] *n* senhora *f*

damn [dæm] **I.** *interj inf* droga! **II.** *adj* maldito, -a **III.** *n no pl, inf* **I don't give a ~!** estou me lixando!

damned *adj inf* danado, -a

damp [dæmp] *adj* úmido, -a

dampen ['dæmpən] *vt* umedecer

dampness *n no pl* umidade *f*

dance [dænts] **I.** <-cing> *vi, vt* dançar **II.** *n* dança *f*

dancer ['dæntsər] *n* dançarino, -ina *m, f*

dancing *n no pl* dança *f*

dandelion ['dændəlaɪən] *n* dente-de-leão *m*

dandruff ['dændrəf] *n no pl* caspa *f*

dandy ['dændi] <-ier, -iest> *adj Am* excelente

Dane [deɪn] *n* dinamarquês, -esa *m, f*

danger ['deɪndʒər] *n* perigo *m*

dangerous ['deɪndʒərəs] *adj* perigoso, -a

dangle ['dæŋgl] <-ling> *vi* pender

Danish ['deɪnɪʃ] *adj* dinamarquês, -esa

dare [der] <-ring> *vt* **don't you ~!** não se atreva!

daring *adj* **1.** audacioso, -a **2.** (*dress*) provocante *m*

dark [dɑ:rk] **I.** *adj* **1.** escuro, -a **2.** (*complexion*) moreno, -a **II.** *n no pl* escuro *m*

darken ['dɑ:rkən] *vi* escurecer; *fig* entristecer(-se)

darkness *n no pl* escuridão *f*

darkroom *n* câmara *f* escura

darling ['dɑ:rlɪŋ] *n* querido, -a *m, f*

dart [dɑ:rt] *n* dardo *m*

dash [dæʃ] **I.** <-es> *n* gota *f* **II.** *vi* disparar **III.** *vt* arremessar

dashboard *n* painel *m* de instrumentos

DAT [dæt] *n abbr of* **digital audio tape** DAT *m*

data ['deɪţə] *n + sing/pl vb* dados *mpl*

database *n* banco *m* de dados **data cable** *n* INFOR cabo *m* de dados **data processing** *n no pl* processamento *m* de dados

date[1] [deɪt] **I.** *n* **1.** data *f* **2.** (*appointment*) encontro *m* **II.** *vt* **1.** datar **2.** *Am, inf* **to ~ sb** namorar alguém **III.** *vi* **to ~ back to** datar de

date[2] *n* BOT tâmara *f*

dated ['deɪţɪd] *adj* obsoleto, -a

daughter ['dɑ:ţər] *n* filha *f*

daughter-in-law <daughters-in-law> *n* cunhada *f*

dawdle ['dɑ:dl] *vi* perder tempo

dawn [dɑ:n] **I.** *n* madrugada *f* **II.** *vi* amanhecer

day [deɪ] *n* dia *m*; **~ by ~** dia a dia; **by ~** de dia; **the ~ after tomorrow** depois de amanhã; **the ~ before yesterday** anteontem

daydream **I.** *vi* sonhar acordado **II.** *n* devaneio *m*

daylight *n no pl* luz *f* do dia

daytime *n* dia *m*; **in the ~** de dia

day-to-day *adj* cotidiano, -a

daze [deɪz] **I.** *n* **to be in a ~** estar atordoado, -a **II.** *vt* atordoar

dazzle ['dæzl] *vt* deslumbrar

dB *abbr of* **decibel** db.

deacon ['di:kən] *n* diácono *m*

dead [ded] I. *adj a. fig* morto, -a; (*fire*) extinto, -a II. *adv inf* **to be ~ set on sth** estar totalmente fixado em a. c.
dead-end *n* beco *m* sem saída
deadline *n* prazo *m*
deadlock *n* **to reach a ~** chegar a um impasse
deadly ['dedli] <-ier, -iest> *adj* mortal
deaf [def] *adj* surdo, -a
deafen ['defən] *vt* ensurdecer
deafening *adj* ensurdecedor(a)
deaf-mute *n* surdo-mudo, surda-muda *m, f*
deafness *n no pl* surdez *f*
deal¹ [di:l] *n no pl* **a great ~** (**of sth**) uma grande quantidade (de a. c.)
deal² I. *n* (*agreement*) trato *m;* COM negócio *m;* **it's no big ~!** *inf* não é nada demais! II. <dealt, dealt> *vi* **to ~ in sth** negociar a. c. III. <dealt, dealt> *vt* dar as cartas ◆ **deal with** *vt* (*person*) lidar com; (*problem*) resolver
dealer ['di:lər] *n* negociante *mf;* **drug ~** traficante *mf*
dealt [delt] *pt, pp of* **deal**
dean [di:n] *n* reitor(a) *m(f)*
dear [dɪr] I. *adj* 1. querido, -a; (*in letters*) caro, -a, prezado, -a *form* 2. (*expensive*) caro, -a II. *interj inf* **oh ~!** ah, meu Deus!
dearly *adv* (*very*) muito
death [deθ] *n* morte *f*
debatable [dɪ'beɪţəbl] *adj* discutível
debate [dɪ'beɪt] I. *n no pl* debate *m* II. *vt, vi* debater
debilitate [dɪ'bɪlɪteɪt] *vt* debilitar
debilitating *adj* debilitante
debility [dɪ'bɪləţi] *n no pl* debilidade *f*
debit ['debɪt] *n* débito *m*
debris [də'bri:] *n no pl* escombros *mpl*
debt [det] *n* dívida *f*
debtor ['deţər] *n* devedor(a) *m(f)*
debug [ˌdi:'bʌg] <-gg-> *vt* INFOR depurar
debut [deɪ'bju:, *Brit:* 'deɪbju:] *n* estréia *f*
decade ['dekeɪd] *n* década *f*
decadence ['dekədəns] *n no pl* decadência *f*
decadent ['dekədənt] *adj* decadente
decaffeinated [ˌdi:'kæfɪneɪtɪd] *adj* descafeinado, -a
decapitate [dɪ'kæpɪteɪt] *vt* decapitar
decathlon [dɪ'kæθlɑ:n] *n* decatlo *m*
decay [dɪ'keɪ] I. *n no pl* deterioração *f* II. *vi* deteriorar
deceased [dɪ'si:st] *n* falecido, -a *m, f*
deceit [dɪ'si:t] *n* fraude *f*
deceitful [dɪ'si:tfəl] *adj* fraudulento, -a
deceive [dɪ'si:v] *vt* enganar
December [dɪ'sembər] *n* dezembro *m*
decency ['di:səntsi] *n no pl* decência *f*
decent ['di:sənt] *adj* 1. decente 2. *nf* (*kind*) gentil
decentralize [di:'sentrəlaɪz] *vt* descentralizar
deception [dɪ'sepʃn] *n* trapaça, f
deceptive [dɪ'septɪv] *adj* enganador, -a
decibel ['desɪbel] *n* decibel *m*
decide [dɪ'saɪd] *vi, vt* decidir

decided [dɪ'saɪdɪd] *adj* decidido, -a
decimal ['desɪml] *adj* decimal
decipher [dɪ'saɪfər] *vt* decifrar
decision [dɪ'sɪʒən] *n* decisão *f*
decisive [dɪ'saɪsɪv] *adj* (*action*) decisivo, -a; (*tone*) categórico, -a
deck [dek] I. *n* 1. (*of ship*) convés *m* 2. (*of bus*) andar *m* 3. (*cards*) baralho *m* II. *vt* decorar
declaration [ˌdeklə'reɪʃn] *n* declaração *f*
declare [dɪ'kler] I. *vt* declarar II. *vi* declarar-se
decline [dɪ'klaɪn] I. *vi* 1. decair 2. (*refuse*) recusar II. *n no pl* redução *f*; (*of civilization*) declínio *m* III. *vt* rejeitar
decode [ˌdiː'koʊd] *vi, vt* decodificar
decompose [ˌdiːkəm'poʊz] *vi* decompor-se
decontaminate [ˌdiːkən'tæmɪneɪt] *vt* descontaminar
decor ['deɪkɔːr] *n* decoração *f*
decorate ['dekəreɪt] *vt* enfeitar
decoration [ˌdekə'reɪʃn] *n* decoração *f*
decorative ['dekərəţɪv] *adj* decorativo, -a
decorator ['dekəreɪţər] *n Am* decorador(a) *m(f)*
decorum [dɪ'kɔːrəm] *n no pl* decoro *m*
decoy ['diːkɔɪ] *n a. fig* chamariz *m*
decrease I. [dɪ'kriːs] *vi* diminuir II. ['diːkriːs] *n* redução *f*
decree [dɪ'kriː] I. *n* decreto *m* II. *vt* decretar
decrepit [dɪ'krepɪt] *adj* decrépito, -a
dedicated *adj* dedicado, -a
dedication [ˌdedɪ'keɪʃn] *n* 1. dedicação *f* 2. (*inscription*) dedicatória *f*
deduce [dɪ'duːs, *Brit:* -'djuːs] *vt*, **deduct** [dɪ'dʌkt] *vt* deduzir
deductible *adj* deduzível
deduction [dɪ'dʌkʃn] *n* dedução *f*
deed [diːd] *n* ato *m*, feito *m*
deem [diːm] *vt form* supor
deep [diːp] *adj* 1. fundo, -a; ~ **red** vermelho forte 2. (*regret*) profundo, -a
deepen ['diːpən] *vi, vt* aprofundar
deeply *adv* profundamente; **to breathe** ~ respirar fundo
deep-rooted *adj* arraigado, -a
deer [dɪr] *n inv* veado *m*
defamatory [dɪ'fæmətɔːri] *adj* difamatório, -a
default [dɪ'fɑːlt] *n* inadimplência *f*
defeat [dɪ'fiːt] I. *vt* derrotar II. *n* derrota *f*
defect[1] ['diːfekt] *n* defeito *m*
defect[2] [dɪ'fekt] *vi* desertar
defective [dɪ'fektɪv] *adj* defeituoso, -a
defence *n Aus, Brit s.* **defense**
defence minister *n Aus, Brit* ministro, -a *m, f* da defesa
defend [dɪ'fend] *vt* defender
defendant [dɪ'fendənt] *n* acusado, -a *m, f*
defense [dɪ'fents] *n Am* defesa *f*
defensive [dɪ'fentsɪv] I. *adj* defensivo, -a II. *n* **to be on the** ~ ficar na defensiva
defer [dɪ'fɜːr] <-rr-> *vt* adiar
defiance [dɪ'faɪənts] *n no pl* desafio *m*
defiant [dɪ'faɪənt] *adj* provocador(a)
deficiency [dɪ'fɪʃəntsi] *n* deficiência *f*

deficient [dɪ'fɪʃənt] *adj* deficiente
deficit ['defɪsɪt] *n* déficit *m*
define [dɪ'faɪn] *vt* definir
definite ['defɪnət] *adj* **1.** (*certain*) definido, -a **2.** (*opinion*) claro, -a
definitely *adv* definitivamente
definition [ˌdefɪ'nɪʃn] *n* definição *f*
definitive [dɪ'fɪnət̬ɪv] *adj* definitivo, -a
deflation [dɪ'fleɪʃn] *n no pl* deflação *f*
deforestation [diːˌfɔːrɪ'steɪʃn] *n no pl* desflorestamento *m*
deform [dɪ'fɔːrm] *vt* deformar
deformed *adj* deformado, -a
deformity [dɪ'fɔːrmət̬i] *n* deformidade *f*
defrost [ˌdiː'frɑːst] *vt* descongelar
defunct [dɪ'fʌŋkt] *adj* extinto, -a
defy [dɪ'faɪ] *vt* desafiar
degrade [dɪ'greɪd] *vt* degradar
degree [dɪ'griː] *n* **1.** MAT, METEO grau *m* **2.** UNIV diploma *m*
dehydrated [ˌdiːhaɪ'dreɪt̬ɪd] *adj* desidratado, -a
dehydration [ˌdiːhaɪ'dreɪʃn] *n no pl* desidratação *f*
deity ['diːət̬i] *n* divindade *f*
delay [dɪ'leɪ] **I.** *vt* atrasar **II.** *vi* demorar-se **III.** *n* demora *f*
delegate¹ ['delɪgət] *n* representante *mf*
delegate² ['delɪgeɪt] *vt* delegar
delegation [ˌdelɪ'geɪʃn] *n* delegação *f*
delete [dɪ'liːt] *vt* apagar
deliberate¹ [dɪ'lɪbərət] *adj* deliberado, -a
deliberate² [dɪ'lɪbəreɪt] **I.** *vi* ponderar **II.** *vt* discutir
deliberately *adv* deliberadamente
deliberation [dɪˌlɪbə'reɪʃn] *n* discussão *f*
delicacy ['delɪkəsi] *n* **1.** *no pl* delicadeza *f* **2.** (*food*) iguaria *f*
delicate ['delɪkət] *adj* **1.** delicado, -a **2.** (*china, health*) frágil
delicious [dɪ'lɪʃəs] *adj* delicioso, -a
delight [dɪ'laɪt] **I.** *n* prazer *m* **II.** *vt* encantar
delightful [dɪ'laɪtfəl] *adj* encantador(a)
delinquent [dɪ'lɪŋkwənt] *n* delinqüente *mf*
delirious [dɪ'lɪriəs] *adj* **to be ~** delirar
deliver [dɪ'lɪvər] *vt* (*speech*) proferir; (*goods*) distribuir; (*letters*) entregar
delivery [dɪ'lɪvəri] *n* **1.** entrega *f* **2.** MED parto *m*
delta ['deltə] *n* delta *m*
delusion [dɪ'luːʒən] *n* ilusão *f*
delve [delv] *vi* **to ~ into sth** investigar a. c.
demand [dɪ'mænd] **I.** *vt* exigir **II.** *n* **1.** (*request*) exigência *f* **2.** ECON demanda *f*
demanding *adj* exigente
demeanor *n Am, Aus,* **demeanour** [dɪ'miːnər] *n Brit, Aus no pl* conduta *f*
demented [dɪ'mentɪd] *adj inf* demente
demilitarize [ˌdiː'mɪlɪt̬əraɪz] *vt* desmilitarizar
democracy [dɪ'mɑːkrəsi] *n* democracia *f*
democrat ['deməkræt] *n* democrata *mf*
democratic [ˌdemə'kræt̬ɪk] *adj* democrático, -a

D

demolish [dɪ'mɑ:lɪʃ] *vt* demolir
demolition [ˌdemə'lɪʃn] *n* demolição *f*
demon ['di:mən] *n* demônio *m*
demonstrate ['demənstreɪt] **I.** *vt* demonstrar **II.** *vi* manifestar-se
demonstration [ˌdemən'streɪʃn] *n* demonstração *f;* POL manifestação *f*
demonstrator ['demənstreɪṱər] *n* manifestante *mf*
demoralize [dɪ'mɔ:rəlaɪz] *vt* desmoralizar
demote [dɪ'moʊt] *vt* rebaixar (de posto)
den [den] *n* **1.** (*lair*) toca *f* **2.** *Am* sala *f* íntima
denial [dɪ'naɪəl] *n* desmentido *m*
denim ['denɪm] *n no pl* brim *m*
Denmark ['denmɑ:rk] *n* Dinamarca *f*
denomination [dɪˌnɑ:mə'neɪʃn] *n a.* FIN denominação *f*
denote [dɪ'noʊt] *vt* denotar
denounce [dɪ'naʊnts] *vt* denunciar
dense [dents] *adj* denso, -a
densely *adv* densamente
density ['dentsəṱi] *n* densidade *f*
dent [dent] *n* mossa *f*
dental ['dentəl] *adj* dental
dental floss *n* fio *m* dental
dentist ['dentɪst] *n* dentista *mf*
deny [dɪ'naɪ] *vt* negar
deodorant [di'oʊdərənt] *n* desodorante *m*
depart [dɪ'pɑ:rt] *vi* partir
department [dɪ'pɑ:rtmənt] *n* (*of organization*) departamento *m;* (*of shop*) seção *f;* ADMIN, POL repartição *f*
departmental [ˌdi:pɑ:rt'mentəl] *adj* departamental
department store *n* loja *f* de departamentos
departure [dɪ'pɑ:rtʃər] *n* partida *f;* (*of plane*) decolagem *f*
depend [dɪ'pend] *vi* **to ~ on sb/sth** depender de alguém/a. c.
dependable [dɪ'pendəbl] *adj* confiável
dependant *n s.* **dependent**
dependence [dɪ'pendənts] *n no pl* dependência *f*
dependency *n* **1.** *no pl* dependência *f* **2.** POL possessão *f*
dependent [dɪ'pendənt] *n, adj* dependente *mf*
depict [dɪ'pɪkt] *vt* retratar
depiction [dɪ'pɪkʃn] *n* representação *f*
deplete [dɪ'pli:t] *vt* esgotar
depleted *adj* esgotado, -a
depletion [dɪ'pli:ʃn] *n* redução *f*
deplorable [dɪ'plɔ:rəbl] *adj* deplorável
deplore [dɪ'plɔ:r] *vt* deplorar
deploy [dɪ'plɔɪ] *vt* posicionar
deployment [dɪ'plɔɪmənt] *n no pl* mobilização *f*
deport [dɪ'pɔ:rt] *vt* deportar
deportation [ˌdi:pɔ:r'teɪʃn] *n* deportação *f*
depose [dɪ'poʊz] *vt* depor
deposit [dɪ'pɑ:zɪt] **I.** *vt* depositar **II.** *n* depósito *m*
depot ['di:poʊ] *n Am* (*for train or bus*) terminal *m*
depraved *adj* depravado, -a
depreciate [dɪ'pri:ʃieɪt] *vi* depreciar
depreciation [dɪˌpri:ʃi'eɪʃn] *n no pl* depreciação *f*

depress [dɪ'pres] *vt* deprimir
depressed *adj* deprimido, -a
depressing *adj* deprimente
depression [dɪ'preʃn] *n* depressão *f*
deprivation [ˌdeprɪ'veɪʃn] *n* privação *f*
deprive [dɪ'praɪv] *vt* **to ~ sb of sth** privar alguém de a. c.
deprived *adj* carente
depth [depθ] *n* profundidade *f*
deputy ['depjəṱi] *n* deputado, -a *m, f*
derail [dɪ'reɪl] *vt* descarrilar
deranged [dɪ'reɪndʒd] *adj* demente
deregulation [ˌdɪregjə'leɪʃn] *n no pl* desregulamentação *f*
derivative [dɪ'rɪvəṱɪv] *n* derivado *m*
derive [dɪ'raɪv] *vt, vi* derivar
dermatology [ˌdɜːrmə'tɑːlədʒi] *n no pl* dermatologia *f*
derogatory [dɪ'rɑːgətɔːri] *adj* depreciativo, -a
descend [dɪ'send] **I.** *vi* descender **II.** *vt* descer
descendant [dɪ'sendənt] *n* descendente *mf*
descent [dɪ'sent] *n* **1.** (*landing*) descida *f* **2.** *no pl* (*ancestry*) ascendência *f*
describe [dɪ'skraɪb] *vt* descrever
description [dɪ'skrɪpʃn] *n* descrição *f*
descriptive [dɪ'skrɪptɪv] *adj* descritivo, -a
desegregation [diːˌsegrɪ'geɪʃən] *n no pl* dessegregação *f*
desert[1] [dɪ'zɜːrt] **I.** *vi* desertar **II.** *vt* abandonar
desert[2] ['dezərt] *n* deserto *m*
deserted [dɪ'zɜːrṱɪd] *adj* deserto, -a
deserter [dɪ'zɜːrṱər] *n* desertor(a) *m(f)*
desertion [dɪ'zɜːrʃn] *n* deserção *f*
deserve [dɪ'zɜːrv] *vt* merecer
deserving *adj* merecedor(a)
design [dɪ'zaɪn] **I.** *vt* (*building*) projetar; (*dress*) desenhar **II.** *n* desenho *m,* projeto *m;* (*pattern*) design *m*
designate ['dezɪgneɪt] *vt* designar
designation [ˌdezɪg'neɪʃn] *n* designação *f*
designer [dɪ'zaɪnər] **I.** *n* (*aircraft*) projetista *mf;* (*fashion*) estilista *mf;* (*graphic*) designer *mf* **II.** *adj* de grife
desirable [dɪ'zaɪərəbl] *adj* desejável
desire [dɪ'zaɪər] **I.** *vt* desejar **II.** *n* desejo *m*
desk [desk] *n* (*office*) mesa *f* de trabalho; (*school*) carteira *f*
desktop computer *n* computador *m* de mesa **desktop publishing** *n* editoração *f* eletrônica
desolate ['desələt] *adj* desolado, -a
despair [dɪ'sper] *n no pl* desespero *m*
desperate ['despərət] *adj* desesperado, -a
desperation [ˌdespə'reɪʃn] *n no pl* desespero *m*
despicable [dɪ'spɪkəbl] *adj* abominável
despise [dɪ'spaɪz] *vt* desprezar
despite [dɪ'spaɪt] *prep* apesar de
dessert [dɪ'zɜːrt] *n* sobremesa *f*
destabilize [ˌdiː'steɪbəlaɪz] *vt* desestabilizar
destination [ˌdestɪ'neɪʃn] *n* destino *m*
destiny ['destɪni] *n* destino *m*
destitute ['destɪtuːt, *Brit:* -tjuːt] *adj* indigente
destroy [dɪ'strɔɪ] *vt* destruir

destruction [dɪ'strʌkʃn] *n no pl* destruição *f*
destructive [dɪ'strʌktɪv] *adj* destrutivo, -a
detach [dɪ'tætʃ] *vt* destacar
detached *adj* arredio, -a
detachment [dɪ'tætʃmənt] *n no pl* indiferença *f*
detail [dɪ'teɪl, *Brit:* 'di:teɪl] **I.** *n* detalhe *m* **II.** *vt* detalhar
detailed *adj* detalhado, -a
detain [dɪ'teɪn] *vt* deter
detainee [ˌdi:teɪ'ni:] *n* detento, -a *m, f*
detect [dɪ'tekt] *vt* detectar
detective [dɪ'tektɪv] *n* detetive *mf*
detector [dɪ'tektər] *n* detector *m*
detention [dɪ'tenʃn] *n* detenção *f*
deter [dɪ'tɜ:r] <-rr-> *vt* impedir
detergent [dɪ'tɜ:rdʒənt] *n* detergente *m*
deteriorate [dɪ'tɪriəreɪt] *vi* deteriorar-se
deterioration [dɪˌtɪriə'reɪʃn] *n no pl* deterioração *f*
determination [dɪˌtɜ:rmɪ'neɪʃn] *n no pl* determinação *f*
determine [dɪ'tɜ:rmɪn] *vt* determinar
determined *adj* decidido, -a
detest [dɪ'test] *vt* detestar
detonate ['detəneɪt] *vi, vt* detonar
detour ['di:tʊr] *n* desvio *m*
detract [dɪ'trækt] **I.** *vi* **to ~ from sth** desmerecer a. c. **II.** *vt* desviar
detrimental [ˌdetrɪ'mentəl] *adj* prejudicial
devaluation [ˌdi:vælju'eɪʃn] *n* desvalorização *f*
devalue [ˌdi:'vælju:] *vt* desvalorizar
devastate ['devəsteɪt] *vt* devastar
devastating *adj* devastador(a)
devastation [ˌdevə'steɪʃn] *n no pl* devastação *f*
develop [dɪ'veləp] **I.** *vi* desenvolver-se **II.** *vt* **1.** PHOT revelar **2.** (*illness*) contrair
developed *adj* desenvolvido, -a
developer [dɪ'veləpər] *n* incorporador(a) *m(f)*
developing *adj* em desenvolvimento
development [dɪ'veləpmənt] *n* **1.** desenvolvimento *m* **2.** PHOT revelação *f*
deviant ['di:viənt] *adj* fora dos padrões
deviate ['di:vieɪt] *vi* **to ~ from sth** desviar-se de a. c.
deviation [ˌdi:vi'eɪʃn] *n* desvio *m*
device [dɪ'vaɪs] *n* aparelho *m*
devil ['devəl] *n* diabo *m*
devious ['di:viəs] *adj* ardiloso, -a
devise [dɪ'vaɪz] *vt* planejar
devote [dɪ'voʊt] *vt* dedicar
devoted *adj* dedicado, -a
devotion [dɪ'voʊʃn] *n no pl* devoção *f*
devour [dɪ'vaʊər] *vt* devorar
devout [dɪ'vaʊt] *adj* devoto, -a
dew [du:, *Brit:* dju:] *n no pl* orvalho *m*
diabetes [ˌdaɪə'bi:ţi:z] *n no pl* diabetes *m ou f*
diabetic [ˌdaɪə'beţɪk] *n* diabético, -a *m, f*
diabolical [ˌdaɪə'bɑ:lɪk(əl)] *adj* diabólico, -a
diagnose [ˌdaɪəg'noʊs, *Brit:* 'daɪəgnəʊz] *vt* diagnosticar

diagnosis [ˌdaɪəg'noʊsɪs] <-ses> *n* diagnóstico *m*
diagnostic [ˌdaɪəg'nɑːstɪk] *adj* diagnóstico, -a
diagonal [daɪ'ægənl] *adj* diagonal
diagram ['daɪəgræm] *n* diagrama *m*
dial ['daɪəl] <*Brit:* -ll-, *Am:* -l-> *vt* discar
dialect ['daɪəlekt] *n* dialeto *m*
dialog *n Am,* **dialogue** ['daɪəlɑːg] *n* diálogo *m*
diameter [daɪ'æmət̬ər] *n* diâmetro *m*
diamond ['daɪəmənd] *n* diamante *m*
diaper ['daɪəpər] *n Am* fralda *f*
diaphragm ['daɪəfræm] *n* diafragma *m*
diarrhea *n,* **diarrhoea** [ˌdaɪə'riːə] *n no pl* diarréia *f*
diary ['daɪəri] *n* (*journal*) diário *m;* (*planner*) agenda *f*
dice [daɪs] **I.** *npl* dados *mpl* **II.** *vt* GASTR cortar em cubos
dichotomy [daɪ'kɑːt̬əmi] *n* dicotomia *f*
dick [dɪk] *n vulg* (*penis*) pau *m*
dictate ['dɪkteɪt, *Brit:* dɪk'teɪt] **I.** *vt* ditar **II.** *vi* dar ordens
dictator ['dɪkteɪt̬ər, *Brit:* dɪk'teɪtəʳ] *n* ditador(a) *m(f)*
dictatorship [dɪk'teɪt̬ərʃɪp] *n* ditadura *f*
diction ['dɪkʃən] *n no pl* dicção *f*
dictionary ['dɪkʃəneri] <-ies> *n* dicionário *m*
did [dɪd] *pt of* **do**
didactic [daɪ'dæktɪk, *Brit:* dɪ'-] *adj* didático, -a
die¹ [daɪ] *n* **1.** dado *m* **2.** TECH molde *m,* matriz *f*
die² <dying, died> *vi* morrer
diesel ['diːzəl] *n no pl* diesel *m*
diet ['daɪət] **I.** *n* dieta *f;* **to be on a ~** estar de regime *m* **II.** *vi* fazer regime
dietary ['daɪəteri] *adj* dietético, -a
differ ['dɪfər] *vi* **1.** (*be unlike*) diferir **2.** (*disagree*) discordar
difference ['dɪfərənts] *n* diferença *f*
different ['dɪfərənt] *adj* diferente
differentiate [ˌdɪfə'rentʃieɪt] *vt* distinguir
difficult ['dɪfɪkəlt] *adj* difícil
difficulty ['dɪfɪkəlti] <-ies> *n* dificuldade *f*
diffuse¹ [dɪ'fjuːz] *vi, vt* difundir
diffuse² [dɪ'fjuːs] *adj* difuso, -a
diffusion [dɪ'fjuːʒən] *n no pl* difusão *f*
dig [dɪg] **I.** *n* escavação *f* **II.** <-gg-, dug, dug> *vt* cavar
digest [daɪ'dʒest] *vt* **1.** (*food*) digerir **2.** *fig* (*understand*) assimilar
digestion [daɪ'dʒestʃən] *n* digestão *f*
digestive [daɪ'dʒestɪv] *adj* digestivo, -a
digicam ['dɪdʒɪˌkæm] *n abbr of* **digital camera** câmera *f* digital
digit ['dɪdʒɪt] *n* dígito *m*
digital ['dɪdʒɪt̬l] *adj* digital
dignified ['dɪgnɪfaɪd] *adj* digno, -a
dignify ['dɪgnɪfaɪ] <-ie-> *vt* dignificar
dignitary ['dɪgnəteri] <-ies> *n* dignatário, -a *m, f*
dignity ['dɪgnət̬i] *n no pl* dignidade *f*
dike [daɪk] *n* dique *m*
dilapidated [dɪ'læpɪdeɪt̬ɪd] *adj* dilapidado, -a

D

dilate ['daɪleɪt, *Brit:* daɪ'leɪt] *vi* dilatar(-se)

dilemma [dɪ'lemə] *n* dilema *m*

diligence ['dɪlɪdʒəns] *n no pl* diligência *f*

diligent ['dɪlɪdʒənt] *adj* diligente

dill [dɪl] *n no pl* aneto *m*

dilute [daɪ'lu:t, *Brit:* -'lju:t] *vt* diluir

dim [dɪm] I. <-mm-> *vt* diminuir II. <-mm-> *adj* (*light*) fraco, -a

dime [daɪm] *n* moeda *f* de dez centavos do dólar (EUA e Canadá)

dimension [dɪ'mentʃən, *Brit:* ˌdaɪ'men-] *n* dimensão *f*

diminish [dɪ'mɪnɪʃ] *vi, vt* diminuir

diminutive [dɪ'mɪnjəţɪv] *n* diminutivo *m*

dine [daɪn] *vi* jantar

diner ['daɪnər] *n Am* lanchonete *f*

dinghy ['dɪŋi, *Brit:* -ŋgi] *n* <-ies> bote *m*

dingy ['dɪndʒi] <-ier, -iest> *adj* borrado, -a

dinner ['dɪnər] *n* jantar *m*

dinner jacket *n* smoking *m* **dinner party** *n* banquete *m*

dinosaur ['daɪnəsɔ:r] *n* dinossauro *m*

diocese ['daɪəsɪs] *n* diocese *f*

dioxide [daɪ'ɑ:ksaɪd] *n no pl* dióxido *m*

dip [dɪp] I. *n* 1. (*sudden drop*) queda *f* 2. GASTR molho *m* grosso 3. (*brief swim*) mergulho *m* II. *vi* cair III. *vt* mergulhar

diploma [dɪ'ploʊmə] *n* diploma *m*

diplomacy [dɪ'ploʊməsi] *n no pl* diplomacia *f*

diplomat ['dɪpləmæt] *n* diplomata *mf*

diplomatic [ˌdɪplə'mæţɪk] *adj* diplomático, -a

direct [dɪ'rekt] I. *vt* dirigir II. *adj* direto, -a; **the ~ opposite of sth** exatamente o oposto de a. c. III. *adv* diretamente

direction [dɪ'rekʃn] *n* direção *f*; **can you give me ~s?** pode me indicar o caminho?

directive [dɪ'rektɪv] *n* diretriz *f*

directly [dɪ'rektli] *adv* 1. (*frankly*) sem rodeios 2. (*immediately*) imediatamente

director [dɪ'rektər] *n* diretor(a) *m(f)*

directory [dɪ'rektəri] *n* 1. catálogo *m* 2. INFOR diretório *m*

dirt [dɜ:rt] *n no pl* 1. sujeira *f* 2. (*soil*) terra *f*

dirty ['dɜ:rţi] I. *vt* sujar II. <-ier, -iest> *adj* 1. sujo, -a 2. (*joke*) obsceno, -a

disability [ˌdɪsə'bɪləţi] *n* deficiência *f*

disabled *adj* deficiente, incapacitado, -a

disadvantage [ˌdɪsəd'væntɪdʒ] *n* desvantagem *f*

disadvantaged *adj* desfavorecido, -a

disagree [ˌdɪsə'gri:] *vi* **to ~ with sb on sth** discordar de alguém em a. c.; **spicy food ~s with me** não me dou bem com comida picante

disagreement [ˌdɪsə'gri:mənt] *n no pl* desentendimento *m*

disappear [ˌdɪsə'pɪr] *vi* desaparecer

disappearance [ˌdɪsə'pɪrənts] *n no pl* desaparecimento *m*

disappoint [ˌdɪsə'pɔɪnt] *vt* decepcionar

disappointed *adj* decepcionado, -a
disappointing *adj* decepcionante
disappointment [ˌdɪsəˈpɔɪntmənt] *n* decepção *f*
disapproval [ˌdɪsəˈpruːvəl] *n no pl* desaprovação *f*
disapprove [ˌdɪsəˈpruːv] *vi* desaprovar
disarm [dɪsˈɑːrm] *vt* desarmar
disarmament [dɪsˈɑːrməmənt] *n no pl* desarmamento *m*
disarray [ˌdɪsəˈreɪ] *n no pl* desordem *f*
disaster [dɪˈzæstər] *n* desastre *m*
disastrous [dɪˈzæstrəs] *adj* desastroso, -a
disbelief [ˌdɪsbɪˈliːf] *n no pl* incredulidade *f*
disc [dɪsk] *n* disco *m*
discard [dɪˈskɑːrd] *vt* descartar
discern [dɪˈsɜːrn] *vt* discernir
discharge¹ [ˈdɪstʃɑːrdʒ] *n no pl* **1.** (*of patient*) alta *f* **2.** MED secreção *f*
discharge² [dɪsˈtʃɑːrdʒ] *vt* **1.** dar baixa a **2.** (*waste*) lançar **3.** (*battery*) descarregar
disciple [dɪˈsaɪpl] *n* discípulo, -a *m, f*
disciplinary [ˈdisəplɪneri, *Brit:* ˌdɪsəˈplɪnəri] *adj* disciplinar
discipline [ˈdɪsəplɪn] *n* disciplina *f*
disclaimer [dɪsˈkleɪmər] *n form* retratação *f*
disclose [dɪsˈkloʊz] *vt* revelar, anunciar
disclosure [dɪsˈkloʊʒər] *n* revelação *f*
disco [ˈdɪskoʊ] *n* discoteca *f*
discomfort [dɪˈskʌmpfərt] *n no pl* desconforto *m*
disconnect [ˌdɪskəˈnekt] *vt* (*customer*) cortar; (*phone*) desligar; (*piece of equipment*) desconectar
discontented *adj* descontente
discontinue [ˌdɪskənˈtɪnjuː] *vt* (*service*) suspender
discord [ˈdɪskɔːrd] *n no pl* discórdia *f*
discount¹ [ˈdɪskaʊnt] *n* desconto *m*
discount² [dɪˈskaʊnt] *vt* COM descontar
discourage [dɪˈskɜːrɪdʒ] *vt* desencorajar
discouraging *adj* desanimador(a)
discourse [ˈdɪskɔːrs] *n* discurso *m*
discover [dɪˈskʌvər] *vt* descobrir
discovery [dɪˈskʌvəri] <-ies> *n* descobrimento *m,* descoberta *f*
discredit [dɪˈskredɪt] *vt* desacreditar
discreet [dɪˈskriːt] *adj* discreto, -a
discrete [dɪˈskriːt] *adj* distinto, -a
discretion [dɪˈskreʃn] *n no pl* **1.** discrição *f* **2. at sb's ~** a critério *m* de alguém
discriminate [dɪˈskrɪmɪneɪt] *vi* discriminar
discrimination [dɪˌskrɪmɪˈneɪʃn] *n no pl* discriminação *f*
discuss [dɪˈskʌs] *vt* debater
discussion [dɪˈskʌʃn] *n* debate *m*
disdain [dɪsˈdeɪn] *n no pl* desdém *m*
disease [dɪˈziːz] *n a. fig* doença *f*
disembark [ˌdɪsɪmˈbɑːrk] *vi* desembarcar
disenchanted [ˌdɪsɪnˈtʃæntɪd] *adj* desiludido, -a
disengage *vi, vt* separar
disfigure [dɪsˈfɪgjər, *Brit:* -gəʳ] *vt* desfigurar

disgrace [dɪs'greɪs] I. *n* vergonha *f* II. *vt* desonrar
disgraceful [dɪs'greɪsfəl] *adj* vergonhoso, -a
disgruntled [dɪs'grʌntld] *adj* irritado, -a
disguise [dɪs'gaɪz] I. *n* disfarce *m* II. *vt* disfarçar
disgust [dɪs'gʌst] I. *n no pl* 1. nojo *m* 2. (*indignation*) indignação *f* II. *vt* 1. dar nojo 2. (*revolt*) indignar-se
disgusting *adj* nojento, -a
dish [dɪʃ] <-es> *n* 1. prato *m;* **to do the ~es** lavar a louça 2. **satellite ~** antena *f* parabólica
dishcloth *n* pano *m* de prato
dishearten [dɪs'hɑːrtən] *vt* desanimar
disheveled *adj Am,* **dishevelled** [dɪ'ʃevəld] *adj* (*clothes*) em desalinho; (*hair*) desgrenhado, -a
dishonest [dɪ'sɑːnɪst] *adj* desonesto, -a
dishonesty [dɪ'sɑːnɪsti] *n no pl* desonestidade *f*
dishonor *n Am,* **dishonour** [dɪ'sɑːnər] *n Aus, Brit no pl* desonra *f* **dishsoap** *n Am* detergente *m* **dishwasher** *n* lava-louças *f inv* **dishwashing liquid** *n* detergente *m* lava-louças
disillusioned [ˌdɪsɪ'luːʒənd] *adj* desiludido, -a
disinclined [ˌdɪsɪn'klaɪnd] *adj* relutante
disinfectant [ˌdɪsɪn'fektənt] *n* desinfetante *m*
disintegrate [dɪ'sɪntəgreɪt] *vi* desintegrar(-se)
disintegration [dɪˌsɪntə'greɪʃn] *n no pl* desintegração *f*
disinterested [dɪ'sɪntrəstɪd] *adj* desinteressado, -a
disk [dɪsk] *n* INFOR disco *m*
disk drive *n* unidade *f* de disco
diskette [dɪs'ket] *n* disquete *m*
dislike [dɪs'laɪk] I. *vt* não gostar de II. *n no pl* aversão *f*
dislocate ['dɪsloʊkeɪt, *Brit:* dɪ'slə-] *vt* deslocar
dislodge [dɪ'slɑːdʒ] *vt* desalojar
dismal ['dɪzməl] *adj* deprimente
dismantle [dɪ'smæntl] *vt* desmontar
dismay [dɪ'smeɪ] I. *n no pl* consternação *f* II. *vt* consternar
dismiss [dɪ'smɪs] *vt* 1. (*not consider*) descartar 2. (*let go*) dispensar
dismissal [dɪ'smɪsəl] *n no pl* (*from job*) demissão *f*
disobedience [ˌdɪsə'biːdiənts] *n no pl* desobediência *f*
disobedient [ˌdɪsə'biːdiənt] *adj* desobediente
disobey [ˌdɪsə'beɪ] *vi, vt* desobedecer
disorder [dɪ'sɔːrdər] *n* 1. *no pl* desordem *f* 2. MED distúrbio *m*
disorderly *adj* desordenado, -a
disorient [dɪ'sɔːrient] *vt Am,* **disorientate** [dɪ'sɔːriənteɪt] *vt Brit* desorientar
disown [dɪ'soʊn] *vt* renegar
disparaging [dɪ'sperɪdʒ] *adj* depreciativo, -a
disparate ['dɪspərət] *adj* díspar
disparity [dɪ'sperəṱi] *n* disparidade *f*
dispatch [dɪ'spætʃ] *vt* despachar

dispel [dɪ'spel] <-ll-> *vt* dissipar
displace [dɪs'pleɪs] *vt* desalojar
display [dɪ'spleɪ] I. *vt* expor II. *n* exibição *f*
displease [dɪ'spli:z] *vt* desagradar
displeasure [dɪ'spleʒər] *n no pl* descontentamento *m*
disposable [dɪ'spoʊzəbl] *adj* descartável
disposal [dɪ'spoʊzl] *n* disposição *f*
dispose [dɪ'spoʊz] *vi* **to ~ of sth** jogar fora a. c.
disposition [ˌdɪspə'zɪʃn] *n* disposição *f*
disproportionate [ˌdɪsprə'pɔ:rʃənət] *adj* desproporcional
disprove [dɪ'spru:v] *vt* refutar
dispute [dɪ'spju:t] I. *vt* discutir II. *n* disputa *f*
disqualify [dɪ'skwɑ:ləfaɪ] <-ie-> *vt* desqualificar
disregard [ˌdɪsrɪ'gɑ:rd] *vt* ignorar
disreputable [dɪs'repjəţəbl] *adj* de má fama
disrespect [ˌdɪsrɪ'spekt] *n no pl* desrespeito *m*
disrespectful [ˌdɪsrɪ'spektfəl] *adj* desrespeitoso, -a
disrupt [dɪs'rʌpt] *vt* tumultuar
disruption [dɪs'rʌpʃn] *n* transtorno *m*
disruptive [dɪs'rʌptɪv] *adj* perturbador, -a
dissatisfaction [ˌdɪssæţəs'fækʃn] *n no pl* insatisfação *f*
dissatisfied [dɪs'sæţəsfaɪd] *adj* insatisfeito, -a
dissertation [ˌdɪsər'teɪʃn] *n* dissertação *f*
dissident ['dɪsɪdənt] *n* dissidente *mf*
dissimilar [ˌdɪs'sɪmɪlər] *adj* diferente
dissipate ['dɪsɪpeɪt] *vi* dissipar
dissolution [ˌdɪsə'lu:ʃn] *n no pl* dissolução *f*
dissolve [dɪ'zɑ:lv] I. *vi* dissolver-se II. *vt* dissolver
dissuade [dɪ'sweɪd] *vt* dissuadir
distance ['dɪstənts] I. *n* distância *f* II. *vt* **to ~ oneself from sb** distanciar-se de alguém
distant ['dɪstənt] *adj* distante
distil [dɪ'stɪl] <-ll-> *vt,* **distill** *vt Am, Aus* destilar
distinct [dɪ'stɪŋkt] *adj* distinto, -a
distinction [dɪ'stɪŋkʃn] *n* distinção *f*
distinctive [dɪ'stɪŋktɪv] *adj* característico, -a
distinguish [dɪ'stɪŋgwɪʃ] *vt* distinguir
distinguished *adj* ilustre
distort [dɪ'stɔ:rt] *vt* distorcer
distortion [dɪ'stɔ:rʃn] *n* distorção *f*
distract [dɪ'strækt] *vt* distrair
distraction [dɪ'strækʃn] *n* distração *f*
distraught [dɪ'strɑ:t] *adj* desesperado, -a
distress [dɪ'stres] I. *n no pl* aflição *f* II. *vt* afligir
distribute [dɪ'strɪbju:t] *vt* distribuir
distribution [ˌdɪstrɪ'bju:ʃən] *n no pl* distribuição *f*
distributor [dɪ'strɪbjəţər] *n* distribuidora *f*
district ['dɪstrɪkt] *n* distrito *m,* bairro *m*
district attorney *n Am* promotor público, promotora pública *m, f*
distrust [dɪ'strʌst] I. *vt* desconfiar

II. *n no pl* desconfiança *f*

disturb [dɪ'stɜːrb] *vt* (*bother*) incomodar; (*worry*) inquietar; **please do not ~** favor não incomodar

disturbance [dɪ'stɜːrbənts] *n* **1.** (*bother*) transtorno *m* **2.** (*public incident*) tumulto *m*

disturbing *adj* preocupante

ditch [dɪtʃ] **I.** <-es> *n* (*for drainage*) fosso *m;* (*road*) vala *f* **II.** *vt* (*car*) abandonar

dive [daɪv] **I.** *n* mergulho *m; fig* salto *m* **II.** *vi* <dived *Am:* dove, dived *Am:* dove> mergulhar

diver ['daɪvər] *n* mergulhador(a) *m(f)*

diverge [dɪ'vɜːrdʒ] *vi* divergir

diverse [dɪ'vɜːrs] *adj* **1.** (*varied*) variado, -a **2.** (*not alike*) diferente

diversification [dɪˌvɜːrsɪfɪ'keɪʃn] *n no pl* diversificação *f*

diversify [dɪ'vɜːrsɪfaɪ] <-ie-> *vi* diversificar

diversion [dɪ'vɜːrʃən] *n no pl* **1.** (*of railway*) desvio *m* **2.** (*entertainment*) diversão *f*

diversity [dɪ'vɜːrsət̬i] *n no pl* diversidade *f*

divert [dɪ'vɜːrt] *vt* desviar

divide [dɪ'vaɪd] **I.** *n* divisão *f* **II.** *vt* dividir **III.** *vi* dividir-se

dividend ['dɪvɪdend] *n* dividendo *m*

divine [dɪ'vaɪn] *adj a. fig* divino, -a

diving *n no pl* mergulho *m*

divinity [dɪ'vɪnət̬i] <-ies> *n no pl* divindade *f*

division [dɪ'vɪʒən] *n* divisão *f*

divorce [dɪ'vɔːrs] **I.** *n* divórcio *m* **II.** *vt* **to get ~d from sb** divorciar-se de alguém **III.** *vi* divorciar-se

divulge [dɪ'vʌldʒ, *Brit:* daɪ-] *vt* divulgar

dizzy ['dɪzi] <-ier, -iest> *adj* tonto, -a

DJ ['diːdʒeɪ] *n abbr of* **disc jockey** DJ *m*

do [duː] **I.** <does, did, done> *aux* **1.** (*to form questions*) **~ you own a dog?** você tem um cachorro? **2.** (*to form negatives*) **Frida ~esn't like olives** Frida não gosta de azeitonas **3.** (*emphasis*) **he did say that** ele disse mesmo que **4.** (*replaces repeated verb*) **so ~ I** eu também **II.** <does, did, done> *vt* fazer **III.** <does, did, done> *vi* **how are you ~ing?** como vai?; **that will never ~** isso não vai servir nunca ◈ **do away with** *vi inf* acabar com ◈ **do without** *vi* passar sem

dock [dɑːk] **I.** *n* doca *f* **II.** *vi* atracar

docker ['dɑːkər] *n* estivador *m*

dockyard ['dɑːkjɑːrd] *n* estaleiro *m*

doctor ['dɑːktər] *n* **1.** médico, -a *m, f* **2.** UNIV doutor(a) *m(f)*

doctorate ['dɑːktərət] *n* doutorado *m*

doctrine ['dɑːktrɪn] *n* doutrina *f*

document ['dɑːkjəmənt] **I.** *n* documento *m* **II.** *vt* documentar

documentary [ˌdɑːkjə'mentəri] <-ies> *n* documentário *m*

documentation [ˌdɑːkjəmen'teɪʃn] *n no pl* documentação *f*

dodge [dɑːdʒ] *vt* esquivar-se de

doe [doʊ] *n* corça *f*

does [dʌz] *vt, vi, aux 3rd pers sing of* **do**

doesn't [dʌznt] = **does + not** *s.* **do**

dog [dɑ:g] *n* cachorro, -a *m, f*
dogma ['dɑ:gmə] *n* dogma *m*
doing ['du:ɪŋ] *n no pl* **to be sb's ~** ser obra de alguém
doll [dɑ:l] *n* boneco, -a *m, f*
dollar ['dɑ:lər] *n* dólar *m*
dolly ['dɑ:li] <-ies> *n* boneca *f*
dolphin ['dɑ:lfɪn] *n* golfinho *m*
domain [doʊ'meɪn] *n* **1.** POL território *m* **2.** *a.* INFOR domínio *m*
dome [doʊm] *n* abóbada *f*
domestic [də'mestɪk] *adj* **1.** (*a. flight*) doméstico, -a **2.** (*home-loving*) caseiro, -a **3.** (*produce*) nacional
domestic appliance *n* eletrodoméstico *m*
domesticate [də'mestɪkeɪt] *vt* domesticar
dominance ['dɑ:mənənts] *no pl n* predominância *f*
dominant ['dɑ:mənənt] *adj* dominante
dominate ['dɑ:məneɪt] *vi, vt* dominar
Dominican [doʊ'mɪnɪkən] *adj* dominicano, -a
Dominican Republic *n* República *f* Dominicana
dominion [də'mɪnjən] *n* domínio *m*
domino ['dɑ:mənoʊ] <-es> *n pl* dominó *m*
donate ['doʊneɪt, *Brit:* dəʊ'neɪt] *vt* doar
donation [doʊ'neɪʃn] *n no pl* doação *f*
done [dʌn] *pp of* **do**
donkey ['dɑ:ŋki] *n a. fig* burro *m*
donor ['doʊnər] *n* doador(a) *m(f)*
donut ['doʊnʌt] *n s.* **doughnut**
doom [du:m] **I.** *n* destino *m* **II.** *vt* condenar
door [dɔ:r] *n* porta *f*
doorbell *n* campainha *f* **doorknob** *n* maçaneta **doorman** <-men> *n* porteiro *m* **doormat** *n* capacho *m* **doorstep** *n* degrau *m* **doorway** *n* entrada *f*
dope [doʊp] **I.** *n no pl, inf* (*drugs*) droga *f;* (*marijuana*) maconha *f* **II.** *vt* dopar
dope-ass ['doʊpæs] *adj attr, inv, Am, sl* (*awesome*) massa; *inv*
dormant ['dɔ:rmənt] *adj* inativo, -a
dormitory ['dɔ:rmətɔ:ri, *Brit:* 'dɔ:mɪtəri] <-ies> *n* **1.** alojamento *m* **2.** *Am* UNIV dormitório *m*
dose [doʊs] *n a. fig* dose *f*
dot [dɑ:t] *n* ponto *m*
double ['dʌbl] **I.** *adj* **1.** (*twice the quantity*) duplo, -a **2.** **~ room** quarto *m* de casal **II.** *adv* **to fold sth ~** dobrar a. c. em dois; **to see ~** ter visão dupla **III.** *vt* dobrar; (*efforts*) duplicar **IV.** *vi* dobrar-se
double bed *n* cama *f* de casal **double chin** *n* papada *f*
doubt [daʊt] **I.** *n no pl* dúvida *f* **II.** *vt* duvidar
doubtful ['daʊtfəl] *adj* **1.** (*uncertain*) indeciso, -a **2.** (*questionable*) duvidoso, -a
dough [doʊ] *n* **1.** massa *f* **2.** *Am, inf* grana *f*
doughnut ['doʊnʌt] *n* rosquinha *f* frita
dove[1] [dʌv] *n* pomba *f*
dove[2] [doʊv] *Am pt, pp of* **dive**

down[1] [daʊn] *n no pl* penugem *f*

down[2] I. *adv* **come ~ here** venha aqui embaixo; **to fall ~** cair; **to lie ~** deitar II. *prep* **to go ~ the stairs** descer as escadas; **to run ~ the slope** correr ladeira abaixo

downcast *adj* abatido, -a

downfall *n* queda *f*

downgrade *vt* rebaixar

downhill *adv* **to go ~** descer ladeira abaixo; *fig* decair

download *vt* baixar

down payment *n* entrada *f*

downpour *n* aguaceiro *m*

downright ['daʊnraɪt] *adj* (*lie*) deslavado, -a

downside *n no pl* lado *m* negativo

downstairs *adv* lá embaixo, para baixo

down-to-earth *adj* realista

downtown I. *n no pl, Am* centro *m* da cidade II. *adv Am* **to go ~** ir ao centro

downward ['daʊnwərd] I. *adj* descendente II. *adv Am* para baixo

downwards *adv* para baixo

dowry ['daʊəri] <-ies> *n* dote *m*

doze [doʊz] *vi* cochilar

dozen ['dʌzn] *n* dúzia *f*

Dr *abbr of* **Doctor** Dr. *m,* Dra. *f*

drab [dræb] *adj* <-bb-> (*color*) desbotado, -a; (*existence*) enfadonho, -a

draconian [drə'koʊniən] *adj* draconiano, -a

draft[1] [dræft] I. *n* 1. (*of article*) rascunho *m* 2. *no pl, Am* MIL convocação *f* II. *vt* 1. rascunhar 2. *Am* MIL convocar

draft[2] [dræft] *n* 1. (*of air*) corrente *f* de ar 2. ~ (**beer**) chope *m*

drag [dræg] I. *n* 1. *no pl* draga *f* 2. *fig, inf* **what a ~!** que saco! II. <-gg-> *vt* arrastar III. <-gg-> *vi* ficar para trás

dragon ['drægən] *n* dragão *m*

dragonfly ['drægənflaɪ] <-ies> *n* libélula *f*

drain [dreɪn] I. *vt* 1. (*food*) escorrer; (*pond; cup*) esvaziar 2. (*person*) esgotar II. *n* esgoto *m*

drainage ['dreɪnɪdʒ] *n no pl* AGR, MED drenagem *f*

drama ['drɑːmə] *n* 1. LIT peça *f* teatral 2. THEAT teatro *m*

dramatic [drə'mæţɪk] *adj* dramático, -a

dramatist ['drɑːməţɪst] *n* dramaturgo, -a *m, f*

dramatize ['drɑːmətaɪz] *vt* dramatizar

drank [dræŋk] *pt of* **drink**

drape [dreɪp] I. *vt* cobrir II. *n* **~s** *Am, Aus* cortinas *fpl*

drastic ['dræstɪk] *adj* drástico, -a

draught [dræft] *n Brit s.* **draft**[2]

draughts [dræfts] *n Brit* (jogo *m*) de damas

draughtsman ['dræftsmən] <-men> *n* projetista

draw [drɑː] I. *n* 1. (*attraction*) atração *f* 2. SPORTS empate *m* 3. (*cards, lots*) sorteio *m* II. <drew, drawn> *vt* 1. (*line*) traçar; (*picture*) desenhar 2. **to ~ a conclusion** tirar uma conclusão 3. (*attract*) atrair 4. (*money*) sacar III. <drew, drawn> *vi* 1. ART desenhar 2. SPORTS empatar ◈ **draw out** *vt* prolongar ◈ **draw up** I. *vt* (*plan*) elaborar II. *vi* (*vehicle*) parar

drawback *n* desvantagem *f*

drawer ['drɔ:r] *n* gaveta *f*

drawing *n* desenho *m* **drawing pin** *n Brit, Aus* tachinha *f*

drawl [drɑ:l] *vi* falar arrastado

drawn [drɑ:n] *pp of* **draw**

dread [dred] I. *vt* morrer de medo de II. *n no pl* pavor *m*

dreadful ['dredfəl] *adj* pavoroso, -a

dreadfully *adv* terrivelmente

dream [dri:m] I. *n* sonho *m;* **a bad** ~ um pesadelo *m* II. <dreamt *o* dreamed, dreamt *o* dreamed> *vi, vt* sonhar ◈ **dream up** *vt* bolar

dreamt [dremt] *pt, pp of* **dream**

dreary ['drɪri] *adj* <-ier, -iest> sombrio, -a

dredge [dredʒ] *vt* dragar

drench [drentʃ] *vt* ensopar

dress [dres] I. *n* <-es> vestido *m* II. *vi* vestir-se III. *vt* vestir ◈ **dress up** *vi* 1. (*unusual clothes*) fantasiar-se 2. (*formal clothes*) vestir-se elegantemente

dresser ['dresər] *n Am, Can* cômoda *f*

dressing *n* molho *m* de salada **dressing room** *n* vestiário *m;* THEAT camarim *m*

dressmaker *n* costureiro, -a *m, f*

dress rehearsal *n* ensaio *m* geral

drew [dru:] *pt of* **draw**

dribble ['drɪbl] I. *vi, vt* 1. babar 2. SPORTS driblar II. *n no pl* baba *f*

dried [draɪd] *pt, pp of* **dry**

dried-up *adj* ressecado, -a

drift [drɪft] I. *n* (*snow*) acúmulo *m* II. *vi* 1. (*on water*) flutuar levado pelas ondas 2. (*sand, snow*) acumular-se ◈ **drift apart** *vi* afastar-se

drill[1] [drɪl] I. *n* furadeira *f;* (*dentist's*) broca *f* II. *vt* perfurar

drill[2] I. *n* exercício *m* II. *vt* exercitar

drink [drɪŋk] I. *n* 1. bebida *f* 2. *sl* (*bribe*) cafezinho *m* II. <drank, drunk> *vt, vi* beber

drinkable [drɪŋkəbl] *adj* potável

drinking water *no pl n* água *f* potável

drip [drɪp] I. <-pp-> *vt, vi* pingar II. *n* 1. pingo *m* 2. MED tubo *m* para soro

drive [draɪv] I. *n* volta *f;* **to go for a** ~ dar uma volta de carro II. <drove, driven> *vt* 1. AUTO dirigir 2. (*urge*) levar III. *vi* guiar ◈ **drive away** *vt,* **drive off** *vt always sep* afugentar ◈ **drive out** *vt* expulsar

drive-in *n Am, Aus: lanchonete onde o cliente é servido no próprio carro;* (*cinema*) drive-in *m*

driven ['drɪvən] *pp of* **drive**

driver ['draɪvər] *n* motorista *mf* **driver's license** *n Am* carteira *f* de motorista

driveway ['draɪvweɪ] *n* entrada *f* para veículos

driving I. *n* direção *f* II. *adj* (*rain*) forte **driving school** *n* auto-escola *f* **driving test** *n* exame *m* de motorista

drizzle ['drɪzl] I. *n no pl* garoa *f* II. *vi* garoar

drone [droʊn] *n no pl* zumbido *m*

drool [dru:l] *vi* babar

droop [dru:p] *vi* cair

drop [drɑ:p] I. *n* **1.** gota *f* **2.** (*fall*) queda *f* II. <-pp-> *vt* **1.** (*allow to fall*) soltar **2.** (*plan*) abandonar III. <-pp-> *vi* ~ **dead!** *inf* desinfeta!
◈ **drop in** *vi inf* **to ~ on sb** dar um pulo na casa de alguém

dropout *n* desistente *mf*

drought [draʊt] *n* seca *f*

drove [droʊv] *pt of* **drive**

drown [draʊn] I. *vt* afogar II. *vi* afogar-se

drowsy ['draʊzi] <-ier, -iest> *adj* sonolento, -a

drug [drʌg] I. *n* **1.** remédio *m* **2.** (*narcotic*) droga *f* II. <-gg-> *vt* dopar

drug addict *n* viciado, -a *m, f* **drug dealer** *n* traficante *mf*

drugstore *n Am* drogaria *f* (*onde se vendem diversos artigos, além de produtos farmacêuticos*)

drum [drʌm] I. *n* **1.** (*a. for oil*) tambor *m* **2.** *pl* (*in band*) bateria *f* II. <-mm-> *vi* tocar tambor

drummer ['drʌmər] *n* (*in brass band*) baterista *mf;* (*in group*) tambor *m*

drumstick *n* coxa *f* de galinha

drunk [drʌŋk] I. *vt, vi pp of* **drink** II. *adj* bêbado, -a

drunkenness ['drʌŋkənɪs] *n no pl* bebedeira *f*

dry [draɪ] I. <-ier *o* -er, -iest *o* -est> *adj* seco, -a II. <-ie-> *vt* secar, enxugar III. <-ie-> *vi* secar

dry-clean *vt* lavar a seco

dry cleaner's *n no pl* lavanderia *f*

dryer ['draɪər] *n* (*for hair*) secador *m;* (*for clothes*) secadora *f*

dual ['du:əl, *Brit:* 'dju:-] *adj inv* duplo, -a

dual carriageway *n Brit* rodovia *f* de duas pistas

dub [dʌb] <-bb-> *vt* dublar

dubious ['du:biəs, *Brit:* 'dju:-] *adj* duvidoso, -a

duchess ['dʌtʃɪs] *n* duquesa *f*

duck [dʌk] I. *n* pato *m* II. *vi* abaixar-se III. *vt* **to ~ an issue** esquivar(-se de) um assunto; **to ~ one's head** abaixar a cabeça

duckling ['dʌklɪŋ] *n* patinho *m*

duct [dʌkt] *n* tubo *m*

dude [du:d] *n Am, inf* (*man*) cara *m*

due [du:, *Brit:* dju:] *adj* **1.** (*payable*) vencido, -a; (*owing*) devido, -a **2.** (*appropriate*) **with ~ respect** com todo o respeito **3.** (*owing to*) **~ to** devido a

duel ['du:əl, *Brit:* 'dju:-] *n* duelo *m*

duet [du'et, *Brit:* dju-] *n* dueto *m*

dug [dʌg] *pt, pp of* **dig**

duke [du:k, *Brit:* dju:k] *n* duque *m*

dull [dʌl] *adj* **1.** chato, -a **2.** (*not bright*) embaçado, -a

duly ['du:li, *Brit:* 'dju:-] *adv* devidamente

dumb [dʌm] *adj* **1.** mudo, -a **2.** *inf* pateta

dummy ['dʌmi] <-ies> *n* **1.** idiota *mf* **2.** *Brit, Aus* (*for baby*) chupeta *f*

dump [dʌmp] I. *n* **1.** depósito *m* de lixo **2.** *inf* chiqueiro *m* II. *vt* **1.** (*waste*) jogar fora **2.** *inf* (*end relationship*) dar o fora

dune [du:n, *Brit:* dju:n] *n* duna *f*

dung [dʌŋ] *n no pl* esterco *m*

dungarees [ˌdʌŋgəˈriːz] *npl* **1.** *Am* calça *f* jeans **2.** *Brit* macacão *m*
dungeon [ˈdʌndʒən] *n* calabouço *m*
dunk [dʌŋk] *vt* molhar
duo [ˈduːoʊ, *Brit:* ˈdjuːəʊ] *n* dupla *f*
dupe [duːp, *Brit:* djuːp] *n* otário *m*
duplex [ˈduːpleks, *Brit:* ˈdjuː-] *n Am* dúplex *m inv*
duplicate [ˈduːplɪkət, *Brit:* ˈdjuː-] **I.** *vt* reproduzir **II.** *adj* reproduzido, -a
duplicity [duːˈplɪsət̬i, *Brit:* djuːˈplɪsəti] *n no pl* duplicidade *f*
durability [ˌdʊrəˈbɪlət̬i, *Brit:* ˌdjʊərəˈbɪləti] *n no pl* durabilidade *f*
durable [ˈdʊrəbl, *Brit:* ˈdjʊər-] *adj* durável
duration [dʊˈreɪʃn, *Brit:* djʊ-] *n no pl* duração *f*
during [ˈdʊrɪŋ, *Brit:* ˈdjʊər-] *prep* durante
dusk [dʌsk] *n no pl* o anoitecer
dust [dʌst] **I.** *n no pl* poeira *f*, pó *m* **II.** *vt* tirar o pó
dustbin *n esp Brit* lixeira *f*
duster [ˈdʌstər] *n* pano *m* de pó
dustman <-men> *n Brit* lixeiro *m*
dust mite [ˈdʌstˌmaɪt] *n* ácaro *m*
dusty [ˈdʌsti] <-ier, -iest> *adj* empoeirado, -a
Dutch [dʌtʃ] **I.** *adj* holandês, -esa; **to go ~** *inf* rachar a conta **II.** *npl* **the ~** os holandeses
Dutchman <-men> *n* holandês *m*
Dutchwoman <-women> *n* holandesa *f*
duty [ˈduːt̬i, *Brit:* ˈdjuːti] <-ies> *n* **1.** dever *m* **2.** *no pl* **to be on/off ~** estar em serviço/de folga **3.** (*revenue on imports*) imposto *m* alfandegário
duty-free *adj* livre de impostos
duvet [duːˈveɪ, *Brit:* ˈdjuːveɪ] *n* edredom *m*
DVD [ˌdiːviːˈdiː] *n inv abbr of* **Digital Versatile Disk** DVD *m*
dwarf [dwɔːrf] <-s *o* -ves> *n* anão, anã *m, f*
dwell [dwel] <dwelt *o* -ed, dwelt *o* -ed> *vi* morar
dwelling [ˈdwelɪŋ] *n* moradia *f*
dwelt [dwelt] *pt, pp of* **dwell**
dwindle [ˈdwɪndl] *vi* minguar
dye [daɪ] **I.** *vt* tingir **II.** *n* tintura *f*
dying [ˈdaɪɪŋ] *adj* moribundo, -a
dyke [daɪk] *n s.* **dike**
dynamic [daɪˈnæmɪk] *adj* dinâmico, -a
dynamics *n* dinâmica *f*
dynamite [ˈdaɪnəmaɪt] *n no pl* dinamite *f*
dynasty [ˈdaɪnəsti, *Brit:* ˈdɪn-] <-ies> *n* dinastia *f*
dysentery [ˈdɪsənteri] *n no pl* disenteria *f*
dyslexia [dɪˈsleksiə] *n no pl* dislexia *f*

E

E, e [iː] *n* **1.** (*letter*) e *f* **2.** MUS mi *m*
each [iːtʃ] **I.** *adj* cada; **~ one of you** cada um de vocês **II.** *pron* cada um *m*, cada uma *f*; **~ of them** cada um

deles; **$70** ~ $70 cada um; **one pound of** ~ meio quilo de cada

each other *pron* um ao outro; **to help** ~ ajudar um ao outro; **they looked at** ~ eles se olharam

eager ['i:gər] *adj* ansioso, -a; **to be** ~ **to do sth** estar ansioso para fazer a. c.; **to be** ~ **to please** querer agradar

eagle ['i:gl] *n* águia *f*

ear[1] [ɪr] *n* ouvido *m;* (*outer part*) orelha *f;* **to be all** ~**s** *inf* ser todo ouvidos

ear[2] *n* BOT espiga *f*

earache ['ɪreɪk] *n* dor *f* de ouvido **eardrum** *n* tímpano *m*

earl [ɜ:rl] *n* conde *m*

earlobe ['ɪrloʊb] *n* lóbulo *m* da orelha

early ['ɜ:rli] **I.** <-ier, -iest> *adj* cedo; **to be** ~ estar adiantado; **in the** ~ **morning** de madrugada; **to have an** ~ **night** ir dormir cedo **II.** *adv* cedo; **to get up** ~ levantar-se cedo; ~ **in the morning** de manhã cedo; **half an hour** ~ meia hora adiantado

earn [ɜ:rn] *vt* ganhar; **to** ~ **a living** ganhar a vida

earnest ['ɜ:rnɪst] *adj* sério, -a

earnings *npl* renda *f*

earphones ['ɪrfoʊnz] *npl* fones *mpl* de ouvido **earplugs** ['ɪrplʌg] *n pl* tampões *m* de ouvido *pl* **earrings** ['ɪrɪŋ] *npl* brincos *mpl*

earth [ɜ:rθ] *n no pl* terra; **what on** ~ **...?** *inf* o que diabo ...?

earthquake ['ɜ:rθkweɪk] *n* terremoto *m*

ease [i:z] **I.** *n* **1.** (*without much effort*) facilidade *f* **2.** (*comfort*) comodidade *f;* **to be at** (**one's**) ~ ficar à vontade **II.** *vt* (*pain*) aliviar ◈ **ease off** *vi,* **ease up** *vi* (*pain*) diminuir

easily ['i:zəli] *adv* facilmente; **she is** ~ **the fastest runner** ela é de longe a corredora mais veloz

east [i:st] **I.** *n* leste *m;* **the East** o Oriente **II.** *adj* leste **III.** *adv* para o leste

Easter ['i:stər] *n* Páscoa *f*

Cultura Na **Páscoa** (Semana Santa), na Grã-Bretanha, costuma-se comer dois tipos de doce: os **hot cross buns** , pãezinhos com especiarias que têm uma cruz na parte de cima feita com a mesma massa e o **simnel cake** , um bolinho de passas decorado com marzipã. É costume as crianças brincarem de atirar ovos cozidos de costas para ver qual chega mais longe. O **Easter egg** (ovo de Páscoa) é ovo de chocolate com recheio de doces e guloseimas que se dá nesta ocasião.

eastern ['i:stərn] *adj* oriental

Easter Sunday *n* domingo *m* de Páscoa

easy ['i:zi] <-ier, -iest> **I.** *adj* **1.** (*simple*) fácil; **to be as** ~ **as pie** *inf* ser fácil pra burro **2.** (*carefree*) tranqüilo, -a; **I'm** ~ para mim tanto faz **II.** *adv* **take it** ~**!** *inf* calma!

easy-going *adj* (de temperamento) fácil

eat [i:t] <ate, eaten> *vi, vt* comer; **to** ~ **lunch** almoçar ◈ **eat out** *vi* comer fora ◈ **eat up** *vt* comer tudo

eater ['iːt̬ər] *n* **to be a big** ~ ser um comilão

eavesdrop ['iːvzdrɑːp] <-pp-> *vi* escutar às escondidas

ebony ['ebəni] *n* ébano *m*

eccentric [ɪk'sentrɪk] *adj* excêntrico, -a

ECG [ˌiːsiː'dʒiː] *n abbr of* **electrocardiogram** ECG *m*

echo ['ekoʊ] I. <-es> *n* eco *m* II. <-es, -ing, -ed> *vi* ecoar

eclipse [ɪ'klɪps] *n* eclipse *f*

ecological [ˌiːkə'lɑːdʒɪkl] *adj* ecológico, -a

ecology [iː'kɑːlədʒi] *n no pl* ecologia *f*

e-commerce ['iːkɑːmɜːrs] *n* comércio *m* eletrônico

economic [ˌekə'nɑːmɪk] *adj* econômico, -a

economical *adj* econômico, -a

economics *n + sing vb* economia *f*

economist [ɪ'kɑːnəmɪst] *n* economista *mf*

economize [ɪ'kɑːnəmaɪz] *vi* economizar

economy [ɪ'kɑːnəmi] <-ies> *n* economia *f*

economy class *n* classe *f* econômica

ecosystem *n* ecossistema *m*

ecotourism *n* ecoturismo *m*

ecstasy ['ekstəsi] <-ies> *n* 1. êxtase *m* 2. (*drug*) ecstasy *m*

Ecuador ['ekwədɔːr] *n* Equador *m*

edge [edʒ] *n* borda *f;* (*of lake*) beira *f;* (*of knife*) gume *m;* **to be on** ~ estar nervoso

edgy ['edʒi] <-ier, -iest> *adj inf* nervoso, -a

edible ['edɪbl] *adj* comestível

edition [ɪ'dɪʃn] *n* edição *f*

editor ['edɪtər] *n* 1. (*of book*) editor(a) *m(f);* (*of newspaper*) diretor(a) *m(f)* 2. (*of film*) montador(a) *m(f)*

educate ['edʒʊkeɪt] *vt* educar

education [ˌedʒʊ'keɪʃn] *n no pl* 1. SCH educação *f;* **primary/secondary** ~ ensino *m* primário/secundário 2. (*teaching*) ensino *m;* (*study of teaching*) pedagogia *f*

eel [iːl] *n* enguia *f*

effect [ɪ'fekt] *n* 1. (*consequence*) efeito *m;* **to have an** ~ **on sth** ter efeito em a. c. 2. (*result*) resultado *m*

effective [ɪ'fektɪv] *adj* eficaz

effectively *adv* eficazmente

effeminate [ɪ'femɪnət] *adj* afeminado, -a

efficient [ɪ'fɪʃnt] *adj* (*person*) eficiente

effort ['efəet] *n* esforço *m;* **to make an** ~ esforçar-se; **to be worth the** ~ valer a pena

effortless *adj* fácil

e.g. [ˌiː'dʒiː] *abbr of* **exempli gratia** (= **for example**) p. ex.

egg [eg] *n* ovo *m;* **boiled** ~ ovo cozido; **scrambled** ~**s** ovos mexidos

eggplant *n Am, Aus* berinjela *f* **egg white** *n* clara *f* (do ovo) **egg yolk** *n* gema *f* (do ovo)

Egypt ['iːdʒɪpt] *n* Egito *m*

eight [eɪt] *adj* oito

eighteen [ˌeɪ'tiːn] *adj* dezoito *inv*

eighteenth [ˌeɪ'tiːnθ] *adj* décimo oitavo, décima oitava *m, f*

eighth [eɪtθ] I. *adj* oitavo, -a

II. *pron* oitavo
eightieth ['eɪţiəθ] *adj* octogésimo, -a
eighty ['eɪţi] *adj* oitenta *inv*
Eire ['erə] *n* Irlanda *f*
either ['i:ðər] I. *adj* 1. (*one of two*) **either kind will do** qualquer um dos tipos serve; ~ **way ...** de qualquer forma ... 2. (*each*) cada (de dois); **on either side** de cada lado II. *pron* **which one?** – ~ qual? – qualquer um dos dois III. *adv* também não, nem; **I don't smoke – I don't either** eu não fumo – nem eu IV. *conj* ~ **... or ...** ou ... ou ...; **either she goes or I go** ou ela vai ou vou eu
eject [ɪ'dʒekt] *vt* ejetar
elaborate[1] [ɪ'læbərət] *adj* (*complicated*) complicado, -a; (*plan*) elaborado, -a
elaborate[2] [ɪ'læbərəɪt] *vi* explicar detalhadamente
elastic [ɪ'læstɪk] *n* elástico *m*
elastic band *n* elástico *m*
elated *adj* exultante
elation [ɪ'leɪʃn] *n no pl* exaltação *f*
elbow ['elboʊ] *n* cotovelo *m*
elder ['eldər] *adj* mais velho, -a
elderly ['eldərli] *adj* idoso, -a
eldest ['eldɪst] *adj, pron* mais velho; **the** ~ o mais velho
elect [ɪ'lekt] *vt* eleger
election [ɪ'lekʃn] *n* eleição *f*
election campaign *n* campanha *f* eleitoral
electorate [ɪ'lektərət] *n + sing/pl vb* eleitorado *m*
electric [ɪ'lektrɪk] *adj* elétrico, -a
electrical *adj* elétrico, -a
electrician [ɪ,lek'trɪʃn] *n* eletricista *mf*
electricity [ɪ,lek'trɪsəti] *n no pl* eletricidade *f*
electrocardiogram [ɪ,lektroʊ'kɑ:rdɪəgræm] *n* eletrocardiograma *m*
electrocute [ɪ'lektrəkju:t] *vt* eletrocutar
electrode [ɪ'lektroʊd] *n* eletrodo *m*
electron [ɪ'lektrɑ:n] *n* elétron *m*
electronic [ɪ,lek'trɑ:nɪk] *adj* eletrônico, -a
electronics *n + sing vb* eletrônica *f*
elegance ['eləgəns] *n no pl* elegância *f*
elegant ['eləgənt] *adj* elegante
element ['eləmənt] *n* 1. elemento *m* 2. ELEC resistência *f* 3. (*weather*) **the ~s** forças da natureza
elementary [,elə'menţəri] *adj* elementar
elementary school *n Am* escola *f* de ensino fundamental
elephant ['elɪfənt] *n* elefante *m*
elevate ['elɪveɪt] *vt* elevar
elevator ['elɪveɪţər] *n Am* elevador *m*
eleven [ɪ'levn] *adj* onze; *inv*
eleventh [ɪ'levnθ] I. *adj* décimo primeiro, décima primeira *m, f* II. *pron* décimo primeiro
eligible ['elɪdʒəbl] *adj* 1. qualificado, -a; **to be ~ for sth** ter direito a a. c. 2. **an ~ bachelor** um bom partido
eliminate [ɪ'lɪmɪneɪt] *vt* eliminar
elite [ɪ'li:t] *n* elite *f*
elk [elk] *n* alce *m*
elm [elm] *n* olmo *m*
elongated *adj* alongado, -a

elope [ɪ'loʊp] *vi* **to ~ with sb** fugir com alguém

eloquent ['eləkwənt] *adj* eloqüente

El Salvador [el'sælvəˌdɔːr] *n* El Salvador

else [els] *adv* **1.** mais; **anyone/anything ~?** alguém/algo mais?; **everybody ~** todos os outros; **everything ~** todas as outras coisas; **sb/sth ~** outra pessoa/coisa **2. or ~** ou então

elsewhere ['elswer] *adv* outro lugar

elude [ɪ'luːd] *vt* escapar de

elusive [ɪ'luːsɪv] *adj* esquivo, -a

e-mail ['iːmeɪl] **I.** *n abbr of* **electronic mail** e-mail *m* **II.** *vt* **to ~ sb** mandar um e-mail para alguém

e-mail address *n* endereço *m* de e-mail

emancipate [ɪ'mænsɪpeɪt] *vt* emancipar

emancipation *n no pl* emancipação *f*

embankment [em'bæŋkmənt] *n* (*next to road*) aterro *m;* (*by river*) dique *m*

embargo [em'bɑːrgoʊ] <-es> *n* embargo *m;* **trade ~** embargo comercial

embark [em'bɑːrk] *vi* embarcar

embarrass [em'berəs] *vt* constranger

embarrassed *adj* envergonhado, -a; (*silence*) constrangedor

embarrassing *adj* constrangedor(a)

embassy ['embəsi] <-ies> *n* embaixada *f*

embellish [em'belɪʃ] *vt* embelezar

embers ['embərz] *npl* brasas *fpl*

embittered [em'bɪt̬ərd] *adj* amargurado, -a

emblem ['embləm] *n* emblema *m*

embrace [em'breɪs] **I.** *vt* abraçar **II.** *vi* abraçar-se **III.** *n* abraço *m*

embroider [em'brɔɪdər] *vi, vt* bordar

embroidery [em'brɔɪdəri] *n no pl* bordado *m*

embryo ['embrɪoʊ] *n* embrião *m*

emerald ['emərəld] *n* esmeralda *f*

emerge [ɪ'mɜːrdʒ] *vi* **1.** (*come out*) emergir **2.** (*become known*) vir à tona

emergency [ɪ'mɜːrdʒənsɪ] **I.** <-ies> *n* emergência *f;* **in an ~** em caso de emergência **II.** *adj* de emergência

emergency brake *n Am* freio *m* de mão **emergency exit** *n* saída *f* de emergência **emergency landing** *n* pouso *m* de emergência **emergency room** *n* MED pronto-socorro *m* **emergency service** *n* serviço *m* de pronto atendimento

emery board *n* lixa *f* para unhas

emigrant ['emɪgrənt] *n* emigrante *mf*

emigrate ['emɪgreɪt] *vi* emigrar; **he ~ed to Canada** ele emigrou para o Canadá

emigration [ˌemɪ'greɪʃn] *n* emigração *f*

eminent ['emɪnənt] *adj* eminente

emission [ɪ'mɪʃn] *n* emissão *f*

emit [ɪ'mɪt] <-tt-> *vt* emitir

emotion [ɪ'moʊʃn] *n* emoção *f*

emotional [ɪ'moʊʃənl] *adj* **1.** (*problem*) emocional **2.** (*person*) emotivo, -a

emotive [ɪ'moʊt̬ɪv] *adj* emotivo, -a

empathy ['empəθi] *n no pl* empatia *f*

emperor ['empərər] *n* imperador *m*

emphasis ['emfəsɪs] <emphases> *n*

ênfase *f*
emphasize ['emfəsaɪz] *vt* enfatizar
emphatic [em'fæţɪk] *adj* enfático, -a
empire ['empaɪər] *n* império *m*
employ [em'plɔɪ] *vt* empregar
employee [ˌemplɔɪ'i:] *n* funcionário, -a *m, f*
employer [em'plɔɪər] *n* empregador(a) *m(f)*
employment [em'plɔɪmənt] *n no pl* emprego *m*
empress ['emprɪs] *n* imperatriz *f*
emptiness ['emptɪnɪs] *n no pl* vazio *m*
empty ['empti] **I.** <-ier, -iest> *adj* vazio, -a **II.** <-ie-> *vt* esvaziar
empty-handed *adj* de mãos abanando
emulsion [ɪ'mʌlʃn] *n* emulsão *f*
enable [ɪ'neɪbl] *vt* **to ~ sb to do sth** possibilitar a alguém fazer a. c.
enamel [ɪ'næml] *n* esmalte *m*
enchant [en'tʃænt] *vt* encantar
enchanting *adj* encantador(a)
encl. *abbr of* **enclosure** anexo *m*
enclose [en'kloʊz] *vt* **1.** (*surround*) encerrar **2.** (*include*) anexar
enclosure [en'kloʊʒər] *n* anexo *m*
encompass [en'kʌmpəs] *vt* abranger
encore ['ɑ:nkɔ:r] **I.** *n* bis *m* **II.** *interj* bis!
encounter [en'kaʊnţər] *vt form* encontrar
encourage [en'kɜ:rɪdʒ] *vt* encorajar; **to ~ sb to do sth** encorajar alguém a fazer a. c.
encouragement *n no pl* encorajamento *m*
encyclopaedia *Brit*, **encyclopedia** [enˌsaɪklə'pi:diə] *n Am* enciclopédia *f*
end [end] **I.** *n* final *m;* **in the ~** no fim; **at the ~ of the day** ao final do dia; **it's not the ~ of the world** não é o fim do mundo **II.** *vi, vt* acabar; **to ~ in sth** terminar em a. c. ◈ **end up** *vi* acabar; **to ~ doing sth** acabar fazendo a. c.
endanger [en'deɪndʒər] *vt* pôr em risco
endeavor [en'devər] *Am*, **endeavour** *n Brit* empenho *m*
ending *n* final *m*
endless *adj* sem fim
endorse [en'dɔ:rs] *vt* endossar
endurance [en'dʊrəns] *n no pl* resistência *f*
endure [en'dʊr] *vt* suportar
enemy ['enəmi] <-ies> *n* inimigo, -a *m, f*
energetic [ˌenər'dʒeţɪk] *adj* dinâmico, -a
energy ['enərdʒi] <-ies> *n* energia *f*
enforce [en'fɔ:rs] *vt* aplicar
engaged *adj* **1.** (*to be married*) noivo, -a; **to get ~** ficar noivo **2. to be ~** *Brit* (*phone line*) ser ocupado, -a
engagement *n* **1.** (*appointment*) compromisso *m* **2.** (*to marry*) noivado *m*
engagement ring *n* aliança *f*
engaging *adj* cativante
engender [en'dʒendər] *vt form* engendrar
engine ['endʒɪn] *n* **1.** (*gas motor*) motor *m* **2.** RAIL locomotiva *f*
engineer [ˌendʒɪ'nɪr] *n* **1.** (*with a de-*

gree) engenheiro, -a *m, f* **2.** (*technician*) técnico, -a *m, f* **3.** *Am* RAIL maquinista *mf*
engineering *n no pl* engenharia *f*
England ['ɪŋglənd] *n* Inglaterra *f*
English ['ɪŋglɪʃ] **I.** *adj* inglês, -a **II.** *n* (*language*) inglês; **the** ~ os ingleses
English Channel *n* Canal *m* da Mancha **Englishman** <-men> *n* inglês *m* **Englishwoman** <-women> *n* inglesa *f*
engrave [en'greɪv] *vt* gravar
engraving *n* gravação *f*
engrossed [en'groʊst] *adj* absorto, -a
engulf [en'gʌlf] *vt* engolfar
enhance [ɪn'hæns] *vt* aumentar; (*improve*) melhorar
enigma [ɪ'nɪgmə] *n* enigma *m*
enjoy [en'dʒɔɪ] *vt* desfrutar; **to ~ doing sth** gostar de fazer a. c.; **~ yourselves!** divirtam-se!
enjoyable *adj* agradável
enjoyment *n no pl* prazer *m*
enlarge [en'lɑːrdʒ] *vt* ampliar
enlargement *n* ampliação *f*
enlighten [en'laɪtn] *vt* esclarecer
enlightened *adj* esclarecido, -a
enmity ['enməti] <-ies> *n* inimizade *f*
enormity [ɪ'nɔːrməţɪ] <-ies> *n* enormidade *f*
enormous [ɪ'nɔːrməs] *adj* enorme
enormously *adv* **to enjoy sth ~** desfrutar imensamente de a. c.
enough [ɪ'nʌf] **I.** *adj* suficiente **II.** *adv* bastante; **I've had ~ of his jokes** já estou cheio das piadas dele **III.** *pron* **that's** (**quite**) **~!** basta!; **that should be ~** isso deve ser o suficiente; **~ is ~** já chega
enquire [en'kwaɪər] *vi, vt esp Brit s.* **inquire**
enrich [en'rɪtʃ] *vt* enriquecer
enrol [en'roʊl] *Brit,* **enroll** *Am* **I.** *vi* inscrever-se; **to ~ in sth** inscrever-se em a. c. **II.** *vt* matricular

en route [ˌɑːn'ruːt] *adv* a caminho
ensure [en'ʃʊr] *vt* garantir
entail [en'teɪl] *vt form* **to ~ doing sth** implicar em fazer a. c.
enter ['enţər] *vt* **1.** (*go into*) entrar **2.** (*college*) entrar para **3.** (*contest*) increver-se
enterprise ['enţərpraɪz] *n* (*firm*) empresa *f*
enterprising *adj* empreendedor(a)
entertain [ˌenţər'teɪn] *vt* entreter
entertainer [ˌenţər'teɪnər] *n* artista *mf*
entertaining *adj no pl* divertido, -a
entertainment *n* **1.** *no pl* (*amusement*) entretenimento *m* **2.** (*show*) espetáculo *m*
enthral [ɪn'θrɔːl] <-ll-> *Brit,* **enthrall** *vt Am* fascinar
enthusiasm [en'θuːzɪæzəm, *Brit:* ɪn'θjuː-] *n no pl* entusiasmo *m*
enthusiast [en'θuːzɪæst, *Brit:* ɪnˌθjuː-] *n* entusiasta *mf*
enthusiastic [enˌθuːzɪ'æstɪk, *Brit:* ɪnˌθjuː-] *adj* entusiasmado, -a; **to be ~ about sth** estar entusiasmado com a. c.
entice [en'taɪs] *vt* atrair
entire [en'taɪər] *adj* todo, -a
entirely *adv* totalmente
entirety [en'taɪrəţi] *n no pl* **in its ~** na

sua totalidade

entitle [en'taɪţl] *vt* **to ~ sb to do sth** dar direito a alguém de fazer a. c.

entity ['entəti] <-ies> *n* entidade *f*

entrance ['entrəns] *n* entrada *f* **entrance fee** *n* preço *m* do ingresso

entrepreneur [ˌɑːntrəprə'nɜːr] *n* empreendedor(a) *m(f)*

entrust [en'trʌst] *vt* incumbir; **to ~ sth to sb** incumbir alguém de a. c.

entry ['entri] <-ies> *n* (*act of entering*) entrada *f*; **No ~** Entrada proibida

envelope ['envəloʊp] *n* envelope *m*

enviable ['enviəbl] *adj* invejável

envious ['enviəs] *adj* invejoso, -a

environment [en'vaɪərənmənt] *n* meio *m*, ambiente; **the ~** ECOL o meio ambiente

environmental *adj* ambiental; **~ pollution** poluição *f* ambiental

environmentalist *n* ambientalista *mf*

environmentally-friendly *adj* não-agressivo, -a ao meio ambiente

envoy ['ɑːnvɔɪ] *n* enviado, -a *m, f*

envy ['envi] <-ie-> *vt* invejar

epic ['epɪk] I. *n* épico *m* II. *adj* épico, -a

epicenter *Am*, **epicentre** ['epɪsenţər] *n Brit, Aus* epicentro *m*

epidemic [ˌepə'demɪk] *n* epidemia *f*; **a flu ~** uma epidemia de gripe

epileptic [ˌepɪ'leptɪk] *n* epiléptico, -a *m, f*

epilog *Am*, **epilogue** ['epəlɑːg] *n Brit* epílogo *m*

episode ['epəsoʊd] *n* episódio *m*

epoch ['epək] *n form* época *f*

equal ['iːkwəl] I. *adj* igual II. <*Brit:* -ll-, *Am:* -l-> *vt* igualar

equality [ɪ'kwɑːləţi] *n no pl* igualdade *f*

equally ['iːkwəli] *adv* igualmente

equal opportunity *n no pl* igualdade *f* de oportunidades

equate [ɪ'kweɪt] *vt* equiparar

equation [ɪ'kweɪʒn] *n* equação *f*

equator [ɪ'kweɪţər] *n no pl* equador *m*

Equatorial Guinea *n* Guiné *f* Equatorial

equilibrium [ˌiːkwɪ'lɪbriəm] *n no pl* equilíbrio *m*

equip [ɪ'kwɪp] <-pp-> *vt* equipar

equipment [ɪ'kwɪpmənt] *n no pl* equipamento *m*

equities ['ekwəţiz] *n pl* ações

equivalent [ɪ'kwɪvələnt] I. *adj* equivalente II. *n* equivalente *m*

equivocal [ɪ'kwɪvəkl] *adj* ambíguo, -a

ER [ˌiː'ɑːr] *n abbr of* **emergency room** PS

era ['ɪrə] *n* era *f*

eradicate [ɪ'rædɪkeɪt] *vt* erradicar

erase [ɪ'reɪs, *Brit:* -'reɪz] *vt* apagar

eraser [ɪ'reɪsər, *Brit:* -zəʳ] *n Am* (*for pencil*) borracha *f*; (*for blackboard*) apagador *m*

erect [ɪ'rekt] I. *adj* ereto, -a II. *vt* erigir

erode [ɪ'roʊd] *vt, vi* erodir

erosion [ɪ'roʊʒn] *n no pl* erosão *f*

erotic [ɪ'rɑːţɪk] *adj* erótico, -a

erratic [ɪ'ræţɪk] *adj* irregular

error ['erər] *n* equívoco *m*; **to make an ~** cometer um equívoco

escalator ['eskəleɪţər] *n* escada *f* rolante

escape [ɪ'skeɪp] **I.** *vi* fugir **II.** *n* fuga *f;* **to have a narrow** ~ escapar por pouco

escort **I.** [es'kɔːrt] *vt* escoltar **II.** ['eskɔːrt] *n* (*guard*) escolta *f*

esp. *abbr of* **especially** especialmente

especially *adv* **1.** (*particularly*) especialmente **2.** (*in particular*) particularmente

essay ['eseɪ] *n* **1.** LIT ensaio *m* **2.** SCH dissertação *f*

essential [ɪ'senʃl] **I.** *adj* essencial **II.** *n* **the** ~**s** o essencial

essentially *adv* essencialmente

establish [ɪ'stæblɪʃ] *vt* estabelecer

establishment *n* (*business*) empresa *f*

estate [ɪ'steɪt] *n* propriedade *f*

estate agent *n Brit* corretor(a) *m(f)* de imóveis **estate car** *n Brit* (*station wagon*) perua *f*

estimate **I.** ['estɪmeɪt] *vt* calcular **II.** ['estɪmət] *n* estimativa *f;* **rough** ~ *inf* cálculo aproximado

Estonia [es'toʊniə] *n* Estônia *f*

etc. *abbr of* **et cetera** etc.

et cetera [ɪt'set̬ərə] *adv* et cetera

Ethiopia [ˌiːθɪ'oʊpiə] *n no pl* Etiópia *f*

EU [ˌiː'juː] *n abbr of* **European Union** UE *f*

euro ['jʊroʊ] *n* euro *m*

Europe ['jʊrəp] *n* Europa *f*

European [jʊrə'piən] *adj, n* europeu, -éia

evacuate [ɪ'vækjʊeɪt] *vt* evacuar

evacuation [ɪˌvækjʊ'eɪʃn] *n* evacuação *f*

evade [ɪ'veɪd] *vt* evitar; (*taxes*) sonegar

eve [iːv] *n no pl* véspera *f;* **on the** ~ **of** às vésperas de; **New Year's Eve** Noite *f* de Ano-Novo

even ['iːvn] **I.** *adv* **1.** (*surprise*) até mesmo; **not** ~ nem mesmo **2.** ~ **if** ... ainda que ...; ~ **so** ... mesmo assim ... **3.** (*to intensify*) até **4.** + *compar* (*comparison*) ainda **II.** *adj* **1.** (*level*) plano, -a **2.** (*of same size, amount*) igual

evening ['iːvnɪŋ] *n* (*early*) noitinha *f;* (*late*) noite *f;* **all** ~ a noite toda; **tomorrow** ~ amanhã à noite; **good** ~! boa noite!

evening dress *n* traje *m* a rigor

event [ɪ'vent] *n* **1.** (*happening*) acontecimento *m;* **sports** ~ evento *m* esportivo **2.** (*case*) caso *m*

eventual [ɪ'ventʃʊəl] *adj* final

eventually [ɪ'ventʃʊəli] *adv* por fim

ever ['evər] *adv* **1.** (*in questions*) já; **have you** ~ **been to Texas?** você já esteve no Texas? **2.** (*with comparatives, superlatives*) **better than** ~ melhor do que nunca **3.** (*in negative statements*) jamais; **hardly** ~ quase nunca; **never** ~ nunca jamais **4.** **for the first time** ~ pela primeira vez **5.** ~ **since** desde então ...

every ['evri] *adj* **1.** (*each*) cada; ~ **time** cada vez **2.** (*all*) todo, -a; **in** ~ **way** de todas as maneiras **3.** (*repeated*) ~ **other week** a cada duas semanas; ~ **now and then** de vez em quando

everybody ['evriˌbɑːdi] *pron indef, sing* todo mundo

everyday ['evrideɪ] *adj* diário, -a

E

everyone ['evriwʌn] *pron s.* **everybody**
everyplace ['evripleɪs] *pron Am s.* **everywhere**
everything ['evriθɪŋ] *pron indef, sing* tudo; **is ~ all right?** está tudo bem?
everywhere ['evrɪwer] *adv* em todo lugar; **to look ~ for sth** procurar a. c. em todo lugar
evidence ['evɪdəns] *n* **1.** *no pl* (*sign*) indícios *mpl* **2.** (*proof*) prova *f*
evident ['evɪdənt] *adj* evidente; **it is ~ that ...** é evidente que ...
evidently *adv* evidentemente
evil ['i:vl] **I.** *adj* mau, má **II.** *n* mal *m*
e-vite ['i:vaɪt] *n abbr of* **electronic invitation** convite *m* eletrônico
ex [eks] <-es> *n inf* ex *mf*
exact [ɪg'zækt] *adj* exato, -a
exactly *adv* exatamente; **~!** exato!
exaggerate [ɪg'zædʒəreɪt] *vi, vt* exagerar
exaggeration [ɪgˌzædʒə'reɪʃn] *n* exagero *m*
exam [ɪg'zæm] *n* exame *m;* **to take an ~** fazer um exame
examination [ɪgˌzæmɪ'neɪʃn] *n* exame *m;* **medical ~** exame *m* médico
examine [ɪg'zæmɪn] *vt* examinar
example [ɪg'zæmpl] *n* exemplo *m;* **for ~** por exemplo; **to set a good ~** dar um bom exemplo
exceed [ɪk'si:d] *vt* ultrapassar
excellent ['eksələnt] *adj* excelente
except [ɪk'sept] *prep* menos; **~ for** exceto
exception [ɪk'sepʃn] *n* exceção *f;* **with the ~ of ...** à exceção de ...; **to make an ~** abrir uma exceção; **without ~** sem exceção
exceptional *adj* excepcional
excerpt ['eksɜ:rpt] *n* trecho *m*
excess [ɪk'ses] <-es> *n* excesso *m;* **~ baggage** excesso *m* de bagagem
exchange [ɪk'stʃeɪndʒ] **I.** *vt* trocar **II.** *n* **1.** intercâmbio *m;* **in ~ for sth** em troca de a. c. **2. foreign ~** câmbio *m* exterior
exchange rate *n* taxa *f* de câmbio
excitement *n* emoção *f*
exciting *adj* emocionante
exclamation mark *esp Brit,* **exclamation point** *n* ponto *m* de exclamação
exclude [ɪk'sklu:d] *vt* excluir
excluding *prep* exceto
exclusive [ɪks'klu:sɪv] *adj* exclusivo, -a
excursion [ɪk'skɜ:rʒn, *Brit:* -kɜ:ʃn] *n* excursão *f*
excuse I. [ɪk'skju:z] *vt* **1.** (*forgive*) desculpar; **~ me!** desculpe-me! **2.** (*to attract attention*) **~ me!** com licença **3.** (*allow not to attend*) **to ~ sb from sth** dispensar alguém de a. c. **II.** [ɪk'skju:s] *n* desculpa *f;* **poor ~** desculpa esfarrapada
executive [ɪg'zekjʊt̬ɪv] **I.** *n* executivo, -a *m, f* **II.** *adj* para executivos
exempt [ɪg'zempt] **I.** *vt* isentar **II.** *adj* isento, -a
exemption [ɪg'zempʃn] *n no pl* isenção *f*
exercise ['eksərsaɪz] **I.** *vt* exercitar **II.** *vi* fazer exercício **III.** *n* exercí-

cio *m*
exert [ɪg'zɜ:rt] *vt* exercer
exhaust [ɪg'zɑ:st] I. *vt* exaurir II. *n* AUTO cano *m* de escapamento
exhausted *adj* exausto, -a
exhibit [ɪg'zɪbɪt] I. *n* exposição *f* II. *vt* expor
exhibition [ˌeksɪ'bɪʃn] *n* exposição *f*
exist [ɪg'zɪst] *vi* existir; **to ~ on sth** viver de a. c.
existence [ɪg'zɪstəns] *n* existência *f*
existing *adj* existente
exit ['eksɪt] I. *n* saída *f*; **emergency ~** saída *f* de emergência II. *vi* sair
exotic [ɪg'zɑ:ţɪk] *adj* exótico, -a
expand [ɪk'spænd] *vi* expandir(-se)
expect [ɪk'spekt] *vt* esperar; **to ~ sb to do sth** esperar que alguém faça a. c.; **to be ~ing (a baby)** estar esperando (um bebê); **I ~ so** assim creio
expedition [ˌekspɪ'dɪʃn] *n* expedição *f*
expel [ɪk'spel] <-ll-> *vt* expulsar
expense [ɪk'spens] *n* despesas *fpl*; **at the ~ of** *a. fig* à custa de; **all ~(s) paid** todas as despesas pagas
expensive [ɪk'spensɪv] *adj* caro, -a
experience [ɪk'spɪriəns] I. *n* experiência *f* II. *vt* vivenciar
experienced *adj* experiente
experiment [ɪk'sperɪmənt] I. *n* experimento *m* II. *vi* experimentar
expert ['ekspɜ:rt] I. *n* especialista *mf*; **to be an ~ in sth** ser perito em a. c. II. *adj* (*skillful*) perito, -a
expire [ɪk'spaɪər] *vi* (*food*) vencer
explain [ɪk'spleɪn] *vt* explicar
explanation [ˌekspləˈneɪʃn] *n* explicação *f*
explode [ɪk'sploʊd] *vi* explodir
exploit [ɪks'plɔɪt] *vt* explorar
explore [ɪk'splɔ:r] *vt* explorar
explosion [ɪk'sploʊʒn] *n* explosão *f*
explosive [ɪk'sploʊsɪv] *adj* explosivo, -a
export I. [ɪk'spɔ:rt] *vt* exportar II. ['ekspɔ:rt] *n* exportação *f*
exposed *adj* exposto, -a
exposure [ɪk'spoʊʒər] *n* exposição *f*; **to die of ~** morrer de exposição ao frio
express [ɪk'spres] I. *adj* expresso, -a; **by ~ delivery** por entrega expressa II. *n* (*train*) trem *m* expresso III. *adv* **to send sth ~** mandar a. c. por entrega rápida
expression [ɪk'spreʃn] *n* expressão *f*; **as an ~ of thanks** como uma mostra de agradecimento
expressway [ɪk'spresweɪ] *n Am, Aus* rodovia *f*
extend [ɪk'stend] *vi, vt* estender-se
extension [ɪk'stenʃn] *n* **1.** extensão *f* **2.** (*enlargement*) **to build an ~** construir um anexo **3.** TEL ramal *m*
extensive [ɪk'stensɪv] *adj* vasto, -a
extent [ɪk'stent] *n no pl* **1.** (*size*) extensão *f* **2.** (*degree*) grau *m*; **to a great ~** em grande parte; **to some ~** até certo ponto
exterior [ɪk'stɪriər] *adj* exterior
external [ɪk'stɜ:rnl] *adj* externo, -a
extinct [ɪk'stɪŋkt] *adj* extinto, -a
extinguish [ɪk'stɪŋgwɪʃ] *vt form* apagar
extinguisher [ɪk'stɪŋgwɪʃər] *n* extintor *m* de incêndio

extortionate [ɪk'stɔːrʃənət] *adj* exorbitante

extra ['ekstrə] I. *adj* a mais; **an ~ $2** $2 a mais; **meals are ~** refeições não estão incluídas II. *adv* 1. (*more*) a mais; **to charge ~** cobrar a mais 2. (*very*) **~ special** super especial III. *n* extra *m*

extract [ɪk'strækt] I. *vt* arrancar II. ['ekstrækt] *n* 1. (*concentrate*) extrato *m* 2. (*of text*) passagem *f*

extraordinary [ɪk'strɔːrdneri] *adj* extraordinário, -a

extravagant [ɪk'strævəgənt] *adj* extravagante

extreme [ɪk'striːm] I. *adj* extremo, -a II. *n* extremo *m*

extremely *adv* extremamente

extremist *n* extremista *mf*

extremity [ɪk'stremət̬i] *n* extremidade *f*

extrovert ['ekstrəvɜːrt] *adj* extrovertido, -a

exuberant [ɪg'zuːbərənt, *Brit:* -'zjuː-] *adj* exuberante

eye [aɪ] I. *n* olho *m;* (*of needle*) buraco *m* II. <-ing> *vt* olhar

eyeball *n* globo *m* ocular **eyebrow** *n* sobrancelha *f* **eyebrow pencil** *n* lápis *m* de sobrancelha **eyedrops** *npl* colírio *m* **eyelash** <-es> *n* cílio *m* **eyelid** *n* pálpebra *f* **eyeliner** *n no pl* delineador *m* (para os olhos) **eyeshadow** *n* sombra *f* (para os olhos) **eyesight** *n no pl* visão *f* **eyewitness** <-es> *n* testemunha *mf* ocular

F

F, f [ef] *n* f *m*

FA [ˌef'eɪ] *n Brit abbr of* **Football Association** Federação Inglesa de Futebol

fable ['feɪbl] *n* fábula *f*

fabric ['fæbrɪk] *n* tecido *m*

fabricate ['fæbrɪkeɪt] *vt* inventar

fabulous ['fæbjələs] *adj* fabuloso, -a

façade [fə'sɑːd] *n a. fig* fachada *f*

face [feɪs] I. *n* rosto *m;* (*of building*) fachada *f* II. *vt* voltar-se para, encarar

face cream *n* creme *m* facial **facelift** *n* lifting *m*

facet ['fæsɪt] *n a. fig* faceta *f*

facetious [fə'siːʃəs] *adj pej* engraçadinho, -a

face value *n* valor *m* nominal

facial *n* **to get a ~** fazer uma limpeza de pele

facilitate [fə'sɪlɪteɪt] *vt* facilitar

facility [fə'sɪlət̬i] *n* <-ies> centro *m;* **facilities** *pl* instalações *fpl*

fact [fækt] *n* fato *m;* **in ~** na verdade

faction ['fækʃn] *n* facção *f*

factor ['fæktər] *n* fator *m*

factory ['fæktəri] <-ies> *n* fábrica *f*

faculty ['fæklti] <-ies> *n Am* corpo *m* docente

fad [fæd] *n inf* moda *f*

fade [feɪd] *vi* (*colors*) desbotar; (*light*) apagar-se; (*hope*) desaparacer

faeces *npl Brit s.* **feces**

fag [fæg] *n* 1. *Am, pej, inf* bicha *mf* 2. *Brit, inf* cigarro *m*

fail [feɪl] I. *vi* 1. fracassar; **to** ~ **to do sth** não conseguir fazer a. c. 2. (*brakes*) falhar II. *vt* reprovar III. *n* **without** ~ sem falta

failing I. *n* defeito *m* II. *adj* deficiente III. *prep* na falta de

failure ['feɪljər] *n no pl* fracasso *m*; **heart** ~ insuficiência *f* cardíaca

faint [feɪnt] I. *adj* (*scent*) leve; (*suspicion*) vago II. *vi* desmaiar

fair[1] [fer] I. *adj* 1. (*trial*) justo, -a 2. (*skin*) claro, -a II. *adv* **to play** ~ jogar limpo

fair[2] *n* parque *m* de diversões; **trade** ~ feira *f* de negócios

fairly ['ferli] *adv* bastante

fairness *n no pl* justiça *f*

fairy ['feri] <-ies> *n* fada *f*

fairy tale *n* conto *m* de fadas

faith [feɪθ] *n* fé *f*

faithful ['feɪθfəl] *adj* fiel

faithfully *adv* **Yours** ~ *Brit, Aus* Atenciosamente

fake [feɪk] I. *n* (*painting*) falsificação *f* II. *adj* (*jewel*) falsificado, -a III. *vt* falsificar; (*illness*) fingir

falcon ['fælkən] *n* falcão *m*

Falkland Islands ['fɔ:klædˌ-] *npl* **the** ~ as Ilhas Malvinas

fall [fɔ:l] <fell, fallen> I. *vi* cair II. *n* queda *f*; *Am* outono *m* ◈ **fall behind** *vi* ficar para trás ◈ **fall down** *vi* cair ◈ **fall in** *vi* ruir ◈ **fall over** *vi* tombar ◈ **fall through** *vi* fracassar

fallacy ['fæləsi] <-ies> *n* falácia *f*

fallen *pp of* **fall**

fallible ['fæləbl] *adj* falível

false [fɔ:ls] *adj* falso, -a

false alarm *n* alarme *m* falso

falsehood *n no pl* falsidade *f*

falsify ['fɔ:lsɪfaɪ] <-ied> *vt* falsificar

fame [feɪm] *n no pl* fama *f*

familiar [fə'mɪljər] I. *adj* conhecido, -a II. *n* familiar *m*

familiarity [fəˌmɪli'erəţi] *n no pl* familiaridade *f*

familiarize [fə'mɪljəraɪz] *vt* familiarizar

family ['fæməli] *n + sing/pl vb* família *f*

family name *n* sobrenome *m* **family planning** *n no pl* planejamento *m* familiar **family tree** *n* árvore *f* genealógica

famine ['fæmɪn] *n* fome *f*

famished ['fæmɪʃt] *adj inf* **to be** ~ estar morto de fome

famous ['feɪməs] *adj* famoso, -a

fan[1] [fæn] I. *n* TECH ventilador *m* II. <-nn-> *vt* abanar

fan[2] *n* (*person*) fã *mf*

fanatic [fə'næţɪk] *n pej* fanático, -a *m, f*

fanatical *adj* fanático, -a

fan belt *n* correia *f* de ventilador

fanciful ['fæntsɪfəl] *adj* fantasioso, -a

fan club *n* fã-clube *m*

fancy ['fæntsi] I. *adj* <-ier, -iest> decorativo, -a II. <-ie-> *vt* 1. *Brit* querer; **he fancies you** ele está a fim de você 2. **to** ~ (**that**) ... imaginar (que) ...

fancy dress *n no pl, Brit, Aus* fantasia *f*

fang [fæŋ] *n* dente *m* canino

fantasize ['fænţəsaɪz] *vi* **to** ~ **about**

sth fantasiar a. c.
fantastic [fæn'tæstɪk] *adj* fantástico, -a
fantasy ['fænṭəsi] <-ies> *n* fantasia *f*
FAQ *n abbr of* **frequently asked questions** perguntas *fpl* freqüentes
far [fɑːr] <farther, farthest *o* further, furthest> **I.** *adv* longe; **how ~ is it?** a que distância fica?; **so ~** até agora; **~ better** muito melhor; **to be the best by ~** ser de longe o melhor; **as ~ as I know ...** que eu saiba ... **II.** *adj* longe; **the ~ left/right** a extrema esquerda/direita
farce [fɑːrs] *n* farsa *f*
fare [fer] **I.** *n* preço *m* da passagem; **return ~** passagem de ida e volta **II.** *vi* **to ~ badly** sair-se mal
Far East *n* **the ~** o Extremo Oriente
farewell [ˌfer'wel] *interj form* adeus *m*
farm [fɑːrm] **I.** *n* sítio *m,* fazenda *f* **II.** *vt* cultivar ◈ **farm out** *vt* **to ~ work** terceirizar o trabalho
farmer ['fɑːrmər] *n* fazendeiro, -a *m, f,* agricultor(a) *m(f)*
farmhouse *n* <-s> casa *f* de fazenda
farming *no pl n* agropecuária *f* **farmland** *n* terra *f* cultivada
far-sighted *adj Am* hipermetrope
fart [fɑːrt] *vi inf* peidar; **to ~ around** ficar embromando
farther ['fɑːrðər] *adj, adv comp of* **far** mais distante
farthest ['fɑːrðɪst] *adj, adv superl of* **far** mais afastado
fascinate ['fæsəneɪt] *vt* fascinar
fascinating *adj* fascinante
fascination [ˌfæsə'neɪʃn] *n no pl* fascinação *f*
fashion ['fæʃən] *n* moda *f*
fashionable ['fæʃənəbl] *adj* (*clothes*) da moda; (*person*) elegante
fashion show *n* desfile *m* de modas
fast[1] [fæst] **I.** <-er, -est> *adj* (*quick*) rápido, -a; **to be ~** (*clock*) estar adiantado **II.** *adv* depressa
fast[2] **I.** *vi* (*not eat*) jejuar **II.** *n* jejum *m*
fasten ['fæsən] *vt* prender
fastener ['fæsənər] *n* fecho *m;* **zip ~** *Brit* zíper *m*
fast food *n no pl* fast-food *f*
fat [fæt] <-tt-> **I.** *adj* gordo, -a; (*thick*) grosso, -a **II.** *n no pl* gordura *f*
fatal ['feɪṭəl] *adj* fatal
fatality [fə'tæləṭi] <-ies> *n* fatalidade *f*
fate [feɪt] *n no pl* destino *m*
fat-free *adj* sem gordura
father ['fɑːðər] *n* pai *m*
Father Christmas *n esp Brit* Papai *m* Noel
fatherhood ['fɑːðərhʊd] *n no pl* paternidade *f*
father-in-law <fathers-in-law *o* father-in-laws> *n* sogro *m*
fatherly *adj* paternal
fatigue [fə'tiːg] *n no pl* cansaço *m*
fatten ['fætən] *vt* engordar
fatty ['fæṭi] *adj* gorduroso, -a
faucet ['fɑːsɪt] *n Am* torneira *f*
fault [fɔːlt] **I.** *n no pl* (*of person*) culpa *f;* (*in machine*) defeito *m* **II.** *vt* criticar
faulty ['fɔːlṭi] *adj* defeituoso, -a
favor ['feɪvər] *Am, Aus* **I.** *n* favor *m;* **to be in ~ of sb/sth** ser a favor de al-

guém/a. c. II. *vt* favorecer

favorable ['feɪvərəbl] *adj Am, Aus* favorável

favorite ['feɪvərɪt] *adj, n Am, Aus* favorito, -a

favour *n, vt Brit, Aus s.* **favor**

favourable *adj Brit, Aus s.* **favorable**

favourite *adj Brit, Aus s.* **favorite**

fawn [fɑːn] *adj* castanho-claro, -a

fax [fæks] *vt* enviar por fax

fear [fɪr] I. *n* medo *m* II. *vt* ter medo de

fearful *adj* amedrontado, -a

fearless *adj* destemido, -a

feasibility [ˌfiːzə'bɪləṭi] *n no pl* viabilidade *f*

feasible ['fiːzəbl] *adj* viável

feast [fiːst] *n* banquete *m*

feat [fiːt] *n* façanha *f*

feather ['feðər] *n* pena *f*

feature ['fiːtʃər] I. *n* característica *f* II. *vt* apresentar III. *vi* figurar

feature film *n* longa-metragem *m*

featurette [ˌfiːtʃər'et] *n* (*on DVD*) extras *mpl*

February ['februeri] *n* fevereiro *m*

feces ['fiːsiːz] *npl Am* fezes *fpl*

fed [fed] *pt, pp of* **feed**

Fed *abbr of* **The Federal Reserve System** Banco *m* Central dos Estados Unidos

federal ['fedərəl] *adj* federal

federation [ˌfedə'reɪʃn] *n* federação *f*

fed up *adj inf* cheio, -a

fee [fiː] *n* honorários *mpl,* taxa *f*

feeble ['fiːbl] *adj* fraco, -a

feed [fiːd] <fed, fed> I. *vt* alimentar II. *vi* alimentar-se

feedback ['fiːdbæk] *n no pl* comentário *m* (de retorno)

feel [fiːl] <felt, felt> I. *vi + adj/n* sentir-se; **to ~ like a walk** ter vontade de caminhar II. *vt* sentir; **to ~ (that)** ... achar (que)...

feeler ['fiːlər] *n* ZOOL antena *f*

feeling *n* sensação *f,* sentimento *m;* **to hurt sb's ~s** magoar alguém

feet [fiːt] *n pl of* **foot**

fell[1] [fel] *pt of* **fall**

fell[2] *vt* (*tree*) derrubar

fellow ['feloʊ] *adj* ~ **student** colega (de classe) **fellow countryman** *n* compatriota *mf*

fellowship ['feloʊʃɪp] *n no pl* companheirismo *m*

felony ['feləni] <-ies> *n Am* crime *m*

felt[1] [felt] *pt, pp of* **feel**

felt[2] *n no pl* (*fabric*) feltro *m*

felt-tip pen *n* pincel *m* atômico

female ['fiːmeɪl] *adj* feminino, -a; ZOOL, ELEC, TECH fêmea

feminine ['femənɪn] *adj* feminino, -a

feminism ['femɪnɪzəm] *n no pl* feminismo *m*

feminist ['femɪnɪst] *n* feminista *mf*

fence [fens] I. *n* cerca *f;* **to sit on the ~** ficar em cima do muro II. *vt* **to ~ sth (in)** cercar a. c.

fencing *n no pl* SPORTS esgrima *f*

fend [fend] *vt* **to ~ off a question** rebater uma pergunta

fender ['fendər] *n Am* pára-lama *m*

fennel ['fenəl] *n no pl* erva-doce *f*

ferment [fər'ment] *vi* fermentar

fern [fɜːrn] *n* samambaia *f*

ferocious [fə'roʊʃəs] *adj* feroz

ferret ['ferɪt] *n* doninha *f*

ferry ['feri] <-ies> *n* barca *f;* (*ferry-boat*) balsa *f*

fertile ['fɜːrt̬l, *Brit:* 'fɜːtaɪl] *adj a. fig* fértil

fertility [fər'tɪlət̬i] *n no pl* fertilidade *f*

fertilize ['fɜːrt̬əlaɪz] *vt* BIO fecundar; AGR adubar

fertilizer ['fɜːrt̬əlaɪzər] *n* fertilizante *m*

fester ['festər] *vi* inflamar

festival ['festɪvəl] *n* festival *m*

festive ['festɪv] *adj* festivo, -a

festivity [fes'tɪvət̬i] <-ies> *n pl* festejo *m*

fetch [fetʃ] *vt* apanhar, buscar

fête [feɪt] *n esp Brit, Aus* quermesse *f*

fetish ['fet̬ɪʃ] *n* fetiche *m*

fetus ['fiːt̬əs] *n Am* feto *m*

feud [fjuːd] *n* disputa *f*

feudal ['fjuːdəl] *adj* feudal

fever ['fiːvər] *n* febre *f*

feverish ['fiːvərɪʃ] *adj* febril

few [fjuː] <-er, -est> **I.** *adj def* (*small number*) poucos, -as; **quite a ~ people** bastante gente **II.** *pron* **a ~** alguns, algumas

fewer ['fjuːər] *adj, pron* menos

fewest ['fjuːɪst] *adj, pron* os/as menos

fiancé [ˌfiːɑːn'seɪ, *Brit:* fɪ'ɒnseɪ] *n* noivo *m*

fiancée [ˌfiːɑːn'seɪ, *Brit:* fɪ'ɒnseɪ] *n* noiva *f*

fiasco [fɪ'æskoʊ] <-(e)s> *n* fiasco *m*

fib [fɪb] <-bb-> *vi inf* contar lorotas

fiber ['faɪbər] *n Am,* **fibre** *n Brit* fibra *f*

fickle ['fɪkl] *adj* volúvel

fiction ['fɪkʃn] *n no pl* ficção *f*

fictional ['fɪkʃənl] *adj* fictício, -a

fictitious [fɪk'tɪʃəs] *adj* fictício, -a

fiddle ['fɪdl] **I.** *n inf* violino *m* **II.** *vi* **to ~ (around) with sth** remexer em a. c.

fidelity [fɪ'delət̬i] *n no pl* fidelidade *f*

fidget ['fɪdʒɪt] *vi* não parar quieto

field [fiːld] *n* campo *m*

fieldwork *n* trabalho *m* de campo

fiend [fiːnd] *n* demônio *m*

fierce [fɪrs] *adj* <-er, -est> (*competition*) acirrado, -a; (*fighting*) feroz

fiery ['faɪri] <-ier, -iest> *adj* (*passion*) fogoso, -a

fifteen [ˌfɪf'tiːn] *adj* quinze *inv*

fifteenth *adj* décimo quinto, décima quinta

fifth [fɪfθ] *adj* quinto, -a

fiftieth ['fɪftiəθ] *adj* qüinquagésimo, -a

fifty ['fɪfti] *adj* cinqüenta *inv*

fig [fɪg] *n* figo *m*

fight [faɪt] **I.** *n* (*physical*) briga *f;* (*argument*) discussão *f;* (*struggle*) luta *f* **II.** <fought, fought> *vi* brigar; **to ~ with sb** lutar contra alguém **III.** *vt* (*crime*) combater ◈ **fight back** *vi* revidar ◈ **fight off** *vt* repelir

fighter ['faɪt̬ər] *n* combatente *m*

fighting *n no pl* combate *m*

figurative ['fɪgjərət̬ɪv] *adj* figurado, -a

figure ['fɪgjər] **I.** *n* (*shape*) figura *f;* (*numeral*) cifra *f* **II.** *vt Am* achar ◈ **figure out** *vt* compreender

Fiji ['fiːdʒiː] *n* **the ~ Islands** as Ilhas Fiji

file¹ [faɪl] *n* (*tool*) lima *f*

file² **I.** *n* (*folder*) pasta *f;* INFOR arquivo *m;* (*record*) ficha *f* **II.** *vt* arquivar; (*claim*) dar entrada em

filing cabinet *n* arquivo *m*
Filipino [fɪlɪ'pi:noʊ] *adj* filipino, -a
fill [fɪl] *vt* encher
fillet ['fɪlɪt] *n* filé *m*
fillet steak *n* bife *m* de filé
filling *n* (*in cake*) recheio *m;* (*in pillow*) enchimento *m;* (*in tooth*) obturação *f*
filling station *n esp Brit* posto *m* de gasolina
film [fɪlm] **I.** *n esp Brit* filme *m* **II.** *vt, vi* filmar
film-maker *n* cineasta *mf*
film star *n* astro, estrela *m, f* de cinema
filter ['fɪltər] *n* filtro *m*
filth [fɪlθ] *n no pl* imundície *f*
filthy ['fɪlθi] <-ier, -iest> *adj* imundo, -a
fin [fɪn] *n* barbatana *f*
final ['faɪnl] *adj* final, último, -a
finalist ['faɪnəlɪst] *n* finalista *mf*
finalize ['faɪnəlaɪz] *vt* concluir
finally ['faɪnəli] *adv* finalmente
finance ['faɪnænts] *vt* financiar
finances ['faɪnæntsɪz] *npl* finanças *fpl*
financial [faɪ'næntʃəl] *adj* financeiro, -a
find [faɪnd] <found, found> *vt* encontrar; (*think*) achar ◈ **find out** *vi, vt* descobrir
fine¹ [faɪn] **I.** *adj* (*thin*) fino, -a; (*feature*) delicado, -a **II.** *adv* bem; **to feel** ~ sentir-se bem
fine² *n* (*money*) multa *f*
fine arts *n* belas artes *fpl*
finger ['fɪŋgər] *n* dedo *m*
fingernail *n* unha *f* (da mão) **fingerprint** *n* impressão *f* digital **fingertip** *n* ponta *f* do dedo
finicky ['fɪnɪki] *adj* melindroso, -a
finish ['fɪnɪʃ] **I.** *n* fim *m* **II.** *vt, vi* terminar
finite ['faɪnaɪt] *adj* finito, -a
Finland ['fɪnlənd] *n* Finlândia *f*
Finn [fɪn] *n* finlandês, -esa *m, f*
Finnish ['fɪnɪʃ] *adj* finlandês, -esa
fir [fɜ:r] *n* pinheiro *m*
fire ['faɪər] **I.** *n* fogo *m;* (*accidental*) incêndio *m* **II.** *vt* incendiar; *inf* (*dismiss*) demitir **III.** *vi* (*with gun*) atirar
fire alarm *n* alarme *m* contra incêndio **firearm** *n* arma *f* de fogo **fire brigade** *n Brit,* **fire department** *n Am* corpo *m* de bombeiros **fire engine** *n* carro *m* de bombeiros **fire extinguisher** *n* extintor *m* de incêndio **firefighter** *n* bombeiro, -a *m, f* **fireman** <-men> *n* bombeiro *m* **fireplace** *n* lareira *f*
fireproof *adj* à prova de fogo
fire station *n* quartel *m* do corpo de bombeiros **firewood** *n no pl* lenha *f* **firework** *n* fogo *m* de artifício
firm¹ [fɜ:rm] **I.** *adj* firme **II.** *adv* **to stand** ~ ficar firme
firm² *n* ECON empresa *f*
first [fɜ:rst] **I.** *adj* primeiro, -a; **for the** ~ **time** pela primeira vez **II.** *adv* primeiro; ~ **of all** antes de mais nada; **at** ~ a princípio
first aid *n* primeiros *mpl* socorros
first-class *adj* (*ticket*) de primeira classe
first-hand *adj* de primeira mão
first lady *n Am* **the** ~ a primeira-da-

ma

firstly *adv* em primeiro lugar

first name *n* nome *m*

fish [fɪʃ] I. <-(es)> *n* peixe *m;* ~ **and chips** peixe frito com batatas fritas II. *vt, vi* pescar

fisherman ['fɪʃərmən] <-men> *n* pescador *m*

fishing *n* pesca; **to go** ~ ir pescar

fishing pole *Am,* **fishing rod** *n Brit, Aus* vara *f* de pesca

fishy ['fɪʃi] <-ier, -iest> *adj* (*smell*) de peixe; *inf* (*wrong*) suspeito, -a

fist [fɪst] *n* punho *m*

fit¹ [fɪt] I. <-tt-> *adj* (*suitable*) adequado, -a; SPORTS em (boa) forma II. <-tt-> *vt* adaptar; (*clothes*) servir III. *vi* <-tt-> caber; **to** ~ **together** encaixar-se

fit² *n* MED acesso *m*

fitness ['fɪtnɪs] *n no pl* (*health*) boa forma *f*

fitted sheet *n* lençol *m* com elástico

fitting *adj* apropriado, -a

fitting room *n* provador *m*

five [faɪv] *adj* cinco *inv*

fiver ['faɪvər] *n Am, inf* nota *f* de cinco dólares; *Brit, inf* nota *f* de cinco libras

fix [fɪks] *vt* (*fasten*) prender; (*determine*) fixar; (*repair*) consertar

fixed *adj* fixo, -a

fixture ['fɪkstʃər] *n* instalação *f*

fizzy ['fɪzi] <-ier, -iest> *adj* efervescente

flabby ['flæbi] <-ier, -iest> *adj pej* flácido, -a

flag [flæg] *n* bandeira *f*

flagpole *n* mastro *m* de bandeira

flagrant ['fleɪgrənt] *adj* flagrante

flagstaff ['flægstæf] *n s.* **flagpole**

flagstone *n* laje *f*

flair [fler] *n no pl* talento *m*

flak [flæk] *n inf no pl* duras críticas *fpl*

flake [fleɪk] I. *vi* (*skin*) descascar; (*paint*) lascar II. *n* (*of snow*) floco *m*

flamboyant [flæm'bɔɪənt] *adj* extravagante

flame [fleɪm] *n* chama *f*

flamingo [flə'mɪŋgoʊ] <-(e)s> *n* flamingo *m*

flammable ['flæməbl] *adj Am* inflamável

flan [flæn] *n* pudim *m*

flannel ['flænl] *n* flanela *f*

flap [flæp] <-pp-> *vt* (*wings*) bater

flare [fler] *n* chama *f*

flash [flæʃ] I. *vt* (*light*) piscar; **to** ~ **one's headlights** piscar os faróis II. *vi* (*light*) brilhar

flashlight *n* lanterna *f*

flashy ['flæʃi] <-ier, -iest> *adj inf* chamativo, -a

flask [flæsk] *n* frasco *m*

flat¹ [flæt] *adj* <-tt-> (*surface*) plano, -a; (*tire*) vazio, -a; ~ **rate** taxa fixa

flat² *n esp Aus, Brit* apartamento *m*

flatly *adv* terminantemente

flatmate *n Aus, Brit* companheiro, -a *m, f* de apartamento

flatten ['flætn] *vt* **to** ~ **sth** (**out**) nivelar a. c.

flatter ['flæt̬ər] *vt* lisonjear

flattering *adj* lisonjeiro, -a

flattery ['flæt̬əri] *n no pl* bajulação *f*

flaunt [flɑːnt] *vt pej* ostentar

flavor ['fleɪvər] *n Am* sabor *m*

flavoring *n Am* aromatizante *m*
flavour *n, vt Brit, Aus s.* **flavor**
flavouring *n Brit, Aus s.* **flavoring**
flaw [flɑ:] *n* defeito *m*
flawless *adj* impecável
flea [fli:] *n* pulga *f*
flea market *n* mercado *m* de pulgas
flee [fli:] <fled, fled> **I.** *vt* fugir de **II.** *vi* fugir
fleet [fli:t] *n* frota *f*
Flemish ['flemɪʃ] *adj* flamengo, -a
flesh [fleʃ] *n no pl* carne *f*
flew [flu:] *pt, pp of* **fly**
flex [fleks] *vt* flexionar
flexibility [ˌfleksə'bɪləṭi] *n no pl* flexibilidade *f*
flexible ['fleksəbl] *adj* flexível
flexitarian [ˌfleksi'teriən] *n pessoa vegetariana não-estrita*
flex(i)time ['fleksɪtaɪm] *n no pl* horário *m* de trabalho flexível
flick [flɪk] *n* movimento *m* rápido
flicker ['flɪkər] *vi* tremeluzir
flier ['flaɪər] *n* folheto *m*
flight [flaɪt] *n* vôo *m;* (*of stairs*) lance *m*
flight attendant *n* comissário, -a *m, f* de bordo
flight path *n* rota *f* de vôo
flimsy ['flɪmzi] <-ier, -iest> *adj* (*dress*) fino, -a; (*excuse*) inconsistente
flinch [flɪntʃ] *vi* retrair-se
fling [flɪŋ] <flung, flung> *vt* lançar
flint [flɪnt] *n* pedra *f* de isqueiro
flip [flɪp] <-pp-> *vt* **to ~ a coin** tirar cara ou coroa
flippant ['flɪpənt] *adj* leviano, -a
flipper ['flɪpər] *n* nadadeira *f*
flirt [flɜ:rt] *vi* paquerar
float [floʊt] *vi* flutuar, boiar
flock [flɑ:k] *n* (*of sheep*) rebanho *m;* (*of birds*) bando *m*
flog [flɑ:g] <-gg-> *vt* açoitar
flood [flʌd] *vt* inundar
flooding *n no pl* alagamento *m*
floodlight *n* holofote *m*
floor [flɔ:r] *n* **1.** chão *m;* **dance ~** pista *f* de dança **2.** (*in building*) andar *m*
flop [flɑ:p] <-pp-> *n inf* fracasso *m*
floppy ['flɑ:pi] <-ier, -iest> *adj* frouxo, -a
floppy disk *n* disquete *m*
floral ['flɔ:rəl] *adj* floral
Florida ['flɔ:rɪdə] *n* Flórida *f*
florist ['flɔ:rɪst] *n* **the ~'s** floricultura *f*
flounder *n* ZOOL linguado *m*
flour ['flaʊər] *n no pl* farinha *f*
flourish ['flɜ:rɪʃ] *vi* florescer
flow [floʊ] *vi* fluir
flower ['flaʊər] **I.** *n* flor *f* **II.** *vi* florir
flowerbed *n* canteiro *m* (de flores)
flower pot *n* vaso *m* (de flores)
flowery ['flaʊəri] <-ier, -iest> *adj* florido, -a
flown [floʊn] *vt, vi pp of* **fly**[1]
flu [flu:] *n no pl* gripe *f*
fluctuate ['flʌktʃʊeɪt] *vi* oscilar
fluency ['flu:əntsi] *n no pl* fluência *f*
fluent ['flu:ənt] *adj* fluente
fluff [flʌf] *n no pl* penugem *f*
fluffy ['flʌfi] <-ier, -iest> *adj* macio, -a, felpudo, -a
fluid ['flu:ɪd] *n, adj* fluido *m*
flung [flʌŋ] *pt, pp of* **fling**
flurry ['flɜ:ri] <-ies> *n* **snow flurries**

nevada *f sing*

flush [flʌʃ] *vi* (*toilet*) dar descarga

flute [flu:t] *n* flauta *f*

flux [flʌks] *n no pl* movimento *m* contínuo

fly[1] [flaɪ] *n* ZOOL mosca *f*

fly[2] <flew, flown> **I.** *vi* voar, viajar de avião **II.** *vt* (*airplane*) pilotar; **to ~ a kite** soltar uma pipa **III.** *n* (*in pants*) braguilha *f*

flying *n no pl* vôo *m*

flyover *n Brit* viaduto *m*

FM [ˌefˈem] *abbr of* **frequency modulation** FM *m*

FO [ˌefˈoʊ] *n Brit abbr of* **Foreign Office** Ministério *m* do Exterior

foam [foʊm] *n no pl* espuma *f*

focus [ˈfoʊkəs] <-es *o* foci> **I.** *n* foco *m* **II.** <-s- *o* -ss-> *vi* enfocar

fodder [ˈfɑːdər] *n no pl* forragem *f*

foetus *n Brit s.* **fetus**

fog [fɑːg] *n* neblina *f*, nevoeiro *m* ◈ **fog up** *vi* embaçar

foggy [ˈfɑːgi] <-ier, -iest> *adj* (*idea*) obscuro, -a; (*weather*) nebuloso, -a

foglamp *n*, **foglight** *n* farol *m* de neblina

foil [fɔɪl] *n* papel *m* de alumínio

foil *vt* frustrar

fold *vt* dobrar; **to ~ one's arms/hands** cruzar os braços/as mãos

folder [ˈfoʊldər] *n* pasta *f*

folding *adj* dobrável

foliage [ˈfoʊlɪɪdʒ] *n no pl* folhagem *f*

folk [foʊk] *npl* povo *m;* **one's ~s** os pais

folklore [ˈfoʊklɔːr] *n no pl* folclore *m* **folk song** *n* canção *f* popular

follow [ˈfɑːloʊ] *vt, vi* seguir; (*understand*) entender

follower *n* adepto(a) *m(f)*

following *adj* seguinte

follow-up *n* acompanhamento *m*

folly [ˈfɑːli] *n* loucura *f*

fond [fɑːnd] <-er, -est> *adj* **~ memories** ternas recordações; **he is ~ of ...** ele gosta de ...

fondle [ˈfɑːndl] <-ling> *vt* acariciar

font [fɑːnt] *n* fonte *f*

food [fuːd] *n* alimento *m*, comida *f*

food intolerance [ˈfuːdɪnˈtɑːlərən(t)s, *Brit:* -ˈtɒlər-] *n* intolerância *f* alimentar **food poisoning** *n no pl* intoxicação *f* alimentar **food processor** *n* processador *m* de alimentos **foodstuff** *n* gênero *m* alimentício

fool [fuːl] **I.** *n* tolo, -a *m, f* **II.** *vt* enganar ◈ **fool around** *vi* brincar

foolish [ˈfuːlɪʃ] *adj* insensato, -a

foolproof *adj* infalível

foot [fʊt] <feet> *n* pé *m;* (*of animal*) pata *f*

footage [ˈfʊt̬ɪdʒ] *n no pl* imagens *fpl* (de uma filmagem)

football [ˈfʊtbɔːl] *n no pl, Am* futebol *m* americano; *Brit* futebol *m*

football player *n* jogador(a) *m(f)* de futebol

footbridge *n* passarela *f*

foot-hold *n* **to gain a ~** *fig* fincar o pé

footing *n no pl* **to lose one's ~** perder o equilíbrio; **on an equal ~** em pé de igualdade

footnote *n* nota *f* de rodapé

footprint *n* pegada *f*

footstep *n* passo *m*
footwear *n no pl* calçados *mpl*
for [fɔ:r] *prep* para; **to do sth ~ sb** fazer a. c. por alguém; **~ sale** à venda; **~ rent** aluga-se; **what's that ~?** para que serve isso?; **~ now** por agora; **is he ~ or against it?** ele é contra ou a favor?
forbid [fər'bɪd] <forbade, forbidden> *vt* proibir
force [fɔ:rs] I. *n* força *f* II. *vt* forçar
force-feed *vt* alimentar à força
forceful ['fɔ:rsfəl] *adj* convincente
forceps ['fɔ:rseps] *npl* fórceps *m inv*
forcibly *adv* à força
forearm ['fɔ:rɑ:rm] *n* antebraço *m*
forecast ['fɔ:kæst] <forecast *o* forecasted> *n* previsão *f*
forefinger ['fɔ:rfɪŋgər] *n* (dedo) indicador *m* **forefront** ['fɔ:rfrʌnt] *n no pl* vanguarda *f* **foreground** ['fɔ:rgraʊnd] *n no pl* **the ~** o primeiro plano **forehead** ['fɔ:red] *n* testa *f*
foreign ['fɔ:rɪn] *adj* estrangeiro, -a
foreigner ['fɔ:rɪnər] *n* estrangeiro, -a *m, f*
foreign exchange *n no pl* câmbio *m* exterior **foreign minister** *n* ministro, -a *m, f* das Relações Exteriores **Foreign Office** *n no pl, Brit* Ministério *m* das Relações Exteriores
foreman ['fɔ:rmən] <-men> *n* supervisor, -a *m, f*
foremost ['fɔ:rmoʊst] *adj* dianteiro, -a
foreplay ['fɔ:rpleɪ] *n no pl* carícias *fpl* preliminares (antes do sexo)
forerunner ['fɔ:rˌrʌnər] *n* precursor(a) *m(f)*
foresee [fɔ:r'si:] *irr vt* prever
foreseeable *adj* previsível
foreskin ['fɔ:rskɪn] *n* prepúcio *m*
forest ['fɔ:rɪst] *n* floresta *f*
forestry ['fɔ:rɪstri] *n no pl* silvicultura *f*
forever [fɔ:r'evər] *adv*, **for ever** *adv Brit* para sempre
foreword ['fɔ:rwɜ:rd] *n* prefácio *m*
forfeit ['fɔ:rfɪt] *vt* perder o direito a
forgave [fər'geɪv] *n pt of* **forgive**
forge [fɔ:rdʒ] *vt* (*signature*) falsificar; (*metal*) forjar
forgery ['fɔ:rdʒəri] <-ies> *n* falsificação *f*
forget [fər'get] <forgot, forgotten> I. *vt* esquecer-se de; **to ~ about sth** esquecer a. c.; **to ~ to do sth** esquecer de fazer a. c. II. *vi* esquecer
forgetful [fər'getfəl] *adj* esquecido, -a
forgive [fər'gɪv] <forgave, forgiven> *vt* perdoar
forgiveness *n no pl* perdão *m*
forgot [fər'gɑ:t] *pt of* **forget**
forgotten [fər'gɑ:tn] *pp of* **forget**
fork [fɔ:rk] *n* garfo *m* ◈ **fork out** *vt* (*money*) desembolsar
fork-lift (truck) *n* empilhadeira *f*
form [fɔ:rm] I. *n* forma *f*; (*document*) formulário *m* II. *vt* formar
formal ['fɔ:rməl] *adj* (*invitation*) formal; **~ dress** traje a rigor
formality [fɔ:r'mæləṭi] <-ies> *n* formalidade *f*
formally *adv* formalmente
format ['fɔ:rmæt] I. *n* formato *m* II. <-tt-> *vt* formatar
formation [fɔ:r'meɪʃn] *n* formação *f*

F

formative ['fɔ:rməṭɪv] *adj* formativo, -a

former ['fɔ:rmər] *adj* antigo, anterior; (*partner*) ex-

formerly *adv* anteriormente

formidable ['fɔ:rmədəbl] *adj* formidável

formula ['fɔ:rmjʊlə] <-s *o* -lae> *pl n* fórmula *f*

forsake [fɔ:r'seɪk] <forsook, forsaken> *vt* abandonar

fort [fɔ:rt] *n* forte *m*

forte[1] ['fɔ:rteɪ] *n no pl* ponto *m* forte

forte[2] *adv* MUS forte

forth [fɔ:rθ] *adv* **back and** ~ de lá para cá; **and so** (**on and so**) ~ e assim por diante

fortieth ['fɔ:rṭiəθ] *adj* quadragésimo, -a

fortify ['fɔ:rṭəfaɪ] <-ie-> *vt* fortificar

fortnight ['fɔ:rtnaɪt] *n no pl, esp Brit, Aus* quinzena *f*

fortress ['fɔ:rtrɪs] *n* fortaleza *f*

fortunate ['fɔ:rtʃənət] *adj* afortunado, -a

fortunately *adv* felizmente

fortune ['fɔ:rtʃən] *n* **1.** (*money*) fortuna *f* **2.** *no pl, form* (*luck*) sorte *f*

fortune teller *n* cartomante *mf*

forty ['fɔ:rṭi] *adj* quarenta *inv*

forum ['fɔ:rəm] *n* fórum *m*

forward ['fɔ:rwərd] **I.** *adv* para frente, em diante **II.** *adj* dianteiro, -a **III.** *vt* enviar

forwards *adv s.* **forward**

fossil ['fɑ:səl] *n* fóssil *m*

foster ['fɑ:stər] *vt* fomentar

foster child *n* filho, -a *m, f* de criação

foster parent *n* pai *m* de criação, mãe *f* de criação

fought [fɑ:t] *pt, pp of* **fight**

foul [faʊl] **I.** *adj* (*smell*) fétido, -a; (*language*) obsceno, -a **II.** *vt* SPORTS **to ~ sb** cometer uma falta em alguém

foul play *n no pl* jogo *m* sujo

found[1] [faʊnd] *pt, pp of* **find**

found[2] *vt* (*establish*) fundar

foundation [faʊn'deɪʃn] *n pl* fundação *f*

founder ['faʊndər] *n* fundador(a) *m(f)*

foundry ['faʊndri] <-ries> *n* fundição *f*

fountain ['faʊntən] *n* fonte *f*; **water** ~ bebedouro *m*

fountain pen *n* caneta-tinteiro *f*

four [fɔ:r] **I.** *adj* quatro *inv* **II.** *n* quatro *m*

four-letter word *n* palavrão *m*

fourteen [ˌfɔ:r'ti:n] *adj* quatorze *inv*

fourteenth *adj* décimo quarto, décima quarta *m, f*

fourth [fɔ:rθ] *adj* quarto, -a

Fourth of July *n no pl, Am* Dia *m* da Independência dos Estados Unidos

four-wheel drive *n* tração *f* nas quatro rodas

fowl [faʊl] <-(s)> *n* ave *f* (doméstica)

fox [fɑ:ks] *n* raposa *f*

foxy ['fɑ:ksi] *adj inf* sexy

foyer ['fɔɪər] *n* saguão *m*

fraction ['frækʃn] *n* fração *f*

fracture ['fræktʃər] *vt* fraturar

fragile ['frædʒəl, *Brit:* -aɪl] *adj* frágil; (*health*) debilitado, -a

fragment ['frægmənt] *n* fragmento *m*

fragrance ['freɪgrəns] *n* fragrância *f*

fragrant ['freɪgrənt] *adj* fragrante
frail [freɪl] *adj* (*person*) frágil
frame [freɪm] **I.** *n* (*for picture*) moldura *f;* (*of glasses*) armação *f;* ~ **of mind** estado de espírito **II.** *vt* emoldurar, enquadrar
framework *n* estrutura *f*
France [fræns] *n* França *f*
franchise ['fræntʃaɪz] *n* franquia *f*
frank [fræŋk] *adj* franco, -a
frankly *adv* francamente
frantic ['fræntɪk] *adj* desesperado
fraternity [frə'tɜːrnəṱi] <-ies> *n no pl* fraternidade *f*
fraud [frɑːd] *n no pl* fraude *f*
fray [freɪ] *vi* desfiar(-se)
freak [friːk] **I.** *n* monstro, -a *m, f;* **a computer** ~ um viciado em computador **II.** *adj* esquisito, -a ◈**freak out** *vi inf* **to** ~ **out** (**over sth**) ficar doido (com a. c.)
freckle ['frekl] *n* sarda *f*
free [friː] **I.** <-r, -st> *adj* (*person*) livre; (*not occupied*) vago, -a **II.** *adv* gratuitamente; ~ **of charge** grátis; **for** ~ *inf* de graça **III.** *vt* (*person*) soltar
freedom ['friːdəm] *n* liberdade *f*
free kick *n* SPORTS tiro *m* livre
freelance ['friːlæns] **I.** *adj* autônomo, -a **II.** *adv* por conta própria
freely *adv* livremente
Freephone *n Brit* ligação *f* gratuita
free-range *adj* (*chicken*) caipira
free speech *n no pl* liberdade *f* de expressão **free trade** *n no pl* livre comércio *m* **freeway** *n Am, Aus* via *f* expressa **free will** *n no pl* livre arbítrio *m*
freeze [friːz] <froze, frozen> *vt, vi* (*food*) congelar; ~! não se mova!
freezer *n* congelador *m*
freezing *adj* gelado, -a; **it's** ~! está um gelo!
freight [freɪt] *no pl n* frete *m;* (*goods*) carga *f*
freight train *n Am* trem *m* de carga
French [frentʃ] *adj* francês, -esa
French bean *n Brit* feijão-vagem *m* **French dressing** *n no pl* molho *m* francês (para salada) **French fried potatoes** *npl,* **French fries** *npl* batatas *fpl* fritas **French horn** *n* trompa *f* **Frenchman** <-men> *n* francês *m* **Frenchwoman** <-women> *n* francesa *f*
frenzy ['frenzi] *n no pl* frenesi *m*
frequency ['friːkwəntsi] <-cies> *n no pl* freqüência *f*
frequent[1] ['friːkwənt] *adj* freqüente
frequent[2] [frɪ'kwent] *vt* freqüentar
frequently ['friːkwəntli] *adv* freqüentemente
fresh [freʃ] *adj* (*fruit*) fresco, -a; (*new*) novo, -a; ~ **water** água doce ◈**freshen up** *vt, vi* refrescar(-se)
freshman ['freʃmən] <-men> *n* calouro, -a *m, f*
freshness *n no pl* frescor *m*
freshwater fish *n* peixe *m* de água doce
fret [fret] <-tt-> *vi* aborrecer-se
friar ['fraɪər] *n* frade *m*
friction ['frɪkʃn] *n no pl* atrito *m*
Friday ['fraɪdeɪ] *n* sexta(-feira) *f*
fridge [frɪdʒ] *n* geladeira *f*

fried [fraɪd] *adj* frito, -a
friend [frend] *n* amigo, -a *m, f;* **to make ~s** (**with sb**) fazer amizade com alguém
friendly <-ier, -iest> *adj* (*game*) amistoso, -a; (*relations*) amigável
friendship ['frendʃɪp] *n* amizade *f*
fright [fraɪt] *n* pavor *m*
frighten ['fraɪtən] *vt* assustar
frightened *adj* assustado, -a
frightening *adj* assustador(a)
frightful *adj* horrível
frigid ['frɪdʒɪd] *adj* frígido, -a
frilly ['frɪli] *adj* (*dress*) de babados
fringe [frɪndʒ] *n* margem *f*
fringe benefits *npl* benefícios *mpl* adicionais
frisk [frɪsk] *vt inf* revistar
frisky ['frɪski] <-ier, -iest> *adj inf* brincalhão, -ona
fritter ['frɪţər] *n* bolinho *m* frito
frivolous ['frɪvələs] *adj* frívolo, -a
frizzy ['frɪzi] *adj* frisado, -a
frock [frɑːk] *n* túnica *f*
frog [frɑːg] *n* rã *f*
frolic ['frɑːlɪk] <-ck-> *vi* divertir-se
from [frɑːm] *prep* de; **where is he ~?** de onde ele é?; **shirts ~ $5** camisas a partir de $5; **~ time to time** de vez em quando; **~ now on** de agora em diante
front [frʌnt] I. *n no pl* frente *f* II. *adj* dianteiro, -a **front door** *n* porta *f* de entrada
frontier [frʌn'tɪr] *n a. fig* fronteira *f* **front-wheel drive** *n* tração *f* dianteira
frost [frɑːst] *n* geada *f*
frostbite *n no pl* geladura *f*
frosty ['frɑːsti] <-ier, -iest> *adj* gélido, -a
froth [frɑːθ] *n no pl* espuma *f*
frown [fraʊn] *vi* franzir o cenho
froze [froʊz] *pt of* **freeze**
frozen ['froʊzn] I. *pp of* **freeze** II. *adj* (*food*) congelado, -a
frugal ['fruːgl] *adj* econômico, -a
fruit [fruːt] *n no pl* fruta *f*
fruitful *adj* proveitoso, -a
fruition [fruː'ɪʃn] *n no pl* **to come to ~** realizar-se
fruitless *adj* infrutífero, -a
fruit salad *n no pl* salada *f* de frutas
frustrate ['frʌstreɪt] <-ting> *vt* frustrar
frustrated *adj* frustrado, -a
frustrating *adj* frustrante
frustration [frʌs'treɪʃn] *n* frustração *f*
fry [fraɪ] <-ie-> *vt* fritar
frying pan *n* frigideira *f*
ft *abbr of* **foot, feet** pé
F2F [ˌeftuː'ef] *adv abbr of* **face-to-face** cara a cara
fudge [fʌdʒ] *n no pl calda de açúcar, manteiga, leite e aromatizantes*
fuel ['fjuːəl] *n no pl* combustível *m*
fugitive ['fjuːdʒəţɪv] *n* fugitivo, -a *m, f*
fulfil <-ll-> *vt Brit,* **fulfill** [fʊl'fɪl] *vt Am, Aus* (*ambition*) realizar; (*requirement*) cumprir
full [fʊl] I. <-er, -est> *adj* (*container*) cheio, -a; (*vehicle*) lotado, -a; **at ~ speed** a toda velocidade II. *adv* **to know ~ well** (**that ...**) saber perfeitamente (que ...) III. *n* **in ~** (*in words*) por extenso

full-length *adj* longo, -a **full moon** *n* lua *f* cheia
full-scale *adj* de tamanho natural; (*all-out*) total **full stop** *n Brit, Aus* ponto *m* final **full-time** *adj* de tempo integral
fully ['fʊli] *adv* completamente
fumble ['fʌmbl] *vi* **to ~ with sth** atrapalhar-se com a. c.
fume [fju:m] I. *n pl* gás *m* II. *vi* estar furioso
fun [fʌn] I. *n no pl* divertimento *m*; **to make ~ of sb** gozar alguém II. *adj* divertido
function ['fʌŋkʃn] *vi* funcionar
functional ['fʌŋkʃnl] *adj* funcional
fund [fʌnd] *n* verba *f*
fundamental [ˌfʌndə'menţəl] *adj* fundamental
fundamentalist *n* fundamentalista *mf*
funding *n* financiamento *m*
fund-raising *n* arrecadação *f* de verbas
funeral ['fju:nərəl] *n* enterro *m*
funeral director *n* agente *mf* funerário **funeral parlor** *n* casa *f* funerária
funfair ['fʌnfer] *n Brit* parque *m* de diversões
fungus ['fʌŋgəs] *n* fungo *m*
funnel ['fʌnəl] *n* funil *m*
funny ['fʌni] <-ier, -iest> *adj* engraçado, -a; (*peculiar*) esquisito, -a
fur [fɜ:r] *n* pele *f*
furious ['fjʊriəs] *adj* furioso, -a
furlough ['fɜ:rloʊ] *n* licença *f*
furnace ['fɜ:rnɪs] *n a. fig* forno *m*
furnish ['fɜ:rnɪʃ] *vt* mobiliar
furnished *adj* mobiliado, -a
furnishings *npl* móveis *mpl*
furniture ['fɜ:rnɪtʃər] *n no pl* mobília *f*; **piece of ~** móvel *m*
furrow ['fɜ:roʊ] *n* sulco *m*
furry ['fɜ:ri] <-ier, -iest> *adj* peludo, -a
further ['fɜ:rðər] I. *adj comp of* **far** mais distante; (*additional*) outro, -a II. *adv comp of* **far** mais longe; (*more*) mais
furthermore ['fɜ:rðərmɔ:r] *adv* além disso
furthest ['fɜ:rðɪst] *adj, adv superl of* **far**
furtive ['fɜ:rţɪv] *adj* furtivo, -a
fury ['fjʊri] *n no pl* fúria *f*
fuse [fju:z] I. *n* fusível *m* II. *vt* **to ~ sth together** (**with sth**) fundir a. c. (com a. c.)
fusion ['fju:ʒən] *n* fusão *f*
fuss [fʌs] *n* alvoroço *m*
fussy ['fʌsi] <-ier, -iest> *adj* meticuloso, -a
futile ['fju:ţəl] *adj* vão, vã
future ['fju:tʃər] I. *n* futuro *m* II. *adj* futuro, -a
fuze *n Am s.* **fuse**
fuzzy ['fʌzi] *adj* (*picture*) sem nitidez; (*idea*) vago, -a

G

G *n*, **g** [dʒi:] *n* **1.** g *m* **2.** MUS sol *m*
gable ['geɪbl] *n* empena *f*
gadget ['gædʒɪt] *n* dispositivo *m*
Gaelic ['geɪlɪk] *adj, n* gaélico, -a

gag [gæg] *n* (*joke*) piada *f*
gaiety ['geɪəţi] *n no pl* jovialidade *f*
gain [geɪn] **I.** *n* ganho *m* **II.** *vt* ganhar; **to ~ weight** engordar
gala ['gɑːlə, *Brit:* 'geɪlə] *n* gala *f*
galaxy ['gæləksi] <-ies> *n* galáxia *f*
gale [geɪl] *n* vendaval *m*
gallant ['gælənt] *adj* galante
gallery ['gæləri] <-ies> *n* galeria *f*
galley ['gæli] <s> *n* cozinha *f*
gallon ['gælən] *n* galão *m* (*Am 3,79 l, Brit 4,55 l*)
gallop ['gæləp] *vi* galopar
gallows ['gæloʊz] *npl* **the ~** a forca *f*
gallstone ['gɔːlstoʊn] *n* cálculo *m* biliar
gamble ['gæmbl] *vi* **to ~ on sth** apostar em a. c.
gambler ['gæmblər] *n* jogador(a) *m(f)*
gambling *n no pl* jogo *m* (de azar)
game[1] [geɪm] *n* (*cards*) jogo *m;* SPORTS partida *f*
game[2] [geɪm] *n no pl* (*animals*) caça *f*
game show *n* programa *m* de jogos na TV
gang [gæŋ] *n* quadrilha *f*
gangrene ['gæŋgriːn] *n no pl* gangrena *f sem pl*
gangster ['gæŋstər] *n* gângster *m*
gap [gæp] *n* **1.** (*space*) vão *m* **2.** (*in time*) intervalo *m* **3.** (*difference*) defasagem *f*
gaping *adj* enorme
garage [gə'rɑːʒ, *Brit:* 'gær-] *n* (*in house*) garagem *f;* (*for repair*) oficina *f* mecânica
garbage ['gɑːrbɪdʒ] *n no pl, Am, Aus* lixo *m*
garbage can *n Am* lata *f* de lixo **garbage dump** *n Am* depósito *m* de lixo **garbage truck** *n Am, Aus* caminhão *m* de lixo
garbled ['gɑːrbld] *adj* deturpado, -a
garden ['gɑːrdn] *n* jardim *m*
gardener ['gɑːrdnər] *n* jardineiro, -a *m, f*
gardening *n no pl* jardinagem *f sem pl*
gargle ['gɑːrgl] *vi* gargarejar
garish *adj* berrante
garland ['gɑːrlənd] *n* grinalda *f*
garlic ['gɑːrlɪk] *n no pl* alho *m;* **a clove of ~** um dente de alho
garment ['gɑːrmənt] *n form* peça *f* de roupa
garnish ['gɑːrnɪʃ] **I.** *vt* ornamentar **II.** <-es> *n* guarnição *f*
garrison ['gerəsn] *n* MIL guarnição *f*
gas [gæs] <-s(s)es> *n* **1.** gás *m* **2.** *no pl, Am* (*fuel*) gasolina *f*
gas mask *n* máscara *f* de gás
gasoline ['gæsəliːn] *n Am* gasolina *f*
gasp [gæsp] *vi* ofegar
gas station *n Am* posto *m* de gasolina
gastric ['gæstrɪk] *adj* gástrico, -a
gastronomy [gæ'strɑːnəmi] *n no pl* gastronomia *f sem pl*
gate [geɪt] *n* portão *m;* AVIAT porta *f*
gatecrasher *n inf* penetra *mf*
gateway *n a. fig* entrada *f*
gather ['gæðər] **I.** *vt* **1.** (*collect*) colher **2.** (*speed*) ganhar **3.** (*understand*) concluir **II.** *vi* reunir-se
gaudy ['gɑːdɪ] <-ier, -iest> *adj* espalhafatoso, -a

gaunt [gɑ:nt] *adj* abatido, -a
gauze [gɑ:z] *n no pl* gaze *f*
gave [geɪv] *pt of* **give**
gay [geɪ] *adj* (*homosexual*) gay *inf*
gaze [geɪz] *vi* **to ~ at** olhar fixamente para
gazelle [gə'zel] *n* gazela *f*
GB [ˌdʒi:'bi:] *n abbr of* **Great Britain** Grã-Bretanha *f*
gear [gɪr] *n* **to change ~** mudar a marcha *f*
gearbox <-es> *n* caixa *f* de câmbio
gear lever *n Brit,* **gear shift** *n Am* câmbio *m*
geese *n pl of* **goose**
gel [dʒel] *n* gel *m*
gelatin ['dʒelətɪn] *n no pl* gelatina *f*
gem [dʒem] *n* pedra preciosa *f*
Gemini ['dʒemɪnɪ] *n* Gêmeos *m inv*
gender ['dʒendər] *n* gênero *m*
gene [dʒi:n] *n* gene *m*
genealogy [ˌdʒi:nɪ'ælədʒi] *n* genealogia *f*
general ['dʒenrəl] **I.** *adj* geral; **in ~** em geral **II.** *n* general *mf*
general anaesthetic *n* anestésico *m* geral **general election** *n* eleições *fpl* gerais
generalization [ˌdʒenərəlɪ'zeɪʃn] *n* generalização *f*
generalize ['dʒenərəlaɪz] *vi, vt* generalizar
generally *adv* geralmente; **~ speaking** de modo geral
general manager *n* gerente *mf* geral **general practitioner** *n* clínico , -a *m, f* geral **general-purpose** *adj* de uso geral **general store** *n Am* ≈ venda *f* **general strike** *n* greve *f* geral
generate ['dʒenəreɪt] *vt* gerar
generation [ˌdʒenə'reɪʃn] *n* geração *f*
generator ['dʒenəreɪţər] *n* gerador *m*
generic [dʒɪ'nerɪk] *adj* genérico, -a
generosity [ˌdʒenə'rɑ:səţi] *n no pl* generosidade *f*
generous ['dʒenərəs] *adj* generoso, -a
genetic [dʒɪ'neţɪk] *adj* genético, -a
genetics *n + sing vb* genética *f*
genial ['dʒi:niəl] *adj* afável
genitals ['dʒenəţlz] *npl* genitais *mpl*
genius ['dʒi:niəs] *n* <**es**> gênio *m*
genocide ['dʒenəsaɪd] *n no pl* genocídio *m*
genre ['ʒɑ̃:nrə] *n* gênero *m*
genteel [dʒen'ti:l] *adj* requintado, -a
gentle ['dʒentl] *adj* **1.** (*person*) bondoso, -a; **to be ~ with sb** ser atencioso com alguém **2.** (*breeze*) suave
gentleman ['dʒentlmən] <-**men**> *n* cavalheiro *m*
genuine ['dʒenjʊɪn] *adj* genuíno, -a
geographical [ˌdʒiə'græfɪkl] *adj* geográfico, -a
geography [dʒi'ɑ:grəfi] *n no pl* geografia *f*
geological [ˌdʒiə'lɑ:dʒɪkl] *adj* geológico, -a
geology [dʒi'ɑ:lədʒi] *n no pl* geologia *f sem pl*
geometric(al) [ˌdziə'metrɪk(l)] *adj* geométrico, -a
geometry [dʒi'ɑ:mətri] *n no pl* geometria *f*
Georgia ['dʒɔ:rdʒə] *n* Geórgia *f*
geranium [dʒə'reɪniəm] *n* gerânio *m*

germ [dʒɜːrm] *n* germe *m*
German measles *n + sing vb* rubéola *f*
Germany ['dʒɜːrməni] *n* Alemanha *f*
gesture ['dʒestʃər] *n* gesto *m*
get [get] I. <got, gotten, *Brit* got> *vt inf* 1. conseguir; **I got a raise** recebi um aumento (de salário) 2. (*receive*) **to ~ sth from sb** receber a. c. de alguém 3. (*a manicure*) fazer 4. (*plane, the flu*) pegar; **do you ~ channel 4?** (sua TV) pega o canal 4? 5. **to ~ the phone** atender ao telefone 6. **to ~ sth done** mandar fazer a. c. II. *vi* 1. *+ adj/v* (*become*) ficar; **to ~ to know sb** (vir a) conhecer alguém; **to ~ married** casar-se; **to ~ ready** aprontar-se; **to ~ upset** aborrecer-se; **to ~ used to sth** acostumar-se a a. c. 2. **to ~ home** chegar em casa; **how do you usually ~ to work?** como você costuma ir ao trabalho?; **do you know how to ~ there?** você sabe como chegar lá?; **let's ~ going** vamos indo ◈**get along** *vi* **to ~ with sb** dar-se bem com alguém ◈**get away** *vi* **to ~ from sth/sb** escapar de a. c./alguém; **to ~ with sth** sair impune de a. c. ◈**get back** *vi* **to ~ to sth** voltar para [*ou* a fazer] a. c. ◈**get by** *vi* (*manage*) sobreviver ◈**get down** *vt always sep* (*depress*) deprimir ◈**get in** *vi* 1. (*arrive home*) chegar em casa 2. (*enter*) entrar ◈**get into** *vt insep* entrar em ◈**get off** I. *vt* (*bus*) descer de II. *vi* (*leave*) sair; **to ~ work** sair do trabalho ◈**get on** *vt* (*bus*) tomar ◈**get out** *vi* ir embora, sair ◈**get over** *vt insep* **to ~ sth** (*a cold*) recuperar-se de a. c. ◈**get through** *vi* TEL completar a ligação ◈**get together** *vi* **to ~ with sb** encontrar-se com alguém ◈**get up** *vi* levantar-se
getaway ['geṭəweɪ] *n inf* fuga *f*
Ghana ['gɑːnə] *n* Gana *f*
ghastly ['gæstli] <-ier, -iest> *adj* horripilante
ghetto ['geṭoʊ] <s *o* es> *n* gueto *m*
ghost [goʊst] *n* fantasma *m*
giant ['dʒaɪənt] I. *n* gigante *m* II. *adj* gigantesco, -a
gibberish ['dʒɪbərɪʃ] *n no pl* palavreado *m sem pl*
Gibraltar [dʒɪ'brɑːltər] *n* Gibraltar *m*
giddy ['gɪdi] <-ier, -iest> *adj* atordoado, -a
gift [gɪft] *n* 1. (*present*) presente *m* 2. (*talent*) dom *m*
gift certificate *n* vale-presente *m*
gifted *adj* talentoso, -a
gift shop *n* loja *f* de presentes
gift wrap *n* embrulho *m* para presente
gift-wrap *vt* embrulhar para presente
gig [gɪg] *n inf* MUS apresentação *f*
gigabyte ['gɪgəbaɪt] *n* INFOR gigabite *m*
gigantic [dʒaɪ'gænṭɪk] *adj* gigantesco, -a
giggle ['gɪgl] I. *vi* dar risadinhas II. *n* risinho *m*
gill [gɪl] *n* ZOOL guelra *f*
gilt [gɪlt] *adj* dourado, -a
gimmick ['gɪmɪk] *n* truque *m*
gin [dʒɪn] *n* gim *m;* **~ and tonic**

gim-tônica *m*
ginger ['dʒɪndʒər] *n no pl* (*spice*) gengibre *m*
ginger ale *n* ginger ale *m*
gingerly *adv* cautelosamente
gipsy *n s.* **gypsy**
giraffe [dʒə'ræf] *n* <(s)> girafa *f*
girl [gɜ:rl] *n* menina *f;* (*young woman*) moça *f;* (*daughter*) filha *f*
girlfriend ['gɜ:rlfrend] *n* (*friend*) amiga *f;* (*partner*) namorada *f*
gist [dʒɪst] *n* **the ~** a essência; **to get the ~ of sth** captar a essência de a. c.
give [gɪv] *vt* <gave, given> **1.** dar; **to ~** [*o* **sb sth**] **sth to sb** dar a. c. a alguém; **given the choice ...** se pudesse escolher ...; **don't ~ me that!** *inf* não me venha com essa! **2.** (*speech*) fazer; **to ~ sb a call** ligar para alguém ◈**give away** *vt* **1.** (*reveal*) revelar; **to give sb away** entregar alguém **2.** (*offer for free*) dar ◈**give in** *vi insep* dar-se por vencido ◈**give up I.** *vt* deixar de; **he's given up drinking** ele deixou de beber **II.** *vi* (*admit defeat*) desistir
given ['gɪvn] **I.** *pp of* **give II.** *prep* **~ that ...** dado que ... +*subj*
given name *n* nome *m*
glacial ['gleɪʃəl, *Brit:* -siəl] *adj* glacial
glacier ['gleɪʃər, *Brit:* 'glæsɪə^r] *n* geleira *f*
glad [glæd] <-dd-> *adj* contente; **I'd be very ~ to help you** ajudo você com o maior prazer
gladly *adv* com prazer
glamor ['glæmər] *n no pl, Am, Aus* glamour *m*
glamorous ['glæmərəs] *adj* glamouroso, -a
glamour *n no pl, Brit s.* **glamor**
glance [glæns] **I.** *n* olhada; **at first ~** à primeira vista; **to take a ~ at sth** dar uma olhada *f* em a. c. **II.** *vi* **to ~ at sth** olhar para a. c. de relance
gland [glænd] *n* glândula *f*
glare [gler] **I.** *n* **1.** (*look*) olhar *m* penetrante **2.** *no pl* (*from light*) brilho *m* ofuscante **II.** *vi* **1.** (*look*) **to ~ at sb** lançar um olhar para alguém com raiva **2.** (*shine*) brilhar intensamente
glaring *adj* **1.** (*blinding*) ofuscante **2.** (*obvious*) flagrante
glass [glæs] <es> *n* **1.** *no pl* (*material*) vidro *m* **2.** (*for drinks*) copo *m*
glasses *npl* óculos *mpl*
glaze [gleɪz] *n* verniz *m*
glee [gli:] *n no pl* júbilo *m*
glib [glɪb] <-bb-> *adj pej* leviano, -a
glider ['glaɪdər] *n* planador *m*
glimpse [glɪmps] **I.** *vt* vislumbrar **II.** *n* vislumbre *m*
glitter ['glɪt̬ər] *vi* resplandescer
glittering *adj* resplandescente
global ['gloʊbl] *adj* global
global warming *n* aquecimento *m* global
globe [gloʊb] *n* globo *m*
gloom [glu:m] *n no pl* **1.** (*pessimism*) desânimo *m* **2.** (*darkness*) escuridão *f*
gloomy <-ier, -iest> *adj* (*atmosphere*) sombrio, -a; (*weather*) fechado, -a
glorify ['glɔ:rəfaɪ] <-ie-> *vt* glorificar
glorious ['glɔ:riəs] *adj*

1. (*achievement*) glorioso, -a 2. (*splendid*) esplêndido, -a
glory ['glɔːri] *n no pl* glória *f*
gloss [glɑːs] *n no pl* **1.** (*shine*) brilho *m* **2.** (*paint*) tinta *f* esmalte
glossary ['glɒːsəri] *n* <-ies> glossário *m*
glossy ['glɒsi] <-ier, -iest> *adj* lustroso, -a; (*paper*) acetinado, -a
glove [glʌv] *n* luva *f,* luva *f*
glow [gloʊ] **I.** *n* incandescência *f* **II.** *vi* resplandecer
glowing *adj* incandescente; (*praise*) entusiasmado, -a
glucose ['gluːkoʊs] *n no pl* glicose *f*
glue [gluː] **I.** *n no pl* cola *f* **II.** *vt* colar
glum [glʌm] <-mm-> *adj* abatido, -a
glut [glʌt] *n* **a ~ of sth** excesso *m* de a. c.
glutton [glʌtn] *n* glutão, -ona *m, f*
GMT [ˌdʒiːem'tiː] *abbr of* **Greenwich Mean Time** horário *m* de Greenwich
gnarled [nɑːrld] *adj* retorcido, -a
gnaw [nɑː] *vi* **to ~ (at sth)** roer (a. c.)
gnome [noʊm] *n* gnomo *m*
go [goʊ] **I.** <went, gone> *vi* **1.** (*to place*) ir; **to ~ home** ir para casa; **to ~ on vacation** sair de férias; **to ~ shopping** ir fazer compras; **to ~ swimming** ir nadar **2.** (*leave*) ir-se **3.** *+ adj/n* (*become*) **to ~ bald** ficar careca; **to ~ wrong** dar errado **4.** (*outcome*) **to ~ badly/well** ir [*ou* sair] mal/bem; **to ~ from bad to worse** ir de mal a pior **5.** (*be over*) passar; **my headache is gone** a minha dor de cabeça passou **6.** (*bell, siren*) tocar **7.** (*extend*) **those numbers ~ from 1 to 10** aqueles números vão de 1 a 10 **8.** (*be sold*) ser vendido **II.** <-es> *n* **1.** (*turn*) vez *f;* **it's my ~** é a minha vez **2.** tentativa *f;* **to have a ~ at sth** tentar a. c. ◆**go after** *vt insep* ir atrás de ◆**go away** *vi* ir-se embora ◆**go back** *vi* voltar ◆**go down** **I.** *vt insep* **he went down the road** ele seguiu pela estrada **II.** *vi* **1.** (*set*) pôr-se **2.** (*decrease*) baixar **3.** **to ~ well/badly** cair bem/mal ◆**go in** *vi* entrar ◆**go into** *vt insep* (*enter*) entrar em ◆**go off** *vi* **1.** (*spoil*) estragar **2.** (*explode*) explodir **3.** **I went off it** perdi o interesse ◆**go on** *vi* (*continue*) continuar; **what's going on?** o que está acontecendo? ◆**go out** *vi* **1.** sair; **to ~ with sb** sair com alguém **2.** (*light*) apagar-se ◆**go over** *vt insep* examinar ◆**go through** *vt insep* passar por ◆**go up** *vi* subir ◆**go with** *vt insep* **1.** (*accompany*) ir junto com **2.** (*harmonize*) combinar com ◆**go without** *vt insep* passar sem
go-ahead *n no pl* **to give sb the ~** dar o sinal verde para alguém
goal [goʊl] *n* **1.** (*aim*) meta *f* **2.** SPORTS (*scoring area*) gol *m;* **to score a ~** marcar um gol *m*
goalkeeper ['goʊli] *n* goleiro, -a *m, f*
goat [goʊt] *n* bode *m,* cabra *f*
◆**gobble down** *vt inf,* **gobble up** *vt inf* devorar
goblin ['gɑːblɪn] *n* duende *m*

go-cart *n* kart *m*

god [gɑ:d] *n* REL deus *m;* **oh, my God!** meu Deus!; **thank God** graças a Deus; **for God's sake!** pelo amor de Deus!

god-awful *adj inf* desagradável **godchild** *n* <-children> afilhado, -a *m, f* **goddam(ned)** *adj inf* maldito, -a **goddaughter** *n* afilhada *f*

goddess ['gɑ:dɪs] <es> *n* deusa *f*

godfather *n* padrinho *m* **god-forsaken** *adj* desolado, -a

godmother *n* madrinha *f* **godson** *n* afilhado *m*

goes [goʊz] *3rd pers sing of* **go**

goggle ['gɑ:gl] *n* (**swimming**) **~s** *pl* óculos (de natação) *m pl*

gold [goʊld] *n no pl* ouro *m*

golden ['goʊldən] *adj* **1.** (*made of gold*) de ouro **2.** (*color*) dourado, -a

golden age *n* idade *f* de ouro **golden wedding** *n* bodas *fpl* de ouro

goldfish *n inv* peixinho *m* de aquário **gold medal** *n* SPORTS medalha *f* de ouro

golf [gɑ:lf] *n no pl* golfe *m*

golf ball *n* bola *f* de golfe **golf course** *n* campo *m* de golfe

golfer ['gɑ:lfər] *n* jogador, -a *m, f* de golfe

gone [gɑ:n] *pp of* **go**

gong [gɑ:ŋ] *n* gongo *m*

gonorrhea [ˌgɑ:nə'riə] *n Am,* **gonorrhoea** *n no pl, Brit* gonorréia *f*

good [gʊd] **I.** <better, best> *adj* **1. to be ~ at (doing) sth** ser bom, boa em a. c.; **spinach is ~ for you** espinafre é bom para você; **to be as ~ as new** estar praticamente novo; **to be in ~ shape** (*thing*) estar em bom estado; (*person*) estar em boa forma; **to do a ~ job** fazer um bom trabalho; **to have a ~ time** divertir-se; **~ thinking!** bem pensado! **2. to smell ~** cheirar bem **3. to be ~ for nothing** não servir para nada **4. a ~ 10 pounds** uns bons 5 quilos **II.** *n no pl* **for one's own ~** para o próprio bem *m;* **to do ~** fazer o bem; **for ~** para sempre

goodbye *interj* adeus; **to say ~ (to sb)** despedir-se (de alguém)

good-for-nothing *n* inútil *mf*

Good Friday *n* Sexta-feira *f* Santa

good-humored *adj* bem-humorado, -a

good-looking *adj* bonito, -a

good-natured *adj* de bom coração

goodness ['gʊdnɪs] *n no pl* **~ knows** só Deus sabe

good-tempered *adj* de gênio bom

goodwill *n no pl* **a gesture of ~** um gesto de boa vontade *f*

Google [gu:gl] *vt, vi inf* **to ~ (sth)** procurar (a. c.) no Google

goose [gu:s] <geese> *n* ganso, -a *m, f*

gooseberry ['gu:sberi, *Brit:* 'gʊzbəri] <-ies> *n* groselha *f;* **to play ~** *Brit, inf* ficar de vela **goose-bumps** *npl,* **goose-flesh** *n no pl, Brit,* **goose-pimples** *npl* pele *f* arrepiada

gorge [gɔ:rdʒ] *n* GEO desfiladeiro *m*

gorgeous ['gɔ:rdʒəs] *adj* **1.** (*weather*) magnífico, -a **2.** (*man, woman*) bonito, -a

G

gorilla [gə'rɪlə] *n a. fig* gorila *m*
gospel (**music**) *n* música *f* gospel
gossip ['gɑ:səp] I. *n* 1. *no pl* **to have a ~ about sb** fazer fofoca *f* de alguém 2. (*person*) fofoqueiro, -a *m, f* II. *vi* **to ~ about sb/sth** fofocar sobre alguém/a. c.
got [gɑ:t] *pt, pp of* **get**
gotten ['gɑ:tən] *Am, Aus pp of* **get**
gourmet ['gʊrmeɪ] *n* gourmet *mf*
gout [gaʊt] *n no pl* gota *f sem pl*
govern ['gʌvərn] *vt, vi* governar
government ['gʌvərnmənt] *n* governo
governor ['gʌvərnər] *n* governador(a) *m(f)*
gown [gaʊn] *n* (*dress*) vestido *m*; **evening ~** vestido *m* de noite
GP [ˌdʒi:'pi:] *n abbr of* **general practitioner** clínico, -a *m, f* geral
grab [græb] <-bb-> *vt* (*object, chance*) agarrar; **to ~ sb's attention** prender a atenção de alguém
graceful ['greɪsfl] *adj* gracioso, -a
gracious ['greɪʃəs] *adj* gentil
grade [greɪd] I. *n* 1. (*rank*) posto *m* 2. SCH nota *f*; *Am* SCH; **first ~** primeira série *f*; **to skip a ~** pular de ano II. *vt* 1. (*evaluate*) dar nota 2. (*categorize*) classificar
grade school *n* escola *f* de primeiro grau
gradient ['greɪdiənt] *n* gradiente *m*
gradual ['grædʒʊəl] *adj* gradual
gradually *adv* gradativamente
graduate¹ ['grædʒʊət] *n* **high-school ~** formado , -a no ensino médio; **university ~** graduado, -a *m, f*, formado, -a *m, f*
graduate² ['grædʒʊeɪt] *vi* formar-se; **she ~d from high school** ela se formou no ensino médio
graduation [ˌgrædʒu'eɪʃn] *n* formatura *f*
graffiti [grə'fi:ţi] *npl* pichação *f*
grain [greɪn] *n* 1. *no pl* (*cereal*) cereais *mpl* 2. (*of sand*) grão *m*
gram [græm] *n Am* grama *m*
grammar ['græmər] *n no pl* gramática *f*
grammar school *n Am* ensino *m* fundamental
grammatical [grə'mæţɪkl] *adj* gramatical
gramme *n Brit* grama *m*
gramophone ['græməfoʊn] *n* gramofone *m*
gran [græn] *n Brit, inf abbr of* **grandmother** (vo)vó *f*
granary ['grænəri] <-ies> *n* celeiro *m*
grand [grænd] I. *adj* grandioso, -a; **on a ~ scale** em grande escala II. *n inv, inf* (*$1,000*) mil dólares *mpl*
grandchild <-children> *n* neto, -a *m, f* **grand**(**d**)**ad** *n inf* (vo)vô *m*
granddaughter *n* neta *f*
grandfather *n* avô *m*
grandiose ['grændioʊs] *adj* grandioso, -a
grandma *n inf* vo(vó) *f* **grandmother** *n* avó *f* **grandpa** *n inf* vo(vô) *m* **grandparents** *npl* avós *mpl* **grand piano** *n* piano *m* de cauda **grandson** *n* neto *m* **grandstand** *n* tribuna *f* de honra
granite ['grænɪt] *n no pl* granito *m*

granny ['græni] *n inf* vovó *f*

grant [grænt] **I.** *n* (*to study*) bolsa *f* de estudos **II.** *vt* **1.** (*give*) dar; **to ~ sb a permit** dar uma licença a alguém; **to take sth for ~ed** dar a. c. como certo; **to take sb for ~ed** não dar valor a alguém **2.** (*transfer*) conceder

granule ['grænju:l] *n* grânulo *m*

grape [greɪp] *n* uva *f*

grapefruit ['greɪpfru:t] *n inv* grapefruit *m*

graph [græf] *n* gráfico *m*

graphic ['græfɪk] *adj* explícito, -a; **in ~ detail** explicitamente

graphite ['græfaɪt] *n* grafite *f*

grasp [græsp] *vt* **1.** (*grap*) agarrar; **to ~ sb by the arm** agarrar alguém pelo braço **2.** (*understand*) compreender

grass [græs] <es> *n* grama *f*; (*lawn*) gramado *m*

grasshopper ['græshɑ:pər] *n* gafanhoto *m*

grate [greɪt] *n* grelha *f*

grated *adj* ralado, -a

grateful ['greɪtfl] *adj* **to be ~ for sth** ser grato , -a por a. c.

grater ['greɪtər] *n* ralador *m*

gratifying *adj* gratificante

gratitude ['græţətu:d] *n no pl, form* gratidão *f*

gratuitous [grə'tu:əţəs] *adj* gratuito, -a

gratuity [grə'tu:əţi, *Brit:* -'tju:əti] <-ies> *n form* gratificação *f* (em dinheiro)

grave[1] [greɪv] *n* túmulo *m*; **mass ~** vala comum *f*

grave[2] *adj* grave

gravel ['grævəl] *n* cascalho *m*

gravestone *n* lápide *f* **graveyard** *n* cemitério *m*

gravity ['grævəţi] *n no pl* gravidade *f*

gray [greɪ] *Am* **I.** *n no pl* cinza *m* **II.** *adj* **1.** (*color*) cinza **2.** (*gray-haired*) grisalho, -a

graze [greɪz] *vt* esfolar

grease [gri:s] *n* (*fat*) gordura *f*; (*lubricant*) graxa *m*

greasy ['gri:si] <-ier, -iest> *adj* gorduroso, -a

great [greɪt] *adj* **1. to be ~ at sth** *inf* ser muito bom em a. c.; **it's ~ to be back home again** é ótimo voltar para casa **2. ~!** jóia! **3.** (*large*) grande; **a ~ amount** uma grande quantidade; **the ~ majority of people** a grande maioria das pessoas **4. ~ big** enorme

Great Britain *n* Grã-Bretanha *f*

greater ['greɪţər] *adj* **~ New York/São Paulo** Grande Nova York/São Paulo

great-grandchild *n* bisneto, -a *m, f*

great-grandparents *npl* bisavós *mpl*

Great Lakes *n* **the ~** os Grandes Lagos *mpl*

greatness *n no pl* grandeza *f sem pl*

Greece [gri:s] *n* Grécia *f*

greed [gri:d] *n no pl* (*for food*) gula *f*; (*for money*) ganância *f*

greedy ['gri:di] <-ier, -iest> *adj* (*for food*) guloso, -a; **~ for success** ávido , -a por sucesso

green [gri:n] **I.** *n* **1.** (*color*) verde *m*

Cultura **Great Britain** (Grã-Bretanha) é composta do reino da Inglaterra, da Escócia e do principado de Gales. (O rei Eduardo I da Inglaterra anexou Gales em 1282 e em 1301 nomeou seu único filho **Prince of Wales** . O rei Jaime VI da Escócia herdou a coroa inglesa em 1603, tornando-se Jaime I e em 1707 os parlamentos de ambos os reinos se uniram) Esses países formam, junto com a Irlanda do Norte, o **United Kingdom** (Reino Unido). O conceito geográfico de **British Isles** (Ilhas Britânicas) inclui não somente a ilha maior que é a Grã-Bretanha, como também a Irlanda, a Ilha de Man, as Ilhas Hébridas, as Ilhas Orkney, as Ilhas Shetland, as Ilhas Scilly e as **Channel Islands** (Ilhas do Canal da Mancha).

2. **~s** verdura *f*, verduras *fpl* **II.** *adj* (*color*) verde; **to be ~ with envy** roer-se de inveja; **the traffic light is ~** o sinal está verde

greenback *n Am, inf* nota *f* de dólar

green belt *n* cinturão *m* verde

green card *n Am* green card (*documento dos EUA que dá permissão de residência e trabalho a estrangeiros*)

greenery ['gri:nəri] *n no pl* folhagem *f*

greengrocer *n esp Brit* quitandeiro, -a *m, f* **greenhorn** *n Am* novato, -a *m, f* **greenhouse** *n* estufa *f*

greenhouse effect *n* efeito estufa

Greenland ['gri:nlənd] *n* Groenlândia *f*

greet [gri:t] *vt* cumprimentar; **to ~ each other** cumprimentar-se

Cultura O **Royal Observatory** (observatório astronômico) de **Greenwich** foi construído em 1675 para a obtenção de dados exatos sobre a posição das estrelas com vistas à preparação de cartas de navegação. O **Greenwich meridian** (meridiano de Greenwich) só foi estabelecido oficialmente como o grau zero de longitude com validade universal em 1884. Os 24 fusos horários do planeta são fixados a partir da hora local do meridiano, que é conhecida como **Greenwich Mean Time** ou **Universal Time**.

greeting *n* cumprimento *m*

gregarious [grɪ'geriəs] *adj* sociável

grenade [grɪ'neɪd] *n* granada *f*

grew [gru:] *pt of* **grow**

grey *n, adj Brit s.* **gray**

greyhound *n* galgo *m*

grid [grɪd] *n* grade *f*

griddle ['grɪdl] *n* chapa (para cozinhar) *f*

grief [gri:f] *n no pl* pesar *m*

grieve [gri:v] *vi* lamentar-se

grill [grɪl] **I.** *n* grelha *f* **II.** *vt* grelhar

grim [grɪm] *adj* sério, -a

grimace ['grɪməs] *n* careta *f*

grime [graɪm] *n no pl* sujeira *f*

grimy ['graɪmi] <-ier, -iest> *adj* imundo, -a

grin [grɪn] **I.** *n* sorriso largo *m* **II.** *vi* **to ~ at sb** sorrir largo para alguém

grind [graɪnd] <ground, ground> *vt* moer

grip [grɪp] **I.** *n* (*hold*) pega *f*; **to keep a firm ~ on the bag** segurar firme a bolsa; **to get a ~ of oneself** *fig* controlar-se **II.** <-pp-> *vt* (*hold*) agarrar; **he was ~ped by fear** ele foi tomado pelo medo

groan [groʊn] **I.** *n* gemido *m* **II.** *vi* **to ~ in pain** gemer de dor

groceries ['groʊsəriz] *npl* mantimentos; **I'm going to buy ~** vou comprar mantimentos *mpl*

groin [grɔɪn] *n* virilha *f*

groom [gru:m] *n* noivo *m*

groove [gru:v] *n* sulco *m*

grope [groʊp] *vi* **to ~ for sth** tatear à procura de a. c.; **to ~ for the right words** buscar as palavras certas

gross[1] [groʊs] <es> *n* o grosso *m*; **by the ~** no atacado

gross[2] *adj* bruto, -a

grossly *adv* **to be ~ unfair** ser excessivamente injusto

ground[1] [graʊnd] **I.** *n* **1.** *no pl* chão *m*; **they sat on the ~** sentaram no chão *m* **2.** SPORTS campo *m* **3.** (*reason*) **on the ~s that ...** sob o pretexto *m* de ...; **~s for sth** fundamentos *m* para a. c. **II.** *vt Am, Aus, inf* **to get ~ed for doing sth** ficar proibido de sair por fazer a. c.

ground[2] *vt pt of* **grind**

ground floor *n esp Brit* andar *m* térreo

group [gru:p] *n* grupo *m*

grovel ['grɑ:vl] <*Brit:* -ll-, *Am:* -l-> *vi* **to ~** (**before sb**) prostrar-se (diante de alguém)

grow [groʊ] <grew, grown> **I.** *vi* **1.** crescer; **to ~ taller** ficar mais alto **2. to ~ by 2%** aumentar em 2% **3.** (*become*) ficar; **to ~ old** envelhecer **II.** *vt* **1.** (*cultivate*) cultivar **2. to ~ a beard** deixar crescer a barba ◈ **grow up** *vi* **when I ~ I'd like to ...** quando crescer eu gostaria de ...

growl [graʊl] *vi* rosnar

grown [groʊn] *pp of* **grow**

grown-up *n* adulto, -a *m, f*

growth [groʊθ] *n no pl* crescimento *m*

grub [grʌb] *n no pl, inf* GASTR rango *m*

grubby ['grʌbi] <-ier, -iest> *adj inf* imundo, -a

grudge [grʌdʒ] **I.** *n* **to have a ~ against sb** sentir rancor *m* de alguém **II.** *vt* **to ~ sb sth** invejar alguém por a. c.

grueling *adj* extenuante

gruesome ['gru:səm] *adj* medonho, -a

grumble ['grʌmbl] *vi* **to ~ about** [*o* **over**] **sth** resmungar a respeito de a. c.

grumpy ['grʌmpi] <-ier, -iest> *adj* ranzinza

grunt [grʌnt] *vi* grunhir

guarantee [ˌgerən'ti:] **I.** *n* garantia *f*; **to give sb one's ~** garantir a alguém; **there's no ~ that ...** não há garantia que ... +*subj* **II.** *vt* garantir

guard [gɑ:rd] **I.** *n* (*person*) guarda *mf*; **to be on ~** estar de guarda **II.** *vt* **1.** (*protect*) proteger; **to ~ sb/sth from sb/sth** proteger alguém/a. c. de alguém/a. c. **2.** (*prevent from escaping*) guardar **3.** (*keep secret*) guardar

G

Guatemala [ˌgwɑːţə'mɑːlə] *n* Guatemala *f*

guerrilla [gə'rɪlə] *n* guerilheiro, -a *m, f*

guess [ges] **I.** *n* palpite *m;* **a lucky ~** um palpite feliz; **at a ~** como palpite; **it's anybody's ~** é conjectura **II.** *vi* **1. to ~ at sth** adivinhar a. c.; **to ~ right** acertar; **to ~ wrong** errar **2.** *Am* achar; **I ~ so/not** acho que sim/não

guest [gest] *n* convidado, -a *m, f,* visita *mf;* (*at hotel*) hóspede *mf;* **be my ~** *inf* fique à vontade

guesthouse *n* pensão *f*

guidance ['gaɪdns] *n no pl* orientação *f*

guide [gaɪd] **I.** *n* **1. tour ~** guia *mf* turístico **2.** (*book*) guia *m* **II.** *vt* conduzir

guidebook *n* guia *m* (de turismo)

guided tour *n* excursão *f* turística

guideline *n* diretriz *f*

guilt [gɪlt] *n no pl* culpa *f;* **to admit one's ~** assumir a culpa

guilty ['gɪlti] <-ier, -iest> *adj* culpado, -a; **to be ~ of sth** ser culpado, -a de a. c.; **to have a ~ conscience** ter a consciência pesada; **to plead ~** declarar-se culpado

Guinea ['gɪni] *n* Guiné *f*

guinea pig *n* cobaia *f*

guitar [gɪ'tɑːr] *n* violão *m,* guitarra *f*

gulf [gʌlf] *n* golfo *m*

gull [gʌl] *n* gaivota *f*

gullible ['gʌləbl] *adj* crédulo, -a

gulp [gʌlp] *n* (*of air*) tragada *f;* **in one ~** de um trago; **to take a ~ of milk** tomar um trago *m* de leite

gum¹ [gʌm] *n* ANAT gengiva *f*

gum² *n* (*for chewing*) chiclete *m*

gun [gʌn] *n* arma (de fogo) *f;* **to stick to one's ~s** *fig* não arredar pé

gun down *vt* balear **gunfire** *n no pl* fogo *m* (de arma)

gunshot *n* tiro *m*

guru ['guːruː, *Brit:* 'gʊru] *n* guru *mf*

gushing *adj fig* efusivo, -a

gust [gʌst] *n* rajada *f*

gusto ['gʌstoʊ] *n no pl* **with ~** com prazer *m*

gut [gʌt] *n* **1. a ~ feeling** intuição *f* **2. ~s** *inf* ANAT tripas *fpl;* (*courage*) coragem *f sem pl*

gutless [gʌtlɪs] *adj inf* covarde

gutter ['gʌţər] *n* (*on path*) sarjeta *f;* (*on roof*) calha *f*

guttural ['gʌţərəl] *adj* gutural

guy [gaɪ] *n inf* cara *m;* **I'll see you ~s later** *inf* a gente se vê mais tarde

Guyana [gar'ænə] *n* Guiana *f*

gym [dʒɪm] *n inf* (*room*) ginásio *m;* (*fitness center*) academia *f* de ginástica

gymnast ['dʒɪmnæst] *n* ginasta *mf*

gymnastics [dʒɪm'næstɪks] *npl* ginástica *f sem pl*

gynaecology [ˌgaɪnɪ'kɑːlədʒi] *n Brit,* **gynecology** *n Am, Aus no pl* ginecologia *f*

gypsy ['dʒɪpsi] <-ies> *n* cigano, -a *m, f*

gyrate [ˌdʒaɪ'reɪt] *vi* rodopiar

gyroscope ['dʒaɪrəskoʊp] *n* giroscópio *m*

H

H, h [eɪtʃ] *n* h *m*
habit ['hæbɪt] *n* hábito *m*
habitual [hə'bɪtʃʊəl] *adj* habitual
hacker [hækər] *n* hacker *mf*
had [həd, *stressed:* hæd] *pt, pp of* **have**
haggard ['hægərd] *adj* abatido, -a
haggle ['hægl] *vi* barganhar
hail [heɪl] *n no pl* METEO granizo *m*
hair [her] *n* **1.** (*human, on head*) cabelo *m;* **to have one's ~ cut** cortar o cabelo **2.** (*on skin, on animal*) pêlo *m*
haircut *n* corte *m* de cabelo; **to get a ~** cortar o cabelo **hairdresser** *n* cabeleireiro, -a *m, f;* **the ~'s** salão *m* de cabeleireiro **hairstyle** *n* penteado *m*
hairy ['heri] <-ier, -iest> *adj* peludo, -a
Haiti ['heɪţi] *n* Haiti *m*
half [hæf] **I.** <halves> *n* metade *f;* **~ and ~** meio a meio; **~ of sth** metade de a. c.; **in ~** ao meio; **a kilo and a ~** um quilo e meio **II.** *adj* meio, -a; **~ a liter** meio litro; **~ an hour** meia hora **III.** *adv* **1.** (*partially*) meio; **~ empty** meio vazio **2. ~ past three** três e meia
half brother *n* meio-irmão *m* **half-dozen** *n* meia dúzia *f*
half-hearted *adj* pouco entusiasmado, -a
half-heartedly *adv* sem entusiasmo
half-price *adj, adv* pela metade do preço; **a ~ dress** um vestido pela metade do preço; **to buy sth ~** comprar a. c. pela metade do preço
half sister *n* meia-irmã *f* **half-time** *n* SPORTS intervalo *m* **halfway** *adv* **to be ~ between ... and ...** estar a meio caminho entre ... e ...; **to be ~ through sth** estar no meio [*ou* na metade] de a. c.
hall [hɔːl] *n* (*in entrance*) entrada *f;* **concert ~** sala *f* de concertos
hallmark ['hɔːlmɑːrk] *n* marca *f*

Cultura A festa de **Halloween** é celebrada no dia 31 de outubro, um dia antes do **All Saints' Day** , também conhecido como **All Hallows** (Todos os Santos). Nesta festa as pessoas se fantasiam de bruxas e fantasmas. As crianças fazem **turnip lanterns** (lanternas feitas com abóboras sem o miolo) e, na Escócia, fazem **guising** (se fantasiam e vão de casa em casa cantando ou recitando poemas para que lhes dêem dinheiro). Nos Estados Unidos, as crianças se fantasiam ao entardecer e vão de porta em porta com uma sacola na mão. Quando o morador da casa abre a porta, as crianças gritam: '**Trick or treat!** ', e a pessoa então decide entre lhes dar um **treat** (doces) ou levar um **trick** (pregar uma peça). Hoje em dia praticamente não se pregam mais peças porque as crianças se aproximam apenas das casas em que as luzes de fora estão acesas, que serve como um sinal de boas-vindas.

halt [hɔːlt] **I.** *n no pl* **to bring sth to a ~** fazer a. c. parar **II.** *vi* parar
halve [hæv] *vt* **1.** (*number*) dividir

por dois **2.** (*cut in two*) cortar ao meio
halves [hævz] *n pl of* **half**
ham [hæm] *n no pl* presunto *m*
hamburger ['hæmbɜːrgər] *n* hambúrguer *m*
hamlet ['hæmlɪt] *n* aldeia *f*
hammer ['hæmər] **I.** *n* martelo *m* **II.** *vt* martelar
hammock *n* rede *f*
hamper[1] ['hæmpər] *vt* atrapalhar
hamper[2] *n* (*picnic basket*) cesta *m*
hamster ['hæmstər] *n* hamster *m*
hamstring ['hæmstrɪŋ] *n* tendão *m* do jarrete
hand [hænd] *n* **1.** mão *f;* ~ **in** ~ de mãos dadas; ~**s up!** mãos ao alto!; **to shake** ~**s** dar um aperto de mão **2. to give sb a** ~ dar uma mão a alguém **3. on the one** ~ **... on the other** (~) ... por um lado ... por outro lado ... ◈**hand in** *vt* entregar ◈**hand out** *vt* distribuir ◈**hand over** *vt* entregar
handbag *n* bolsa *f* **handbook** *n* manual *m* **handbrake** *n* freio *m* de mão **handcuffs** *npl* algemas *fpl*
handful ['hændfʊl] *n no pl* (*amount*) punhado
handicap ['hændɪkæp] *n* **1.** (*mental, physical*) deficiência *f* **2.** (*disadvantage*) empecilho *m*
handkerchief ['hæŋkərtʃɪf] *n* lenço *m*
handle ['hændl] **I.** *n* (*of door*) maçaneta *f;* (*of knife*) cabo *m;* (*of bag*) alça *f* **II.** *vt* **1.** ~ **with care** manusear com cuidado **2. I don't know how to** ~ **her** não sei como lidar com ela
handlebar *n* guidom *m*
handling *n no pl* manejo *m*
handout ['hændaʊt] *n* (*money*) esmola *f* **handshake** *n* aperto *m* de mão
handsome ['hænsəm] *adj* (*man*) bonito, -a
hand wipe ['hændˌwaɪp] *n* lenço *m* de papel umedecido
handwriting *n no pl* letra *f*
handwritten [ˌhænd'rɪtn] *adj* escrito, -a à mão
handy ['hændi] <-ier, -iest> *adj* **1.** (*skillful*) hábil **2.** (*useful*) útil; **to come in** ~ vir a calhar
hang [hæŋ] **I.** *n no pl* **to get the** ~ **of sth** pegar o jeito de a. c. **II.** <hung, hung> *vi* estar pendurado **III.** <hung, hung> *vt* **1.** (*attach*) pendurar **2.** (*execute*) enforcar ◈**hang around** *vi inf* (*kill time*) matar o tempo ◈**hang on** *vi* aguardar; ~! *inf* espera aí! ◈**hang out I.** *vt* (*the washing*) estender **II.** *vi inf* andar; **where does he** ~ **these days?** onde ele anda ultimamente? ◈**hang up** *vt, vi* TEL desligar
hangar ['hæŋər] *n* hangar *m*
hanger ['hæŋər] *n* cabide *m*
hanging *n* enforcamento *m*
hangover *n* ressaca *f*
happen ['hæpən] *vi* **1.** acontecer; **whatever** ~**s** o que quer que aconteça; **he** ~**s to be my friend** acontece que ele é o meu amigo **2.** (*chance*) **as it** ~**s ...** por acaso ...; **I** ~**ed to be at home** por acaso eu estava em casa
happily ['hæpɪli] *adv* felizmente
happiness ['hæpɪnɪs] *n no pl* felicida-

de *f*

happy ['hæpi] <-ier, -iest> *adj* 1. feliz; **to be ~ to do sth** não se importar de fazer a. c.; ~ **birthday!** feliz aniversário! 2. (*satisfied*) satisfeito, -a; **to be ~ about sth** estar satisfeito com a. c.

harass [hə'ræs, *Brit:* 'hærəs] *vt* assediar

harassment [hə'ræsmənt, *Brit:* 'hærəs-] *n no pl* assédio *m*

harbor ['hɑ:rbər] *Am, Aus,* **harbour** *n* porto *m*

hard [hɑ:rd] I. *adj* 1. duro, -a; ~ **luck** azar 2. (*blow*) forte 3. difícil; **it's ~ to tell** é difícil dizer; ~ **to please** difícil de agradar; **to give sb a ~ time** *inf* não dar mole para alguém *gír* 4. (*winter*) rigoroso, -a 5. INFOR ~ **copy** cópia impressa II. *adv* (*study, work*) muito; **to pull ~** puxar com força

hard cash *n* dinheiro *m* vivo **hard currency** <-ies> *n* moeda *f* forte **hard disk** *n* disco *m* rígido

harden ['hɑ:rdn] *vi* endurecer(-se)

hardly *adv* mal; ~ **ever** quase nunca

hardship ['hɑ:rdʃɪp] *n* dificuldade *f* **hardware** *n no pl* ferragens *fpl;* INFOR hardware *m* **hardware store** *n* loja *f* de ferragens

hardy <-ier, -iest> *adj* resistente

hare [her] *n* lebre *f*

harm [hɑ:rm] I. *n no pl* dano *m;* **to do ~** causar dano; **there's no ~ in trying** não há mal nenhum em tentar II. *vt* prejudicar

harmful *adj* prejudicial

harmless ['hɑ:rmlɪs] *adj* (*fun*) inocente; (*person*) inofensivo, -a

harmonious [hɑ:r'moʊniəs] *adj* harmonioso, -a

harmony ['hɑ:rməni] <-ies> *n* harmonia *f*

harness ['hɑ:rnɪs] *n* arreios *mpl*

harp [hɑ:rp] *n* harpa *f*

harsh [hɑ:rʃ] *adj* 1. (*punishment*) severo, -a 2. (*climate*) rigoroso, -a

harvest ['hɑ:rvɪst] *n* colheita *f*

has [həz, *stressed:* hæz] *3rd pers sing of* **have**

hassle ['hæsl] *n no pl, inf* aporrinhação *f*

haste [heɪst] *n no pl* pressa *f*

hasty ['heɪsti] <-ier, -iest> *adj* 1. (*fast*) apressado, -a 2. (*rash: decision*) precipitado, -a

hat [hæt] *n* chapéu *m*

hatch[1] [hætʃ] *vi* ZOOL sair da casca

hatch[2] <-es> *n* NAUT escotilha *f*

hate [heɪt] I. *n* ódio *m* II. *vt* 1. odiar 2. I ~ **to bother you but ...** lamento incomodá-lo mas ...

hatred ['heɪtrɪd] *n no pl* ódio *m*

haul [hɑ:l] I. *vt* arrastar II. *n* **long ~ flight** vôo *m* de longa distância

haunted *adj* assombrado, -a; ~ **house** casa mal-assombrada

have [həv, *stressed:* hæv] I. <has, had, had> *vt* 1. (*own*) ter; **she has two brothers** ela tem dois irmãos; **to ~ sth to do** ter a. c. para fazer 2. **to ~ a bath/some coffee** *esp Brit* tomar um banho/um café; **to ~ lunch** almoçar 3. **to ~ a child** dar à luz uma criança II. <has, had, had>

H

aux **1.** (*indicates perfect tense*) **he has never been to Scotland** ele nunca esteve na Escócia; **we had been swimming** tínhamos ficado nadando **2. to ~ to do sth** ter que fazer a. c.; **what time ~ we got to be there?** a que horas precisamos estar lá?

Hawaii [hə'wa:i:] *n* Havaí *m*

hawk [hɑ:k] *n* gavião *m*

hay [heɪ] *n no pl* feno *m*

hay fever *n* rinite *f* alérgica

hazard ['hæzərd] *n* risco *m*

hazardous ['hæzərdəs] *adj* arriscado, -a

haze [heɪz] *n* (*from dust*) nuvem *f*; **heat ~** bruma *f* (em dia ensolarado)

hazel ['heɪzl] *adj* castanho-claro, castanha-clara

hazelnut ['heɪzlnʌt] *n* avelã *f*

hazy ['heɪzi] <-ier, -iest> *adj* enevoado, -a

he [hi:] *pron pers* ele

head [hed] **I.** *n* **1.** cabeça *f*; **a** [*o* **per**] **~** por cabeça **2.** *pl* (*of coin*) cara *f*; **~s or tails?** cara ou coroa? **3.** (*boss*) chefe *mf* **II.** *vt* dirigir ◈ **head for** *vt insep* **to ~ the exit** dirigir-se à saída; **we were heading for Paris** nós estávamos seguindo para Paris

headache ['hedeɪk] *n* dor *f* de cabeça

heading *n* título *m*

headlight *n* farol *m* dianteiro **headline** *n* manchete *f* **headquarters** *n + sing/pl vb* (*of company*) sede *f*; MIL quartel-general *m* **headrest** *n* apoio *m* para cabeça **headway** *n no pl* progresso *m*; **to make ~** progredir

heal [hi:l] **I.** *vt* curar **II.** *vi* curar-se

health [helθ] *n no pl* saúde *f*; **to drink to sb's ~** beber à saúde de alguém

health insurance *n no pl* seguro-saúde *m*

healthy ['helθi] <-ier, -iest> *adj* saudável

heap [hi:p] *n* monte *m*

hear [hɪr] <heard, heard> **I.** *vt* **1.** (*with ears*) ouvir **2.** (*be told*) ficar sabendo **II.** *vi* **1.** ouvir **2. to ~ about sth** ficar sabendo de a. c.; **to ~ from sb** ter notícias de alguém

hearing *n* **1.** *no pl* (*sense*) audição *f* **2.** LAW audiência *f*

heart [hɑ:rt] *n* **1.** coração *m*; **by ~** de memória **2.** *pl* (*card suit*) copas *fpl*

heart attack *n* ataque *m* cardíaco **heartbeat** *n* batida *f* do coração **heart disease** *n no pl* doença *f* cardíaca

hearth [hɑ:rθ] *n* lareira *f*

heartily *adv* **to eat ~** comer com grande apetite

hearty ['hɑ:rṭi] *adj* <-ier, -iest> (*breakfast*) farto, -a

heat [hi:t] *n no pl* calor *m*

heated *adj* aquecido, -a

heater ['hi:ṭər] *n* aquecedor *m*

heather ['heðər] *n no pl* urze *f*

heating *n no pl* calefação *f*

heatwave *n* onda *f* de calor

heave [hi:v] *vt, vi* (*pull*) erguer (com esforço); (*push*) empurrar

heaven ['hevən] *n* paraíso *m*

heavenly *adj* <-ier, -iest> divino, -a

heavy ['hevi] *adj* <-ier, -iest> pesado,

-a; ~ **food** comida pesada

heck [hek] *interj inf* **where the ~ have you been?** onde diabos você estava?

hectic ['hektɪk] *adj* frenético, -a

hedge [hedʒ] *n* cerca *f* viva

heed [hi:d] *n* **to pay** (**no**) ~ **to sth** (não) prestar atenção a a. c.

heel [hi:l] *n* **1.** (*of foot*) calcanhar *m* **2.** (*of shoe*) salto *m*

hefty ['hefti] *adj* <-ier, -iest> (*fine*) pesado, -a; (*person*) pesadão, -ona

height [haɪt] *n* altura *f*; **to be afraid of ~s** ter medo de altura

heir [er] *n* herdeiro *m*

heiress ['erɪs] *n* herdeira *f*

held [held] *pt, pp of* **hold**

helicopter ['helɪkɑ:ptər] *n* helicóptero *m*

hell [hel] **I.** *n no pl* inferno *m* **II.** *interj* **what the ~ ...!** que diabos!

hello [hə'loʊ] *interj* **1.** olá; **to say ~ to sb** dizer olá para alguém **2.** (*on the phone*) alô

helm [helm] *n* leme *m*

helmet ['helmɪt] *n* capacete *m*

help [help] **I.** *vt* **1.** ajudar; **to ~ oneself to sth** servir-se de a. c. **2.** (*prevent*) **I can't ~ it** não dá para evitar **II.** *vi* ajudar **III.** *n no pl* ajuda *f* **IV.** *interj* socorro! ◈ **help out** *vi* ajudar

helper ['helpər] *n* ajudante *mf*

helpful ['helpfl] *adj* **1.** (*person*) prestativo, -a **2.** (*suggestion*) útil

helping **I.** *n* porção *m* de comida **II.** *adj* **to give sb a ~ hand** dar uma mão a alguém

helpless ['helplɪs] *adj* indefeso, -a

hem [hem] *n* bainha *f*

hemisphere ['hemɪsfɪr] *n* hemisfério *m*

hen [hen] *n* galinha *f*

hence [hens] *adv* portanto

hepatitis [ˌhepə'taɪtɪs] *n no pl* hepatite *f*

her [hɜ:r] **I.** *adj poss* seu, sua, dela; ~ **dress** vestido dela; ~ **house** sua casa **II.** *pron pers* **1.** *direct object* a; **I saw ~** eu a vi; *indirect object* lhe, a ela; **he told ~ that ...** ele disse a ela que ..., ele lhe disse que ...; **look at ~** olhe para ela **2.** ela; **if I were ~** se eu fosse ela; **it's ~** é ela; **it's for ~** é para ela; **older than ~** mais velho que ela

herb [ɜ:rb] *n* erva *f*

herd [hɜ:rd] *n + sing/pl vb* (*of cows*) manada *f*; (*of sheep*) rebanho *m*

here [hɪr] *adv* aqui; ~ **and there** aqui e ali; ~ **you are** [*o* **go**] aqui está

hereabouts [ˌhɪrə'baʊts] *adv* nas redondezas

hereditary [hə'redɪteri] *adj* hereditário, -a

heresy ['herəsi] <-ies> *n* heresia *f*

heritage ['herɪt̬ɪdʒ] *n no pl* herança *f*

hero ['hɪroʊ] <heroes> *n* herói *m*

heroin ['heroʊɪn] *n no pl* heroína *f*

heroine ['heroʊɪn] *n* heroína *f*

heron ['herən] <-(s)> *n* garça *f*

herring ['herɪŋ] <-(s)> *n* arenque *m*

hers [hɜ:rz] *pron poss* dela, o(s) dela, a(s) dela; **a book of ~** um livro dela; **it's not my bag, it's ~** não é a minha

H

bolsa, é a dela; **this glass is** ~ este copo é o dela

herself [hər'self] *pron* **1.** *refl* se; **she hurt** ~ ela se machucou; *after prep* si (mesma); **she looked at** ~ ela via a si mesma **2.** *emphatic* ela mesma

hesitate ['hezɪteɪt] *vi* hesitar

hesitation [ˌhezɪ'teɪʃn] *n* hesitação *f*

heterosexual [ˌheţəroʊ'sekʃʊəl] *adj* heterossexual

hi [haɪ] *interj* oi

hide[1] [haɪd] *n* (*of animal*) couro *m*

hide[2] [haɪd] <hid, hidden> **I.** *vt* esconder **II.** *vi* esconder-se

hideous ['hɪdiəs] *adj* horrendo, -a

high [haɪ] *adj* **1.** alto, -a; **one meter** ~ um metro de altura **2.** (*opinion*) bom, boa **3.** importante; **of** ~ **rank** de alta hierarquia **4.** *inf* (*on drugs*) drogado, -a **5.** (*shrill*) agudo, -a; **a** ~ **note** uma nota aguda

higher education *n no pl* educação *f* de nível superior

Cultura O **Highland dress** ou **kilt** é o traje tradicional escocês. Ele vem do século XVI e naquela época era composto de uma única peça. A partir do século XVII essa peça única se converteu em duas: o **kilt** (saia escocesa) e o **plaid** (manto de lã).Desta época também vem o **sporran** (uma bolsa pendurada no cinto). Só a partir do século XVIII é que surgiram os diferentes **tartans** (modelos de desenhos escoceses) para cada família ou clã. Muitos homens hoje vestem o **kilt** em eventos especiais, como casamentos.

highly *adv* **1.** (*very*) muito **2.** (*very well*) **to speak** ~ **of someone** falar muito bem de alguém

high school *n Am* escola *f* de ensino fundamental; **junior** ~ *escola de ensino fundamental nos Estados Unidos que compreende da 6a. à 8a. séries*

highway *n* rodovia *f*

hijack ['haɪdʒæk] *vt* seqüestrar

hike [haɪk] **I.** *n* caminhada *f* **II.** *vi* fazer caminhada

hilarious [hɪ'leriəs] *adj* hilariante

hill [hɪl] *n* morro *m*

hilly ['hɪli] <-ier, -iest> *adj* montanhoso, -a

him [hɪm] *pron pers* **1.** *direct object* o; *indirect object* lhe, a ele; **she gave** ~ **the pencil** ela lhe deu um lápis, ela deu um lápis a ele **2.** ele; **if I were** ~ se eu fosse ele; **it's** ~ é ele; **it's for** ~ é para ele; **older than** ~ mais velho que ele

himself [hɪm'self] *pron* **1.** *refl* se; **he hurt** ~ ele se machucou; *after prep* si mesmo; **for** ~ para si mesmo **2.** *emphatic* ele mesmo

hind [haɪnd] *adj* traseiro, -a

hinder ['hɪndər] *vt* impedir

hindrance ['hɪndrəns] *n* impedimento *m*

hindsight ['haɪndsaɪt] *n no pl* **in** ~ em retrospecto

Hindu ['hɪndu:] *adj* hindu

hinge [hɪndʒ] *n* dobradiça *f*

hint [hɪnt] **I.** *n* **1.** (*trace*) indício *m* **2.** (*allusion*) insinuação *f*; **to drop a** ~ dar uma indireta **3.** (*tip*) dica *f*; **a**

handy ~ uma dica útil **II.** *vi* **to ~ at sth** aludir a a. c.

hip [hɪp] *n* quadril *m*

hippo ['hɪpoʊ] *n,* **hippopotamus** [ˌhɪpə'pɑːt̬əməs] <-es *o* -mi> *n* hipopótamo *m*

hire ['haɪr] **I.** *n no pl* **"for ~"** *Brit* "aluga-se" **II.** *vt* **1.** (*rent*) alugar **2.** (*employ*) contratar

his [hɪz] **I.** *adj poss* seu, sua, dele; **~ car** seu carro; **~ house** casa dele **II.** *pron poss* o(s) dele, a(s) dele; **a book of ~** um livro dele; **it's not my bag, it's ~** não é minha bolsa, é a dele; **this glass is ~** este copo é o dele

historic [hɪ'stɔːrɪk] *adj* histórico, -a

historical *adj* histórico, -a

history ['hɪstəri] *n no pl* história *f;* **a ~ book** um livro de história

hit [hɪt] **I.** *n* (*success*) sucesso *m* **II.** <-tt-, hit, hit> *vt* **1.** (*administer a blow*) bater em **2.** (*collide with*) chocar-se contra

hitch [hɪtʃ] **I.** <-es> *n* problema *m;* **technical ~** problema *m* técnico **II.** *vt inf* **to ~ a lift** pegar uma carona

HIV [ˌeɪtʃaɪ'viː] *abbr of* **human immunodeficiency virus** HIV *m*

hive [haɪv] *n* colméia *f*

hoarse [hɔːrs] *adj* rouco, -a

hoax [hoʊks] <-es> *n* trote *m*

hobby ['hɑːbi] <-ies> *n* passatempo *m*

hockey ['hɑːki] *n no pl* hóquei *m;* **ice ~** hóquei no gelo

hold [hoʊld] **I.** *n* (*of a ship*) porão *m* **II.** <held, held> *vt* **1.** (*keep*) manter; (*grasp*) agarrar; **to ~ hands** dar as mãos; **to ~ sth in one's hand** segurar a. c. na mão **2.** **to ~ one's breath** prender a respiração; **to ~ sb's attention** prender a atenção de alguém **3.** **please ~ the line** (*on the phone*) por favor, aguarde na linha **4.** (*contain*) conter ◈**hold back** *vt* **to ~ tears** conter as lágrimas ◈**hold on** *vi* (*wait*) esperar ◈**hold onto** *vt insep* (*grasp*) agarrar firme ◈**hold up** *vt* (*delay*) reter

holder ['hoʊldər] *n* (*device*) suporte *m*

hole [hoʊl] *n* buraco *m*

holiday ['hɑːlədeɪ] *n* **1.** (*work-free day*) feriado *m* **2.** *Brit, Aus* (*vacation*) férias *fpl;* **on ~** em férias

holidaymaker *n Brit* turista *mf*

Holland ['hɑːlənd] *n* Holanda *f*

hollow ['hɑːloʊ] *adj* oco, -a

holly ['hɑːli] *n no pl* azevinho *m*

holocaust ['hɑːləkɑːst] *n* holocausto *m*

holy ['hoʊli] <-ier, -iest> *adj* sagrado, -a

Holy Spirit *n* Espírito *m* Santo

homage ['hɑːmɪdʒ] *n* homenagem *f*

home [hoʊm] **I.** *n* **1.** casa *f;* **at ~** em casa; **away from ~** fora de casa; **make yourself at ~** fique à vontade **2.** (*institution*) asilo *m;* (*for old people*) asilo *m* de idosos **II.** *adv* **to be ~** estar em casa; **to go ~** ir para casa **III.** *adj* (*from own country*) nacional

homebot *n* robô *m* doméstico

homeless **I.** *adj* sem-teto **II.** *npl* **the ~** os sem-teto

home-made *adj* caseiro, -a **home-**

Cultura Nos Estados Unidos, o termo **Homecoming** é usado para designar uma importante festa que acontece na High School e na universidade. Neste dia, o time de futebol americano local joga em seu próprio campo. Há uma grande festa e se escolhe uma **homecoming queen** , a aluna mais popular.

maker *n Am* dona-de-casa *f*
homesick *adj* com saudades de casa
homework *n* lição *f* de casa
homosexual [ˌhoʊmoʊ'sekʃʊəl] *adj* homossexual
Honduras [hɑːn'dʊrəs, *Brit:* hɒn'djʊər-] *n* Honduras *f*
honest ['ɑːnɪst] *adj* **1.** (*trustworthy*) honesto, -a **2.** (*truthful*) sincero, -a
honestly *adv* (*truthfully*) sinceramente; (*with honesty*) honestamente; (*in exasperation*) francamente
honey ['hʌni] *n no pl* GASTR mel *m*
honeymoon *n* lua-de-mel *f*
honor ['ɑːnər] *n Am, Aus* honra *f*; **in ~ of** em honra de
honorable ['ɑːnərəbl] *adj* honrado, -a
honour *n, vt Brit s.* **honor**
hood [hʊd] *n* **1.** (*for head*) capuz *m* **2.** *Am* AUTO capô *m*
hoodie, hoody ['hʊdi] *n jaqueta de moletom ou plush com capuz*
hoof [hʊf, *Brit:* huːf] <hooves *o* hoofs> *n* casco *m*
hook [hʊk] *n* (*for holding*) gancho *m*; (*in fishing*) anzol *m*
hooligan ['huːlɪgən] *n* hooligan *m*
hoop [huːp] *n* arco *m*
hoot [huːt] *vi* (*with horn*) dar toque de buzina
hoover® ['huːvər] *n Brit, Aus* aspirador *m* de pó
hope [hoʊp] **I.** *n* esperança *f* **II.** *vi* esperar; **I ~ so/not** espero que sim/não
hopeful ['hoʊpfəl] *adj* esperançoso, -a
hopefully *adv* **~!** tomara!
hopeless ['hoʊpləs] *adj* **1.** desesperançado, -a **2. to be ~** *inf* (*person*) não ter jeito
horde [hɔːrd] *n* multidão *f*
horizon [hə'raɪzn] *n* horizonte *m*
horizontal [ˌhɔːrɪ'zɑːntl] *adj* horizontal
hormone ['hɔːrmoʊn] *n* hormônio *m*
horn [hɔːrn] *n* **1.** (*of animal*) chifre *m* **2.** AUTO buzina *f*
horoscope ['hɔːrəskoʊp] *n* horóscopo *m*
horrible ['hɔːrəbl] *adj*, **horrid** ['hɔːrɪd] *adj* horrível
horrific [hɔː'rɪfɪk] *adj* horroroso, -a
horror ['hɔːrər] *n* horror *m*; **~ film** filme *m* de terror
horse [hɔːrs] *n* cavalo *m*
horsepower *n no pl* cavalo-vapor *m*
horse racing *n* corrida *f* de cavalos
horseshoe *n* ferradura *f*
hose [hoʊz] *n* mangueira *f*
hospitable ['hɑːspɪt̬əbl, *Brit.* hɒ'spɪt-] *adj* hospitaleiro, -a
hospital ['hɑːspɪt̬əl] *n* hospital *m*
hospitality [ˌhɑːspɪ'tælət̬i] *n no pl* hospitalidade *f*
host [hoʊst] *n* (*at home*) anfitrião *m*; TV apresentador *m* de TV
hostage ['hɑːstɪdʒ] *n* refém *mf*

hostage-taker ['hɑːstɪdʒˌteɪkər] *n* seqüestrador(a) *m(f)*

hostel ['hɑːstl] *n* **youth** ~ albergue *m* da juventude

hostess ['hoʊstɪs] <-es> *n* (*at home*) anfitriã *f;* TV apresentadora *f* de TV

hostile ['hɑːstl, *Brit:* 'hɒstaɪl] *adj* hostil

hostility [hɑː'stɪləṭi] <-ies> *n* hostilidade *f*

hot [hɑːt] *adj* quente; (*spicy*) picante

hotel [hoʊ'tel] *n* hotel *m*

hour ['aʊr] *n* hora *f;* **to be paid by the** ~ receber por hora; **lunch** ~ hora do almoço; **opening** ~**s** horário *m* de funcionamento

hourly *adv* (*every hour*) de hora em hora; (*per hour*) por hora

house [haʊs] *n* casa *f;* **to move** ~ mudar de casa

household *n* domicílio *m* **housewife** <-wives> *n* dona *f* de casa **housework** *n no pl* serviço *m* doméstico

housing *n* moradia *f*

how [haʊ] *adv* **1.** (*in which way?*) como **2.** ~ **are you?** como vai? **3.** ~ **come ...?** *inf* como é que ...? **4.** ~ **about ...?** que tal ...? **5.** ~ **many/much** quantos/quanto

however [haʊ'evər] **I.** *adv* **1.** ~ **hard she tries ...** por mais que ela tente ... **2. do it** ~ **you like** faça como quiser **II.** *conj* (*nevertheless*) entretanto

howl [haʊl] *vi* **1.** uivar **2.** (*cry*) **to** ~ **in pain** gritar de dor

HQ [eɪtʃ'kjuː] *abbr of* **headquarters** sede *f*

hubcap *n* calota *f*

hug [hʌg] **I.** <-gg-> *vt* abraçar **II.** *n* abraço *m*

huge [hjuːdʒ] *adj* enorme

hull [hʌl] *n* NAUT casco *m*

hum [hʌm] <-mm-> *vi* **1.** (*bee*) zumbir **2.** (*sing*) cantarolar

human ['hjuːmən] *adj* humano, -a

humanitarian [hjuːˌmænə'teriən] *adj* humanitário, -a; ~ **aid** ajuda humanitária

human rights *npl* direitos *m* humanos *pl*

humble ['hʌmbl] *adj* modesto, -a

humid ['hjuːmɪd] *adj* úmido, -a

humidity [hjuː'mɪdəṭi] *n no pl* umidade *f*

humiliate [hjuː'mɪlieɪt] *vt* humilhar

humiliation [hjuːˌmɪli'eɪʃn] *n* humilhação *f*

humor ['hjuːmər] *n no pl, Am, Aus* humor *m;* **sense of** ~ senso *m* de humor

humorous ['hjuːmərəs] *adj* divertido, -a

humour *n Brit s.* **humor**

hump [hʌmp] *n* (*animal's*) corcova *f;* (*person's*) corcunda *f*

hunch [hʌntʃ] <-es> *n* pressentimento *m*

hundred ['hʌndrəd] **I.** *adj* cem; **one** ~ **dollars** cem dólares **II.** <-(s)> *n* cem *m;* ~**s of times** centenas de vezes

hung [hʌŋ] *pt, pp of* **hang**

Hungary ['hʌŋgəri] *n* Hungria *f*

hunger ['hʌŋgər] *n no pl* fome *f*

hungry ['hʌŋgri] <-ier, -iest> *adj* faminto, -a; **to be** ~ estar com fome

hunt [hʌnt] **I.** *vi, vt* caçar **II.** *n* caça *f*

hunting *n no pl* caça *f*; ~ **expedition** caçada *f*

hurdle ['hɜːrdl] *n* obstáculo *m*

hurl [hɜːrl] *vt* atirar

hurricane ['hɜːrɪkeɪn] *n* furacão *m*

hurry ['hɜːri] <-ie-> **I.** *vi* apressar-se **II.** *vt* apressar **III.** *n* pressa *f*; **to be in a** ~ estar com pressa

hurt [hɜːrt] **I.** <hurt, hurt> *vi* doer; **my leg ~s** minha perna dói **II.** <hurt, hurt> *vt* machucar

husband ['hʌzbənd] *n* marido *m*

hut [hʌt] *n* cabana *f*

hygiene ['haɪdʒiːn] *n no pl* higiene *f*

hymn [hɪm] *n* hino *m*

hypocrite ['hɪpəkrɪt] *n* hipócrita *mf*

hysterical *adj* histérico, -a

I

I, i [aɪ] i *m*

I [aɪ] *pron pers* eu; **~'m coming** já vou; **~'ll do it** vou fazer; **am ~ late?** estou atrasado?; **it's me!** sou eu!

ice [aɪs] *n no pl* gelo *m*

iceberg *n* iceberg *m* **ice cream** *n* sorvete *m* **ice cube** *n* pedra *f* de gelo **ice hockey** *n no pl* hóquei *m* sobre o gelo **ice-skating** *n no pl* patinação *f* no gelo

icicle ['aɪsɪkl] *n* pingente *m* de gelo (*gelo pendente de árvores, telhados*)

icing ['aɪsɪŋ] *n* cobertura *f* açucarada

icon ['aɪkɑːn] *n* ícone *m*

icy ['aɪsi] <-ier, -iest> *adj* gelado, -a

ID [aɪ'diː] *abbr of* **identification** documento *m* de identidade

idea [aɪ'diːə] *n* idéia *f*; **I have no** ~ não faço a menor idéia

ideal [aɪ'diːəl] *adj* ideal

idealist *n* idealista *mf*

idealistic [aɪdiə'lɪstɪk] *adj* idealista

identical [aɪ'dentɪkl] *adj* idêntico, -a

identification [aɪˌdentəfɪ'keɪʃən] *n no pl* identificação *f*

identify [aɪ'dentəfaɪ] <-ie-> *vt* identificar

identity [aɪ'dentət̬i] <-ies> *n* identidade *f*

identity card *n* carteira *f* de identidade

ideology [ˌaɪdi'ɑːlədʒi] <-ies> *n* ideologia *f*

idiom ['ɪdiəm] *n* (*phrase*) expressão *f* idiomática

idiosyncrasy [ˌɪdioʊ'sɪŋkrəsi] *n* idiossincrasia *f*

idiot ['ɪdiət] *n* idiota *mf*

idiotic [ˌɪdi'ɑːt̬ɪk] *adj* idiota

idle ['aɪdl] *adj* (*lazy*) preguiçoso, -a; (*with nothing to do*) ocioso, -a

idol ['aɪdl] *n* ídolo *m*

idyllic [aɪ'dɪlɪk] *adj* idílico, -a

i.e. [ˌaɪ'iː] *abbr of* **id est** ou seja

if [ɪf] *conj* se; ~ **so/not, ...** caso sim/não, ...; ~ **only ...** se pelo menos ...; ~ **it rains** se chover

ignition [ɪg'nɪʃn] *n* ignição *f*

ignorance ['ɪgnərəns] *n no pl* ignorância *f*

ignorant ['ɪgnərənt] *adj* ignorante; **to be ~ about sth** não saber a. c.

iguana [ɪ'gwɑ:nə] *n* iguana *m*
ill [ɪl] *adj* doente
illegal [ɪ'li:gəl] *adj* ilegal
illegible [ɪ'ledʒəbl] *adj* ilegível
illegitimate [ˌɪlɪ'dʒɪţəmət] *adj* ilegítimo, -a
ill-fated *adj* malfadado, -a
illicit [ɪ'lɪsɪt] *adj* ilícito, -a
illiteracy [i'lɪţərəsi] *n no pl* analfabetismo *m*
illiterate [ɪ'lɪţərət] *adj* analfabeto, -a
illness ['ɪlnɪs] <-es> *n* doença *f*
illuminate [ɪ'lu:məneɪt] *vt* iluminar
illumination [ɪˌlu:mɪ'neɪʃn] *n no pl* iluminação *f*
illusion [ɪ'lu:ʒən] *n* ilusão *f*
illustrate ['ɪləstreɪt] *vt* ilustrar
illustration [ˌɪlə'streɪʃn] *n* ilustração *f*; **by way of** ~ como esclarecimento
image ['ɪmɪdʒ] *n* imagem *f*
imagery ['ɪmɪdʒri] *n no pl* imagens *fpl*
imaginable [ɪ'mædʒɪnəbl] *adj* imaginável
imaginary [ɪ'mædʒəneri] *adj* imaginário, -a
imagination [ɪˌmædʒɪ'neɪʃn] *n* imaginação *f*
imaginative [ɪ'mædʒɪnəţɪv] *adj* imaginativo, -a
imagine [ɪ'mædʒɪn] *vt* imaginar
imbecile ['ɪmbəsɪl] *n* imbecil *mf*
IMF [ˌaɪem'ef] *n no pl abbr of* **International Monetary Fund** FMI *m*
imitate ['ɪmɪteɪt] *vt* imitar
imitation [ˌɪmɪ'teɪʃn] *n* imitação *f*
immaculate [ɪ'mækjʊlət] *adj* impecável
immature [ˌɪmə'tʊr, *Brit:* -'tjʊəʳ] *adj* imaturo, -a
immediate [ɪ'mi:diɪt] *adj* imediato, -a; **in the** ~ **area** nas imediações
immediately *adv* imediatamente; ~ **after ...** logo depois ...
immense [ɪ'mens] *adj* enorme
immensely *adv* imensamente
immigrant ['ɪmɪgrənt] *n* imigrante *mf*
immigration [ɪmɪ'greɪʃn] *n no pl* imigração *f*
imminent ['ɪmɪnənt] *adj* iminente
immortal [ɪ'mɔ:rţl] *adj* imortal
immune [ɪ'mju:n] *adj* imune
immunity [ɪ'mju:nəţi] *n no pl* imunidade *f*
impact ['ɪmpækt] *n no pl* impacto *m*
impair [ɪm'per] *vt* enfraquecer
impaired *adj* ~ **hearing/vision** deficiência *f* auditiva/visual
impartial [ɪm'pɑ:rʃl] *adj* imparcial
impassioned [ɪm'pæʃnd] *adj* veemente
impatience [ɪm'peɪʃns] *n no pl* impaciência *f*
impatient [ɪm'peɪʃnt] *adj* impaciente
impeachment [ɪm'pi:tʃmənt] *n* impeachment *m*
impede [ɪm'pi:d] *vt* atrapalhar
impediment [ɪm'pedɪmənt] *n* obstáculo *m*
impending *adj* iminente
imperative [ɪm'perəţɪv] *n* imperativo *m*
imperceptible [ˌɪmpər'septəbl] *adj* imperceptível
imperfect [ɪm'pɜ:rfɪkt] *adj* imperfeito, -a

imperial [ɪm'pɪriəl] *adj* imperial
impersonal [ˌɪm'pɜ:rsənl] *adj* impessoal
impersonate [ɪm'pɜ:rsəneɪt] *vt* (*imitate*) imitar
impertinent [ɪm'pɜ:rṭnənt] *adj* impertinente
impetuous [ɪm'petʃuəs] *adj* impetuoso, -a
implacable [ɪm'plækəbl] *adj* implacável
implement ['ɪmplɪmənt] **I.** *n* implemento *m* **II.** *vt* implementar
implication [ˌɪmplɪ'keɪʃn] *n no pl* **by** ~ implicitamente
implicit [ɪm'plɪsɪt] *adj*, **implied** [ɪm'plaɪd] *adj* implícito, -a
imply [ɪm'plaɪ] <-ie-> *vt* (*suggest*) sugerir
impolite [ˌɪmpə'laɪt] *adj* indelicado, -a
import **I.** [ɪm'pɔ:rt] *vt* importar **II.** ['ɪmpɔ:rt] *n* importação *f*
importance [ɪm'pɔ:rtns] *n no pl* importância *f*
important [ɪm'pɔ:rtənt] *adj* importante
impose [ɪm'poʊz] **I.** *vt* impor; **to** ~ **sth on sb** impor a. c. a alguém **II.** *vi* **to** ~ **on sb** abusar de alguém
imposing *adj* imponente
impossible [ɪm'pɑ:səbl] *adj* impossível
impotent ['ɪmpəṭənt] *adj* impotente
impractical [ɪm'præktɪkl] *adj* pouco prático, -a
impress [ɪm'pres] *vt* impressionar
impression [ɪm'preʃn] *n* impressão *f*; **to have the** ~ **that ...** ter a impressão de que ...
impressionable *adj* impressionável
impressive [ɪm'presɪv] *adj* impressionante
imprison [ɪm'prɪzən] *vt* encarcerar
improbable [ɪm'prɑ:bəbl] *adj* improvável
improper [ɪm'prɑ:pər] *adj* impróprio, -a
improve [ɪm'pru:v] *vt, vi* melhorar
improvement [ɪm'pru:vmənt] *n* melhora
improvise ['ɪmprəvaɪz] *vi, vt* improvisar
impudent ['ɪmpjʊdənt] *adj* insolente
impulse ['ɪmpʌls] *n* impulso *m*
impulsive [ɪm'pʌlsɪv] *adj* impulsivo, -a
impurity [ɪm'pjʊrəṭi] <-ies> *n* impureza *f*
in [ɪn] **I.** *prep* **1.** (*place*) em; (*inside*) dentro de; ~ **town** na cidade; ~ **Brazil** no Brasil; ~ **here/there** aqui/ali dentro **2.** ~ **the beginning** no começo **3. to be** ~ **one's thirties** estar na faixa dos trinta; ~ **the afternoon** à tarde; ~ **a week** em uma semana **4. the girl** ~ **glasses** a moça de óculos; ~ **your place** *fig* no seu lugar **5.** ~ **English** em inglês; **write** ~ **pencil/pen** escrever a lápis/caneta; **to speak** ~ **a loud voice** falar em voz alta **6.** ~ **tens** em dez **II.** *adv* dentro de; **to go** ~ entrar; **to be** ~ *inf* (*at home*) estar em casa **III.** *adj* interno, -a
inability [ˌɪnə'bɪləṭi] *n no pl* incapacidade *f*

inaccessible [ˌɪnæk'sesəbl] *adj* inacessível
inaccurate [ɪn'ækjərət] *adj* incorreto, -a
inactive [ɪn'æktɪv] *adj* inativo, -a
inadequate [ɪn'ædɪkwət] *adj* inadequado, -a
inanimate [ɪn'ænɪmət] *adj* inanimado, -a
inappropriate [ˌɪnə'proʊpriət] *adj* inadequado, -a
inaudible [ɪn'ɑːdəbl] *adj* inaudível
inauguration [ɪˌnɑːgjʊ'reɪʃn] *n* inauguração *f,* posse *f*
incapable [ɪn'keɪpəbl] *adj* incapaz; **to be ~ of doing sth** ser incapaz de fazer a. c.
incarcerate [ɪn'kɑːrsəreɪt] *vt* encarcerar
incense ['ɪnsents] *n* incenso *m*
incentive [ɪn'sentɪv] *n* incentivo *m*
inch [ɪntʃ] <-es> *n* polegada *f*
incident ['ɪntsɪdənt] *n* incidente *m*
incidentally *adv* a propósito
incinerator [ɪn'sɪnəreɪt̬ər] *n* incinerador *m*
incite [ɪn'saɪt] *vt* provocar
inclined *adj* **I'm ~ to agree with you** estou disposto a concordar com você
include [ɪn'kluːd] *vt* incluir
including *prep* (**not**) **~ tax** imposto (não) incluído
inclusive [ɪn'kluːsɪv] *adj* incluído, -a
incognito [ˌɪnkɑːg'niːtoʊ] *adv* incógnito
incoherent [ˌɪnkoʊ'hɪrənt] *adj* incoerente
income ['ɪnkʌm] *n no pl* renda *f*
income tax *n no pl* imposto *m* de renda
incoming ['ɪnˌkʌmɪŋ] *adj* entrante
incomparable [ɪn'kɑːmprəbl] *adj* incomparável
incompatible [ˌɪnkəm'pæt̬əbl] *adj* incompatível
incompetent [ɪn'kɑːmpɪt̬ənt] *adj* incompetente
incomplete [ˌɪnkəm'pliːt] *adj* incompleto, -a
incomprehensible [ˌɪnˌkɑːmprɪ'hensəbl] *adj* incompreensível
inconceivable [ˌɪnkən'siːvəbl] *adj* inconcebível
inconclusive [ˌɪnkən'kluːsɪv] *adj* inconclusivo, -a
inconsiderate [ˌɪnkən'sɪdərət] *adj* irrefletido, -a
inconsistent [ˌɪnkən'sɪstənt] *adj* inconsistente
inconspicuous [ˌɪnkən'spɪkjʊəs] *adj* discreto, -a
inconvenient *adj* inconveniente
incorporate [ɪn'kɔːrpəreɪt] *vt* incorporar
incorrect [ˌɪnkə'rekt] *adj* incorreto, -a
increase [ɪn'kriːs] **I.** *vt, vi* aumentar **II.** ['ɪnkriːs] *n* aumento *m;* **to be on the ~** estar em alta
increasing *adj* crescente
incredible [ɪn'kredɪbl] *adj* incrível
incredibly *adv* incrivelmente
incredulous [ɪn'kredʒʊləs] *adj* incrédulo, -a
incur [ɪn'kɜːr] <-rr-> *vt* (*costs*) incorrer em; (*debt*) contrair

indecent [ɪn'di:sənt] *adj* indecente
indecisive [ˌɪndɪ'saɪsɪv] *adj* indeciso, -a
indeed [ɪn'di:d] *adv* **1.** (*really*) realmente **2.** (*affirmation*) de fato
indefinite [ɪn'defənət] *adj* (*unspecified*) indeterminado, -a
indelible [ɪn'deləbl] *adj* indelével
independence [ˌɪndɪ'pendəns] *n no pl* independência *f*
independent [ˌɪndɪ'pendənt] *adj* independente
in-depth *adj* minucioso, -a
indeterminate [ˌɪndɪ'tɜ:rmɪnət] *adj* indeterminado, -a
index ['ɪndeks] *n* <-ices *o* -es> índice *m*
index finger *n* dedo *m* indicador
India ['ɪndiə] *n* Índia *f*
Indian *adj* (*of Native Americans*) índio, -a
indicate ['ɪndɪkeɪt] *vt* indicar
indication [ˌɪndɪ'keɪʃn] *n* sinal *m*
indicator ['ɪndɪkeɪţər] *n Brit* AUTO seta *f*
indifferent [ɪn'dɪfrənt] *adj* indiferente
indigestion [ˌɪndɪ'dʒəstʃən] *n no pl* indigestão *f*
indignant [ɪn'dɪgnənt] *adj* indignado, -a
indirect [ˌɪndɪ'rekt] *adj* indireto, -a
individual [ˌɪndɪ'vɪdʒuəl] **I.** *n* indivíduo *m* **II.** *adj* individual
Indochina [ˌɪdoʊ'tʃaɪnə] *n* Indochina *f*
Indonesia [ˌɪndə'ni:ʒə] *n* Indonésia *f*
indoor [ˌɪn'dɔ:r] *adj* coberto, -a
indoors [ˌɪn'dɔ:rz] *adv* dentro de casa
induce [ɪn'du:s, *Brit:* -'dju:s] *vt* induzir
indulge [ɪn'dʌldʒ] *vt* satisfazer
industrial [ɪn'dʌstriəl] *adj* industrial
industrial park *n Am* parque *m* industrial
industrious [ɪn'dʌstriəs] *adj* aplicado, -a
industry ['ɪndəstri] *n* indústria *f*
inedible [ɪn'edəbl] *adj* incomível
ineffective [ˌɪnɪ'fektɪv] *adj*, **ineffectual** [ˌɪnɪ'fektʃuəl] *adj* ineficaz
inefficiency [ˌɪnɪ'fɪʃənsi] *n no pl* ineficiência *f*
inefficient [ˌɪnɪ'fɪʃnt] *adj* ineficiente
inequality [ˌɪnɪ'kwɑ:ləţi] <-ies> *n* desigualdade *f*
inevitable [ɪn'evɪţəbl] *adj* inevitável
inexpensive [ˌɪnɪk'spensɪv] *adj* barato, -a
infamous ['ɪnfəməs] *adj* infame
infant ['ɪnfənt] *n* bebê *m*; ~ **mortality** mortalidade *f* infantil
infection [ɪn'fekʃn] *n* infecção *f*
infectious [ɪn'fekʃəs] *adj* contagioso, -a
inferior [ɪn'fɪrɪər] *adj* inferior
infidelity [ˌɪnfə'deləţi] *n no pl* infidelidade *f*
infiltrate [ɪn'fɪltreɪt] *vt* infiltrar
infinite ['ɪnfənɪt] *adj* infinito, -a
infinitely *adv* infinitamente
infinitive [ɪn'fɪnəţɪv] *n* infinitivo *m*
infinity [ɪn'fɪnəţi] <-ies> *n no pl* infinito *m*
inflammable [ɪn'flæməbl] *adj* inflamável
inflammation [ˌɪnflə'meɪʃn] *n* infla-

mação *f*
inflammatory [ɪn'flæmətɔ:ri] *adj* incendiário, -a
inflatable [ɪn'fleiţəbl] *adj* inflável
inflate [ɪn'fleɪt] *vi, vt* inflar
inflation [ɪn'fleɪʃn] *n no pl* inflação *f*
inflexible [ɪn'fleksəbl] *adj* inflexível
inflict [ɪn'flɪkt] *vt* infligir
influence ['ɪnflʊəns] I. *n* influência *f* II. *vt* influenciar
influential [ˌɪnflʊ'enʃl] *adj* influente
influenza [ˌɪnflʊ'enzə] *n no pl* gripe *f*
inform [ɪn'fɔ:rm] *vt* informar
informal *adj* informal
information [ˌɪnfər'meɪʃn] *n no pl* informações *fpl;* **to ask for** ~ pedir informações **information technology** *n no pl* informática *f*
informative [ɪn'fɔ:rməţɪv] *adj* informativo, -a
infrared ['ɪnfrə'red] *adj* infravermelho, -a
infrastructure ['ɪnfrəˌstrʌktʃər] *n* infra-estrutura *f*
infrequent [ɪn'fri:kwənt] *adj* raro, -a
infuriate [ɪn'fjʊrɪeɪt] *vt* enfurecer
infusion [ɪn'fju:ʒən] *n* infusão *f*
ingenious [ɪn'dʒi:njəs] *adj* engenhoso, -a
ingenuous [ɪn'dʒenjʊəs] *adj form* ingênuo, -a
ingratitude [ɪn'græţətu:d, *Brit:* -tɪtju:d] *n no pl* ingratidão *f*
ingredient [ɪn'gri:diənt] *n* ingrediente *m*
inhabit [ɪn'hæbɪt] *vt* habitar
inhabitant [ɪn'hæbɪtənt] *n* habitante *mf*
inhale [ɪn'heɪl] *vi, vt* inalar
inherent [ɪn'hɪrənt] *adj* inerente
inherit [ɪn'herɪt] *vt* herdar
inheritance [ɪn'herɪtəns] *n* herança *f*
inhibit [ɪn'hɪbɪt] *vt* inibir
inhibition [ˌɪnɪ'bɪʃn] *n* inibição *f*
inhuman [ɪn'hju:mən] *adj* desumano, -a
initial [ɪ'nɪʃəl] *adj, n* inicial *f*
initially *adv* inicialmente
initiative [ɪ'nɪʃəţɪv] *n* iniciativa *f*
injection [ɪn'dʒekʃn] *n* injeção *f*
injunction [ɪn'dʒʌŋkʃn] *n* injunção *f*
injure ['ɪndʒər] *vt* ferir
injury ['ɪndʒəri] <-ies> *n* lesão *f*
injustice [ɪn'dʒʌstɪs] *n* injustiça *f*
ink [ɪŋk] *n* tinta *f*
inland ['ɪnlənd] *adj* interior
inn [ɪn] *n* pousada *f*
inner ['ɪnər] *adj* interno, -a
innocence ['ɪnəsns] *n no pl* inocência *f*
innocent ['ɪnəsnt] *adj* inocente
inquire [ɪn'kwaɪr] *vi* pedir informações
inquiry [ɪn'kwaɪri] *n* (*question*) pergunta *f*
insane [ɪn'seɪn] *adj* louco, -a; **to go** ~ enlouquecer
insect ['ɪnsekt] *n* inseto *m*
insensitive [ɪn'sensəţɪv] *adj* insensível
insert [ɪn'sɜ:rt] *vt* inserir; **to** ~ **sth into sth** introduzir a. c. em a. c.
inside [ɪn'saɪd] I. *adj* interno, -a II. *n* interior *m;* **on the** ~ no interior III. *prep* ~ (**of**) dentro (de) IV. *adv* dentro; **to go** ~ entrar

insight ['ɪnsaɪt] *n* estalo *m*
insignificant [ˌɪnsɪg'nɪfɪkənt] *adj* insignificante
insinuate [ɪn'sɪnjʊeɪt] *vt* insinuar
insist [ɪn'sɪst] *vi, vt* insistir; **to ~ on doing sth** insistir em fazer a. c.
insolent ['ɪnsələnt] *adj* insolente
insomnia [ɪn'sɑːmniə] *n no pl* insônia *f*
inspect [ɪn'spekt] *vt* inspecionar
inspection [ɪn'spekʃn] *n* inspeção *f*
inspector [ɪn'spektər] *n* inspetor(a) *m(f)*
inspiration [ˌɪnspə'reɪʃən] *n* inspiração *f*
instal <-ll-> *Brit,* **install** [ɪn'stɔːl] *vt* instalar
installment *n Am,* **instalment** [ɪn'stɔːlmənt] *n Brit* **1.** RADIO, TV capítulo *m* **2.** COM prestação *f*
instance ['ɪnstəns] *n* ocasião *f;* **for ~** por exemplo
instant ['ɪnstənt] **I.** *n* instante *m* **II.** *adj* instantâneo, -a
instead [ɪn'sted] **I.** *adv* em vez disso **II.** *prep* **~ of** em vez de
instinct ['ɪnstɪŋkt] *n* instinto *m*
institute ['ɪntstɪtuːt, *Brit:* -tjuːt] *n* instituto *m*
institution [ˌɪntstɪ'tuːʃn, *Brit:* -'tjuː-] *n* instituição *f*
instruction [ɪn'strʌkʃn] *n* instrução *f*
instructor [ɪn'strʌktər] *n* instrutor(a) *m(f)*
instrument ['ɪnstrəmənt] *n* instrumento *m*
insufficient [ˌɪnsə'fɪʃənt] *adj* insuficiente
insulation [ˌɪntsə'leɪʃn] *n no pl* isolamento *m*
insulin ['ɪntsəlɪn, *Brit:* -sjʊ-] *n no pl* insulina *f*
insult **I.** [ɪn'sʌlt] *vt* insultar **II.** ['ɪnsʌlt] *n* insulto *m*
insurance [ɪn'ʃʊrəns] *n no pl* seguro *m;* **to take out ~** fazer seguro
insurance company <-ies> *n* seguradora *f* **insurance policy** <-ies> *n* apólice *f* de seguro
insure [ɪn'ʃʊr] *vt* pôr no seguro
intact [ɪn'tækt] *adj* intacto, -a
intellectual [ˌɪntə'lektʃʊəl] *adj* intelectual
intelligence [ɪn'telɪdʒəns] *n no pl* (*ability*) inteligência *f*
intelligent [ɪn'telɪdʒənt] *adj* inteligente
intend [ɪn'tend] *vt* pretender
intense [ɪn'tents] *adj* intenso, -a
intensive [ɪn'tentsɪv] *adj* intensivo, -a
intent [ɪn'tent] **I.** *n* intenção *f;* **to all ~s and purposes** para todos os efeitos **II.** *adj* determinado, -a *m, f;* **~ on** determinado, -a a
intention [ɪn'tentʃn] *n* intenção *f*
intentional *adj* intencional
interchange [ˌɪntər'tʃeɪndʒ] *n Brit* (*of roads*) trevo *m*
interest ['ɪntrɪst] **I.** *n* **1.** interesse *m;* **to lose ~ in sth** perder o interesse por a. c.; **out of ~** por curiosidade **2.** FIN juros *mpl;* **~ rate** taxa de juros **II.** *vt* interessar
interested *adj* interessado, -a
interest-free *adj* FIN sem juros
interesting *adj* interessante

interfere [ˌɪntərˈfɪr] *vi* interferir
interference [ˌɪntərˈfɪrəns] *n no pl* interferência *f*
interior [ɪnˈtɪrɪər] **I.** *adj* interno, -a **II.** *n* interior *m*
intermediary [ˌɪntərˈmiːdɪeri] <-ies> *n* intermediário, -a *m, f*
intermediate [ˌɪntərˈmiːdɪət] *adj* intermediário, -a
interminable [ɪnˈtɜːrmɪnəbl] *adj* interminável
intermission [ˌɪntərˈmɪʃn] *n Am* intervalo *m*
intermittent [ˌɪntərˈmɪtnt] *adj* intermitente
internal [ɪnˈtɜːrnl] *adj* interno, -a
international [ˌɪntərˈnæʃnəl] *adj* internacional
International Monetary Fund *n* Fundo *m* Monetário Internacional
Internet [ˈɪntərnet] *n* Internet *f* **Internet bank** *n* banco *m* eletrônico
Internet banking *n no pl* internet banking **Internet café** *n* cibercafé *m*
interpret [ɪnˈtɜːrprət] *vi, vt* interpretar
interpretation [ɪnˌtɜːrprəˈteɪʃn] *n* interpretação *f*
interpreter [ɪnˈtɜːrprət̬ər] *n* intérprete *mf*
interrogate [ɪnˈterəgeɪt] *vt* interrogar
interrupt [ˌɪntərˈrʌpt] *vi, vt* interromper
interruption [ˌɪntərˈrʌpʃn] *n* interrupção *f*
intersection [ˌɪntərˈsekʃn] *n* **1.** (*of lines*) interseção *f* **2.** *Am, Aus* (*junction*) cruzamento *m*
intersperse [ˌɪntərˈspɜːrs] *vt* intercalar
interval [ˈɪntərvl] *n* intervalo *m;* **at ~s** de vez em quando
intervene [ˌɪntərˈviːn] *vi* intervir
interview [ˈɪntərvjuː] **I.** *n* entrevista *f* **II.** *vt* entrevistar
interviewer [ˈɪntərvjuːər] *n* entrevistador(a) *m(f)*
intestine [ɪnˈtestɪn] *n* intestino *m*
intimacy [ˈɪntəməsi] <-ies> *n* intimidade *f*
intimate [ˈɪntəmət] *adj* íntimo, -a
intimidate [ɪnˈtɪmɪdeɪt] *vt* intimidar
into [ˈɪntə, *before vowels:* -tu] *prep* **1.** em **2.** (*towards*) para (dentro de); **to walk ~ a place** entrar num lugar **3. from English ~ Portuguese** do inglês para o português **4. she's really ~ her new job** *inf* ela está mesmo adorando o novo emprego **5.** MAT **two ~ ten** dez dividido por dois
intolerable [ɪnˈtɑːlərəbl] *adj* intolerável
intolerant [ɪnˈtɑːlərənt] *adj* intolerante
intoxicate [ɪnˈtɑːksɪkeɪt] *vt* (*alcohol*) embriagar
intransitive [ɪnˈtrænsət̬ɪv] *adj* intransitivo, -a
intricate [ˈɪntrɪkət] *adj* intrincado, -a
intrigue [ɪnˈtriːg] *vi, vt* intrigar
intriguing [ɪnˈtriːgɪŋ] *adj* intrigante
intrinsic [ɪnˈtrɪnsɪk] *adj* intrínseco, -a
introduce [ˌɪntrəˈduːs, *Brit:* -ˈdjuːs] *vt* **1.** (*acquaintance*) apresentar **2.** (*initiate*) iniciar
introduction [ˌɪntrəˈdʌkʃn] *n* **1.** (*of person*) apresentação *f* **2.** (*to sth*

new) introdução *f*
introspection [ˌɪntroʊˈspekʃn] *n no pl* introspecção *f*
introverted [ˌɪntroʊˈvɜːrt̬ɪd] *adj* introvertido, -a
intruder [ɪnˈtruːdər] *n* intruso, -a *m, f*
intrusion [ɪnˈtruːʒən] *n* intromissão *f*
intrusive [ɪnˈtruːsɪv] *adj* intrometido, -a
intuition [ˌɪntuːˈɪʃn] *n no pl* intuição *f*
intuitive [ɪnˈtuːɪt̬ɪv, *Brit:* -ˈtjuːɪt-] *adj* intuitivo, -a
inundate [ˈɪnəndeɪt] *vt* inundar
invade [ɪnˈveɪd] *vt, vi* invadir
invader [ɪnˈveɪdər] *n* invasor(a) *m(f)*
invalid[1] [ˈɪnvəlɪd] *n* inválido, -a *m, f*
invalid[2] [ɪnˈvælɪd] *adj a.* LAW sem validade
invaluable [ɪnˈvæljuəbl] *adj* inestimável
invariable [ɪnˈveriəbl] *adj* invariável
invasion [ɪnˈveɪʒən] *n* invasão *f*
invent [ɪnˈvent] *vt* inventar
invention [ɪnˈvenʃn] *n* invenção *f*
inventive [ɪnˈvent̬ɪv] *adj* criativo, -a
inventor [ɪnˈventər] *n* inventor(a) *m(f)*
inventory [ˈɪnvəntɔːri, *Brit:* -tri] <-ies> *n* (*catalog*) inventário *m*
inverse [ɪnˈvɜːrs] *adj* inverso, -a
inversion [ɪnˈvɜːrʒən] *n no pl* inversão *f*
invert [ɪnˈvɜːrt] *vt* inverter
invest [ɪnˈvest] *vt, vi* investir
investigate [ɪnˈvestɪgeɪt] *vt* investigar
investigation [ɪnˌvestɪˈgeɪʃn] *n* investigação *f*
investment [ɪnˈvestmənt] *n* investimento *m*
investor [ɪnˈvestər] *n* investidor(a) *m(f)*
invigorating [ɪnˈvɪgəreɪt̬ɪŋ] *adj* revigorante
invincible [ɪnˈvɪnsəbl] *adj* invencível
invisible [ɪnˈvɪzəbl] *adj* invisível
invitation [ˌɪnvɪˈteɪʃn] *n* convite *m;* **an ~ to sth** um convite para a. c.
invite [ɪnˈvaɪt] *vt* convidar; **to ~ sb to sth** convidar alguém para a. c.; **to ~ sb out** convidar alguém para sair
inviting *adj* convidativo, -a
invoice [ˈɪnvɔɪs] *n* fatura *f*
involuntary [ɪnˈvɑːlənteri] *adj* involuntário, -a
involve [ɪnˈvɑːlv] *vt* (*implicate*) implicar em; **to get ~d in sth** envolver-se em a. c.
involved *adj* envolvido, -a
involvement *n no pl* envolvimento *m*
inward [ˈɪnwərd] *adj* (*movement*) interno, -a
inwardly *adv* por dentro
inwards *adv* para dentro
iodine [ˈaɪədaɪn, *Brit:* -diːn] *n no pl* iodo *m*
IQ [ˌaɪˈkjuː] *n abbr of* **intelligence quotient** QI *m*
Iran [ɪˈræn] *n* Irã *m*
Iraq [ɪˈrɑːk] *n* Iraque *m*
irate [aɪˈreɪt] *adj* enfurecido, -a
Ireland [ˈaɪrlənd] *n* Irlanda *f*
iris [ˈaɪrɪs] <-es> *n* íris *f inv*
iron [ˈaɪərn] **I.** *n* **1.** *no pl* ferro *m* **2.** (*for clothes*) ferro *m* de passar roupa **II.** *vi, vt* passar a ferro

ironic [aɪ'rɑ:nɪk] *adj* irônico, -a
ironing *n no pl* **to do the ~** passar roupa
ironing board *n* tábua *f* de passar roupa
irony ['aɪrəni] <-ies> *n* ironia *f*
irrational [ɪ'ræʃənəl] *adj* irracional
irregular [ɪ'regjələr] *adj* irregular; (*surface*) desigual
irregularity [ɪ͵regjə'lerəţi] <-ies> *n* irregularidade *f*
irrelevant *adj* irrelevante; **to be ~ to sth** ser irrelevante para a. c.
irreplaceable [͵ɪrɪ'pleɪsəbl] *adj* insubstituível
irresistible [͵ɪrɪ'zɪstəbl] *adj* irresistível
irrespective of [͵ɪrɪ'spektɪv] *prep* independentemente de
irresponsible [͵ɪrɪ'spɑ:nsəbl] *adj* irresponsável
irreverent [ɪ'revərənt] *adj* irreverente
irreversible [͵ɪrɪ'vɜ:rsəbl] *adj* irrevogável
irrigate ['ɪrɪgeɪt] *vt* irrigar
irrigation [͵ɪrɪ'geɪʃn] *n no pl* irrigação *f*
irritable ['ɪrɪţəbl] *adj* irritadiço, -a
irritate ['ɪrɪteɪt] *vt* irritar
irritating *adj* irritante
irritation [͵ɪrɪ'teɪʃn] *n* irritação *f*
is [ɪz] *vt, vi 3rd pers sing of* **be**
Islam [ɪz'lɑ:m] *n* islamismo *m*
Islamic [ɪz'lɑ:mɪk] *adj* islâmico, -a
island ['aɪlənd] *n* ilha *f*
isolate ['aɪsəleɪt] *vt* isolar
isolated *adj* isolado, -a
isolation [͵aɪsə'leɪʃn] *n no pl* isolamento *m*
Israel ['ɪzriəl] *n* Israel *m*
issue ['ɪʃu:] **I.** *n* **1.** (*topic*) questão *f*; **family ~s** assuntos *mpl* de família **2.** (*in publishing*) número *m* **II.** *vt* (*passport*) expedir; **to ~ a statement** fazer uma declaração
it [ɪt] **I.** *pron dem* **who was ~?** quem era?; **~'s in my bag** está na minha sacola; **that's/this is it** é isso **II.** *pron pers* **1.** ele, ela; *direct object:* o, a; *indirect object:* lhe; **~ exploded** explodiu; **I'm afraid of ~** tenho medo disso **2. what time is ~?** que horas são? **3. ~'s cold** faz frio; **~'s snowing** está nevando **4. ~'s 10 km to the town** são 10 km até a cidade **5.** (*empty subject*) **~ seems that ...** parece que ... **6.** (*passive subject*) **~ is said that ...** dizem que ...
IT [͵aɪ'ti:] *n no pl abbr of* **Information Technology** TI *f*
italics [ɪ'tælɪks] *npl* itálico *m*
Italy ['ɪţəli] *n* Itália *f*
itch [ɪtʃ] **I.** *vi* coçar **II.** *n* coceira *f*
itchy ['ɪtʃi] <-ier, -iest> *adj* **my leg is ~** estou com uma coceira na perna
item ['aɪţəm] *n* **1.** (*thing*) item *m* **2.** (*topic*) assunto *m*
itinerary [aɪ'tɪnəreri] <-ies> *n* itinerário *m*
its [ɪts] **I.** *adj poss* seu, dele, sua, dela; **the cat hurt ~ head** o gato machucou a cabeça **II.** *pron* o seu, o dele, a sua, a dela
it's [ɪts] **1.** = **it + is** *s.* **be 2.** = **it + has** *s.* **have**
itself [ɪt'self] *pron refl* se, si mesmo,

-a, si próprio, -a; *direct, indirect object:* se; *after prep:* si; **the place** ~ o próprio lugar; **in** ~ em si

ivory ['aɪvəri] <-ies> *n no pl* marfim *m*

Ivory Coast *n* Costa *f* do Marfim

ivy ['aɪvi] <-ies> *n* hera *f*

J

J, j [dʒeɪ] *n* j *m*

jab [dʒæb] **I.** *n* **1.** (*with needle*) espetada *f* **2.** (*in boxing*) murro *m* **II.** <-bb-> *vt, vi* espetar

jack [dʒæk] *n* **1.** AUTO macaco *m* **2.** (*in cards*) valete *m* ◈ **jack up** *vt* AUTO levantar com o macaco

jackal ['dʒækəl] *n* chacal *m*

jacket ['dʒækɪt] *n* (*short coat*) jaqueta *f;* (*of suit*) paletó *m*

jackknife I. *n* canivete *m* (grande) **II.** *vi a.* AUTO dobrar-se ao meio

jackpot *n* prêmio *m* acumulado

jail [dʒeɪl] **I.** *n* cadeia *f* **II.** *vt* prender

jam¹ [dʒæm] *n* GASTR geléia *f*

jam² **I.** *n* **1.** *inf* (*awkward situation*) enrascada *f* **2.** AUTO engarrafamento *m* **II.** <-mm-> *vt* **1.** (*cause to become stuck*) travar **2.** RADIO causar interferência em **III.** <-mm-> *vi* (*brakes*) emperrar

Jamaica [dʒə'meɪkə] *n* Jamaica *f*

janitor ['dʒænət̬ər] *n Am, Scot* zelador(a) *m(f)*

January ['dʒænjueri] <-ies> *n* janeiro *m*

Japan [dʒə'pæn] *n* Japão *m*

Japanese [ˌdʒæpə'niːz] *adj, n* japonês, -esa *m, f*

jar [dʒɑːr] *n* pote *m*

jargon ['dʒɑːrgən] *n no pl* jargão *m*

Java ['dʒɑːvə] *n* Java *f*

javelin ['dʒævlɪn] *n* dardo *m*

jaw [dʒɑː] *n* (*lower*) mandíbula *f*

jay [dʒeɪ] *n* gaio *m*

jazz [dʒæz] *n no pl* jazz *m*

jealous ['dʒeləs] *adj* (*possessive*) ciumento, -a

jealousy ['dʒeləsi] <-ies> *n* ciúme *m*

jeans [dʒiːnz] *npl* jeans *m sing ou pl*

jeer [dʒɪr] *vi* vaiar

Jell-O® *n Am* gelatina *f*

jelly ['dʒeli] <-ies> *n Am* geléia *f; Brit* gelatina *f*

jellyfish <-es> *n* água-viva *f*

jeopardise *vt Brit,* **jeopardize** ['dʒepərdaɪz] *vt* pôr em risco

jeopardy ['dʒepərdi] *n no pl* risco *m*

jerk [dʒɜːrk] *n* **1.** (*jolt*) solavanco *m* **2.** *pej, inf* (*person*) simplório, -a *m, f*

jersey ['dʒɜːrzi] *n* suéter *m ou f*

Jesus Christ *n* Jesus *m* Cristo

jet [dʒet] *n* jato *m* **jet lag** *n no pl* jet lag *m*

jetty ['dʒet̬i] *n* píer *m*

Jew [dʒuː] *n* judeu, judia *m, f*

jewel ['dʒuːəl] *n* jóia *f*

jeweler *n Am,* **jeweller** ['dʒuːələr] *n Brit* joalheiro, -a *m, f;* ~**'s** (**shop**) joalheria *f*

jewellery *n Brit,* **jewelry** ['dʒuːəlri] *n Am no pl* jóias *fpl*

Jewish ['dʒu:ɪʃ] *adj* (*person*) judeu, judia; (*community*) judaico, -a
jiffy ['dʒɪfi] *n no pl, inf* **in a** ~ num instante
jigsaw ['dʒɪgsɑ:] *n* **1.** (*tool*) serra *f* de vaivém **2.** (*puzzle*) quebra-cabeça *m*
jihadi [dʒɪ'hɑ:di] *n* jihadista *mf*
jilt [dʒɪlt] *vt* dar o fora em *inf*
jingle ['dʒɪŋgl] **I.** *vi* tinir **II.** *n* **1.** tinido *m* **2.** (*in advertisements*) jingle *m*
jinx [dʒɪŋks] *n no pl* mau-olhado *m*
jittery ['dʒɪṭəri] <-ier, -iest> *adj inf* agitado, -a
job [dʒɑ:b] *n* trabalho *m*
job centre *n Brit* agência *f* de empregos
jobless ['dʒɑ:blɪs] *adj* desempregado, -a
jockey ['dʒɑ:ki] *n* jóquei, joqueta *m, f*
jocular ['dʒɑ:kjələr] *adj form* jocoso, -a
jog [dʒɑ:g] <-gg-> *vi* fazer jogging; **to ~ sb's memory** refrescar a memória de alguém
join [dʒɔɪn] **I.** *vt* **1.** (*connect*) unir **2.** (*army*) alistar-se em; (*club*) associar-se a; (*company*) ingressar em; (*party*) filiar-se a **II.** *vi* (*people*) reunir-se **III.** *n* junção *f*
joiner ['dʒɔɪnər] *n Brit* carpinteiro, -a *m, f*
joint [dʒɔɪnt] **I.** *adj* conjunto, -a **II.** *n* **1.** (*connection*) junção *f* **2.** ANAT articulação *f* **3.** TECH encaixe *m*
joist [dʒɔɪst] *n* viga *f*
joke [dʒoʊk] **I.** *n* **1.** piada *f* **2.** (*trick*) brincadeira *f* **II.** *vi* brincar
joker ['dʒoʊkər] *n* **1.** (*person*) brincalhão, -ona *m, f* **2.** *pej, inf* engraçadinho, -a *m, f* **3.** (*playing card*) curinga *m*
jolly ['dʒɑ:li] <-ier, -iest> *adj* (*happy*) alegre
jolt [dʒoʊlt] **I.** *n* (*sudden jerk*) solavanco *m* **II.** *vt* sacolejar
Jordan ['dʒɔ:rdn] *n* (*country*) Jordânia *f*
jostle ['dʒɑ:sl] *vt* empurrar
jot [dʒɑ:t] *vt* <-tt-> **to ~ sth down** anotar a. c.
journal ['dʒɜ:rnəl] *n* **1.** (*periodical*) revista *f* (acadêmica) **2.** (*diary*) diário *m*
journalism *n no pl* jornalismo *m*
journalist *n* jornalista *mf*
journey ['dʒɜ:rni] *n* viagem *f*
joy [dʒɔɪ] *n* alegria *f*
joyful ['dʒɔɪfəl] *adj* alegre
joystick *n* joystick *m*
Jr *abbr of* **Junior** Jr.
jubilant ['dʒu:bɪlənt] *adj* exultante
judge [dʒʌdʒ] **I.** *n* juiz, juíza *m, f* **II.** *vt, vi* julgar
judg(e)ment ['dʒʌdʒmənt] *n* **1.** LAW julgamento *m* **2.** (*discernment*) discernimento *m*
judicial [dʒu:'dɪʃl] *adj* judicial
judiciary [dʒu:'dɪʃieri] *n no pl, form* Poder *m* Judiciário
judo ['dʒu:doʊ] *n no pl* judô *m*
jug [dʒʌg] *n* jarra *f*
juggernaut ['dʒʌgərnɑ:t] *n Brit* carreta *f*
juggle ['dʒʌgl] *vi a. fig* fazer malabarismo

J

juggler *n* malabarista *mf*

juice [dʒu:s] **I.** *n no pl* (*drink*) suco *m* **II.** *vt* tirar o suco de

juicy ['dʒu:si] <-ier, -iest> *adj* suculento, -a; (*story*) picante

jukebox ['dʒu:kbɑ:ks, *Brit:* -bɒks] *n máquina em bares que toca música quando uma moeda é colocada*

July [dʒu:'laɪ] *n* julho *m*

jumble ['dʒʌmbl] **I.** *n no pl* mixórdia *f* **II.** *vt* **to ~ things (up)** embolar as coisas

jumble sale *n Brit* bazar *m*

jumbo ['dʒʌmboʊ] *adj inf* tamanho *m* gigante

jump [dʒʌmp] **I.** *vt, vi* **1.** (*leap*) pular **2.** (*skip*) saltar **II.** *n* **1.** (*leap*) pulo *m* **2.** (*hurdle*) salto *m*

jumper ['dʒʌmpər] *n Am* (*dress*) jardineira *f; Aus, Brit* (*pullover*) pulôver *m*

jumper cables *npl Am,* **jump lead** *n Brit* pontes *f* de ligação **jump-start** *vt* dar arranques no carro (*ligando-o à bateria de outro*)

jumpy ['dʒʌmpi] <-ier, -iest> *adj inf* nervoso, -a

junction ['dʒʌŋkʃn] *n* (*highway ~*) cruzamento *m* rodoviário

juncture ['dʒʌŋktʃər] *n no pl, form* momento *m* crítico

June [dʒu:n] *n* junho *m*

jungle ['dʒʌŋgl] *n* selva *f*

jungle fever *n Am, sl: relacionamento entre uma pessoa negra e uma branca*

junior ['dʒu:njər] **I.** *adj* **1.** (*younger*) mais jovem **2.** SPORTS juvenil **II.** *n Am* SCH estudante da penúltima série do ensino médio; UNIV estudante do penúltimo ano de curso universitário

junior high (school) *n Am: escola para alunos de sétima, oitava e às vezes nona séries*

junior school *n Brit: escola para alunos de 7 a 11 anos de idade*

junk [dʒʌŋk] *n no pl* **1.** (*rubbish*) refugo *m* **2.** (*unhealthy food*) porcaria *f*

junkie ['dʒʌŋki] *n inf* dependente de drogas *mf*

junk mail *n* propaganda *f* por correspondência (não desejada)

Jupiter ['dʒu:pɪţər] *n* Júpiter *m*

jurisdiction [ˌdʒʊrɪs'dɪkʃn] *n no pl* jurisdição *f*

juror ['dʒʊrər] *n* jurado, -a *m, f*

jury ['dʒʊri] *n* júri *m*

just [dʒʌst] **I.** *adv* **1.** (*very soon*) quase **2.** (*now*) já **3. ~ now** agora mesmo **4.** (*exactly*) exatamente **5.** (*only*) só **6.** (*barely*) quase, quase não **7.** (*very*) realmente **II.** *adj* (*fair*) justo, -a

justice ['dʒʌstɪs] *n* justiça *f*

justification [ˌdʒʌstəfɪ'keɪʃn] *n no pl* justificação *f*

justify ['dʒʌstɪfaɪ] *vt* justificar

jut [dʒʌt] <-tt-> *vi* **to ~ out** projetar-se

juvenile ['dʒu:vənl, *Brit:* -naɪl] *adj form* juvenil

K

K, k [keɪ] *n* k *m*
kangaroo [ˌkæŋgə'ru:] <-(s)> *n* canguru *m*
karat *n* quilate *m*
karate [kə'rɑ:ţi] *n no pl* caratê *m*
Kazakhstan [kɑ:zɑ:k'stæn] *n* Cazaquistão *m*
kebab [kə'bɑ:b] *n* kebab *m*
keel [ki:l] *n* quilha *f*
keen [ki:n] *adj* **1.** entusiasmado, -a; **to be ~ on** gostar muito de; **to be ~ to do sth** ter vontade de fazer a. c. **2.** (*sharp*) afiado, -a
keep [ki:p] **I.** <kept, kept> *vt* **1.** ficar com; **~ the change** fique com o troco **2.** manter; **to ~ sb waiting** deixar alguém esperando **3.** (*secret*) guardar **4. to ~ an appointment** comparecer a um compromisso **5.** (*diary*) manter **II.** <kept, kept> *vi* **1.** (*stay fresh*) conservar(-se) **2. ~ quiet!** fique quieto ◈**keep away** *vi* manter-se afastado ◈**keep in** *vt* (*emotions*) controlar ◈**keep off** *vi* **"~ the grass"** "não pise na grama" ◈**keep on** *vi* continuar ◈**keep out** *vi* não entrar; **~!** proibida a entrada! ◈**keep up** *vt* continuar; **~ the good work!** continue com seu bom trabalho!
keepsake ['ki:pseɪk] *n* lembrança *f*
keepy-uppy [ˌki:pi'ʌpi] *n no pl, inf* (*in soccer*) embaixada *f*
keg [keg] *n* barril *m* pequeno
kennel ['kenl] *n* canil *m*
Kenya ['kenjə] *n* Quênia *m*
kept [kept] *pt, pp of* **keep**
kerb [kɜ:rb] *n Brit, Aus* meio-fio *m*
kerosene ['kerəsi:n] *n no pl, Am, Aus* querosene *m*
ketchup ['ketʃəp] *n no pl* ketchup *m*
kettle ['keţl] *n* chaleira *f*
key [ki:] **I.** *n* **1.** chave *f* **2.** *a.* INFOR tecla *f* **II.** *adj* fundamental
keyboard *n* teclado *m*
keyhole *n* buraco *m* da fechadura
keynote *n* tônica *f*
keypad *n* INFOR teclado *m* numérico
key ring *n* chaveiro *m*
kg *abbr of* **kilogram** kg
khaki ['kæki] *n no pl* cáqui *m*
kick [kɪk] **I.** *n* chute *m* **II.** *vi, vt* chutar ◈**kick off** *vi* (*begin*) começar
kid [kɪd] **I.** *n* (*child*) criança *f*; *Am, Aus* (*young person*) garoto, -a *m, f* **II.** <-dd-> *vi* brincar
kidnap ['kɪdnæp] <-pp-> *vt* seqüestrar
kidnapper ['kɪdnæpər] *n* seqüestrador(a) *m(f)*
kidnapping *n* seqüestro *m*
kidney ['kɪdni] *n* rim *m*
kill [kɪl] *vt* matar
killer ['kɪlər] *n* assassino, -a *m, f*
killjoy ['kɪldʒɔɪ] *n* desmancha-prazeres *mf inv*
kilo ['ki:loʊ] *n* quilo *m*
kilobyte ['kɪloʊbaɪt] *n* quilobite *m*
kilogram *n Am,* **kilogramme** ['kɪloʊgræm] *n Brit* quilograma *m*
kilometer *n Am,* **kilometre** [kɪ'lɑ:məţər] *n Brit, Aus* quilômetro *m*

kilt [kɪlt] *n* kilt *m*

kind[1] [kaɪnd] *adj* amável; **to be ~ to sb** ser amável com alguém; **with ~ regards** cordialmente; **would you be ~ enough to ...?** você me faria o favor de ...?

kind[2] *n* tipo *m;* **what ~ of ...?** que tipo de ...?

kindergarten ['kɪndərgɑːrdn] *n* jardim-de-infância *m*

kind-hearted *adj* de bom coração

kindly ['kaɪndli] *adv* **~ put that book away!** por favor, guarde esse livro!

kindness ['kaɪndnɪs] <-es> *n no pl* amabilidade *f*

king [kɪŋ] *n* rei *m*

kingdom ['kɪŋdəm] *n* reino *m*

kingfisher ['kɪŋˌfɪʃər] *n* martim-pescador *m*

king-size *adj* gigante *mpl*

kiosk ['kiːɑːsk] *n* quiosque *m*

kipper ['kɪpər] *n* arenque *m* defumado

kiss [kɪs] **I.** <-es> *n* beijo *m;* **~ of life** respiração *f* boca-a-boca **II.** *vt* beijar

kit [kɪt] *n* **1.** (*set*) conjunto *m;* **tool ~** caixa *f* de ferramentas **2.** (*to assemble*) kit *m*

kitchen ['kɪtʃɪn] *n* cozinha *f*

kite [kaɪt] *n* pipa *f*

kitten ['kɪtn] *n* gatinho, -a *m, f*

kitty ['kɪt̬i] <-ies> *n* (*for money*) caixinha *f*

km *abbr of* **kilometer** km

km/h *abbr of* **kilometers per hour** km/h

knack [næk] *n no pl* jeito *m*

knapsack ['næpsæk] *n* mochila *f*

knee [niː] *n* joelho *m*

kneecap ['niːˌkæp] *n* rótula *f*

kneel [niːl] <knelt *Am:* kneeled, knelt *Am:* kneeled> *vi* **to ~ down** ajoelhar-se

knew [nuː, *Brit:* njuː] *pt of* **know**

knickers ['nɪkərz] *npl Brit* calcinha *f*

knife [naɪf] <knives> *n* faca *f*

knight [naɪt] *n* **1.** HIST cavaleiro *m* **2.** (*in chess*) cavalo *m*

Cultura Na Grã-Bretanha, aqueles que se destacam por seus méritos em favor do país são agraciados com a honra de passar a fazer parte da **knighthood** (nobreza) e recebem o título de **Sir** na frente do nome, por exemplo, **Sir John Smith** . A mulher de um **Sir** recebe o tratamento de **Lady** , por exemplo, **Lady Smith** (e é assim que devem se dirigir a ela), e ao se referir a ambos, **Sir John and Lady Smith** . A partir de 1917, mulheres também podem ser agraciadas pelos seus méritos. Nesse caso, recebem o título de **Dame** , por exemplo, **Dame Mary Smith** .

knit [nɪt] *vt, vi* tricotar

knitting *n no pl* tricô *m*

knitwear ['nɪtwer] *n no pl* roupas *fpl* de tricô

knives *pl of* **knife**

knob [nɑːb] *n* (*of door*) maçaneta *f*

knock [nɑːk] **I.** *n* **1.** (*blow*) pancada *f* **2.** (*sound*) batida *f* **II.** *vi, vt* bater; **to ~ at the door** bater na porta

◈ **knock down** *vt* **1.** atropelar; **she was knocked down by a bus** ela foi atropelada por um ônibus **2.** (*reduce*) baixar ◈ **knock out** *vt* **1.** (*render unconscious*) pôr a nocaute **2.** (*eliminate*) eliminar ◈ **knock over** *vt* (*drink*) derrubar

knockdown *adj* ~ **price** preço *m* muito baixo

knocker ['nɑ:kər] *n* (*on door*) batente *m*

knockout *n* nocaute *m*

knot [nɑ:t] *n* nó *m;* **to tie a** ~ atar um nó

know [noʊ] <knew, known> **I.** *vi, vt* saber; **to** ~ **how to do sth** saber fazer a. c.; **as far as I** ~ pelo que sei; **do you** ~ **...?** você sabia ...? **II.** *vt* conhecer; **to get to** ~ **sb** conhecer alguém

know-it-all *n Am, inf* sabe-tudo *mf*

knowledge ['nɑ:lɪdʒ] *n no pl* conhecimento *m,* saber *m;* **to be common** ~ ser de domínio público; **to my** ~ que eu saiba

knowledgeable ['nɑ:lɪdʒəbl] *adj* conhecedor(a)

known [noʊn] *vt, vi pp of* **know**

knuckle ['nʌkl] *n* nó *m* dos dedos

KO [ˌkeɪ'oʊ] *abbr of* **knockout** nocaute *m*

Koran [kə'ræn] *n no pl* **the** ~ o Alcorão

Korea [kə'riə] *n* Coréia *f;* **North/South** ~ Coréia do Norte/Sul

kosher ['koʊʃər] *adj* kosher

Kurdistan [ˌkɜ:rdɪ'stæn] *n* Curdistão *m*

Kuwait [kʊ'weɪt] *n* Kuwait *m*

kw *abbr of* **kilowatt** kW

Kwanzaa ['kwænzə] *n no pl, Am: feriado não religioso, afro-americano, celebrado de 26 de dezembro até 1 de janeiro*

L

L, l [el] *n* l *m*

l *abbr of* **liter** l

L *abbr of* **large** G

LA [ˌel'eɪ] *n abbr of* **Los Angeles** LA

lab [læb] *n abbr of* **laboratory** laboratório *m*

label ['leɪbl] **I.** *n* (*on bottle*) rótulo *m;* (*on clothing*) etiqueta *f;* **designer** ~ grife *f;* **record** ~ selo *m* de gravadora **II.** <*Brit:* -ll, *Am:* -l> *vt* (*bottle*) rotular

labor ['leɪbər] *n Am, Aus* trabalho *m*

laboratory ['læbrəˌtɔ:ri, *Brit:* lə'bɒrətri] <-ies> *n* laboratório *m*

Labor Day *n no pl, Am* Dia *m* do Trabalho (*a primeira segunda-feira de setembro*) **labor dispute** *n* disputa *f* trabalhista

laborer ['leɪbərər] *n Am, Aus* trabalhador *m*

labor force *n* força *f* de trabalho **labor relations** *npl* relações *fpl* trabalhistas. **labor union** *n Am* sindicato *m* (trabalhista)

labour *n, vt, vi Brit s.* **labor**

labourer *n Brit s.* **laborer**

Labour Exchange *n Brit* agência *f* nacional de empregos **Labour Party**

n no pl, Brit, Aus **the** ~ o Partido *m* Trabalhista

labyrinth ['læbərɪnθ] <-es> *n* labirinto *m*

lace [leɪs] *n no pl* renda *f;* **shoe** ~ cadarço *m* (de sapato)

laceration [ˌlæsə'reɪʃn] *n* laceração *f*

lack [læk] *n no pl* falta *f*

lacquer ['lækər] *n* laca *m*

lad [læd] *n esp Brit, inf* garoto *m*

ladder ['lædər] *n* escada *f* (de mão)

ladies room *n Am* **the** ~ toalete *m* feminino

ladle ['leɪdl] *n* concha *f*

lady ['leɪdi] <-ies> *n* senhora *f,* dama *f*

ladybird *n Brit, Aus,* **ladybug** *n Am* joaninha *f* **ladylike** *adj* elegante

lag [læg] *n* defasagem *f*

lager ['lɑ:gər] *n no pl cerveja de cor clara*

lagoon [lə'gu:n] *n* laguna *f*

laid [leɪd] *pt, pp of* **lay**[1]

laid-back *adj inf* despreocupado, -a

lain [leɪn] *pp of* **lie**[2]

lake [leɪk] *n* lago *m*

lamb [læm] *n* cordeiro *m*

lamb chop *n* costeleta *f* de cordeiro

lame [leɪm] *adj* manco, -a

lament [lə'ment] *vi* **to** ~ (**over sth**) lamentar-se (de a. c.)

laminated ['læmɪneɪţɪd] *adj* (*document*) plastificado, -a

lamp [læmp] *n* luminária *f*

lamppost *n* poste *m* de luz **lampshade** *n* cúpula *f* de abajur

LAN [læn] *n abbr of* **local area network** LAN *f*

lance [læns] *n* lança *f*

land [lænd] **I.** *n no pl* terra *f* **II.** *vi, vt* pousar

landfill site *n* aterro *m* sanitário

landing *n* AVIAT pouso *m*

landing gear *n* trem *m* de pouso

landing strip *n* pista *f* de pouso

landlady <-ies> *n* proprietária *f* **landlord** *n* proprietário *m* **landmark** *n* marco *m* **landowner** *n* proprietário, -a *m, f* (de terras)

landscape ['lændskeɪp] *n no pl* paisagem *f*

landscape architect *n,* **landscape gardener** *n* paisagista *mf*

landslide *n* deslizamento *m* de terra

lane [leɪn] *n* (*on highway*) pista *f;* (*of traffic*) faixa *f*

language ['læŋgwɪdʒ] *n no pl* **1.** (*of country*) língua *f;* **native** ~ língua materna **2.** (*as system of communication*) linguagem *f;* **bad** ~ palavrões *mpl*

lantern ['læntərn] *n* lanterna *f*

Laos [laʊs] *n* Laos *m*

lap[1] [læp] *n* ANAT colo *m*

lap[2] *n* (*in race*) volta *f*

lapel [lə'pel] *n* lapela *f*

lapse [læps] *n no pl* lapso *m*

laptop (**computer**) *n* laptop *m*

lard [lɑ:rd] *n no pl* banha *f* (de porco)

large [lɑ:rdʒ] *adj* grande; **by and** ~ de modo geral

largely *adv* em grande parte

large-scale *adj* em larga escala

lark [lɑ:rk] *n* cotovia *f*

larva ['lɑ:rvə] <-vae> *n* larva *f*

laryngitis [ˌlerɪn'dʒaɪţɪs] *n no pl* laringite *f*

larynx ['lerɪŋks] <-ynxes *o* -ynges> *n* laringe *f*
laser ['leɪzər] *n* laser *m*
laser beam *n* raio *m* laser **laser printer** *n* impressora *f* a laser
lash[1] [læʃ] <-shes> *n* ANAT cílio *m*
lash[2] <-shes> *n* (*with whip*) chicotada *f*
lass [læs] <-sses> *n*, **lassie** ['læsi] *n* *Scot, inf* garota *f*
lasso ['læsoʊ, *Brit:* læ'su:] <-os *o* -oes> *n* laço *m*
last[1] [læst] *n* último *m*
last[2] **I.** *adj* (*opportunity*) último, -a; ~ **night** a noite passada **II.** *adv* por último
last[3] *vi* durar
lasting *adj* duradouro, -a
lastly *adv* por fim
last-minute *adj* de última hora
latch [lætʃ] <-es> *n* tranca *f*
late [leɪt] **I.** *adj* atrasado, -a **II.** *adv* tarde; ~ **at night** tarde da noite
lately *adv* ultimamente
latent ['leɪtnt] *adj* latente
later ['leɪṭər] *adv comp of* **late** depois
latest ['leɪṭɪst] *adj superl of* **late** último, -a; **at the** ~ no mais tardar
lathe [leɪð] *n* torno *m* mecânico
lather ['læðər] *vt* ensaboar
Latin ['lætən, *Brit:* -ɪn] *adj* latino, -a
Latin America *n* América *f* Latina
Latin American *adj* latino-americano, -a
Latino [lə'ti:noʊ] *n* pessoa *f* de origem latino-americana
latitude ['læṭətu:d, *Brit:* -tɪtju:d] *n* latitude *f*
latter ['læṭər] *adj* **the** ~ o segundo, o último
Latvia ['lætviə] *n* Letônia *f*
Latvian *adj, n* letão, -tã
laugh [læf] *vi* rir
laughter ['læftər] *n no pl* risada *f*
launch [lɑ:ntʃ] *vt* lançar
launderette [lɔ:n'dret] *n Brit,* **laundromat** ['lɔ:ndroʊmæt] *n Am* lavanderia *f* (automática)
laundry ['lɑ:ndri] *n no pl* roupa *f* para lavar
laundry detergent *n* sabão *m* em pó
laurel ['lɔ:rəl] *n* louro *m*
lava ['lɑ:və] *n* lava *f*
lavatory ['lævətɔ:ri] <-ies> *n* sanitário *m*
lavender ['lævəndər] *n no pl* lavanda *f*
lavish ['lævɪʃ] *adj* (*production*) rico, -a; (*meal*) farto, -a
law [lɑ:] *n* lei *f* **law court** *n* tribunal *m* de justiça
lawful *adj form* legal
lawless ['lɑ:lɪs] *adj* (*country*) anárquico, -a
lawn [lɑ:n] *n* gramado *m*
lawnmower *n* cortador *m* de grama
law school *n Am* faculdade *f* de direito **lawsuit** *n* ação *f* judicial
lawyer ['lɑ:jər] *n* advogado, -a *m, f*
lax [læks] *adj* frouxo, -a
laxative ['læksəṭɪv] *n* laxante *m*
lay[1] [leɪ] *adj* (*not professional*) leigo, -a
lay[2] [leɪ] *pt of* **lie**[2]
lay[3] [leɪ] <laid, laid> *vt* (*place*) pôr; (*egg*) botar ◆ **lay off** *vt* demitir
lay-by *n Brit* acostamento *m* (de estrada)

L

layer ['leɪər] *n* camada *f*
layman <-men> *n* leigo *m*
layout ['leɪaʊt] *n* diagramação *f*
layover ['leɪoʊvər] *n Am* AVIAT escala *f*
laywoman <-women> *n* leiga *f*
laziness ['leɪzɪnɪs] *n no pl* preguiça *f*
lazy ['leɪzi] <-ier, -iest> *adj* preguiçoso, -a
lb *abbr of* **pound** libra *f* (*=0,45 kg*)
LCD [ˌelsiː'diː] *n abbr of* **liquid crystal display** LCD *m*
lead[1] [liːd] **I.** *n no pl* liderança *f* **II.** <led, led> *vt* comandar; SPORTS liderar **III.** <led, led> *vi* **to ~ to sth** levar a a. c. ◈ **lead on** *vt* iludir
lead[2] [led] *n no pl* chumbo *m*
leaded ['ledəd] *adj* **~ fuel** combustível com chumbo
leader ['liːdər] *n* líder *mf*
leadership ['liːdərʃɪp] *n no pl* liderança *f*
lead-free ['ledfriː] *adj* sem chumbo
leaf [liːf] <leaves> *n* folha *f*
leaflet ['liːflɪt] *n* folheto *m*
league [liːg] *n* liga *f*
leak [liːk] *vt, vi* (*gas, information*) vazar
lean [liːn] <leant *Am:* leaned, leant *Am:* leaned> *vi* inclinar-se ◈ **lean back** *vi* recostar-se
leant [lent] *pt, pp of* **lean**
leap [liːp] <leapt *Am:* leaped, leapt *Am:* leaped> *vi* saltar
leapfrog *n no pl* brincadeira *f* de pular sela
leapt [lept] *vt, vi pt, pp of* **leap**
leap year *n* ano *m* bissexto
learn [lɜːrn] **I.** <learnt *Am:* learned, learnt *Am:* learned> *vt* aprender; **to ~ sth by heart** decorar a. c. **II.** <learnt *Am:* learned, learnt *Am:* learned> *vi* **to ~ about sth/sb** ficar sabendo de a. c./alguém
learned ['lɜːrnɪd] *adj* erudito, -a
learner ['lɜːrnər] *n* aluno, -a *m, f*
learning *n no pl* aprendizagem *f*
learnt [lɜːrnt] *pt, pp of* **learn**
lease [liːs] *vt* alugar
leash [liːʃ] *n Am* coleira *f* (de animal)
least [liːst] **I.** *adj* mínimo, -a **II.** *adv* menos **III.** *n* o mínimo, a mínima *m, f;* **at (the) ~** ao [*ou* pelo] menos
leather ['leðər] *n no pl* couro *m*
leave [liːv] <left, left> **I.** *vt* **1.** (*school*) abandonar; **to ~ home** sair de casa **2.** (*not take away with*) deixar **II.** <left, left> *vi* ir embora; (*bus*) sair, partir
leaves [liːvz] *n pl of* **leaf**
Lebanese [ˌlebə'niːz] *adj, n* libanês, -esa
Lebanon ['lebənɑːn] *n* Líbano *m*
lecture ['lektʃər] **I.** *n* palestra *f* **II.** *vi* dar uma palestra
lecturer ['lektʃərər] *n* palestrante *mf*
led [led] *pt, pp of* **lead**[1]
LED [ˌeliː'diː] *n abbr of* **light-emitting diode** LED *m*
ledge [ledʒ] *n* saliência *f*
leech [liːtʃ] <-es> *n* sanguessuga *f*
leek [liːk] *n* alho-poró *m*
leeway ['liːweɪ] *n no pl* liberdade *f* de ação
left[1] [left] *pt, pp of* **leave**
left[2] [left] **I.** *adj* (*not right*) esquerdo,

-a II. *adv* à esquerda
left-hand *adj* esquerdo, -a **left-handed** *adj* canhoto, -a
left-luggage office *n Brit* guarda-volumes *m inv*
leftovers ['leftˌoʊvərz] *npl* sobras *fpl*
left-wing *adj* de esquerda
leg [leg] *n* perna *f;* (*of animal*) pata *f*
legal ['liːgl] *adj* jurídico, -a
legalize ['liːgəlaɪz] *vt* legalizar
legally *adv* legalmente
legend ['ledʒənd] *n* lenda *f;* (*of map*) legenda *f*
legible ['ledʒəbl] *adj* legível
legion ['liːdʒən] *n* legião *f*
legislation [ˌledʒɪs'leɪʃn] *n no pl* legislação *f*
legislature ['ledʒɪsleɪtʃər] *n* legislatura *f*
legitimacy [lə'dʒɪţəməsi] *n no pl* legitimidade *f*
legitimate [lə'dʒɪţəmət] *adj* egítimo, -a
legitimize [lə'dʒɪţəmaɪz] *vt* legitimar
legroom *n no pl* espaço *m* para a perna
leisure ['liːʒər, *Brit:* 'leʒə^r] *n no pl* lazer *m* **leisure centre** *n Brit* centro *m* esportivo
leisurely *adj* sossegado, -a
lemon ['lemən] *n* limão-galego *m*
lemonade [ˌlemə'neɪd] *n* limonada *f*
lend [lend] <lent, lent> *vt* emprestar
length [leŋθ] *n no pl* comprimento *m*
lengthen ['leŋθən] *vt, vi* alongar(-se)
lengthy ['leŋθi] <-ier, -iest> *adj* longo, -a
lenient ['liːniənt] *adj* brando, -a
lens [lenz] <-ses> *n* lente *f*
lent [lent] *pt, pp of* **lend**
Lent [lent] *n no pl* Quaresma *f*
lentil ['lentl] *n* lentilha *f*
Leo ['liːoʊ] *n* Leão *m*
leopard ['lepərd] *n* leopardo *m*
leotard ['liːətɑːrd] *n* collant *m* (de ginástica)
lesbian ['lezbiən] *n* lésbica *f*
lesion ['liːʒn] *n* lesão *f*
Lesotho [lə'soʊtoʊ] *n* Lesoto *m*
less [les] *comp of* **little** I. *adj* menos II. *adv* menos
lessen ['lesn] *vt, vi* diminuir
lesser ['lesər] *adj comp of* **less** menor
lesson ['lesn] *n* aula *f; fig* lição *f*
let [let] <let, let> *vt* deixar; ~**'s go!** vamos!; **to ~ oneself go** soltar-se ◈ **let down** *vt* decepcionar ◈ **let out** *vt* (*prison*) soltar ◈ **let up** *vi* (*rain*) diminuir
lethal ['liːθl] *adj* letal
lethargic [lɪ'θɑːrdʒɪk] *adj* letárgico, -a
letter ['leţər] *n* (*message*) carta *f;* (*of alphabet*) letra *f*
letter bomb *n* carta-bomba *f*
lettering *n no pl* inscrição *f*
lettuce ['leţɪs] *n* alface *f*
leukaemia *n Brit,* **leukemia** [luː'kiːmiə] *n Am* leucemia *f*
level ['levəl] I. *adj* plano, -a II. *n* nível *m* III. <*Brit:* -ll-, *Am:* -l-> *vt* (*flatten*) nivelar
level crossing *n Brit, Aus* passagem *m* de nível **level-headed** *adj* equilibrado, -a
lever ['levər, *Brit:* 'liːvə^r] *n* alavanca *f*
leverage ['levərɪdʒ, *Brit:* 'liːv-] *n no pl*

alavancagem *f*

lewd [lu:d, *Brit:* lju:d] *adj* (*gesture*) obsceno, -a

lexicography [ˌleksɪ'kɑ:grəfi] *n no pl* lexicografia *f*

liability [ˌlaɪə'bɪləţi] *n no pl* responsabilidade *f* legal

liable ['laɪəbl] *adj* LAW ser responsável legalmente

liaison ['li:əzɑ:n] *n no pl* (*coordination*) coordenação *f*

liar ['laɪər] *n* mentiroso, -a *m, f*

libel ['laɪbl] *n* difamação *f*

liberal ['lɪbərəl] *adj* liberal

liberate ['lɪbəreɪt] *vt* libertar

Liberia [laɪ'bɪriə] *n* Libéria *f*

liberty ['lɪbərţi] *n no pl, form* liberdade *f*

Libra ['li:brə] *n* Libra *f*

librarian [laɪ'breriən] *n* bibliotecário, -a *m, f*

library ['laɪbreri] *n* <-ies> biblioteca *f*

Libya ['lɪbiə] *n* Líbia *f*

Libyan *adj, n* líbio, -a *m, f*

lice [laɪs] *npl s.* **louse**

licence *n esp Brit,* **license** ['laɪsənts] *n Am* autorização *f;* **driver's ~** *Am,* **driving ~** *esp Brit* carteira *f* de habilitação **license plate** *n* placa *f* (de automóvel)

lick [lɪk] *vt* lamber

licorice ['lɪkərɪʃ] *n no pl, Am* alcaçuz *m*

lid [lɪd] *n* tampa *f*

lie¹ [laɪ] **I.** <-y-> *vi* (*tell lie*) mentir **II.** *n* mentira *f*

lie² [laɪ] <lay, lain> *vi* (*horizontally*) estar deitado ◈ **lie back** *vi* recostar-se ◈ **lie down** *vi* deitar-se

lie detector *n* detector *m* de mentiras

lieu [lu:] *n no pl, form* **in ~ of** em vez de

lieutenant [lu:'tenənt, *Brit:* lef'-] *n* tenente *mf*

life [laɪf] <lives> *n* vida *f;* **to get a ~** *fig* tomar jeito na vida

lifeboat *n* bote *m* salva-vidas **life expectancy** <-ies> *n* expectativa *f* de vida **lifeguard** *n* salva-vidas *mf inv* **life insurance** *n no pl* seguro *m* de vida **life jacket** *n* colete *m* salva-vidas

lifeless *adj* morto, -a

lifelike *adj* natural

lifeline *n fig* tábua *f* de salvação

lifelong *adj* perpétuo, -a

life preserver *n Am* salva-vidas *m inv* **life sentence** *n* prisão *f* perpétua

life-size(d) *adj* de tamanho natural

lifespan *n* ciclo *m* de vida **lifestyle** *n* estilo *m* de vida **lifetime** *n no pl* vida *f*

lift [lɪft] **I.** *n* **to give sb a ~** dar uma carona a alguém **II.** *vt* erguer **III.** *vi* erguer-se

lift-off *n* lançamento *m*

ligament ['lɪgəmənt] *n* ligamento *m*

light [laɪt] **I.** *n no pl* luz *f;* **do you have a ~?** você tem fogo? **II.** *adj* (*not heavy*) leve; (*color*) claro, -a **III.** *vt* <lit *Am:* lighted, lit *Am:* lighted> iluminar; (*start burning*) acender

light bulb *n* lâmpada *f*

lighten ['laɪtən] **I.** *vi* brilhar, iluminar-se **II.** *vt* (*make less heavy*) aliviar

lighter ['laɪţər] *n* isqueiro *m*
light-headed *adj* zonzo, -a **lighthouse** *n* farol *m*
lighting *n* iluminação *f*
lightly *adv* de leve
lightness *n no pl* leveza *f*
lightning ['laɪtnɪŋ] *n no pl* relâmpago *m*
lightning conductor *n Brit,* **lightning rod** *n Am* pára-raios *m inv*
light pen *n* caneta *f* luminosa
lightweight *adj* (*material*) leve
light year *n* ano-luz *m*
likable ['laɪkəbl] *adj Am, Aus* simpático, -a
like[1] [laɪk] *vt* gostar de; **would you ~ a cup of tea?** gostaria de uma xícara de chá?
like[2] [laɪk] I. *adj* semelhante II. *prep* como; **what was it ~?** como foi?
likeable *adj s.* **likable**
likelihood ['laɪklihʊd] *n no pl* probabilidade *f*
likely ['laɪkli] <-ier, -iest> *adj* provável; **not ~!** *inf* dificilmente!
likeness ['laɪknɪs] <-es> *n* semelhança *f*
likewise ['laɪkwaɪz] *adv* igualmente
liking ['laɪkɪŋ] *n no pl* **to be to sb's ~** ser do agrado de alguém
lilac ['laɪlək] *adj* lilás
lily ['lɪli] <-ies> *n* lírio *m*
limb [lɪm] *n* membro *m*
limbo ['lɪmboʊ] *n no pl* limbo *m*
lime [laɪm] *n* (*fruit*) limão *m*
limelight *n no pl* **to be in the ~** estar no centro das atenções
limestone ['laɪmstoʊn] *n no pl* calcário *m*
limit ['lɪmɪt] *n* limite *m*
limitation [ˌlɪmɪ'teɪʃn] *n no pl* limitação *f*
limousine ['lɪməzi:n] *n* limusine *f*
limp[1] [lɪmp] *vi* mancar
limp[2] [lɪmp] *adj* mole
line [laɪn] *n* TEL linha *f; Am* (*for waiting*) fila *f* ◆ **line up** *vt* alinhar
linen ['lɪnɪn] *n no pl* roupa *f* de cama e mesa
linesman ['laɪnzmən] <-men> *n* juiz, juíza *m, f* de linha
lineup ['laɪnʌp] *n* SPORTS escalação *f*
linger ['lɪŋgər] *vi* demorar(-se)
lingerie [ˌlɑ:nʒə'reɪ, *Brit:* 'lænʒəri:] *n no pl* lingerie *f*
lingo ['lɪŋgoʊ] <-goes> *n inf* jargão *m*
lining ['laɪnɪŋ] *n* (*of coat*) forro *m*
link [lɪŋk] I. *n* (*connection*) conexão *f* II. *vt* **to ~ sth** (**up**) conectar a. c.
linoleum [lɪ'nioʊliəm] *n no pl* linóleo *m*
lion ['laɪən] *n* leão *m*
lioness [laɪə'nes] <-sses> *n* leoa *f*
lip [lɪp] *n* lábio *m*
lipo ['lɪpoʊ] I. *n abbr of* **liposuction** lipoaspiração *f* II. *vi* **to get ~ed** fazer uma lipoaspiração
liposuction *n* lipoaspiração *f*
lip salve *n no pl* protetor *m* labial **lipstick** *n* batom *m*
liqueur [lɪ'kɜ:r, *Brit:* -'kjʊəʳ] *n* licor *m*
liquid ['lɪkwɪd] *adj* líquido, -a
liquidation [ˌlɪkwɪ'deɪʃn] *n* liquidação *f*

liquid bandage *n* bandagem *f* líquida
liquor ['lɪkər] *n no pl* bebida *f* alcoólica
liquorice ['lɪkərɪs] *n no pl* alcaçuz *m*
Lisbon ['lɪzbən] *n* Lisboa *f*
lisp [lɪsp] *vi* cecear
list [lɪst] *vt* relacionar
listen ['lɪsən] *vi* escutar
listener ['lɪsnər] *n* ouvinte *mf*
listing ['lɪstɪŋ] *n* lista *f*
listless ['lɪstlɪs] *adj* apático, -a
lit [lɪt] *pt, pp of* **light**
liter ['liːt̬ər] *n Am* litro *m*
literacy ['lɪt̬ərəsi] *n no pl* alfabetização *f*
literal ['lɪt̬ərəl] *adj* literal
literary ['lɪt̬əreri] *adj* literário, -a
literate ['lɪt̬ərət] *adj* alfabetizado, -a
literature ['lɪt̬ərətʃər] *n no pl* literatura *f*
Lithuania [ˌlɪθʊ'eɪniə, *Brit:* -jʊ-] *n* Lituânia *f*
litmus paper ['lɪtməs-] *no pl n* papel *m* de tornassol
litre ['liːt̬ər] *n Brit* litro *m*
litter ['lɪt̬ər] **I.** *n no pl* lixo *m* **II.** *vi* **don't** ~ não jogue lixo
little ['lɪt̬l] **I.** *adj* (*in size*) pequeno, -a; (*amount*) pouco, -a **II.** *adv* pouco **III.** *pron* pouco
liturgy ['lɪt̬ərdʒi] <-ies> *n* liturgia *f*
live¹ [laɪv] *adj* vivo, -a; TV ao vivo
live² [lɪv] *vt, vi* viver; **to** ~ **a happy life** levar uma vida feliz ◈ **live on** *vi* (*tradition*) continuar ◈ **live up I.** *vt* **to live it up** curtir a vida **II.** *vi* **to** ~ **to expectations** corresponder às expectativas
livelihood ['laɪvlihʊd] *n* subsistência *f*
lively ['laɪvli] *adj* animado, -a
liver ['lɪvər] *n* fígado *m*
livestock ['laɪvstɑːk] *n no pl* gado *m*
livid ['lɪvɪd] *adj* (*furious*) furioso, -a
living ['lɪvɪŋ] *adj* vivo, -a
living conditions *npl* condições *fpl* de vida **living room** *n* sala *f* de estar
lizard ['lɪzərd] *n* lagarto *m*
llama ['lɑːmə] *n* lhama *f*
load [loʊd] *vt* carregar
loaded *adj* (*gun*) carregado, -a
loaf¹ [loʊf] <loaves> *n* pão *m*
loaf² *vi* vagabundear
loan [loʊn] *n* empréstimo *m*
loaves [loʊvz] *n pl of* **loaf¹**
lobby ['lɑːbi] **I.** <-ies> *n* ARCHIT saguão *m* **II.** <-ie-> *vi* fazer lobby
lobbyist ['lɑːbiɪst] *n* lobista *mf*
lobe [loʊb] *n* lobo *m*
lobster ['lɑːbstər] *n* lagosta *f*
local ['loʊkəl] **I.** *adj* local **II.** *n* morador(a) *m(f)*
local authority *n* órgão *m* municipal **local call** *n* chamada *f* local
locality [loʊ'kæləṭi] <-ies> *n* localidade *f*
locate [loʊ'keɪt] *vt* localizar
location [loʊ'keɪʃn] *n* localização *f*
lock¹ [lɑːk] *n* (*of hair*) cacho *m*
lock² [lɑːk] **I.** *n* (*in door*) fechadura *f*; cadeado *m* **II.** *vi, vt* trancar ◈ **lock up** *vt* trancafiar
locker ['lɑːkər] *n* (*at train station*) guarda-volumes *m;* (*at school*) armário *m*
locket ['lɑːkɪt] *n* medalhão *m*
locksmith ['lɑːksmɪθ] *n* serralheiro, -a *m, f*

locust ['loʊkəst] *n* gafanhoto *m*
lodge [lɑ:dʒ] *n* chalé *m*
lodging *n no pl* acomodação *f*
loft [lɑ:ft] *n* (*attic*) sótão *m*
lofty ['lɑ:fti] <-ier, -iest> *adj* altivo, -a
log[1] [lɑ:g] *n* (*of wood*) tora *f*
log[2] I. *n* **ship's** ~ diário *m* de bordo II. *vt* registrar ◆ **log in** *vi* efetuar o login ◆ **log off** *vi* efetuar o logoff ◆ **log on** *vi s.* **log in** ◆ **log out** *vi s.* **log off**
logger ['lɑ:gər] *n* lenhador(a) *m(f)*
logic ['lɑ:dʒɪk] *n no pl* lógica *f*
logical ['lɑ:dʒɪkl] *adj* lógico, -a
logo ['loʊgoʊ] *n* logotipo *m*
loin [lɔɪn] *n pl* GASTR lombo *m*
lollipop ['lɑ:lipɑ:p] *n* pirulito *m*
London ['lʌndən] *n* Londres *f*
Londoner *adj* londrino, -a
lone [loʊn] *adj* solitário, -a
loneliness ['loʊnlɪnɪs] *n no pl* solidão *f*
lonely ['loʊnli] <-ier, -iest> *adj* (*life*) solitário, -a; (*person*) sozinho, -a; (*place*) isolado, -a
loner ['loʊnər] *n* solitário, -a *m, f*
long[1] [lɑ:ŋ] I. *adj* (*distance, shape, time*) longo, -a; (*hair*) comprido, -a II. *adv* muito tempo; **as** ~ **as** contanto que +*subj*
long[2] *vi* **to** ~ **for sth** ansiar por a. c.
long. *abbr of* **longitude** long.
long-distance *adj* (*call*) de longa distância
longing *n* saudade *f*
longitude ['lɑ:ndʒətu:d, *Brit:* 'lɒndʒɪtju:d] *n* longitude *f*
long jump *n no pl* salto *m* em distância
long-lost *adj* sumido, -a **long-range** *adj* de longo alcance **long-sighted** *adj* hipermetrope **long-standing** *adj* duradouro, -a **long-term** *adj* de longo prazo **long-winded** *adj* prolixo, -a
loo [lu:] *n Aus, Brit, inf* quartinho *m*
look [lʊk] I. *n* **1.** olhar *m;* **to take** [*o* **have**] **a** ~ **at sth** dar uma olhada em a. c. **2.** (*appearance*) aparência *f* II. *vi* (*with eyes*) olhar; (*search*) procurar; (*seem*) parecer ◆ **look after** *vt* cuidar ◆ **look forward** *vi* **to** ~ **to sth** esperar ansiosamente por a. c. ◆ **look into** *vt* investigar ◆ **look out** *vi* ter cuidado ◆ **look over** *vt* dar uma olhada ◆ **look up** *vt* (*in dictionary*) procurar
lookout *n* posto *m* de observação
loom[1] [lu:m] *n* tear *m*
loom[2] *vi* pairar
loony ['lu:ni] <-ier, -iest> *adj inf* maluco, -a
loop [lu:p] *n* curva *f*
loophole ['lu:phoʊl] *n fig* brecha *f*
loose [lu:s] I. *adj* (*clothing*) folgado, -a; (*knot*) frouxo, -a II. *n* **to be on the** ~ estar à solta
loosen ['lu:sn] I. *vt* (*belt*) afrouxar II. *vi* **to** ~ **up** relaxar
loot [lu:t] *vt, vi* saquear
looting *n no pl* saque *m*
lopsided [ˌlɑ:p'saɪdɪd] *adj* torto, -a
lord [lɔ:rd] *n* nobre *m*
lorry ['lɔ:ri] <-ies> *n Brit* caminhão *m*
lose [lu:z] <lost, lost> I. *vt* perder II. *vi* perder; **to get lost** (*person*)

perder-se

loser ['lu:zər] *n* fracassado, -a *m, f*

loss [lɑ:s] <-es> *n* perda *f;* **to be at a** ~ ficar sem saber (o que fazer)

lost [lɑ:st] **I.** *pt, pp of* **lose II.** *adj* perdido, -a

lost and found *n* **the** ~ achados e perdidos *pl*

lot [lɑ:t] *n* **1. a** ~ **of**, ~**s of** muito(s), -a *m, f* **2.** (*of land*) lote *m*

lotion ['loʊʃn] *n no pl* loção *f*

lottery ['lɑ:ţəri] <-ies> *n* loteria *f*

loud [laʊd] **I.** *adj* (*voice*) alto, -a; (*color*) berrante **II.** *adv* **out** ~ em voz alta

loudspeaker *n* alto-falante *m*

lounge [laʊndʒ] *n* saguão *m*

lounge bar *n Brit* bar *m*

louse [laʊs] *n* <lice> piolho *m*

lousy ['laʊzi] <-ier, -iest> *adj inf* desprezível

lovable ['lʌvəbl] *adj* adorável

love [lʌv] **I.** *vt* amar, adorar **II.** *n no pl* amor *m;* **to be in** ~ (**with sb**) estar apaixonado (por alguém)

love affair *n* caso *m* amoroso **love life** *n inf* vida *f* amorosa

lovely <-ier, -iest> *adj* (*house*) lindo, -a; (*person*) encantador, -a

lover ['lʌvər] *n* amante *mf*

loving *adj* carinhoso, -a

low [loʊ] **I.** *adj* baixo, -a; (*visibility*) pouco, -a; (*quality*) mau, má **II.** *adv* baixo

low-alcohol *adj* de baixo teor alcóolico **low-calorie** *adj* de baixa caloria **low-cost** *adj* barato, -a **low-cut** *adj* decotado, -a

lower ['loʊər] *vt* baixar

low-fat *adj* com baixo teor de gordura

lowland *npl* baixada *f*

lowly <-ier, -iest> *adj* humilde

low-tech *adj* de baixa tecnologia

low tide *n* maré *f* baixa

loyal ['lɔɪəl] *adj* fiel

loyalty ['lɔɪəlti] <-ies> *n* lealdade *f*

lozenge ['lɑ:zəndʒ] *n* pastilha *f*

LP [ˌel'pi:] *n abbr of* **long-playing record** LP *m*

Ltd *abbr of* **Limited** Ltda.

lubricant ['lu:brɪkənt] *n no pl* lubrificante *m*

lubricate ['lu:brɪkeɪt] *vt* lubrificar

lucid ['lu:sɪd] *adj* lúcido, -a

luck [lʌk] *n no pl* sorte *f;* **bad** ~ azar

lucky <-ier, -iest> *adj* sortudo, -a

lucrative ['lu:krəţɪv] *adj* lucrativo, -a

ludicrous ['lu:dɪkrəs] *adj* ridículo, -a

lug [lʌg] <-gg-> *vt inf* arrastar

luggage ['lʌgɪdʒ] *n no pl* bagagem *f*

luggage rack *n* porta-bagagem *m*

lukewarm [ˌlu:k'wɔ:rm] *adj* (*liquid*) morno, -a

lull [lʌl] *vt* (*child*) embalar

lullaby ['lʌləbaɪ] <-ies> *n* canção *f* de ninar

lumber *n no pl, Am, Aus* madeira *f* **lumberjack** *n* madeireiro *m*

luminous ['lu:mənəs] *adj* luminoso, -a

lump [lʌmp] *n* (*of coal*) pedaço *m;* ~ **sum** pagamento único *m;* (*in breast*) caroço *m*

lumpy ['lʌmpi] <-ier, -iest> *adj* (*surface*) irregular

lunar ['lu:nər] *adj* lunar

lunch [lʌntʃ] *n* almoço *m;* **to have** [*o*

eat] ~ almoçar
lunch break *n* intervalo *m* para o almoço
luncheon ['lʌntʃən] *n form* almoço *m*
 luncheon voucher *n Brit* vale-refeição *m*
lunchtime *n* hora *f* do almoço
lung [lʌŋ] *n* pulmão *m*
lunge [lʌndʒ] *vi* **to** ~ **at sb** investir contra alguém
lurch [lɜ:rtʃ] <-es> *n* solavanco *m*
lure [lʊr] *vt* atrair
lurk [lɜ:rk] *vi* ficar à espreita
luscious ['lʌʃəs] *adj* (*fruit*) suculento, -a
lush [lʌʃ] *adj* opulento, -a
lust [lʌst] *n* volúpia *f*
lute [lu:t] *n* alaúde *m*
Luxembourg ['lʌksəmbɜ:rg] *n* Luxemburgo *m*
luxurious [lʌg'ʒʊriəs] *adj* luxuoso, -a
luxury ['lʌkʃəri] <-ies> *n* luxo *m*
LW *n abbr of* **long wave** onda *f* longa
Lycra® ['laɪkrə] *n* lycra *f*
lying ['laɪɪŋ] *n* mentiras *fpl*
lyric ['lɪrɪk] *n pl* letra *f* (de canção)
lyrical ['lɪrɪkl] *adj* lírico, -a

M

M, m [em] *n* m *f*
m *abbr of* **meter** m; *abbr of* **mile** milha *f*
mac [mæk] *n Brit, inf* impermeável *m*
macabre [mə'kɑ:brə] *adj* macabro, -a
macaroni [ˌmækə'roʊni] *n* macarrão *m*
Macedonia [ˌmæsə'doʊniə] *n* Macedônia *f*
machine [mə'ʃi:n] *n* máquina *f*
machine gun *n* metralhadora *f*
machinery [mə'ʃi:nəri] *n no pl* maquinaria *f*
macho ['mɑ:tʃoʊ] *adj* machista *m*
mackerel ['mækrəl] <-(s)> *n* cavala *f*
mackintosh ['mækɪntɑ:ʃ] <-es> *n Brit* impermeável *m*
mad [mæd] *adj* (*angry*) furioso, -a; (*crazy*) louco, -a; **like** ~ como louco; **to be** ~ **about sb** estar louco por alguém
Madagascar [ˌmædə'gæskər] *n* Madagascar *f*
madam ['mædəm] *n no pl* madame *f*
madden ['mædən] *vt* enfurecer
made [meɪd] *pt, pp of* **make**
madman ['mædmən] <-men> *n* doido *m*
madness ['mædnɪs] *n no pl* loucura *f*
maestro ['maɪstroʊ] *n* maestro *m*
Mafia ['mɑ:fiə] *n* máfia *f*
magazine ['mægəzi:n] *n* revista *f*
magic ['mædʒɪk] *n no pl* magia *f*
magical *adj* maravilhoso, -a
magician [mə'dʒɪʃn] *n* mago, -a *m, f*
magistrate ['mædʒɪstreɪt] *n* magistrado *m*
magnet ['mægnɪt] *n* ímã *m*
magnetic [mæg'neţɪk] *adj* magnético, -a
magnetism ['mægnətɪzəm] *n no pl* magnetismo *m*
magnificent [mæg'nɪfɪsnt] *adj* mag-

nífico, -a
magnify ['mægnɪfaɪ] <-ie-> *vt* ampliar
magnifying glass *n* lente *f* de aumento
magnitude ['mægnɪtu:d, *Brit:* -tju:d] *n no pl* magnitude *f*
mahogany [mə'hɑ:gəni] *n no pl* mogno *m*
maid [meɪd] *n* empregada *f*
maiden ['meɪdən] *adj* (*name*) de solteira
mail [meɪl] **I.** *n no pl* correio *m* **II.** *vt* mandar pelo correio
mailbox *n Am* caixa *f* postal
maim [meɪm] *vt* mutilar
main [meɪn] *adj* principal
mainland *n no pl* continente *m*
mainly *adv* principalmente
maintain [meɪn'teɪn] *vt* manter
maintenance ['meɪntənəns] *n no pl* manutenção *f*
maize [meɪz] *n no pl, Brit* milho *m*
majestic [mə'dʒestɪk] *adj* majestoso, -a
major ['meɪdʒər] *adj* principal
majority [mə'dʒɔ:rəţi] <-ies> *n* maioria *f*
make [meɪk] *vt* <made, made> **1.** (*produce*) fazer; **made in Brazil** feito no Brasil; **to ~ a call** fazer uma ligação; **to ~ a decision** tomar uma decisão; **to ~ money** ganhar dinheiro; **to ~ plans** fazer planos **2.** (*cause to become*) **to ~ sth easy** tornar a. c. fácil; **to ~ sb sad** deixar alguém triste; **to ~ friends** fazer amizades **3.** (*force*) obrigar; **to ~ sb do sth** obrigar alguém a fazer a. c. ◆ **make for** *vt insep* ir para ◆ **make out** *vt* compreender; **to ~ a check** fazer um cheque ◆ **make up** *vt* **1.** (*invent*) inventar **2. to ~ for sth** compensar a. c.; **to ~ one's mind** decidir-se
maker ['meɪkər] *n* fabricante *mf*
makeshift ['meɪkʃɪft] *adj* provisório, -a
make-up *n no pl* maquiagem *f*; **to put on ~** usar maquiagem
malaria [mə'leriə] *n no pl* malária *f*
Malawi [mə'lɑ:wi] *n* Malaui *m*
Malaysia [mə'leɪʒə] *n* Malásia *f*
malfunction [ˌmæl'fʌŋkʃn] *vi* funcionar mal
Mali ['mɑ:li] *n* Mali *m*
malice ['mælɪs] *n no pl* má-fé *f*
malicious [mə'lɪʃəs] *adj* malvado, -a
malignant [mə'lɪgnənt] *adj* maligno, -a
mall [mɔ:l] *n Am* shopping *m* center
malnutrition [ˌmælnu:'trɪʃn, *Brit:* -nju:'-] *n no pl* desnutrição *f*
malt [mɔ:lt] *n no pl* malte *m*
Malta ['mɔ:ltə] *n* Malta *f*
mammal ['mæməl] *n* mamífero *m*
mammoth ['mæməθ] *n* mamute *m*
man [mæn] *n* <men> homem *m*
manage ['mænɪdʒ] *vt* **to ~ to do sth** conseguir fazer a. c.; (*be in charge of*) administrar
management ['mænɪdʒmənt] *n no pl* gerência *f*, administração *f*
manager ['mænɪdʒər] *n* gerente *mf*
managing director *n* diretor, -a *m, f* geral
mandarin orange *n* tangerina *f*
mandate ['mændeɪt] *n* mandato *m*
mandatory ['mændətɔ:ri] *adj form*

obrigatório, -a

mane [meɪn] *n* (*of lion*) juba *f*

maneuver [mə'nu:vər] *n Am* manobra *f*

maneuverability [məˌnu:vərə'bɪləṱi] *n* maneabilidade *f*

mango ['mæŋgoʊ] *n* <-gos *o* -goes> manga *f*

manhood ['mænhʊd] *n no pl* virilidade *f*

mania ['meɪniə] *n* mania *f*

maniac ['meɪniæk] *n* maníaco, -a *m, f*

manifestation [ˌmænɪfe'steɪʃn] *n form* manifestação *f*

manipulate [mə'nɪpjəleɪt] *vt* manipular

manipulation [məˌnɪpjə'leɪʃn] *n* manipulação *f*

mankind [ˌmæn'kaɪnd] *n no pl* humanidade *f*

manly ['mænli] <-ier, -iest> *adj* másculo, -a

manner ['mænər] *n no pl* maneira *f*; ~**s** modos *mpl*

mannerism ['mænərɪzəm] *n* maneirismo *m*

manoeuvre *n, vi, vt Brit, Aus s.* **maneuver**

manor ['mænər] *n* solar *m*

manpower ['mænpaʊər] *n no pl* mão-de-obra *f*

mansion ['mænʃn] *n* mansão *f*

manslaughter ['mænslɑ:ṱər] *n no pl* homicídio *m* culposo

mantelpiece ['mæntlpi:s] *n* consolo *m* da lareira

manual ['mænjʊəl] *n* manual *m*

manufacture [ˌmænjʊ'fæktʃər] *vt* fabricar

manufacturer [ˌmænjʊ'fækʃərər] *n* fabricante *mf*

manure [mə'nʊr, *Brit:* -'njʊə^r] *n no pl* esterco *m*

manuscript ['mænjʊskrɪpt] *n* manuscrito *m*

many ['meni] <more, most> **I.** *adj* muitos, -as *m, f pl;* **how ~ bottles?** quantas garrafas?; **too ~ people** gente demais; **as ~ as ...** tantos quanto ... **II.** *pron* muitos, -as; **so ~** tantos

map [mæp] *n* mapa *m*

mar [mɑ:r] <-rr-> *vt* estragar

marathon ['merəθɑ:n] *n a. fig* maratona *f*

marble ['mɑ:rbl] *n no pl* mármore *m*

march [mɑ:rtʃ] *vi* marchar

March [mɑ:rtʃ] *n* março *m*

Mardi Gras ['mɑrːdiˌgrɑ:, *Brit:* ˌmɑ:di'grɑ:] *n* ≈ carnaval *m*

Cultura **Mardi Gras** é o equivalente americano do carnaval. Esta festa foi trazida pelos colonizadores franceses de Nova Orleans (no que posteriormente será o Estado da Louisiana). Embora se pense em Nova Orleans ao ouvir a expressão **Mardi Gras** , este é celebrado também em outros lugares, como Biloxi/Mississippi e Mobile/Alabama. Em Nova Orleans os **krewes** (blocos de carnaval) organizam muitas festas e bailes durante esses dias e na terça-feira de carnaval saem em desfile.

mare [mer] *n* égua *f*

margarine ['mɑ:rdʒərɪn, *Brit:* 'mɑ:dʒəri:n] *n no pl* margarina *f*
margin ['mɑ:rdʒɪn] *n* margem *f*
marginal ['mɑ:rdʒɪnl] *adj* marginal
marginalize ['mɑ:rdʒɪnəlaɪz] *vt* marginalizar
marihuana *n*, **marijuana** [ˌmerɪ'wɑ:nə] *n no pl* maconha *f*
marina [mə'ri:nə] *n* marina *f*
marine [mə'ri:n] *n* fuzileiro *m* naval
marital ['merɪt̬əl] *adj* ~ **status** estado civil
maritime ['merɪtaɪm] *adj form* marítimo, -a
marjoram ['mɑ:edʒərəm] *n no pl* manjerona *f*
mark [mɑ:rk] *n* **1.** (*stain*) marca *f* **2.** SCH nota *f*
marked *adj* notável
market ['mɑ:rkɪt] *n* mercado *m*
marketing *n no pl* marketing *m*
marketplace *n* mercado *m* **market research** *n no pl* pesquisa *f* de mercado
marking *n* marcação *f*
marmalade ['mɑ:rməleɪd] *n no pl* geléia *f* (*de cítricos*)
marquee [mɑ:r'ki:] *n esp Brit, Aus* tenda *f*
marriage ['merɪdʒ] *n* casamento *m*
married *adj* (*person*) casado, -a; ~ **couple** casal
marrow[1] ['meroʊ] *n* abóbora *f*
marrow[2] *n* MED medula *f*
marry ['meri] <-ie-> *vt* casar(-se) com
Mars [mɑ:rz] *n* Marte *m*
marsh [mɑ:rʃ] <-es> *n* pântano *m*
martial ['mɑ:rʃəl] *adj* marcial
martyr ['mɑ:rt̬ər] *n* mártir *mf*
marvel ['mɑ:rvl] *n* maravilha *f*
marvellous ['mɑ:rvələs] *adj Brit,* **marvelous** *adj Am* maravilhoso, -a
masculine ['mæskjəlɪn] *adj* masculino, -a
masculinity [ˌmæskjə'lɪnət̬i] *n* masculinidade *f*
mash [mæʃ] *vt* amassar; ~**ed potatoes** purê *m* (de batata)
mask [mæsk] *n* máscara *f*; **oxygen** ~ máscara de oxigênio
mason ['meɪsn] *n* maçom *m*
masonry ['meɪsnri] *n no pl* alvenaria *f*
masquerade [ˌmæskə'reɪd] *n* farsa *f*
mass [mæs] *n no pl* massa *f*
Mass [mæs] *n* **to attend** ~ assistir à missa
massacre ['mæsəkər] *n* massacre *m*
massage [mə'sɑ:dʒ, *Brit:* 'mæsɑ:dʒ] *n* massagem *f*; **water** ~ hidromassagem *f*
massive ['mæsɪv] *adj* gigantesco, -a
mast [mæst] *n* mastro *m*
master ['mæstər] *vt* dominar
masterpiece *n* obra-prima *f*
Master's *n*, **Master's degree** *n* mestrado *m*
mastery ['mæstəri] *n no pl* domínio *m*
mat [mæt] *n* tapete *m*
match[1] [mætʃ] <-es> *n* (*for lighting*) fósforo *m*
match[2] [mætʃ] **I.** *n* SPORTS jogo *m* **II.** *vt* (*have same color*) combinar com; (*equal*) igualar
mate [meɪt] *n Brit, Aus* companheiro, -a *m, f*
material [mə'tɪriəl] *n* **1.** material *m;*

raw ~ matéria *f* bruta **2.** **~s** (*equipment*) materiais *mpl*

materialist *n* materialista *mf*

materialistic [mə͵tɪriə'lɪstɪk] *adj* materialista

materialize [mə'tɪriəlaɪz] *vi* concretizar-se

maternal [mə'tɜːrnl] *adj* maternal

maternity [mə'tɜːrnət̬i] *n no pl* maternidade *f*

math [mæθ] *n Am abbr of* **mathematics** matemática *f*

mathematician [͵mæθəmə'tɪʃn] *n* matemático, -a *m, f*

mathematics [͵mæθə'mæt̬ɪks] *n* matemática *f*

matrimonial [͵mætrə'moʊniəl] *adj form* matrimonial

matron ['meɪtrən] *n* enfermeira-chefe *f*

matter ['mæt̬ər] **I.** *n* **1.** (*question*) assunto *m;* **as a ~ of fact,...** na verdade, ...; **no ~ what** aconteça o que acontecer **2.** (*problem*) problema *m;* **what's the ~?** o que é que há?; *no pl* **3.** (*substance*) matéria *f* **II.** *vi* importar; **it doesn't ~** não importa

matter-of-fact *adj* prático, -a

mattress ['mætrɪs] *n* colchão *m*

mature [mə'tʊr, *Brit:* -'tjʊəʳ] *adj* maduro, -a

maturity [mə'tʊrət̬i, *Brit:* -'tjʊərəti] *n* <-ies> *no pl* maturidade *f*

Mauritania [͵mɔːrɪ'teɪniə] *n* Mauritânia *f*

Mauritius [mɔː'rɪʃiəs] *n* Ilhas *fpl* Maurício

mauve [moʊv] *adj* lilás

maxim ['mæksɪm] *n* máxima *f*

maximum ['mæksɪməm] *adj* máximo, -a

may [meɪ] <might> *aux* **1.** (*permission*) poder; **~ I come in?** posso entrar? **2.** (*possibility*) poder; **it ~ [o might] rain** pode chover

May [meɪ] *n* maio *m*

maybe ['meɪbiː] *adv* talvez

mayday ['meɪdeɪ] *n* S.O.S. *m*

May Day *n* Primeiro *m* de Maio

mayhem ['meɪhem] *n no pl* **it was ~** foi um caos

mayonnaise [͵meɪə'neɪz] *n* maionese *f*

mayor ['meɪər] *n* prefeito *m*

maze [meɪz] *n* labirinto *m*

MBA [͵embiː'eɪ] *n abbr of* **Master of Business Administration** mestrado *m* em Administração de Empresas

me [miː] *pron* me; **she saw ~** ela me viu; **he told ~ that ...** ele me contou que ...; (*after verb 'to be'*) eu; **it's ~** sou eu; (*after prep*) mim; **is this for ~?** isso é para mim?

meadow ['medoʊ] *n* campina *f*

meager *adj Am,* **meagre** ['miːgər] *adj Brit* escasso, -a

meal [miːl] *n* refeição *f*

mean¹ [miːn] *adj* mau, má

mean² [miːn] <meant, meant> *vt* **1.** significar; **what do you ~?** o que você quer dizer? **2.** (*intend*) pretender; **to ~ to do sth** pretender fazer a.c.; **to ~ business** falar sério

meander [mɪ'ændər] *vi* (*river*) serpentear

meaning *n* significado *m*

meaningful *adj* significativo, -a
meaningless *adj* sem sentido
means *n pl* (*method*) meio; ~ **of transportation** meio de transporte; (*money*) recursos *mpl*
meant [ment] *pt, pp of* **mean²**
meantime ['mi:ntaɪm] *n* **in the** ~ enquanto isso
meanwhile ['mi:nwaɪl] *adv* enquanto isso
measles ['mi:zlz] *n* sarampo *m*
measure ['meʒər] *vt, vi* medir
measurement ['meʒərmənt] *n* medida *f*
meat [mi:t] *n no pl* carne *f*
mechanic [mɪ'kænɪk] *n* mecânico, -a *m, f*
mechanical *adj* mecânico, -a
mechanism ['mekənɪzəm] *n* mecanismo *m*
medal ['medl] *n* medalha *f*
medallion [mə'dæljən] *n a. fig* medalhão *m*
meddle ['medl] *vi* **to** ~ **in sth** intrometer-se em a. c.
media ['mi:diə] *n + sing/pl vb.* **the** ~ a mídia
mediaeval [ˌmedi'i:vəl] *adj s.* **medieval**
mediator ['mi:dieɪţər] *n* mediador(a) *m(f)*
medical ['medɪkəl] *adj* médico, -a
medication [ˌmedɪ'keɪʃn] <-(s)> *n* medicamento *m*
medicinal [mə'dɪsɪnəl] *adj* medicinal
medicine ['medɪsən, *Brit:* 'medsən] *n* **1.** (*substance*) remédio *m* **2.** *no pl* (*science*) medicina *f*
medieval [ˌmi:di'i:vl, *Brit:* ˌmed-] *adj* medieval
mediocre [ˌmi:di'oʊkər] *adj* medíocre
meditate ['medɪteɪt] *vi* meditar
meditation [ˌmedɪ'teɪʃn] *n no pl* meditação *f*
Mediterranean [ˌmedɪtə'reɪniən] *n* Mediterrâneo *m*
medium ['mi:diəm] *adj* médio, -a
medley ['medli] *n* pot-pourri *m*
meet [mi:t] <met, met> **I.** *vt* **1.** (*for first time*) **nice** [*o* **pleased**] **to** ~ **you** prazer em conhecê-lo **2.** (*fulfill*) satisfazer **II.** *vi* (*encounter*) encontrar-se; (*intentionally*) reunir-se; (*for first time*) conhecer-se ◈ **meet with** *vt insep* reunir-se com
meeting *n* reunião *f;* **to call a** ~ convocar uma reunião
melancholy ['melənka:li] *adj* melancólico, -a
melodrama ['meloʊdra:mə] *n* melodrama *m*
melodramatic [ˌmeloʊdrə'mæţɪk] *adj* melodramático, -a
melody ['melədi] <-ies> *n* melodia *f*
melon ['melən] *n* melão *m*
melt [melt] *vi* (*ice*) derreter(-se)
member ['membər] *n* membro *mf;* (*of club*) sócio, -a *m, f*
membership *n* sociedade *f*
membrane ['membreɪn] *n* membrana *f*
memorable ['memərəbl] *adj* memorável
memorandum [ˌmemə'rændəm] <-s *o* -anda> *n* memorando *m*
memorial [mə'mɔ:riəl] *n* monumento

m

memorize ['meməraɪz] *vt* memorizar

memory ['meməri] <-ies> *n* memória *f*, recordação *f*

menacing *adj* ameaçador(a)

mend [mend] *vt* consertar

menial ['mi:niəl] *adj* trivial

meningitis [ˌmenɪn'dʒaɪṱɪs] *n no pl* meningite *f*

menopause ['menəpɑ:z] *n no pl* menopausa *f*

menstruate ['menstrueɪt] *vi* menstruar

menstruation [ˌmenstru'eɪʃn] *n no pl* menstruação *f*

mental ['mentəl] *adj* mental

mentality [men'tæləṱi] <-ies> *n* mentalidade *f*

mentally *adv* ~ **disturbed** com distúrbio mental

mention ['menʃn] *vt* mencionar; **don't ~ it!** de nada!

menu ['menju:] *n* cardápio *m*

mercenary ['mɜ:rsəneri] *n* <-ies> mercenário, -a *m, f*

merchandise ['mɜ:rtʃəndaɪz] *n no pl* mercadoria *f*

merciful ['mɜ:rsɪfl] *adj* piedoso, -a

merciless ['mɜ:rsɪlɪs] *adj* impiedoso, -a

mercury ['mɜ:rkjəri] *n no pl* mercúrio *m*

Mercury ['mɜ:rkjəri] *n no pl* Mercúrio *m*

mercy ['mɜ:rsi] *n no pl* misericórdia *f*; **to be at the ~ of sb** estar à mercê de alguém

mere [mɪr] *adj* mero, -a

merely *adv* somente

merge [mɜ:rdʒ] *vi* unir-se

merger ['mɜ:rdʒər] *n* fusão *f*

merit ['merɪt] *n* mérito *m*

mermaid ['mɜ:rmeɪd] *n* sereia *f*

merry ['meri] <-ier, -iest> *adj* alegre; **Merry Christmas!** Feliz Natal!

mesh [meʃ] *n no pl* **wire ~** tela de arame

mesotherapy [ˌmezoʊ'θerəpi, *Brit:* ˌmesə(ʊ)'-] *n* mesoterapia *f*

mess [mes] <-es> *n no pl* bagunça *f* ◈ **mess around** *vt* enrolar ◈ **mess up** *vt* (*plan*) estragar

message ['mesɪdʒ] *n* mensagem *f*; **a ~ for** um recado para

messenger ['mesɪndʒər] *n* mensageiro, -a *m, f*

messiah [mə'saɪə] *n* messias *m inv*

messy ['mesi] <-ier, -iest> *adj* bagunçado, -a

met [met] *vi, vt pt, pp of* **meet**

metabolism [mɪ'tæbəlɪzəm] *n* metabolismo *m*

metal ['meṱl] *n* metal *m*

metallic [mə'tælɪk] *adj* metálico, -a

metamorphosis [ˌmeṱə'mɔ:rfəsɪs] <-es> *n* metamorfose *f*

metaphor ['meṱəfɔ:r] *n* metáfora *f*

metaphorical [ˌmeṱə'fɔ:rɪkl] *adj* metafórico, -a

meter[1] ['mi:ṱər] *n* medidor *m*; (**parking**) ~ parquímetro *m*

meter[2] ['mi:ṱər] *n Am* (*measure*) metro *m*

method ['meθəd] *n* método *m*

methodical [mə'θɑ:dɪkl] *adj* metódico, -a

methodology [ˌmeθə'dɑːlədʒi] <-ies> *n* metodologia *f*
meticulous [mɪ'tɪkjʊləs] *adj* meticuloso, -a
metre *n Brit, Aus s.* **meter²**
metric ['metrɪk] *adj* métrico, -a
metropolitan [ˌmetrə'pɑːlɪtən] *adj* metropolitano, -a
Mexico ['meksɪkoʊ] *n* México *m*
microcosm ['maɪkroʊkɑːzəm] *n* microcosmo *m*
microfilm ['maɪkroʊfɪlm] *n* microfilme *m*
microphone ['maɪkrəfoʊn] *n* microfone *m*
microscope ['maɪkrəskoʊp] *n* microscópio *m*
microscopic [ˌmaɪkrə'skɑːpɪk] *adj* microscópico, -a
microwave ['maɪkroʊweɪv] *n* (forno *m* de) microondas *inv*
midday [ˌmɪd'deɪ] *n no pl* **at ~** ao meio-dia
middle [mɪdl] *n* meio *m*
middle age *n* meia-idade *f* **middle-aged** *adj* de meia-idade **Middle Ages** *npl* Idade *f* Média
middle-class *adj* de classe média
Middle East *n* Oriente *m* Médio
midget ['mɪdʒɪt] *n* anão, anã *m, f*
midnight ['mɪdnaɪt] *n no pl* **at ~** à meia-noite
midsummer *n no pl* pleno verão *m*
midway *adv* no meio do caminho
might¹ [maɪt] *pt of* **may**
might² [maɪt] *n no pl* **with all one's ~** com toda força
mighty ['maɪt̬i] <-ier, -iest> *adj* poderoso, -a
migraine ['maɪgreɪn] <-(s)> *n* enxaqueca *f*
migrate ['maɪgreɪt] *vi* migrar
migration [maɪ'greɪʃn] <-(s)> *n* migração *f*
mild [maɪld] <-er, -est> *adj* suave, leve
mile [maɪl] *n* milha *f* (*1,61 km*)
mileage ['maɪlɪdʒ] *n no pl* milhagem *f*
milestone ['maɪlstoʊn] *n* marco *m*
militant ['mɪlɪtənt] *n* militante *mf*
military ['mɪlɪteri] *adj* militar
militia [mɪ'lɪʃə] *n* milícia *f*
milk [mɪlk] *n no pl* leite *m*
milkman <-men> *n* leiteiro *m* **milkshake** *n* milk-shake *m*
milky <-ier, -iest> *adj* (*drink*) com leite
mill [mɪl] *n* moinho *m*
millennium [mɪ'leniəm] <-s *o* -ennia> *n* milênio *m*
million ['mɪljən] <-(s)> *n* milhão *m;* **~s of** milhões de; **two ~ people** dois milhões de pessoas
millionaire [ˌmɪlɪə'ner] *n* milionário, -a *m, f*
mime [maɪm] *vi* fazer mímica
mimic ['mɪmɪk] <-ck-> *vt* imitar
mince [mɪns] *n no pl, Aus, Brit* carne *f* moída
mind [maɪnd] **I.** *n* mente *f;* **to be out of one's ~** estar fora de si **II.** *vt* **~ the step!** cuidado com o degrau!; **I don't ~ the cold** não ligo para o frio; **would you ~ opening the window?** você se incomodaria de abrir a janela?; **~ your own business!** me-

ta-se com sua vida! **III.** *vi* **never** ~! não faz mal!; **I don't** ~ não me importo

mine[1] [maɪn] *pron poss* meu, minha; **this glass is** ~ este copo é meu; **the shoes are** ~ os sapatos são meus

mine[2] *n* mina *f*

miner ['maɪnər] *n* mineiro, -a *m, f*

mineral ['mɪnərəl] *n* mineral *m*

mingle ['mɪŋgl] *vi* misturar-se

miniature ['mɪniətʃər] *adj* em miniatura

minimal ['mɪnɪml] *adj* mínimo, -a

minimize ['mɪnɪmaɪz] *vt* minimizar

minimum ['mɪnɪməm] *adj* mínimo, -a

minister ['mɪnɪstər] *n* ministro, -a *m, f*

ministry ['mɪnɪstri] <-ies> *n* ministério *m*

minor ['maɪnər] *adj* menor

minority [maɪ'nɔːrəṭi] <-ies> *n* **to be in the** ~ ser minoria

mint [mɪnt] *n no pl* menta *f,* bala *f* de hortelã

minus ['maɪnəs] *prep* menos; ~ **ten Celsius** dez graus Celsius abaixo de zero

minuscule ['mɪnɪskjuːl] *adj* minúsculo, -a

minute[1] ['mɪnɪt] *n* minuto *m;* **in a** ~ num minuto; **any** ~ a qualquer momento; **at the last** ~ na última hora

minute[2] [maɪ'nuːt, *Brit:* -'njuːt] *adj* miúdo, -a

miracle ['mɪrəkl] *n* milagre *m*

miraculous [mɪ'rækjələs] *adj* milagroso, -a

mirage [mə'rɑːʒ, *Brit:* 'mɪrɑːʒ] *n* miragem *f*

mirror ['mɪrər] *n* espelho *m*

misbehave [ˌmɪsbɪ'heɪv] *vi* comportar-se mal

miscarriage ['mɪsˌkerɪdʒ] *n* aborto *m* (natural)

miscellaneous [ˌmɪsə'leɪniəs] *adj* variado, -a

mischievous ['mɪstʃəvəs] *adj* travesso, -a

misconception [ˌmɪskən'sepʃn] *n* **a popular** ~ um erro comum

misconduct [ˌmɪs'kɑːndʌkt] *n no pl* má conduta *f*

miser ['maɪzər] *n* avarento, -a *m, f*

miserable ['mɪzrəbl] *adj* angustiado, -a

misery ['mɪzəri] *n* (*unhappiness*) angústia *f;* (*poverty*) miséria *f*

misfortune [ˌmɪs'fɔːrtʃən] *n no pl* desgraça *f*

misgiving [ˌmɪs'gɪvɪŋ] *n* apreensão *f*

misguided [mɪs'gaɪdɪd] *adj* enganado, -a

mishap ['mɪshæp] *n form* contratempo *m*

mislead [ˌmɪs'liːd] *vt irr* enganar

misleading *adj* enganoso, -a

mismanage [ˌmɪs'mænɪdʒ] *vt* administrar mal

misplace [ˌmɪs'pleɪs] *vt* extraviar

misprint ['mɪsprɪnt] *n* erro *m* de impressão

miss[1] [mɪs] *n* senhorita *f;* **Miss Brazil** Miss Brasil

miss[2] *vt* **1.** (*not hit*) errar **2.** (*not catch*) perder; **to** ~ **a deadline** perder o prazo **3.** (*not attend*) faltar a **4.** (*regret absence*) sentir falta [*ou* saudade] de

missile ['mɪsəl, *Brit:* -saɪl] *n* projétil *m*

missing *adj* desaparecido, -a

mission ['mɪʃən] *n* missão *f*

missionary ['mɪʃəneri] <-ies> *n* missionário, -a *m, f*

mist [mɪst] *n* névoa *f*

mistake [mɪ'steɪk] **I.** *n* erro *m;* **to make a ~** cometer um erro; **by ~** por engano **II.** *vt irr* enganar; **to ~ sb/sth for** confundir alguém/a. c. com

mistreat [ˌmɪs'tri:t] *vt* maltratar

mistress ['mɪstrɪs] *n* amante *f*

mistrust [ˌmɪs'trʌst] *vt* desconfiar de

misty ['mɪsti] <-ier, -iest> *adj* enevoado, -a

misunderstand [ˌmɪsʌndər'stænd] *vt irr* entender mal

misunderstanding *n* mal-entendido *m*

misuse [ˌmɪs'ju:s] *n* mau uso *m*

mix [mɪks] **I.** *vt* misturar **II.** *n* (*for cake*) mistura *f*

mixed *adj* misto, -a

mixer ['mɪksər] *n* batedeira *f*

mixture ['mɪkstʃər] *n* mistura *f*

moan [moʊn] *vi* gemer

mob [mɑ:b] *n + sing/pl vb* multidão *f*

mobile ['moʊbəl, *Brit:* 'məʊbaɪl] **I.** *n* celular *m* **II.** *adj* móvel; **mobile home** trailer *m*

mobile Internet *n no pl* Internet *f* móvel

mobile message *n* mensagem *f* móvel

mobility [moʊ'bɪləṭi] *n no pl* mobilidade *f*

mock [mɑ:k] *vt* zombar

mode [moʊd] *n* modo *m;* **~ of transportation** meio de transporte

model ['mɑ:dəl] *n* modelo *m*

modem ['moʊdəm] *n* modem *m*

moderate ['mɑ:dərət] *adj* moderado, -a

moderation [ˌmɑ:də'reɪʃn] *n no pl* **to drink in ~** beber com moderação

modern ['mɑ:dərn] *adj* moderno, -a

modernize ['mɑ:dərnaɪz] *vt* modernizar

modest ['mɑ:dɪst] *adj* modesto, -a

modesty ['mɑ:dɪsti] *n no pl* modéstia *f*

modify ['mɑ:dɪfaɪ] <-ie-> *vt* modificar

module ['mɑ:dʒu:l] *n* módulo *m*

moist [mɔɪst] *adj* úmido, -a

moisture ['mɔɪstʃər] *n* umidade *f*

moisturizer *n* creme *m* hidratante

molasses [mə'læsɪz] *n* melado *m*

mold[1] [məʊld] *n* mofo *m*

mold[2] [moʊld] *vt* moldar

Moldova [mɑ:l'dəʊvə] *n* Moldávia *f*

moldy <-ier, -iest> *adj Am* mofado, -a

mole[1] [moʊl] *n* toupeira *f*

mole[2] *n* sinal *m* (na pele)

molecule ['mɑ:lɪkju:l] *n* molécula *f*

molest [mə'lest] *vt* abusar de

moment ['moʊmənt] *n* **at the ~** no momento; **in a ~** daqui a pouco; **just a ~ please** um momento, por favor

momentary ['moʊmənteri] *adj* momentâneo, -a

momentous [moʊ'mentəs] *adj* crucial

Monaco ['mɑ:nəkoʊ] *n* Mônaco *m*

monarch ['mɑ:nərk] *n* monarca *m*
monarchy ['mɑ:nərki] <-ies> *n* monarquia *f*
monastery ['mɑ:nəsteri] <-ies> *n* mosteiro *m*
Monday ['mʌndeɪ] *n* segunda-feira *f*
money ['mʌni] *n no pl* dinheiro *m;* **to change ~** trocar dinheiro
Mongolia [mɑ:ŋ'goʊliə] *n* Mongólia *f*
monitor ['mɑ:nɪţər] *vt* controlar
monk [mʌŋk] *n* monge *m*
monkey ['mʌŋki] *n* macaco, -a *m, f*
monopoly [mə'nɑ:pəli] <-ies> *n* monopólio *m*
monotonous [mə'nɑ:tənəs] *adj* monótono, -a
monsoon [mɑ:n'su:n] *n* monção *f*
monster ['mɑ:nstər] *n* monstro *m*
month [mʌnθ] *n* mês *m;* **this ~** esse mês; **once a ~** uma vez por mês
monthly *adj* mensal
monument ['mɑ:njəmənt] *n* monumento *m*
mood [mu:d] *n* humor *m;* **in a good/bad ~** de bom/mau humor; **to be in the ~** estar a fim
moody <-ier, -iest> *adj* temperamental
moon [mu:n] *n no pl* lua *f;* **full ~** lua cheia
moor[1] [mʊr] *n* charneca *f*
moor[2] [mʊr] *vt* atracar
moose [mu:s] *n* alce *m*
mop [mɑ:p] *vt* esfregar (o chão); **to ~ up a spill** limpar uma sujeira no chão
moral ['mɔ:rəl] *adj* moral
morality [mɔ:'ræləţi] <-ies> *n* moralidade *f*
more [mɔ:r] *comp of* **much, many** I. *adj* mais II. *adv* mais; **~ than 10** mais de 10 III. *pron* mais; **what ~ does he want?** que mais ele quer?; **what's ~, ...** além do mais, ...
moreover *adv* além disso
morning ['mɔ:rnɪŋ] *n* manhã *f;* **in the ~** de manhã; **good ~!** bom dia!; **tomorrow ~** amanhã de manhã
Morocco [mə'rɑ:koʊ] *n* Marrocos *m*
mortgage ['mɔ:rgɪdʒ] *n* hipoteca *f*
mosaic [moʊ'zeɪɪk] *n* mosaico *m*
mosque [mɑ:sk] *n* mesquita *f*
mosquito [mə'ski:ţoʊ] <-(e)s> *n* mosquito *m*
moss [mɑ:s] <-es> *n* musgo *m*
most [moʊst] *superl of* **many, much** I. *adj* mais; **~ people** a maioria das pessoas II. *adv* mais; **the ~ beautiful** o mais bonito; **~ of all** mais do que tudo III. *pron* a maioria, a maior parte; **at the ~** no máximo; **~ of the time** a maior parte do tempo
mostly *adv* em geral
motel [moʊ'tel] *n hotel para turistas*
moth [mɑ:θ] *n* mariposa *f*
mother ['mʌðər] *n* mãe *f*
mother-in-law *n* sogra *f*
motif [moʊ'ti:f] *n* motivo *m*
motion ['moʊʃn] I. *n* movimento *m* II. *vt* acenar; **to ~ to sb** fazer sinal a alguém
motivate ['moʊţəveɪt] *vt* motivar
motivation [ˌmoʊţə'veɪʃn] *n no pl* motivação *f*
motive ['moʊţɪv] *n* motivo *m*
motor ['moʊţər] *n* motor *m*
motorbike *n inf* moto *f*

n motocicleta *f* **motorway** *n Brit* auto-estrada *f*
motto ['mɑːt̬oʊ] <-(e)s> *n* lema *m*
mould[1] *n Brit s.* **mold**[1]
mould[2] *n, vi Brit s.* **mold**[2]
mount [maʊnt] *vt* (*horse*) montar
mountain ['maʊntən] *n* montanha *f*
mourning *n no pl* **to be in** ~ estar de luto
mouse [maʊs] <mice> *n* camundongo *m*
mouse mat *n Brit,* **mouse pad** *n Am* mouse pad *m*
moustache ['mʌstæʃ] *n* bigode *m*
mouth [maʊθ] *n* boca *f*
move [muːv] **I.** *n* GAMES jogada *f;* **it's your** ~ é sua vez **II.** *vi* mover-se; (*change house*) mudar-se **III.** *vt* (*object*) mudar; (*body part*) mexer
movement ['muːvmənt] *n* movimento *m*
movie ['muːvi] *n Am, Aus* filme *m*
movie star *n* astro, estrela *m, f* de cinema
movie theater *n* cinema *m*
moving *adj* comovente
mow [moʊ] <mowed, mown *o* mowed> *vt* **to** ~ **the lawn** cortar a grama
Mr ['mɪstər] Sr.
Mrs ['mɪsɪz] Sra.
Ms [mɪz] *forma de tratamento que se aplica tanto a mulheres solteiras como a casadas*
much [mʌtʃ] <more, most> **I.** *adj* muito; **too** ~ **wine** vinho demais; **how** ~ **milk?** quanto leite?; **so** ~ **water** tanta água; **as** ~ **as** tanto como **II.** *adv* muito; ~ **better** muito melhor; **thank you very** ~ muito obrigado **III.** *pron* muito
muck [mʌk] *n no pl, inf* sujeira *f*
mud [mʌd] *n no pl* lama *f*
muddle ['mʌdl] *n no pl* confusão *f*
muddy ['mʌdi] <-ier, -iest> *adj* lamacento, -a
muffin ['mʌfɪn] *n pãozinho doce redondo e achatado*
mug [mʌg] **I.** *n* caneca *f* **II.** <-gg-> *vt* assaltar
mugger ['mʌgər] *n* assaltante *mf*
muggy ['mʌgi] <-ier, -iest> *adj* abafado, -a
mule [mjuːl] *n* mula *f*
multicultural [ˌmʌlti'kʌltʃərəl] *adj* multicultural
multilateral [ˌmʌlti'læt̬ərəl] *adj* multilateral
multimedia [ˌmʌlti'miːdiə] *adj* de multimídia *inv*
multinational [ˌmʌlti'næʃnəl] *n* multinacional *f*
multiply ['mʌltəplaɪ] <-ie-> *vt* multiplicar
mum [mʌm] *n Brit, inf* mamãe *f*
munch [mʌntʃ] *vi, vt* mastigar
mundane [mʌn'deɪn] *adj* trivial
municipal [mjuː'nɪsəpl] *adj* municipal
mural ['mjʊrəl] *n* mural *m*
murder ['mɜːrdər] **I.** *n* assassinato *m* **II.** *vt* assassinar
murderer ['mɜːrdərər] *n* assassino, -a *m, f*
muscle ['mʌsl] *n* músculo *m*
museum [mjuː'ziːəm] *n* museu *m*
mushroom ['mʌʃruːm] *n* cogumelo *m*

music ['mju:zɪk] *n* música *f*
musical ['mju:zɪkəl] *n* musical *m*
musician [mju:'zɪʃn] *n* músico, -a *m, f*
Muslim ['mʌzləm] *adj* muçulmano, -a
mussel ['mʌsl] *n* mexilhão *m*
must [mʌst] *aux* **1.** (*obligation*) dever; ~ **you leave?** você tem de ir embora? **2.** (*probability*) dever; **I** ~ **have lost it** devo tê-lo perdido; **you** ~ **be joking!** você deve estar brincando!
mustache ['mʌstæʃ] *n Am* bigode *m*
mustard ['mʌstərd] *n no pl* mostarda *f*
mustn't ['mʌsnt] = **must not** *s.* **must**
mutton ['mʌtən] *n no pl* carne *f* de carneiro
mutual ['mju:tʃuəl] *adj* mútuo, -a
muzzle ['mʌzl] *n* focinheira *f*
my [maɪ] *adj poss* meu, minha; **I hurt** ~ **foot** machuquei o pé
myself [maɪ'self] *pron refl* me; **I hurt** ~ eu me machuquei; *emphatic* eu mesmo, -a; *after prep* mim mesmo, -a
mysterious [mɪ'stɪriəs] *adj* misterioso, -a
mystery ['mɪstəri] <-ies> *n* mistério *m*
myth [mɪθ] *n* mito *m*
mythical ['mɪθɪkl] *adj* mítico, -a

N

N, n [en] *n* n *m*
nag <-gg-> *vt* importunar; **to** ~ **at sb** amolar alguém *inf*
nagging *adj* persistente
nail [neɪl] *n* **1.** prego *m;* **to hit the** ~ **on the head** acertar na mosca **2.** ANAT unha *f*
nail file *n* lixa *f* (de unhas) **nail polish** *n no pl* esmalte *m* **nail polish remover** *n* removedor *m* **nail scissors** *npl* tesourinha *f*
naive [na:'i:v], *adj* ingênuo, -a
naked ['neɪkɪd] *adj* nu(a)
name [neɪm] **I.** *n* nome *m;* (*surname*) sobrenome *m;* **what's your** ~**?** qual é o seu nome?; **my** ~ **is** meu nome é … **II.** *vt* chamar
namely *adv* a saber
Namibia [nə'mɪbiə] *n* Namíbia *f*
nanny ['næni] <-ies> *n* babá *f*
nap [næp] *n* soneca *f;* **to have a** ~ tirar uma soneca
nape [neɪp] *n* nuca *f*
napkin ['næpkɪn] *n* guardanapo *m*
nappy ['næpi] <-ies> *n Brit* fralda *f*
narcotic [nɑ:r'kɑ:t̬ɪk] *n* narcótico *m*
narrate ['næreɪt, *Brit:* nə'reɪt] *vt* narrar
narrative ['nærət̬ɪv] *n no pl* narrativa *f*
narrow ['næroʊ] **I.** <-er, -est> *adj* estreito, -a; **to have a** ~ **escape** escapar por pouco **II.** *vi* estreitar
narrowly *adv* por pouco
narrow-minded *adj* bitolado, -a
nasal ['neɪzl] *adj* nasal
nasty ['næsti] <-ier, -iest> *adj* (*smell*) repugnante; (*shock*) terrível; (*pessoa*) mau, má
nation ['neɪʃn] *n* nação *f*
national ['næʃənəl] **I.** *adj* nacional **II.** *n* cidadão, cidadã *m, f*
national anthem *n* hino *m* nacional

national debt *n* dívida *f* pública

Cultura O **national emblem** (símbolo nacional) da Inglaterra é a **Tudor rose** , uma rosa branca da casa real de York sobre a rosa vermelha da casa de Lancaster.

National Guard *n Am* Guarda *f* Nacional
nationalism *n no pl* nacionalismo *m*
nationalist *adj* nacionalista
nationality [ˌnæʃəˈnæləţi] <-ies> *n* nacionalidade *f*
nationalize [ˈnæʃənəlaɪz] *vt* nacionalizar
nationwide *adj* em âmbito nacional
native [ˈneɪţɪv] **I.** *adj* natural; ~ **language** língua *f* materna **II.** *n* nativo, -a *m, f*
native American *adj, n* ameríndio *m*
native speaker *n* falante *mf* nativo
nativity [nəˈtɪvəţi] <-ies> *n* natividade *f*
nativity play *n* encenação *f* natalina
NATO [ˈneɪţoʊ] *n abbr of* **North Atlantic Treaty Organisation** OTAN *f*
natural [ˈnætʃərəl] **I.** *adj* **1.** natural **2.** (*ability*) inato, -a **II.** *n* **to be a** ~ ser um talento
natural gas *n no pl* gás *m* natural
natural history *n no pl* história *f* natural
naturally *adv* naturalmente
natural resources *npl* recursos *mpl* naturais
nature [ˈneɪtʃər] *n* natureza *f*
naughty [ˈnɑːţi] <-ier, -iest> *adj* levado, -a
nausea [ˈnɑːziə, *Brit:* ˈnɔːs-] *n no pl* náusea *f*
nauseate [ˈnɑːzieɪt, *Brit:* ˈnɔːs-] *vt* enjoar
naval [ˈneɪvəl] *adj* naval
naval commander *n* comandante *mf* naval
nave [neɪv] *n* nave *f* (de igreja)
navel [ˈneɪvl] *n* umbigo *m*
navigate [ˈnævɪgeɪt] *vt* navegar
navigation [ˌnævɪˈgeɪʃn] *n no pl* navegação *f*
navy [ˈneɪvi] **I.** <-ies> *n* marinha *f* **II.** *adj* ~ (**blue**) azul-marinho *m*
near [nɪr] **I.** <-er, -est> *adj* **1.** perto *inv* **2.** próximo, -a; **in the** ~ **future** num futuro próximo **II.** *adv* perto, próximo; **I live** ~ **the park** eu moro perto do parque **III.** *prep* ~ (**to**) perto de **IV.** *vt* aproximar-se
nearby [ˌnɪrˈbaɪ] **I.** *adj* próximo, -a **II.** *adv* por perto
nearly *adv* quase
near-sighted *adj esp Am, a. fig* míope
neat [niːt] *adj* (*room*) arrumado, -a; (*handwriting*) caprichado, -a
neatly *adv* cuidadosamente
necessarily [ˌnesəˈserəli] *adv* **not** ~ não necessariamente
necessary [ˈnesəseri] *adj* necessário, -a; **if** ~ se for preciso
necessity [nəˈsesəţi] <-ies> *n* necessidade *f*; **the bare necessities** as necessidades básicas
neck [nek] *n* pescoço *m*
necklace *n* colar *m* **neckline** *n* decote *m*
née [neɪ] *adj* nascida *f*, nome *m* de

solteira

need [ni:d] I. *n no pl* necessidade *f;* **if** ~(**s**) **be** se for necessário II. *vt* precisar de; **to** ~ **to do sth** precisar fazer a. c.

needle ['ni:dl] *n* agulha *f*

needless ['ni:dlɪs] *adj* desnecessário, -a; ~ **to say ...** é claro que ...

needn't ['ni:dənt] = **need not** *s.* **need**

needy ['ni:di] <-ier, -iest> *adj* necessitado, -a

negative ['negəţɪv] I. *adj* negativo, -a II. *n* 1. LING negativa *f* 2. PHOT negativo *m*

neglect [nɪ'glekt] *vt* negligenciar

negligence ['neglɪdʒənts] *n no pl* negligência *f*

negligible ['neglɪdʒəbl] *adj* desprezível, insignificante

negotiate [nɪ'goʊʃieɪt] *vt,vi* negociar; **to** ~ (**sth**) **with sb** negociar (a.c) com alguém

negotiating table *n fig* mesa *f* de negociações

negotiation [nɪˌgoʊʃi'eɪʃn] *n* negociação *f*

neighbor ['neɪbər] *n Am* vizinho, -a *m, f*

neighborhood ['neɪbərhʊd] *n Am* redondezas *fpl*

neighborhood watch *n* vigilância *f* local

neighboring *adj Am* vizinho, -a

neither ['ni:ðər, *Brit:* 'naɪðəʳ] I. *pron* nenhum (dos dois), nenhuma (das duas) *m, f;* **which one?** – ~ (**of them**) qual deles? – nenhum II. *adv, conj* nem; **me** ~ nem eu; ~ **... nor ...** nem ... nem ... III. *adj* nenhum (dos dois), nenhuma (das duas)

neologism [ni'ɑlədʒɪzm] *n* neologismo *m*

neon ['ni:ɑ:n] *n no pl* néon *m*

neon lamp *n*, **neon light** *n* luz *f* de néon

nephew ['nefju:] *n* sobrinho *m*

nerve [nɜ:rv] *n* 1. nervo *m* 2. *no pl* (*courage*) ousadia; **to get on sb's nerves** irritar alguém; **what a ~!** que cara-de-pau! *inf*

nerve-racking *adj* estressante

nervous ['nɜ:rvəs] *adj* nervoso, -a

nervous breakdown *n* esgotamento *m* nervoso **nervous system** *n* sistema *m* nervoso

nest [nest] *n* ninho *m*

nest egg *n* (*money saved*) pé-de-meia *m*

net[1] [net] *n* rede *f*

net[2] [net] *adj* COM líquido, -a; ~ **income** renda *f* líquida

Netherlands ['neðərləndz] *n* **the** ~ os Países *mpl* Baixos

nett [net] *adj Brit s.* **net**[2]

nettle ['neţl] *n* urtiga *f*

network ['netwɜ:rk] *n* rede *f;* **telephone** ~ rede telefônica

neurological [ˌnʊrə'lɑ:dʒɪkəl, *Brit:* ˌnjʊərə'lɒ-] *adj* neurológico, -a

neurosis [nʊ'roʊsɪs, *Brit:* njʊə'rəʊ-] <-es> *n* neurose *f*

neurotic [njʊ'rɑ:ţɪk, *Brit:* nʊə'rɒt-] *adj* neurótico, -a

neuter ['nu:ţər, *Brit:* 'nju:təʳ] I. *adj*

neutro, -a **II.** *vt* castrar

neutral ['nu:trəl, *Brit:* 'nju:-] **I.** *adj* neutro, -a **II.** *n* AUTO ponto *m* morto

neutron ['nu:trɑ:n, *Brit:* 'nju:trɒn] *n* nêutron *m*

never ['nevər] *adv* nunca; ~ **mind** não faz mal; ~ **ever** jamais

never-ending *adj* sem fim

nevertheless [ˌnevərðə'les] *adv* no entanto, contudo

new [nu:, *Brit:* nju:] *adj* novo, -a; **what's ~?** o que há de novo?; **brand ~** novo em folha

New Age *n* Nova Era *f* **newborn** *adj* recém-nascido, -a **New Brunswick** *n* New Brunswick *f* **New Caledonia** *n* Nova Caledônia *f* **New England** *n* Nova Inglaterra *f* **Newfoundland** ['nu:fəndlənd, *Brit:* 'nju:-] *n* Terra Nova *f*

newly *adv* recém

newly-wed *npl* recém-casado, -a *m, f*

new moon *n* lua *f* nova **New Orleans** *n* Nova Orleans *f*

news [nu:z, *Brit:* nju:z] *n + sing vb* notícia(s) *f;* **a piece of** ~ uma notícia; **bad/good** ~ más/boas notícias; **the ~s** *+ sing vb* o noticiário *m* **newsagent** *n Brit, Aus* jornaleiro, -a *m, f* **newscaster** *n Am* locutor(a) *m(f)* **news dealer** *n Am* jornaleiro, -a *m, f* **newsflash** <-es> *n* últimas *f pl* notícias **newspaper** *n* jornal *m* **newsreader** *n Brit, Aus* locutor(a) *m(f)* **newsstand** *n* banca *f* de jornais **newsworthy** *adj* noticiável

newt [nu:t, *Brit:* nju:t] *n* tritão *m*

New Year *n* Ano-Novo *m;* **Happy ~** Feliz Ano-Novo

New Year's Day *n no pl* dia *m* de ano-novo **New Year's Eve** *n no pl* véspera *f* de ano-novo

New York *n* Nova Iorque *f* **New Yorker** *n* nova-iorquino, -a *m, f* **New Zealand** *n* Nova Zelândia *f*

next [nekst] **I.** *adj* **1.** ao lado **2.** seguinte; ~ **month** no mês que vem; **the ~ day** o dia seguinte; (**the**) ~ **time** da próxima vez **3.** próximo, -a; **to be ~** ser o próximo **II.** *adv* **1.** depois **2.** ~ **to** ao lado de

next door *adv* ao lado **next-door neighbor** *n* vizinho , -a*m, f* ao lado

next of kin *n no pl* parentes *mpl* mais próximos

Niagara Falls [naɪˌægərə'-] *n* as cataratas *fpl* do Niágara

nib [nɪb] *n* ponta *f*

nibble ['nɪbl] *vt, vi* **to ~** (**on**) **sth** beliscar a. c.

Nicaragua [ˌnɪkə'rɑ:gwə, *Brit:* -'rægjʊə] *n* Nicarágua *f*

nice [naɪs] *adj* **1.** agradável; ~ **to meet you** prazer em conhecê-lo; **have a ~ day!** tenha um bom dia **2.** simpático, -a; **to be ~ to sb** ser simpático com alguém

niche [nɪtʃ, *Brit:* ni:ʃ] *n* nicho *m*

nick [nɪk] *n* **1.** entalhe *m* **2.** *fig* **in the ~ of time** na hora H

nickel ['nɪkl] *n* **1.** *no pl* CHEM níquel *m* **2.** *Am* FIN moeda *f* de cinco centavos

nickname *n* apelido *m*

nicotine ['nɪkəti:n] *n no pl* nicotina *f*

nicotine patch <-es> *n* adesivo *m* de

nicotina
niece [ni:s] *n* sobrinha *f*
Nigeria [naɪ'dʒɪriə] *n* Nigéria *f*
niggling ['nɪglɪŋ] *adj* irritante
night [naɪt] *n* noite *f;* **at** ~ à noite; **good** ~! boa noite!; **last** ~ ontem à noite
nightclub *n* boate *f* **nightdress** <-es> *n esp Brit* camisola *f* **nightgown** *n Am, inf* camisola *f* **night life** *n no pl* vida *f* noturna
nightmare ['naɪtmer] *n* pesadelo *m*
night-porter *n* porteiro *m* da noite
nil [nɪl] *n no pl, Brit* (*no score*) zero *m*
Nile [naɪl] *n* **the** ~ o Nilo
nine [naɪn] *adj* nove
nineteen [ˌnaɪn'ti:n] *adj* dezenove
nineteenth *adj* décimo nono, décima nona
ninetieth ['naɪntiəθ] *adj* nonagésimo, -a
ninety ['naɪnţi] *adj* noventa
ninth [naɪnθ] *adj* nono, -a
nip [nɪp] <-pp-> *vt* beliscar
nipple ['nɪpl] *n* **1.** ANAT mamilo *m* **2.** (*on baby bottle*) bico *m* (de mamadeira)
nitrogen ['naɪtrədʒən] *n no pl* nitrogênio *m*
no [noʊ] **I.** *adv* não; ~ **parking** proibido estacionar **II.** *adj* nenhum(a); ~ **way** de jeito nenhum **III.** <-(e)s> *n* não *m*
Nobel prize [ˌnoʊbel'-] *n* prêmio *m* Nobel
nobility [noʊ'bɪləţi] *n no pl* nobreza *f*
noble ['noʊbl] *adj* nobre
nobody ['noʊbɑ:di] *pron indef, sing* ninguém
nod [nɑ:d] <-dd-> *vt, vi* **to** ~ **one's head** dizer sim com a cabeça
noise [nɔɪz] *n* barulho *m*
noisy ['nɔɪzi] <-ier, -iest> *adj* barulhento, -a
nominal ['nɑ:mənl] *adj* simbólico, -a; **a** ~ **sum** um valor simbólico
nominate ['nɑ:məneɪt] *vt* nomear
nomination [ˌnɑ:mə'neɪʃn] *n* nomeação *f*
nominee [ˌnɑ:mə'ni:] *n* o indicado, -a *m, f*
non-alcoholic *adj* sem álcool
non-committal [ˌnɑ:nkə'mɪţəl] *adj* evasivo, -a
none [nʌn] *pron* nenhum(a) *m(f)*
non-fat *adj* sem gordura **non-fiction** *n no pl* não-ficção *f*
nonsense ['nɑ:nsents] *n no pl* bobagem *f*
nonsensical [ˌnɑ:n'sentsɪkl] *adj* disparatado, -a
non-smoker *n* não-fumante *mf*
non-smoking *adj* não-fumante
non-stick *adj* não-aderente
non-stop **I.** *adj* ininterrupto, -a; (*flight, train*) direto, -a **II.** *adv* sem parar
noon [nu:n] *n no pl* meio-dia *m*
no-one *pron indef, sing* ninguém
nor [nɔ:r] *conj* nem; **neither** ... ~ ... nem ... nem ...
normal ['nɔ:rml] *adj* normal
normalcy ['nɔ:rməlsi] *Am,* **normality** [nɔ:r'mæləţi] *n no pl* normalidade *f*
north [nɔ:rθ] **I.** *n* norte *m* **II.** *adj* do norte **III.** *adv* para o norte

North America *n* América *f* do Norte
North American *adj, n* norte-americano, -a *m, f*
North Carolina *n* Carolina *f* do Norte
North Dakota *n* Dakota *f* do Norte
northeast [ˌnɔːrθ'iːst] **I.** *n* nordeste *m* **II.** *adj* (do) nordeste **III.** *adv* para o nordeste
northern ['nɔːrðərn] *adj* (do) norte
North Pole *n* **the** ~ o Pólo Norte
North Star *n* estrela *f* polar
northwest [ˌnɔːrθ'west] **I.** *n* noroeste *m* **II.** *adj* (do) noroeste **III.** *adv* para o noroeste
Northwest Territories *n pl* Territórios *mpl* do Noroeste
Norway ['nɔːrweɪ] *n* Noruega *f*
nose [noʊz] *n* nariz *m*
nosebleed *n* hemorragia *f* nasal **nose stud** *n* piercing *m* no nariz
nosey ['noʊzi] <-ier, -iest> *adj* xereta
nostalgia [nɑː'stældʒə] *n no pl* nostalgia *f*
nostril ['nɑːstrəl] *n* narina *f*
nosy ['noʊzi] <-ier, -iest> *adj s.* **nosey**
not [nɑːt] *adv* não; **why ~?** por que não?
notable ['noʊţəbl] *adj* notável
notably *adv* em particular
note [noʊt] **I.** *n* (*musical, bank*) nota *f;* (*short message*) bilhete *m* **II.** *vt* **1.** notar **2. to ~ sth** (**down**) anotar a. c.
notebook *n* caderno *m*
notepad *n* bloco *m* de anotações
nothing ['nʌθɪŋ] *pron indef, sing* nada; **to do ~** não fazer nada
notice ['noʊţɪs] **I.** *vt,vi* reparar **II.** *n* **1.** *no pl* atenção *f;* **to take ~ of** prestar atenção em **2.** *no pl* aviso *m;* **at short ~** em cima da hora
noticeable ['noʊţɪsəbl] *adj* visível
notification [ˌnoʊţəfɪ'keɪʃn] *n* comunicado *m*
notify ['noʊţəfaɪ] <-ie-> *vt* comunicar
notion ['noʊʃn] *n* noção *f*
notorious [noʊ'tɔːriəs] *adj* notório, -a
nougat ['nuːgət, *Brit:* 'nuːgɑː] *n no pl* torrone *m*
nought [nɑːt] *n esp Brit* zero *m*
noun [naʊn] *n* substantivo *m*
nourish ['nɜːrɪʃ] *vt* nutrir
nourishing *adj* nutritivo, -a
nourishment *n no pl* alimento *m*
Nova Scotia [ˌnoʊvə'skoʊʃə] *n* Nova Escócia *f*
novel[1] ['nɑːvl] *n* LIT romance *m*
novel[2] *adj* (*new*) original
novelist *n* romancista *mf*
novelty ['nɑːvlti] <-ies> *n no pl* novidade *f*
November [noʊ'vembər] *n* novembro *m*
novice ['nɑːvɪs] *n* novato, -a *m, f*
now [naʊ] **I.** *adv* **1.** agora; **right ~** agora mesmo **2.** atualmente; **by ~** já; **from ~ on** de agora em diante **3.** (**every**) **~ and then** de vez em quando **II.** *conj* ~ (**that**) … agora (que) …
nowadays ['naʊədeɪz] *adv* hoje em dia
nowhere ['noʊwer] *adv* em lugar nenhum

nozzle ['nɑ:zl] *n* bocal *m*

nuclear ['nu:kliər, *Brit:* 'nju:kliə^r] *adj* nuclear

nucleus ['nu:kliəs, *Brit:* 'nju:-] <-ei *o* -es> *n* núcleo *m*

nude [nu:d, *Brit:* nju:d] **I.** *adj* nu(a) **II.** *n* **1.** nu *m* **2. in the ~** pelado, -a *m, f*

nudge [nʌdʒ] *vt* cutucar

nudity ['nu:dəţi, *Brit:* 'nju:dəti] *n no pl* nudez *f*

nuisance ['nu:sns, *Brit:* 'nju:-] *n* **what a ~!** que chatice!

null [nʌl] *adj* nulo, -a; **~ and void** sem efeito

numb [nʌm] *adj* **1.** (*with cold*) dormente **2.** (*with fear*) paralisado, -a

number ['nʌmbər] **I.** *n* **1.** número *m* **2. for a ~ of reasons** por várias razões **II.** *vt* numerar

Cultura O **Number 10 Downing Street** é a residência oficial do **prime minister** (primeiro-ministro). A casa data do século XVII, tendo sido construída por Sir George Downing, político, especulador imobiliário e espião.

number plate *n Brit* placa *f* de carro

numeral ['nu:mərəl, *Brit:* 'nju:-] *n* algarismo *m*

numerous ['nu:mərəs, *Brit:* 'nju:-] *adj* numeroso, -a

nurse [nɜ:rs] **I.** *n* enfermeiro, -a *m, f* **II.** *vt* cuidar de

nursery ['nɜ:rsəri] <-ies> *n* **1.** (*for children*) creche *f* **2.** BOT viveiro *m*

nursing home *n* clínica *f* de repouso

nurture ['nɜ:rtʃər] *vt* alimentar

nut [nʌt] *n* **1.** noz *f* **2.** TECH porca *f*

nutrition [nu:'trɪʃn, *Brit:* nju:-] *n no pl* nutrição *f*

nutritious [nu:'trɪʃəs, *Brit:* nju:-] *adj* nutritivo, -a

nutshell *n no pl* **in a ~** em resumo

NY *abbr of* **New York** NY

O, o [əʊ] *n* o *m*

oak [oʊk] *n* carvalho *m*

oar [ɔ:r] *n* remo *m*

oath [oʊθ] *n* juramento *m*

oats [oʊts] *npl* aveia *f*

obedience [oʊ'bi:diəns] *n no pl* obediência *f*

obedient [oʊ'bi:diənt] *adj* obediente

obesity [oʊ'bi:səţi] *n no pl* obesidade *f*

obey [oʊ'beɪ] *vt* obedecer

obituary [oʊ'bɪtʃueri] <-ies> *n*, **obituary notice** *n* obituário *m*

object¹ ['ɑ:bdʒɪkt] *n* objeto *m*

object² [əb'dʒekt] *vi* fazer objeção a

objection [əb'dʒekʃn] *n* objeção *f*

objective [əb'dʒektɪv] *adj* objetivo, -a

objectivity [ˌɑ:bdʒek'tɪvəţi] *n no pl* objetividade *f*

obligation [ˌɑ:blə'geɪʃn] *n no pl* obrigação *f*

oblige [ə'blaɪdʒ] *vt* obrigar

obliterate [ə'blɪţəreɪt] *vt* apagar

oblivion [ə'blɪviən] *n no pl* esqueci-

mento *m*
oblivious [ə'blɪviəs] *adj* alheio, -a
oblong ['ɑ:blɑ:ŋ] *adj* alongado, -a
obnoxious [əb'nɑ:kʃəs] *adj* antipático, -a
oboe ['oʊboʊ] *n* oboé *m*
obscene [əb'si:n] *adj* obsceno, -a
obscenity [əb'senəti] <-ies> *n* obscenidade *f*
obscure [əb'skjʊr] *adj* obscuro, -a
observance [əb'zɜ:rvəns] *n* observância *f*
observant [əb'zɜ:rvənt] *adj* observador(a)
observation [ˌɑ:bzər'veɪʃn] *n* observação *f*
observatory [əb'zɜ:rvətɔ:ri] *n* observatório *m*
observe [əb'zɜ:rv] *vt* observar
observer [əb'zɜ:rvər] *n* observador(a) *m(f)*
obsessed [əb'sest] *adj* obcecado, -a
obsession [əb'seʃn] *n* obsessão *f*
obsolete [ˌɑ:bsəl'i:t] *adj* obsoleto, -a
obstacle ['ɑ:bstəkl] *n* obstáculo *m*
obstinate ['ɑ:bstənət] *adj* obstinado, -a
obstruct [əb'strʌkt] *vt* obstruir
obstruction [əb'strʌkʃn] *n* obstrução *f*
obtain [əb'teɪn] *vt* obter
obvious ['ɑ:bviəs] *adj* óbvio, -a
occasion [ə'keɪʒən] *n* ocasião *f*
occasionally *adv* de vez em quando
occult [ə'kʌlt] *adj* oculto, -a
occupancy ['ɑ:kjəpəntsi] *n no pl* ocupação *f*
occupant ['ɑ:kjəpənt] *n* inquilino, -a *m, f*
occupation [ˌɑ:kjə'peɪʃn] *n* ocupação *f*, profissão *f*
occupational *adj* ocupacional
occupy ['ɑ:kju:paɪ] <-ie-> *vt* ocupar; **to ~ oneself** manter-se ocupado
occur [ə'kɜ:r] <-rr-> *vi* acontecer
occurrence [ə'kɜ:rəns] *n* acontecimento *m*
ocean ['oʊʃən] *n* oceano *m*
o'clock [ə'klɑ:k] *adv* **it's one ~** é uma hora; **it's seven ~** são sete horas
October [ɑ:k'toʊbər] *n* outubro *m*
octopus ['ɑ:ktəpəs] <-es *o* -pi> *n* polvo *m*
odd [ɑ:d] *adj* estranho, -a; (*number*) ímpar
oddly *adv* curiosamente
odds [ɑ:dz] *npl* chances *fpl*
ode [oʊd] *n* ode *f*
odor *n Am, Aus,* **odour** ['oʊdər] *n Brit* cheiro *m*
of [əv, *stressed:* ɑ:v] *prep* de; **a friend ~ mine** um amigo meu; **that was nice ~ you** foi gentil da sua parte; **there are six ~ us** somos seis
off [ɑ:f] **I.** *prep* **keep ~ the grass** não pise na grama; **to fall ~ a ladder** cair de uma escada; **to get ~ the train** saltar do trem **II.** *adv* **to get a day ~** ter um dia de folga; **to switch/turn sth ~** desligar a. c.; **the lid is ~** está destampado **III.** *adj esp Brit* (*milk*) talhado, -a; (*light*) apagado, -a
offence *n esp Brit s.* **offense**
offend [ə'fend] *vi, vt* ofender
offender [ə'fendər] *n* infrator(a) *m(f)*
offense [ə'fens] *n Am* insulto *m;* (*crime*) delito *m*

offensive [ə'fensɪv] *adj* ofensivo, -a
offer ['ɑ:fər] **I.** *vt* oferecer **II.** *vi* **to ~ to do sth** oferecer-se para fazer a. c. **III.** *n* oferta *f*
offering *n* oferenda *f*
office ['ɑ:fɪs] *n* escritório *m*
officer ['ɑ:fɪsər] *n* policial *mf*
official [ə'fɪʃl] *n* funcionário, -a *m, f*
off-peak *adj* reduzido, -a
off-season *n* baixa estação *f*
offset ['ɑ:fset] <offset, offset> *vt* compensar
offshore [ˌɑ:f'ʃɔ:r] *adv* ao largo da costa
offside [ˌɑ:f'saɪd] *adj* SPORTS impedido, -a
offspring ['ɑ:fsprɪŋ] *n inv* cria *f*
often ['ɑ:fən] *adv* freqüentemente
oil [ɔɪl] **I.** *n* GASTR óleo *m;* (*grease*) gordura *f; no pl* (*petroleum*) petróleo *m* **II.** *vt* **to ~ sth** (**up/down**) lubrificar a. c.
oil company *n* empresa *f* petrolífera
oil painting *n* pintura *f* a óleo
oily <-ier, -iest> *adj* (*food*) gorduroso, -a; (*hands*) engordurado, -a; (*hair*) oleoso, -a
ointment ['ɔɪntmənt] *n* pomada *f*
OK, okay [ˌoʊ'keɪ] *inf* **I.** *adj* (*not bad*) razoável **II.** *interj* tudo bem!
old [oʊld] *adj* velho, -a; **how ~ are you?** quantos anos você tem?
old age *n no pl* velhice *f*
old-fashioned *adj* antiquado, -a
olive oil *n* azeite *m*
Olympic [oʊ'lɪmpɪk] *adj* olímpico, -a; **the Olympic Games** os Jogos Olímpicos
Oman [oʊ'mɑ:n] *n* Omã *m*
omelet(te) ['ɑ:mlət] *n* omelete *m ou f*
omen ['oʊmen] *n* agouro *m*
ominous ['ɑ:mənəs] *adj* sinistro, -a
omission [oʊ'mɪʃn] *n* omissão *f*
omit [oʊ'mɪt] <-tt-> *vt* omitir
omnipotent [ɑ:m'nɪpəţənt] *adj* onipotente
on [ɑ:n] **I.** *prep* em; **~ the right/left** à direita/esquerda; **to go ~ vacation** sair de férias **II.** *adv* **to put one's glasses on** pôr os óculos; **to get ~ a train** entrar no trem; **to keep ~ doing sth** continuar fazendo a. c.; **later ~** mais tarde; **to move ~** prosseguir; **to turn sth ~** ligar a. c. **III.** *adj* aceso, -a, ligado, -a
once [wʌnts] **I.** *adv* uma vez; **at ~** imediatamente **II.** *conj* assim que +*subj*
one [wʌn] **I.** *adj numeral; indef* um(a) **II.** *pron impers, no pl* **to wash ~'s face** lavar o (próprio) rosto; **what ~ can do** o que se pode fazer; **every ~** todo mundo; **no ~** ninguém; **any ~** qualquer um; **this ~** este aqui; **which ~?** qual?
oneself [wʌn'self] *pron refl* se, a si mesmo, a si mesma *m, f*
ongoing ['ɑ:ngoʊɪŋ] *adj* em curso
onion ['ʌnjən] *n* cebola *f*
on-line *adj* on-line
onlooker ['ɑ:nlʊkər] *n* curioso, -a *m, f*
only ['oʊnli] **I.** *adj* único, -a **II.** *adv* somente
onset ['ɑ:nset] *n no pl* início *m*
onslaught ['ɑ:nslɑ:t] *n* ataque *m*
onto ['ɑ:ntu:] *prep*, **on to** *prep* to

hold ~ sb's arm agarrar-se ao braço de alguém
onward ['ɑ:nwərd] *adj, adv* adiante
ooze [u:z] *vi fig* irradiar
opal ['oʊpl] *n* opala *f*
opaque [oʊ'peɪk] *adj* opaco, -a
OPEC ['oʊpek] *n abbr of* **Organization of Petroleum Exporting Countries** OPEP *f*
open ['oʊpən] **I.** *adj* aberto, -a; **wide ~** escancarado **II.** *n no pl* (**out**) **in the ~** ao ar livre; **to get sth** (**out**) **in the ~** abrir o jogo com alguém **III.** *vi, vt* (*window*) abrir(-se)
open-air *adj* ao ar livre
opener ['oʊpənər] *n* abridor *m*
opening *n* abertura *f*
openly *adv* abertamente
openness *n no pl* franqueza *f*
opera ['ɑ:prə] *n* ópera *f*
operate ['ɑ:pəreɪt] *vt* (*manage*) administrar; (*work*) acionar
operating *adj* (*costs*) operacional
operation [ˌɑ:pə'reɪʃn] *n no pl* funcionamento *m,* operação *f*
operational [ˌɑ:pə'reɪʃənl] *adj* operacional
operator ['ɑ:pəreɪţər] *n* operador(a) *m(f)*; **telephone ~** telefonista
opinion [ə'pɪnjən] *n* opinião *f*
opinion poll *n* pesquisa *f* de opinião
opium ['oʊpiəm] *n no pl* ópio *m*
opponent [ə'poʊnənt] *n* adversário, -a *m, f*
opportunity [ˌɑ:pər'tu:nəţi] <-ies> *n* oportunidade *f*
oppose [ə'poʊz] *vt* opor
opposed *adj* oposto, -a
opposing *adj* contrário, -a
opposite ['ɑ:pəzɪt] **I.** *n* contrário *m* **II.** *adj* **the ~ sex** o sexo oposto **III.** *adv* em frente **IV.** *prep* em frente a
opposition [ˌɑ:pə'zɪʃn] *n no pl* oposição *f*
oppress [ə'pres] *vt* oprimir
oppression [ə'preʃn] *n no pl* opressão *f*
opt [ɑ:pt] *vi* optar
optic ['ɑ:ptɪk] *adj* ó(p)tico, -a
optical ['ɑ:ptɪkl] *adj* ó(p)tico, -a
optician [ɑ:p'tɪʃn] *n aquele que fabrica ou vende óculos*
optics ['ɑ:ptɪks] *npl* ó(p)tica *f*
optimism ['ɑ:ptəmɪzəm] *n no pl* otimismo *m*
optimist ['ɑ:ptəmɪst] *n* otimista *mf*
option ['ɑ:pʃn] *n* opção *f*
optional ['ɑ:pʃənl] *adj* opcional
or [ɔ:r] *conj* ou; **either ... ~ ...** ou ... ou ...
oracle ['ɔ:rəkl] *n* oráculo *m*
oral ['ɔ:rəl] *adj* (*cavity*) bucal; (*medication*) oral
orange ['ɔ:rɪndʒ] *n* laranja *f*
orange juice *n* suco *m* de laranja
orator ['ɔ:rəţər] *n* orador(a) *m(f)*
orbit ['ɔ:rbɪt] *n* órbita *f*
orchard ['ɔ:rtʃərd] *n* pomar *m*
orchestra ['ɔ:rkɪstrə] *n* orquestra *f*
orchestrate ['ɔ:rkɪstreɪt] *vt* orquestrar
ordeal [ɔ:r'di:l] *n* provação *f*
order ['ɔ:rdər] **I.** *n* ordem *f;* (*request*) pedido *m;* **an ~ of sth** uma porção de a. c.; **in ~ to do sth** para [*ou* a fim de] fazer a. c. **II.** *vt* **to ~**

sb around mandar em alguém; (*at restaurant*) pedir

orderly ['ɔ:rdərli] <-ies> *adj* arrumado, -a

ordinary ['ɔ:rdəneri] *adj* comum

ordnance ['ɔ:rdnənts] *n* artilharia *f*

ore [ɔ:r] *n* minério *m*

organ ['ɔ:rgən] *n* órgão *m*

organic [ɔ:r'gænɪk] *adj* orgânico, -a

organism ['ɔ:rgənɪzəm] *n* organismo *m*

organization [ˌɔ:rgənɪ'zeɪʃn] *n* organização *f*

organize ['ɔ:rgənaɪz] I. *vt* organizar II. *vi* organizar-se

organized *adj* organizado, -a

orgasm ['ɔ:rgæzəm] *n* orgasmo *m*

orgy ['ɔ:rdʒi] <-ies> *n* orgia *f*

orient ['ɔ:riənt] *vt Brit s.* **orientate**

oriental [ˌɔ:ri'entəl] *adj* oriental

orientate ['ɔ:rienteɪt] *vt* **to ~ oneself** orientar-se

orientation [ˌɔ:rien'teɪʃn] *n* orientação *f*

origin ['ɔ:rədʒɪn] *n* origem *f*

original [ə'rɪdʒɪnəl] *adj* original

originality [əˌrɪdʒɪ'næləṱi] *n no pl* originalidade *f*

originate [ə'rɪdʒɪneɪt] *vi* originar-se

ornament ['ɔ:rnəmənt] *n* ornamento *m*

ornamental [ˌɔ:rnə'mentl] *adj* ornamental

orphan ['ɔ:rfn] *n* órfão, órfã *m, f*

orphanage ['ɔ:rfənɪdʒ] *n* orfanato *m*

orthodox ['ɔ:rθədɑ:ks] *adj* ortodoxo, -a

oscillate ['ɑ:sɪleɪt] *vi, vt* oscilar

ostensible [ɑ:'stensəbl] *adj* ostensivo, -a

ostrich ['ɑ:strɪtʃ] *n* avestruz *mf*

other ['ʌðər] I. *adj* outro, -a; **every ~ day** dia sim dia não II. *pron* **the ~s** os outros, as outras *m, f;* **each ~** um ao outro III. *adv* **~ than** a não ser

otherwise ['ʌðərwaɪz] I. *adv* de outra maneira II. *conj* do contrário

otter ['ɑ:ṱər] *n* lontra *f*

ought [ɑ:t] *aux* dever

ounce [aʊns] *n* onça *f* (*28,4 g*)

our ['aʊər] *adj poss* nosso, -a

ours ['aʊərz] *pron poss* (o) nosso, (a) nossa; **a book of ~** um livro nosso; **this house is ~** esta casa é nossa

ourselves [aʊər'selvz] *pron refl* nos; *emphatic* nós mesmos, -as; **by ~** sozinhos, -as; **we hurt ~** nós nos ferimos

oust [aʊst] *vt* (*president*) depor

out [aʊt] I. *adj* 1. (*absent*) ausente; **before the week is ~** antes de terminar a semana 2. (*not functioning*) desligado, -a II. *adv* fora; **to go ~** sair III. *prep* **~ of** fora de; **~ of money** sem dinheiro; **made ~ of wood** feito de madeira

outbreak ['aʊtbreɪk] *n* surto *m*

outburst ['aʊtbɜ:rst] *n* acesso *m*

outcast ['aʊtkæst] *n* **social ~** excluído

outcome ['aʊtkʌm] *n* resultado *m*

outcry ['aʊtkraɪ] <-ies> *n* clamor *m*

outdated [ˌaʊt'deɪṱɪd] *adj* ultrapassado, -a

outdo [aʊt'du:] *vt irr* exceder

outdoor ['aʊtdɔ:r] *adj* ao ar livre

outer ['aʊţər] *adj* exterior, externo, -a
outfit ['aʊtfɪt] *n* roupa *f*
outgoing [ˌaʊt'goʊɪŋ] *adj* expansivo, -a
outgrow [ˌaʊt'groʊ] *vt irr* (*habit*) superar; **she's ~n her jeans** o jeans já ficou pequeno para ela
outing *n* passeio *m*
outlandish [aʊt'lændɪʃ] *adj* bizarro, -a
outlaw *vt* banir
outlay ['aʊtleɪ] *n* dispêndio *m*
outlet ['aʊtlet] *n* tomada *f;* (*exit*) saída *f*
outline ['aʊtlaɪn] *vt* esboçar, delinear
outlive [ˌaʊt'lɪv] *vt* sobreviver a
outlook ['aʊtlʊk] *n* perspectiva *f*
out-of-date *adj* (*clothes*) fora de moda
outpatient ['aʊtˌpeɪʃənt] *n* paciente *mf* de ambulatório
output ['aʊtpʊt] *n no pl* produção *f;* (*of machine*) rendimento *m*
outrage ['aʊtreɪdʒ] *n* indignação *f*
outrageous [aʊt'reɪdʒəs] *adj* ultrajante
outright ['aʊtraɪt] *adj* categórico, -a
outside [ˌaʊt'saɪd] **I.** *adj* externo, -a **II.** *prep* fora de **III.** *adv* (do lado de) fora, (para) fora
outsider [ˌaʊt'saɪdər] *n* estranho, -a *m, f*
outskirts ['aʊtskɜːrts] *npl* arredores *mpl*
outstanding [ˌaʊt'stændɪŋ] *adj* notável
outward ['aʊtwərd] **I.** *adj* externo, -a **II.** *adv* para fora
oval ['oʊvəl] *adj* oval
ovary ['oʊvəri] <-ies> *n* ovário *m*
ovation [oʊ'veɪʃn] *n* **standing ~** aplausos em pé
oven ['ʌvən] *n* forno *m*
over ['oʊvər] **I.** *prep* **1.** por cima de, sobre; **famous all ~ the world** famoso no mundo inteiro **2.** (*during*) durante **3.** (*more than*) mais de **II.** *adv* **1.** ~ **here** por aqui; **to move sth ~** afastar a. c.; **to fall ~** tombar **2.** (*go*) por cima, sobre **III.** *adj* acabado, -a
overall[1] [ˌoʊvər'ɔːl] *n pl* macacão *m*
overall[2] **I.** *adj* geral **II.** *adv* de maneira geral
overboard ['oʊvərbɔːrd] *adv* **to go ~** *inf* exagerar
overcoat ['oʊvərkoʊt] *n* sobretudo *m*
overcome [ˌoʊvər'kʌm] *vt irr* (*enemy*) vencer; (*crisis*) superar
overcrowded [ˌoʊvər'kraʊdɪd] *adj* superlotado, -a
overdo [ˌoʊvər'duː] *vt inf* exagerar
overdose ['oʊvərdoʊs] *n* overdose *f*
overdraft ['oʊvərdræft] *n* saldo *m* negativo
overdue [ˌoʊvər'duː, *Brit:* ˌəʊvə'djuː] *adj* atrasado, -a
overestimate [ˌoʊvər'estəmeɪt] *vt* superestimar
overflow [ˌoʊvər'floʊ] *vi* transbordar
overhead [ˌoʊvər'hed] **I.** *n Am* despesas *fpl* gerais **II.** *adv* acima
overhear [ˌoʊvər'hɪr] *irr vt* ouvir por acaso
overjoyed [ˌoʊvər'dʒɔɪd] *adj* **to be ~ at sth** estar eufórico com a. c.
overlap [ˌoʊvər'læp] <-pp-> *vi, vt* so-

brepor(-se)
overload ['oʊvərloʊd] *n* sobrecarga *f*
overlook [ˌoʊvər'lʊk] *vt* (*not notice*) deixar passar
overly ['oʊvərli] *adv* excessivamente
overnight [ˌoʊvər'naɪt] *adv* durante a noite; **to stay ~** passar a noite
overpower [ˌoʊvər'paʊər] *vt* dominar
override [ˌoʊvər'raɪd] *vt* prevalecer sobre
overrule [ˌoʊvər'ru:l] *vt* rejeitar
overrun [ˌoʊvər'rʌn] *vt irr* (*budget*) exceder
overseas [ˌoʊvər'si:z] **I.** *adj* (*trade*) exterior **II.** *adv* **to go ~** ir para o exterior
oversee [ˌoʊvər'si:] *irr vt* supervisionar
overshadow [ˌoʊvər'ʃædoʊ] *vt* ofuscar
oversight ['oʊvərsaɪt] *n* descuido *m*
overstate [ˌoʊvər'steɪt] *vt* exagerar
overstep [ˌoʊvər'step] *irr vt* exceder
overt ['oʊvɜ:rt] *adj* declarado, -a
overtake [ˌoʊvər'teɪk] *irr* **I.** *vt* passar à frente de **II.** *vi* ultrapassar
over-the-counter *adj* (*medicine*) *sem receita médica*
overthrow [ˌoʊvər'θroʊ] *vt irr* depor
overtime ['oʊvərtaɪm] *n* horas *fpl* extras
overtone ['oʊvərtoʊn] *n* insinuação *f*
overture ['oʊvərtʃər, *Brit:* 'əʊvətjʊə^r] *n* abertura *f*
overturn [ˌoʊvər'tɜ:rn] **I.** *vi* capotar **II.** *vt* derrubar
overweight [ˌoʊvər'weɪt] *adj* **to be ~** estar com excesso de peso
overwhelm [ˌoʊvər'welm] *vt* **to be ~ed by sth** ficar arrasado com a. c.
overwhelming *adj* (*majority*) esmagador(a)
owe [oʊ] *vt, vi* dever
owing to *prep* devido a
owl [aʊl] *n* coruja *f*
own [oʊn] **I.** *adj* próprio, -a **II.** *vt* possuir
owner ['oʊnər] *n* proprietário, -a *m, f*
ownership *n no pl* propriedade *f*
ox [ɑ:ks] <-en> *n* boi *m*
oxidation [ˌɑ:ksɪ'deɪʃn] *n* oxidação *f*
oxygen ['ɑ:ksɪdʒən] *n no pl* oxigênio *m*
oyster ['ɔɪstər] *n* ostra *f*
ozone ['oʊzoʊn] *n no pl* ozônio *m*
ozone layer *n* camada *f* de ozônio

P

P

P, p [pi:] <-'s> *n* p *f*
p *abbr of* **page** p. *f*
pace [peɪs] *n* **1.** *no pl* (*speed*) ritmo *m* **2.** (*step*) passo *m*
pacemaker *n* marca-passo *m*
Pacific [pə'sɪfɪk] *n* **the ~ (Ocean)** o (Oceano) Pacífico
pacifist ['pæsəfɪst] *n* pacifista *mf*
pacify ['pæsəfaɪ] <-ie-> *vt* acalmar
pack [pæk] **I.** *n* pacote *m;* (*backpack*) mochila *f* **II.** *vi* fazer as malas **III.** *vt* empacotar
package ['pækɪdʒ] *n* pacote *m*
package tour *n* *Am* pacote *m*

turístico

packaging *n no pl* empacotamento *m*

packet ['pækɪt] *n* pacote *m;* (*of cigarettes*) maço *m*

pact [pækt] *n* pacto *m*

pad [pæd] *n* **1.** (*cushion*) almofada *f* **2.** (*of paper*) bloco *m*

padded *adj* acolchoado, -a

padding *n no pl* estofamento *m*

paddle ['pædl] **I.** *n* remo *m* **II.** *vi* remar; (*walk, swim*) patinhar

paddock ['pædək] *n* cercado *m*

padlock ['pædlɑːk] *n* cadeado *m*

pagan ['peɪgən] *n* pagão, pagã *m, f*

page[1] [peɪdʒ] *n* página *f*

page[2] *vt* bipar

pageant ['pædʒənt] *n* **beauty** ~ concurso de beleza

paid [peɪd] *pt, pp of* **pay**

pain [peɪn] *n* dor *f;* **to be in** ~ estar com dor

painful ['peɪnfəl] *adj* doloroso, -a

painkiller *n* analgésico *m*

painless ['peɪnləs] *adj* indolor; *fig* fácil

paint [peɪnt] **I.** *n no pl* tinta *f* **II.** *vi, vt* pintar

paintbrush <-es> *n* (*for pictures*) pincel *m;* (*for walls*) brocha *f*

painter ['peɪntər] *n* pintor(a) *m(f)*

painting *n* **1.** quadro *m* **2.** *no pl* (*art*) pintura *f*

pair [per] *n* par *m;* **a** ~ **of scissors** uma tesoura; **a** ~ **of pants** uma calça

pajamas [pə'dʒɑːməz] *npl Am* pijama *m*

Pakistan ['pækɪstæn, *Brit:* ˌpɑːkɪ'stɑːn] *n* Paquistão *m*

pal [pæl] *n inf* companheiro, -a *m, f*

palace ['pæləs] *n* palácio *m*

palate ['pælət] *n* palato *m*

pale [peɪl] *adj* pálido, -a

Palestine ['pæləstaɪn] *n* Palestina *f*

palette ['pælɪt] *n* paleta *f*

palm[1] [pɑːm] *n* ANAT palma *f* (da mão)

palm[2] *n* BOT palmeira *f*

palpable ['pælpəbl] *adj* palpável

paltry ['pɔːltri] <-ier, -iest> *adj* insignificante

pamper ['pæmpər] *vt* mimar

pamphlet ['pæmflɪt] *n* panfleto *m*

pan [pæn] *n* panela *f*

Panama ['pænəmɑː] *n* Panamá *m*

pancake ['pænkeɪk] *n* panqueca *f*

panda ['pændə] *n* panda *m*

pane [peɪn] *n* vidraça *f*

panel ['pænəl] *n* painel *m*

panic ['pænɪk] **I.** *n* pânico *m;* **to be in a** ~ estar em pânico **II.** <-ck-> *vi* entrar em pânico

panorama [ˌpænə'ræmə] *n* panorama *m*

pansy ['pænzi] <-ies> *n* amor-perfeito *m*

pant [pænt] *vi* ofegar

panther ['pæntθər] *n* pantera *f*

panties ['pæntiːz] *npl Am* calcinha *f*

pantry ['pæntri] <-ies> *n* despensa *f*

pants [pænts] *npl* **1.** *Am* calça *f* **2.** *Brit* cueca *f*

papal ['peɪpl] *adj* papal

paper ['peɪpər] *n* **1.** *no pl* papel *m* **2.** (*newspaper*) jornal *m* **3.** (*document*) ~**s** documentos

paperback ['peɪpərbæk] *n* brochura *m*

paper clip *n* clipe *m* **paperweight**

n pesa-papéis *m inv* **papier-mâché** [ˌpeɪpərməˈʃeɪ, *Brit:* ˌpæpɪer- ˈmæʃeɪ] *n no pl* papel *m* machê

paprika [pæpˈriːkə, *Brit:* ˈpæprɪ-] *n no pl* páprica *f*

parable [ˈperəbl] *n* parábola *f*

parachute [ˈperəʃuːt] *n* pára-quedas *m inv*

parade [pəˈreɪd] **I.** *n* desfile *m* **II.** *vi* desfilar

paradigm [ˈperədaɪm] *n* paradigma *m*

paradise [ˈperədaɪs] *n* paraíso *m*

paradox [ˈperədɑːks] <-es> *n* paradoxo *m*

paraffin [ˈperəfɪn] *n no pl* parafina *f*

paragraph [ˈperəgræf] *n* parágrafo *m*

Paraguay [ˈperəgweɪ, *Brit:* ˈpærəgwaɪ] *n* Paraguai *m*

parakeet [ˈperəkiːt] *n* periquito *m*

parallel [ˈperəlel] *adj* paralelo, -a; ~ **to** paralelo a

paralysis [pəˈræləsɪs] <-ses> *n* paralisia *f*

paralyze [ˈperəlaɪz] *vt* paralisar

paramedic [ˌperəˈmedɪk] *n* paramédico, -a *m, f*

parameter [pəˈræmət̬ər] *n* parâmetro *m*

paramount [ˈperəmaʊnt] *adj form* primordial

paranoia [ˌperəˈnɔɪə] *n* paranóia *f*

paranoid [ˈperənɔɪd] *adj* paranóico, -a

paraphrase [ˈperəfreɪz] *vt* parafrasear

paraplegic [ˌperəˈpliːdʒɪk] *n* paraplégico, -a *m, f*

parasite [ˈperəsaɪt] *n* parasita *m*

parasol [ˈperəsɔːl] *n* guarda-sol *m*, sombrinha *f*

parcel [ˈpɑːrsəl] *n* pacote *m*

parchment [ˈpɑːrtʃmənt] *n* pergaminho *m*

pardon [ˈpɑːrdn] **I.** *vt* perdoar; ~ **me!** perdão! **II.** *n* perdão *m*; (**I beg your**) ~**?** como (disse)?

parent [ˈperənt] *n* pai *m*, mãe *f*; ~**s** pais

parenthesis [pəˈrentθəsɪs] <-ses> *n* parêntesis *m inv*

parish [ˈpærɪʃ] <-es> *n* paróquia *f*

parishioner [pəˈrɪʃənər] *n* paroquiano, -a *m, f*

park [pɑːrk] **I.** *n* parque *m* **II.** *vt, vi* estacionar

parking *n no pl* estacionamento *m*; **"no ~"** proibido estacionar

parking lot *n Am* estacionamento *m*

parking meter *n* parquímetro *m*

parking place *n*, **parking space** *n* vaga *f* para estacionar

parliament [ˈpɑːrləmənt] *n* parlamento *m*

parody [ˈperədi] <-ies> *n* paródia *f*

parrot [ˈperət] *n* papagaio *m*

parsley [ˈpɑːrsli] *n no pl* salsa *f*

parsnip [ˈpɑːrsnɪp] *n* ≈ batata *f* baroa

part [pɑːrt] **I.** *n* **1.** parte *f*; (*component*) peça *f*; **for the most** ~ geralmente; **in these** ~**s** *inf* nessas bandas; **to take** ~ **in sth** participar de a. c. **2.** THEAT, CINE papel *m* **3.** (*in hair*) repartido *m* **II.** *vt* partir; **to** ~ **one's hair** repartir o cabelo **III.** *vi* separar-se

partial [ˈpɑːrʃəl] *adj* **1.** parcial

P

Cultura As duas **Houses of Parliament** reúnem-se no **Palace of Westminster** de Londres. A câmara baixa, **House of Commons** , é eleita pelo povo e seus ministros recebem o nome de **members of parliament** ou **MP** s. Na câmara alta, **House of Lords** , os deputados, **peers of the realm** , se dividem em três grupos:1.os que ali ocupam uma cadeira por causa de seu trabalho como juízes, os **law lords** , ou por serem bispos da Igreja Anglicana, a **Church of England** ; 2.os que ocupam cadeira vitalícia, os **life peers** ; 3. os que herdaram uma cadeira junto com seu título de nobreza. Um comitê de juízes da **House of Lords** constitui o mais importante tribunal de justiça do Reino Unido.

2. she is ~ to … ela tem predileção por …

partially *adv* parcialmente

participant [pɑːr'tɪsəpənt] *n* participante *mf*

participate [pɑːr'tɪsəpeɪt] *vi* participar; **to ~ in sth** participar de a. c.

particle ['pɑːrt̬əkl] *n* partícula *f*

particular [pər'tɪkjələr] *adj* especial; (*specific*) específico, -a; **in ~** em particular; **to be ~ about sth** ser exigente com a. c.

particularly *adv* especialmente

parting *n Brit, Aus* (*in hair*) repartido *m*

partition [pɑːr'tɪʃn] *n* divisória *f*

partly *adv* em parte

partner ['pɑːrtnər] *n* (*in dance*) par *m;* (*in relationship*) companheiro, -a *m, f;* COM sócio, -a *m, f*

partnership ['pɑːtnərʃɪp] *n* sociedade *f*

partridge ['pɑːrtrɪdʒ] *n* perdiz *f*

part-time *adv, adj* em meio expediente

party ['pɑːrt̬i] *n* <-ies> **1.** festa *f* **2.** + *sing/pl vb* (*group*) grupo *m;* POL partido *m*

pass [pæs] **I.** <-es> *n* **1.** (*mountain*) desfiladeiro *m* **2.** (*document*) passe *m* **3.** (*in exam*) aprovação *f* **II.** *vt* **1.** passar **2.** (*exam*) passar (em) **III.** *vi* passar ◆**pass away** *vi* falecer ◆**pass by** *vi* **1.** (*elapse*) passar **2.** (*go past*) passar por ◆**pass on** *vt* transmitir ◆**pass out** *vi* desmaiar ◆**pass up** *vt* rejeitar

passage ['pæsɪdʒ] *n* **1.** passagem *f* **2.** LIT, MUS trecho *m*

passageway *n* corredor *m*

passenger ['pæsəndʒər] *n* passageiro, -a *m, f*

passion ['pæʃn] *n* paixão *f*

passionate ['pæʃənɪt] *adj* apaixonado, -a

passive ['pæsɪv] *adj* passivo, -a

passport ['pæspɔːrt] *n* passaporte *m*

password ['pæswɜːrd] *n* senha *f*

past [pæst] **I.** *n* passado *m* **II.** *adj* passado, -a **III.** *prep* **ten ~ two** (são) duas e dez **IV.** *adv* **to go ~** passar

pasta ['pɑːstə] *n no pl* massa *f*

paste [peɪst] **I.** *n no pl* **1.** cola *f* **2.** GASTR pasta *f* **II.** *vt* colar

pastel [pæ'stel] *adj, n* pastel *m*
pasteurize ['pæstʃəraɪz] *vt* pasteurizar
pastime ['pæstaɪm] *n* passatempo *m*
pastry ['peɪstri] <-ies> *n* **1.** *no pl* massa *f* **2.** (*cake*) folhado *m*
pasture ['pæstʃər] *n* pasto *m*
pat [pæt] <-tt-> *vt* dar tapinhas em
patch [pætʃ] **I.** *n* remendo *m* **II.** *vt* remendar
pâté [pɑ:'teɪ, *Brit:* 'pæteɪ] *n* patê *m*
patent ['pætənt, *Brit:* 'peɪt-] *n* patente *f*
patent leather *n no pl* verniz *m*
paternity [pə'tɜ:rnəţi] *n no pl, form* paternidade *f*
path [pæθ] *n* caminho *m*
pathetic [pə'θeţɪk] *adj pej* (*arousing scorn*) lamentável
pathologist [pə'θɑ:lədʒɪst] *n* patologista *mf*
pathos ['peɪθɑ:s] *n no pl* páthos *m*
patience ['peɪʃns] *n no pl* paciência *f*
patient ['peɪʃnt] *adj, n* paciente *mf*
patio ['pæţioʊ] <-s> *n* pátio *m*
patriot ['peɪtriət, *Brit:* 'pæt-] *n* patriota *mf*
patriotic [ˌpeɪtri'ɑ:ţɪk, *Brit:* ˌpætri'ɒtɪk] *adj* patriota
patrol [pə'troʊl] **I.** <-ll-> *vt* patrulhar **II.** *n* ronda *f*
patron ['peɪtrən] *n* (*in shop*) cliente
patronizing *adj* condescendente
pattern ['pæţərn] *n* (*model*) padrão *m;* ART desenho *m;* FASHION molde *m*
patterned *adj* estampado, -a
patty melt *n Am: hambúrguer com cebolas grelhadas e queijo americano em pão de centeio*

Cultura Inglaterra, Irlanda, Escócia e País de Gales têm seus próprios **patron saints** (santos padroeiros). **St George** da Inglaterra é celebrado em 23 de abril; **St Patrick** da Irlanda em 17 de março; **St Andrew** da Escócia em 30 de novembro e **St David** do País de Gales em 1 de março.

pause [pɑ:z] **I.** *n* pausa *f* **II.** *vi* fazer uma pausa
pavement ['peɪvmənt] *n* **1.** *Am, Aus* (*on road*) pavimentação *f* **2.** *Brit* (*sidewalk*) calçada *f*
pavilion [pə'vɪljən] *n* pavilhão *m*
paw [pɑ:] *n* pata *f*
pawn[1] [pɑ:n] *n* (*in chess*) peão *m*
pawn[2] *vt* penhorar
pay [peɪ] **I.** *n* pagamento *m,* salário *m* **II.** <paid, paid> *vt* pagar; **to ~ attention** prestar atenção **III.** <paid, paid> *vi* **to ~ for sth** pagar por a. c. ◈ **pay in** *vt* depositar (no banco) ◈ **pay out** *vi* gastar ◈ **pay up** *vi* liquidar
payable ['peɪəbl] *adj* pagável
paycheck *n Am,* **paycheque** *n Brit* contracheque *m* **payday** *n no pl* dia *m* do pagamento
payment ['peɪmənt] *n* pagamento *m*
payroll *n* folha *f* de pagamento **payslip** *n s.* **paycheck**
PC [ˌpi:'si:] *n abbr of* **personal computer** PC *m*
pea [pi:] *n* ervilha *f*
peace [pi:s] *n no pl* paz *f;* ~ **and qui-**

et paz e sossego; **to leave sb in ~** deixar alguém em paz
peaceful ['pi:sfəl] *adj* tranqüilo, -a
peach [pi:tʃ] <-es> *n* pêssego *m*
peacock ['pi:kɑ:k] *n* pavão *m*
peak [pi:k] *n* (*of mountain*) pico *m*; *fig* auge *m*
peak hours *npl* horário *m* de pico **peak season** *n* alta temporada *f*
peanut ['pi:nʌt] *n* amendoim *m*
pear [per] *n* pêra *f*
pearl [pɜ:rl] *n* pérola *f*
pear tree *n* pereira *f*
peasant ['pezənt] *n* camponês, -esa *m, f*
pebble ['pebl] *n* seixo *m*
pecan [pɪ'kɑ:n] *n* (noz-)pecã *f*
peck [pek] *vt* bicar
peckish ['pekɪʃ] *adj Brit, Aus* com um pouco de fome
peculiar [pɪ'kju:ljər] *adj* estranho, -a; **to be ~ to sb** ser típico de alguém
peculiarity [pɪˌkju:li'erəṭi] <-ies> *n* excentricidade *f*
pedal ['pedəl] **I.** *n* pedal *m* **II.** <*Brit:* -ll-, *Am:* -l-> *vi* pedalar
pedantic [pə'dæntɪk] *adj* pedante
pedestrian [pə'destriən] *n* pedestre *mf*
pediatrician [ˌpi:diə'trɪʃn] *n Am* pediatra *mf*
pedigree ['pedɪgri:] *n* pedigree *m*
pedophile ['pedoʊfaɪl, *Brit:* 'pi:dəʊ-] *n Am* pedófilo *m*
pee [pi:] *inf* **I.** *n no pl* xixi *m* **II.** *vi* fazer xixi
peel [pi:l] **I.** *n* casca *f* **II.** *vt* descascar
peeler ['pi:lər] *n* descascador *m*
peer[1] [pɪr] *vi* **to ~ at sth** fixar os olhos em a. c.
peer[2] *n* par *m*
peg [peg] *n* (*for coat*) gancho *m*; (*for tent*) estaca *f*; **clothes ~** pregador (de roupa)
pellet ['pelɪt] *n* (bala de) chumbo *m*
pelvis ['pelvɪs] <-es> *n* bacia *f*
pen[1] [pen] *n* **1.** (*fountain pen*) caneta *f* **2.** (*ballpoint*) esferográfica *f*
pen[2] *n* AGR cercado *m*
penalize ['pi:nəlaɪz] *vt* prejudicar
penalty ['penəlti] <-ies> *n* **1.** multa **2.** SPORTS pênalti *m*
penalty area *n* grande área *f*
pence [pens] *n pl of* **penny**
pencil ['pentsəl] *n* lápis *m*
pencil case *n* lapiseira *f* **pencil sharpener** *n* apontador *m*
pendant ['pendənt] *n* pingente *m*
pending ['pendɪŋ] *prep* **~ further instructions** até novas instruções
pendulum ['pendʒələm] *n* pêndulo *m*
penetrate ['penɪtreɪt] *vt* penetrar
penguin ['peŋgwɪn] *n* pingüim *m*
penicillin [ˌpenɪ'sɪlɪn] *n no pl* penicilina *f*
peninsula [pə'nɪnsələ] *n* península *f*
penis ['pi:nɪs] <-es *o* -nes> *n* pênis *m*
penitent ['penɪtənt] *adj* arrependido, -a
penitentiary [ˌpenɪ'tentʃəri] *n Am* penitenciária *f*
penknife ['pennaɪf] <-knives> *n* canivete *m*
penniless ['penɪlɪs] *adj* **to be ~** estar sem um tostão

Pennsylvania [pensɪl'veɪniə] *n* Pensilvânia *f*
penny ['peni] <pennies *o* pence> *n* 1. *Am* (um) centavo *m* 2. *Brit* pêni *m*
penny-pinching *adj* pão-duro, -a *inf*
pen pal *n* correspondente *mf* **pen pusher** *n Aus, Brit, pej, inf* burocrata *mf*
pension ['pentʃn] *n* pensão *f* de aposentadoria
pensioner ['pentʃənər] *n Brit* aposentado, -a *m, f*
pension fund *n* fundo *m* de aposentadoria **pension plan** *n*, **pension scheme** *n Aus, Brit* plano *m* de aposentadoria
pensive ['pentsɪv] *adj* pensativo, -a
pentagon ['pentəgɑ:n] *n* pentágono *m*
penthouse ['penthaʊs] *n* (*apartment*) cobertura *f*
penultimate [pɪ'nʌltəmət] *adj* penúltimo, -a
people ['pi:pl] *npl* pessoas *fpl;* (*nation*) povo *m*
pepper ['pepər] *n* 1. *no pl* (*spice*) pimenta *f* 2. (*vegetable*) pimentão *m*
peppercorn ['pepərkɔ:rn] *n* grão *m* de pimenta **pepper mill** *n* moedor *m* de pimenta **peppermint** ['pepərmɪnt] *n* 1. *no pl* hortelã-pimenta *f* 2. (*candy*) bala *f* de hortelã
per [pɜ:r] *prep* por; **$5 ~ kilo** $5 por quilo; **100 km ~ hour** 100 km por hora
per annum *adv form* por ano **per capita** *adv form* per capita
perceive [pər'si:v] *vt* perceber
per cent *n Brit,* **percent** [pər'sent] *n Am* **25 ~** 25 por cento
percentage [pər'sentɪdʒ] *n* porcentagem *f*
perceptible [pər'septəbl] *adj* perceptível
perception [pər'sepʃn] *n* percepção *f*
perceptive [pər'septɪv] *adj* perspicaz
perch [pɜ:rtʃ] <-es> *n* poleiro *m*
percussion [pər'kʌʃn] *n no pl* percussão *f*
perfect[1] ['pɜ:rfɪkt] *adj* perfeito, -a
perfect[2] [pɜ:r'fekt] *vt* aperfeiçoar
perfection [pər'fekʃn] *n no pl* perfeição *f;* **cooked to ~** cozido à perfeição
perfectionist *n* perfeccionista *mf*
perfectly *adv* perfeitamente; **~ clear** perfeitamente claro
perforate ['pɜ:rfəreɪt] *vt* perfurar
perform [pər'fɔ:rm] I. *vt* 1. MUS, THEAT, TV interpretar 2. (*do, accomplish*) desempenhar; **to ~ miracles** fazer milagres II. *vi* THEAT representar
performance [pər'fɔ:rmənts] *n* (*of play*) representação *f;* (*by actor*) atuação *f*
performer [pər'fɔ:rmər] *n* artista *mf*
perfume ['pɜ:rfju:m] *n* perfume *m*
perhaps [pər'hæps] *adv* talvez
peril ['perəl] *n form* perigo *m;* **to be in ~** estar em perigo
perilous ['perələs] *adj form* perigoso, -a
perimeter [pə'rɪmət̬ər] *n* perímetro *m*
period ['pɪriəd] *n* 1. período *m*

2. LING ponto *m* final **3.** (*menstruation*) menstruação *f*

periodic [ˌpɪri'ɑːdɪk] *adj* periódico, -a

periphery [pə'rɪfəri] <-ies> *n* periferia *f*

periscope ['perɪskoʊp] *n* periscópio *m*

perish ['perɪʃ] *vi liter* perecer; ~ **the thought!** nem pensar!

perishable ['perɪʃəbl] *adj* perecível

perjury ['pɜːrdʒəri] *n* perjúrio *m*

perk [pɜːrk] *vi* **to** ~ **up** animar-se

permanent ['pɜːrmənənt] *adj* permanente

permeable ['pɜːrmiəbl] *adj* permeável

permissible [pər'mɪsəbl] *adj* permissível

permission [pər'mɪʃn] *n no pl* permissão *f*

permissive [pər'mɪsɪv] *adj pej* permissivo, -a

permit¹ ['pɜːrmɪt] *n* autorização *f;* (*to work*) visto *m* de trabalho

permit² [pər'mɪt] <-tt-> *vt* permitir

permitted [pər'mɪt̬ɪd] *adj* permitido, -a

perpendicular [ˌpɜːrpən'dɪkjuːlər] *adj* perpendicular

perpetrate ['pɜːrpətreɪt] *vt form* perpetrar

perpetual [pər'petʃuəl] *adj* permanente

perpetuate [pər'petʃueɪt] *vt* perpetuar

perplex [pər'pleks] *vt* desconcertar

perplexed *adj* perplexo, -a

persecute ['pɜːrsɪkjuːt] *vt* perseguir

perseverance [ˌpɜːrsə'vɪrəns] *n no pl* perseverança *f*

persevere [ˌpɜːrsə'vɪr] *vi* perseverar; **to** ~ **in sth** persistir em a. c.

Persia ['pɜːrʒə, *Brit:* 'pɜːʃə] *n* Pérsia *f*

Persian *adj* persa

persist [pər'sɪst] *vi* persistir, insistir; **to** ~ **in sth** insistir em a. c.

persistent [pər'sɪstənt] *adj* persistente

person ['pɜːrsən] <people *o form* -s> *n* pessoa *f;* **in** ~ em pessoa

personal ['pɜːrsənəl] *adj* **1.** (*property, life*) particular **2.** (*belongings, question*) pessoal; ~ **hygiene** higiene pessoal

personal assistant *n* secretário, -a *m, f* particular **personal computer** *n* computador *m* pessoal **personal day** *n Am, inf* **to take a** ~ tirar um dia *m* de folga

personality [ˌpɜːrsən'æləti] *n* <-ies> personalidade *f*

personally *adv* pessoalmente; **to take sth** ~ ofender-se com a. c.

personify [pər'sɑːnɪfaɪ] *vt* personificar

personnel [ˌpɜːrsən'el] *n pl* staff *m*

perspective [pər'spektɪv] *n* perspectiva *f;* **from sb's** ~ do ponto de vista de alguém

perspiration [ˌpɜːrspə'reɪʃn] *n no pl* transpiração *f*

perspire [pər'spaɪər] *vi* transpirar

persuade [pər'sweɪd] *vt* persuadir; **to** ~ **sb to do sth** convencer alguém a fazer a. c.

persuasive [pər'sweɪsɪv] *adj* convincente, persuasivo, -a

pertinent ['pɜːrtnənt] *adj form* perti-

nente
perturb [pər'tɜ:rb] *vt form* perturbar
Peru [pə'ru:] *n* Peru *m*
pervert ['pɜ:rvɜ:rt] *n* tarado, -a *m, f*
perverted *adj* pervertido, -a
pessimism ['pesəmɪzəm] *n no pl* pessimismo *m*
pessimist *n* pessimista *mf*
pessimistic [ˌpesə'mɪstɪk] *adj* pessimista
pest [pest] *n* **1.** (*insect, animal*) praga *f* **2.** *inf* (*person*) peste *mf*
pester ['pestər] *vt* azucrinar
pesticide ['pestəsaɪd] *n* pesticida *m*
pet [pet] *n* animal *m* de estimação
petal ['peţl] *n* pétala *f*
petite [pə'ti:t] *adj* delicado, -a
petition [pə'tɪʃn] *n* **1.** POL abaixo-assinado *m* **2.** LAW petição *f*
petrified *adj* apavorado, -a
petrify ['petrɪfaɪ] <-ies> *vt* apavorar
petrol ['petrəl] *n no pl, esp Aus, Brit* gasolina *f*
petroleum [pə'troʊliəm] *n* petróleo *m*
petrol pump *n Aus, Brit* bomba *f* de gasolina **petrol station** *n Aus, Brit* posto *m* de gasolina **petrol tank** *n Aus, Brit* tanque *m* de gasolina
pet shop *n* loja *f* para animais de estimação
petticoat ['peţɪkoʊt] *n* anágua *f*
petty ['peţi] <-ier, -iest> *adj pej* insignificante; (*person*) mesquinho, -a
pew [pju:] *n* banco *m* (de igreja)
pewter ['pju:ţər] *n no pl* estanho *m*
pH [ˌpi:'eɪtʃ] pH *m*
phantom ['fæntəm] *n* fantasma *m*
pharaoh ['feroʊ] *n* faraó *m*
pharmacist ['fɑ:rməsɪst] *n* farmacêutico, -a *m, f*
pharmacy ['fɑ:rməsi] <-ies> *n* farmácia *f*
phase [feɪz] *n* fase *f* ◈ **phase in** *vt* introduzir gradualmente ◈ **phase out** *vt* retirar gradualmente
PhD [ˌpi:eɪtʃ'di:] *n abbr of* **Doctor of Philosophy** PhD *m*
pheasant ['fezənt] <-(s)> *n* faisão *m*
phenomenal *adj* fenomenal
phenomenon [fə'nɑ:mənɑ:n] <phenomena *o* -s> *n* fenômeno *m*
philanthropist [fə'lænθrəpɪst] *n* filantropo, -a *m, f*
philanthropy [fə'lænθrəpi] *n no pl* filantropia *f*
Philippines ['fɪləpi:nz] *npl* **the** ~ as Filipinas
philosopher [fɪ'lɑ:səfər] *n* filósofo, -a *m, f*
philosophic(al) [ˌfɪlə'sɑ:fɪk(əl)] *adj* filosófico, -a
philosophy [fɪ'lɑ:səfi] *n no pl* filosofia *f*
phlegm [flem] *n no pl* fleuma
phobia ['foʊbiə] *n* fobia *f*
phone [foʊn] **I.** *n* telefone *m;* **by** ~ por telefone; **to be on the** ~ estar ao telefone **II.** *vt, vi* telefonar ◈ **phone back** *vt* ligar de volta ◈ **phone up** *vt* telefonar para
phone book *n* lista *f* telefônica **phone booth** *n* cabine *f* telefônica **phone call** *n* ligação *f,* telefonema *m* **phone card** *n* cartão *m* telefônico **phone number** *n* (número de) telefone *m*

P

phone tag *n no pl, Am, inf* TEL embaçamento *m*
phoney ['foʊni] <-ier, -iest> *adj inf* falso, -a
phosphorescent [ˌfɑːsfə'resənt] *adj* fosforescente
phosphorus ['fɑːsfərəs] *n no pl* fósforo *m*
photo ['foʊt̬oʊ] <-s> *n inf abbr of* **photograph** foto *f*
photocopier [ˌfoʊt̬oʊ'kɑːpiər] *n* fotocopiadora *f*
photocopy ['foʊt̬oʊˌkɑːpi] **I.** <-ies> *n* fotocópia *f,* xerox® *mf inv* **II.** *vt* fotocopiar, xerocar
photogenic [ˌfoʊt̬oʊ'dʒenɪk] *adj* fotogênico, -a
photograph ['foʊt̬oʊgræf] **I.** *n* fotografia *f;* **to take a ~** tirar uma fotografia **II.** *vt* fotografar
photograph album *n* álbum *m* de fotografias
photographer [fə'tɑːgrəfər] *n* fotógrafo, -a *m, f*
photography [fə'tɑːgrəfi] *n no pl* fotografia *f*
phrase [freɪz] *n* frase *f*
phrasebook *n* livro *m* de expressões idiomáticas
physical ['fɪzɪkəl] *adj* físico, -a
physical education *n no pl* educação *f* física
physician [fɪ'zɪʃən] *n Am* médico, -a *m, f*
physicist ['fɪzɪsɪst] *n* físico, -a *m, f*
physics ['fɪzɪks] *n no pl* física *f*
physiotherapist *n* fisioterapeuta *mf*
physiotherapy [ˌfɪzioʊ'θerəpi] *n no pl* fisioterapia *f*
physique [fɪ'ziːk] *n* físico *m*
pianist ['piːənɪst] *n* pianista *mf*
piano [pi'ænoʊ] <-s> *n* piano *m*
pick [pɪk] **I.** *n* **to take one's ~** escolher à vontade **II.** *vt* escolher; (*fruit, vegetables*) colher; **to ~ one's nose** enfiar o dedo no nariz; **to ~ sb's pocket** bater a carteira de alguém
◈ **pick on** *vt insep* implicar com
◈ **pick out** *vt* **1.** (*choose*) selecionar **2.** (*recognize*) identificar ◈ **pick up** *vt* **1.** (*lift*) apanhar; **to ~ the phone** atender o telefone **2.** (*collect*) pegar **3.** (*learn*) aprender
pickax *n Am,* **pickaxe** ['pɪkæks] *n Brit, Aus* picareta *f*
picket ['pɪkɪt] *n* piquete *m*
pickings *npl* sobras *fpl*
pickle ['pɪkl] **I.** *n* picles *mpl* **II.** *vt* conservar (em vinagre)
pickpocket ['pɪkˌpɑːkɪt] *n* batedor(a) *m(f)* de carteira
pick-up *n* picape *f*
pick-up point *n* ponto *m* de embarque
picnic ['pɪknɪk] *n* piquenique *m*
picture ['pɪktʃər] *n* **1.** imagem *f,* (*painting*) quadro *m* **2.** foto *f;* **to take a ~** tirar uma foto
picture book *n* livro *m* ilustrado (infantil)
picturesque [ˌpɪktʃə'resk] *adj* pitoresco, -a
pie [paɪ] *n* (*fruit, vegetable*) torta *f,* (*meat*) empadão *m*
piece [piːs] *n* **1.** pedaço *m;* **a ~ of advice** um conselho; **a ~ of news**

uma notícia; **a ~ of paper** um pedaço de papel; **in one** ~ intacto; **to be a ~ of cake** *inf* ser moleza **2.** GAMES, ART, MUS peça *f*
piecemeal ['pi:smi:l] *adv* aos poucos
pier [pɪr] *n* píer *m*
pierce [pɪrs] *vt* furar
pig [pɪg] *n* **1.** porco, -a *m, f* **2.** *pej, inf* porcalhão, -ona *m, f*
pigeon ['pɪdʒən] *n* pombo *f*
pigeonhole *n* escaninho *m*
piggy bank *n* cofre *m* (*em forma de porquinho*)
pigheaded *adj* cabeçudo, -a, teimoso, -a
pigment ['pɪgmənt] *n* pigmento *m*
pigmentation [ˌpɪgmen'teɪʃn] *n no pl* pigmentação *f*
pigsty ['pɪgstaɪ] *n* chiqueiro *m*
pigtail ['pɪgteɪl] *n s.* **ponytail**
pike[1] [paɪk] *n* (*fish*) lúcio *m*
pike[2] *n* lança *f*
pile [paɪl] **I.** *n* pilha *f*, montão *m*; **~s of** *inf* montes de **II.** *vt* empilhar
◈**pile up I.** *vi* amontoar-se **II.** *vt* acumular
pile-driver *n* bate-estacas *m inv*
piles *npl inf* hemorróidas *fpl*
pilfer ['pɪlfər] *vt* furtar
pilgrim ['pɪlgrɪm] *n* peregrino, -a *m, f*
pilgrimage ['pɪlgrɪmɪdʒ] *n* romaria *f*
pill [pɪl] *n* comprimido *m*; **the** ~ a pílula
pillar ['pɪlər] *n* pilar *m*
pillow ['pɪloʊ] *n* **1.** travesseiro *m* **2.** *Am* (*cushion*) almofada *f*
pillowcase *n* fronha *f*
pilot ['paɪlət] *n* piloto *m*
pimp [pɪmp] *n* cafetão *m*
pimple ['pɪmpl] *n* espinha *f*
PIN [pɪn] *n abbr of* **personal identification number** ~ (**number**) ≈ senha eletrônica
pin [pɪn] *n* **1.** (*needle*) alfinete *m* **2.** *Am* broche *m*
pinball *n* **to play** ~ jogar fliperama
pincers ['pɪntsərz] *npl* alicate *m*
pinch [pɪntʃ] **I.** *vt* beliscar **II.** *n* (*small quantity*) pitada *f*
pincushion ['pɪnˌkʊʃn] *n* alfineteira *f*
pine[1] [paɪn] *n* pinheiro *m*
pine[2] *vi* **to ~ (away)** definhar
pineapple ['paɪnæpl] *n* abacaxi *m*
ping-pong ['pɪŋˌpɑ:ŋ] *n no pl, inf* pingue-pongue *m*
pink [pɪŋk] **I.** *n* rosa *m inv* **II.** *adj* (cor-de-)rosa
pinnacle ['pɪnəkl] *n* pináculo *m*
pinpoint ['pɪnpɔɪnt] *vt* localizar com precisão
pint [paɪnt] *n* quartilho *m* (*Aus, Brit* = *0,57 l, Am* = *0,47 l*)
pioneer [ˌpaɪə'nɪr] *n* pioneiro, -a *m, f*
pious ['paɪəs] *adj* devoto, -a
pip [pɪp] *n* semente *f*
pipe [paɪp] *n* **1.** (*for gas, water*) cano *m* **2.** (*for smoking*) cachimbo *m*
pipe cleaner *n* limpador *m* de cachimbo
pipeline *n* encanamento *m*; (*gas*) gasoduto *m*; (*oil*) oleoduto *m*
pirate ['paɪrət] *n* pirata *m*
Pisces ['pɑɪsi:z] *n* Peixes *m inv*
pistachio [pɪ'stæʃioʊ] <-s> *n* pistácio *m*
pistol ['pɪstəl] *n* pistola *f*

piston ['pɪstən] *n* pistom *m*
pit [pɪt] *n* caroço *m*
pitch I. *n* 1. *Am* (*in baseball*) lance *m* 2. (*sports*) campo *m* II. *vt* lançar
pitcher[1] ['pɪtʃər] *n* (*large jug*) jarro *m*; *Am* (*smaller*) jarrinha *f*
pitcher[2] *n* SPORTS lançador(a) *m(f)*
pitchfork *n* forcado *m*
pitfall ['pɪtfɔːl] *n pl* cilada *f*
pitiful ['pɪţifəl] *adj* de dar pena
pittance ['pɪtənts] *n no pl* ninharia *f*
pity ['pɪţi] I. *n no pl* 1. pena *f*; **to take ~ on sb** ter pena de alguém 2. **what a ~!** que pena! II. <-ies, -ied> *vt* ter pena de
pivot ['pɪvət] *n* pivô *m*
pivotal ['pɪvətəl] *adj* fundamental
pixel [pɪksəl] *n* pixel *m*
pizza ['piːtsə] *n* pizza *f*
placard ['plækɑːrd] *n* cartaz *m*
placate ['pleɪkeɪt, *Brit:* plə'keɪt] *vt* apaziguar, aplacar
place [pleɪs] I. *n* 1. lugar *m*; **~ of birth** lugar *m* de nascimento; **in ~ of sb** em vez de alguém; **all over the ~** por todo lado 2. posição *f*; **in the first ~** em primeiro lugar 3. (*seat*) lugar *m* 4. (*home*) casa; **to/at sb's ~** à/na casa de alguém II. *vt* colocar; **to ~ a bet** fazer uma aposta
placebo [plə'siːboʊ] <-s> *n* placebo *m*
placement ['pleɪsmənt] *n* 1. disposição *f* 2. (*job*) estágio *m*
placenta [plə'sentə] <-s *o* -ae> *n* placenta *f*
placid ['plæsɪd] *adj* tranqüilo, -a
plagiarism ['pleɪdʒərɪzəm] *n no pl* plágio *m*
plague [pleɪg] *n* peste *f*
plaice [pleɪs] *inv n* solha *f*
plaid [plæd] *n no pl, Am* xadrez *m*
plain [pleɪn] I. *adj* 1. simples; (*one color*) liso, -a; (*yogurt*) natural 2. (*obvious*) claro, -a II. *n* planície *f*
plainly *adv* obviamente
plait [plæt] *n* trança *f*
plan [plæn] I. *n* plano *m*, projeto *m*; **according to ~** conforme o planejado; **to make ~s for sth** ter a intenção de fazer a. c. II. <-nn-> *vt* planejar III. *vi* fazer planos
plane[1] [pleɪn] *n* plano *m*
plane[2] *n* plaina *f*
plane[3] *n* avião *m*; **by ~** de avião
planet ['plænɪt] *n* planeta *m*
plane tree *n* plátano *m*
plank [plæŋk] *n* tábua *f*
planning *n no pl* planejamento *m*
planning permission *n* alvará *m* de construção
plant [plænt] I. *n* 1. planta *f* 2. (*factory*) fábrica *f*; (*nuclear*) usina *f* II. *vt* plantar
plantation [plæn'teɪʃn] *n* plantação *f*
plaque [plæk] *n* placa *f*
plasma ['plæzmə] *n no pl* plasma *m*
plaster ['plæstər] *n* 1. *no pl* reboco *m* 2. MED emplastro *m* 3. *Brit* esparadrapo *m*
plaster cast *n* gesso *m*
plastic ['plæstɪk] I. *n* plástico *m* II. *adj* de plástico, -a
plastic bag *n* saco *m* de plástico
plastic surgery *n* plástica *f*
plate [pleɪt] *n* 1. prato *m* 2. (*panel*)

placa *f*
plateau [plæ'toʊ, *Brit:* 'plætəʊ] <*Brit:* -x, *Am, Aus:* -s> *n* planalto *m*
plateful ['pleɪtfʊl] *n* pratada *f*
plate glass *n* vidro *m* laminado
platelet ['pleɪlət] *n* plaqueta *f*
platform ['plætfɔ:rm] *n* plataforma *f*
platinum ['plætnəm] *n no pl* platina *f*
platitude ['plæţətu:d, *Brit:* -tɪtju:d] *n pej* lugar-comum *m*
platter ['plæţər] *n* travessa *f*
play [pleɪ] **I.** *n* THEAT peça *f* **II.** *vi* **1.** brincar **2.** MUS tocar **III.** *vt* **1.** jogar **2.** THEAT desempenhar; **to ~ the fool** fazer papel de bobo **3.** MUS pôr para tocar ◈ **play down** *vt* atenuar
playboy *n* playboy *m*
player ['pleɪər] *n* GAMES jogador(a) *m(f)*; MUS instrumentista *mf*
playful ['pleɪfəl] *adj* brincalhão, -ona
playground *n* (*at school*) pátio *m;* (*in park*) playground *m* **playgroup** *n* creche *f*
playing card *n* carta *f* de baralho **playing field** *n* campo *m* de esportes
playroom *n* sala *f* de recreação **playtime** *n no pl* recreio *m* **playwright** ['pleɪraɪt] *n* dramaturgo, -a *m, f*
plea [pli:] *n* **1.** apelo *m* **2.** LAW defesa *f*
plead [pli:d] <pleaded *Am:* pled, pleaded *Am:* pled> *vi* implorar
pleasant ['plezənt] *adj* agradável
please [pli:z] **I.** *vt* agradar; **~ yourself** como queira **II.** *interj* por favor
pleased *adj* contente, feliz; **to be ~ with** estar satisfeito com; **~ to meet you** prazer em conhecê-lo
pleasing *adj* agradável
pleasurable ['pleʒərəbl] *adj* aprazível
pleasure ['pleʒər] *n* prazer *m;* **with ~** com prazer
pleat [pli:t] *n* prega *f*
pledge [pledʒ] *n* promessa *f*
plentiful ['plentɪfl] *adj* abundante
plenty ['plenti] *pron* bastante
pliable ['plaɪəbl] *adj* flexível
pliers ['plaɪərz] *npl* alicate *m*
plight [plaɪt] *n* sofrimento *m*
plonk [plʌŋk] *n inf* vinho *m* de segunda categoria
plot [plɑ:t] *n* **1.** (*conspiracy*) complô *m* **2.** (*story line*) enredo **3.** (*piece of land*) lote *m*
plough [plaʊ] **I.** *n* arado *m* **II.** *vt* arar
plow [plaʊ] *n Am s.* **plough**
ploy [plɔɪ] *n* golpe *m,* truque *m*
pluck [plʌk] **I.** *n* coragem *f* **II.** *vt* tirar; (*chicken*) depenar; **to ~ one's eyebrows** pinçar as sobrancelhas
plucky ['plʌki] <-ier, -iest> *adj* valente
plug [plʌg] *n* (*connector*) plugue *m;* (*stopper*) tampa *f* ◈ **plug in** *vt* ligar (na tomada)
plughole *n* ralo *m*
plum [plʌm] *n* ameixa *f*
plumage ['plu:mɪdʒ] *n no pl* plumagem *f*
plumber ['plʌmər] *n* encanador(a) *m(f)*
plumbing *n no pl* encanamento *m*
plume [plu:m] *n* pluma *f*
plummet ['plʌmɪt] *vi* despencar

plump [plʌmp] *adj* rechonchudo, -a
plum tree *n* ameixeira *f*
plunder ['plʌndər] *vt* saquear
plunge [plʌndʒ] *vi* mergulhar
plunger ['plʌndʒər] *n* (*of syringe*) êmbolo *m;* (*for drain, sink*) desentupidor *m*
plural ['plʊrəl] *n* plural *m;* **in the ~** no plural
plus [plʌs] **I.** *prep* mais **II.** *adj* **200 ~** 200 e poucos
plush [plʌʃ] *adj* de pelúcia
Pluto ['plu:ţoʊ] *n* Plutão *m*
plutonium [plu:'toʊniəm] *n no pl* plutônio *m*
plywood ['plaɪwʊd] *n no pl* compensado *m*
p.m. [ˌpi:'em] *abbr of* **post meridiem one ~** uma da tarde; **eight ~** oito da noite
PMP *n abbr of* **portable media player** tocador *m* de mídia
pneumatic [nu:'mæţɪk, *Brit:* nju:'mæt-] *adj* pneumático, -a
pneumonia [nu:'moʊnjə, *Brit:* nju:'məʊniə] *n no pl* pneumonia *f*
poach [poʊtʃ] *vt* **~ed egg** ovo poché
poacher ['poʊtʃər] *n* (*hunter*) caçador ilegal(a) *m(f);* (*fisherman*) pescador ilegal(a) *m(f)*
PO Box <-es> *n abbr of* **Post Office Box** caixa *f* postal
pocket ['pɑ:kɪt] *n* bolso *m*
pocket calculator *n* calculadora *f* de bolso
pocketful ['pɑ:kɪtfʊl] *n* **a ~ of sth** um monte de a. c.
pocketknife <-knives> *n* canivete *m*
pocket money *n no pl* mesada *f*
podium ['poʊdiəm] <-dia> *n* pódio *m*
poem ['poʊəm] *n* poema *m*
poet ['poʊət] *n* poeta *mf*
poetic [poʊ'eţɪk] *adj* poético, -a
poetry ['poʊətri] *n no pl* poesia *f*
poignant ['pɔɪnjənt] *adj* comovente
point [pɔɪnt] **I.** *n* **1.** (*sharp end*) ponta *f* **2.** (*particular place*) ponto *m* **3.** (*particular time*) **at this ~ in time** nesse momento **4.** (*significant idea*) questão *f;* **what's the ~?** de que adianta? **II.** *vi* indicar; **to ~ to/at sb/sth** indicar alguém/a. c. **III.** *vt* apontar ◈ **point out** *vt* mostrar
point-blank *adv* categoricamente; **to refuse ~** recusar terminantemente
pointed *adj* pontudo, -a
pointless ['pɔɪntləs] *adj* inútil
point of view <points of view> *n* ponto *m* de vista
poise [pɔɪz] *n no pl* autocontrole *m*
poison ['pɔɪzən] **I.** *n* veneno *m* **II.** *vt* envenenar
poisoning *n no pl* envenenamento *m*
poisonous ['pɔɪzənəs] *adj* venenoso, -a
poke [poʊk] *vt* espetar; (*with finger, elbow*) cutucar
poker¹ ['poʊkər] *n* pôquer *m*
poker² *n* (*for fire*) atiçador *m*
Poland ['poʊlənd] *n* Polônia *f*
polar ['poʊlər] *adj* polar
polar bear *n* urso *m* polar **polar ice cap** *n no pl* calota *f* polar
polarize ['poʊləraɪz] *vi, vt* polarizar
pole¹ [poʊl] *n* poste *m*

pole[2] *n* GEO, ELEC pólo *m*
polemic [pə'lemɪk] I. *n* polêmica *f* II. *adj* polêmico, -a
pole position *n no pl* **to be in ~** largar na pole position **Pole Star** *n* estrela *f* polar **pole vault** *n* salto *m* com vara
police [pə'li:s] I. *npl* polícia *f* II. *vt* policiar
police car *n* radiopatrulha *f* **police constable** *n Brit* policial *mf* **police department** *n Am* departamento *m* policial **police dog** *n* cão *m* policial **police force** *n* polícia *f*
policeman [pə'li:smən] <-men> *n* policial *m*
police officer *n s.* **policeman**; **police station** *n* delegacia *f*
policewoman <-women> *n* policial *f*
policy[1] ['pɑ:ləsi] <-ies> *n* POL, ECON política *f*
policy[2] <-ies> *n* FIN apólice *f*
policyholder *n* segurado, -a *m, f*
polio [ˌpoʊlioʊ] *n no pl* pólio *f*
polish ['pɑ:lɪʃ] I. *n no pl* graxa *f* II. *vt* (*furniture*) lustrar; (*shoes*) engraxar
polite [pə'laɪt] *adj* bem-educado, -a
politeness *n no pl* gentileza *f*
political [pə'lɪţəkəl] *adj* político, -a
politician [ˌpɑ:lə'tɪʃən] *n* político, -a *m, f*
politics *n pl* política *f*
poll [poʊl] *n* 1. pesquisa *f* 2. *pl* eleições *fpl*
pollen ['pɑ:lən] *n no pl* pólen *m*
pollen count *n* teor *m* de pólen no ar
pollinate ['pɑ:ləneɪt] *vt* polinizar
polling booth *n Brit, Aus* cabine *f* de votação **polling day** *n Brit, Aus* dia *m* de eleição
pollutant [pə'lu:tənt] *n* poluente *m*
pollute [pə'lu:t] *vt* poluir
pollution [pə'lu:ʃn] *n no pl* poluição *f*
polo ['poʊloʊ] *n no pl* pólo *m*
polo shirt *n* camiseta *f* pólo
polyester [ˌpɑ:li'estər] *n no pl* poliéster *m*
polyethylene *n no pl* politeno *m*
polygamy [pə'lɪgəmi] *n no pl* poligamia *f*
Polynesia [ˌpɑ:lə'ni:ʒə] *n* Polinésia *f*
polyp ['pɑ:lɪp] *n* pólipo *m*
polystyrene [ˌpɑ:lɪ'staɪəri:n] *n no pl* isopor *m*
polytechnic [ˌpɑ:lɪ'teknɪk] *n* politécnico *m*
polythene ['pɑ:lɪθi:n] *n no pl, esp Brit s.* **polyethylene**
pomegranate ['pɑ:mˌgrænɪt] *n* romã *f*
pompous ['pɑ:mpəs] *adj* pedante
pond [pɑ:nd] *n* lago *m* pequeno
pontoon [pɑ:n'tu:n] *n no pl, Brit* (*card game*) vinte-e-um *m*
pony ['poʊni] <-ies> *n* pônei *m*
ponytail *n* rabo-de-cavalo *m*
poodle ['pu:dl] *n* poodle *m*
pool[1] [pu:l] *n* (*of water, blood*) poça *f;* (*of oil*) poço *m;* **swimming ~** piscina
pool[2] *n* sinuca *f*
pool table *n* mesa *f* de sinuca
poor [pʊr] I. *adj* pobre; **you ~ thing!** coitado (de você)!; **to have ~ hearing** ouvir mal II. *n* **the ~** os pobres

P

poorly *adv* deficientemente; ~ **dressed** mal vestido

pop[1] [pɑ:p] *n no pl* MUS pop *m*

pop[2] *n inf* papai *m*

pop up *vi* aparecer de repente

pop concert *n* concerto *m* pop

popcorn *n no pl* pipoca *f*

pope [poʊp] *n* papa *m*

pop group *n* conjunto *m* de músicos pop

poplar ['pɑ:plər] *n* álamo *m*

pop music *n no pl* música *f* pop

poppy ['pɑ:pi] <-ies> *n* papoula *f*

pop singer *n* cantor(a) *m(f)* pop **pop song** *n* canção *f* popular **pop star** *n s.* **pop singer**

popular ['pɑ:pjələr] *adj* popular

popularity [ˌpɑ:pjə'lerət̬i] *n no pl* popularidade *f*

populate ['pɑ:pjəleɪt] *vt* povoar

population [ˌpɑ:pjə'leɪʃn] *n* população *f*

populous ['pɑ:pjələs] *adj form* populoso, -a

porcelain ['pɔ:rsəlɪn] *n no pl* porcelana *f*

porch [pɔ:rtʃ] *n* **1.** (*at entrance*) alpendre *m* **2.** *Am* (*verandah*) varanda *f*

porcupine ['pɔ:rkjʊpaɪn] *n* porco-espinho *m*

pore [pɔ:r] *n* poro *m*

pork [pɔ:rk] *n no pl* carne *f* de porco

porn [pɔ:rn] *n abbr of* **pornography** pornô *m*

pornographic [ˌpɔ:rnə'græfɪk] *adj* pornográfico, -a

pornography [pɔ:r'nɑ:grəfi] *n no pl* pornografia *f*

porous ['pɔ:rəs] *adj* poroso, -a

porpoise ['pɔ:rpəs] *n* golfinho *m*

porridge ['pɔ:rɪdʒ] *n no pl* mingau *m* de aveia

port[1] [pɔ:rt] *n* NAUT porto *m*

port[2] *n no pl* (*wine*) vinho *m* do Porto

portable ['pɔ:rt̬əbl] *adj* portátil

portal ['pɔ:rt̬əl] *n* portal *m*

porter ['pɔ:rt̬ər] *n* carregador *m*

porthole ['pɔ:rthoʊl] *n* vigia *f*

portion ['pɔ:rʃn] *n* porção *f*

portly ['pɔ:rtli] <-ier, -iest> *adj* corpulento, -a

portrait ['pɔ:rtrɪt] *n* retrato *m*

Portugal ['pɔ:rtʃəgəl, *Brit:* 'pɔ:tjʊ-] *n* Portugal *m*

Portuguese [ˌpɔ:rtʃə'gi:z, *Brit:* ˌpɔ:tjʊ'-] *adj* português, -esa

pose[1] [poʊz] *vt* (*difficulty, problem*) causar

pose[2] *vi* ART, PHOT posar

posh [pɑ:ʃ] *adj inf* chique

position [pə'zɪʃn] **I.** *n* posição *f* **II.** *vt* posicionar

positive ['pɑ:zət̬ɪv] *adj* **1.** positivo, -a **2.** (*certain*) certo, -a; **to be ~ about sth** ter certeza de a. c.

positively *adv* positivamente

possess [pə'zes] *vt* possuir

possession [pə'zeʃn] *n* **1.** *no pl* posse *f* **2.** (*item of property*) pertence *m*

possessive [pə'zesɪv] *adj* possessivo, -a

possibility [ˌpɑ:sə'bɪlət̬i] *n* <-ies> possibilidade *f*

possible ['pɑ:səbl] *adj* possível; **as soon as ~** o mais breve possível; **if ~**

se possível
possibly *adv* possívelmente
post¹ [poʊst] I. *n no pl, esp Brit* correio *m;* **by** ~ pelo correio II. *vt* mandar pelo correio
post² *n* (*job*) cargo *m*
post³ [poʊst] *n* poste *m*
postage ['poʊstɪdʒ] *n no pl* postagem *f;* ~ **and packing** porte e embalagem **postage stamp** *n* selo *m* (postal)
postal order *n* vale *m* postal
postbox <-es> *n Brit, Aus* caixa *f* de correio **postcard** *n* cartão *m* postal **postcode** *n Brit* CEP *m* (*código de endereçamento postal*)
poster ['poʊstər] *n* pôster *m*
posterity [pɑː'sterəti] *n no pl, form* posteridade *f*
postgraduate [ˌpoʊst'grædʒuwɪt] I. *n* pós-graduando *m* II. *adj* de pós-graduação
posthumous ['pɑːstʃəməs, *Brit:* 'pɒstjə-] *adj form* póstumo, -a
postman <-men> *n Brit* carteiro *m*
postmark *n* carimbo *m* (de correio)
post-modern *adj* pós-moderno, -a
postmortem [ˌpoʊst'mɔːrt̬əm] *n* autópsia *f*
postnatal [ˌpoʊst'neɪt̬əl] *adj* pós-natal
Post Office *n* correio *m*
postpone [poʊst'poʊn] *vt* adiar
postponement *n* adiamento *m*
postscript ['poʊstskrɪp] *n* adendo *m*
posture ['pɑːstʃər] *n no pl* postura *f*
postwar *adj* do pós-guerra
pot [pɑːt] *n* 1. pote *m;* (*for cooking*) panela *f;* (*for coffee, tea*) bule *f;* (*for plants*) vaso *f* 2. *no pl, inf* maconha *f*
potassium [pə'tæsiəm] *n no pl* potássio *m*
potato [pə'teɪt̬oʊ] <-es> *n* batata *f*
potato chips *npl Am, Aus,* **potato crisps** *npl Brit* batatas *fpl* fritas (de pacote) **potato peeler** *n* descascador *m* de batatas
potency ['poʊtənsi] *n no pl* potência *f*
potent ['poʊtnt] *adj* potente
potential [pə'tenʃl] *n no pl* potencial *m,* potencialidade *f*
pothole ['pɑːtˌhoʊl] *n* (*in road*) buraco *m*
potion ['poʊʃn] *n* poção *f*
potter ['pɑːt̬ər] *n* ceramista *mf*
pottery ['pɑːt̬əri] *n no pl* (*art*) cerâmica *f*
potty ['pɑːt̬i] <-ies> *n* penico *m*
pouch [paʊtʃ] *n* pochete *f*
poultry ['poʊltri] *n no pl* aves *fpl* domésticas; GASTR carne *f* de aves
pounce [paʊns] *vi* lançar-se sobre
pound¹ [paʊnd] *n* 1. libra *f* (*454 g*) 2. (*currency*) libra *f;* ~ **sterling** libra esterlina
pound² *n* (*for cars*) depósito *m;* (*for dogs*) canil *f*
pound³ *vi* (*head*) latejar; (*heart*) pulsar com força
pour [pɔːr] I. *vt* despejar; **to** ~ **wine** servir o vinho II. *vi* **it's** ~**ing** (**with rain**) está chovendo a potes ◈ **pour out** *vt* (*liquid*) servir
pout [paʊt] *vi* **to** ~ fazer beicinho
poverty ['pɑːvərt̬i] *n no pl* pobreza *f*
poverty line *n* **to live below the** ~ viver na miséria
POW [ˌpiːoʊ'dʌbljuː] *n abbr of* **prison-**

P

er of war prisioneiro, -a *m, f* de guerra

powder ['paʊdər] *n no pl* pó *m*

power ['paʊər] **I.** *n* **1.** *no pl* (*control*) poder *m;* (*strength*) força *f* **2.** *no pl* (*electricity*) potência *f* **II.** *vt* acionar

powerboat *n* barco *m* a motor **power cable** *n* cabo *m* elétrico **power cut** *n esp Brit, Aus* corte *m* de energia

powerful ['paʊərfəl] *adj* **1.** (*influential*) poderoso, -a; (*emotionally*) potente **2.** (*strong*) forte

powerless ['paʊərləs] *adj* impotente

power plant *n* casa *f* de força **power station** *n* usina *f* elétrica

practical ['præktɪkl] *adj* prático, -a

practically *adv* praticamente

practice ['præktɪs] **I.** *n* **1.** *no pl* prática *f;* **to be out of ~** estar sem prática **2.** (*custom*) hábito *m* **3.** (*doctor's office*) consultório *m* **II.** *vt Am* praticar **III.** *vi* **1.** (*improve skill*) exercitar **2.** (*profession*) exercer **3.** *Am* SPORTS treinar

practiced *adj Am* experiente

practise *vi, vt Brit, Aus s.* **practice**

practitioner [præk'tɪʃənər] *n* médico, -a *m, f*

pragmatic [præg'mæţɪk] *adj* pragmático, -a

prairie ['preri] *n* pradaria *f*

praise [preɪz] **I.** *vt* elogiar **II.** *n no pl* elogio *m*

pram [præm] *n Brit, Aus* carrinho *m* de bebê

prank [præŋk] *n* travessura *f*

prawn [prɑ:n] *n* camarão *m*

pray [preɪ] *vi* rezar

prayer [prer] *n* oração *f*

prayer book *n* livro *m* de orações

praying mantis [-'mæntɪs] *n* louva-a-deus *m inv*

preach [pri:tʃ] *vi, vt* pregar

preacher ['pri:tʃər] *n* pregador(a) *m(f)*

preamble [pri:'æmbl] *n form* preâmbulo *m*

prearrange [ˌpri:ə'reɪndʒ] *vt* combinar de antemão

precarious [prɪ'keriəs] *adj* precário, -a

precaution [prɪ'kɑ:ʃn] *n* precaução *f*

precede [prɪ'si:d] *vt* preceder

precedence ['presədəns] *n no pl* prioridade *f*

preceding *adj* anterior

precinct ['pri:sɪŋkt] *n* **1.** *Am* distrito *m* policial **2.** *Brit* área *f* de pedestres

precious ['preʃəs] *adj* precioso, -a

precipice ['presəpɪs] *n* precipício *m*

precipitate [prɪ'sɪpɪteɪt] *vt* precipitar

precise [prɪ'saɪs] *adj* preciso, -a

precisely *adv* exatamente

precision [prɪ'sɪʒən] *n no pl* precisão *f*

preclude [prɪ'klu:d] *vt form* excluir

precocious [prɪ'koʊʃəs] *adj* precoce

preconceived [ˌpri:kən'si:vd] *adj* preconcebido, -a

preconception [ˌpri:kən'sepʃn] *n* preconcebimento *m*

precondition [ˌpri:kən'dɪʃn] *n* precondição *f*

predate [pri:'deɪt] *vt form* pré-datar

predator ['predəţər] *n* predador *m*

predatory ['predətɔ:ri] *adj* predatório, -a

predecessor ['predəsesər, *Brit:* 'pri:dɪsesəʳ] *n* antecessor(a) *m(f)*
predicament [prɪ'dɪkəmənt] *n form* situação *f* difícil
predict [prɪ'dɪkt] *vt* prever
predictable [prɪ'dɪktəbl] *adj* previsível
prediction [prɪ'dɪkʃn] *n* previsão *f*
predisposition [ˌpri:dɪspə'zɪʃn] *n* propensão *f*
predominance [prɪ'dɑ:mɪnəns] *n no pl* predominância *f*
predominant [prɪ'dɑ:mɪnənt] *adj* predominante
pre-eminent [ˌpri:'emɪnənt] *adj form* preeminente
pre-empt [ˌpri:'empt] *vt form* prevenir
prefabricated [ˌpri:'fæbrɪkeɪtɪd] *adj* pré-fabricado, -a
preface ['prefɪs] *n* prefácio *m*
prefer [pri:'fɜ:r] <-rr-> *vt* preferir
preferable ['prefrəbl] *adj* preferível
preferably *adv* de preferência
preference ['prefrəns] *n* preferência *f*
preferential [ˌprefə'renʃl] *adj* preferencial
preferred *adj* preferido, -a, predileto, -a
prefix ['pri:fɪks] <-es> *n* prefixo *m*
pregnancy ['pregnəntsi] *n no pl* gravidez *f*
pregnant ['pregnənt] *adj* grávida
prehistoric [ˌpri:hɪ'stɔ:rɪk] *adj* pré-histórico, -a
prejudge [ˌpri:'dʒʌdʒ] *vt* prejulgar
prejudice ['predʒʊdɪs] *n* preconceito *m*
prejudiced *adj* preconceituoso, -a
preliminary [prɪ'lɪməneri] *adj* preliminar
prelude ['prelju:d] *n* prelúdio *m*
premarital [ˌpri:'merəţl] *adj* pré-nupcial
premature [ˌpri:mə'tʊr, *Brit:* 'premətʃəʳ] *adj* prematuro, -a
premeditated [ˌpri:'medɪteɪţɪd] *adj* premeditado, -a
premier [prɪ'mɪr] **I.** *n* primeiro-ministro, primeira-ministra *m, f* **II.** *adj* principal
premise ['premɪs] *n* **1.** (*of argument*) premissa *f* **2.** *pl* (*store*) local *m*
premium ['pri:miəm] *n* (*insurance*) prêmio *f*
premonition [ˌpremə'nɪʃn] *n* premonição *f*
prenatal [ˌpri:'neɪţl] *adj* pré-natal
preoccupation [pri:ˌɑ:kju:'peɪʃn] *n* preocupação *f*
preoccupied [pri:'ɑ:kju:paɪd] *adj* **to be ~ with sth** estar preocupado com a. c.
preoccupy [pri:'ɑ:kju:paɪ] <-ie-> *vt* preocupar
prepaid [ˌpri:'peɪd] *adj* pré-pago, -a
preparation [ˌprepə'reɪʃn] *n* preparação *f;* **to make ~s** fazer preparativos
preparatory [prɪ'perətɔ:ri] *adj* preparatório, -a
prepare [prɪ'per] **I.** *vt* preparar **II.** *vi* preparar-se
prepared *adj* preparado, -a; **to be ~ for sth** estar preparado para a. c.
preposition [ˌprepə'zɪʃn] *n* preposição *f*
prepossessing [ˌpri:pə'zesɪŋ] *adj* ca-

P

tivante

preposterous [prɪ'pɑːstərəs] *adj* absurdo, -a

prerequisite [ˌpriː'rekwɪzɪt] *n form* **to be a ~ for sth** ser um pré-requisito para a. c.

prerogative [prɪ'rɑːgəṱɪv] *n form* prerrogativa *f*

Presbyterian [ˌprezbɪ'tɪriən] *adj* presbiteriano, -a

pre-school ['priːskuːl] *adj* pré-escolar

prescribe [prɪ'skraɪb] *vt* receitar

prescription [prɪ'skrɪpʃn] *n* receita *f* médica

presence ['prezənts] *n* presença *f*; **in my ~** na minha presença

present¹ ['prezənt] *n* (*gift*) presente *m*

present² ['prezənt] **I.** *n no pl* presente *m*; **at ~** no momento; **for the ~** por ora **II.** *adj* **1.** (*current*) atual **2.** (*in attendance*) presente

present³ [prɪ'zent] *vt* **1.** (*give*) presentear **2.** (*introduce*) apresentar

presentation [ˌprezən'teɪʃn] *n* apresentação *f*

present-day *adj* atual

presenter [prɪ'zentər] *n* apresentador(a) *m(f)*

presently ['prezəntli] *adv* atualmente

preservation [ˌprezər'veɪʃn] *n no pl* (*of building*) conservação *f*; (*of species, custom*) preservação *f*

preservative [prɪ'zɜːrvəṱɪv] *n* conservante *m*

preserve [prɪ'zɜːrv] **I.** *vt* (*customs, peace*) preservar, manter; (*food*) conservar **II.** *n* **wildlife ~** área de proteção ambiental

preserved *adj* conservado, -a; (*food*) em conserva

preside [prɪ'zaɪd] *vi* **to ~ over sth** presidir a. c.

presidency ['prezɪdənsi] *n* presidência *f*

president ['prezɪdənt] *n* presidente, -a *m, f*

presidential [ˌprezɪ'dentʃəl] *adj* presidencial

press [pres] **I.** *n* **the ~** a imprensa **II.** *vt* **1.** apertar; **to ~ sb to do sth** pressionar alguém para fazer a. c. **2.** (*iron*) passar (roupa) **press conference** *n* entrevista *f* coletiva

pressing *adj* urgente

pressure ['preʃər] *n* pressão *f*; **to be under ~** estar sob pressão

pressure cooker *n* panela *f* de pressão **pressure group** *n* POL grupo *m* de pressão

prestige [pre'stiːʒ] *n no pl* prestígio *m*

prestigious [pre'stɪdʒəs] *adj* influente

presumably [prɪ'zuːməbli, *Brit:* -'zjuːm-] *adv* presumivelmente

presume [prɪ'zuːm, *Brit:* -'zjuːm] *vt* presumir

presumption [prɪ'zʌmpʃn] *n* suposição *f*

presumptuous [prɪ'zʌmptʃuːəs, *Brit:* -tjʊəs] *adj* presunçoso, -a

presuppose [ˌpriːsə'poʊz] *vt form* pressupor

presupposition [ˌpriːsʌpə'zɪʃn] *n* pressuposição *f*

pretence ['priːtents] *n no pl, Brit s.* **pretense**

pretend [prɪ'tend] *vi, vt* fingir; **to ~ to be sb/sth** fingir ser alguém/a. c.

pretense ['pri:tents] *n no pl, Am* pretensão *f*

pretentious [prɪ'tentʃəs] *adj pej* pretensioso, -a

pretext ['pri:tekst] *n* pretexto *m*

pretty ['prɪţi] I. *adj* <-ier, -iest> bonito, -a II. *adv* bastante

prevail [prɪ'veɪl] *vi* prevalecer

prevailing *adj* dominante

prevalence ['prevələnts] *n no pl* preponderância *f*

prevalent ['prevələnt] *adj* predominante

prevent [prɪ'vent] *vt* impedir; **to ~ sb from doing sth** impedir alguém de fazer a. c.

prevention [prɪ'ventʃn] *n no pl* prevenção *f*

preventive [prɪ'ventɪv] *adj* preventivo, -a

preview ['pri:vju:] *n* pré-estréia *f*

previous ['pri:viəs] *adj* anterior

previously *adv* antes

pre-war *adj* do pré-guerra

prey [preɪ] *n no pl* presa *f*

price [praɪs] I. *n* preço *m* II. *vt* colocar preço em

price-led ['praɪsˌled] *adj attr* (*supermarket chain*) barateiro, -a

priceless ['praɪslɪs] *adj* **to be ~** ser inestimável

prick [prɪk] *vt* picar

prickly ['prɪkli] <-ier, -iest> *adj* (*fabric, plant*) espinhoso, -a

pride [praɪd] *n no pl* orgulho *m*

priest [pri:st] *n* padre *m*

priggish ['prɪgɪʃ] *adj pej* pedante

primarily [praɪ'merəli] *adv* principalmente

primary ['praɪmeri] *adj* **1.** principal **2.** (*basic*) primário, -a

primate ['praɪmeɪt] *n* primata *m*

prime [praɪm] *adj* principal

prime minister *n* primeiro-ministro, primeira-ministra *m, f* **prime number** *n* número *m* primo

primeval [praɪ'mi:vəl] *adj* antigo, -a

primitive ['prɪmɪţɪv] *adj* primitivo, -a

primrose ['prɪmroʊz] *n* prímula *f*

prince [prɪnts] *n* príncipe *m*

princess ['prɪntsɪs] *n* princesa *f*

principal ['prɪntsəpl] I. *adj* principal II. *n Am, Aus* (*of school*) diretor(a) *m(f)*

principality [ˌprɪntsə'pæləţi] *n* principado *m*

principally *adv* principalmente

principle ['prɪntsəpl] *n* princípio *m*

print [prɪnt] I. *n* **1.** TYP impressão *f*; **to be out of ~** estar com edição esgotada **2.** PHOT cópia *f* II. *vt* imprimir; (*publish*) publicar; **to ~ out** imprimir a. c.

printer ['prɪntər] *n* **1.** (*person*) tipógrafo, -a *m, f* **2.** INFOR impressora *f*

printing press *n* prelo *m*

print-out *n* INFOR cópia *f* impressa

prior ['praɪər] I. *adv form* **~ to ...** antes de ... II. *adj form* prévio, -a

prioritize [praɪ'ɔ:rətaɪz] *vt* priorizar

priority [praɪ'ɔ:rəţi] <-ies> *n no pl* prioridade *f*; **to give sth ~** dar prioridade a a. c.

prism [prɪzəm] *n* prisma *m*

prison ['prɪzən] *n* prisão *f*
prisoner ['prɪzənər] *n* preso, -a *m, f*
prisoner of war *n* prisioneiro, -a *m, f* de guerra
pristine ['prɪsti:n] *adj form* impecável
privacy ['praɪvəsi, *Brit:* 'prɪ-] *n no pl* privacidade *f*
private ['praɪvət] **I.** *adj* particular **II.** *n* soldado *m* raso
privately *adv* em particular
privatization [ˌpraɪvətɪ'zeɪʃn] *n no pl* privatização *f*
privatize ['praɪvətaɪz] *vt* privatizar
privet ['prɪvɪt] *n no pl* alfena *f*
privilege ['prɪvəlɪdʒ] *n* privilégio *m*
privileged *adj* privilegiado, -a
prize [praɪz] *n* prêmio *m*
pro[1] [proʊ] *n inf abbr of* **professional** profissional *mf*
pro[2] *n* **the ~s and cons of sth** os prós e os contras de a. c.
proactive [ˌproʊ'æktɪv] *adj* proativo, -a
probability [ˌprɑ:bə'bɪləţi] *n* probabilidade *f*
probable ['prɑ:bəbl] *adj* provável
probably *adv* provavelmente
problem ['prɑ:bləm] *n* problema *m;* **to have a ~ with sb/sth** ter problema com alguém/a. c.
problematic [ˌprɑ:blə'mæţɪk] *adj* problemático, -a
procedure [prə'si:dʒər] *n* procedimento *m*
proceed [proʊ'si:d] *vi* (*continue*) continuar; (*make progress*) prosseguir
proceeds ['proʊsi:dz] *n* lucros *mpl* (de shows)
process ['prɑ:ses] **I.** *n* processo *m* **II.** *vt* processar
procession [prə'seʃn] *n* procissão *f*
proclamation [ˌprɑ:klə'meɪʃn] *n form* proclamação *f*
procure [proʊ'kjʊr] *vt form* conseguir
prod [prɑ:d] <-dd-> *vt* empurrar
prodigal ['prɑ:dɪgl] *adj form* pródigo, -a
prodigious [prə'dɪdʒəs] *adj form* prodigioso, -a
prodigy ['prɑ:dədʒi] *n* prodígio *m*
produce[1] [prə'du:s, *Brit:* -'dju:s] *vt* produzir
produce[2] ['proʊdu:s, *Brit:* 'prɒdju:s] *n no pl* produtos *mpl* agrícolas
producer [prə'du:sər, *Brit:* -'dju:səʳ] *n* produtor(a) *m(f)*
product ['prɑ:dʌkt] *n* produto *m*
production [prə'dʌkʃn] *n no pl* produção *f*
productive [prə'dʌktɪv] *adj* produtivo, -a
productivity [ˌproʊdək'tɪvəţi] *n no pl* produtividade *f*
profess [prə'fes] *vt* alegar
profession [prə'feʃn] *n* profissão *f*
professional [prə'feʃənəl] *adj* profissional
professor [prə'fesər] *n* professor universitário, professora universitária *m, f*
professorship [prə'fesərʃɪp] *n* professorado *m*
proffer ['prɑ:fər] *vt form* oferecer
proficiency [prə'fɪʃnsi] *n no pl* proficiência *f*
proficient [prə'fɪʃnt] *adj* competente

profile ['proʊfaɪl] *n* perfil *m*
profit ['prɑːfɪt] **I.** *n* lucro *m* **II.** *vi* **to ~ by sth** lucrar com a. c.
profitability [ˌprɑːfɪţə'bɪləţi] *n no pl* rentabilidade *f*
profitable ['prɑːfɪţəbl] *adj* lucrativo, -a
profit margin *n* margem *f* de lucro
profound [prə'faʊnd] *adj* profundo, -a
profuse [prə'fjuːs] *adj* abundante, pródigo, -a
profusion [prə'fjuːʒən] *n no pl, form* profusão *f*
prognosis [prɑːg'noʊsɪs] *n* prognóstico *m*
program *Am,* **programme** ['proʊgræm] *Aus, Brit* **I.** *n* programa *m* **II.** <-mm-> *vt* programar
program(m)er *n* programador(a) *m(f)*
program(m)ing *n* programação *f*
progress[1] ['prɑːgres, *Brit:* 'prəʊ-] *n no pl* progresso *m;* **to make ~** progredir
progress[2] [proʊ'gres] *vi* progredir
progression [prə'greʃn] *n no pl* progressão *f*
progressive [prə'gresɪv] *adj* progressivo, -a
prohibit [proʊ'hɪbɪt] *vt* proibir
prohibition [ˌproʊɪ'bɪʃn] *n* proibição *f*
prohibitive [proʊ'hɪbəţɪv] *adj* proibitivo, -a
project[1] ['prɑːdʒekt] *n* projeto *m*
project[2] [prə'dʒekt] *vt* projetar
projection [prə'dʒekʃn] *n* projeção *f*
projector [prə'dʒektər] *n* projetor *m*
proletarian [proʊlə'teriən] *adj* proletário, -a
proliferate [proʊ'lɪfəreɪt] *vi* proliferar
prolific [proʊ'lɪfɪk] *adj* prolífico, -a
prolong [proʊ'lɑːŋ] *vt* prolongar
prom [prɑːm] *n Am* baile *m* de formatura
promenade [ˌprɑːmə'neɪd, *Brit:* ˌprɒmə'nɑːd] *n* calçadão (à orla marítima) *m*
prominent ['prɑːmənənt] *adj* proeminente
promiscuous [prə'mɪskjuəs] *adj* promíscuo, -a
promise ['prɑːmɪs] **I.** *vi, vt* prometer; **to ~ to do sth** prometer fazer a. c. **II.** *n* promessa *f;* **to make a ~** fazer uma promessa
promising *adj* promissor(a)
promote [prə'moʊt] *vt* promover
promotion [prə'moʊʃn] *n* promoção *f*
prompt [prɑːmpt] *adj* rápido, -a
promptly *adv* prontamente
prone [proʊn] *adj* **to be ~ to do sth** ser propenso a fazer a. c.
prong [prɑːŋ] *n* (*of fork*) dente *m*
pronoun ['proʊnaʊn] *n* pronome *m*
pronounce [prə'naʊnts] *vt* pronunciar
pronounced *adj* acentuado, -a, pronunciado, -a
pronouncement [prə'naʊntsmənt, *Brit:* 'prəʊ-] *n* pronunciamento *m*
pronunciation [prəˌnʌntsi'eɪʃn] *n no pl* pronúncia *f*
proof [pruːf] *n no pl* prova *f*
propel [prə'pel] <-ll-> *vt* impulsionar
propeller [prə'pelər] *n* hélice *f*
proper ['prɑːpər] *adj* adequado, -a,

apropriado, -a

properly *adv* bem, devidamente

property ['prɑ:pərt̬i] <-ies> *n* propriedade *f*

prophecy ['prɑ:fəsi] <-ies> *n* profecia *f*

prophesy ['prɑ:fəsaɪ] <-ie-> *vt* profetizar

prophet ['prɑ:fɪt] *n* profeta, -isa *m, f*

prophetic [prə'fetɪk] *adj* profético, -a

proportion [prə'pɔ:rʃn] *n* proporção *f*

proposal [prə'poʊzəl] *n* proposta *f*

propose [prə'poʊz] **I.** *vt* propor **II.** *vi* **to ~** (**to sb**) pedir (alguém) em casamento

proposition [ˌprɑ:pə'zɪʃn] *n* proposta *f*

proprietor [proʊ'praɪət̬ər] *n* proprietário, -a *m, f*

propriety [prə'praɪət̬i] <-ies> *n no pl* propriedade *f*

propulsion [prə'pʌlʃn] *n no pl* propulsão *f*

prose [proʊz] *n no pl* prosa *f*

prosecute ['prɑ:sɪkju:t] *vt* processar

prosecutor ['prɑ:sɪkju:t̬ər] *n* promotor público, promotora pública *m, f*

prospect ['prɑ:spekt] *n* possibilidade *f*; **~s** (*chances*) perspectivas *fpl*

prospectus [prə'spektəs] *n* prospecto *m*

prosper ['prɑ:spər] *vi* prosperar

prosperity [prɑ:'sperət̬i] *n no pl* prosperidade *f*

prosperous ['prɑ:spərəs] *adj* próspero, -a

prostate (**gland**) ['prɑ:steɪt-] *n* próstata *f*

prostitute ['prɑ:stətu:t, *Brit:* 'prɒstɪtju:t] *n* prostituta *f*

prostitution [ˌprɑ:stɪ'tu:ʃn, *Brit:* ˌprɒstɪ'tju:-] *n no pl* prostituição *f*

protagonist [proʊ'tægənɪst] *n* protagonista *mf*

protect [prə'tekt] *vt* proteger; **to ~ oneself from sb/sth** proteger-se de alguém/a. c

protection [prə'tekʃn] *n no pl* proteção *f*

protection dog *n* cão *m* de guarda

protective [prə'tektɪv] *adj* protetor(a)

protector [prə'tektər] *n* protetor(a) *m(f)*

protein ['proʊti:n] *n* proteína *f*

protest[1] ['proʊtest] *n* protesto *m;* (*demonstration*) manifestação *f*

protest[2] [proʊ'test] *vi, vt* protestar; **to ~ against sth** protestar contra a. c.

Protestant ['prɑ:t̬əstənt] *n* protestante *mf*

protester *n* manifestante *mf*

protest march *n* passeata *f* de protesto

protocol ['proʊt̬əkɔ:l] *n* protocolo *m*

proton ['proʊtɑ:n] *n* próton *m*

prototype ['proʊt̬ətaɪp] *n* protótipo *m*

protracted [proʊ'træktɪd] *adj* prolongado, -a

protrude [proʊ'tru:d] *vi* sobressair

proud [praʊd] *adj* orgulhoso, -a; **to be ~ of sth** ter orgulho de a. c.

proudly *adv* orgulhosamente

prove [pru:v] <proved *o Am:* proven> **I.** *vt* provar **II.** *vi* **to ~ to be sth** revelar-se a. c.

proverb ['prɑ:vɜ:rb] *n* provérbio *m*
proverbial [prə'vɜ:rbiəl] *adj* proverbial
provide [prə'vaɪd] I. *vt* fornecer; **to ~ sb with sth** fornecer a. c. a alguém II. *vi* **to ~ for sb** sustentar alguém
provided *conj* **~ that ...** contanto que ... *+subj*, desde que ... *+subj*
providence ['prɑ:vədənts] *n no pl* providência *f*
provider [prə'vaɪdər] *n* provedor *m*
providing *conj s.* **provided**
province ['prɑ:vɪnts] *n* província *f*
provincial [prə'vɪntʃəl] *adj pej* provinciano, -a
provisional [prə'vɪʒənəl] *adj* provisório, -a
provocation [ˌprɑ:və'keɪʃn] *n* provocação *f*
provocative [prə'vɑ:kət̬ɪv] *adj* provocador(a)
provoke [prə'voʊk] *vt* provocar
prow [praʊ] *n* proa *f*
prowess ['praʊɪs] *n no pl, form* perícia *f*
proximity [prɑ:k'sɪmət̬i] *n no pl, form* proximidade *f*
proxy ['prɑ:ksi] <-ies> *n* **by ~** por procuração
prudence ['prudns] *n no pl* prudência *f*
prudent ['pru:dnt] *adj* prudente
prudish ['pru:dɪʃ] *adj pej* puritano, -a
prune [pru:n] *n* ameixa *f* seca
PS [ˌpi:'es] *abbr of* **postscript** P.S.
psychiatrist [saɪ'kaɪətrɪst] *n* psiquiatra *mf*
psychic ['saɪkɪk] *adj* paranormal
psychological [ˌsaɪkə'lɑ:dʒɪkəl] *adj* psicológico, -a
psychologist [saɪ'kɑ:lədʒɪst] *n* psicólogo, -a *m, f*
psychology [saɪ'kɑ:lədʒi] <-ies> *n* psicologia *f*
psychotherapist [ˌsaɪkoʊ'θerəpɪst] *n* psicoterapeuta *mf*
pt *n abbr of* **pint** pt *f* (≈ 0,67 litros, Am: ≈ 0,47 litros)
pto *abbr of* **please turn over** vide verso
pub [pʌb] *n inf* bar *m*
puberty ['pju:bərt̬i] *n no pl* puberdade *f*
public ['pʌblɪk] I. *adj* público, -a II. *n* público *m*; **in ~** em público
publication [ˌpʌblɪ'keɪʃn] *n no pl* publicação *f*
publicity [pʌb'lɪsət̬i] *n no pl* publicidade *f* **public school** *n Am, Aus* escola *f* pública
publish ['pʌblɪʃ] *vt* publicar
publisher ['pʌblɪʃər] *n* **1.** (*company*) editora *f* **2.** (*person*) editor(a) *m(f)*
publishing *n no pl* indústria *f* editorial
pudding ['pʊdɪŋ] *n* pudim *m*
puddle ['pʌdl] *n* poça *f*
Puerto Rico [ˌpwert̬ə'ri:koʊ] *n* Porto Rico *m*
puff [pʌf] *vi* arfar
puff pastry *n* massa *f* folheada
pull [pʊl] I. *vt* puxar; (*muscle*) distender II. *vi* puxar ◆ **pull apart** *vt* desmontar ◆ **pull down** *vt* demolir ◆ **pull in** *vi* (*cars*) encostar; (*trains*) chegar ◆ **pull over** *vi* encostar o car-

P

ro no meio-fio ◈ **pull up** *vi* (*car*) parar

pulley ['pʊli] <-s> *n* roldana *f*

pullover ['pʊloʊvər] *n* pulôver *m*

pulpit ['pʊlpɪt] *n* púlpito *m*

pulse [pʌls] *n* pulso *m*

pump [pʌmp] **I.** *n* bomba *f* **II.** *vt* (*tires*) encher

pump-and-runner *n Am, inf: aquele que enche o tanque e sai sem pagar*

pumpkin ['pʌmpkɪn] *n* abóbora *f*

pun [pʌn] *n* trocadilho *m*

punch[1] [pʌntʃ] **I.** *vt* **1.** (*hit*) esmurrar **2.** (*ticket*) picotar **II.** <-es> *n* murro *m*, soco *m*

punch[2] *n* GASTR ponche *m*

punctual ['pʌŋktʃuəl] *adj* pontual

punctuation [ˌpʌŋktʃu'eɪʃn] *n no pl* pontuação *f*

puncture ['pʌŋktʃər] **I.** *vi, vt* furar **II.** *n Brit* furo *m*

punish ['pʌnɪʃ] *vt* castigar; **to ~ sb for sth** castigar alguém por a. c.

punishment ['pʌnɪʃmənt] *n* castigo *m*

punk [pʌŋk] *n* punk *mf*

pupil[1] ['pju:pl] *n* aluno, -a *m, f*

pupil[2] *n* ANAT pupila *f*

puppet ['pʌpɪt] *n* fantoche *m*, marionete, f

puppy ['pʌpi] <-ies> *n* cachorrinho, -a *m, f*

purchase ['pɜ:rtʃəs] **I.** *vt* comprar **II.** *n* compra *f*

pure [pjʊr] *adj* puro, -a

purée [pjʊ'reɪ, *Brit:* 'pjʊəreɪ] *n* purê *m*

purely *adv* puramente

purity ['pjʊrɪţi] *n no pl* pureza *f*

purple ['pɜ:rpl] **I.** *adj* roxo, -a **II.** *n* roxo *m*

purpose ['pɜ:rpəs] *n* (*goal*) objetivo *m;* (*use*) finalidade *f;* **on ~** de propósito

purr [pɜ:r] *vi* ronronar

purse [pɜ:rs] *n* **1.** *Am* bolsa *f* **2.** *Brit* (*wallet*) porta-níqueis *m inv*

pursue [pər'su:, *Brit:* pə'sju:] *vt* perseguir

pus [pʌs] *n no pl* pus *m*

push [pʊʃ] **I.** *vt* **1.** apertar; (*shove*) empurrar; **to ~ sb into doing sth** pressionar alguém para fazer a. c. **2.** *inf* (*promote*) promover **II.** *vi* pressionar **III.** <-es> *n* empurrão *m;* **at the ~ of a button** ao apertar um botão ◈ **push off** *vi inf* cair fora

push-up *n* flexão *f* de braço

put [pʊt] <-tt-, put, put> *vt* colocar, pôr; **to ~ time/money into sth** investir tempo/dinheiro em a. c.; **to ~ a question** fazer uma pergunta; **I ~ the number of visitors at 2,000** calculo em 2.000 o número de visitantes ◈ **put aside** *irr vt* economizar, guardar ◈ **put back** *irr vt* **1.** (*postpone*) adiar **2.** (*return*) repor ◈ **put down** *irr vt* (*set down*) deixar ◈ **put forward** *irr vt* **1.** (*advance*) adiantar **2.** (*propose*) propor ◈ **put in** *irr vt* instalar ◈ **put off** *irr vt* **1.** (*delay*) adiar **2.** (*discourage*) desencorajar **3.** (*distract*) distrair ◈ **put on** *irr vt* **1. to put sth on sth** pôr a. c. em a. c. **2.** (*wear*) vestir **3.** (*weight*) engordar ◈ **put out** *irr vt* **1.** (*extend*) estender **2.** (*fire, ciga-*

rette) apagar **3.** (*inconvenience*) incomodar ◈ **put together** *irr vt* juntar ◈ **put up** *irr vt* **1.** (*a notice*) pendurar **2.** (*umbrella*) abrir **3.** (*build*) construir; (*tent*) armar **4.** (*prices*) aumentar **5.** (*give shelter*) acolher ◈ **put up with** *irr vt* agüentar

putt [pʌt] **I.** *vi* dar tacada leve (no golfe) **II.** *n* tacada *f* leve

putty ['pʌt̬i] *n no pl* betume *m*

puzzle ['pʌzl] **I.** *vt* intrigar **II.** *n* quebra-cabeça *m*; (*mystery*) enigma *m*

puzzling *adj* intrigante

pylon ['paɪlɑ:n] *n* torre *f* de alta tensão

pyramid ['pɪrəmɪd] *n* pirâmide *f*

Q

Q, q [kju:] *n* q *m*

Q *abbr of* **Queen** rainha *f*

Qatar ['kɑ:tɑ:r, *Brit:* kə'tɑ:ʳ] *n* Qatar *m*

quack¹ [kwæk] **I.** *n* (*sound*) grasnido *m* **II.** *vi* grasnar

quack² *n inf* (*doctor*) curandeiro, -a *m, f*

quad [kwɑ:d, *Brit:* kwɒd] *n* **1.** *inf* (*quadruplet*) quadrigêmeo, -a *m, f* **2.** (*quadrangle*) quadra *f*

quadrangle ['kwɑ:dræŋgl, *Brit:* 'kwɒd-] *n form* quadrângulo *m*

quadrilateral [ˌkwɑ:drɪ'læt̬ərəl, *Brit:* ˌkwɒdrɪ'læt-] *n* quadrilátero *m*

quadruped ['kwɑ:drʊped, *Brit:* 'kwɒd-] *n* quadrúpede *m*

quadruple ['kwɑ:dru:pl, *Brit:* 'kwɒd-] *vi* quadruplicar

quadruplet [kwɑ:'dru:plɪt, *Brit:* 'kwɒdru:plət] *n* quadrigêmeo, -a *m, f*

quail [kweɪl] <-(s)> *n* ZOOL codorna *f*

quaint [kweɪnt] *adj* (*charming*) pitoresco, -a

quake [kweɪk] **I.** *n* **1.** tremor *m* **2.** *inf* (*earthquake*) terremoto *m* **II.** *vi* tremer

qualification [ˌkwɑ:lɪfɪ'keɪʃn, *Brit:* ˌkwɒl-] *n* **1.** (*documents, etc*) habilitação *f* **2.** (*limiting criteria*) requisito *m* **3.** SPORTS classificação *f*

qualified *adj* **1.** (*trained*) habilitado, -a **2.** (*competent*) capacitado, -a

qualify ['kwɑ:lɪfaɪ, *Brit:* 'kwɒl-] <-ie-> **I.** *vt* **to ~ sb to do sth** habilitar alguém a fazer a. c. **II.** *vi* **1.** (*be eligible*) ter direito a a. c. **2.** SPORTS classificar-se

qualitative ['kwɑ:lɪteɪt̬ɪv, *Brit:* 'kwɒlɪtət-] *adj* qualitativo, -a

quality ['kwɑ:lət̬i, *Brit:* 'kwɒləti] <-ies> *n no pl* (*excellence*) qualidade *f*

quandary ['kwɑ:ndəri, *Brit:* 'kwɒn-] <-ies> *n* dilema *m*

quantify ['kwɑ:ntəfaɪ, *Brit:* 'kwɒnt̬ɪ-] <-ie-> *vt* quantificar

quantitative ['kwɑ:nt̬əteɪt̬ɪv, *Brit:* 'kwɒntɪtət-] *adj* quantitativo, -a

quantity ['kwɑ:nt̬əti, *Brit:* 'kwɒntəti] <-ies> *n* quantidade *f*

quarantine ['kwɔ:rənti:n, *Brit:*

'kwɒr-] I. *n* quarentena *f* II. *vt* pôr em quarentena

quarrel ['kwɔːrəl, *Brit:* 'kwɒr-] I. *n* briga *f* II. <-ll-> *vi* brigar

quarry ['kwɔːri, *Brit:* 'kwɒri] <-ies> *n* (*rock pit*) pedreira *f*

quart [kwɔːrt, *Brit:* kwɔːt] *n* quarto *m* de galão, *equivalente a 0,95 l*

quarter ['kwɔːrṭər, *Brit:* 'kwɔːtəʳ] *n* 1. (*one fourth*) quarto *m*; **a ~ to three** quinze para as três 2. *Am* FIN moeda *f* de 25 centavos de dólar

quarterback *n* zagueiro, -a *m, f* **quarterfinal** *n* quartas-de-final *fpl*

quarterly I. *adv* trimestralmente II. *adj* trimestral

quartet [kwɔːr'tet, *Brit:* kwɔː'-] *n* quarteto *m*

quartz [kwɔːrts, *Brit:* kwɔːts] *n no pl* quartzo *m*

quay [kiː] *n* cais *m*

queasy ['kwiːzi] <-ier, -iest> *adj* enjoado, -a

Quebec [kwɪ'bek] *n* Québec *m*

queen [kwiːn] *n* 1. rainha *f* 2. (*cards*) dama *f*

Queen Mother *n* rainha-mãe *f*

queer [kwɪr, *Brit:* kwɪəʳ] I. <-er, -est> *adj* (*strange*) esquisito, -a II. *n pej, inf* (*homosexual*) bicha *f*

quench [kwentʃ] *vt* (*thirst*) saciar; (*fire*) extinguir

query ['kwɪri, *Brit:* 'kwɪəri] <-ies> *n* pergunta *f*

quest [kwest] *n* busca *f*

question ['kwestʃən] I. *n* 1. (*inquiry*) pergunta *f* 2. (*issue*) questão *f* II. *vt* 1. (*interrogate*) interrogar 2. (*doubt*) questionar

questionable ['kwestʃənəbl] *adj* questionável

questioning *n no pl* interrogatório *m*

question mark *n* ponto *m* de interrogação

questionnaire [ˌkwestʃə'ner, *Brit:* -'neəʳ] *n* questionário *m*

queue [kjuː] I. *n Aus, Brit* fila *f* II. *vi* fazer fila

quibble ['kwɪbl] *vi* tergiversar

quiche [kiːʃ] *n* quiche *f*

quick [kwɪk] I. <-er, -est> *adj* (*fast*) rápido, -a II. <-er, -est> *adv* rapidamente

quicken ['kwɪkən] *vi, vt* acelerar

quickly *adv* rapidamente

quicksand *n no pl* areia *f* movediça

quick-tempered *adj* de pavio curto **quick-witted** *adj* perspicaz

quid [kwɪd] *inv n Brit, inf* (*pound*) libra *f*

quiet ['kwaɪət] I. *n no pl* silêncio *m* II. <-er, -est> *adj* silencioso, -a

quietly *adv* em silêncio; **to speak ~** falar em voz baixa

quill [kwɪl] *n* (*of feather*) pena *f*

quilt [kwɪlt] *n* acolchoado *m*

quintessential [ˌkwɪnte'senʃəl, *Brit:* -tə'-] *adj form* quinta-essencial

quip [kwɪp] *n* tirada *f* espirituosa

quirk [kwɜːrk, *Brit:* kwɜːk] *n* peculiaridade *f*

quirky <-ier, -iest> *adj* excêntrico, -a

quit [kwɪt] <quit *o* quitted, quit *o* quitted> I. *vi* 1. (*stop*) parar 2. (*resign*) demitir-se II. *vt* (*stop*) largar

quite [kwaɪt] *adv* 1. bastante; ~ **a bit** consideravelmente, um bom bocado 2. **not ~ as clever/rich as ...** não tão inteligente/rico como ...
quits [kwɪts] *adj inf* **to call it ~** dar por encerrado
quiver ['kwɪvər, *Brit:* -əʳ] *vi* tremer
quiz [kwɪz] <-zes> *n* teste *m* (de conhecimento)
quizzical ['kwɪzɪkəl] *adj* interrogativo, -a
quota ['kwoʊṭə, *Brit:* 'kwəʊtə] *n* cota *f*
quotation [kwoʊ'teɪʃn, *Brit:* kwəʊ'-] *n* citação *f*
quotation marks *npl* aspas *fpl*
quote [kwoʊt, *Brit:* kwəʊt] I. *n* 1. *inf* (*quotation*) citação *f* 2. *inf* (*estimate*) orçamento *m* II. *vt* 1. citar 2. FIN orçar

R

R, r [ɑːr, *Brit:* ɑːʳ] *n* r *m*
rabbi ['ræbaɪ] *n* rabino *m*
rabbit ['ræbɪt] *n* coelho, -a *m, f*
rabies ['reɪbiːz] *n no pl* raiva *f*
race[1] [reɪs] I. *n* corrida *f* II. *vi* 1. (*move quickly*) correr; SPORTS competir em corridas 2. (*engine*) acelerar
race[2] *n no pl* (*ethnic*) raça *f*
racecourse ['reɪskɔːrs] *n Brit* hipódromo *m* **racehorse** ['reɪshɔːrs] *n* cavalo *m* de corrida **racetrack** ['reɪstræk] *n Brit* AUTO autódromo *m; Am* (*for horses*) hipódromo *m*
racial ['reɪʃəl] *adj* racial
racing *n* corrida *f*
racing car *n* carro *m* de corrida **racing driver** *n* piloto *m*
racism ['reɪsɪzəm] *n no pl* racismo *m*
racist ['reɪsɪst] *n* racista *mf*
rack [ræk] *n* (*for dishes*) escorredor *m;* (*for luggage*) bagageiro *m inv*
racket ['rækɪt] *n* 1. SPORTS raquete *f* 2. *no pl, inf* barulho *m*
radiation [ˌreɪdi'eɪʃən] *n no pl* radiação *f*
radiator ['reɪdieɪṭər] *n* radiador *m*
radical ['rædɪkəl] *adj* radical
radii ['reɪdɪaɪ] *n pl of* **radius**
radio ['reɪdioʊ] I. *n* rádio *m* II. *vt* chamar por rádio
radioactivity [ˌreɪdioʊæk'tɪvəṭi] *n no pl* radioatividade *f*
radio station *n* estação *f* de rádio
radiotherapy [ˌreɪdioʊ'θerəpi] *n no pl* radioterapia *f*
radish ['rædɪʃ] <-es> *n* rabanete *m*
radius ['reɪdiəs] <-dii> *n* raio *m*
raffle ['ræfl] *n* rifa *f*
raft [ræft] *n* balsa *f*
rafter ['ræftər] *n* viga *f*
rag [ræg] *n* trapo *m*
rage [reɪdʒ] *n no pl* fúria *f*
raid [reɪd] I. *n* 1. ataque *m* 2. (*robbery*) assalto *m* 3. (*by police*) batida *f* II. *vt* assaltar
rail [reɪl] *n* 1. (*of fence*) barra *f* 2. RAIL **by ~** de trem 3. (*track*) trilho *m*
railing *n* grade *f*

railroad *n Am* 1. (*system*) ferrovia *f* 2. estrada *f* de ferro **railroad station** *n* estação *f* ferroviária

rain [reɪn] I. *n no pl* chuva *f* II. *vi* chover

rainbow *n* arco-íris *m* **raincoat** *n* capa *f* de chuva **raindrop** *n* pingo *m* de chuva **rainfall** *n no pl* chuva *f* **rain forest** *n* floresta *f* tropical

rainy ['reɪni] *adj* <-ier, -iest> chuvoso, -a

raise [reɪz] I. *n Am, Aus* aumento *m* II. *vt* 1. levantar 2. (*wages, awareness*) aumentar

raisin ['reɪzn] *n* passa *f*

rake *n* ancinho *m*

rally ['ræli] <-ies> *n* 1. (*race*) rali *m* 2. POL comício *m*

ram [ræm] I. *n* carneiro *m* II. *vt* <-mm-> bater contra

ramble ['ræmbl] *n* caminhada *f*

ramp [ræmp] *n* rampa *f*; *Am* AUTO acesso *m*

rampart ['ræmpɑːrt] *n* muralha *f*

ramshackle ['ræmʃækl] *adj* caindo aos pedaços

ran [ræn] *pt of* **run**

ranch [ræntʃ] <-es> *n* fazenda *f* de gado

rancid ['rænsɪd] *adj* rançoso, -a

rancor *n Am, Aus,* **rancour** ['ræŋkər] *n no pl* rancor *m*

random ['rændəm] I. *n no pl* **at** ~ a esmo *m* II. *adj* aleatório, -a

rang [ræŋ] *pt of* **ring[2]**

range [reɪndʒ] I. *n* 1. (*area*) limite *m* 2. (*scale*) gama *f* 3. GEO cordilheira *f* 4. (*reach*) alcance *m;* **within** ~ ao alcance II. *vi* variar

ranger ['reɪndʒər] *n* guarda-florestal *m*

rank[1] [ræŋk] *adj* (*smell*) fétido, -a

rank[2] *n* 1. MIL posto *m* 2. **cab** ~ ponto *m* de táxi

ransack ['rænsæk] *vt* vasculhar

ransom ['rænsəm] *n* resgate *m*

rap [ræp] *n* MUS rap *m*

rape [reɪp] I. *n* estupro *m* II. *vt* estuprar

rapid ['ræpɪd] *adj* rápido, -a

rapids ['ræpɪdz] *npl* corredeira *f*

rapist ['reɪpɪst] *n* estuprador(a) *m(f)*

rare[1] [rer] *adj* raro, -a

rare[2] *adj* GASTR mal passado, -a

rarely *adv* raramente

rascal ['ræskl] *n* malandro, -a *m, f*

rash[1] [ræʃ] *n* MED brotoeja *f*

rash[2] *adj* precipitado, -a

raspberry ['ræzˌberi] <-ies> *n* framboesa *f*

rat [ræt] *n* rato *m*

rate [reɪt] I. *n* 1. (*speed*) marcha *f* 2. (*inflation*) taxa *f;* (*level*) índice *m;* **at any** ~ de qualquer maneira 3. (*price*) preço *m,* tarifa *f* II. *vt* classificar

rather ['ræðər] *adv* 1. ~ **sleepy** um tanto (quanto) sonolento 2. (*very*) bastante 3. **I would** ~ **stay here** eu prefiro ficar aqui

ratio ['reɪʃioʊ] *n* proporção *f*

ration ['ræʃn] I. *n* ração *f* II. *vt* racionar

rational ['ræʃənəl] *adj* racional

rationale [ˌræʃə'næl] *n* fundamento *m* lógico

rationalize ['ræʃənəlaɪz] *vt* justificar
rattle ['ræţl] **I.** *n* **1.** *no pl* (*noise*) algazarra **2.** (*for baby*) chocalho *m* **II.** *vt* chacoalhar
rattlesnake *n* cascavel *f*
raucous ['rɑːkəs] *adj* estridente
raven ['reɪvn] *n* corvo *m*
ravine [rə'viːn] *n* barranco *m*
raw [rɑː] *adj* **1.** (*unprocessed*) ~ **material** matéria-prima **2.** (*uncooked*) cru(a)
ray [reɪ] *n* raio *m*
razor ['reɪzər] *n* barbeador *m*, navalha *f*
razor blade *n* gilete® *f*
re [riː] *prep* referente a
reach [riːtʃ] **I.** *n no pl* alcance *m*; **out of** ~ fora de alcance; **within** ~ à mão *f* **II.** *vt* chegar a; (*finish line*) alcançar ◈ **reach out** *vi* estender a mão
react [rɪ'ækt] *vi* reagir
reaction [rɪ'ækʃn] *n* reação *f*
read [riːd] <read, read> **I.** *vt* ler **II.** *vi* **to** ~ **about sb/sth** ler sobre alguém/a. c. ◈ **read out** *vt* ler em voz alta
reader ['riːdər] *n* leitor(a) *m(f)*
readily ['redɪli] *adv* prontamente
reading ['riːdɪŋ] *n no pl* leitura *f*
readjustment [ˌriːə'dʒʌstmənt] *n* reajuste *m*
ready ['redi] *adj* <-ier, -iest> **1.** (*prepared*) pronto, -a; **to be** ~ (**to do sth**) estar pronto (para fazer a. c.); **to get** ~ (**for sth**) preparar-se (para fazer a. c.) **2.** (*willing*) disposto, -a
ready-to-wear *adj* pronto para usar
real [riːl] *adj* real
real estate *n no pl, Am, Aus* imóveis *mpl*
realism ['riːlɪzəm] *n no pl* realismo *m*
realistic [ˌriːə'lɪstɪk] *adj* realista
reality [rɪ'æləţi] *n no pl* realidade *f*; **in** ~ na realidade
realize ['riːəlaɪz] *vt* **1.** (*become aware of*) dar-se conta de **2.** (*achieve*) realizar
really ['riːəli] **I.** *adv* realmente **II.** *interj* é mesmo?
realtor ['riːəltər] *n Am, Aus* corretor(a) *m(f)* de imóveis
reappear [ˌriːə'pɪr] *vi* reaparecer
rear [rɪr] **I.** *adj* traseiro, -a **II.** *n* traseira *f*
rearrange [ˌriːə'reɪndʒ] *vt* rearranjar
rear view mirror *n* espelho *m* retrovisor
reason ['riːzn] *n* razão *f*; **the** ~ **why ...** a razão pela qual ...; **a** ~ **for sth** um motivo para a. c.
reasonable ['riːznəbl] *adj* razoável
reasonably *adv* razoavelmente
reasoning *n no pl* raciocínio *m*
reassurance [ˌriːə'ʃʊrəns] *n* palavras *fpl* de conforto
reassure [ˌriːə'ʃʊr] *vt* tranqüilizar
rebate ['riːbeɪt] *n* reembolso *m*
rebel[1] ['rebl] *n* rebelde *mf*
rebel[2] [rɪ'bel] <-ll-> *vi* revoltar-se
rebellion [rɪ'beljən] *n no pl* rebelião *f*
rebirth [ˌriː'bɜːrθ] *n* renascimento *m*
rebound [riː'baʊnd] *vi* ricochetear
rebuild [ˌriː'bɪld] *vt irr* reconstruir
rebuke [rɪ'bjuːk] **I.** *vt* repreender **II.** *n* reprimenda *f*

recall [rɪ'kɔ:l] *vt* lembrar, recordar
recede [rɪ'si:d] *vi* recuar
receding hairline *n* entradas *fpl*
receipt [rɪ'si:t] *n* **1.** recibo *m;* **a ~ for sth** um recibo de a. c. **2.** (*act of receiving*) recebimento *m;* **on ~ of ...** ao receber ...
receive [rɪ'si:v] *vt* receber
receiver [rɪ'si:vər] *n* fone *m*
recent ['ri:sənt] *adj* recente
recently *adv* recentemente
receptacle [rɪ'septəkl] *n* recipiente *m*
reception [rɪ'sepʃn] *n* recepção *f*
reception desk *n* recepção *f*
receptionist [rɪ'sepʃənɪst] *n* recepcionista *mf*
recess ['ri:ses] <-es> *n* **1.** *Am, Aus* recreio *m* **2.** ARCHIT nicho *m*
recession [rɪ'seʃn] *n* recessão *f*
recharge [ˌri:'tʃɑ:rdʒ] *vt* recarregar
recipe ['resəpi] *n* receita *f*
reciprocate [rɪ'sɪprəkeɪt] *vt, vi* retribuir
recite [rɪ'saɪt] *vt* **1.** recitar **2.** (*list*) enumerar
reckless ['rekləs] *adj* imprudente
reckon ['rekən] **I.** *vt* considerar **II.** *vi inf* **to ~** (**that**) ... achar que
◈**reckon on** *vt insep* contar com
reclaim [rɪ'kleɪm] *vt* reivindicar
recline [rɪ'klaɪn] *vi* reclinar
reclining chair *n* cadeira *f* reclinável
recluse ['reklu:s] *n* recluso *m*
recognition [ˌrekəg'nɪʃn] *n no pl* reconhecimento *m*
recognize ['rekəgnaɪz] *vt* reconhecer
recollect [ˌrekə'lekt] *vi, vt* lembrar(-se) (de)
recommend [ˌrekə'mend] *vt* recomendar
recommendation [ˌrekəmən'deɪʃn] *n* recomendação *f*
reconsider [ˌri:kən'sɪdər] *vt* reconsiderar
reconstruct [ˌri:kən'strʌkt] *vt* reconstruir
record[1] ['rekərd] *n* **1.** (*account, document*) registro *m* **2.** MUS disco *m* **3.** SPORTS recorde *m*
record[2] [rɪ'kɔ:rd] *vt* **1.** (*store*) registrar **2.** (*music*) gravar
recorder [rɪ'kɔ:rdər] *n* **1.** (*machine*) gravador *m* **2.** (*instrument*) flauta *f* doce
record holder *n* recordista *mf*
recording *n* gravação *f*
record player *n* toca-discos *m inv*
recover [rɪ'kʌvər] *vi, vt* recuperar(-se)
recovery [rɪ'kʌvəri] <-ies> *n* recuperação *f*
recreate [ˌri:kri'eɪt] *vt* recriar
recreation [ˌri:kri'eɪʃn] *n no pl* passatempo *m*
recreational [ˌrekri'eɪʃənəl] *adj* recreativo, -a
recrimination [rɪˌkrɪmə'neɪʃn] *n pl* recriminação *f*
recruit [rɪ'kru:t] **I.** *vt* recrutar **II.** *n* recruta *m*
rectangle ['rektæŋgl] *n* retângulo *m*
rectangular [rek'tæŋgjələr] *adj* retangular
rector ['rektər] *n Am, Scot* reitor(a) *m(f)*
rectum ['rektəm] *n* reto *m*
recurrence [rɪ'kɜ:rəns] *n* recorrência *f*

recycle [ˌriːˈsaɪkl] *vt* reciclar
red [red] <-dd-> *adj* vermelho, -a; **to be in the** ~ FIN estar no vermelho
Red Cross *n no pl* **the** ~ a Cruz *f* Vermelha
redcurrant *n* groselha *f*
redden [ˈredn] *vi, vt* avermelhar(-se)
reddish [ˈredɪʃ] *adj* avermelhado, -a
redefine [ˌriːdɪˈfaɪn] *vt* redefinir
red-handed *adj* **to catch sb** ~ pegar alguém em flagrante *m*
redhead [ˈredhed] *n* ruivo, -a *m, f*
red herring *n fig* pista *f* falsa
red-hot *adj* em brasa *f*
redirect [ˌriːdɪˈrekt] *vt* (*letter*) reexpedir
redistribute [ˌriːdɪˈstrɪbjuːt] *vt* redistribuir
red light *n* sinal *m* vermelho **red-light district** *n* zona *f* de meretrício
redo [ˌriːˈduː] *vt irr* refazer
Red Sea *n* **the** ~ o Mar *m* Vermelho
red tape *n no pl* burocracia *f*
reduce [rɪˈduːs] *vt* (*price*) reduzir; (*risk*) diminuir
reduced [rɪˈduːst, *Brit:* -ˈdjuːst] *adj* reduzido, -a
reduction [rɪˈdʌkʃn] *n* redução *f*
redundancy [rɪˈdʌndəntsi] <-ies> *n* (*unemployment*) demissão *f*
redundant [rɪˈdʌndənt] *adj* **1.** redundante **2.** *Brit, Aus* **to be made** ~ ser demitido, -a
reed [riːd] *n* junco *m*
re-educate [ˌriːˈedʒʊkeɪt] *vt* reeducar
reef [riːf] *n* recife *m*
reek [riːk] *vi* feder
reel [riːl] *n* (*for wire*) carretel *m*; (*for film*) rolo *m*
refectory [rɪˈfektəri] <-ies> *n* refeitório *m*
refer [rɪˈfɜːr] <-rr-> *vt* encaminhar
◆ **refer to** *vt* **1.** referir-se a **2.** (*consult*) consultar
referee [ˌrefəˈriː] *n* árbitro *m*
reference [ˈrefərənts] *n* **1.** consulta *f* **2.** (*source*) referência *f* **3. with** ~ **to** com relação *f* a
reference book *n* livro *m* de referência
referendum [ˌrefəˈrendəm] <-s *o* -da> *n* plebiscito *m*
referral [rɪˈfɜːrəl] *n* encaminhamento *m*
refill[1] [ˌriːˈfɪl] *vt* encher de novo
refill[2] [ˈriːfɪl] *n* refil *m*
refine [rɪˈfaɪn] *vt* refinar
refined *adj* **1.** (*oil, sugar*) refinado, -a **2.** (*very polite*) fino, -a
refinery [rɪˈfaɪnəri] <-ies> *n* refinaria *f*
reflect [rɪˈflekt] *vt, vi* refletir
reflection [rɪˈflekʃn] *n* reflexo *m*
reflector [rɪˈflektər] *n* refletor *m*
reflex [ˈriːfleks] <-es> *n* reflexo *m*
reflexive [rɪˈfleksɪv] *adj* reflexivo, -a
reform [rɪˈfɔːrm] **I.** *vt* reformar **II.** *n* reforma *f*
refrain *n* refrão *m*
refresh [rɪˈfreʃ] *vt* refrescar
refresher [rɪˈfreʃər] *n* ~ **course** curso *m* de atualização
refreshing *adj* refrescante
refreshment *n* refeição *f* ligeira (*tira-gostos e bebida*)
refrigerator [rɪˈfrɪdʒəreɪţər] *n* gela-

R

deira *f*
refuel [ˌriːˈfjuːəl] <*Brit:* -ll-, *Am:* -l-> *vi* reabastecer
refuge [ˈrefjuːdʒ] *n* refúgio *m*
refugee [ˌrefjʊˈdʒiː] *n* refugiado, -a *m, f*
refund[1] [ˌriːˈfʌnd] *vt* reembolsar
refund[2] [ˈriːfʌnd] *n* reembolso *m*
refurbish [ˌriːˈfɜːrbɪʃ] *vt* reformar (a casa)
refusal [rɪˈfjuːzl] *n* recusa *f*
refuse[1] [rɪˈfjuːz] **I.** *vi* recusar-se; **to ~ to do sth** recusar-se a fazer a. c. **II.** *vt* recusar
refuse[2] [ˈrefjuːs] *n form* lixo *m*
refuse collection *n* coleta *f* de lixo
regain [rɪˈgeɪn] *vt* recuperar
regard [rɪˈgɑːrd] **I.** *vt* considerar; (*concerning*) ; **as ~s ...** no que diz respeito a ..., quanto a ... **II.** *n* **1.** consideração *f;* **with ~ to ...** com relação a ... **2. ~s** (*in messages*) saudações *fpl;* **with kind ~s** atenciosamente
regarding *prep* com relação a, a respeito de
regardless [rɪˈgɑːrdləs] *adv* apesar de; **~ of ...** sem levar em conta ...
regatta [rɪˈgɑːt̬ə] *n* regata *f*
reggae [ˈregeɪ] *n no pl* reggae *m*
regime [rəˈʒiːm, *Brit:* reɪˈ-] *n* regime *m*
regiment [ˈredʒəmənt] *n* regimento *m*
region [ˈriːdʒən] *n* região *f;* **in the ~ of 30** em torno de 30
regional [ˈriːdʒənl] *adj* regional
register [ˈredʒɪstər] **I.** *n* registro *m* **II.** *vt* registrar **III.** *vi* inscrever-se; UNIV matricular-se
registered *adj* registrado, -a; (*student*) matriculado, -a
registration [ˌredʒɪˈstreɪʃn] *n* **1.** matrícula *f* **2.** (*number*) placa (de um veículo) *f*
registry [ˈredʒɪstri] *n Brit* **~ office** cartório *m* de registro civil
regret [rɪˈgret] **I.** <-tt-> *vt* arrepender-se de, lamentar; **we ~ any inconvenience** lamentamos qualquer transtorno **II.** *n* pesar *m,* arrependimento *m*
regretfully *adv* com pesar
regular [ˈregjələr] **I.** *adj* regular; (*appearance*) normal **II.** *n* (*customer*) cliente *mf* habitual
regularity [ˌregjʊˈlerət̬i] *n no pl* regularidade *f*
regularly *adv* regularmente
regulate [ˈregjʊleɪt] *vt* regular
regulation [ˌregjʊˈleɪʃn] *n* (*business*) regulamento *m;* (*safety*) norma *f*
rehabilitate [ˌriːhəˈbɪləteɪt] *vt* reabilitar
rehabilitation [ˌriːhəˌbɪləˈteɪʃn] *n no pl* reabilitação *f*
rehearsal [rɪˈhɜːrsl] *n* ensaio *m*
rehearse [rɪˈhɜːrs] *vt, vi* ensaiar
reign [reɪn] **I.** *vi* reinar **II.** *n* reino *m*
reimburse [ˌriːɪmˈbɜːrs] *vt* reembolsar
rein [reɪn] *n* rédea *f*
reincarnation [ˌriːɪnkɑːrˈneɪʃn] *n* reencarnação *f*
reindeer [ˈreɪndɪr] *n inv* rena *f*
reinforce [ˌriːɪnˈfɔːrs] *vt* reforçar

reinforcement *n* reforço *m*
reiterate [ri'ɪt̬əreɪt] *vt* reiterar
reject [rɪ'dʒekt] *vt* rejeitar
rejection [rɪ'dʒekʃn] *n* rejeição *f*
rejuvenate [riː'dʒuːvəneɪt] *vt* remoçar, rejuvenescer
relapse [rɪ'læps] *n* recaída *f*
relate [rɪ'leɪt] **I.** *vt* **1.** (*connection*) relacionar **2.** (*tell*) relatar **II.** *vi* **to ~ to sb/sth** relacionar-se com alguém/a. c.
related *adj* **1.** (*linked*) relacionado, -a **2.** (*in same family*) aparentado, -a
relation [rɪ'leɪʃn] *n* **1.** *no pl* relação *f*; **in ~ to** em relação a **2.** (*relative*) parente *mf* **3.** *pl* (*contact*) relações *fpl*
relationship [rɪ'leɪʃnʃɪp] *n* **1.** (*link*) relação *f* **2.** (*between people, countries*) relações *fpl*, relacionamento *m*
relative ['relət̬ɪv] **I.** *adj* relativo, -a **II.** *n* parente *mf*
relatively *adv* relativamente
relax [rɪ'læks] *vi, vt* relaxar
relaxation [ˌriːlæk'seɪʃn] *n* relaxamento *m*
relaxed *adj* relaxado, -a, descontraído, -a
relay ['riːleɪ] *n* SPORTS prova *f* de revezamento
release [rɪ'liːs] **I.** *vt* **1.** (*free*) libertar **2.** (*cease to hold*) soltar **3.** (*film*) lançar **II.** *n* (*of film, record*) lançamento *m*
relentless [rɪ'lentləs] *adj* implacável
relevance ['reləvənts] *n*, **relevancy** *n* *no pl* relevância *f*
relevant ['reləvənt] *adj* relevante
reliable [rɪ'laɪəbl] *adj* confiável, digno, -a de confiança
relic ['relɪk] *n* relíquia *f*
relief [rɪ'liːf] *n no pl* alívio *m*; (*aid*) ajuda *f*
relieve [rɪ'liːv] *vt* aliviar
relieved *adj* aliviado, -a
religion [rɪ'lɪdʒən] *n* religião *f*
religious [rɪ'lɪdʒəs] *adj* religioso, -a
reluctant [rɪ'lʌktənt] *adj* relutante
rely [rɪ'laɪ] <-ie-> *vi* **to ~ on** contar com; (*depend on*) depender de
remain [rɪ'meɪn] *vi* **1.** ficar, permanecer **2.** (*be left*) restar; **it ~ to be seen** resta saber
remainder [rɪ'meɪndər] *n no pl* resto *m*
remaining *adj* restante
remains *npl* restos *mpl*
remark [rɪ'mɑːrk] **I.** *vi* **to ~ on sth** comentar a. c. **II.** *n* comentário *m*
remarkable [rɪ'mɑːrkəbl] *adj* extraordinário, -a
remedial [rɪ'miːdiəl] *adj* SCH de reforço; MED terapêutico, -a
remedy ['remədi] <-ies> *n* remédio *m*
remember [rɪ'membər] *vt* lembrar; **I can't ~ his name** não consigo lembrar o nome dele
remembrance [rɪ'membrənts] *n no pl* recordação *f*
remind [rɪ'maɪnd] *vt* lembrar; **to ~ sb to do sth** lembrar alguém de fazer a. c.; **he ~s me of you** ele me lembra você
reminder [rɪ'maɪndər] *n* lembrete *m*
reminisce [ˌremə'nɪs] *vi* relembrar
remiss [rɪ'mɪs] *adj* descuidado, -a

remnant ['remnənt] *n* remanescente *mf*
remorse [rɪ'mɔ:rs] *n no pl* remorso *m*
remorseful [rɪ'mɔ:rsfəl] *adj* arrependido, -a
remorseless [rɪ'mɔ:rsləs] *adj* implacável
remote [rɪ'moʊt] *adj* <-er, -est> remoto, -a
remote control *n* controle *m* remoto
removable [rɪ'mu:vəbl] *adj* removível
removal [rɪ'mu:vəl] *n* **1.** *no pl* (*of stain*) remoção *f* **2.** (*extraction*) extração *f* **3.** *no pl, Brit* mudança *f*
remove [rɪ'mu:v] *vt* remover
Renaissance [ˌrenə'sɑ:ns, *Brit:* rɪ'neɪsns] *n* **the** ~ a Renascença *f*
renew [rɪ'nu:, *Brit:* -'nju:] *vt* renovar
renewal [rɪ'nu:əl, *Brit:* -'nju:-] *n* renovação *f*
renovate ['renəveɪt] *vt* restaurar
renovation [ˌrenə'veɪʃn] *n* restauração *f*
renowned [rɪ'naʊnd] *adj* **to be** ~ (**for sth**) ser famoso, -a (por a. c.)
rent [rent] **I.** *n* aluguel *m* **II.** *vt* alugar
rental ['rentəl] *n* aluguel *m*
reopen [ri:'oʊpən] *vt* reabrir
reorganize [ri:'ɔ:rgənaɪz] *vt* reorganizar
repair [ri:'per] **I.** *vt* consertar **II.** *n* conserto *m;* **to be in good** ~ estar em bom estado *m*
repay [rɪ'peɪ] <repaid> *vt* reembolsar; (*person*) retribuir
repayment [rɪ'peɪmənt] *n* reembolso *m;* (*for kindness*) retribuição *f*
repeat [rɪ'pi:t] *vi, vt* repetir
repeatedly *adv* repetidamente
repel [rɪ'pel] <-ll-> *vt* repelir
repellent [rɪ'pelənt] *n* repelente *m*
repercussion [ˌri:pər'kʌʃn] *n* repercussão *f*
repertoire ['repərtwɑ:r] *n* repertório *m*
repetition [ˌrepə'tɪʃn] *n* repetição *f*
repetitive [rɪ'peţəţɪv] *adj* repetitivo, -a
replace [rɪ'pleɪs] *vt* **1.** (*substitute*) substituir **2.** (*put back*) repor
replacement [rɪ'pleɪsmənt] *n* **1.** (*object*) substituto, -a *m, f* **2.** (*action*) substituição *f*
replica ['replɪkə] *n* réplica *f*
reply [rɪ'plaɪ] **I.** <-ied> *vi* responder **II.** <-ies> *n* resposta *f*
report [rɪ'pɔ:rt] **I.** *n* (*account*) relatório *m;* JOURN reportagem *f* **II.** *vt* **1.** (*recount*) relatar **2.** (*denounce*) denunciar **III.** *vi* **1.** (*inform*) informar **2.** (*arrive*) apresentar-se; **to** ~ **to sb** apresentar-se a alguém
report card *n Am* boletim *m* escolar
reporter [rɪ'pɔ:rţər] *n* repórter *mf*
represent [ˌreprɪ'zent] *vt* representar
representative [ˌreprɪ'zentəţɪv] **I.** *adj* representativo, -a **II.** *n* representante *mf*
repress [rɪ'pres] *vt* reprimir
repression [rɪ'preʃn] *n no pl* repressão *f*
reprieve [rɪ'pri:v] *n* suspensão *f* temporária
reprimand ['reprəmænd] *vt* repreender
reprisal [rɪ'praɪzl] *n* represália *f*

reproach [rɪ'proʊtʃ] **I.** *vt* censurar **II.** *n* **beyond** ~ irrepreensível
reproduction [ˌri:prə'dʌkʃn] *n* reprodução *f*
reptile ['reptaɪl] *n* réptil *m*
republic [rɪ'pʌblɪk] *n* república *f*
republican *n, adj* republicano, -a *m, f*
repugnant [rɪ'pʌgnənt] *adj* repugnante
repulsive [rɪ'pʌlsɪv] *adj* nojento, -a
reputable ['repjʊţəbl] *adj* respeitável
reputation [ˌrepjʊ'teɪʃn] *n* reputação *f*
request [rɪ'kwest] **I.** *n* pedido *m;* **on** ~ a pedido **II.** *vt* pedir
require [rɪ'kwaɪər] *vt* **1.** (*need*) necessitar **2.** (*demand*) requerer
requirement [rɪ'kwaɪərmənt] *n* (*demand*) requisito *m;* (*need*) necessidade *f*
reroute [ˌri:'ru:t] *vt* (*vehicles*) desviar
rescue ['reskju:] **I.** *vt* resgatar, salvar **II.** *n* resgate *m*
research ['ri:sɜ:rtʃ, *Brit:* rɪ'sɜ:tʃ] **I.** *n* pesquisa *f* **II.** *vi, vt* pesquisar
researcher ['ri:sɜ:rtʃər, *Brit:* rɪ'sɜ:tʃə^r] *n* pesquisador(a) *m(f)*
resemblance [rɪ'zembləns] *n* semelhança *f*
resemble [rɪ'zembl] *vt* parecer-se com
resent [rɪ'zent] *vt* **to** ~ **sth** levar a mal a. c.
resentful [rɪ'zentfəl] *adj* ressentido, -a
resentment [rɪ'zentmənt] *n* ressentimento *m*
reservation [ˌrezər'veɪʃn] *n* reserva *f*
reserve [rɪ'zɜ:rv] **I.** *n* reserva *f* **II.** *vt* reservar
reserved *adj* reservado, -a
reservoir ['rezərvwɑ:r] *n* **1.** reservatório *m* **2.** (*lake*) represa *f*
reset [ˌri:'set] *vt irr* INFOR reinicializar
reside [rɪ'zaɪd] *vi form* residir
residence ['rezɪdənts] *n* residência *f*
residence permit *n* visto *m* de residência
resident ['rezɪdənt] *n* habitante *mf,* morador(a) *m(f)*
residential [ˌrezɪ'denʃl] *adj* residencial
residue ['rezədu:] *n* resíduo *m*
resign [rɪ'zaɪn] **I.** *vi* demitir-se **II.** *vt* renunciar a; **to** ~ **oneself to sth** conformar-se com a. c.
resignation [ˌrezɪg'neɪʃn] *n* (*from job*) demissão *f*
resilient [rɪ'zɪljənt] *adj* resistente
resin ['rezɪn] *n no pl* resina *f*
resist [rɪ'zɪst] *vt* resistir
resistance [rɪ'zɪstənts] *n* resistência *f*
resistant [rɪ'zɪstənt] *adj* resistente
resolute ['rezəlu:t] *adj* resoluto, -a, firme
resolution [ˌrezə'lu:ʃn] *n* resolução *f*
resolve [rɪ'zɑ:lv] *vt* resolver
resort [rɪ'zɔ:rt] **I.** *n* **1.** *no pl* recurso *m;* **as a last** ~ como último recurso **2.** (*summer*) balneário *m;* **ski** ~ estação *f* de esqui **II.** *vi* **to** ~ **to sth** recorrer a a. c.
resource ['ri:sɔ:rs, *Brit:* rɪ'zɔ:s] *n* recurso *m;* **natural** ~**s** recursos *mpl* naturais
resourceful [rɪ'sɔ:rsfəl] *adj* criativo, -a
respect [rɪ'spekt] **I.** *n* **1.** respeito *m* **2.** (*point*) aspecto *m;* **in some** ~**s** em alguns aspectos; **with** ~ **to** com respeito a **II.** *vt* respeitar

respectable [rɪ'spektəbl] *adj* respeitável
respected *adj* respeitado, -a
respectful [rɪ'spektfl] *adj* respeitoso, -a
respective [rɪ'spektɪv] *adj* respectivo, -a
respiration [ˌrespə'reɪʃn] *n no pl* respiração *f*
respond [rɪ'spɑ:nd] *vi* responder
response [rɪ'spɑ:ns] *n* resposta *f*
responsibility [rɪˌspɑ:nsə'bɪləṭi] *n* responsabilidade *f*
responsible [rɪ'spɑ:nsəbl] *adj* responsável
rest[1] [rest] **I.** *vt* apoiar **II.** *vi* descansar **III.** *n* **1.** descanso *m* **2.** (*support*) apoio *m*
rest[2] [rest] *n* (*remainder*) resto *m*
restaurant ['restərɑ:nt, *Brit:* -rɔ̃:ŋ] *n* restaurante *m*
restful ['restfəl] *adj* relaxante
restive ['restɪv] *adj*, **restless** ['restlɪs] *adj* agitado, -a
restoration [ˌrestə'reɪʃn] *n no pl* restauração *f*
restore [rɪ'stɔ:r] *vt* (*building*) restaurar; (*peace*) restabelecer
restrain [rɪ'streɪn] *vt* conter
restrained *adj* (*style*) contido, -a
restraint *n* **1.** *no pl* autocontrole *m* **2.** restrição *f*
restrict [rɪ'strɪkt] *vt* restringir
restriction [rɪ'strɪkʃn] *n* restrição *f*
rest room *n Am* banheiro *m*
result [rɪ'zʌlt] **I.** *n* resultado *m* **II.** *vi* **to ~ from** resultar de; **to ~ in** resultar em
resume [rɪ'zu:m, *Brit:* -'zju:m] **I.** *vt* prosseguir **II.** *vi form* reassumir
resumé ['rezʊmeɪ, *Brit:* -zju:meɪ] *n Am, Aus* currículo *m*
resurrection [ˌrezə'rekʃn] *n no pl* ressurreição *f*
resuscitate [rɪ'sʌsəteɪt] *vt* ressuscitar
retail ['ri:teɪl] **I.** *n no pl* varejo *m* **II.** *vt* vender a varejo **III.** *vi* ser vendido, -a
retailer ['ri:teɪlər] *n* varejista *mf*
retail price *n* preço *m* no varejo
retain [rɪ'teɪn] *vt form* reter, conservar
retaliate [rɪ'tælieɪt] *vi* revidar
rethink [rɪ'θɪŋk] *vt* repensar
retina ['retnə] <-s *o* -nae> *n* retina *f*
retire [rɪ'taɪər] *vi* aposentar-se
retired *adj* aposentado, -a
retirement [rɪ'taɪərmənt] *n* aposentadoria *f*
retiring *adj* retraído, -a
retreat [rɪ'tri:t] **I.** *vi* **1.** MIL recuar **2.** (*withdraw*) retirar-se **II.** *n* **1.** *a.* MIL retirada *f* **2.** (*quiet place*) refúgio *m*
retrieve [rɪ'tri:v] *vt* recuperar
retriever [rɪ'tri:vər] *n* perdigueiro *m*
retrospect ['retrəspekt] *n no pl* **in ~** em retrospecto *m*
retrospective [ˌretrə'spektɪv] *n* retrospectiva *f*
return [rɪ'tɜ:rn] **I.** *n* **1.** (*going back*) retorno *m*, volta *f* **2.** (*giving back*) devolução *f* **3. in ~ for sth** em troca *f* de a. c. **4. many happy ~s (of the day)**! parabéns e muitas felicidades! **II.** *adj* (*ticket*) de ida e volta **III.** *vi* voltar **IV.** *vt* (*give back*) devolver

reunion [ˌriːˈjuːnjən] *n* **1.** (*meeting*) reunião *f* **2.** (*after separation*) reencontro *m*
reunite [ˌriːjuːˈnaɪt] *vt* reunir
reveal [rɪˈviːl] *vt* revelar
revealing *adj* revelador(a)
revelation [ˌrevəˈleɪʃn] *n* revelação *f*
revelry [ˈrevəlri] <-ies> *n no pl* folia *f*
revenge [rɪˈvendʒ] *n no pl* vingança *f*
revenue [ˈrevənuː, *Brit:* -njuː] *n* rendimentos *mpl;* (*government income*) receita *f*
reverberate [rɪˈvɜːrbəreɪt] *vi* ressoar, repercutir
reverence [ˈrevərəns] *n no pl* reverência *f*
reverent [ˈrevərənt] *adj* respeitoso, -a
reverse [rɪˈvɜːrs] **I.** *vt* **1.** *Aus, Brit* AUTO dar (marcha a) ré em **2.** TEL **to ~ the charges** ligar a cobrar **II.** *vi* *Aus, Brit* AUTO dar (marcha a) ré **III.** *n* **1.** *no pl* **the ~** o contrário **2.** AUTO marcha *f* a ré **IV.** *adj* inverso, -a
reverse charge call *n Brit* ligação *f* a cobrar
revert [rɪˈvɜːrt] *vi* reverter
review [rɪˈvjuː] **I.** *vt* rever **II.** *n* **1.** revisão *f* **2.** (*of book, film*) crítica *f,* resenha *f*
reviewer [rɪˈvjuːər] *n* crítico, -a *m, f*
revise [rɪˈvaɪz] *vt* **1.** rever **2.** *Brit, Aus* (*study again*) revisar
revision [rɪˈvɪʒn] *n no pl* revisão
revitalize [riːˈvaɪt̬əlaɪz] *vt* revitalizar
revival [rɪˈvaɪvəl] *n* **1.** MED reanimação *f* **2.** (*of interest*) renovação *f*
revive [rɪˈvaɪv] **I.** *vt* MED reanimar **II.** *vi* reanimar(-se)
revoke [rɪˈvoʊk] *vt* revogar
revolt [rɪˈvoʊlt] *n* revolta *f*
revolting *adj* revoltante, repugnante
revolution [ˌrevəˈluːʃn] *n* revolução *f*
revolutionary [ˌrevəˈluːʃəneri] *adj* revolucionário, -a
revolutionize [ˌrevəˈluːʃnaɪz] *vt* revolucionar
revolve [rɪˈvɑːlv] *vi* girar
revolver [rɪˈvɑːlvər] *n* revólver *m*
revolving *adj* giratório, -a
revue [rɪˈvjuː] *n* THEAT revista *f*
reward [rɪˈwɔːrd] **I.** *n* recompensa *f* **II.** *vt* recompensar
rewarding *adj* gratificante
rewind [ˌriːˈwaɪnd] *irr vt* rebobinar
rewrite [ˌriːˈraɪt] *irr vt* reescrever
rheumatism [ˈruːmətɪzəm] *n no pl* reumatismo *m*
rhinoceros [raɪˈnɑːsərəs] <-(es)> *n* rinoceronte *m*
rhubarb [ˈruːbɑːrb] *n no pl* ruibarbo *m*
rhyme [raɪm] **I.** *n* rima *f* **II.** *vi* rimar
rhythm [ˈrɪðəm] *n* ritmo *m*
rhythmic [ˈrɪðmɪk] *adj,* **rhythmical** *adj* rítmico, -a
rib [rɪb] *n* costela *f*
ribbon [ˈrɪbən] *n* fita *f*
rice [raɪs] *n no pl* arroz *m*
rice pudding *n* arroz-doce *m*
rich [rɪtʃ] **I.** *adj* rico, -a **II.** *n* **the ~** os ricos *mpl*
rid [rɪd] *vt* **to get ~ of** livrar-se de
ridden [ˈrɪdn] *pp of* **ride**
riddle [ˈrɪdl] *n* **1.** (*words*) charada *f* **2.** (*mystery*) enigma *m*

R

ride [raɪd] **I.** *n* **1.** (*in vehicle*) volta *f;* (*on horse*) passeio *m* **2.** *Am, inf* carona *f* **II.** <rode, ridden> *vt* **to ~ a bike** andar de bicicleta **III.** <rode, ridden> *vi* andar a cavalo

rider ['raɪdər] *n* (*of horse*) cavaleiro, -a *m, f;* (*of bicycle*) ciclista *mf;* (*of motorbike*) motoqueiro, -a *m, f*

ridge [rɪdʒ] *n* cume *m*

ridiculous [rɪ'dɪkjʊləs] *adj* ridículo, -a

riding *n no pl* equitação *f*

riding school *n* escola *f* de equitação

rifle ['raɪfl] *n* rifle *m*

rig [rɪg] <-gg-> **I.** *vt* (*election*) fraudar **II.** *n* (**oil**) ~ plataforma *f* de exploração (de petróleo)

right [raɪt] **I.** *adj* **1.** (*correct*) certo, -a; **to do the ~ thing** fazer a coisa certa **2.** (*direction*) direito, -a **II.** *n* **1.** *no pl* (*entitlement*) direito *m* **2.** (*morality*) certo *m;* **to be in the ~** estar com a razão *f* **3.** (*right side*) a direita *f* **III.** *adv* **1.** (*correctly*) bem, corretamente **2.** (*immediately*) diretamente; **~ away** imediatamente, já **3.** (*to the right*) à direita **4.** **~ here** aqui mesmo **IV.** *interj* certo!, bom!

right angle *n* ângulo *m* reto

rightful ['raɪtfəl] *adj* legítimo, -a

right-hand *adj* **on the ~ side** do lado direito

right-handed *adj* destro, -a

rightly *adv* **1.** corretamente; **if I remember ~** se não me falha a memória **2.** (*justifiably*) com razão

right of way <-rights> *n* (*on road*) preferencial *f*

right-wing *adj* POL de direita

rigid ['rɪdʒɪd] *adj* rígido, -a

rigorous ['rɪgərəs] *adj* rigoroso, -a

rim [rɪm] *n* (*of bowl*) borda *f;* (*of spectacles*) aro *m*

rind [raɪnd] *n no pl* (*of fruit*) casca *f;* (*of bacon, cheese*) pele *f*

ring[1] [rɪŋ] *n* **1.** (*of people*) círculo *m* **2.** (*jewellery*) anel *m* **3.** (*in boxing*) ringue *m;* (*in circus*) picadeiro *m*

ring[2] **I.** *n* **1.** *esp Brit* **to give sb a ~** ligar para alguém **2.** (*of bell*) toque *m* **II.** <rang, rung> *vt* **1.** *esp Brit* telefonar para, ligar para **2.** (*alarm, bell*) tocar **III.** <rang, rung> *vi* (*alarm, bell*) tocar ◈ **ring back** *vi, vt esp Brit* TEL ligar de volta ◈ **ring off** *vi Brit* desligar (o telefone)

ring binder *n* fichário *m*

ringing *n no pl* toque *m*

ringing tone *n* toque *m* do telefone

ring road *n esp Brit* anel *m* rodoviário

rink [rɪŋk] *n* rinque *m*

rinse [rɪns] *vt* (*hair*) enxaguar; (*hands*) lavar

riot ['raɪət] *n* tumulto *m*

rip [rɪp] **I.** <-pp-> *vi* rasgar(-se) **II.** <-pp-> *vt* rasgar **III.** *n* rasgo *m* ◈ **rip off** *vt* trapacear ◈ **rip up** *vt* rasgar em pedaços

ripe [raɪp] *adj* maduro, -a

ripen ['raɪpən] *vt, vi* amadurecer

rip-off *n inf* (*high price*) roubo *m*

ripple ['rɪpl] *n* (*of water*) ondulação *f*

rise [raɪz] **I.** *n no pl, Brit* (*in pay*) alta *f,* aumento *m* **II.** <rose, risen> *vi* subir, aumentar; (*sun*) nascer

risk [rɪsk] **I.** *n* risco *m;* **at one's**

own ~ por sua conta e risco **II.** *vt* arriscar
risky ['rɪski] <-ier, -iest> *adj* arriscado, -a
risqué [rɪ'skeɪ] *adj* indecente
rite [raɪt] *n* rito *m*
ritual ['rɪtʃuəl] *n* ritual *m*
rival ['raɪvl] *adj, n* rival *mf*
rivalry ['raɪvlri] *n* rivalidade *f*
river ['rɪvər] *n* rio *m*
riveting *adj inf* fascinante
road [roʊd] *n* estrada *f;* (*in town*) rua *f*
roadblock *n* barricada *f* **roadside** **I.** *n* beira *f* da estrada **II.** *adj* à margem da estrada **road sign** *n* placa *f* de sinalização **roadworks** *npl* obras *fpl* (*na pista*)
roam [roʊm] *vi, vt* vagar
roar [rɔːr] **I.** *vi* (*lion, tiger*) rugir; (*person*) berrar **II.** *n* (*of engine*) barulho *m;* (*of lion*) rugido *m;* (*of person*) berro *m*
roast [roʊst] **I.** *vt* assar **II.** *n* assado *m*
rob [rɑːb] <-bb-> *vt* roubar; **to ~ sb of sth** roubar a. c. de alguém
robber ['rɑːbər] *n* ladrão, ladra *m, f*
robbery ['rɑːbəri] <-ies> *n* roubo *m,* assalto *m*
robin ['rɑːbɪn] *n* pintarroxo *m*
robot ['roʊbɑːt] *n* robô *m*
robust [roʊ'bʌst] *adj* robusto, -a
rock[1] [rɑːk] *n* rocha *f;* **on the ~s** com gelo
rock[2] **I.** *vt* (*baby*) embalar **II.** *vi* balançar **III.** *n* ~ (**and roll**) rock
rocket ['rɑːkɪt] *n* foguete *m*
rocking chair *n* cadeira *f* de balanço **rocking horse** *n* cavalo *m* de balanço
rocky[1] ['rɑːki] <-ier, -iest> *adj* rochoso, -a
rocky[2] <-ier, -iest> *adj* (*unstable*) instável
rod [rɑːd] *n* vara *f*
rode [roʊd] *pt of* **ride**
rodent ['roʊdnt] *n* roedor *m*
rodeo ['roʊdɪoʊ] <-s> *n* rodeio *m*
role [roʊl] *n* papel *m*
roll [roʊl] **I.** *n* **1.** (*of paper*) rolo *m* **2.** (*bread*) pãozinho *m* **II.** *vt* rolar; (*cigarette*) enrolar **III.** *vi* (*ball*) rolar; (*ship*) balançar ◈**roll over** *vi* virar ◈**roll up** *vt* (*sleeves*) arregaçar; (*string*) enrolar
roller coaster *n* montanha *f* russa **rollerskate** *n* patim *m* de rodas **rolling pin** *n* rolo *m* de massa
Roman Catholic *adj* católico romano, católica romana
romance [roʊ'mænts] *n* romance *m*
Romania [roʊ'meɪniə] *n* Romênia *f*
romantic [roʊ'mæntɪk] *adj* romântico, -a
roof [ruːf] <-s> *n* (*of car*) teto *m;* (*of house*) telhado *m*
roof rack *n* bagageiro *m*
room [ruːm] *n* **1.** (*in house*) quarto *m,* sala *f* **2.** *no pl* (*space*) espaço *m;* **there's no more ~** não cabe mais nada
room service *n* serviço *m* de quarto
roomy ['ruːmi] <-ier, -iest> *adj* espaçoso, -a
rooster ['ruːstər] *n Am, Aus* galo *m*

root [ru:t] *n* raiz *f*

rope [roʊp] **I.** *n* corda *f* **II.** *vt* amarrar

rosary ['roʊzəri] <-ies> *n* rosário *m*

rose[1] [roʊz] *n* ZOOL rosa *f*

rose[2] *pt of* **rise**; **rosemary** *n no pl* alecrim *m*

rosy ['roʊzi] <-ier, -iest> *adj* (*future*) promissor(a)

rot [rɑ:t] *vi, vt* apodrecer

rota ['roʊţə] *n Brit* rodízio *m*

rotary ['roʊţəri] *adj* giratório, -a

rotate ['roʊteɪt, *Brit:* rəʊ'teɪt] *vi* girar

rotten ['rɑ:tn] *adj* **1.** podre **2.** (*day*) péssimo, -a; **to feel rotten** sentir-se péssimo

rotund [roʊ'tʌnd] *adj* rotundo, -a

rough [rʌf] *adj* **1.** (*road*) acidentado, -a **2.** (*idea*) aproximado, -a **3.** (*person, manner*) grosseiro, -a **4.** (*sea*) agitado, -a; (*weather*) tempestuoso, -a

roughage ['rʌfɪdʒ] *n no pl* fibra *f* alimentar

roughly *adv* **1.** aproximadamente, mais ou menos **2.** (*aggressively*) com brutalidade

roulette [ru:'let] *n no pl* roleta *f*

round [raʊnd] **I.** <-er, -est> *adj* redondo, -a **II.** *adv esp Brit s.* **around** **III.** *prep esp Brit s.* **around** **IV.** *n* **1.** (*of drinks, talks*) rodada *f* **2.** (*in games*) partida *f*; (*in boxing*) assalto *m* ◈ **round off** *vt* terminar

roundabout ['raʊndəbaʊt] **I.** *n esp Brit* carrossel *m* **II.** *adj* indireto, -a

round trip *n* viagem *f* de ida e volta

rouse [raʊz] *vt* **1.** (*waken*) despertar **2.** (*activate*) estimular

route [raʊt, *Brit:* ru:t] *n* rota *f*, caminho *m*; (*of bus*) trajeto *m*

routine [ru:'ti:n] **I.** *n* rotina *f* **II.** *adj* rotineiro, -a

row[1] [raʊ] *n* (*argument*) briga *f*, discussão *f*

row[2] [roʊ] *n* (*line*) fila *f*

row[3] [roʊ] *vt* (*boat*) remar

rowboat *n Am* barco *m* a remo

rowdy ['raʊdi] <-ier, -iest> *adj* barulhento, -a

rowing *n no pl* remo *m*

royal ['rɔɪəl] *adj* real

royalty ['rɔɪəlti] <-ies> *n no pl* realeza *f*

rub [rʌb] <-bb-> *vt* esfregar ◈ **rub in** *vt* (*on skin*) aplicar esfregando ◈ **rub out** *vt* apagar (com borracha)

rubber ['rʌbər] *n* **1.** (*material*) borracha *f* **2.** *Am, inf* (*condom*) camisinha *f* **3.** *Aus, Brit* (*eraser*) borracha *f*

rubber band *n* tira *f* elástica

rubbish ['rʌbɪʃ] *n no pl, inf* **1.** (*garbage*) lixo *m* **2.** (*nonsense*) bobagem *f*

rubbish bin *n esp Brit* lata *f* de lixo **rubbish dump** *n Brit*, **rubbish tip** *n Brit* depósito *m* de lixo

rubble ['rʌbl] *n no pl* escombros *mpl*

ruby ['ru:bi] <-ies> *n* rubi *m*

rucksack ['rʌksæk] *n esp Brit* mochila *f*

rude [ru:d] *adj* (*impolite*) grosseiro, -a

rudimentary [ru:də'mentəri] *adj* rudimentar

rug [rʌg] *n* **1.** tapete *m* **2.** *Brit* (*blanket*) manta *f*

rugby ['rʌgbi] *n no pl* rúgbi *m*

ruin ['ru:ɪn] I. *vt* destruir II. *n* ruína *f;* **to be in** ~**s** estar em ruínas
rule [ru:l] I. *n* (*law*) norma *f;* (*in games*) regra *f;* **as a** ~ via de regra; **against the** ~**s** contra o regulamento II. *vt* governar ◈ **rule out** *vt* descartar, excluir
ruler ['ru:lər] *n* 1. soberano, -a *m, f* 2. (*for measuring*) régua *f*
rum [rʌm] *n* rum *m*
rumor *Am,* **rumour** ['ru:mər] *n Brit, Aus* boato *m*
rump [rʌmp] *n* anca *f*
rump steak *n* bife *m* de alcatra
run [rʌn] I. *n* 1. **to go for a** ~ fazer jogging *m* 2. (*in hosiery*) desfiado *m* 3. *fig* **in the long** ~ a longo prazo *m* II. *vi* <ran, run> 1. correr; **to** ~ **for the bus** correr para pegar o ônibus 2. (*operate*) funcionar; **to** ~ **late** estar atrasado 3. (*river*) correr; **to** ~ **dry** secar III. *vt* <ran, run> 1. correr 2. **to** ~ **a race** participar de uma corrida 3. (*drive*) **to** ~ **sb home** levar alguém de carro para casa 4. **to** ~ **a business** conduzir um negócio ◈ **run away** *vi* **to** ~ (**from sb/sth**) fugir (de alguém/a. c.) ◈ **run down** I. *vi* (*clock*) parar II. *vt* 1. atropelar 2. (*talk badly about*) falar mal ◈ **run in** *vt* AUTO fazer o amaciamento ◈ **run into** *vt* AUTO colidir com; (*problems*) enfrentar ◈ **run out of** *vi* ficar sem; **to** ~ **time** ficar sem tempo ◈ **run over** *vt* atropelar ◈ **run up** *vt* **to** ~ **debts** acumular dívidas
runaway ['rʌnəweɪ] *n* fugitivo, -a *m, f*
rung[1] [rʌŋ] *n* degrau *m*
rung[2] [rʌŋ] *pp of* **ring**[2]
run-in *n inf* bate-boca *m;* **to have a** ~ **with sb** ter um bate-boca com alguém
runner ['rʌnər] *n* (*person*) corredor(a) *m(f)*
running I. *n no pl* 1. (*action*) corrida *f* 2. (*management*) direção *f* II. *adj* 1. (*consecutive*) consecutivo, -a 2. (*flowing*) corrente
runny ['rʌni] <-ier, -iest> *adj* (*nose*) escorrendo
runway *n* pista *f* de decolagem
rural ['rʊrəl] *adj* rural
rush I. *n* 1. pressa *f;* **to be in a** ~ estar com pressa 2. (*of air*) corrente *f* II. *vi* apressar-se, correr III. *vt* (*do quickly*) acelerar; (*person*) apressar
rush hour *n* hora *f* do rush
Russia ['rʌʃə] *n* Rússia *f*
rust [rʌst] I. *n no pl* ferrugem *f* II. *vi* enferrujar
rustic ['rʌstɪk] *adj* rústico, -a
rustle ['rʌsl] *vi* farfalhar
rustproof *adj* inoxidável
rusty ['rʌsti] <-ier, -iest> *adj a. fig* enferrujado, -a
Rwanda [rʊ'ɑ:ndə] *n* Ruanda *f*
rye [raɪ] *n no pl* centeio *m*

S

S, s [es] *n* s *m*
S [es] *abbr of* **south** S
SA *abbr of* **South America** América *f*

do Sul
Sabbath ['sæbəθ] *n* sabá *m*
sabotage ['sæbətɑːʒ] *n* sabotagem *f*
saccharin ['sækərɪn] *n no pl* sacarina *f*
sachet [sæ'ʃeɪ, *Brit:* 'sæʃ-] *n* sachê *m*
sack [sæk] *n* saco *m*
sacred ['seɪkrɪd] *adj* sagrado, -a
sacrifice ['sækrəfaɪs] *vt* sacrificar
sacrilege ['sækrəlɪdʒ] *n* sacrilégio *m*
sad [sæd] <-dd-> *adj* triste
saddle ['sædl] *n* sela *f*
sadistic [sə'dɪstɪk] *adj* sádico, -a
sadness ['sædnəs] *n no pl* tristeza *f*
safari [sə'fɑːri] *n* safári *m*
safe [seɪf] **I.** *adj* seguro, -a **II.** *n* cofre *m*
safeguard ['seɪfgɑːrd] *vt* proteger
safekeeping *n no pl* custódia *f*
safely *adv* em [*ou* com] segurança
safe sex *n* sexo *m* seguro
safety ['seɪfti] *n no pl* segurança *f* **safety pin** *n* alfinete *m* de segurança
sag [sæg] <-gg-> *vi* vergar
saga ['sɑːgə] *n* saga *f*
sage *n no pl* sálvia *f*
Sagittarius [ˌsædʒə'teriəs] *n* Sagitário *m*
Sahara [sə'herə, *Brit:* -'hɑːrə] *n* **the ~ (Desert)** o (deserto do) Saara
said [sed] *pt, pp of* **say**
sail [seɪl] **I.** *n* vela *f* **II.** *vi* navegar
sailboat *n Am* barco *m* a vela
sailing *n* vela *f*
sailor ['seɪlər] *n* marinheiro, -a *m, f*
saint [seɪnt] *n* santo, -a *m, f*
sake¹ [seɪk] *n* **for the ~ of sb/sth** pelo bem [*ou* por causa] de alguém/a. c.
sake² [ˌsɑːki] *n* saquê
salad ['sæləd] *n* salada *f* **salad dressing** *n* tempero *m* para salada
salami [sə'lɑːmi] *n no pl* salame *m*
salary ['sæləri] *n* salário *m*
sale [seɪl] *n* venda *f*, liquidação *f*
sales assistant *n esp Brit*, **salesclerk** *n Am* vendedor(a) *m(f)* **salesman** *n* vendedor *m* **saleswoman** *n* vendedora *f*
saliva [sə'laɪvə] *n no pl* saliva *f*
salmon ['sæmən] *n* salmão *m*
saloon [sə'luːn] *n Am* bar *m*
salt [sɔːlt] *n* sal *m*
salt shaker *n* saleiro *m*
saltwater *adj* de água salgada
salty ['sɔːlti] *adj* salgado, -a
salute [sə'luːt] *vt* saudar
salvage ['sælvɪdʒ] *vt* resgatar
salvation [sæl'veɪʃn] *n no pl* salvação *f*
same [seɪm] **I.** *adj* igual **II.** *pron* **the ~** o mesmo, a mesma (coisa); **~ to you** igualmente
Samoa [sə'moʊə] *n* Samoa *f*
sample ['sæmpl] *n* amostra *f*
sanction ['sæŋkʃn] *vt* sancionar
sanctuary ['sæŋktʃueri] *n* <-ies> santuário *m*
sand [sænd] *n* areia *f*
sandal ['sændl] *n* sandália *f*
sandbox *n Am* caixa *f* de areia (para crianças) **sandcastle** *n* castelo *m* de areia **sand dune** *n* duna *f* **sandpaper** *n no pl* lixa *f* **sandstone** *n no pl* arenito *m*
sandwich ['sændwɪtʃ] <-es> *n* san

duíche *m*
sandy ['sændi] *adj* <-ier, -iest> arenoso, -a
sane [seɪn] *adj* são, sã
sang [sæŋ] *pt of* **sing**
sanitary ['sænɪteri] *adj* higiênico, -a
sanitary towel *n Brit,* **sanitary napkin** *n Am* absorvente *m* (higiênico)
sanitation [ˌsænɪ'teɪʃn] *n no pl* saneamento *m*
sanity ['sænəţi] *n no pl* sanidade *f* (mental)
sank [sæŋk] *pt of* **sink**
Santa (**Claus**) ['sænţə(ˌklɑːz)] *n* Papai *m* Noel
sap [sæp] *n no pl* seiva *f*
sapphire ['sæfaɪər] *n* safira *f*
sarcasm ['sɑːrkæzəm] *n no pl* sarcasmo *m*
sarcastic [sɑːr'kæstɪk] *adj* sarcástico, -a
sardine [sɑːr'diːn] *n* sardinha *f*
Sardinia [sɑːr'dɪniə] *n* Sardenha *f*
sash [sæʃ] <-es> *n* faixa *f*
sat [sæt] *pt, pp of* **sit**
Satan ['seɪtən] *n* satanás *m*
satellite ['sæţəlaɪt] *n* satélite *m*
satin ['sætn] *n* cetim *m*
satire ['sætaɪər] *n* sátira *f*
satisfaction [ˌsæţɪs'fækʃn] *n no pl* satisfação *f*
satisfactory [ˌsæţɪs'fæktəri] *adj* satisfatório, -a
satisfied *adj* satisfeito, -a
satisfy ['sætəsfaɪ] <-ie-> *vt* satisfazer
Saturday ['sæţərdeɪ] *n* sábado *m*
sauce [sɑːs] *n* molho *m*
saucepan *n* panela *f*
saucer ['sɑːsər] *n* pires *m*
saucy ['sɑːsi] *adj* <-ier, -iest> petulante
Saudi Arabia [ˌsaʊdiə'reɪbiə] *n* Arábia *f* Saudita
Saudi (**Arabian**) *adj* saudita
sauna ['sɔːnə] *n* sauna *f*
saunter ['sɑːnţər] *vi* passear a pé
sausage ['sɑːsɪdʒ] *n* lingüiça *f*
savage ['sævɪdʒ] *adj* selvagem
save[1] [seɪv] *vt* salvar; (*money*) poupar
save[2] *prep* ~ (**for**) exceto
saving *n pl* economias *fpl*
savior *n Am,* **saviour** ['seɪvjər] *n* salvador(a) *m(f)*
savor ['seɪvər] *vt Am* saborear
savory ['seɪvəri] *adj* apetitoso, -a
savour *n, vt Brit s.* **savor**
savoury *adj Brit s.* **savory**
saw[1] [sɑː] *pt of* **see**
saw[2] *n* serra *f*
sawdust *n no pl* serragem *f*
sawn [sɑːn] *pp of* **saw**
Saxon [sæksən] *adj* saxão, -xã
saxophone ['sæksəfoʊn] *n* saxofone *m*
say [seɪ] <said, said> *vt* falar, dizer
saying ['seɪɪŋ] *n* ditado *m*
scab [skæb] *n* casca *f* (de ferida)
scaffolding ['skæfəldɪŋ] *n no pl* andaime *m*
scald [skɑːld] *vt* (*milk*) escaldar
scale[1] [skeɪl] *n* (*of fish*) escama *f*
scale[2] *n* prato *m* de balança
scale[3] *n* (*large, small*) escala *f*
scallop ['skɑːləp] *n* vieira *f*
scalp [skælp] *n* couro *m* cabeludo
scalpel ['skælpəl] *n* bisturi *m*

scamper ['skæmpər] *vi* correr saltitando
scampi [skæmpi] *npl* camarões *mpl* fritos
scan [skæn] *n* MED exame *m* (de tomografia etc.)
scandal ['skændl] *n* escândalo *m*
Scandinavia [ˌskændɪ'neɪviə] *n* Escandinávia *f*
scanner ['skænər] *n* scanner *m*
scar [skɑːr] **I.** *n* cicatriz *f* **II.** <-rr-> *vt* cicatrizar **III.** <-rr-> *vi* cicatrizar-se
scarce [skers] *adj* escasso, -a
scare [sker] *vt* assustar
scarecrow ['skerkroʊ] *n* espantalho *m*
scarf [skɑːrf] <-ves *o* -s> *n* cachecol *m,* lenço *m*
scarlet ['skɑːrlət] *adj* escarlate
scarlet fever *n no pl* escarlatina *f*
scarves [skɑːrvz] *n pl of* **scarf**
scary ['skeri] *adj* <-ier, -iest> assustador(a)
scatter ['skæt̬ər] *vi, vt* espalhar(-se)
scatterbrained *adj* desmiolado, -a
scenario [sə'nerioʊ] *n* conjuntura *f*
scene [siːn] *n* cena *f*
scenery ['siːnəri] *n no pl* paisagem *f*
scenic ['siːnɪk] *adj* pitoresco, -a
scent [sent] **I.** *n* odor *m* **II.** *vt* perfumar
sceptic ['skeptɪk] *n* cético, -a *m, f*
schedule ['skedʒuːl, *Brit:* 'ʃedjuːl] **I.** *n* horário *m,* programação *f* **II.** *vt* programar
scheme [skiːm] **I.** *n* plano *m* **II.** *vi pej* tramar
schism ['skɪzəm] *n* cisma *m*
schizophrenic [ˌskɪtsə'frenɪk] *adj* esquizofrênico, -a
scholar ['skɑːlər] *n* estudioso, -a *m, f*
scholarship ['skɑːlərʃɪp] *n* bolsa *f* de estudos
school[1] [skuːl] *n* escola *f*
school[2] *n* ZOOL cardume *m*
schoolteacher *n* professor(a) *m(f)*
schoolyard *n Am* pátio *m* da escola
science ['saɪənts] *n* ciência *f*
science fiction *n* ficção *f* científica
scientific [ˌsaɪən'tɪfɪk] *adj* científico, -a
scientist ['saɪəntɪst] *n* cientista *mf*
sci-fi ['saɪˌfaɪ] *n abbr of* **science fiction** ficção *f* científica
scissors ['sɪzərz] *npl* tesoura *fsing*
scoff [skɑːf] *vi* zombar
scold [skoʊld] *vt* repreender
scoop [skuːp] *n* pá *f;* (*ice-cream*) bola *f*
scooter ['skuːt̬ər] *n* patinete *m;* (**motor**) ~ lambreta *f*
scope [skoʊp] *n no pl* âmbito *m*
scorch [skɔːrtʃ] *vi, vt* chamuscar
scorching *adj* abrasador(a)
score [skɔːr] **I.** *n* placar *m;* SCH nota *f* **II.** *vi, vt* (*goal*) marcar
scoreboard *n* marcador *m*
scorn [skɔːrn] *vt* desdenhar
Scorpio ['skɔːrpioʊ] *n* Escorpião *m*
scorpion ['skɔːrpiən] *n* escorpião *m*
Scotch [skɑːtʃ] **I.** *n* uísque *m* **II.** *adj* escocês, -esa
Scotch tape® *n no pl, Am* fita *f* durex
Scotland ['skɑːtlənd] *n* Escócia *f*

Scottish ['skɑːtɪʃ] *adj* escocês, -esa
scoundrel ['skaʊndrəl] *n pej* canalha *mf*
scour [skaʊər] *vt* esfregar
scout [skaʊt] *n* escoteiro, -a *m, f*
scowl [skaʊl] *vi* olhar com cara feia
scramble ['skræmbl] *vt* revolver; **~d eggs** ovos mexidos
scrap [skræp] *n* (*small piece*) pedaço *m; no pl*
scrapbook *n* álbum *m* de recortes
scrape [skreɪp] **I.** *n no pl* arranhão *m* **II.** *vt* raspar
scratch [skrætʃ] **I.** *n* arranhão *m;* **from ~** do zero **II.** *vt* arranhar; (*relieve itch*) coçar
scratch paper *n* papel *m* de rascunho
scream [skriːm] *vi* gritar
screen [skriːn] **I.** *n* tela *f* **II.** *vt* examinar
screening *n* projeção *f*
screenplay *n* roteiro *m*
screw [skruː] **I.** *n* parafuso *m* **II.** *vt* parafusar ◈ **screw up** *vt inf* estragar
screwdriver *n* chave *f* de fenda
scribble ['skrɪbl] *vt, vi* rabiscar
script [skrɪpt] *n* roteiro *m*
Scripture ['skrɪptʃər] *n* Sagrada *f* Escritura
scrounge [skraʊndʒ] *vt, vi inf* filar
scrub [skrʌb] <-bb-> *vt* esfregar
scruffy ['skrʌfi] <-ier, -iest> *adj* desleixado, -a
scrupulous ['skruːpjʊləs] *adj* escrupuloso, -a
scrutinize ['skruːtənaɪz] *vt* (*votes*) apurar
scuba diving ['skuːbəˌdaɪvɪŋ] *n* mergulho *m*
scuffle ['skʌfl] *n* confusão *f*
sculptor ['skʌlptər] *n* escultor(a) *m(f)*
sculpture ['skʌlptʃər] *n* escultura *f*
scum [skʌm] *n no pl* espuma *f*
scythe [saɪð] *n* foice *f* de cabo comprido
SE [ˌesˈiː] *abbr of* **southeast** S.E.
sea [siː] *n* mar *m*
seaboard *n* litoral *m*
seafood *n no pl* frutos *mpl* do mar
seafront *n* orla *f* marítima
seagull ['siːgʌl] *n* gaivota *f*
seal[1] [siːl] *n* ZOOL foca *f*
seal[2] *vt* selar, vedar
sea level *n no pl* nível *m* do mar
sea lion *n* leão-marinho *m*
seam [siːm] *n* costura *f*
seaplane ['siːpleɪn] *n* hidroavião *m*
search [sɜːrtʃ] **I.** *n* busca *f;* (*of building*) revista *f* **II.** *vi, vt* buscar, pesquisar
search engine *n* ferramenta *f* de busca
seashore ['siːʃɔːr] *n no pl* costa *f*
seasick *adj* enjoado, -a
season ['siːzən] **I.** *n* estação *f* do ano, temporada *f* **II.** *vt* temperar
seasonal ['siːzənəl] *adj* sazonal
seasoned *adj* experiente
seasoning *n no pl* tempero *m*
seat [siːt] **I.** *n* assento *m;* (*in theater*) poltrona *f;* (*in car, bus*) banco *m* **II.** *vt* sentar
seat belt *n* cinto *m* de segurança
seaweed *n no pl* alga *f* marinha
sec [sek] *abbr of* **second** s
secluded [sɪ'kluːdɪd] *adj* isolado, -a

second[1] ['sekənd] I. *adj* segundo, -a II. *adv* segundo

second[2] ['sekənd] *n* segundo *m*

secondary ['sekənderi] *adj* secundário, -a

second class *adv, adj* de segunda classe **secondhand** [ˌsekənd'hænd] *adj, adv* de segunda mão

secrecy ['si:krəsi] *n no pl* sigilo *m*

secret ['si:krɪt] I. *n* segredo *m* II. *adj* secreto, -a

secretary ['sekrəteri] <-ies> *n* secretário, -a *m, f*

secrete [sɪ'kri:t] *vt* secretar

secretive ['si:krət̬ɪv] *adj* reservado, -a

sect [sekt] *n* seita *f*

section ['sekʃn] *n* seção *f*

sector ['sektər] *n* setor *m*

secure [sɪ'kjʊr] I. *adj* <-rer, -est> seguro, -a, firme II. *vt* (*obtain*) obter; (*make firm*) prender bem; (*guarantee repayment*) afiançar

security [sɪ'kjʊrət̬i] <-ies> *n no pl* segurança *f* **security guard** *n* segurança *mf*

sedan [sɪ'dæn] *n Am, Aus* sedã *m*

sedative ['sedət̬ɪv] *n* calmante *m*

seduce [sɪ'du:s, *Brit:* -'dju:s] *vt* seduzir

see [si:] <saw, seen> *vi, vt* ver

seed [si:d] *n* semente *f*

seedy ['si:di] <-ier, -iest> *adj* sórdido, -a

seeing *conj* ~ (**that**) visto (que)

seek [si:k] <sought, sought> *vt* procurar

seem [si:m] *vi* parecer

seemingly *adv* aparentemente

seen [si:n] *pp of* **see**

seesaw ['si:sɑ:] *n* gangorra *f*

see-through *adj* transparente

segment ['segmənt] *n* segmento *m*

segregate ['segrəgeɪt] *vt* segregar

seize [si:z] *vt* (*power*) tomar

seldom ['seldəm] *adv* raramente

select [sə'lekt] *vt* selecionar

selection [sə'lekʃn] *n* seleção *f*

self [self] *n* <selves> si mesmo, -a *m, f*

self-confidence *n no pl* autoconfiança *f*

self-conscious *adj* constrangido, -a

self-control *n no pl* autocontrole *m* **self-defense** *n no pl* defesa *f* pessoal

self-employed *adj* **to be** ~ ser autônomo, -a **self-explanatory** *adj* auto-explicativo **self-help** *n* auto-ajuda *f*

selfish ['selfɪʃ] *adj* egoísta

selfless ['selfləs] *adj* abnegado, -a

self-respect *n no pl* amor-próprio *m* **self-service** *adj* ~ **restaurant** restaurante *m* self-service **self-sufficient** *adj* auto-suficiente **self-taught** *adj* autodidata

sell [sel] *vt, vi* <sold, sold> vender ◈ **sell off** *vt* liquidar

seller ['selər] *n* vendedor(a) *m(f)*

selves [selvz] *n pl of* **self**

semblance ['sembləns] *n no pl, form* aparência *f*

semen ['si:mən] *n no pl* sêmen *m*

semester [sə'mestər] *n* semestre *m*

semi ['semi] *n Am* trailer *m*

semicircle ['semɪˌsɜ:rkl] *n* semicírculo *m*

semicolon ['semɪˌkoʊlən] *n* ponto-e-vírgula *m*
semi-detached [ˌsemɪdɪ'tætʃt] *adj* ~ **house** casa *f* geminada
semifinal [ˌsemɪ'faɪnəl] *n* semifinal *f*
seminar ['seməna:r] *n* UNIV seminário *m*
seminary ['semɪneri] *n* REL seminário *m*
Sen. *n Am abbr of* **Senator** Sen. *mf*
senate ['senɪt] *n no pl* senado *m*
senator ['senət̬ər] *n* senador(a) *m(f)*
send [send] *vt* <sent, sent> enviar ◈ **send out** *vt* expedir; (*signal*) emitir
sender *n* remetente *mf*
Senegal [ˌsenɪ'gɔ:l] *n* Senegal *m*
senile ['si:naɪl] *adj* senil
senior ['si:njər] **I.** *adj* superior, sênior **II.** *n* ~ (**citizen**) idoso, -a *m, f*
sensation [sen'seɪʃn] *n* sensação *f*
sensational [sen'seɪʃənəl] *adj* sensacional
sense [sents] **I.** *n* sentido *m,* sensação *f;* (**common**) ~ bom senso **II.** *vt* sentir
sensible ['sentsəbl] *adj* sensato, -a
sensitive ['sentsət̬ɪv] *adj* sensível; (*issue*) delicado, -a
sent [sent] *pt, pp of* **send**
sentence ['sentəns] *n* sentença *f*
sentimental [ˌsentə'mentəl] *adj* emotivo, -a
sentry ['sentri] *n* sentinela *f*
separate[1] ['sepərɪt] *adj* separado, -a
separate[2] ['sepəreɪt] **I.** *vt* separar **II.** *vi* separar-se
separation [ˌsepə'reɪʃn] *n* separação *f*
September [sep'tembər] *n* setembro *m*
sequel ['si:kwəl] *n* continuação *f*
sequence ['si:kwəns] *n* ordem *f*
Serbia ['sɜ:rbiə] *n* Sérvia *f*
serene [sə'ri:n] *adj* sereno, -a
serial ['sɪriəl] *n* série *f*
series ['sɪri:z] *n inv* seriado *m*
serious ['sɪriəs] *adj* sério, -a
serpent ['sɜ:rpənt] *n* serpente *f*
serum ['sɪrəm] <-s *o* sera> *n* soro *m*
servant ['sɜ:rvənt] *n* criado, -a *m, f*
serve [sɜ:rv] *vi, vt* servir
service ['sɜ:rvɪs] *n no pl* serviço *m*
service charge *n* taxa *f* de serviço
service station *n* posto *m* de gasolina
session ['seʃn] *n* sessão *f*
set [set] **I.** *adj* pronto, -a; (*fixed*) fixo **II.** *n* (*of kitchen utensils*) jogo *m;* (*television*) aparelho *m* **III.** *vt* <set, set> (*place*) pôr; (*adjust*) regular **IV.** *vi* (*sun*) pôr-se ◈ **set off** *vt* detonar ◈ **set up** *vt* montar, configurar
setback ['setbæk] *n* percalço *m*
setting *n* cenário *m*
settle ['set̬l] **I.** *vi* instalar-se **II.** *vt* (*stomach*) acalmar; (*resolve*) resolver; (*pay*) saldar ◈ **settle in** *vi* adaptar-se
settlement ['set̬lmənt] *n* **1.** (*agreement*) acordo *m;* ECON quitação *f* **2.** (*village*) assentamento *m*
set-up *n* configuração *f*
seven ['sevn] *adj* sete *inv*
seventeen [ˌsevn'ti:n] *adj* dezessete *inv*
seventeenth [ˌsevn'ti:nθ] *adj* décimo sétimo, décima sétima

seventh ['sevəntθ] *adj* sétimo, -a
seventieth ['sevəntiθ] *adj* septuagésimo, -a
seventy ['sevəņţi] *adj* setenta *inv*
several ['sevərəl] **I.** *adj* vários, -as **II.** *pron* alguns, -mas
severe [sə'vɪr] *adj* (*pain*) intenso, -a; (*punishment*) severo, -a
severity [sə'verəţi] *n no pl* gravidade *f*
sew [soʊ] <sewed, sewn *o* sewed> *vi, vt* costurar
sewage ['su:ɪdʒ] *n no pl* material *m* de esgoto
sewer ['su:ər, *Brit:* 'sjʊər] *n* esgoto *m*
sewn [soʊn] *pp of* **sew**
sex [seks] <-es> *n* sexo *m*
sex appeal *n no pl* poder *m* de sedução
sexist *adj* sexista
sexual ['sekʃuəl] *adj* sexual
sexy ['seksi] <-ier, -iest> *adj inf* sensual
Seychelles [seɪ'ʃelz] *n* Ilhas *fpl* Seychelles
shabby ['ʃæbi] <-ier, -iest> *adj* surrado, -a
shack [ʃæk] *n* barraco *m*
shade [ʃeɪd] *n* **1.** *no pl* sombra *f*; (*covering*) cúpula *f* (de abajur); *pl* **2.** *Am* (*roller blind*) persiana *f* **3.** (*of color*) tom *m*
shadow ['ʃædoʊ] *n a. fig* sombra *f*
shady ['ʃeɪdi] <-ier, -iest> *adj* sombreado, -a
shaft [ʃæft] *n* cabo *m*
shake [ʃeɪk] <shook, shaken> **I.** *vt* **to ~ sb's hand** apertar a mão de alguém **II.** <shook, shaken> *vi* tremer
shaky ['ʃeɪki] <-ier, -iest> *adj* instável
shall [ʃæl] *aux* (*will*) **we ~ have to wait** teremos que esperar; (*should*) ; **~ we go?** vamos?; (*must*) dever
shallot ['ʃælət, *Brit:* ʃə'lɒt] *n* cebolinha *f*
shallow ['ʃæloʊ] *adj* raso, -a
shambles ['ʃæmblz] *n inf* bagunça *f*
shame [ʃeɪm] *n no pl* vergonha *f*
shameless ['ʃeɪmlɪs] *adj pej* descarado, -a
shampoo [ʃæm'pu:] *n* xampu *m*
shantytown ['ʃænti-] *n* favela *f*
shape [ʃeɪp] **I.** *n* forma *f* **II.** *vt* influenciar
share [ʃer] **I.** *n* parte *f*; FIN ação *f* **II.** *vt* repartir
shark [ʃɑ:rk] <-(s)> *n* tubarão *m*
sharp [ʃɑ:rp] **I.** *adj* afiado, -a; (*pain*) forte **II.** *adv* em ponto
sharpen ['ʃɑ:rpən] *vt* (*blade*) afiar; (*pencil*) apontar
shatter ['ʃæţər] *vi, vt* estilhaçar(-se)
shave [ʃeɪv] *vi, vt* barbear(-se), depilar(-se)
shaver ['ʃeɪvər] *n* barbeador *m*
shawl [ʃɑ:l] *n* xale *m*
she [ʃi:] *pron pers* ela
shear [ʃɪr] <sheared, sheared *o* shorn> *vt* tosar
shears [ʃɪrz] *npl* tesoura *f* de tosa
sheath [ʃi:θ] *n* bainha *f*; *Brit* (*condom*) camisinha *f*
she'd [ʃi:d] **1.** *abbr of* **she would** *s.* **would 2.** *abbr of* **she had** *s.* **have**
shed[1] [ʃed] *n* barracão *m*
shed[2] <shed, shed> *vt* (*blood, tears*)

derramar

sheep [ʃi:p] *n* ovelha *f*

sheepdog *n* cão *m* pastor

sheer [ʃɪr] *adj* puro, -a, transparente

sheet [ʃi:t] *n* (*for bed*) lençol *m*; (*of paper*) folha *f*

shelf [ʃelf] <**shelves**> *n* prateleira *f*

she'll [ʃi:l] *abbr of* **she will** *s.* **will**

shell [ʃel] I. *n* casca *f*, concha *f* II. *vt* descascar

shellfish ['ʃelfɪʃ] *n inv* marisco *m*

shelter ['ʃeltər] *n* abrigo *m*

shelve [ʃelv] *vt* (*plan*) engavetar

shelves [ʃelvz] *n pl of* **shelf**

shepherd ['ʃepərd] *n* pastor(a) *m(f)*

sheriff ['ʃerɪf] *n Am* delegado, -a *m, f*

she's [ʃi:z] 1. *abbr of* **she is** *s.* **be** 2. *abbr of* **she has** *s.* **have**

Shetland Islands *npl*, **Shetlands** ['ʃetləndz] *npl* Ilhas *fpl* Shetland

shield [ʃi:ld] I. *n* escudo *m* II. *vt* proteger

shift [ʃɪft] I. *vt Am* mudar de lugar/posição, deslocar II. *vi* mover-se III. *n* mudança *f*; (*at work*) turno *m*

shifty ['ʃɪfti] <-ier, -iest> *adj* suspeito, -a

shimmer ['ʃɪmər] *vi* tremeluzir

shin [ʃɪn] *n* canela *f* (da perna)

shine [ʃaɪn] I. *n no pl* brilho *m* II. <shone *o* shined, shone *o* shined> *vi* brilhar

shingle ['ʃɪŋgl] *n* telha *f* de madeira

shingles ['ʃɪŋglz] *n no pl* herpes *m* zóster *inv*

shiny ['ʃaɪni] <-ier, -iest> *adj* brilhante

ship [ʃɪp] I. *n* navio *m* II. *vt* <-pp-> expedir

shipbuilding *n no pl* construção *f* naval

shipment ['ʃɪpmənt] *n* carregamento *m*; *no pl* (*action*) expedição *f*

shipping *n no pl* remessa *f*

shipwreck *n* naufrágio *m* **shipyard** *n* estaleiro *m*

shirt [ʃɜ:rt] *n* camisa *f*

shit [ʃɪt] *n no pl, vulg* merda *f*; **no ~!** está brincando?

shiver ['ʃɪvər] *vi* tremer

shock [ʃɑ:k] I. *n* choque *m* II. *vt* transtornar, escandalizar

shock absorber *n* amortecedor *m*

shocking *adj* horrível, escandaloso, -a

shoddy ['ʃɑ:di] <-ier, -iest> *adj* de má qualidade

shoe [ʃu:] *n* sapato *m*, ferradura *f*

shoelace *n* cadarço *m* **shoe polish** *n* graxa *f* de sapato

shone [ʃoʊn] *pt, pp of* **shine**

shoo [ʃu:] *vt inf* enxotar

shook [ʃʊk] *pt of* **shake**

shoot [ʃu:t] I. <shot, shot> *vi* disparar; SPORTS chutar, arremessar II. <shot, shot> *vt* (*bullet*) disparar; CINE filmar

shooting *n no pl* tiroteio *m*

shooting star *n* estrela *f* cadente

shop [ʃɑ:p] I. *n* loja *f*, fábrica *f* II. <-pp-> *vi* fazer compras **shopkeeper** *n* lojista *mf* **shoplifting** *n* furto *m* em loja

shopper *n* cliente *mf* **shopping center** *n*, *n* centro *m* comercial **shopping mall** *n Am, Aus* shopping *m* (center)

S

shore [ʃɔːr] *n* (*of sea*) costa *f;* (*of lake, river*) margem; (*f*) praia *f*, orla *f* marítima

shorn [ʃɔːrn] *pp of* **shear**

short [ʃɔːrt] *adj* (*not long*) curto, -a; (*not tall*) baixo, -a; **to be ~ on sth** estar com falta de a. c.

shortage ['ʃɔːrt̬ɪdʒ] *n* falta *f*

shortbread *n no pl* biscoito *m* amanteigado

short-change *vt* enganar no troco

short-circuit *n* curto-circuito *m*

shortcoming *n* deficiência *f*

shortcut *n* atalho *m*

shorten ['ʃɔːrtən] *vt* encurtar

shorthand ['ʃɔːrthænd] *n no pl* estenografia *f* **short-lived** *adj* passageiro, -a

shortly ['ʃɔːrtli] *adv* daqui a pouco

shorts [ʃɔːrtz] *npl* short *m*

short-sighted *adj* imediatista **short story** *n* conto *m* **short-tempered** *adj* genioso, -a

shot [ʃɑːt] **I.** *n* tiro *m; inf* (*injection*) injeção *f* **II.** *pt, pp of* **shoot**

shotgun *n* espingarda *f*

should [ʃʊd] *aux* dever; **why ~ I ...?** por que eu havia de ...?

shoulder ['ʃoʊldər] *n* ombro *m*

shoulder blade *n* escápula *f* **shoulder strap** *n* alça *f* (de ombro)

shout [ʃaʊt] *vi, vt* gritar

shove [ʃʌv] *vt* empurrar

shovel ['ʃʌvəl] *n* pá *f*

show [ʃoʊ] **I.** *n* exposição *f* **II.** <showed, shown> *vt* mostrar **III.** <showed, shown> *vi* mostrar-se ◈ **show off** *vi, vt* exibir(-se)

shower ['ʃaʊər] **I.** *n* (*rain*) chuva *f;* (*for washing*) chuveiro *m* **II.** *vi* tomar banho de chuveiro

shown [ʃoʊn] *pp of* **show**

showroom *n* salão *m* de exposição

shrank [ʃræŋk] *vt, vi pt of* **shrink**

shred [ʃred] **I.** <-dd-> *vt* (*document*) picotar **II.** *n* tira *f*

shrewd [ʃruːd] *adj* astuto, -a

shrill [ʃrɪl] *adj* estridente

shrimp [ʃrɪmp] *n* <-(s)> camarão *m*

shrine [ʃraɪn] *n* santuário *m*

shrink [ʃrɪŋk] <shrank *o Am:* shrunk, shrunk *o Am:* shrunken> *vi, vt* encolher

shrivel ['ʃrɪvəl] <*Brit:* -ll-, *Am:* -l-> *vi, vt* murchar

Shrove Tuesday [ʃroʊv-] *n* terça-feira *f* de Carnaval

shrub [ʃrʌb] *n* arbusto *m*

shrug [ʃrʌg] <-gg-> *vt, vi* **to ~** (**one's shoulders**) encolher os ombros ◈ **shrug off** *vt* não dar importância a

shrunk [ʃrʌŋk] *pt, pp of* **shrink**

shudder ['ʃʌdər] *vi* estremecer

shuffle ['ʃʌfl] *vt* (*cards*) embaralhar; (*feet*) arrastar

shut [ʃʌt] <shut, shut> *vi, vt* fechar(-se) ◈ **shut down** *vt, vi* (*factory*) fechar; (*heavy machinery*) desligar ◈ **shut off** *vt* (*lights, engine*) desligar ◈ **shut up** *vi inf* calar-se

shutter ['ʃʌt̬ər] *n* persiana *f*

shuttle ['ʃʌt̬l] **I.** *n* (*plane*) ponte *f* aérea; (*bus*) ônibus *m* de interligação **II.** *vt* transportar

shuttlecock ['ʃʌt̬lkɑːk] *n* peteca *f*

shy [ʃaɪ] <-er, -est> *adj* tímido, -a

Siamese [ˌsaɪə'mi:z] *adj* siamês, -esa
Siberia [saɪ'bɪriə] *n* Sibéria *f*
sibling ['sɪblɪŋ] *n* irmão, -ã *m, f*
sick [sɪk] <-er, -est> *adj* doente; (*about to vomit*) enjoado, -a; **to be ~ of sth/sb** estar farto de a. c./alguém
sicken ['sɪkən] *vt* aborrecer
sickening *adj* revoltante
sickle ['sɪkl] *n* foice *f*
sick leave *n* licença *f* médica
sickly ['sɪkli] <-ier, -iest> *adj* doentio, -a
sickness ['sɪknəs] *n no pl* doença *f*; (*nausea*) enjôo *m*
sick pay *n* auxílio-doença *m*
side [saɪd] *n* (*of coin*) face *f*; (*of page*) lado *m*; **to take ~s** tomar partido
sideburns *npl* costeletas *fpl*
side effect *n* efeito *m* colateral
sideline *n Am* SPORTS linha *f* lateral
sidelong *adj* (*glance*) de esguelha
sidesaddle *adv* **to ride ~** montar sentado de lado
sidestep <-pp-> *vt a. fig* esquivar-se de
side street *n* rua *f* transversal
sidetrack *vt* desviar (do assunto principal)
sidewalk *n Am* calçada *f*
sideward ['saɪdwərd], **sideways** ['saɪdweɪz] *adv* para o lado
siege [si:dʒ] *n* cerco *m*
Sierra Leone [siˌerəli'oʊn] *n* Serra *f* Leoa
sieve [sɪv] *n* peneira *f*
sift [sɪft] *vt* peneirar
sigh [saɪ] *vi* suspirar
sight [saɪt] I. *n* vista *f* II. *vt* avistar
sightseeing ['saɪtˌsi:ɪŋ] *n no pl* roteiro *m* turístico
sign [saɪn] *n* sinal *m*; (*signpost*) placa *f* ◆ **sign up** *vi* inscrever-se
signal ['sɪgnəl] I. *n* sinal *m* II. <*Brit:* -ll-, *Am:* -l-> *vi* sinalizar
signature ['sɪgnətʃər] *n* assinatura *f*
significance [sɪg'nɪfəkəns] *n no pl* importância *f*
significant [sɪg'nɪfəkənt] *adj* significativo, -a **signpost** *n* placa *f* de sinalização
silence ['saɪləns] *n* silêncio *m*
silencer ['saɪlənsər] *n* silenciador *m*
silent ['saɪlənt] *adj* calado, -a
silhouette [ˌsɪlu'et] *n* silhueta *f*
silicon ['sɪlɪkən] *n no pl* silício *m*
silicone ['sɪlɪkoʊn] *n no pl* silicone *m*
silk [sɪlk] *n* seda *f*
silly ['sɪli] <-ier, -iest> *adj* (*person*) tolo, -a; **to look ~** parecer ridículo, -a
silver ['sɪlvər] *n no pl* prata *f*
silverware ['sɪlvəwer] *n Am* prataria *f*
similar ['sɪmələr] *adj* semelhante
similarity [ˌsɪmə'lerəţi] *n* semelhança *f*
simmer ['sɪmər] *vi* cozinhar em fogo brando
simple ['sɪmpl] *adj* simples
simplify ['sɪmpləfaɪ] *vt* simplificar
simply ['sɪmpli] *adv* de modo simples; (*just*) simplesmente
simulate ['sɪmjʊleɪt] *vt* simular
simultaneous [ˌsaɪml'teɪnjəs] *adj* simultâneo, -a
sin [sɪn] I. *n* pecado *m* II. *vi* <-nn-> pecar
since [sɪns] I. *adv* desde II. *prep* desde III. *conj* já que

sincere [sɪn'sɪr] *adj* sincero, -a

sincerely *adv* **Yours** ~ Atenciosamente

sinew ['sɪnjuː] *n* tendão *m*

sing [sɪŋ] <sang, sung> *vi, vt* cantar

Singapore ['sɪŋəpɔːr] *n* Cingapura *f*

singer ['sɪŋər] *n* cantor(a) *m(f)*

single ['sɪŋgl] *adj* único, -a, simples; (*unmarried*) solteiro, -a

singular ['sɪŋgjələr] *adj* singular

sinister ['sɪnɪstər] *adj* sinistro, -a

sink [sɪŋk] <sank, sunk> **I.** *n* pia *f* **II.** *vi, vt* afundar

sinus ['saɪnəs] *n* seio *m*

sip [sɪp] **I.** <-pp-> *vi, vt* bebericar **II.** *n* gole *m*

sir [sɜːr] *n* senhor *m*

siren ['saɪrən] *n* sirene *f*

sirloin ['sɜːrlɔɪn] *n no pl* lombo *m*

sissy ['sɪsi] <-ies> *n pej, inf* maricas *m*

sister ['sɪstər] *n* irmã *f*

sister-in-law <sisters-in-law *o* sister-in-laws> *n* cunhada *f*

sit [sɪt] <sat, sat> **I.** *vi* sentar-se; **to ~ well/badly** cair bem/mal **II.** *vt* sentar ◈ **sit down** *vi* sentar-se ◈ **sit up** *vi* sentar-se ereto

sitcom ['sɪtkɑːm] *n inf abbr of* **situation comedy** comédia *f* de costumes

site [saɪt] *n* local *m*; **building ~** obra

situated ['sɪtʃueɪţɪd] *adj* localizado, -a

situation [ˌsɪtʃu'eɪʃn] *n* situação *f*

six [sɪks] *adj* seis *inv*

sixteen [sɪk'stiːn] *adj* dezesseis *inv*

sixteenth [ˌsɪk'stiːnθ] *adj* décimo sexto, décima sexta

sixth [sɪksθ] *adj* sexto, -a

sixtieth ['sɪkstiəθ] *adj* sexagésimo, -a

sixty ['sɪksti] *adj* sessenta *inv*

size [saɪz] *n* (*of person, clothes*) tamanho *m*

sizeable ['saɪzəbl] *adj* de bom tamanho

sizzle ['sɪzl] *vi* estalar (como em óleo quente)

skate[1] [skeɪt] *n* (*fish*) arraia *f*

skate[2] **I.** *n* patim *m* **II.** *vi* patinar

skateboard *n* skate *m*

skating rink *n* rinque *m* de patinação

skeleton ['skelətən] *n* esqueleto *m*

skeptic ['skeptɪk] *n* cético, -a *m, f*

sketch [sketʃ] *n* esboço *m*

sketchy ['sketʃi] <-ier, -iest> *adj* superficial

skewer ['skjuːər] *n* espeto *m*

ski [skiː] **I.** *n* esqui *m* **II.** *vi* esquiar

skid [skɪd] **I.** <-dd-> *vi* escorregar **II.** *n* derrapagem *f*

skiing *n no pl* esqui *m*

skilful *adj Brit, Aus s.* **skillful**

ski lift *n* teleférico *m*

skill [skɪl] *n no pl* capacidade *f,* habilidade *f*

skilled *adj* capacitado, -a

skillful ['skɪlfəl] *adj Am* habilidoso, -a

skim [skɪm] <-mm-> *vt* roçar

skimmed milk *n Brit,* **skim milk** *n Am no pl* leite *m* desnatado

skimpy ['skɪmpi] <-ier, -iest> *adj* (*meal*) parco, -a; (*dress*) sumário, -a

skin [skɪn] *n* (*of person*) pele *f;* (*on milk*) nata *f* **skin-diving** *n no pl* mergulho *m* livre

skinhead *n* careca *m*

skinny ['skɪni] <-ier, -iest> *adj* magricelo, -a

skip [skɪp] I. <-pp-> *vi* saltitar II. <-pp-> *vt inf* pular

skipper ['skɪpər] *n* NAUT capitão, -ã *m, f* (de navio, time)

skirmish ['skɜːrmɪʃ] *n* escaramuça *f*

skirt [skɜːrt] *n* saia *f*

ski suit *n* macacão *m* de esqui

skittle ['skɪţl] *n* boliche *m*

skull [skʌl] *n* crânio *m*

skunk [skʌŋk] *n* gambá *mf*

sky [skaɪ] <-ies> *n* céu *m*

skydiving *n* pára-quedismo *m*

sky-high *adj* (*price*) astronômico, -a

skylight *n* clarabóia *f*

skyline *n* linha *f* do horizonte; (*of city*) silhueta *f*

skyscraper ['skaɪskreɪpər] *n* arranha-céu *m*

slab [slæb] *n* (*of stone*) laje *f*

slack [slæk] *adj* frouxo, -a

slacken ['slækən] *vi, vt* afrouxar

slacks [slæks] *npl* calça *f* (esporte)

slam [slæm] <-mm-> *vt* bater

slang [slæŋ] *n no pl* gíria *f*

slant [slænt] *n no pl* inclinação *f*

slap [slæp] I. *n* tapa *m* II. <-pp-> *vt* esbofetear

slash [slæʃ] *vt* cortar profundamente

slaughter ['slɑːţər] *vt* chacinar, abater

slave [sleɪv] *n* escravo, -a *m, f*

slavery ['sleɪvəri] *n no pl* escravidão *f*

Slavic ['slɑːvɪk] *adj* eslavo, -a

sleazy ['sliːzi] <-ier, -iest> *adj* (*area, bar*) sórdido, -a

sleep [sliːp] I. *n no pl* sono *m* II. <slept, slept> *vi, vt* dormir

◈ **sleep in** *vi* ficar na cama até tarde

◈ **sleep over** *vi* to ~ (**at sb's house**) passar a noite (na casa de alguém)

sleeper ['sliːpər] *n* RAIL vagão-leito *m*

sleeping bag *n* saco *m* de dormir

sleeping car *n* vagão-leito *m* **sleeping pill** *n* calmante *m*

sleepless ['sliːpləs] *adj* (*night*) em claro

sleepwalk *vi* sonambular

sleepy ['sliːpi] <-ier, -iest> *adj* sonolento, -a

sleet [sliːt] *n no pl* neve *f* molhada

sleeve [sliːv] *n* (*of shirt*) manga *f*; (*cover*) bucha *f*

sleigh [sleɪ] *n* trenó *m*

slender ['slendər] *adj* delgado, -a

slept [slept] *pt, pp of* **sleep**

slice [slaɪs] I. *n* (*of bread*) fatia *f*; (*of lemon*) rodela *f* II. *vt* fatiar

slick [slɪk] I. <-er, -est> *adj* (*person*) astuto, -a II. *n* mancha *f* de óleo

slide [slaɪd] <slid, slid> *vi* escorregar, deslizar

sliding door *n* porta *f* de correr

slight [slaɪt] <-er, -est> *adj* (*chance*) mínimo, -a; (*slim*) franzino, -a

slightly *adv* ligeiramente

slim [slɪm] <-mm-> *adj* esbelto, -a

slime [slaɪm] *n no pl* lodo *m*

slimy ['slaɪmi] <-ier, -iest> *adj* lodoso, -a; (*person*) pegajoso, -a

sling [slɪŋ] <slung, slung> I. *vt* atirar II. *n* (*for broken arm*) tipóia *f*

slip [slɪp] <-pp-> I. *n* 1. (*mistake*) deslize *m* 2. (*underwear*) combinação *f* 3. (*of paper*) tira *f* II. *vi* escor-

regar ◈ **slip away** *vi* escapulir
slipper ['slɪpər] *n* chinelo *m*
slippery ['slɪpəri] <-ier, -iest> *adj* escorregadio, -a
slit [slɪt] I. <slit, slit> *vt* cortar II. *n* fenda *f*
slob [slɑ:b] *n inf* relaxado *m*
slogan ['sloʊgən] *n* slogan *m*
slope [sloʊp] *n* encosta *f*, declive *m*
sloppy ['slɑ:pi] <-ier, -iest> *adj* desleixado, -a
slot [slɑ:t] *n* fenda *f*
slot machine *n* caça-níqueis *m inv*
slouch [slaʊtʃ] *vi* encurvar-se
Slovakia [sloʊ'vɑ:kiə] *n* Eslováquia *f*
Slovakian *n* eslovaco, -a *m, f*
Slovenia [sloʊ'vi:niə] *n* Eslovênia *f*
Slovenian *n* esloveno, -a *m, f*
slow [sloʊ] I. *adj* lento, -a; (*clock*) atrasado II. *vi, vt* desacelerar
slowly *adv* lentamente
slow motion *n* câmera *f* lenta
slug [slʌg] *n* ZOOL lesma *f*
sluggish ['slʌgɪʃ] *adj* (*progress*) lento, -a
slum [slʌm] *n* bairro *m* pobre, favela *f*
slung [slʌŋ] *pt, pp of* **sling**
slurp [slɜ:rp] *vt, vi inf* sugar ruidosamente
slush [slʌʃ] *n no pl* neve *f* suja semiderretida
slut [slʌt] *n pej* puta *f*
sly [slaɪ] *adj* matreiro, -a
smack [smæk] I. *n inf* palmada *f* II. *adv* em cheio III. *vt* dar uma palmada em
small [smɔ:l] *adj* pequeno, -a
small change *n no pl* trocado *m*
smallpox *n no pl* varíola *f* **small talk** *n no pl* **to make** ~ jogar conversa fora
smart [smɑ:rt] *adj* esperto, -a, elegante
smart card *n* cartão *m* inteligente
smash [smæʃ] I. *n* estrondo *m* II. *vt fig* destruir III. *vi* (*glass*) despedaçar-se; (*strike against*) chocar(-se)
smashing *adj Brit, inf* esplêndido, -a
smattering ['smæṭərɪŋ] *n* conhecimento *m* superficial
smear [smɪr] *vt* (*spread*) besuntar
smell [smel] I. <*Brit, Aus:* smelt, smelt *Am, Aus:* -ed, -ed> *vt, vi* cheirar II. *n* cheiro *m*
smelly ['smeli] *adj* <-ier, -iest> malcheiroso, -a
smelt [smelt] *Brit, Aus pt, pp of* **smell**
smile [smaɪl] I. *n* sorriso *m* II. *vi* sorrir
smog [smɑ:g] *n no pl* nevoeiro *m* em ar poluído
smoke [smoʊk] I. *n no pl* fumaça *f* II. *vi, vt* fumar
smoked *adj* esfumaçado, -a
smoker ['smoʊkər] *n* fumante *mf*
smoking *n no pl* fumo *m*
smolder ['smoʊldər] *vi Am* arder (sem chama)
smooth [smu:ð] *adj* macio, -a; (*surface*) liso, -a
smother ['smʌðər] *vt* sufocar
smoulder *vi Brit s.* **smolder**
SMS [ˌesem'es] *n abbr of* **short message service** SMS *m*; ~ **messaging** serviço de mensagens curtas
smudge [smʌdʒ] *vt* manchar

smug [smʌg] *adj* <-gg-> presunçoso, -a

smuggler ['smʌglər] *n* contrabandista *mf*

smuggling *n no pl* contrabando *m*

snack [snæk] *n* lanche *m*

snack bar *n* lanchonete *f*

snag [snæg] *n* empecilho *m*

snail [sneɪl] *n* caracol *m*

snake [sneɪk] *n* cobra *f*

snap [snæp] <-pp-> *vi, vt* (*break*) arrebentar; (*with fingers*) estalar; (*speak sharply*) falar bruscamente

snappy ['ʃnæpi] *adj* <-ier, -iest> rápido, -a

snapshot *n* foto *f*

snare [sner] *n* armadilha *f*

snarl [snɑ:rl] *vi* rosnar

snatch [snætʃ] *vt* furtar

sneak [sni:k] *vi Am* **to ~ in/out** entrar/sair sem dar na vista

sneakers ['sni:kərz] *npl Am* tênis *m inv*

sneer [snɪr] *vi* desdenhar

sneeze [sni:z] *vi* espirrar

sniff [snɪf] *vi, vt* fungar

sniffer dog *n* cão *m* farejador

snip [snɪp] *vt* cortar (com tesoura)

sniper ['snaɪpər] *n* franco-atirador(a) *m(f)*

snivel(l)ing ['snɪvəlɪŋ] *adj* chorão, -ona

snob [snɑ:b] *n* esnobe *mf*

snog [snɑ:g] <-gg-> *vi, vt Brit, inf* ficar aos beijos e abraços

snooker ['snʊkər, *Brit:* 'snu:kəʳ] *n* sinuca *f*

snoop [snu:p] *pej, inf* **I.** *n* bisbilhoteiro, -a *m, f* **II.** *vi* bisbilhotar

snooty ['snu:ţi] <-ier, -iest> *adj* arrogante

snooze [snu:z] *inf* **I.** *vi* cochilar **II.** *n* soneca *f*

snore [snɔ:r] *vi* roncar

snorkel ['snɔ:rkəl] <*Brit:* -ll-, *Am:* -l-> *vi* mergulhar com snorkel

snort [snɔ:rt] **I.** *vi* bufar **II.** *vt inf* (*cocaine*) cheirar

snout [snaʊt] *n* focinho *m*

snow [snoʊ] *no pl* **I.** *n* neve *f* **II.** *vi* nevar

snowball *n* bola *f* de neve **snowdrift** *n* monte *m* de neve formado pelo vento **snowfall** *n no pl* nevada *f* **snowflake** *n* floco *m* de neve **snowman** *n* boneco *m* de neve **snowplow** *n* removedor *m* de neve **snowstorm** *n* nevasca *f*

snug [snʌg] *adj* aconchegante

snuggle ['snʌgl] *vi* aconchegar-se

so [soʊ] **I.** *adv* **~ did/do I** eu também; (*like that*) assim; (*to such a degree*) tão, tanto; (*in order that*) para que; **~ long!** até logo **II.** *conj* então; **~ what?** e daí?

soak [soʊk] *vt* ensopar, pôr de molho
◆ **soak up** *vt* absorver

so-and-so *n inf* fulano, -a *m, f* de tal

soap [soʊp] *n no pl* sabão *m*, sabonete *m* **soap opera** *n* novela *f* (de televisão) **soap powder** *n no pl* sabão *m* em pó

soar [sɔ:r] *vi* (*prices*) disparar; (*bird*) pairar

sob [sɑ:b] <-bb-> *vi, vt* soluçar

sober ['soʊbər] *adj* sóbrio, -a

so-called *adj* assim chamado, -a
soccer ['sɑ:kər] *n no pl, Am* futebol *m*
sociable ['soʊʃəbl] *adj* sociável
social ['soʊʃəl] *adj* social
socialism ['soʊʃəlɪzəm] *n no pl* socialismo *m*
socialist *n* socialista *mf*
socialize ['soʊʃəlaɪz] *vi* socializar
social science *n* ciências *fpl* sociais **Social Security** *n no pl, Am* Previdência *f* Social **social work** *n no pl* assistência *f* social
society [sə'saɪəţi] *n* sociedade *f*
sociology [ˌsoʊsi'ɑ:lədʒi, *Brit:* ˌsəʊʃi'ɒl-] *n no pl* sociologia *f*
sock [sɑ:k] *n* meia *f*
socket ['sɑ:kɪt] *n* tomada *f*
sod [sɑ:d] *n* torrão *m* de grama
soda ['soʊdə] *n no pl, Am* (*fizzy drink*) refrigerante *m*
soda water *n no pl* água *f* com gás
sodium ['soʊdiəm] *n no pl* sódio *m*
sofa ['soʊfə] *n* sofá *m*
soft [sɑ:ft] *adj* (*skin*) macio, -a; (*heart*) mole
soften ['sɑ:fən] **I.** *vi* amolecer **II.** *vt* amaciar
softener ['sɑ:fənər] *n* amaciante *m*
softly *adv* suavemente
softness ['sɑ:ftnɪs] *n no pl* suavidade *f*
software ['sɑ:ftwer] *n no pl* software *m*
soggy ['sɑ:gi] <-ier, -iest> *adj* ensopado, -a
soil *n no pl* solo *m*
solace ['sɑ:lɪs] *n no pl* consolo *m*
solar ['soʊlər] *adj* solar
solarium [soʊ'leriəm] <-s *o* solaria> *n* solário *m*
solar panel *n* placa *f* solar **solar power** *n no pl* energia *f* solar **solar system** *n* sistema *m* solar
sold [soʊld] *pt, pp of* **sell**
soldier ['soʊldʒər] *n* soldado *m*
sold out *adj* esgotado, -a
sole[1] [soʊl] *adj* único, -a
sole[2] *n* (*of shoe*) sola *f*
sole[3] <-(s)> *n* (*fish*) linguado *m*
solemn ['sɑ:ləm] *adj* solene
solicit [sə'lɪsɪt] **I.** *vt form* solicitar **II.** *vi* (*prostitute*) abordar clientes
solicitor [sə'lɪsɪţər] *n esp Aus, Brit* procurador(a) *m(f)*
solid ['sɑ:lɪd] *adj* sólido, -a; (*silver*) puro, -a
solidarity [ˌsɑ:lə'derəţi] *n no pl* solidariedade *f*
solitary ['sɑ:ləteri] *adj* (*traveler*) solitário, -a
solitude ['sɑ:lətu:d, *Brit:* 'sɒlɪtju:d] *n no pl* solidão *f*
solo ['soʊloʊ] *n* MUS solo *m*
soloist ['soʊloʊɪst] *n* solista *mf*
Solomon Islands ['sɑ:ləmən,-] *npl* Ilhas *fpl* Salomão
soluble ['sɑ:ljəbl] *adj* solúvel
solution [sə'lu:ʃn] *n* solução *f*
solve [sɑ:lv] *vt* resolver
Somalia [soʊ'mɑ:liə] *n* Somália *f*
somber *adj Am,* **sombre** ['sɑ:mbər] *adj* sombrio, -a
some [sʌm] **I.** *adj indef pl* (*several*) alguns, -mas; (*imprecise*) algum(a); (*amount*) um pouco de **II.** *pron indef pl* (*several*) alguns, -mas; (*part of it*) um pouco **III.** *adv* uns, umas

somebody ['sʌmˌbɑ:di] *pron indef* alguém
somehow ['sʌmhaʊ] *adv* de alguma maneira
someone ['sʌmwʌn] *pron s.* **somebody**
someplace ['sʌmpleɪs] *adv Am* em algum lugar
somersault ['sʌmərsɔ:lt] *n* salto *m* mortal
something ['sʌmθɪŋ] *pron indef, sing* algo
sometime ['sʌmtaɪm] *adv* em algum momento
sometimes *adv* às vezes
somewhat ['sʌmwɑ:t] *adv* um tanto
somewhere ['sʌmwer] *adv* (*be*) em algum lugar; (*go*) para algum lugar
son [sʌn] *n* filho *m*
song [sɑ:ŋ] *n* canção *f*
songwriter *n* compositor(a) *m(f)*
son-in-law <sons-in-law *o* son-in-laws> *n* genro *m*
sonnet ['sɑ:nɪt] *n* soneto *m*
soon [su:n] *adv* logo; **how ~ ...?** quando ...?
sooner ['su:nər] *adv comp of* **soon** mais cedo
soot [sʊt] *n no pl* fuligem *f*
soothe [su:ð] *vt* (*pain*) aliviar
sophisticated [sə'fɪstəkeɪţɪd] *adj* sofisticado, -a
sophomore ['sɑ:fəmɔ:r] *n Am* aluno, -a *m, f* do segundo ano da faculdade
soprano [sə'prænoʊ] *n* soprano *f*
sorbet ['sɔ:rbeɪ] *n* sorvete *m* de frutas
sordid ['sɔ:rdɪd] *adj* sórdido, -a
sore [sɔ:r] **I.** *adj* dolorido, -a **II.** *n* ferida *f*
sorrow ['sɑ:roʊ] *n* tristeza *f*
sorry ['sɑ:ri] **I.** <-ier, -iest> *adj* **I'm very ~** sinto muito; **to feel ~ for sb** sentir pena de alguém; (*regretful*) arrependido, -a **II.** *interj* desculpe(-me)
sort [sɔ:rt] **I.** *n* tipo *m;* **~ of** *inf* meio **II.** *vt* ordenar ◈ **sort out** *vt* resolver
SOS [ˌesoʊ'es] *n s.* **Save Our Souls** SOS *m*
so-so *adj, adv inf* mais ou menos
sought [sɑ:t] *pt, pp of* **seek**
soul [soʊl] *n* alma *f*
soulful ['soʊlfəl] *adj* comovente
sound[1] [saʊnd] *adj* (*basis*) sólido, -a
sound[2] [saʊnd] *vt* sondar
sound[3] [saʊnd] **I.** *n* som *m* **II.** *vi, vt* soar
sound effects *npl* efeitos *mpl* sonoros
soundly *adv* completamente
soundproof *adj* à prova de som
sound system *n* aparelho *m* de som
soundtrack *n* trilha *f* sonora
soup [su:p] *n no pl* sopa *f*
sour ['saʊər] *adj* azedo, -a; (*milk*) coalhado, -a
source [sɔ:rs] *n a. fig* fonte *f*
south ['saʊθ] *n* sul *m*
South Africa *n* África *f* do Sul **South America** *n* América *f* do Sul **South American** *adj* sul-americano, -a
South Carolina *n* Carolina *f* do Sul
South Dakota *n* Dakota *f* do Sul
southeast [ˌsaʊθ'i:st] *n* sudeste *m*
southeastern *adj* sudeste, de sudeste

southern ['sʌðərn] *adj* do sul
southern hemisphere *n* hemisfério *m* sul
South Korea *n* Coréia *f* do Sul
South Pole *n* pólo *m* Sul
southwest [ˌsaʊθ'west] *n* sudoeste *m*
southwestern *adj* sudoeste, do sudoeste
souvenir [ˌsu:və'nɪr] *n* suvenir *m*
sovereign ['sɑ:vrən] *n* soberano, -a *m, f*
Soviet Union *n* União *f* Soviética
sow[1] [soʊ] <sowed, sowed *o* sown> *vt* semear
sow[2] [saʊ] *n* ZOOL porca *f*
sown [soʊn] *pp of* **sow**[1]
soy [sɔɪ] *n Am,* **soya** ['sɔɪə] *n Brit* soja *f*
soy bean *n* grão *m* de soja
soy sauce *n Am* molho *m* de soja
spa [spɑ:] *n Am* fonte *f* de água mineral
space [speɪs] *n* espaço *m;* (*parking*) vaga *f*
spacecraft *n,* **spaceship** *n* nave *f* espacial
spacious ['speɪʃəs] *adj* espaçoso, -a
spade [speɪd] *n* pá *f;* (*in cards*) espadas *fpl*
spaghetti [spə'geţi] *n* espaguete *m*
Spain [speɪn] *n* Espanha *f*
span [spæn] I. *n* (*of time*) espaço *m* II. <-nn-> *vt* atravessar
Spaniard ['spænjərd] *n* espanhol(a) *m(f)*
Spanish ['spænɪʃ] *adj* espanhol(a)
spank [spæŋk] *vt* dar palmadas em
spar *vi* <-rr-> treinar boxe
spare [sper] I. *vt* poupar II. *adj* de sobra
spare part *n* peça *f* de reposição
spare time *n no pl* tempo *m* livre
spare tire *n* estepe *m*
sparing ['sperɪŋ] *adj* econômico, -a
spark [spɑ:rk] *n* faísca *f*
sparkle ['spɑ:rkl] I. *n no pl* brilho *m* II. *vi* cintilar
sparkler ['spɑ:rklər] *n* estrelinha *f* (fogo de artifício)
spark plug *n* vela *f* de ignição
sparrow ['speroʊ] *n* pardal *m*
sparse [spɑ:rs] *adj* esparso, -a
spasm ['spæzəm] *n* espasmo *m*
spat [spæt] *pt, pp of* **spit**[2]
spatter ['spæţər] *vt* respingar
spawn [spɑ:n] *vi* desovar
speak [spi:k] <spoke, spoken> *vi, vt* falar
speaker ['spi:kər] *n* orador(a) *m(f);* (*at conference*) palestrante *mf;* (*loudspeaker*) alto-falante *m;* (*of sound system*) caixa *f* de som
spear [spɪr] *n* lança *f*
special ['speʃəl] I. *adj* especial II. *n* (*sale*) oferta *f* especial
specialist ['speʃəlɪst] *n* especialista *mf*
specialize ['speʃəlaɪz] *vi* especializar-se
specialty ['speʃəlti] *n Am, Aus* especialidade *f*
species ['spi:ʃi:z] *n inv* espécie *f*
specific [spə'sɪfɪk] *adj* específico, -a
specification [ˌspesəfɪ'keɪʃn] *n* especificação *f*
specify ['spesəfaɪ] <-ie-> *vt* especificar

specimen ['spesəmən] *n* espécime *m;* (*of blood*) amostra *f*
speck [spek] *n* partícula *f*
speckled *adj* salpicado, -a
spectacle ['spektəkl] *n* espetáculo *m;* ~**s** óculos *mpl*
spectacular [spek'tækjʊlər] *adj* espetacular
spectator [spek'teɪţər] *n* espectador(a) *m(f)*
spectrum ['spektrəm] <-ra *o* -s> *n* espectro *m*
speculate ['spekjʊleɪt] *vi* conjecturar
speculation [ˌspekjʊ'leɪʃn] *n* especulação *f*
sped [sped] *pt, pp of* **speed**
speech [spi:tʃ] <-es> *n no pl* fala *f,* discurso *m*
speechless ['spi:tʃləs] *adj* mudo, -a, sem fala
speed [spi:d] I. *n* velocidade *f;* (*gear*) marcha *f* II. *vi* <sped, sped> ir depressa; (*drive too fast*) ultrapassar o limite de velocidade
◈ **speed up** *vi, vt* acelerar
speedboat *n* lancha *f* de corrida
speeding *n no pl* excesso *m* de velocidade
speed limit *n* limite *m* de velocidade
speedometer [spi:'dɑ:məţər] *n* velocímetro *m*
speedy ['spi:di] <-ier, -iest> *adj* veloz
spell[1] [spel] *n a. fig* (*magic*) feitiço *m*
spell[2] *n* (*time*) temporada *f*
spell[3] <spelled, spelled *o Brit:* spelt, spelt> *vt* (*word*) soletrar
spellbound ['spelbaʊnd] *adj fig* fascinado, -a
spelling *n no pl* ortografia *f*
spelt [spelt] *pt, pp of* **spell**
spend [spend] <spent, spent> *vt* (*money*) gastar; (*time*) passar
spent [spent] I. *pt, pp of* **spend** II. *adj* gasto, -a
sperm [spɜ:rm] <-(s)> *n* sêmen *m*
sphere [sfɪr] *n* esfera *f*
spice [spaɪs] *n* tempero *m*
spicy ['spaɪsi] <-ier, -iest> *adj* apimentado, -a
spider ['spaɪdər] *n* aranha *f*
spiderweb *n* teia *f* de aranha
spiel [ʃpi:l] *n inf* conversa *f* mole
spike [spaɪk] I. *n* cravo *m* II. *vt* cravejar; (*with alcohol*) batizar (uma bebida com álcool)
spill [spɪl] <spilt, spilt *o Am, Aus:* spilled, spilled> *vi, vt* derramar(-se)
spilt [spɪlt] *pp, pt of* **spill**
spin [spɪn] <spun *Brit:* span, spun> I. *vi* girar II. *vt* fazer girar
spinach ['spɪnɪtʃ] *n no pl* espinafre *m*
spinal cord *n* medula *f* espinhal
spine [spaɪn] *n* coluna *f* vertebral
spin-off *n* subproduto *m*
spinster ['spɪnstər] *n a. pej* solteirona *f*
spiral ['spaɪrəl] *n a. fig* espiral *f*
spire ['spaɪər] *n* pináculo *m* (de campanário, torre)
spirit ['spɪrɪt] *n* espírito *m;* **to be in high ~s** estar animado
spiritual ['spɪrɪtʃuəl] *adj* espiritual
spit[1] [spɪt] *n* GASTR espeto *m*
spit[2] *vi* <spat, spat> cuspir
spite [spaɪt] I. *n no pl* **in ~ of** apesar

de **II.** *vt* contrariar
spiteful ['spaɪtfəl] *adj* rancoroso, -a
splash [splæʃ] **I.** *n* ruído *m* do choque com a água **II.** *vi, vt* respingar
spleen [spli:n] *n* baço *m*
splendid ['splendɪd] *adj* esplêndido, -a
splint [splɪnt] *n* tala *f*
splinter ['splɪntər] *n* lasca *f* (de madeira, pedra)
split [splɪt] *vi, vt* <split, split> dividir(-se), rachar(-se) ◈ **split up** *vi* separar-se
splutter ['splʌţər] *vi* falar aos atropelos
spoil [spɔɪl] <spoilt, spoilt *Am:* spoiled, spoiled> **I.** *vt* estragar; (*child*) mimar **II.** *vi* estragar(-se)
spoilsport ['spɔɪlspɔ:rt] *n inf* desmancha-prazeres *mf inv*
spoke[1] [spoʊk] *pt of* **speak**
spoke[2] *n* (*of wheel*) raio *m* (de roda)
spoken *pp of* **speak**
spokesman *n* porta-voz *m* **spokeswoman** *n* porta-voz *f*
sponge [spʌndʒ] *n* esponja *f*
sponsor ['spɑ:ntsər] *vt* patrocinar
sponsorship *n no pl* patrocínio *m*
spontaneous [spɑ:n'teɪniəs] *adj* espontâneo, -a
spooky ['spu:ki] <-ier, -iest> *adj inf* fantasmagórico, -a
spool [spu:l] *n* bobina *f*
spoon [spu:n] *n* colher *f*
spoonful ['spu:nfʊl] <-s *o* spoonsful> *n* colherada *f*
sport [spɔ:rt] *n* esporte *m*
sports car *n* carro *m* esporte
sportsmanship *n no pl* espírito *m* esportivo
sportswear *n no pl* roupas *fpl* de esporte
sporty ['spɔ:rţi] <-ier, -iest> *adj* esportivo, -a
spot [spɑ:t] **I.** *n* marca *f;* (*on skin*) mancha *f;* (*place*) lugar *m* **II.** <-tt-> *vt* avistar
spot check *n* verificação *f* aleatória
spotless ['spɑ:tləs] *adj* limpíssimo, -a; (*reputation*) ilibado, -a
spotlight *n* projetor *m*
spotted *adj* manchado, -a
spouse [spaʊs] *n* cônjuge *m*
spout [spaʊt] **I.** *n* (*of pitcher*) bico *m;* (*drain*) calha *f* **II.** *vi* jorrar
sprain [spreɪn] **I.** *vt* torcer **II.** *n* entorse *f*
sprang [spræŋ] *vi, vt pt of* **spring**
sprawl [sprɑ:l] *pej* **I.** *vi* esparramar-se **II.** *n* **urban** ~ crescimento urbano desordenado
spray [spreɪ] *vt* pulverizar
spread [spred] <spread, spread> *vi, vt* (*liquid*) espalhar(-se); (*news*) difundir(-se)
spreadsheet *n* planilha *f*
spree [spri:] *n* farra *f*
spring [sprɪŋ] **I.** *n* **1.** (*season*) primavera *f* **2.** (*coil*) mola *f* **3.** (*of water*) fonte *f* **II.** <sprang, sprung> *vi* saltar
spring roll *n* rolinho *m* primavera
springtime *n no pl* primavera *f*
sprinkle ['sprɪŋkl] *vt* borrifar
sprint [sprɪnt] *n* corrida *f* de velocidade a curta distância
sprocket ['sprɑ:kɪt] *n* roda *f* dentada

sprout [spraʊt] **I.** *n* GASTR ~**s** brotos *m;* (**Brussels**) ~**s** couve-de-bruxelas *f* **II.** *vi* brotar
spruce [spru:s] *n* BOT abeto *m*
sprung [sprʌŋ] *pp of* **spring**
spry [spraɪ] *adj* ágil
spun [spʌn] *pt, pp of* **spin**
spur [spɜ:r] **I.** <-rr-> *vt fig* estimular **II.** *n* espora *f*
spurious ['spjʊriəs] *adj* espúrio, -a
spurt [spɜ:rt] *n* ímpeto *m*
spy [spaɪ] **I.** *n* espião, -ã *m, f* **II.** *vi* espionar **III.** *vt* espiar
Sq. *abbr of* **square** Pça.
squabble ['skwɑ:bl] *vi* discutir
squad [skwɑ:d] *n* pelotão *m*
squadron ['skwɑ:drən] *n* esquadrão *m*
squalid ['skwɑ:lɪd] *adj* esquálido, -a
squall [skwɔ:l] *n* rajada *f*
squalor ['skwɑ:lər] *n no pl* imundície *f*
squander ['skwɑ:ndər] *vt* (*money*) esbanjar
square [skwer] **I.** *n* quadrado *m;* (*in town*) praça *f* **II.** *adj* quadrado, -a
square dance *n* quadrilha *f*
squarely *adv* em cheio
squash[1] [skwɑ:ʃ] *n Am* BOT abóbora *f*
squash[2] *vt* esmagar
squat [skwɑ:t] <-tt-> *vi* agachar-se
squatter ['skwɑ:t̬ər] *n* invasor(a) *m(f)* (de imóvel, terras)
squawk [skwɑ:k] *vi* grasnar
squeak [skwi:k] **I.** *n* rangido *m* **II.** *vi* ranger
squeal [skwi:l] *vi* guinchar
squeamish ['skwi:mɪʃ] *adj* melindroso, -a
squeeze [skwi:z] *vt* espremer, pressionar
squelch [skweltʃ] *vt Am* (*rumor*) abafar
squid [skwɪd] <-(s)> *n* lula *f*
squint [skwɪnt] *vi* apertar os olhos para enxergar
squirm [skwɜ:rm] *vi* contorcer-se
squirrel ['skwɜ:rəl] *n* esquilo *m*
squirt [skwɜ:rt] *vi, vt* esguichar
Sr *n abbr of* **senior** Sr.
Sri Lanka [ˌsri:'lɑ:ŋkə] *n* Sri *m* Lanka
Sri Lankan *adj* cingalês, -esa
St 1. *abbr of* **saint** S. *m,* Sta. *f* **2.** *abbr of* **street** R.
stab [stæb] <-bb-> *vt* apunhalar
stable[1] ['steɪbl] *adj* estável
stable[2] *n* (*for animals*) estábulo *m*
stack [stæk] *vt* empilhar
stadium ['steɪdiəm] <-s *o* -dia> *n* estádio *m*
staff [stæf] *n* pessoal *m*
stag [stæg] *n* veado *m* macho
stage [steɪdʒ] **I.** *n* fase *f;* THEAT palco *m* **II.** *vt* encenar
stagger ['stægər] **I.** *vi* cambalear **II.** *vt* (*payments*) escalonar
staggering *adj* desconcertante
stagnant ['stægnənt] *adj a. fig* estagnado, -a
stagnate ['stægneɪt] *vi* estagnar
stag night *n,* **stag party** *n esp Brit* despedida *f* de solteiro
staid [steɪd] *adj* sisudo, -a
stain [steɪn] **I.** *vt* manchar **II.** *n* mancha *f*
stained glass window *n* janela *f* de

vitral

stainless steel *n* aço *m* inoxidável

stair [ster] *n* degrau *m;* ~**s** escada *f*

staircase ['sterkeɪs] *n,* **stairway** ['sterweɪ] *n* escada *f*

stake [steɪk] *n* estaca *f;* (*share*) participação *f;* (*bet*) aposta *f*

stale [steɪl] *adj* (*bread*) velho, -a

stalemate ['steɪlmeɪt] *n* impasse *m*

stalk[1] [stɔ:k] *n* talo *m*

stalk[2] *vt* ficar no encalço de

stall [stɔ:l] **I.** *n* barraca *f* **II.** *vi* (*engine*) afogar; *inf* (*delay*) enrolar

stallion ['stæljən] *n* garanhão *m*

stamina ['stæmənə] *n no pl* energia *f*

stammer ['stæmər] *vi, vt* gaguejar

stamp [stæmp] **I.** *n* (*for letter*) selo *m;* (*for stamping*) carimbo *m* **II.** *vt* (*letter*) selar; (*put mark on*) carimbar; **to ~ one's foot** bater o pé

stampede [stæm'pi:d] *n* debandada *f*

stand [stænd] **I.** *n* posição *f; pl* (*in stadium*) arquibancada *f;* (*market stall*) barraca *f* **II.** <stood, stood> *vi* ficar de pé; (*remain unchanged*) permanecer **III.** <stood, stood> *vt* (*place*) pôr de pé; (*bear*) agüentar ◈ **stand aside** *vi* afastar-se ◈ **stand by I.** *vi* estar a postos **II.** *vt* apoiar ◈ **stand down** *vi Brit, Aus* renunciar ◈ **stand for** *vt* (*mean*) significar; (*tolerate*) tolerar ◈ **stand out** *vi* **to ~ (from sth)** destacar-se (de a. c.) ◈ **stand up** *vi* levantar(-se)

standard ['stændərd] **I.** *n* padrão *m* **II.** *adj* padrão

standardize *vt* padronizar

standard of living *n* padrão *m* de vida

standing I. *n* posição *f* **II.** *adj* de pé; (*permanent*) permanente

standoffish [stænd'ɑ:fɪʃ] *adj inf* reservado, -a

standpoint *n* ponto *m* de vista

standstill *n no pl* paralisação *f*

stank [stæŋk] *pt of* **stink**

staple[1] ['steɪpl] *n* (*product*) produto *m* básico

staple[2] *vt* (*with stapler*) grampear

stapler ['steɪplər] *n* grampeador *m*

star [stɑ:r] **I.** *n* estrela *f* **II.** *vi* <-rr-> **to ~ in sth** protagonizar a. c.

starch [stɑ:rtʃ] *n no pl* amido *m*

stare [ster] *vi* olhar fixamente

starfish ['stɑ:rfɪʃ] <-(es)> *n* estrela-do-mar *f*

stark [stɑ:rk] **I.** *adj* desolado, -a **II.** *adv* ~ **naked** nu em pêlo

starling ['stɑ:rlɪŋ] *n* estorninho *m*

star sign *n* signo *m* do zodíaco

start [stɑ:rt] **I.** *vi* começar **II.** *vt* iniciar; (*business*) abrir ◈ **start off** *vi* partir ◈ **start up** *vt* (*vehicle*) dar a partida (em)

starter *n* **1.** AUTO motor *m* de arranque **2.** *inf* GASTR entrada *f*

startle ['stɑ:rtl] *vt* assustar

starvation [stɑ:r'veɪʃn] *n no pl* inanição *f*

starve [stɑ:rv] **I.** *vi* passar fome **II.** *vt* fazer passar fome

stash [stæʃ] *vt* enfurnar

state [steɪt] **I.** *n* estado *m* **II.** *vt* declarar

stately ['steɪtli] *adj* imponente

statement ['steɪtmənt] *n* declaração *f;*

(*from bank*) extrato *m* bancário
statesider ['steɪtˌsaɪdəʳ] *n* habitante dos Estados Unidos
statesman ['steɪtsmən] <-men> *n* estadista *m*
static ['stæţɪk] *adj* estático, -a
station ['steɪʃn] **I.** *n* estação *f* **II.** *vt* MIL designar para um posto
stationary ['steɪʃəneri] *adj* estacionário, -a
stationery ['steɪʃəneri] *n no pl* artigos *mpl* de papelaria **station wagon** *n* *Am, Aus* caminhonete *f*
statistics [stə'tɪstɪks] *n* estatística *f*
statue ['stætʃuː] *n* estátua *f*
stature ['stætʃəʳ] *n* estatura *f*
status ['stæţəs, *Brit:* 'steɪt-] *n no pl* status *m*
statute ['stætʃuːt, *Brit:* -tjuːt] *n* estatuto *m*
statutory ['stætʃətɔːri] *adj* estatutário, -a
staunch [stɔːntʃ] *adj* incondicional
stay [steɪ] **I.** *n* estada *f* **II.** *vi* ficar, hospedar-se ◈ **stay up** *vi* ficar acordado
STD [ˌestiː'diː] *n abbr of* **sexually transmitted disease** DST *f*
stead [sted] *n no pl* lugar *m*
steadfast ['stedfæst] *adj* firme
steady ['stedi] <-ier, -iest> *adj* estável, constante
steak [steɪk] *n* bife *m*
steal [stiːl] <stole, stolen> *vt, vi* furtar
stealthy ['stelθi] *adj* às escondidas
steam [stiːm] *n no pl* vapor *m* ◈ **steam up** *vi* (*become steamy*) embaçar; **to get steamed up** (**about sth**) *inf* irritar-se (por a. c.)
steamer ['stiːməʳ] *n* barco *m* a vapor
steamroller *n* rolo *m* compressor
steel [stiːl] *n no pl* aço *m*
steelworks *n inv* usina *f* siderúrgica
steep [stiːp] *adj* íngreme; (*increase*) acentuado, -a
steeple ['stiːpl] *n* campanário *m*
steer [stɪr] *vi, vt* (*car*) guiar
steering *n no pl* direção *f*
steering wheel *n* volante *m*
stem [stem] *n* (*of plant*) tronco *m*
stench [stentʃ] *n no pl* fedor *m*
stencil ['stensl] *n* estampa *f*
stenographer [stə'nɑːgrəfəʳ] *n* estenógrafo, -a *m, f*
step [step] **I.** *n* passo *m;* (*of stair*) degrau *m* **II.** <-pp-> *vi* pisar ◈ **step down** *vi* renunciar ◈ **step in** *vi* intervir
stepbrother *n* meio-irmão *m* **stepdaughter** *n* enteada *f* **stepfather** *n* padrasto *m* **stepladder** *n* escada *f* (de abrir) **stepmother** *n* madrasta *f* **stepsister** *n* meia-irmã *f* **stepson** *n* enteado *m*
stereotype ['steriətaɪp] *n pej* estereótipo *m*
sterile ['sterəl, *Brit:* -raɪl] *adj* estéril
sterilization [ˌsterəlɪ'zeɪʃn, *Brit:* -laɪ'-] *n no pl* esterilização *f*
sterilize ['sterəlaɪz] *vt* esterilizar
sterling ['stɜːrlɪŋ] **I.** *n no pl* (**pound**) ~ libra *f* esterlina **II.** *adj* (*silver*) (prata) de lei
stern¹ [stɜːrn] *adj* severo, -a
stern² *n* NAUT popa *f*

steroid ['sterɔɪd, *Brit:* 'stɪər-] *n* (hormônio) *m* esteróide

stethoscope ['steθəskoʊp] *n* estetoscópio *m*

stew [stu:, *Brit:* stju:] *n* ensopado *m*

steward ['stu:ərd, *Brit:* 'stjʊəd] *n* comissário *m* de bordo

stewardess ['stu:ərdɪs, *Brit:* ˌstjʊə'des] <-es> *n* comissária *f* de bordo

stick[1] [stɪk] *n* vara *f;* **walking** ~ bengala *f*

stick[2] <stuck, stuck> **I.** *vi* grudar; **to ~ with sth** persistir em a. c. **II.** *vt* colar ◈ **stick around** *vi inf* ficar por aí ◈ **stick out I.** *vi* sair para fora **II.** *vt* **to ~ it out** agüentar ◈ **stick up** *vi* **to ~ for sb/sth** defender alguém/a. c.

sticker ['stɪkər] *n* adesivo *m*

stick-up *n inf* assalto *m* à mão armada

sticky ['stɪki] <-ier, -iest> *adj* (*surface*) pegajoso, -a

stiff [stɪf] *adj* **1.** rígido, -a; ~ **neck** torcicolo **2.** (*price*) elevado, -a

stifle ['staɪfl] *vt* sufocar

stigma ['stɪgmə] *n* estigma *m*

still[1] [stɪl] *adj* (*quiet*) tranqüilo, -a

still[2] *adv* ainda

stillborn *adj* natimorto, -a

still life *n* natureza *f* morta

stilted ['stɪltɪd] *adj* afetado, -a

stimulant ['stɪmjələnt] *n* estimulante *m*

stimulate ['stɪmjəleɪt] *vt* estimular

stimulus ['stɪmjələs] <-li> *n* estímulo *m*

sting [stɪŋ] **I.** *n* picada *f;* (*pain*) ardência *f* **II.** <stung, stung> *vi* picar; (*eyes*) arder **III.** <stung, stung> *vt* picar

stingy ['stɪndʒi] <-ier, -iest> *adj inf* pão-duro

stink [stɪŋk] <stank *Am, Aus:* stunk, stunk> *vi* feder

stint [stɪnt] *n* período *m*

stir [stɜ:r] <-rr-> **I.** *vt* (*coffee etc.*) misturar **II.** <-rr-> *vi* mover-se

stirrup ['stɜ:rəp] *n* estribo *m*

stitch [stɪtʃ] **I.** <-es> *n a.* MED ponto *m* **II.** *vt* dar pontos, costurar

stock [stɑ:k] **I.** *n* estoque *m;* **out of ~** esgotado; FIN ação *f* **II.** *vt* estocar

stockbroker *n* corretor(a) *m(f)* da bolsa de valores

stock cube *n* cubo *m* de caldo (de carne, galinha)

stock exchange *n*, **stock market** *n* bolsa *f* de valores

stockpile *vt* armazenar

stocky ['stɑ:ki] <-ier, -iest> *adj* atarracado, -a

stodgy ['stɑ:dʒi] <-ier, -iest> *adj* (*book, food*) pesado, -a

stoke [stoʊk] *vt* atiçar

stole [stoʊl] *pt of* **steal**

stolen [stoʊln] *pp of* **steal**

stomach ['stʌmək] **I.** *n* estômago *m* **II.** *vt inf* tolerar

stomach ache *n* dor *f* de estômago

stone [stoʊn] **I.** *n* pedra *f* **II.** *vt* apedrejar

stonework *n no pl* alvenaria *f*

stood [stʊd] *pt, pp of* **stand**

stool [stu:l] *n* tamborete *m*

stoop [stu:p] *vi* abaixar-se

stop [stɑ:p] I. *n* parada *f* II. <-pp-> *vi, vt* parar ◈ **stop by** *vi* visitar
stopgap ['stɑ:pgæp] *adj* provisório, -a
stopover *n* AVIAT escala *f* **stopwatch** *n* cronômetro *m*
storage ['stɔ:rɪdʒ] *n no pl* armazenamento *m*
store [stɔ:r] I. *n Am, Aus* loja *f* II. *vt* armazenar
storeroom *n* despensa *f*
storey *n Brit, Aus s.* **story 2**
stork [stɔ:rk] *n* cegonha *f*
storm [stɔ:rm] I. *n* tempestade *f* II. *vi* esbravejar III. *vt* tomar de assalto
stormy ['stɔ:rmi] <-ier, -iest> *adj* tempestuoso, -a
story[1] ['stɔ:ri] <-ries> *n* história *f*
story[2] ['stɔ:ri] *n Am* ARCHIT andar *m*
storybook *n* livro *m* de histórias
stout [staʊt] I. *n* cerveja *f* preta II. *adj* (*person*) corpulento, -a
stove [stoʊv] *n Am, Aus* fogão *m*
stow [stoʊ] *vt* guardar
straggle ['strægl] *vi* dispersar(-se)
straight [streɪt] I. *n* reta *f* II. *adj* reto, -a; (*honest*) franco, -a; (*consecutive*) consecutivo, -a; (*traditional*) convencional; *inf* (*heterosexual*) heterossexual III. *adv* ~ **ahead** sempre reto
straighten ['streɪtn] *vt* endireitar ◈ **straighten out** *vt* (*problem*) resolver
straightforward [ˌstreɪt'fɔ:rwərd] *adj* direto, -a
strain [streɪn] I. *n no pl* tensão *f*; **muscle** ~ distensão *f* muscular II. *vi* esforçar-se III. *vt* 1. forçar; **to** ~ **one's eyes** forçar a vista 2. (*pasta*) coar
strainer ['streɪnər] *n* coador *m*
strait [streɪt] *n* estreito *m*; **in dire ~s** em situação difícil
straitlaced *adj* puritano, -a
strand [strænd] *n* fio *m*
strange [streɪndʒ] *adj* esquisito, -a, estranho, -a
stranger ['streɪndʒər] *n* estranho, -a *m, f*
strangle ['stræŋgl] *vt* estrangular
strap [stræp] *n* (*of dress*) alça *f*
strategic [strə'ti:dʒɪk] *adj* estratégico, -a
strategy ['strætədʒi] <-ies> *n* estratégia *f*
straw [strɑ:] *n no pl* palha *f*; (*for drinking*) canudo *m*
strawberry ['strɑ:ˌberi] <-ies> *n* morango *m*
stray [streɪ] I. *adj* (*dog, bullet*) perdido, -a II. *vi* desgarrar-se
streak [stri:k] *n* listra *f*
stream [stri:m] I. *n* riacho *m*; (*flow*) fluxo *m* II. *vi* fluir
streamer ['stri:mər] *n* serpentina *f*
streamline *vt* (*method*) otimizar
street [stri:t] *n* rua *f*
streetcar *n Am* bonde *m* **streetlamp** *n*, **street light** *n* poste *m* de luz
streetwise ['stri:twaɪz] *adj* aquele que sabe se virar nas ruas
strength [streŋθ] *n no pl* força *f*
strengthen ['streŋθn] *vt* fortalecer
strenuous ['strenjuəs] *adj* (*exercise*) extenuante

stress [stres] **I.** *n no pl* tensão *f,* ênfase *f* **II.** *vt* enfatizar ◈ **stress out** *vt, vi* estressar

stretch [stretʃ] **I.** <-es> *n* (*of land*) extensão *f* **II.** *vi* (*person*) espreguiçar-se **III.** *vt* estender

stretcher ['stretʃər] *n* maca *f*

stricken ['strɪkən] *adj* afligido, -a

strict [strɪkt] *adj* (*orders*) rigoroso, -a

stride [straɪd] <strode, stridden> *vi* andar a passos largos

strife [straɪf] *n no pl* luta *f*

strike [straɪk] **I.** *n* (*by workers*) greve *f* **II.** <struck, struck> *vt* (*collide with*) bater; (*occur to*) impressionar **III.** <struck, struck> *vi* golpear ◈ **strike back** *vi* revidar ◈ **strike down** *vt* abater

striking *adj* impressionante

string [strɪŋ] *n* corda *f*

string bean *n Am, Aus* vagem *f*

stringent ['strɪndʒənt] *adj* rigoroso, -a

strip [strɪp] **I.** *vi* despir-se **II.** *n* tira *f;* (*of land*) faixa *f*

stripe [straɪp] *n* listra *f;* MIL divisa *f*

striped *adj,* **stripey** *adj* listrado, -a

strip-search *vt* **to ~ sb** submeter alguém a revista íntima

strive [straɪv] <strove, striven *o* strived, strived> *vi* **to ~ to do sth** esforçar-se para fazer a. c.

strode [stroʊd] *pt of* **stride**

stroke [stroʊk] **I.** *vt* afagar **II.** *n* **1.** derrame *m* **2.** (*of pencil*) traço *m* **3.** (*in swimming*) braçada *f*

stroll [stroʊl] **I.** *n* passeio *m* **II.** *vi* passear

stroller ['stroʊlər] *n Am, Aus* carrinho *m* de bebê

strong [strɑːŋ] *adj* forte

stronghold *n fig* baluarte *m*

strove [stroʊv] *pt of* **strive**

struck [strʌk] *pt, pp of* **strike**

structural ['strʌktʃərəl] *adj* estrutural

structure ['strʌktʃər] **I.** *n* estrutura *f* **II.** *vt* estruturar

struggle ['strʌgl] **I.** *n* luta *f* **II.** *vi* lutar

strum [strʌm] <-mm-> *vt* dedilhar

strung [strʌŋ] *pt, pp of* **string**

strut [strʌt] <-tt-> *vi* **to ~ around** pavonear-se

stub [stʌb] **I.** *n* (*of check*) canhoto *m* **II.** <-bb-> *vt* **to ~ one's toe against sth** topar em a. c.

stubble ['stʌbl] *n no pl* barba *f* por fazer

stubborn ['stʌbərn] *adj* teimoso, -a

stuck [stʌk] **I.** *pt, pp of* **stick[2]** **II.** *adj* emperrado, -a

stuck-up *adj inf* com o rei na barriga

stud[1] [stʌd] *n* (*horse*) garanhão *m*

stud[2] [stʌd] *n* (*of metal*) tacha *f*

student ['stuːdənt, *Brit:* 'stjuː-] *n* estudante *mf*

studio ['stuːdioʊ, *Brit:* 'stjuːdiəʊ] <-s> *n* estúdio *m*

studious ['stuːdiəs, *Brit:* 'stjuː-] *adj* estudioso, -a

study ['stʌdi] **I.** *vi, vt* estudar **II.** <-ies> *n* estudo *m*

stuff [stʌf] **I.** *n no pl, inf* coisas *fpl* **II.** *vt* encher

stuffing *n no pl* recheio *m*

stuffy ['stʌfi] *adj* (*room*) abafado, -a

stumble ['stʌmbl] *vi* tropeçar

stumbling block *n* obstáculo *m*
stump [stʌmp] *n* (*of tree*) toco *m*
stun [stʌn] <-nn-> *vt* atordoar
stung [stʌŋ] *pt, pp of* **sting**
stunk [stʌŋk] *pt, pp of* **stink**
stunning *adj* espetacular
stunt [stʌnt] *n* acrobacia *f*
stunted *adj* mirrado, -a
stuntman ['stʌntmæn] *n* dublê *m*
stupendous [stu:'pendəs, *Brit:* stju:'-] *adj* estupendo, -a
stupid ['stu:pɪd, *Brit:* 'stju:-] *adj* estúpido, -a
stupidity [stu:'pɪdəţi, *Brit:* stju:'pɪdəti] *n no pl* estupidez *f*
sturdy ['stɜ:rdi] *adj* robusto, -a
stutter ['stʌţər] *vi* gaguejar
sty *n*, **stye** *n* MED terçol *m*
style [staɪl] *n* estilo *m*
stylish ['staɪlɪʃ] *adj* na moda
stylus ['staɪləs] <-es> *n* agulha *f* (de vitrola)
suave [swɑ:v] *adj* gentil
sub [sʌb] *n inf abbr of* **submarine** submarino *m*
subconscious [ˌsʌb'kɑ:nʃəs] *adj* subconsciente
subdue [səb'du:, *Brit:* -'dju:] *vt* domar
subdued *adj* (*color*) suave
subject ['sʌbdʒɪkt] **I.** *n* assunto *m;* SCH, UNIV matéria *f* **II.** *adj* ~ **to** sujeito, -a a
subjective [səb'dʒektɪv] *adj* subjetivo, -a
subject matter *n* assunto *m*
sublet [sʌb'let] <sublet, sublet> *vt* sublocar
submarine ['sʌbməˌri:n] *n* submarino *m*
submerge [səb'mɜ:rdʒ] *vi, vt* submergir
submission [səb'mɪʃn] *n no pl* submissão *f; no pl* (*of proposal*) apresentação *f*
submissive [səb'mɪsɪv] *adj* submisso, -a
submit [səb'mɪt] <-tt-> **I.** *vt* submeter; (*proposal*) apresentar **II.** *vi* submeter-se
subordinate [sə'bɔ:rdənɪt] *adj* subordinado, -a
subpoena [sə'pi:nə] *n* intimação *f*
subscribe [səb'skraɪb] *vi* assinar
subscriber [səb'skraɪbər] *n* assinante *mf*
subscription [səb'skrɪpʃn] *n* assinatura *f*
subsequent ['sʌbsɪkwənt] *adj* subseqüente
subside [səb'saɪd] *vi* ceder
subsidiary [səb'sɪdieri] <-ies> *n* subsidiária *f*
subsidize ['sʌbsədaɪz] *vt* subsidiar
subsidy ['sʌbsədi] <-ies> *n* subsídio *m*
subsistence [səb'sɪstəns] *n* subsistência *f*
substance ['sʌbstəns] *n no pl* substância *f*
substantial [səb'stænʃl] *adj* (*difference*) considerável
substantiate [səb'stænʃieɪt] *vt* comprovar
substitute ['sʌbstətu:t, *Brit:* -stɪtju:t] **I.** *vt* substituir **II.** *n* substituto, -a

m, f

substitution [ˌsʌbstə'tuːʃn, *Brit:* -ɪ'tjuː-] *n* substituição *f*

subtitle ['sʌbˌtaɪţl] **I.** *vt* legendar **II.** *n* legenda *f*

subtle ['sʌţl] *adj* sutil

subtlety ['sʌţlti] <-ies> *n* sutileza *f*

subtract [səb'trækt] *vt* subtrair

subtraction [səb'trækʃn] *n no pl* subtração *f*

suburb ['sʌbɜːrb] *n* área *f* residencial nos arredores da cidade

suburban [sə'bɜːrbən] *adj* (*train*) suburbano, -a

subversive [səb'vɜːrsɪv] *adj form* subversivo, -a

subway ['sʌbweɪ] *n Am* metrô *m*

succeed [sək'siːd] **I.** *vi* prosperar, conseguir **II.** *vt* suceder a

success [sək'ses] *n no pl* sucesso *m*

successful [sək'sesfl] *adj* bem-sucedido, -a

succession [sək'seʃn] *n no pl* sucessão *f*

successive [sək'sesɪv] *adj* sucessivo, -a

successor [sək'sesər] *n* sucessor(a) *m(f)*

succinct [sək'sɪŋkt] *adj* sucinto, -a

succulent ['sʌkjʊlənt] *adj* suculento, -a

succumb [sə'kʌm] *vi form* sucumbir

such [sʌtʃ] **I.** *adj* tal, tanto, -a **II.** *pron* ~ **is life** assim é a vida

such-and-such *adj inf* tal e qual

suck [sʌk] *vt* sugar; (*with straw*) chupar

sucker ['sʌkər] *n Am* otário, -a *m, f*

suction ['sʌkʃn] *n no pl* sucção *f*

Sudan [suː'dæn] *n* Sudão *m*

sudden ['sʌdən] *adj* súbito, -a

suddenly *adv* de repente

suds [sʌdz] *npl* espuma *f* de sabão

sue [suː, *Brit:* sjuː] <**suing**> *vt* processar

suede [sweɪd] *n* camurça *f*

suffer ['sʌfər] *vi, vt* sofrer

suffering *n* sofrimento *m*

suffice [sə'faɪs] *vi* bastar

sufficient [sə'fɪʃnt] *adj* suficiente

suffix ['sʌfɪks] *n* sufixo *m*

suffocate ['sʌfəkeɪt] *vi* sufocar(-se)

sugar ['ʃʊgər] *n no pl* açúcar *m* **sugar cane** *n* cana-de-açúcar *f*

suggest [səg'dʒest] *vt* sugerir

suggestion [səg'dʒestʃən] *n* sugestão *f*

suicide ['suːəsaɪd, *Brit:* 'sjuːɪ-] *n* suicídio *m*

suit [suːt] **I.** *vt* (*be convenient*) convir **II.** *n* (*for men*) terno *m*; (*for women*) tailleur *m*; LAW processo *m* judicial

suitable ['suːţəbl] *adj* adequado, -a

suitcase *n* mala *f*

suite [swiːt] *n* suíte *f*

sulfur ['sʌlfər] *n Am* enxofre *m*

sulk [sʌlk] *vi* estar/ficar emburrado

sullen ['sʌlən] *adj* mal-humorado, -a

sulphur *n Brit s.* **sulfur**

sultry ['sʌltri] <-ier, -iest> *adj* (*weather*) mormacento, -a

sum [sʌm] *n* soma *f* ◈ **sum up** <-mm-> *vt* recapitular

summarize ['sʌməraɪz] *vt* resumir

summary ['sʌməri] **I.** *n* resumo *m*

II. *adj* sumário, -a
summer ['sʌmər] *n* verão *m*
summertime *n no pl* verão *m*
summit ['sʌmɪt] *n* cúpula *f*
summon ['sʌmən] *vt* (*meeting*) convocar
summons ['sʌmənz] *n + sing vb* convocação *f;* LAW citação *f* judicial
sun [sʌn] *n* sol *m*
sunbathe ['sʌnbeɪð] *vi* tomar sol
sunburn *n* queimadura *f* de sol
Sunday ['sʌndaɪ] *n* domingo *m*
sundial *n* relógio *m* de sol **sundown** *n Am, Aus* pôr-do-sol *m*
sundry ['sʌndri] *adj* vários, -as
sunflower *n* girassol *m*
sung [sʌŋ] *pp of* **sing**
sunglasses *npl* óculos *mpl* de sol
sunk [sʌŋk] *pp of* **sink**
sunlight *n no pl* luz *f* solar
sunny ['sʌni] <-ier, -iest> *adj* ensolarado, -a
sunrise ['sʌnraɪz] *n* nascer *m* do sol **sunroof** *n* teto *m* solar **sunscreen** *n* protetor *m* solar **sunset** *n* pôr-do-sol *m* **sunshade** ['sʌnʃeɪd] *n* guarda-sol *m* **sunshine** *n no pl* luz *f* do sol **sunstroke** *n no pl* insolação *f* **suntan** *n* bronzeado *m*
super ['su:pər] *adj inf* formidável
superb [sə'pɜ:rb] *adj* esplêndido, -a
supercenter ['su:pərsentər] *n Am* hipermercado *m*
superficial [ˌsu:pər'fɪʃl] *adj* superficial
superfluous [su:'pɜ:rfluəs] *adj* supérfluo, -a
superimpose [ˌsu:pərɪm'poʊz] *vt* sobrepor
superintendent [ˌsu:pərɪn'tendənt] *n* superintendente *mf; Am* (*janitor*) zelador(a) *m(f)*
superior [sə'pɪriər] *adj* superior
superiority [səˌpɪri'ɔ:rət̬i] *n no pl* superioridade *f*
superlative [sə'pɜ:rlət̬ɪv] *n* superlativo *m*
supermarket ['su:pərˌmɑ:rkɪt] *n* supermercado *m* **supermodel** ['su:pərˌmɑ:dəl] *n* supermodelo *f*
supernatural [ˌsu:pər'nætʃərəl] *adj* sobrenatural
superpower ['su:pərˌpaʊər] *n* superpotência *f*
supersede [ˌsu:pər'si:d] *vt* suplantar
supersonic [ˌsu:pər'sɑ:nɪk] *adj* supersônico, -a
superstition [ˌsu:pər'stɪʃn] *n* superstição *f*
superstitious [ˌsu:pər'stɪʃəs] *adj* supersticioso, -a
supervise ['su:pərvaɪz] *vt* supervisionar
supervision [ˌsu:pər'vɪʒn] *n no pl* supervisão *f*
supervisor ['su:pərvaɪzər] *n* supervisor(a) *m(f)*
supper ['sʌpər] *n* janta *f*
supple ['sʌpl] *adj* flexível
supplement ['sʌpləmənt] *n* suplemento *m*
supplementary [ˌsʌplə'mentəri] *adj* suplementar
supplier [sə'plaɪər] *n* fornecedor(a) *m(f)*
supply [sə'plaɪ] I. <-ie-> *vt* fornecer, abastecer II. *n* 1. (*of electricity,*

water) fornecimento *m; no pl* ECON abastecimento *m;* ~ **and demand** oferta e demanda **2. supplies** provisões *fpl*

support [sə'pɔ:rt] **I.** *vt* apoiar; (*provide for*) sustentar **II.** *n no pl* apoio *m*

supporter *n* (*of cause*) defensor(a) *m(f)*

supporting *adj* (*role*) coadjuvante

supportive [sə'pɔ:rtɪv] *adj* compreensivo, -a

suppose [sə'poʊz] *vt* supor

supposedly [sə'poʊzɪdli] *adv* supostamente

suppress [sə'pres] *vt* reprimir

supreme [sə'pri:m] *adj* supremo, -a

surcharge ['sɜ:rtʃɑ:rdʒ] *n* sobretaxa *f*

sure [ʃʊr] **I.** *adj* seguro, -a; **for** ~ com certeza **II.** *adv* ~ **enough** de fato

surely ['ʃʊrli, *Brit:* 'ʃɔ:li] *adv* certamente

surf [sɜ:rf] **I.** *n* surfe *m* **II.** *vi* surfar; (*on the internet*) navegar

surface ['sɜ:rfɪs] **I.** *n* superfície *f* **II.** *vi* emergir

surface mail *n* **by** ~ por via terrestre

surfboard *n* prancha *f* de surfe

surfer ['sɜ:rfər] *n* surfista *mf*

surfing *n no pl* surfe *m*

surge [sɜ:rdʒ] **I.** *vi* disparar **II.** *n* onda *f;* (*prices*) disparada *f*

surgeon ['sɜ:rdʒən] *n* cirurgião, -ã *m, f*

surgery ['sɜ:rdʒəri] *n no pl* cirurgia *f*

surgical ['sɜ:rdʒɪkl] *adj* cirúrgico, -a

Surinam(e) [ˌsʊrɪ'nɑ:m] *n* Suriname *m*

surly ['sɜ:rli] <-ier, -iest> *adj* ríspido, -a

surname ['sɜ:rneɪm] *n* sobrenome *m*

surplus ['sɜ:rpləs] *n* excedente *m*

surprise [sər'praɪz] **I.** *n* supresa *f* **II.** *vt* surpreender

surprising *adj* surpreendente

surrealism [sə'ri:əlɪzəm] *n* surrealismo *m*

surrender [sə'rendər] **I.** *vt, vi* render(-se) **II.** *n* rendição *f*

surreptitious [ˌsɜ:rəp'tɪʃəs] *adj* sorrateiro, -a

surrogate ['sɜ:rəgɪt] *adj* substituto, -a

surround [sə'raʊnd] *vt* cercar

surroundings *npl* arredores *mpl*

surveillance [sər'veɪləns] *n no pl* vigilância *f*

survey [sər'veɪ] **I.** *vt* sondar **II.** *n* levantamento *m*

surveyor [sər'veɪər] *n Am* topógrafo, -a *m, f*

survival [sər'vaɪvl] *n no pl* sobrevivência *f*

survive [sər'vaɪv] *vi, vt* sobreviver (a)

survivor [sər'vaɪvər] *n* sobrevivente *mf*

susceptible [sə'septəbl] *adj* suscetível

suspect[1] [sə'spekt] *vt* suspeitar

suspect[2] ['sʌspekt] *adj* suspeito, -a

suspend [sə'spend] *vt* suspender

suspender [sə'spendər] *n pl, Am* (*for pants*) suspensórios *mpl; Brit* (*strap*) liga *f* (de meia)

suspender belt *n Brit, Aus* cinta-liga *f*

suspense [sə'spens] *n* filme *m* de suspense

suspension [sə'spentʃn] *n no pl* interrupção *f;* SCH, UNIV suspensão *f*

suspension bridge *n* ponte *f* pênsil

suspension points *npl* reticências *fpl*

suspicion [sə'spɪʃn] *n* suspeita *f*

suspicious [sə'spɪʃəs] *adj* suspeito, -a

sustain [sə'steɪn] *vt* manter, agüentar

sustainable [sə'steɪnəbl] *adj* sustentável

sustained *adj* contínuo, -a

sustenance ['sʌstnənts] *n no pl* sustento *m*

SW [ˌes'dʌblju:] *abbr of* **southwest** S.O.

swab [swɑ:b] *n* cotonete *m inv*

swagger ['swægər] *vi* fanfarrear

swallow[1] ['swɑ:loʊ] *vi, vt* engolir

swallow[2] *n* ZOOL andorinha *f*

swam [swæm] *vi pt of* **swim**

swamp [swɑ:mp] I. *n* pântano *m* II. *vt* **to be ~ed with sth** *fig* estar atolado, -a em a. c.

swan [swɑ:n] *n* cisne *m*

swap [swɑ:p] <-pp-> *vt* trocar

swarm [swɔ:rm] *n* (*of bees*) enxame *m; fig* multidão *f*

swarthy ['swɔ:rði] <-ier, -iest> *adj* moreno, -a

swat [swɑ:t] <-tt-> *vt* (*insect*) acertar (com a mão, o jornal)

sway [sweɪ] I. *vi* balançar II. *vt* influenciar

Swaziland ['swɑ:zilænd] *n* Suazilândia *f*

swear [swer] <swore, sworn> *vi* 1. (*take oath*) jurar 2. (*curse*) dizer palavrão ◈ **swear in** *vt* empossar

swearword *n* palavrão *m*

sweat [swet] I. *n no pl* suor *m* II. *vi* suar

sweater ['swet̬ər] *n* agasalho *m*

sweatshirt ['swetʃɜ:rt] *n* moletom *m*

sweaty ['swet̬i] <-ier, -iest> *adj* suado, -a

Sweden ['swi:dn] *n* Suécia *f*

Swedish ['swi:dɪʃ] *adj* sueco, -a

sweep [swi:p] <swept, swept> I. *n no pl* varrida *f* II. *vi, vt* varrer

sweeping *adj* (*victory*) arrebatador, -a

sweet [swi:t] I. <-er, -est> *adj* doce; (*smile*) meigo, -a II. *n Brit, Aus* doce *m*

sweet-and-sour *adj* agridoce

sweeten ['swi:tən] *vt* adoçar

sweetener *n* adoçante *m*

sweetheart ['swi:thɑ:rt] *n* querido, -a *m, f*

sweetness *n no pl* doçura *f*

swell [swel] <swelled, swollen *o* swelled> I. *vi* (*in size*) inchar; (*in number*) aumentar II. <-er, -est> *adj Am, inf* fantástico, -a

swelling *n* inchaço *m*

sweltering ['sweltərɪŋ] *adj* sufocante

swept [swept] *vt, vi pt, pp of* **sweep**

swerve [swɜ:rv] *vi* desviar-se

swift[1] [swɪft] *adj* rápido, -a

swift[2] *n* andorinhão *m*

swig [swɪg] *n inf* trago *m*

swim [swɪm] I. <swam, swum> *vi* nadar II. *n* nadada *f*

swimming *n no pl* natação *f*

swimming cap *n* touca *f* de natação

swimming pool *n* piscina *f*

swimming trunks *npl* calção *m* (de banho)
swimsuit *n Am* maiô *m*
swindle ['swɪndl] *vt* trapacear
swine [swaɪn] *n* suíno *m*
swing [swɪŋ] I. *n* balanço *m*, oscilação *f* II. <swung, swung> *vi* balançar-se **swinging door** *n* porta *f* de vaivém
swipe [swaɪp] *vt inf* surrupiar
swirl [swɜ:rl] I. *vi, vt* rodopiar II. *n* turbilhão *m*
swish [swɪʃ] *vi* zunir
Swiss [swɪs] *adj* suíço, -a
switch [swɪtʃ] I. <-es> *n* 1. (*for machine, light*) interruptor *m* 2. (*change*) mudança *f* II. *vt* trocar
switchboard *n* TEL mesa *f* telefônica
Switzerland ['swɪtsərlənd] *n* Suíça *f*
swivel ['swɪvəl] I. *n* tornel *m* II. <*Brit:* -ll-, *Am:* -l-> *vt* girar
swollen ['swoʊlən] I. *pp of* **swell** II. *adj* inchado, -a
swoon [swu:n] *vi* desmaiar
swop [swɑ:p] <-pp-> *vt, vi Brit, Can s.* **swap**
sword [sɔ:rd] *n* espada *f*
swordfish <-(es)> *n* peixe-espada *m*
swore [swɔ:r] *pt of* **swear**
sworn [swɔ:rn] I. *pp of* **swear** II. *adj* juramentado, -a
swum [swʌm] *pp of* **swim**
swung [swʌŋ] *pt, pp of* **swing**
syllabi ['sɪləbaɪ] *n pl of* **syllabus**
syllable ['sɪləbl] *n* sílaba *f*
syllabus ['sɪləbəs] <-es, *form* syllabi> *n* programa *m* (de curso)
symbol ['sɪmbl] *n* símbolo *m*
symbolic(al) [sɪm'bɑ:lɪk(l)] *adj* simbólico, -a
symbolism ['sɪmbəlɪzəm] *n no pl* simbolismo *m*
symbolize ['sɪmbəlaɪz] *vt* simbolizar
symmetrical [sɪ'metrɪkl] *adj* simétrico, -a
symmetry ['sɪmətri] *n no pl* simetria *f*
sympathetic [ˌsɪmpə'θeţɪk] *adj* solidário, -a
sympathize ['sɪmpəθaɪz] *vi* solidarizar-se
sympathizer *n* simpatizante *mf*
sympathy ['sɪmpəθi] *n no pl* compaixão *f*; **my deepest** ~ meus sinceros pêsames
symphony ['sɪmfəni] *n* sinfonia *f*
symposium [sɪm'poʊziəm] <-s *o* -sia> *n form* simpósio *m*
symptom ['sɪmptəm] *n* sintoma *m*
synagogue ['sɪnəgɑ:g] *n* sinagoga *f*
syndicate ['sɪndəkɪt] *n* consórcio *m* (de empresas, pessoas)
syndrome ['sɪndroʊm] *n* síndrome *f*
synonym ['sɪnənɪm] *n* sinônimo *m*
synopsis [sɪ'næpsɪs] <-es> *n* sinopse *f*
syntax ['sɪntæks] *n no pl* sintaxe *f*
synthetic [sɪn'θeţɪk] *adj* sintético, -a
syphilis ['sɪflɪs] *n no pl* sífilis *f inv*
syphon ['saɪfn] *n* sifão *m*
Syria ['sɪriə] *n* Síria *f*
syringe [sə'rɪndʒ] *n* seringa *f*
syrup ['sɪrəp] *n no pl* calda *f*, xarope *m*
system ['sɪstəm] *n* sistema *m*
systematic [ˌsɪstə'mæţɪk] *adj* sistemático, -a

T

T, t [ti:] *n* t *m*
T [ti:] *n inf abbr of* **T-shirt** camiseta *f*
t *abbr of* **ton** t (*Am: 907 quilos; Brit: 1.016 quilos*)
ta [tɑ:] *interj Brit, inf* obrigado, -a
tab [tæb] *n* lingüeta *f*
table ['teɪbl] *n* **1.** mesa *f* **2.** MAT tabela *f*
tablecloth *n* toalha *f* de mesa **tablespoon** *n* colher *f* de sopa
tablet ['tæblɪt] *n* comprimido *m*
table tennis *n no pl* tênis *m* de mesa
tabloid ['tæblɔɪd] *n* tablóide *m*
taboo [tə'bu:] **I.** *n* tabu *m* **II.** *adj* tabu
tack [tæk] *n* tacha *f*
tackle ['tækl] **I.** *vt* **1.** (*in soccer*) dar uma entrada **2.** (*problem*) tentar resolver **II.** *n no pl* **1.** (*in soccer*) entrada *f* **2.** (*equipment*) equipamento *m*
tacky ['tæki] <-ier, -iest> *adj inf* brega
tact [tækt] *n no pl* tato *m*
tactful ['tæktfl] *adj* diplomático, -a
tactic ['tæktɪk] *n* ~(**s**) tática *f*
tactile ['tæktl, *Brit:* -taɪl] *adj form* tátil
tadpole ['tædpoʊl] *n* girino *m*
tag [tæg] **I.** *n* **1.** etiqueta *f* **2.** *no pl* (*game*) pega-pega *m* **II.** <-gg-> *vt* etiquetar
tail [teɪl] **I.** *n* ANAT, AVIAT cauda *f;* (*of animal*) rabo *m* **II.** *vt* seguir
tailor ['teɪlər] *n* alfaiate *m*
tailor-made *adj* feito, -a sob medida
tailpipe ['teɪlpaɪp] *n Am* cano *m* de escapamento
taint [teɪnt] *vt* contaminar
Taiwan [ˌtaɪ'wɑ:n] *n* Taiwan *m*
Tajikistan [tɑ:'dʒi:kɪˌstɑ:n] *n* Tadjiquistão *m*
take [teɪk] <took, taken> *vt* **1.** (*medicine*) tomar **2.** (*bus*) tomar **3.** (*bring*) levar **4.** (*photograph, vacation*) tirar **5. to ~ sth seriously** levar a. c. a sério ◈**take apart** *vt* desmontar ◈**take away** *vt* (*remove*) tirar ◈**take down** *vt* **1.** tirar **2.** (*write down*) tomar nota ◈**take in** *vt* **1.** acolher **2.** (*understand*) compreender ◈**take off** **I.** *vt* **1.** retirar **2.** (*clothes*) tirar **II.** *vi* decolar ◈**take out** *vt* (*bring outside*) levar para fora ◈**take over** *vt* assumir o controle ◈**take to** *vt* **to ~ to sb** afeiçoar-se a alguém ◈**take up** *vt* começar
taken *vt pp of* **take**
take-off *n* decolagem *f*
talc [tælk] *n no pl,* **talcum powder** [tælkəm-] *n* talco *m*
tale [teɪl] *n* conto *m,* história *f*
talent ['tælənt] *n* talento *m*
talented *adj* talentoso, -a
talk [tɔ:k] **I.** *n* **1.** conversa *f* **2.** (*lecture*) palestra *f* **II.** *vi* conversar, falar
talkative ['tɔ:kət̬ɪv] *adj* falante
tall [tɔ:l] *adj* alto, -a
tambourine [ˌtæmbə'ri:n] *n* pandeiro *m*
tame [teɪm] **I.** *adj* manso, -a **II.** *vt* domar
tampon ['tæmpɑ:n] *n* absorvente *m*

interno

tan [tæn] I. <-nn-> *vi* bronzear-se II. *n* bronzeado *m*

tangent ['tændʒənt] *n* tangente *f*

tangerine [ˌtændʒə'ri:n] *n* tangerina *f*

tangible ['tændʒəbl] *adj* tangível

tangle ['tæŋgl] *vt* embaraçar

tango ['tæŋgoʊ] *n* tango *m*

tank [tæŋk] *n* tanque *m*

tanker ['tæŋkər] *n* caminhão-tanque *m;* **oil** ~ navio-petroleiro *m*

tantalizing ['tæntəlaɪzɪŋ] *adj* tentador, -a

tantrum ['tæntrəm] *n* **to throw a** ~ ter um faniquito

Tanzania [ˌtænzə'ni:ə] *n* Tanzânia *f*

tap¹ [tæp] *n* 1. torneira *f* 2. TEL grampo *m*

tap² [tæp] *vt* bater ligeiramente

tap dance *n* sapateado *m*

tape [teɪp] I. *n* fita *f* II. *vt* 1. (*stick*) prender com fita adesiva 2. (*record*) gravar

tape measure *n* fita *f* métrica

tape recorder *n* gravador *m*

tapestry ['tæpəstri] *n* tapeçaria *f*

tapeworm ['teɪpwɜ:rm] *n* solitária *f*

tar [tɑ:r] *n no pl* alcatrão *m*

target ['tɑ:rgɪt] I. *n* alvo *m* II. *vt* mirar

tariff ['terɪf] *n* tarifa *f*

tarmac ['tɑ:rmæk] *n* asfalto *m*

tarnish ['tɑ:rnɪʃ] I. *vt* (*reputation*) manchar II. *vi* embaçar

tarp [tɑ:rp] *n esp Am,* **tarpaulin** [tɑ:r'pɑ:lɪn] *n* lona *f*

tart¹ [tɑ:rt] *adj* (*sour*) azedo, -a

tart² *n* GASTR pequena torta *f*

task [tæsk] *n* tarefa *f*

taste [teɪst] I. *n no pl* gosto *m* II. *vt* saborear

tasteful ['teɪstfəl] *adj* de bom gosto

tasteless ['teɪstləs] *adj* 1. insosso, -a 2. (*clothes, remark*) de mau gosto

tasty ['teɪsti] *adj* saboroso, -a

tattered ['tæt̬ərd] *adj* esfarrapado, -a

tattoo [tæt'u:] I. *n* tatuagem *f* II. *vt* tatuar

taught [tɑ:t] *pt, pp of* **teach**

Taurus ['tɔ:rəs] *n* Touro *m*

tavern ['tævərn] *n* taberna *f*

tax [tæks] <-es> *n* imposto *m*

taxable ['tæksəbl] *adj* tributável

taxation [tæk'seɪʃn] *n no pl* tributação *f*

tax-free *adj* livre de impostos

taxi ['tæksi] *n* táxi *m*

taxing *adj* cansativo, -a

taxi rank *n Brit,* **taxi stand** *n Am* ponto *m* de táxi

taxpayer *n* contribuinte *mf*

TB [ˌti:'bi:] *n abbr of* **tuberculosis** tuberculose *f*

tea [ti:] *n no pl* chá *m*

tea bag *n* saquinho *m* de chá

teach [ti:tʃ] <taught, taught> *vt* ensinar

teacher ['ti:tʃər] *n* professor(a) *m(f)*

teaching *n no pl* ensino *m*

teacup *n* xícara *f* de chá

teak [ti:k] *n no pl* teca *f*

team [ti:m] *n* time *m,* equipe *f* **teamwork** *n* trabalho *m* de equipe

teapot *n* bule *m* de chá

tear¹ [tɪr] *n* (*from crying*) lágrima *f*

tear² [ter] I. *n* (*rip*) rasgo *m*

II. <tore, torn> *vi, vt* (*rip*) rasgar ◈ **tear down** *vt* derrubar, demolir
teardrop ['tɪrdrɑ:p] *n* lágrima *f*
tear gas *n* gás *m* lacrimogênio
tease [ti:z] *vt* **1.** caçoar de **2.** (*provoke*) provocar
tea shop *n Brit* salão *m* de chá **teaspoon** *n* colher *f* de chá
teat [ti:t] *n* teta *f*
teatime *n* hora *f* do chá
techie ['teki] *n inf* nerd *m*
technical ['teknɪkəl] *adj* técnico, -a
technicality [ˌteknə'kæləţi] <-ies> *n* detalhe *m* técnico
technician [tek'nɪʃn] *n* técnico, -a *m, f*
technique [tek'ni:k] *n* técnica *f*
technological [ˌteknə'lɑ:dʒɪkl] *adj* tecnológico, -a
teddy bear ['tedi-] *n* ursinho *m* de pelúcia
tedious ['ti:diəs] *adj* entediante, maçante
teen [ti:n] *n*, **teenager** ['ti:nˌeɪdʒər] *n* adolescente *mf*
tee-shirt *n* camiseta *f*
teeth [ti:θ] *pl of* **tooth**
teetotal [ti:'toʊţl] *adj* abstêmio, -a
tel. *abbr of* **telephone** tel.
telecommunications ['telɪkəˌm-ju:-nɪ'keɪʃnz] *npl* telecomunicações *fpl*
teleconference ['telɪˌkɑ:nfərəns] *n* teleconferência *f*
telegram ['telɪgræm] *n* telegrama *m*
telegraph ['telɪgræf] *n no pl* telégrafo *m*
telepathy [tə'lepəθi] *n no pl* telepatia *f*
telephone ['teləfoʊn] **I.** *n* telefone *m* **II.** *vi, vt* telefonar
telephone book *n* lista *f* telefônica **telephone booth** *n Am*, **telephone box** *n Brit* cabine *f* telefônica **telephone directory** *n* lista *f* telefônica **telephone number** *n* número *m* de telefone
telescope ['teləskoʊp] *n* telescópio *m*
televise ['teləvaɪz] *vt* televisar
television ['teləvɪʒən] *n* televisão *f*
tell [tel] <told, told> **I.** *vt* **1.** (*secret, time*) contar **2.** (*command*) mandar **II.** *vi* saber ◈ **tell apart** *vt* distinguir ◈ **tell off** *vt* dar uma bronca em *f*
teller ['telər] *n* caixa *mf* de banco
telling *adj* revelador(a)
telly ['teli] *n Brit, Aus, inf* tevê *f*
temp [temp] *n* funcionário, -a *m, f* temporário
temp. *abbr of* **temperature** temp.
temper ['tempər] *n* humor *m*; **to lose one's ~** perder a paciência
temperamental [ˌtemprə'mentl] *adj* temperamental
temperate ['tempərət] *adj* moderado, -a
temperature ['tempərətʃər] *n* **1.** temperatura *f* **2.** (*fever*) febre *f*
temple ['templ] *n* templo *m*
tempo ['tempoʊ] <-s *o* -pi> *n* MUS tempo *m*
temporary ['tempəreri] *adj* temporário, -a
tempt [tempt] *vt* tentar
temptation [temp'teɪʃn] *n* tentação *f*
tempting ['temptɪŋ] *adj* tentador(a)
ten [ten] *adj* dez *inv*
tenant ['tenənt] *n* inquilino, -a *m, f*
tend[1] [tend] *vi* **to ~ to do sth** tender

a fazer a. c.

tend² *vt* (*look after*) tomar conta de

tendency ['tendənsi] <-ies> *n* tendência *f*

tender ['tendər] *adj* **1.** (*not tough*) macio, -a **2.** (*loving*) terno, -a

tenderness ['tendərnɪs] *n no pl* ternura *f*

tendon ['tendən] *n* tendão *m*

tenement ['tenəmənt] *n* conjunto *m* habitacional popular

tennis ['tenɪs] *n no pl* tênis *m* **tennis court** *n* quadra *f* de tênis **tennis racket** *n* raquete *f* de tênis

tenor ['tenər] *n* MUS tenor *m*

tense¹ [tens] *n* tempo *m* (verbal)

tense² *adj* tenso, -a

tension ['tentʃn] *n no pl* tensão *f*

tent [tent] *n* barraca *f*

tentacle ['tentəkl] *n* tentáculo *m*

tentative ['tentət̬ɪv] *adj* provisório, -a

tenth [tenθ] *adj* décimo, -a

tepid ['tepɪd] *adj* tépido, -a

term [tɜ:rm] *n* **1.** (*label, word*) termo *m* **2.** (*limit*) prazo *m*

terminal ['tɜ:rmɪnl] **I.** *adj* terminal **II.** *n* terminal *m*

terminate ['tɜ:rmɪneɪt] *vt form* (*contract*) rescindir

termination [ˌtɜ:rmɪ'neɪʃn] *n no pl* rescisão *f*

terminology [ˌtɜ:rmɪ'nɑ:lədʒi] *n* terminologia *f*

termite ['tɜ:rmaɪt] *n* cupim *m*

terrace ['terəs] *n* terraço *m*

terrain [te'reɪn] *n* terreno *m*

terrible ['terəbl] *adj* péssimo, -a

terribly *adv* terrivelmente; (*very*) muito

terrific [tə'rɪfɪk] *adj inf* maravilhoso, -a

terrify ['terəfaɪ] <-ie-> *vt* apavorar

terrifying *adj* apavorante

territory ['terətɔ:ri] <-ies> *n* território *m*

terror ['terər] *n no pl* terror *m*

terrorism ['terərɪzəm] *n no pl* terrorismo *m*

terrorist ['terərɪst] *n* terrorista *mf*

terrorize ['terəraɪz] *vt* aterrorizar

test [test] **I.** *n* **1.** prova *f* **2.** MED exame *m* **II.** *vt* testar

testament ['testəmənt] *n form* testamento *m*

testicle ['testɪkl] *n* testículo *m*

testify ['testɪfaɪ] <-ie-> *vi form* depor

testimony ['testɪmoʊni] <-ies> *n* depoimento *m,* testemunho *m*

tetanus ['tetnəs] *n no pl* tétano *m*

Texan ['teksən] *adj* texano, -a

Texas ['teksəs] *n* Texas *m*

text [tekst] *n* texto *m*

textbook *n* livro-texto *m*

textile ['tekstaɪl] *n pl* tecidos *mpl*

texture ['tekstʃər] *n* textura *f*

Thai [taɪ] *adj* tailandês, -esa

Thailand ['taɪlənd] *n* Tailândia *f*

Thames [temz] *n* **the** (**River**) ~ o (rio) Tâmisa

than [ðən, ðæn] *conj* (do) que; **more ~ once** mais de uma vez

thank [θæŋk] *vt* agradecer; ~ **you** obrigado, -a

thankful ['θæŋkfəl] *adj* grato, -a

thankfully *adv* felizmente

thanks *npl* obrigado, -a *m, f;* ~ **to** graças a

Cultura **Thanksgiving** (Ação de Graças) é uma das festas mais importantes dos E.U.A., celebrada na quarta quinta-feira do mês de novembro. O primeiro **Thanksgiving Day** foi comemorado em 1621 pelos **Pilgrims** na **Plymouth Colony**. Tendo sobrevivido a grandes dificuldades, queriam dar graças a Deus por isso. É costume das famílias reunirem-se para celebrar esse dia. O prato principal é o **stuffed turkey** (peru recheado), **cranberry sauce** (molho de mirtilo), **yams** (batata-doce) e **corn** (milho).

that [ðæt, ðət] I. *adj dem* <those> esse, -a, isso; (*more remote*) aquele, -a, aquilo II. *pron* 1. *rel* que; **all ~ I have** tudo o que eu tenho 2. *dem* **like ~** assim III. *adv* tão IV. *conj* 1. que 2. (*in order that*) para que *+subj*
thatch [θætʃ] *n no pl* telhado *m* de sapê
thaw [θɑ:] *vi* descongelar
the [ðə, *stressed, before vowel* ði:] I. *art def art* o *m*, a *f*, os *mpl*, as *fpl*; **at ~ door** à porta; **at ~ hotel** no hotel; **from ~ garden** do jardim II. *adv* (*in comparison*) **~ sooner ~ better** o quanto antes melhor
theater *n Am,* **theatre** [ˈθi:əţər] *n Brit, Aus* teatro *m*
theatrical [θiˈætrɪkl] *adj* teatral
theft [θeft] *n* furto *m*
their [ðer] *adj poss* deles, -as
theirs *pron poss* o(s) deles *m*, a(s) delas *f*
them [ðem, ðəm] *pron 3rd pers pl* 1. *direct object* os *m*, as *f* 2. *indirect object* lhes, para eles *m*, para elas *f* 3. (*they*) eles *m*, elas *f*; **if I were ~** se eu fosse eles, elas
theme [θi:m] *n* tema *m*
theme park *n* parque *m* temático
themselves [ðəmˈselvz] *pron* 1. *subject* eles mesmos *m*, elas mesmas *f* 2. *object, refl* se 3. *after prep* si mesmos *m*, si mesmas *f*; **by ~** sozinhos
then [ðen] *adv* 1. (*after that*) depois 2. (*as a result*) então
theoretical [ˌθi:əˈreţɪkəl] *adj* teórico, -a
theorize [ˈθi:əraɪz] *vi* teorizar
theory [ˈθi:əri] <-ies> *n* teoria *f*
therapeutic(al) [ˌθerəˈpju:ţɪk(l)] *adj* terapêutico, -a
therapist [ˈθerəpɪst] *n* terapeuta *mf*
therapy [ˈθerəpi] <-ies> *n* terapia *f*
there [ðer] *adv* aí, ali, lá; **~ is/are** há
thereafter [ðerˈæftər] *adv* daí em diante
thereby [ðerˈbaɪ] *adv form* assim
therefore [ˈðerfɔ:r] *adv* portanto, logo
thermometer [θərˈmɑ:məţər] *n* termômetro *m*
these [ði:z] *pl of* **this**
thesis [ˈθi:sɪs] <-ses> *n* tese *f*
they [ðeɪ] *pron pers* (*3rd pers pl*) eles *m*, elas *f*; **~ say that ...** dizem que ...
thick [θɪk] *adj* 1. (*fog*) denso, -a; (*liquid*) espesso, -a; (*wall, coat, hair*) grosso, -a 2. *inf* estúpido, -a
thicken [ˈθɪkən] *vt* engrossar

thicket ['θɪkɪt] *n* mato *m*
thickness ['θɪknɪs] *n no pl* (*of sauce*) consistência *f*; (*of wall*) espessura *f*
thief [θi:f] <thieves> *n* ladrão, ladra *m, f*
thigh [θaɪ] *n* coxa *f*
thimble ['θɪmbl] *n* dedal *m*
thin [θɪn] <-nn-> *adj* (*clothes*) fino, -a; (*person*) magro, -a
thing [θɪŋ] *n* coisa *f*
think [θɪŋk] <thought, thought> **I.** *vt* (*be of opinion that*) achar **II.** *vi* pensar ◈ **think ahead** *vi* antecipar-se ◈ **think back** *vi* recordar ◈ **think up** *vt* inventar
thinker *n* pensador(a) *m(f)*
third [θɜ:rd] *adj* **1.** terceiro, -a **2.** (*fração*) terço, -a
third party *n* terceiro *m* **Third World** *n* **the** ~ o Terceiro Mundo
thirst [θɜ:rst] *n* sede *f*
thirsty ['θɜ:rsti] <-ier, -iest> *adj* com sede
thirteen [θɜ:r'ti:n] *adj* treze *inv*
thirteenth [θɜ:r'ti:nθ] *adj* décimo terceiro, décima-terceira
thirtieth ['θɜ:ţiəθ] *adj* trigésimo, -a
thirty ['θɜ:rţi] *adj* trinta *inv*
this [ðɪs] **I.** <these> *adj def* este, -a **II.** <these> *pron dem* este *m*, esta *f*, isto **III.** *adv* ~ **big** grande assim
thorn [θɔ:rn] *n* espinho *m*
thorny ['θɔ:rni] <-ier, -iest> *adj* espinhoso, -a
thorough ['θɜ:roʊ] *adj* meticuloso, -a
thoroughfare ['θɜ:roʊfer] *n form* via *f* pública
thoroughly *adv* completamente, muito
those [ðoʊz] *pl of* **that**
though [ðoʊ] *conj* embora, mesmo assim; **as** ~ como se +*subj*
thought [θɑ:t] **I.** *pt, pp of* **think** **II.** *n no pl* pensamento *m*
thoughtful ['θɑ:tfl] *adj* atencioso, -a
thousand ['θaʊznd] *adj* mil; ~**s of birds** milhares de pássaros
thread [θred] **I.** *n no pl* linha *f* **II.** *vt* enfiar linha (na agulha)
threat [θret] *n* ameaça *f*
threaten ['θretən] *vi, vt* ameaçar
threatening *adj* ameaçador(a)
three [θri:] *adj* três *inv*
threshold ['θreʃhoʊld] *n* **1.** (*doorway*) soleira *f* **2.** (*limit*) limiar *m*
threw [θru:] *pt of* **throw**
thrift [θrɪft] *n no pl* economia *f*
thrill [θrɪl] **I.** *n* forte emoção *f* **II.** *vt* emocionar
thriller ['θrɪlər] *n* filme *m* de suspense
thrive [θraɪv] <thrived *o* throve, thrived *o* thriven> *vi* prosperar
thriving *adj* próspero, -a
throat [θroʊt] *n* garganta *f*
throb [θrɑ:b] <-bb-> *vi* (*heart*) pulsar
throne [θroʊn] *n* trono *m*
throttle ['θrɑ:ţl] *n* acelerador *m* de mão
through [θru:] **I.** *prep* **1.** (*spatial*) através de, por (entre) **2.** (*temporal*) do início ao fim; **all** ~ **my life** toda minha vida **3.** *Am* (*until*) **Monday** ~ **Friday** de segunda a sexta **4.** (*by means of*) por meio de **II.** *adv* até o fim

throughout [θruːˈaʊt] *prep* por todo, -a

throve [θroʊv] *pt of* **thrive**

throw [θroʊ] <threw, thrown> *vt* atirar, jogar; (*javelin, dice*) arremessar, lançar ◈ **throw away** *vt* jogar fora ◈ **throw out** *vt* (*person*) expulsar; (*thing*) jogar fora ◈ **throw up** *vi inf* vomitar

throw-in *n* (*in baseball, soccer*) arremesso *m* lateral

thrown *pp of* **throw**

thrush [θrʌʃ] *n* sabiá *m*

thrust [θrʌst] <-, -> *vt* empurrar

thud [θʌd] *n* baque *m*

thug [θʌg] *n* bandido *m*

thumb [θʌm] *n* dedo *m* polegar

thump [θʌmp] *n* (*noise*) baque *m*

thunder [ˈθʌndər] *n no pl* trovão *m*

thunderous [ˈθʌndərəs] *adj* estrondoso, -a

thunderstorm *n* tempestade *f*

thunderstruck [ˈθʌndərstrʌk] *adj form* estupefato, -a

Thursday [ˈθɜːrzdeɪ] *n* quinta(-feira) *f*

thus [ðʌs] *adv form* **1.** (*therefore*) portanto **2.** (*like this*) assim

thwart [θwɔːrt] *vt* frustrar

thy [ðaɪ] *pron poss, liter* teu(s), tua(s)

thyme [taɪm] *n no pl* tomilho *m*

tic [tɪk] *n* tique *m*

tick¹ [tɪk] *n* carrapato *m*

tick² *vi* (*clock*) fazer tiquetaque ◈ **tick off** *vt* **1.** marcar **2.** *Am, inf* aporrinhar

ticket [ˈtɪkɪt] *n* **1.** (*for bus, concert*) bilhete *m* **2.** (*tag*) etiqueta *f* **3.** (*fine*) multa *f* **ticket office** *n* bilheteria *f*

tickle [ˈtɪkl] **I.** *vt* fazer cócegas **II.** *vi* coçar

tidal wave *n* onda *f* gigantesca (de maremoto)

tide [taɪd] *n* maré *f*

tidy [ˈtaɪdi] **I.** *adj* <-ier, -iest> arrumado, -a **II.** *vt* arrumar

tie [taɪ] **I.** *n* **1.** gravata *f* **2.** ~**s** (*diplomatic*) relações *fpl* **II.** *vt* amarrar ◈ **tie down** *vt* prender ◈ **tie up** *vt* amarrar

tiger [ˈtaɪgər] *n* tigre *m*

tight [taɪt] **I.** *adj* apertado; (*rope, skin*) esticado, -a **II.** *adv* (*sleep, close*) bem

tighten [ˈtaɪten] *vt* apertar

tights [taɪts] *npl Am, Aus* calça *f* colante

tile [taɪl] *n* (*roof*) telha *f*; (*wall*) azulejo *m*

till [tɪl] *adv, conj s.* **until**

tilt [tɪlt] **I.** *vt* inclinar **II.** *vi* inclinar-se

timber [ˈtɪmbər] *n no pl* madeira *f*

time [taɪm] *n* **1.** tempo *m*; **for the ~ being** por enquanto; **to give sb a hard ~** *inf* infernizar a vida de alguém **2.** (*clock*) hora *f*; **what ~ is it?** que horas são? **3.** (*moment*) momento *m*; **on ~** na hora **4.** (*occasion*) vez *f*

time bomb *n* bomba-relógio *f*

time-consuming *adj* demorado, -a

timeless [ˈtaɪmləs] *adj* eterno, -a

timely [ˈtaɪmli] *adj* <-ier, -iest> oportuno, -a

time-out *n* intervalo *m*

timer ['taɪmər] *n* timer *m*
timetable *n* horário *m;* (*for project, events*) programação *f* **time zone** *n* fuso *m* horário
timid ['tɪmɪd] *adj* <-er, -est> tímido, -a
timing ['taɪmɪŋ] *n no pl* timing *m*
tin [tɪn] *n* **1.** *no pl* estanho *m* **2.** (*for baking*) fôrma *f*
tin can *n* lata *f*
tinfoil *n* papel *m* de alumínio
tinge [tɪndʒ] *n* (*of color*) tom *m*
tingle ['tɪŋgl] *vi* formigar
tinker ['tɪŋkər] *vi* **to ~ with sth** fazer reparos em a. c.
tinkle ['tɪŋkl] *n* tinido *m*
tinsel ['tɪnsl] *n no pl* lantejoula *f*
tint [tɪnt] *vt* tingir
tiny ['taɪni] *adj* <-ier, -iest> minúsculo, -a
tip¹ [tɪp] *n* ponta *f*
tip² <-pp-> *vt* inclinar ◆**tip over** **I.** *vt* derrubar **II.** *vi* entornar
tip³ **I.** *n* **1.** (*for service*) gorjeta *f* **2.** (*hint*) palpite *m* **II.** <-pp-> *vt* dar gorjeta
tipsy ['tɪpsi] *adj* <-ier, -iest> embriagado, -a
tiptoe ['tɪptoʊ] *n* **on ~(s)** na ponta dos pés
tirade ['taɪreɪd, *Brit:* taɪ'reɪd] *n* discurso *m* de censura
tire¹ ['taɪər] *n Am* pneu *m*
tire² *vi, vt* cansar(-se)
tired *adj* <-er, -est> (*person*) cansado, -a
tiresome ['taɪərsəm] *adj* cansativo, -a
tiring *adj* cansativo, -a
tissue ['tɪʃuː] *n* **1.** (*handkerchief*) lenço *m* de papel **2.** *no pl* ANAT, BIO tecido *m*
tit [tɪt] *n vulg* teta *f*
title ['taɪţl] *n* título *m*
title role *n* papel *m* principal
tittle-tattle ['tɪţlˌtæţl] *n no pl, inf* fofocagem *f*
TNT [ˌtiːen'tiː] *n abbr of* **trinitrotoluene** TNT *m*
to [tuː] **I.** *prep* **1.** (*in direction of*) para **2.** (*until*) até **3.** *with indirect object* **this belongs ~ me** isso me pertence; **to show sth ~ sb** mostrar a. c. a alguém **II.** *infin particle* **1.** (*infin: not translated*) **she wants ~ go** ela quer ir **2.** (*wish, command*) **I told him ~ eat** eu disse para ele comer
toad [toʊd] *n* sapo *m*
toadstool ['toʊdstuːl] *n* cogumelo *m* venenoso
to and fro *adv* para lá e para cá
toast [toʊst] **I.** *n* **1.** *no pl* (*bread*) torrada *f* **2.** (*drink*) brinde *m inv* **II.** *vt* **1.** (*cook*) torrar **2.** (*drink*) brindar
toaster *n* torradeira *f*
tobacco [tə'bækoʊ] *n no pl* fumo *m,* tabaco *m*
tobacconist [tə'bækənɪst] *n* vendedor(a) *m(f)* em tabacaria
toboggan [tə'bɑːgən] *n* tobogã *m*
today [tə'deɪ] *adv* hoje
toddler ['tɑːdlər] *n* criança *f* em idade de engatinhar
toe [toʊ] *n* dedo do pé *m* **toenail** *n* unha *f* do pé

toffee ['tɑ:fi] *n* caramelo *m*
together [tə'geðər] *adv* junto; **to get** ~ encontrar-se
toil [tɔɪl] *vi* labutar
toilet ['tɔɪlɪt] *n* **1.** (*room*) toalete *f* **2.** (*appliance*) vaso *m* sanitário **toilet paper** *n* papel *m* higiênico
token ['toʊkən] *n* **1.** sinal *m* **2.** (*for machines*) ficha *f*
told [toʊld] *pt, pp of* **tell**
tolerable ['tɑ:lərəbl] *adj* tolerável
tolerance ['tɑ:lərəns] *n no pl* tolerância *f*
tolerant ['tɑ:lərənt] *adj* tolerante
tolerate ['tɑ:lərent] *vt* tolerar
toleration [ˌtɑ:lə'reɪʃn] *n no pl* tolerância *f*
toll [toʊl] *n* **1.** pedágio *m* **2.** *Am* TEL tarifa *f*
toll-free *adv Am* gratuito, -a
tom (**cat**) [tɑ:m] *n* gato *m*
tomato [tə'meɪt̬oʊ, *Brit:* -'mɑ:təʊ] <-oes> *n* tomate *m*
tomb [tu:m] *n* túmulo *m*
tombstone *n* lápide *f*
tome [toʊm] *n* tomo *m*
tomorrow [tə'mɑ:roʊ] *adv* amanhã; ~ **morning** amanhã de manhã; **a week from** ~ em uma semana; **the day after** ~ depois de amanhã
ton [tʌn] *n* tonelada *f* (*Am: 907 quilos; Brit: 1.016 quilos*)
tone [toʊn] *n* **1.** (*of voice*) tom *m* **2.** (*of color*) tonalidade *f* ◈ **tone down** *vt* moderar
toner ['toʊnər] *n* toner *m*
tongs [tɑ:ŋz] *npl* pinça *f*
tongue [tʌŋ] *n* língua *f*
tongue twister *n* trava-língua *m*
tonic ['tɑ:nɪk] *n* tônico *m*
tonic water *n* água *f* tônica
tonight [tə'naɪt] *adv* hoje à noite
tonne [tʌn] *n* tonelada *f* métrica (*1.000 quilos*)
tonsil ['tɑ:nsl] *n* amígdala *f*
tonsillitis [ˌtɑ:nsə'laɪt̬ɪs] *n no pl* amigdalite *f*
too [tu:] *adv* **1.** demais, muito **2.** (*also*) também
took [tʊk] *vt, vi pt of* **take**
tool [tu:l] *n* ferramenta *f*
toot [tu:t] *vi* buzinar
tooth [tu:θ] <teeth> *n* dente *m*
toothache ['tu:θeɪk] *n* dor *f* de dente
toothbrush *n* escova *f* de dentes
toothpaste *n no pl* creme *m* dental
toothpick *n* palito *m* de dentes
top[1] [tɑ:p] *n* (*toy*) pião *m*
top[2] **I.** *n* **1.** (*highest part*) topo *m* **2.** (*on*) em cima de **3.** (*clothing*) top *m* **4.** (*of bottle, pen*) tampa *f*; (*of list, page*) alto *m* **II.** *adj* **1.** principal **2.** (*best*) melhor
top hat *n* cartola *f*
topic ['tɑ:pɪk] *n* tópico *m*
topping *n* GASTR cobertura *f*
topple ['tɑ:pl] *vt* derrubar
topsy-turvy [ˌtɑ:psɪ'tɜ:rvi] *adj inf* de pernas para o ar
torch [tɔ:rtʃ] <-es> *n* **1.** *Am* (*blowlamp*) maçarico *m* **2.** *Aus, Brit* (*flashlight*) lanterna *f*
tore [tɔ:r] *vi, vt pt of* **tear**
torment ['tɔ:rment] *vt* atormentar
torn [tɔ:rn] *vi, vt pp of* **tear**
tornado [tɔ:r'neɪdoʊ] *n* <-(e)s> tor-

nado *m*

torpedo [tɔ:r'pi:doʊ] <-es> *n* torpedo *m*

torrent ['tɔ:rənt] *n* enxurrada *f*

torrential [tɔ:'renʃl] *adj* torrencial

torso ['tɔ:rsoʊ] *n* tronco *m*, torso *m*

tortoise ['tɔ:rt̬əs] *n* tartaruga *f*

tortuous ['tɔ:rtʃuəs, *Brit:* 'tɔ:tjʊəs] *adj* tortuoso, -a

torture ['tɔ:rtʃər] I. *n* tortura *f* II. *vt* torturar

toss [tɑ:s] *vt* jogar, atirar

tot [tɑ:t] *n inf* (*child*) pequeno, -a *m, f*

total ['toʊt̬l] I. *n* total *m* II. *adj* total

totalitarian [toʊˌtælə'teriən] *adj* totalitário, -a

totally *adv* totalmente

tote [toʊt] *n abbr of* **tote bag** sacola *f* grande

totem ['toʊt̬əm-] *n* totem *m*

totter ['tɑ:t̬ər] *vi* cambalear

toucan ['tu:kæn] *n* tucano *m*

touch [tʌtʃ] <-es> I. *n* 1. *no pl* tato *m* 2. (*act of touching*) toque *m* 3. *no pl* (*communication*) **to be in ~ (with sb)** estar em contato (com alguém); **to lose ~ with sb** perder contato com alguém 4. *no pl* (*small amount*) pitada *f* II. *vt* 1. (*feel*) tocar 2. (*brush against*) roçar 3. (*emotionally*) comover III. *vi* tocar-se ◈**touch down** *vi* aterrissar ◈**touch up** *vt* PHOT retocar

touchdown *n* 1. aterrissagem *f* 2. (*in football*) touchdown *m*

touching *adj* comovente

touchy ['tʌtʃi] <-ier, -iest> *adj* (*issue*) delicado, -a; (*person*) suscetível

tough [tʌf] *adj* 1. (*strong*) resistente; (*meat, skin*) duro, -a 2. **to be ~ on sb** ser duro com alguém 3. **~ luck** *inf* azar *m*

tour [tʊr] I. *n* 1. viagem *f*; **guided ~** excursão *f* 2. (*of factory*) visita *f* 3. MUS turnê *f*; **to go on ~** fazer uma turnê II. *vt* viajar, visitar

tourism ['tʊrɪzəm] *n no pl* turismo *m*

tourist ['tʊrɪst] *n* turista *mf*

tourist agency *n* agência *f* de turismo

tourist guide *n* guia *mf* turístico

tournament ['tɜ:rnəmənt] *n* torneio *m*

tour operator *n* agente *m* de turismo

tousle ['taʊzl] *vt* descabelar

tow [toʊ] *vt* rebocar

toward(s) [twɔ:rd(z), *Brit:* tə'wɔ:d(z)] *prep* 1. em direção a 2. (*for*) para

towel ['taʊəl] *n* toalha *f*; **to throw in the ~** jogar a toalha

towel rack *n Am*, **towel rail** *n Aus, Brit* porta-toalhas *m*

tower ['taʊər] *n* torre *f*

towering *adj* muito elevado, -a

town [taʊn] *n* (*large*) cidade *f*; (*small*) vilarejo *m*; **to go out on the ~** sair para badalar; **to (really) go to ~ on sth** fazer a festa com a. c.

town centre *n Brit* centro *m* da cidade **town council** *n* câmara *f* municipal **town hall** *n* prefeitura *f*

township ['taʊnʃɪp] *n* 1. *Am, Can* município *m* 2. *South Africa* distrito *m* municipal

tow truck *n Am* reboque *m*

toxic ['tɑ:ksɪk] *adj* tóxico, -a

toxin ['tɑ:ksɪn] *n* toxina *f*

toy [tɔɪ] *n* brinquedo *m*

trace [treɪs] I. *n* vestígio *m* II. *vt* 1. localizar 2. (*draw outline of*) traçar

tracing paper *n* papel *m* vegetal

track [træk] *n* 1. (*rails*) trilho *m* 2. (*path*) caminho *m* 3. SPORTS pista *f*

track-and-field *n* atletismo *m*

track record *n* histórico *m*

tract [trækt] *n* terreno *m*

tractor ['træktər] *n* trator *m*

trade [treɪd] I. *n no pl* comércio *m* II. *vi* negociar, comercializar III. *vt* trocar

trade association *n* associação *f* de classe **trade fair** *n* feira *f* de negócios **trademark** *n* marca *f* registrada **trade-off** *n* compromisso *m* **trade union** *n* sindicato *m* **trade war** *n* guerra *f* comercial

trading *n no pl* comércio *m*

tradition [trə'dɪʃn] *n* tradição *f*

traditional [trə'dɪʃənəl] *adj* tradicional

traffic ['træfɪk] I. *n no pl* trânsito *m*, tráfego *m* II. <trafficked, trafficked> *vi pej* **to ~ in sth** traficar a. c.

traffic jam *n* congestionamento *m*

trafficker ['træfɪkər] *n* traficante *mf*

traffic light *n* sinal *m* **traffic warden** *n Brit* guarda *mf* de trânsito

tragedy ['trædʒədi] <-ies> *n* tragédia *f*

tragic ['trædʒɪk] *adj* trágico, -a

trail [treɪl] I. *n* 1. (*path*) trilha *f* 2. (*track*) rastro *m* II. *vt* seguir o rastro de

trailblazer ['treɪlˌbleɪzər] *n* pioneiro, -a *m, f*

trailer ['treɪlər] *n* 1. (*wheeled container*) reboque *m* 2. *Am* (*mobile home*) trailer *m*

train [treɪn] I. *n* trem *m* II. *vi, vt* treinar

trained *adj* treinado, -a

trainee [treɪ'niː] *n* estagiário, -a *m, f*

trainer *n* (*person*) treinador(a) *m(f)*

training *n no pl* treinamento *m*

trait [treɪt] *n* característica *f*

traitor ['treɪţər] *n* traidor(a) *m(f)*

trajectory [trə'dʒektəri] *n* trajetória *f*

tram [træm] *n Brit, Aus* bonde *m*

tramp [træmp] *n* vagabundo, -a *m, f*

trample ['træmpl] *vt* pisotear

trampoline ['træmpəliːn] *n* trampolim *m*

trance [træns] *n* transe *m*

tranquil ['træŋkwɪl] *adj* tranqüilo, -a

tranquility [træŋ'kwɪləţi] *n Am no pl* tranqüilidade *f*

tranquilize ['træŋkwɪlaɪz] *vt Am* sedar

tranquilizer ['træŋkwɪlaɪzər] *n Am* sedativo *m*

tranquillity *n Brit s.* **tranquility**

tranquillize *vt Brit s.* **tranquilize**

tranquillizer *n Brit s.* **tranquilizer**

transaction [træn'zækʃn] *n* transação *f*

transatlantic [ˌtrænzət'læntɪk] *adj* transatlântico, -a

transcend [træn'send] *vt* transcender

transcendent [træn'sendənt] *adj* transcendente

transcontinental [ˌtrænskɑːntn'entl]

adj transcontinental
transcribe [træn'skraɪb] *vt* transcrever
transcript ['trænskrɪpt] *n* transcrição *f*
transcription [træn'skrɪpʃn] *n* transcrição *f*
transfer [træns'fɜ:r] **I.** <-rr-> *vt* transferir **II.** *n* transferência *f*
transferable [træns'fɜ:rəbl] *adj* transferível
transform [træns'fɔ:rm] *vt* transformar
transformation [ˌtrænsfər'meɪʃn] *n* transformação *f*
transformer [træns'fɔ:rmər] *n* transformador *m*
transfusion [træns'fju:ʒn] *n* transfusão *f*
transgenic [trænz'dʒenɪk] *adj inv* transgênico, -a
transient ['trænziənt] *adj form* transitório, -a
transistor [træn'zɪstər] *n* transistor *m*
transit ['trænsɪt] *n no pl* trânsito *m*
transition [træn'zɪʃn] *n* transição *f*
transitional [træn'zɪʃənl] *adj* transitório, -a
transitive ['trænsəṭɪv] *adj* transitivo, -a
translate [træn'sleɪt] *vi, vt* traduzir
translation [træn'sleɪʃn] *n* tradução *f*
translator [træn'sleɪṭər] *n* tradutor(a) *m(f)*
translucent [trænz'lu:sənt] *adj* translúcido, -a
transmission [trænz' mɪʃn] *n* transmissão *f*
transmit [træn'smɪt] <-tt-> *vt* transmitir
transmitter [træn'smɪṭər] *n* transmissor *m*
transparency [træn'sperənsi] *n* <-ies> transparência *f*
transparent [træn'sperənt] *adj* transparente
transpire [træn'spaɪər] *vi* ocorrer
transplant [træn'splænt] *vt* transplantar
transport [træn'spɔ:rt] **I.** *vt* transportar **II.** *n no pl* transporte *m*
transportation [ˌtrænspər'teɪʃn] *n no pl* transporte *m*
transpose [træn'spoʊz] *vt* transpor
transsexual [træns'sekʃuəl, *Brit:* -'seksjʊəl] *n* transexual *mf*
transverse ['trænzvɜ:rs] *adj* transverso, -a
transvestite [træns'vestaɪt] *n* travesti *mf*
trap [træp] **I.** *n* armadilha *f* **II.** *vt* <-pp-> apanhar
trapdoor *n* alçapão *m*
trapeze [træp'i:z] *n* trapézio *m*
trash [træʃ] *n no pl, Am* lixo *m*
trashy ['træʃi] *adj inf* ordinário, -a
trauma ['trɑ:mə] *n* trauma *m*
traumatic [trɑ:'mæṭɪk] *adj* traumático, -a
traumatize ['trɔ:mətaɪz] *vt* traumatizar
travel ['trævəl] **I.** <*Brit:* -ll-, *Am:* -l-> *vi* viajar **II.** *npl* viagens *fpl*
travel agency *n* agência *f* de viagens
traveler ['trævlər] *n Am* viajante *mf*
traveler's check *n Am* traveler's *m*

check
travel guide *n* guia *f* de viagem
traveller *n Brit s.* **traveler**
travel sickness *n no pl* enjôo *m*
traverse ['trævərs] *vt* percorrer
trawler ['trɑ:lər] *n* traineira *f*
tray [treɪ] *n* bandeja *f*
treacherous ['tretʃərəs] *adj* traiçoeiro, -a
tread [tred] <trod *Am:* treaded, trodden *Am:* trod> *vi* pisar
treadmill *n* esteira *f; fig* rotina *f*
treason ['tri:zn] *n no pl* traição *f*
treasure ['treʒər] **I.** *n* tesouro *m* **II.** *vt* prezar
treasurer ['treʒərər] *n* tesoureiro, -a *m, f*
treasury ['treʒəri] <-ies> *n* tesouro *f* nacional
treat ['tri:t] **I.** *vt* **1.** tratar **2.** (*do sth special for*) convidar **II.** *n* mimo *m;* **it's my** ~ é por minha conta *f*
treatise ['tri:ţɪs, *Brit:* -tɪz] *n* tratado *m*
treatment ['tri:tmənt] *n* tratamento *m*
treaty ['tri:ţi] <-ies> *n* tratado *m*
tree [tri:] *n* árvore *f* **tree trunk** *n* tronco *m* de árvore
trek [trek] **I.** <-kk-> *vi* caminhar **II.** *n* caminhada *f*
trellis ['trelɪs] <-es> *n* treliça *f;* (*for plants*) grade *f*
tremble ['trembl] *vi* tremer
tremendous [trɪ'mendəs] *adj* **1.** (*enormous*) tremendo, -a **2.** *inf* extraordinário, -a
tremor ['tremər] *n* tremor *m*
trench [trentʃ] <-es> *n* trincheira *f*
trench coat *n* capa *f* de chuva
trend [trend] *n* tendência *f*
trendy ['trendi] <-ier, -iest> *adj* (*person, clothes*) descolado, -a
trepidation [ˌtrepɪ'deɪʃn] *n no pl* ansiedade *f*
trespass ['trespəs] *vi* entrar sem permissão
trespasser ['trespæsər, *Brit:* -pəsə'] *n* intruso, -a *m, f*
trial [traɪəl] *n* LAW julgamento *m*
triangle ['traɪæŋgl] *n* triângulo *m*
triangular [traɪ'æŋgjʊlər] *adj* triangular
tribal ['traɪbl] *adj* tribal
tribe [traɪb] *n* tribo *f*
tribunal [traɪ'bju:nl] *n* tribunal *m*
tributary ['trɪbjʊteri] <-ies> *n* GEO tributário *m*
tribute ['trɪbju:t] *n* homenagem *f*
trick [trɪk] **I.** *n* truque *m* **II.** *vt* enganar
trickle ['trɪkl] *vi* pingar
tricky ['trɪki] <-ier, -iest> *adj* **1.** astucioso, -a **2.** (*situation*) complicado, -a
tricycle ['traɪsɪkl] *n* triciclo *m*
tried [traɪd] *vi, vt pt, pp of* **try**
trigger ['trɪgər] **I.** *n* gatilho *m* **II.** *vt* desencadear
trigonometry [ˌtrɪgə'nɑ:mətri] *n no pl* trigonometria *f*
trillion ['trɪljən] *n* trilhão *m*
trilogy ['trɪlədʒi] <-ies> *n* trilogia *f*
trim [trɪm] **I.** *n no pl* friso *m* **II.** <-mm-> *adj* bem-arrumado, -a **III.** <-mm-> *vt* aparar
Trinidad ['trɪnɪdæd] *n* Trinidad *f;* ~ **and Tobago** Trinidad e Tobago

Trinity ['trɪnət̬i] *n no pl* **the (holy)** ~ a (Santíssima) Trindade
trinket ['trɪŋkɪt] *n* bugiganga *f*
trio ['tri:oʊ] *n* trio *m*
trip [trɪp] **I.** *n* viagem *f* **II.** <-pp-> *vi* tropeçar
tripe [traɪp] *n no pl* tripa *f*
triple ['trɪpl] *vi, vt* triplicar
triplet ['trɪplɪt] *n* trigêmeo, -a *m, f*
triplicate ['trɪplɪkɪt] *adj* triplicado, -a; **in** ~ em três vias *fpl*
tripod ['traɪpɑ:d] *n* tripé *m*
trite [traɪt] *adj* banal
triumph ['traɪʌmf] **I.** *n* triunfo *m* **II.** *vi* triunfar
triumphant [traɪ'ʌmfnt] *adj* triunfante
trivia ['trɪviə] *npl* trivialidades *fpl*
trivial ['trɪviəl] *adj* irrelevante
trivialize ['trɪviəlaɪz] *vt* banalizar
trod [trɑ:d] *pt, pp of* **tread**
trodden ['trɑ:dn] *pp of* **tread**
trolley ['trɑ:li] *n* **1.** *Am* bonde *m* **2.** *Brit, Aus* (*small cart*) carrinho *m*
trombone [trɑ:m'boʊn] *n* trombone *m*
trooper ['tru:pər] *n Am* policial *m* estadual
troops [tru:ps] *n pl* tropas *fpl*
trophy ['troʊfi] *n* <-ies> troféu *m*
tropical ['trɑ:pɪkl] *adj* tropical
trot [trɑ:t] **I.** *n* trote *m* **II.** *vi* trotar
trouble ['trʌbl] **I.** *n no pl* transtorno *m* **II.** *vt* **1.** *form* incomodar **2.** (*worry*) aborrecer
troubled *adj* **1.** (*period*) conturbado, -a **2.** (*worried*) preocupado, -a
troublemaker *n* encrenqueiro, -a *m, f gír*
troubleshooting *n* detecção *f* de problemas
troublesome ['trʌblsəm] *adj* importuno, -a
trough [trɑ:f] *n* **feeding** ~ cocho *m*
troupe [tru:p] *n* trupe *f*
trousers ['traʊzərz] *npl* calças *fpl*
trout [traʊt] *n* <-(s)> truta *f*
truancy ['tru:ənsi] *n no pl* vadiação *f*
truce [tru:s] *n* trégua *f*
truck [trʌk] *n* caminhão *m;* **pickup** ~ picape *f*
trucker ['trʌkər] *n* caminhoneiro, -a *m, f*
trudge [trʌdʒ] *vi* arrastar-se
true [tru:] *adj* **1.** verdadeiro, -a; **to come** ~ realizar-se **2.** (*loyal*) fiel
truffle ['trʌfl] *n* trufa *f*
truly ['tru:li] *adv* **1. yours** ~ atenciosamente **2.** (*as intensifier*) realmente
trump [trʌmp] *n* trunfo *m*
trumpet ['trʌmpət] *n* trompete *m*
truncate [trʌŋ'keɪt] *vt* truncar
trundle ['trʌndl] *vi* rolar
trunk [trʌŋk] *n* **1.** ANAT, BOT tronco *m;* (*of elephant*) tromba *f* **2.** (*for storage*) baú *m* **3.** *Am* (*of car*) porta-malas *m* **4. swimming ~s** sunga *f*
trust [trʌst] **I.** *n* **1.** *no pl* confiança *f* **2.** FIN, COM truste *m* **II.** *vi, vt* confiar
trusted *adj* de confiança
trustee [trʌs'ti:] *n* curador(a) *m(f)*
trustworthy ['trʌstˌwɜ:rði] *adj* de confiança

trusty ['trʌsti] <-ier, -iest> *adj* confiável

truth [tru:θ] *n* verdade *f*

truthful ['tru:θfəl] *adj* honesto, -a

try [traɪ] I. *n* tentativa *f* II. <-ie-> *vi* tentar III. <-ie-> *vt* 1. (*test*) experimentar 2. LAW julgar ◈ **try on** *vt*, **try out** *vt* experimentar, provar

trying *adj* penoso, -a

tsar [zɑ:r] *n* czar *m*

T-shirt *n* camiseta *f*

tub [tʌb] *n* banheira *f*

tuba ['tu:bə] *n* tuba *f*

tubby ['tʌbi] <-ier, -iest> *adj inf* rechonchudo, -a

tube [tu:b, *Brit:* tju:b] *n* 1. tubo *m* 2. *Am, inf* tevê *f* 3. *no pl, Brit* metrô *m*

tuber ['tu:bər, *Brit:* 'tju:bəʳ] *n* tubérculo *m*

tuberculosis [tu:ˌbɜ:rkjə'loʊsɪs, *Brit:* tju:ˌbɜ:kjʊ'ləʊ-] *n no pl* tuberculose *f*

tuck [tʌk] *vt* **to ~ one's shirt in** enfiar a camisa dentro da calça

Tuesday ['tu:zdeɪ, *Brit:* 'tju:z-] *n* terça(-feira) *f*

tuft [tʌft] *n* tufo *m*

tug [tʌg] I. *n* puxão *m* II. <-gg-> *vt* puxar

tuition [tu:'ɪʃn, *Brit:* tju:'-] *n no pl* ensino *m*

tulip ['tu:lɪp, *Brit:* 'tju:-] *n* tulipa *f*

tumble ['tʌmbl] I. *n* tombo *m*; **to take a ~** levar um tombo II. *vi* despencar

tumble drier *n*, **tumble dryer** *n* secadora *f* (de roupas)

tumbler ['tʌmblər] *n* copo *m*

tummy ['tʌmi] <-ies> *n childspeak* barriga *f*

tumor *n Am*, **tumour** ['tu:mər, *Brit:* 'tju:məʳ] *n Brit, Aus* tumor *m*

tumult ['tu:mʌlt, *Brit:* 'tju:-] *n no pl* tumulto *m*

tumultuous [tu:'mʌltʃu:əs, *Brit:* tju:'mʌltʃʊəs] *adj* tumultuado, -a

tuna ['tu:nə, *Brit:* 'tju:-] *n*, **tunafish** *n* atum *m*

tundra ['tʌndrə] *n no pl* tundra *f*

tune [tu:n, *Brit:* tju:n] I. *vt* 1. MUS afinar 2. AUTO regular II. *n* melodia *f* ◈ **tune in** *vi* sintonizar

tunic ['tu:nɪk, *Brit:* 'tju:-] *n* túnica *f*

Tunisia [tu:'ni:ʒə, *Brit:* tju:'nɪziə] *n* Tunísia *f*

tunnel ['tʌnl] *n* túnel *m*

turban ['tɜ:rbən] *n* turbante *m*

turbine ['tɜ:rbɪn, *Brit:* 'tɜ:baɪn] *n* turbina *f*

turbot ['tɜ:rbət] *n* <-(s)> linguado *m*

turbulence ['tɜ:rbjʊləns] *n no pl* turbulência *f*

turbulent ['tɜ:rbjʊlənt] *adj* turbulento, -a

turd [tɜ:rd] *n vulg* merda *f*

turf [tɜ:rf] <-s *o* -ves> *n no pl* gramado *m*

Turk [tɜ:rk] *n* turco, -a *m, f*

turkey ['tɜ:rki] *n* 1. peru *m* 2. *Am, Aus, inf* palerma *mf*

Turkey ['tɜ:rki] *n* Turquia *f*

Turkish ['tɜ:rkɪʃ] *adj* turco, -a

turmoil ['tɜ:rmɔɪl] *n no pl* confusão *f*

turn [tɜ:rn] I. *vi, vt* 1. girar 2. (*change direction or condition*) virar II. *n* 1. virada *f* 2. **it's your**

T

~ é a sua vez *f* ◈ **turn away** *vt* barrar ◈ **turn back** I. *vi* voltar II. *vt* fazer voltar ◈ **turn down** *vt* 1. (*reject*) recusar 2. (*reduce volume*) abaixar ◈ **turn in** *vt* entregar ◈ **turn into** *vt* transformar em ◈ **turn off** *vt* 1. (*faucet*) fechar; (*light*) apagar; (*engine*) desligar 2. *inf* fazer perder o interesse ◈ **turn on** *vt* 1. (*engine*) ligar; (*faucet*) abrir; (*light*) acender 2. (*excite*) excitar ◈ **turn out** I. *vi* revelar-se II. *vt* (*light*) apagar ◈ **turn over** *vt* virar (para o outro lado) ◈ **turn to** *vt* **to** ~ **sb** (**for sth**) recorrer a alguém (para a. c.) ◈ **turn up** I. *vi* (*opportunity*) aparecer II. *vt* (*volume*) aumentar

turnaround ['tɜ:rnəraʊnd] *n* reviravolta *f*

turning point *n* momento *m* decisivo

turnip ['tɜ:rnɪp] *n* nabo *m*

turn-off *n* **to be a real** ~ *inf* ser muito brochante

turnout *n* comparecimento *m*

turnover *n* 1. (*sales*) faturamento *m* 2. (*in staff*) rotatividade *f* 3. GASTR pastel *m*

turnpike ['tɜ:rnpaɪk] *n Am* estrada *f* com pedágio

turnstile ['tɜ:rnstaɪl] *n* catraca *f*

turntable ['tɜ:rnˌteɪbl] *n* prato *m* (de toca-discos)

turpentine ['tɜ:rpəntaɪn] *n no pl* aguarrás *f*

turquoise ['tɜ:rkɔɪz] *n* turquesa *f*

turtle ['tɜ:rtl̩] <-(s)> *n* tartaruga *f*

turtleneck *n Am* gola *f* rulê

turves [tɜ:rvz] *n pl of* **turf**

tusk [tʌsk] *n* presa *f* (de animal)

tussle ['tʌsl] *n* briga *f*

tut [tʌt] *interj* ~ ~! xi!

tutor ['tu:t̬ər, *Brit:* 'tju:tə^r] *n* professor(a) *m(f)* particular

tutorial [tu:'tɔ:riəl, *Brit:* tju:'-] *n* aula *f* (particular ou para um grupo pequeno)

tuxedo [tʌk'si:doʊ] *n Am* smoking *m*

TV [ti:'vi:] *n abbr of* **television** TV *f*

tweak [twi:k] *n* beliscão *m*

tweed [twi:d] *n no pl* tweed *m*

tweezers ['twi:zərz] *npl* pinça *f*

twelfth [twelθ] *adj* décimo segundo, décima segunda

twelve [twelv] *adj* doze *inv*

twentieth ['twentiəθ] *adj* vigésimo, -a

twenty ['twenti] *adj* vinte *inv*

twerp [twɜ:rp] *n inf* babaca *mf*

twice [twaɪs] *adv* duas vezes

twiddle ['twɪdl] *vt* **to** ~ **one's thumbs** ficar à toa

twig [twɪg] *n* ramo *m*

twilight ['twaɪlaɪt] *n* crepúsculo *m*

twin [twɪn] *adj* gêmeo, -a

twine [twaɪn] *n no pl* barbante *m*

twinge [twɪndʒ] *n* pontada *f*

twinkle ['twɪŋkl] *vi* brilhar, cintilar

twinkling ['twɪŋklɪŋ] *adj* cintilante

twirl [twɜ:rl] I. *vi* rodopiar II. *vt* girar

twist [twɪst] I. *vt* 1. torcer 2. (*fact*) distorcer II. *vi* 1. contorcer-se 2. (*curve*) dar voltas

twisted *adj* torcido, -a

twister ['twɪstər] *n* tornado *m*

twit [twɪt] *n inf* idiota *mf*

twitch [twɪtʃ] I. *vi* contrair-se (involuntariamente) II. *n* <-es> (**nervous**) ~ tique *m* (nervoso)
two [tu:] *adj* dois, duas
two-dimensional [ˌtu:dɪ'mentʃənəl] *adj* bidimensional **two-faced** *adj pej* falso, -a
twofold ['tu:foʊld] *adv* duas vezes
two-time *vt inf* chifrar
two-way *adj* duplo, -a, de duas mãos
tycoon [taɪ'ku:n] *n* magnata *m*
type [taɪp] I. *n* tipo *m* II. *vt, vi* datilografar
typewriter ['taɪpˌraɪt̬ər] *n* máquina *f* de escrever
typhoid (**fever**) ['taɪfɔɪd] *n no pl* febre *f* tifóide
typhoon [taɪ'fu:n] *n* tufão *m*
typical ['tɪpɪkəl] *adj* típico, -a
typically *adv* tipicamente
typing ['taɪpɪŋ] *n no pl* datilografia *f*
tyranny ['tɪrəni] *n no pl* tirania *f*
tyrant ['taɪrənt] *n* tirano, -a *m, f*
tyre *n Aus, Brit s.* **tire**
tzar [zɑ:r] *n* czar *m*

U

U, u [ju:] *n* u *m*
UAE [ju:eɪ'i:] *npl abbr of* **United Arab Emirates** Emirados Árabes *mpl*
ubiquitous [ju:'bɪkwət̬əs] *adj* onipresente
udder ['ʌdər] *n* úbere *m*
UFO [ju:ef'oʊ] *n abbr of* **unidentified flying object** óvni *m*
Uganda [ju:'gændə] *n* Uganda *f*
Ugandan *adj, n* ugandense *mf*
ugly ['ʌgli] <-ier, -iest> *adj* (*person*) feio, -a
UHT [ju:eɪtʃ'ti:] *adj abbr of* **ultra heat treated** UHT
UK [ju:'keɪ] *n abbr of* **United Kingdom** Reino Unido *m*
Ukraine [ju:'kreɪn] *n* Ucrânia *f*
ulcer ['ʌlsər] *n* (*stomach*) úlcera *f;* (*in mouth*) afta *f*
ultimate ['ʌltəmɪt] *adj* 1. (*decision*) final 2. **the** ~ **in ...** o melhor em ...
ultimately *adv* 1. (*in the end*) por fim 2. (*fundamentally*) fundamentalmente
ultimatum [ˌʌltə'meɪt̬əm] <ultimata *o* ultimatums> *n* ultimato *m*
ultrasound ['ʌltrəsaʊnd] *n* ultra-som *m*
ultraviolet [ˌʌltrə'vaɪəlɪt] *adj* ultravioleta *inv*
umbilical cord [ʌm'bɪlɪkl-] *n* cordão *m* umbilical
umbrella [ʌm'brelə] *n* guarda-chuva *m;* **beach** ~ guarda-sol *m*
umpire ['ʌmpaɪər] *n* árbitro, -a *m, f*
umpteenth ['ʌmpti:nθ] *adj* enésimo, -a
UN [ju:'en] *n abbr of* **United Nations** ONU *f*
unable [ʌn'eɪbl] *adj* incapaz
unabridged [ˌʌnə'brɪdʒd] *adj* integral
unacceptable [ˌʌnək'septəbl] *adj* inaceitável
unaccompanied [ˌʌnə'kʌmpənid] *adj*

desacompanhado, -a
unaccustomed [ˌʌnəˈkʌstəmd] *adj* desacostumado, -a
unadvisable [ˌʌnədˈvaɪzəbl] *adj* desaconselhável
unanimous [juːˈnænəməs] *adj* unânime
unanswered [ˌʌnˈænsərd] *adj* sem resposta
unarmed [ˌʌnˈɑːrmd] *adj* desarmado, -a
unattainable [ˌʌnəˈteɪnəbl] *adj* inatingível
unattractive [ˌʌnəˈtræktɪv] *adj* sem atrativos
unauthorized [ˌʌnˈɑːθəraɪzd] *adj* não-autorizado, -a
unavailable [ˌʌnəˈveɪləbl] *adj* não disponível
unavoidable [ˌʌnəˈvɔɪdəbl] *adj* inevitável
unaware [ˌʌnəˈwer] *adj* **to be ~ of sth** ignorar a. c.
unbalanced [ˌʌnˈbælənst] *adj* desequilibrado, -a
unbearable [ˌʌnˈberəbl] *adj* insuportável
unbeatable [ˌʌnˈbiːṭəbl] *adj* imbatível
unbeaten [ˌʌnˈbiːtn] *adj* invicto, -a
unbelievable [ˌʌnbɪˈliːvəbl] *adj* inacreditável
unbiased [ʌnˈbaɪəst] *adj* imparcial
unbutton [ʌnˈbʌtən] *vi, vt* desabotoar
uncalled-for [ʌnˈkɔːldfɔːr] *adj* (*impertinent*) impertinente
uncanny [ʌnˈkæni] *adj* <-ier, -iest> extraordinário, -a
uncertain [ʌnˈsɜːrtən] *adj* **1.** (*unsure*) indeciso, -a **2.** (*unpredictable*) incerto, -a
uncertainty [ʌnˈsɜːrtənti] <-ies> *n* **1.** (*unpredictability*) incerteza *f* **2.** *no pl* (*hesitancy*) indecisão *f*
unchallenged [ʌnˈtʃælɪndʒd] *adj* inconteste
unchanged [ʌnˈtʃeɪndʒd] *adj* inalterado, -a
uncharacteristic [ˌʌnkerɪktəˈrɪs tɪk] *adj* atípico, -a
unchecked [ˌʌnˈtʃekt] *adj* desenfreado, -a
uncivilized [ˌʌnˈsɪvlaɪzd] *adj* bárbaro, -a
uncle [ˈʌŋkl] *n* tio *m*
unclear [ˌʌnˈklɪr] *adj* (*obscure*) obscuro, -a
uncomfortable [ʌnˈkʌmpfərṭəbl] *adj* desconfortável
uncommon [ʌnˈkɑːmən] *adj* raro, -a
unconcerned [ˌʌnkənˈsɜːrnd] *adj* despreocupado, -a
unconditional [ˌʌnkənˈdɪʃənl] *adj* incondicional
unconscious [ʌnˈkɑːntʃəs] *adj* inconsciente
unconstitutional [ʌnˌkɑːntstəˈtuːʃənəl, *Brit:* -ˌkɒntstɪˈtjuː-] *adj* inconstitucional
uncontrollable [ˌʌnkənˈtroʊləbl] *adj* incontrolável
unconventional [ˌʌnkənˈvenʃənl] *adj* não convencional
uncouth [ʌnˈkuːθ] *adj* grosseiro, -a
uncover [ʌnˈkʌvər] *vt* (*secret*) revelar; (*lid: destampar*)
uncut [ʌnˈkʌt] *adj* completo, -a

undated [ʌn'deɪṭɪd] *adj* sem data
undecided [ˌʌndɪ'saɪdɪd] *adj* **1.** (*unresolved*) indeciso, -a **2.** (*not settled*) indefinido, -a
undeclared [ˌʌndɪ'klerd] *adj* não declarado, -a
undefined [ˌʌndɪ'faɪnd] *adj* indefinido, -a
undeniable [ˌʌndɪ'naɪəbl] *adj* inegável
under ['ʌndər] **I.** *prep* **1.** (*below*) embaixo de **2.** (*experiencing*) sob **3. it costs ~ $10** custa menos de $10 **II.** *adv* embaixo
underage [ˌʌndər'eɪdʒ] *adj* menor de idade
undercoat ['ʌndərkoʊt] *n no pl* (*paint*) base *f*
undercover [ˌʌndər'kʌvər] *adj* disfarçado, -a
undercurrent ['ʌndərkɜːrənt] *n* corrente *f* submarina
underdeveloped [ˌʌndərdɪ'veləpt] *adj* subdesenvolvido, -a
underdog ['ʌndərdɑːg] *n* oprimido, -a *m, f*
underequipped [ˌʌndərɪ'kwɪpt] *adj* mal-equipado, -a
underestimate [ˌʌndər'estəmeɪt] *vt* subestimar
underfed [ˌʌndər'fed] *n* subnutrido, -a *m, f*
underfoot [ˌʌndər'fʊt] *adv* sob os pés
undergo [ˌʌndər'goʊ] *irr vt* **to ~ sth** passar por a. c.
undergraduate [ˌʌndər'grædʒuət] *n* aluno, -a *m, f* de graduação
underground ['ʌndərgraʊnd] **I.** *adj* subterrâneo, -a; *fig* clandestino, -a **II.** *adv* debaixo da terra **III.** *n no pl, Brit* (*subway train*) metrô *m*
underhand [ˌʌndər'hænd] *adj Brit* desleal
underline [ˌʌndər'laɪn] *vt a. fig* sublinhar
underlying *adj* latente
undermine [ˌʌndər'maɪn] *vt* minar
underneath [ˌʌndər'niːθ] **I.** *prep* debaixo de **II.** *adv* por baixo
undernourished [ˌʌndər'nɜːrɪʃt] *adj* subnutrido, -a
underpaid [ˌʌndər'peɪd] *adj* mal pago, -a *m, f*
underpants ['ʌndərpænts] *npl* cueca(s) *f(pl)*
underpass ['ʌndərpæs] <-es> *n* passagem *f* subterrânea
underpay [ˌʌndər'peɪ] *irr vt* pagar mal
underprivileged [ˌʌndər'prɪvəlɪdʒd] *adj* desvalido, -a
underrate [ˌʌndər'reɪt] *vt* subestimar
underscore [ˌʌndər'skɔːr] *vt* sublinhar
undershirt ['ʌndərʃɜːrt] *n Am* camiseta (de baixo) *f*
underside ['ʌndərsaɪd] *n* a parte *f* de baixo
understaffed [ˌʌndər'stæft] *adj* com falta de pessoal
understand [ˌʌndər'stænd] *irr vt, vi* entender
understandable [ˌʌndər'stændəbl] *adj* compreensível
understanding **I.** *n no pl* entendimento *m* **II.** *adj* compreensivo, -a
understate [ˌʌndər'steɪt] *vt* atenuar
understudy ['ʌndərˌstʌdi] <-ies> *n*

THEAT ator substituto, atriz substituta *m, f*

undertake [ˌʌndərˈteɪk] *irr vt* empreender; **to ~ to do sth** comprometer-se em fazer a. c.

undertaker [ˈʌndərˌteɪkər] *n* agente *m* funerário

undertaking *n* empreendimento *m*

undervalue [ˌʌndərˈvælju:] *vt* subestimar

underwater [ˌʌndərˈwɑ:t̬ər] *adj* submerso, -a

underwear [ˈʌndərwer] *n + pl vb* roupa *f* de baixo

underweight [ˌʌndərˈweɪt] *adj* abaixo do peso normal

underworld [ˈʌndərwɜ:rld] *n no pl* (*of criminals*) submundo *m*

undesirable [ˌʌndɪˈzaɪrəbl] *adj* indesejável

undeveloped [ˌʌndɪˈveləpt] *adj* pouco desenvolvido, -a

undisclosed [ˌʌndɪsˈkloʊzd] *adj* não revelado, -a

undivided [ˌʌndɪˈvaɪdɪd] *adj* não dividido, -a; **~ attention** atenção ininterrupta

undo [ʌnˈdu:] *irr vt* (*zipper*) abrir; (*buttons*) desabotoar

undoubtedly *adv* sem dúvida

undress [ʌnˈdres] *vi, vt* despir(-se)

undressed *adj* despido, -a; **to get ~** tirar a roupa

undue [ˌʌnˈdu:, *Brit:* -ˈdju:] *adj form* indevido, -a

unduly *adv* indevidamente

unearthly *adj* absurdo, -a

unease [ʌnˈi:z] *n no pl* mal-estar *m*

uneasiness *n no pl* inquietação *f*

uneasy [ʌnˈi:zi] *adj* <-ier, -iest> (*worried*) ansioso, -a

uneducated [ʌnˈedʒʊkeɪt̬ɪd] *adj* sem instrução

unemotional [ˌʌnɪˈmoʊʃənəl] *adj* imperturbável

unemployable [ˌʌnɪmˈplɔɪəbl] *adj* não empregável

unemployed [ˌʌnɪmˈplɔɪd] *adj* desempregado, -a

unemployment [ˌʌnɪmˈplɔɪmənt] *n no pl* (*condition*) desemprego *m*

unending [ʌnˈendɪŋ] *adj* interminável

unequal [ʌnˈi:kwəl] *adj* desigual

unequaled *adj Am,* **unequalled** *adj Brit* sem igual

unequivocal [ˌʌnɪˈkwɪvəkəl] *adj* evidente

unethical [ʌnˈeθɪkəl] *adj* sem ética

uneven [ˌʌnˈi:vən] *adj* **1.** (*not flat*) irregular **2.** (*unequal*) desigual

uneventful [ˌʌnɪˈventfəl] *adj* rotineiro, -a

unexpected [ˌʌnɪkˈspektɪd] *adj* inesperado, -a

unexplained [ˌʌnɪkˈspleɪnd] *adj* sem explicação

unfair [ˌʌnˈfer] *adj* injusto, -a

unfaithful [ˌʌnˈfeɪθfʊl] *adj* **1.** (*adulterous*) infiel **2.** (*disloyal*) desleal

unfamiliar [ˌʌnfəˈmɪljər] *adj* desconhecido, -a

unfasten [ˌʌnˈfæsn] *vt* desprender

unfavorable *adj Am,* **unfavourable** [ˌʌnˈfeɪvərəbl] *adj Brit, Aus* desfavo-

rável
unfinished [ʌn'fɪnɪʃt] *adj* inacabado, -a
unfit [ʌn'fɪt] *adj* inadequado, -a
unfold [ʌn'foʊld] I. *vt* desdobrar II. *vi* desenrolar-se
unforeseen [ˌʌnfɔːr'siːn] *adj* imprevisto, -a
unforgettable [ˌʌnfər'geţəbl] *adj* inesquecível
unforgivable [ˌʌnfər'gɪvəbl] *adj* imperdoável
unfortunate [ʌn'fɔːrtʃnət] *adj* infeliz
unfounded [ʌn'faʊndɪd] *adj* infundado, -a
unfriendly [ʌn'frendli] *adj* <-ier, -iest> hostil
unfulfilled [ˌʌnfʊl'fɪld] *adj* (*promise*) não cumprido, -a; (*wish*) não realizado, -a
unfurnished [ʌn'fɜːrnɪʃt] *adj* sem mobília
ungrateful [ʌn'greɪtfəl] *adj* ingrato, -a
unguarded [ʌn'gɑːrdɪd] *adj* desprotegido, -a
unhappy [ʌn'hæpi] *adj* <-ier, -iest> infeliz
unharmed [ʌn'hɑːrmd] *adj* ileso, -a
unheard [ʌn'hɜːrd] *adj* ~ **of** inédito
unhelpful [ʌn'helpfʊl] *adj* inútil
unhurt [ʌn'hɜːrt] *adj* ileso, -a
unicorn ['juːnɪkɔːrn] *n* unicórnio *m*
unidentified [ˌʌnaɪ'dentəfaɪd] *n* anônimo, -a *m, f*
unification [ˌjuːnɪfɪ'keɪʃn] *n no pl* unificação *f*
uniform ['juːnəfɔːrm] *n* uniforme *m*
uniformity [juːnə'fɔːrməţi] *n no pl* uniformidade *f*
unify ['juːnəfaɪ] *vt* unificar
unilateral [juːnə'læţərəl] *adj* unilateral
unimaginable [ˌʌnɪ'mædʒnəbl] *adj* inimaginável
unimportant [ˌʌnɪm'pɔːrtənt] *adj* sem importância
uninformed [ˌʌnɪn'fɔːrmd] *adj* desinformado, -a
uninhabitable [ˌʌnɪn'hæbɪţəbl] *adj* inabitável
uninhabited [ˌʌnɪn'hæbɪţɪd] *adj* desabitado, -a
uninhibited [ˌʌnɪn'hɪbɪţɪd] *adj* desinibido, -a
unintelligible [ˌʌnɪn'telɪdʒəbl] *adj* ininteligível
unintentional [ˌʌnɪn'tentʃənəl] *adj* involuntário, -a
uninterested [ʌn'ɪntrəstɪd] *adj* desinteressado, -a
uninterrupted [ʌnˌɪntər'ʌptɪd] *adj* ininterrupto, -a
union ['juːnjən] *n* união *f;* (*trade* ~) sindicato *m*
Union Jack *n bandeira britânica*
unique [juː'niːk] *adj* excepcional
unison ['juːnəsən] *n no pl* **to sing in** ~ cantar em uníssono
unit ['juːnɪt] *n* unidade *f*
unite [juː'naɪt] *vi, vt* unir(-se)
united *adj* unido, -a
United Arab Emirates *npl* **the** ~ os Emirados Árabes Unidos *mpl* **United Kingdom** *n* **the** ~ o Reino Unido *m* **United Nations** *n* **the** ~ as Nações Unidas *f* **United States** *n + sing vb*

U

the ~ (of America) os Estados Unidos (da América) + *pl verb*
unity ['ju:nəṭi] *n no pl* unidade *f*
Univ. *abbr of* **University** univ.
universal [ˌju:nə'vɜ:rsəl] *adj* universal
universe ['ju:nəvɜ:rs] *n* universo *m*
university [ˌju:nə'vɜ:rsəṭi] <-ies> *n* universidade *f*
unjust [ʌn'dʒʌst] *adj* injusto, -a
unjustified [ʌn'dʒʌstɪfaɪd] *adj* injustificado, -a
unkempt [ʌn'kempt] *adj* desleixado, -a
unkind [ʌn'kaɪnd] *adj* indelicado, -a
unkindly *adv* com grosseria
unknown [ˌʌn'noʊn] *adj* desconhecido, -a
unlawful [ˌʌn'lɑ:fəl] *adj* ilegal
unleaded [ʌn'ledɪd] *n* gasolina *f* sem chumbo
unleash [ʌn'li:ʃ] *vt* desencadear
unless [ən'les] *conj* a menos que +*subj*
unlike [ʌn'laɪk] *prep* **1.** (*different from*) diferente de **2.** (*in contrast to*) ao contrário de
unlikely <-ier, -iest> *adj* improvável
unlimited [ʌn'lɪmɪṭɪd] *adj* ilimitado, -a
unload [ʌn'loʊd] *vt* descarregar
unlock [ʌn'lɑ:k] *vt* destrancar
unlucky [ʌn'lʌki] *adj* (*in love*) sem sorte
unmarried [ʌn'merɪd] *adj* solteiro, -a
unmistak(e)able [ˌʌnmɪ'steɪkəbl] *adj* inconfundível
unmoved [ʌn'mu:vd] *adj* (*undisturbed*) impassível
unnecessary [ʌn'nesəseri] *adj* desnecessário, -a
unnerve [ʌn'nɜ:rv] *vt* enervar
unnoticed [ˌʌn'noʊṭɪst] *adj* **to go ~** passar despercebido, -a
unobtainable [ˌʌnəb'teɪnəbl] *adj* inalcançável
unoccupied [ˌʌn'ɑ:kjəpaɪd] *adj* (*chair*) desocupado, -a
unofficial [ˌʌnə'fɪʃəl] *adj* não oficial
unorthodox [ʌn'ɔ:rθədɑ:ks] *adj* heterodoxo, -a
unpack [ʌn'pæk] *vi* desfazer a mala
unpaid [ʌn'peɪd] *adj* **1.** (*work*) não remunerado, -a **2.** (*bill*) não pago, -a
unparalleled [ʌn'perəleld] *adj form* sem paralelo
unplanned [ʌn'plænd] *adj* não planejado, -a
unpleasant [ʌn'plezənt] *adj* desagradável
unplug [ʌn'plʌg] <-gg-> *vt* desligar (da tomada)
unpopular [ʌn'pɑ:pjələr] *adj* impopular
unprecedented [ʌn'presədentɪd] *adj* sem precedentes
unpredictable [ˌʌnprɪ'dɪktəbl] *adj* imprevisível
unpretentious [ˌʌnprɪ'tentʃəs] *adj* despretensioso, -a
unproductive [ˌʌnprə'dʌktɪv] *adj* improdutivo, -a
unprofessional [ˌʌnprə'feʃənəl] *adj* não profissional
unpublished [ˌʌn'pʌblɪʃt] *adj* inédito, -a
unquestionable [ʌn'kwestʃənəbl] *adj* inquestionável

unravel [ʌn'rævəl] <*Brit:* -ll-, *Am:* -l-> *vi* desfazer-se
unreal [ʌn'riːl] *adj* irreal
unrealistic [ʌn'riə'lɪstɪk] *adj* fantasioso, -a
unreasonable [ʌn'riːzənəbl] *adj* despropositado, -a, irracional
unrefined [ˌʌnrɪ'faɪnd] *adj* não refinado, -a
unrelated [ˌʌnrɪ'leɪţɪd] *adj* não relacionado, -a
unrelenting [ˌʌnrɪ'lentɪŋ] *adj* inflexível; (*pressure*) implacável
unreliable [ˌʌnrɪ'laɪəbl] *adj* não confiável
unresolved [ˌʌnrɪ'zɑːlvd] *adj* sem solução
unrest [ʌn'rest] *n no pl* distúrbio *m*
unrestrained [ˌʌnrɪ'streɪnd] *adj* desenfreado, -a
unrestricted [ˌʌnrɪ'strɪktɪd] *adj* ilimitado, -a
unruly [ʌn'ruːli] <-ier, -iest> *adj* (*child, hair*) rebelde
unsatisfactory [ʌnˌsæţɪs'fæktəri] *adj* insatisfatório, -a
unsatisfied [ʌn'sæţɪsfaɪd] *adj* insatisfeito, -a
unseen [ʌn'siːn] *adj* despercebido, -a *m, f,* invisível
unselfish [ʌn'selfɪʃ] *adj* altruísta
unsettling *adj* perturbador, -a
unsightly [ʌn'saɪtli] <-ier, -iest> *adj* repugnante
unskilled [ʌn'skɪld] *adj* não especializado, -a
unsociable [ʌn'soʊʃəbl] *adj* insociável
unsolicited [ˌʌnsə'lɪsɪţɪd] *adj* não solicitado, -a
unsolved [ʌn'sɑːlvd] *adj* não solucionado, -a
unsophisticated [ˌʌnsə'fɪstəkeɪţɪd] *adj* simples
unspecified [ʌn'spesɪfaɪd] *adj* não especificado, -a
unspoken [ʌn'spoʊkən] *adj* (*doubt*) implícito, -a
unstable [ʌn'steɪbl] *adj* instável
unsubstantiated [ˌʌnsəb'stænʃieɪţɪd] *adj* infundado, -a
unsuccessful [ˌʌnsək'sesfəl] *adj* (*attempt, person*) frustrado, -a
unsuitable [ʌn'suːţəbl] *adj* inadequado, -a
unsure [ʌn'ʃʊr] *adj* incerto, -a
unsuspecting [ˌʌnsə'spektɪŋ] *adj* que não suspeita
unsustainable [ˌʌnsə'steɪnəbl] *adj* insustentável
unsympathetic [ˌʌnsɪmpə'θeţɪk] *adj* indiferente
untangle [ʌn'tæŋgl] *vt* (*knot*) desembaraçar
unthinkable [ʌn'θɪŋkəbl] *adj* impensável
untidy [ʌn'taɪdi] <-ier, -iest> *adj* (*room*) desarrumado, -a
untie [ʌn'taɪ] <-y-> *vt* desamarrar
until [ən'tɪl] **I.** *prep temporal* até **II.** *conj* até que +*subj*
untold [ʌn'toʊld] *adj* (*immense*) incalculável
untouched [ʌn'tʌtʃt] *adj* (*not affected*) intacto, -a
untreated [ʌn'triːţɪd] *adj* não

U

tratado, -a

unused [ʌn'ju:zd] *adj* não usado, -a

unusual [ʌn'ju:ʒuəl] *adj* **1.** (*exceptional*) raro, -a *m, f* **2.** (*strange*) insólito, -a *m, f*

unusually *adv* (*small*) extraordinariamente

unwanted [ʌn'wɑ:ntɪd] *adj* indesejado, -a

unwarranted [ʌn'wɔ:rəntɪd] *adj* injustificado, -a

unwelcome [ʌn'welkəm] *adj* (*guest*) indesejável

unwieldy [ʌn'wi:ldi] *adj* difícil de manusear

unwilling [ʌn'wɪlɪŋ] *adj* relutante

unwind [ʌn'waɪnd] *irr vi* (*relax*) relaxar

unwittingly [ʌn'wɪţɪŋli] *adv* sem perceber

unwrap [ʌn'ræp] <-pp-> *vt* desembrulhar

unwritten [ʌn'rɪtən] *adj* (*rule*) tácito, -a

up [ʌp] **I.** *adv* **1.** (*movement*) em/para cima; **to get ~** levantar-se **2.** (*awake*) acordado, -a **3. ~ to now** até agora **4. time's ~** acabou o tempo **5. it's ~ to me to decide** cabe a mim decidir; **it's ~ to you** depende de você **6. to be 2 goals ~** estar vencendo por 2 gols **7. to be ~ against sth** enfrentar a. c.; **what's ~?** e aí?; **what's ~ with him?** o que (é que) ele tem? **II.** *prep* em cima; **to go ~ the stairs** subir as escadas

upbeat ['ʌpbi:t] *adj inf* otimista

upbringing ['ʌpbrɪŋɪŋ] *n no pl* educação *f*

upcoming ['ʌpˌkʌmɪŋ] *adj* próximo, -a

update [ʌp'deɪt] *vt* atualizar

upgrade ['ʌpgreɪd] *n Am* (*slope*) subida *f*

upheaval [ʌp'hi:vəl] *n* caos *m*

uphill [ʌp'hɪl] **I.** *adv* morro acima **II.** *adj* (*difficult*) árduo, -a

uphold [ʌp'hoʊld] *irr vt* sustentar

upholstery [ʌp'hoʊlstri] *n no pl* estofamento *m*

upkeep ['ʌpki:p] *n no pl* manutenção *f*

upland ['ʌplənd] *n* **the ~s** o planalto

uplifting *adj* estimulante

upon [ə'pɑ:n] *prep* **1.** (*on top of*) sobre **2. ~ her arrival** logo após sua chegada; **once ~ a time** era uma vez

upper ['ʌpər] *adj* superior; **the Upper House** POL ≈ o Senado

upper case *n no pl* TYP maiúscula *f*

upper-class *adj* da classe alta

uppermost *adj* superior

upright ['ʌpraɪt] **I.** *adj fig* (*citizen*) íntegro, -a *m, f* **II.** *adv* na vertical

uprising ['ʌpraɪzɪŋ] *n* insurreição *f*

uproar ['ʌprɔ:r] *n no pl* tumulto *m*

uproot [ˌʌp'ru:t] *vt a. fig* erradicar

upset [ʌp'set] **I.** *vt irr* **1.** (*overturn*) virar **2.** (*unsettle*) perturbar **II.** *adj* (*distressed*) chateado, -a *inf*

upside down *adv* de cabeça para baixo

upstairs [ˌʌp'sterz] **I.** *adj* de cima **II.** *adv* (lá) em cima **III.** *n no pl* (**the**) ~ o andar *m* superior

upstream [ˌʌp'stri:m] *adv* rio acima

uptight [ʌp'taɪt] *adj inf* tenso, -a

up-to-date *adj* (*informed*) atualizado, -a
upward ['ʌpwərd] **I.** *adj* ascendente *f* **II.** *adv* para cima
uranium [jʊ'reɪniəm] *n no pl* urânio *m*
Uranus ['jʊrənəs] *n* Urano *m*
urban ['ɜːrbən] *adj* urbano, -a
urbane [ɜːr'beɪn] *adj* cortês
urbanization [ˌɜːrbənɪ'zeɪʃn] *n no pl* urbanização *f*
urge [ɜːrdʒ] **I.** *n* impulso *m* **II.** *vt* incitar
urgency ['ɜːrdʒənsi] *n no pl* urgência *f*
urgent ['ɜːrdʒənt] *adj* urgente
urinal ['jʊrənəl, *Brit:* jʊə'raɪnel] *n* mictório *m*
urinate ['jʊrəneɪt] *vi* urinar
urine ['jʊrɪn] *n no pl* urina *f*
urn [ɜːrn] *n* urna *f*
Uruguay ['jʊrəgweɪ] *n* Uruguai *m*
us [əs, *stressed:* ʌs] *pron after verb* nos; **he saw** ~ ele nos viu; *after prep* nós; **many of** ~ muitos de nós
USA [juːes'eɪ] *n abbr of* **United States of America** EUA *mpl*
use I. [juːs] *n* uso *m;* **it's no** ~ não adianta **II.** [juːz] *vt* **1.** (*make use of*) usar **2.** (*consume*) gastar
used I. *adj* usado, -a **II.** [juːs] *aux* **he ~d to live in New York** ele morava em Nova York
used to *adj* acostumado, -a
useful ['juːsfəl] *adj* útil
usefulness *n no pl* utilidade *f*
useless ['juːsləs] *adj* inútil
user ['juːzər] *n* usuário, -a *m, f*
user-friendly *adj* fácil de usar
usher ['ʌʃər] *n* porteiro, -a *m, f;* CINE, THEAT lanterninha
usual ['juːʒuəl] *adj* habitual
usually *adv* normalmente
utensil [juː'tensl] *n* utensílio *m*
uterus ['juːt̬ərəs] <-ri *o* -es> *n* útero *m*
utilitarian [juːˌtɪlə'teriən] *adj* utilitário, -a
utility [juː'tɪləti] <-ies> *n* **1.** (*usefulness*) utilidade *f;* ~ **room** despensa *f* **2.** (*public service*) serviço público *m*
utmost ['ʌtmoʊst] *adj* máximo, -a
utopian [juː'toʊpiən] *adj* utópico, -a
utter[1] ['ʌt̬ər] *adj* total
utter[2] *vt* pronunciar
utterly *adv* absolutamente
U-turn ['juːtɜːrn] *n* **1.** AUTO meia-volta *f* **2.** POL mudança *f* radical
Uzbekistan [ʌzˌbekɪ'stæn] *n* Uzbequistão *m*

V, v [viː] *n* v *m*
V *abbr of* **volt** V
vacancy ['veɪkəntsi] <-ies> *n* vaga *f*
vacant ['veɪkənt] *adj* (*bed*) vago, -a
vacate ['veɪkeɪt, *Brit:* və'keɪt] *vt form* (*seat*) desocupar
vacation [veɪ'keɪʃn] *n Am* férias *fpl*
vaccinate ['væksəneɪt] *vt* vacinar
vaccine [væk'siːn, *Brit:* 'væksiːn] *n* va-

V

cina *f*

vacuum ['vækju:m] *n* vácuo *m*

vacuum cleaner *n* aspirador *m* de pó

vagina [və'dʒaɪnə] *n* vagina *f*

vagrant ['veɪgrənt] *n* vagabundo, -a *m, f*

vague [veɪg] *adj* (*promise*) vago, -a

vain [veɪn] *adj* **1.** (*conceited*) vaidoso, -a **2.** (*fruitless*) vão, vã

Valentine's Day ['væləntaɪnz-] *n no pl* ≈ Dia *m* dos Namorados (14 de fevereiro)

valid ['vælɪd] *adj* (*argument*) válido, -a

validate ['vælədeɪt] *vt* (*ticket*) validar

validity [və'lɪdəţi] *n no pl* validade *f*

valley ['væli] *n* vale *m*

valuable ['væljuəbl] **I.** *adj* valioso, -a **II.** *n* ~**s** objetos *mpl* de valor

value ['vælju:] **I.** *n* valor *m* **II.** *vt* valorizar

valued *adj form* avaliado, -a

valve [vælv] *n* válvula *f*

vampire ['væmpaɪər] *n* vampiro *m*

van [væn] *n* van *f*

vandalism ['vændəlɪzəm] *n no pl* vandalismo *m*

vandalize ['vændəlaɪz] *vt* depredar

vanilla [və'nɪlə] *n no pl* baunilha *f*

vanish ['vænɪʃ] *vi* sumir

vanity ['vænəţi] <-ies> *n* vaidade *f*

vapor *n Am,* **vapour** ['veɪpər] *n Brit, Aus* vapor *m*

variable ['veriəbl] *adj, n* variável *f*

variance ['veriənts] *n no pl* (*difference*) diferença *f*

variant ['veriənt] *n* variante *f*

variation [ˌveri'eɪʃn] *n no pl* variação *f*

varicose veins ['verəkoʊs-] *npl* varizes *fpl*

varied *adj* variado, -a

variety [və'raɪəţi] <-ies> *n* variedade *f*

various ['veriəs] *adj* **1.** (*numerous*) vários, -as **2.** (*diverse*) diversos, -as

varnish ['vɑ:rnɪʃ] *n no pl* verniz *m*

vary ['veri] <-ie-> *vi, vt* variar

vascular ['væskjələr] *adj* vascular

vase [veɪs, *Brit:* vɑ:z] *n* (*for flowers*) vaso *m;* (*ornamental*) jarra *f*

vast [væst] *adj* (*area*) vasto, -a; (*quantity*) grande

vat [væt] *n* (*for wine, oil*) barril *m*

VAT [ˌvi:eɪ'ti:] *n no pl, Brit abbr of* **value-added tax** ≈ ICMS *m*

Vatican ['væţɪkən] *n no pl* **the** ~ o Vaticano

vault [vɑ:lt] *n* **1.** ARCHIT abóbada *f* **2.** (*in bank*) caixa-forte *f*

VCR [ˌvi:si:'ɑ:r] *n abbr of* **videocassette recorder** VCR *m*

veal [vi:l] *n no pl* vitela *f*

veer [vɪr] *vi* (*vehicle*) dar uma guinada

vegetable ['vedʒtəbl] *n* legume *m*

vegetable garden *n* horta *f*

vegetarian [ˌvedʒə'teriən] *n* vegetariano, -a *m, f*

vegetate ['vedʒəteɪt] *vi* vegetar

vegetation [ˌvedʒə'teɪʃn] *n no pl* vegetação *f*

vehement ['vi:əmənt] *adj* veemente

vehicle ['vi:əkl] *n* veículo *m*

veil [veɪl] **I.** *n* véu *m* **II.** *vt* velar

vein [veɪn] *n* veia *f*

velocity [və'lɑ:səţi] <-ies> *n form* velocidade *f*

velvet ['velvɪt] *n no pl* veludo *m*

vendor ['vendər] *n* fornecedor(a) *m(f)*

venereal disease [və'nɪriəl-] *n* doença *f* venérea
Venezuela [ˌvenə'zweɪlə] *n* Venezuela *f*
Venezuelan *adj, n* venezuelano, -a *m, f*
vengeance ['vendʒənts] *n no pl* vingança *f*
venom ['venəm] *n no pl* veneno *m*
vent [vent] *n* orifício *m*
ventilate ['ventəleɪt] *vt* ventilar
ventilation [ˌventə'leɪʃn] *n no pl* ventilação *f*
venture ['ventʃər] **I.** *n* COM empreendimento *m* **II.** *vt* (*dare*) **to ~ to do sth** arriscar-se a fazer a. c.
venture capital *n* capital *m* de risco
verb [vɜːrb] *n* verbo *m*
verbal ['vɜːrbəl] *adj* verbal
verbatim [vər'beɪţɪm] *adv* palavra por palavra
verdict ['vɜːrdɪkt] *n* LAW veredicto *m*
verge [vɜːrdʒ] *n* beira *f*
verify ['verəfaɪ] <-ie-> *vt* (*authenticate*) confirmar
veritable ['verəţəbl] *adj* verdadeiro, -a
versatile ['vɜːrsəţəl, *Brit:* 'vɜːsətaɪl] *adj* versátil
versatility [ˌvɜːrsə'tɪləţi] *n no pl* versatilidade *f*
verse [vɜːrs] *n* verso *m*
version ['vɜːrʒən, *Brit:* 'vɜːʃən] *n* versão *f*
vertebra ['vɜːrţəbrə] <-ae> *n* vértebra *f*
vertebrate ['vɜːrtəbrɪt] **I.** *n* vertebrado *m* **II.** *adj* vertebrado, -a
vertical ['vɜːrţəkəl] *adj* vertical
vertigo ['vɜːrţəgoʊ] *n no pl* vertigem *f*
verve [vɜːrv] *n no pl* verve *f*
very ['veri] **I.** *adv* muito; **~ much** muitíssimo **II.** *adj* **1. at the ~ end** bem no fim **2. the ~ fact** o próprio fato
vessel ['vesəl] *n* (*boat*) barco *m;* (*large boat*) navio *m*
vest [vest] *n* **1.** *Am, Aus* (*of suit*) colete *m* **2.** *Brit* (*undershirt*) camiseta *f*
vet [vet] *n* veterinário, -a *m, f*
veteran ['veţərən] *n* veterano, -a *m, f*

Cultura A festa do **Veterans Day** , celebrada no dia 11 de novembro, foi criada a princípio para comemorar o armistício celebrado entra a Alemanha e os E.U.A. no ano de 1918. Na prática, nesse dia presta-se homenagem aos veteranos de todas as guerras americanas.

veterinarian [ˌvetərɪ'neriən] *n Am* veterinário, -a *m, f*
veto ['viːtoʊ] **I.** *n* <-es> veto *m* **II.** *vt* <-ed> vetar
via ['vaɪə] *prep* via
vibrant ['vaɪbrənt] *adj* (*color*) vibrante; (*economy*) vigoroso, -a
vibrate ['vaɪbreɪt] *vi* vibrar
vibration [vaɪ'breɪʃn] *n* vibração *f*
vice [vaɪs] *n* vício *m* **vice president** *n* vice-presidente, -a *m, f*
vice versa [ˌvaɪsə'vɜːrsə] *adv* vice-versa
vicinity [və'sɪnəţi] <-ies> *n* **in the ~ of …** nos arredores *m pl* de …
vicious ['vɪʃəs] *adj* (*circle*) vicioso, -a;

(*attack*) violento, -a

victim ['vɪktɪm] *n* vítima *f*

Victorian [vɪk'tɔːriən] *adj* vitoriano, -a

victorious [vɪk'tɔːriəs] *adj* vitorioso, -a

victory ['vɪktəri] <-ies> *n* vitória *f*

video ['vɪdioʊ] *n* **1.** (*machine*) vídeo *m* **2.** (*tape*) videoteipe *m*

video camera *n* filmadora *f* **video conference** *n* videoconferência *f* **video game** *n* videogame *m* **videophone** *n* videofone *m* **video recorder** *n* videocassete *m*

Vietnam [ˌviːet'nɑːm] *n* Vietnã *m*

Vietnamese [viˌetnə'miːz] *adj, n* vietnamita

view [vjuː] **I.** *n* (*sight*) visão *f* **II.** *vt* ver

viewer ['vjuːər] *n* (*person*) observador(a) *m(f)*; TV telespectador(a) *m(f)*

viewpoint *n* ponto *m* de vista

vigor *n Am, Aus,* **vigour** ['vɪgər] *n no pl* vigor *m*

vigorous ['vɪgərəs] *adj* vigoroso, -a

vile [vaɪl] *adj* (*mood*) medonho, -a; (*weather*) horrível

village ['vɪlɪdʒ] *n* povoado *m*

villain ['vɪlən] *n* vilão, vilã *m, f*

vindicate ['vɪndəkeɪt] *vt* eximir (de culpa)

vindictive [vɪn'dɪktɪv] *adj* vingativo, -a

vine [vaɪn] *n* videira *f*; (*climbing*) trepadeira *f*

vinegar ['vɪnəgər] *n no pl* vinagre *m*

vineyard ['vɪnjərd] *n* vinhedo *m*

vintage ['vɪntɪdʒ] **I.** *n* safra *f* **II.** *adj* **1.** (*wine*) de boa safra **2.** (*novel*) clássico, -a

vinyl ['vaɪnəl] *n no pl* vinil *m*

viola [vi'oʊlə] *n* viola *f*

violate ['vaɪəleɪt] *vt* violar

violence ['vaɪələnts] *n no pl* violência *f*

violent ['vaɪələnt] *adj* violento, -a

violet ['vaɪəlɪt] **I.** *n* (*flower*) violeta *f*; (*color*) violeta *m* **II.** *adj* violeta

violin [ˌvaɪə'lɪn] *n* violino *m*

violinist *n* violinista *mf*

VIP [ˌviːaɪ'piː] *s.* **very important person** VIP *mf*

viper ['vaɪpər] *n* víbora *f*

virgin ['vɜːrdʒɪn] *n* virgem *f*

virginity [vər'dʒɪnət̬i] *n no pl* virgindade *f*

Virgo ['vɜːrgoʊ] *n* Virgem *mf*

virile ['vɪrəl, *Brit:* **-raɪl**] *adj* viril

virility [və'rɪlət̬i] *n no pl* virilidade *f*

virtual ['vɜːrtʃuəl] *adj* virtual

virtually *adv* praticamente

virtue ['vɜːrtʃuː, *Brit:* 'vɜːtjuː] *n* virtude *f*

virtuous ['vɜːrtʃuəs] *adj* virtuoso, -a

virus ['vaɪrəs] <-es> *n* vírus *m inv*

visa ['viːzə] *n* visto *m*

viscous ['vɪskəs] *adj* viscoso, -a

visibility [ˌvɪzə'bɪlət̬i] *n no pl* visibilidade *f*

visible ['vɪzəbl] *adj* visível

vision ['vɪʒən] *n no pl* visão *f*

visit ['vɪzɪt] **I.** *n* visita *f* **II.** *vt* visitar

visiting *adj* visitante

visitor ['vɪzɪt̬ər] *n* visitante *mf*

visualize ['vɪʒuəlaɪz] *vt* visualizar

vital ['vaɪt̬əl] *adj* vital

vitamin ['vaɪt̬əmɪn] *n* vitamina *f*

vivacious [vɪ'veɪʃəs] *adj* vivaz
vivid ['vɪvɪd] *adj* (*color*) vívido, -a *m, f*
vocabulary [voʊ'kæbjəleri] *n* vocabulário *m*
vocal ['voʊkəl] *adj* (*of the voice*) vocal
vocalist ['voʊkəlɪst] *n* vocalista *mf*
vocation [voʊ'keɪʃn] *n* vocação *f*
vocational [voʊ'keɪʃənəl] *adj* vocacional; (*training*) profissional
vociferous [voʊ'sɪfərəs] *adj* vociferante
vogue [voʊg] *n* voga *f*
voice [vɔɪs] *n* voz *f*
void [vɔɪd] **I.** *n* vácuo *m* **II.** *adj* (*of no legal force*) sem efeito **III.** *vt* **to ~ a check** anular um cheque
vol *abbr of* **volume** vol
volcanic [vɑ:l'kænɪk] *adj* vulcânico, -a
volcano [vɑ:l'keɪnoʊ] <-(e)s> *n* vulcão *m*
volley ['vɑ:li] *n* SPORTS voleio *m*
volleyball *n no pl* voleibol *m*
volt [voʊlt] *n* volt *m*
voltage ['voʊltɪdʒ] *n* voltagem *f*
volume ['vɑ:lju:m] *n no pl* volume *m*
voluntary ['vɑ:lənteri] *adj* voluntário, -a
volunteer [ˌvɑ:lən'tɪr] **I.** *n* voluntário, -a *m, f* **II.** *vi, vt* oferecer-se como voluntário
vomit ['vɑ:mɪt] **I.** *vi, vt* vomitar **II.** *n no pl* vômito *m*
voracious [vɔ:'reɪʃəs] *adj* voraz
vote [voʊt] **I.** *n* **1.** (*choice*) voto *m* **2.** (*election*) votação *f* **II.** *vi* votar
voter ['voʊtər] *n* eleitor(a) *m(f)*
voting *n* votação *f*
vouch for [vaʊtʃ] *vi* responder por
voucher ['vaʊtʃər] *n* (*coupon*) vale *m*; (*receipt*) recibo *m*
vow [vaʊ] **I.** *vt* jurar **II.** *n* juramento *m*
vowel ['vaʊəl] *n* vogal *f*
voyage ['vɔɪɪdʒ] *n* viagem *f*
vulgar ['vʌlgər] *adj* vulgar
vulgarity [vʌl'gerəṭi] *n no pl* vulgaridade *f*
vulnerable ['vʌlnərəbl] *adj* vulnerável
vulture ['vʌltʃə] *n* urubu *m*

W, **w** ['dʌblju:] *n* w *m*
w *abbr of* **watt** W
W *abbr of* **west** W
wad [wɑ:d] *n* (*of banknotes*) maço *m*
waddle ['wɑ:dl] *vi* andar requebrando (como um pato)
wade [weɪd] *vi* **to ~ through sth** avançar por a. c. a duras penas
waffle ['wɑ:fl] *vi* enrolar *inf*
wag [wæg] <-gg-> *vt* abanar
wage [weɪdʒ] **I.** *vt* (*campaign*) empreender; (*war*) travar **II.** *n* salário *m*
wager ['weɪdʒər] *vt* apostar
waggon *n Brit*, **wagon** ['wægən] *n* carroça *f*
waist [weɪst] *n* cintura *f* **waistcoat** *n Brit* colete *m*
wait [weɪt] **I.** *vi* esperar; **to keep sb ~ing** deixar alguém esperando; **he cannot ~ to see her** ele não vê a

hora de encontrá-la; (**just**) **you ~!** você vai ver (só)! **II.** *vt* **to ~ one's turn** esperar pela sua vez ◈ **wait on** *vt* servir

waiter ['weɪţər] *n* garçom *m*

waiting list *n* lista *f* de espera **waiting room** *n* sala *f* de espera

waitress ['weɪtrɪs] *n* garçonete *f*

waive [weɪv] *vt form* renunciar a

wake <woke *o* waked, woken *o* waked> *vt* despertar ◈ **wake up** *vi, vt* despertar(-se)

waken ['weɪkən] *vt form* despertar

Wales ['weɪlz] *n* País *m* de Gales

walk [wɑːk] **I.** *n* andar *m;* **to take a ~** ir caminhar; **it's a five minute ~** são cinco minutos a pé **II.** *vt* andar; **to ~ sb home** acompanhar alguém até em casa; **to ~ the dog** passear com o cachorro ◈ **walk out** *vi* ir embora antes do final; **to ~ on sb** deixar alguém

walking *adj* **it is within ~ distance** dá para ir a pé

walking-stick *n* bengala *f*

walkway *n* passagem *f*

wall [wɔːl] *n* parede *f,* muro *m*

wallet ['wɑːlɪt] *n* carteira *f*

wallpaper *n* papel *m* de parede

walnut ['wɔːlnʌt] *n* noz *f*

walrus ['wɔːlrəs] <walruses *o* walrus> *n* morsa *f*

waltz [wɔːlts] <-es> *n* valsa *f*

wand [wɑːnd] *n* varinha *f* de condão

wander ['wɑːndər] *vi* vagar

want [wɑːnt] *vt* querer; **to ~ sb to do sth** querer que alguém faça a. c.; **to ~ to do sth** querer fazer a. c.; **he is ~ed by the police** ele é procurado pela polícia

wanting *adj* **to be ~ in sth** ter falta de a. c.

WAP [wæp] *abbr of* **wireless application protocol** WAP

war [wɔːr] *n* guerra *f*

war crime *n* crime *m* de guerra **war cry** *n* grito *m* de guerra

ward [wɔːrd] **I.** *n* enfermaria *f* **II.** *vt* **to ~ sth/sb off** precaver-se de a. c./alguém

wardrobe ['wɔːrdroʊb] *n* guarda-roupa *m*

warehouse ['werhaʊs] *n* armazém *m*

warfare ['wɔːrfer] *n no pl* guerra *f*

warhead *n* ogiva *f*

warlike *adj* beligerante

warlord *n* chefe *m* militar

warm [wɔːrm] *adj* morno, -a; (*climate*) quente; (*affectionate*) caloroso, -a ◈ **warm up** *vt, vi* aquecer

warmly *adv* calorosamente

warmth [wɔːrmθ] *n no pl* calor *m;* (*affection*) cordialidade *f*

warm-up *n* aquecimento *m*

warn [wɔːrn] *vt* advertir

warning *n* advertência *f;* **without ~** sem aviso prévio

warrant ['wɔːrənt] **I.** *n* (*arrest*) ordem *f;* (*search*) mandado *m* **II.** *vt* justificar

warranty ['wɔːrənti] <-ies> *n* garantia *f*

warrior ['wɔːrjər] *n* guerreiro, -a *m, f*

warship *n* navio *m* de guerra

wart [wɔːrt] *n* verruga *f*

wary ['weri] <-ier, -iest> *adj* desconfiado, -a

was [wɑ:z] *pt of* **be**

wash [wɑ:ʃ] *vi, vt* lavar(-se)

washer ['wɑ:ʃər] *n Am,* **washing machine** *n* lavadora *f* de roupas **washing powder** *n no pl, Brit* sabão *m* em pó

Washington [ˌwɑ:ʃɪŋtən] *n* Washington *m*

Washington D.C. *n* Washington *m,* Distrito de Colúmbia

Cultura **Washington's Birthday** é feriado oficial nos Estados Unidos. Embora George Washington tenha nascido em 22 de fevereiro de 1732, há alguns anos seu aniversário de nascimento é comemorado sempre na terceira segunda-feira do mês de fevereiro, para ser um fim de semana prolongado.

washing-up *n Brit* **to do the ~** lavar a louça

washout ['wɑ:ʃaʊt] *n inf* fiasco *m*

washroom *n Am* banheiro *m*

wasn't [wʌznt] = **was + not** *s.* **be**

wasp [wɑ:sp] *n* vespa *f*

waste [weɪst] *vt* (*opportunity*) desperdiçar; (*time*) perder

wastebasket *n Am,* **wastebin** *n Brit* cesto *m* de lixo

wasteful ['weɪstfəl] *adj* esbanjador(a)

wasteland *n* terreno *m* baldio

wastepaper basket *n* cesto *m* de lixo

watch [wɑ:tʃ] I. *n no pl* **to be on ~** estar de guarda; (*clock*) relógio *m* de pulso II. *vt* ver; **to ~ a movie** assistir a um filme; **to ~ the kids** tomar conta das crianças; **~ it!** cuidado!; **to ~ one's weight** controlar o peso ◈ **watch out** *vi* **to ~ for sth/sb** tomar cuidado com a. c./alguém

watchdog *n Am* cão *m* de guarda

watchful ['wɑ:tʃfəl] *adj* vigilante; **to keep a ~ eye on sb** ficar de olho vivo em alguém

watchmaker *n* relojoeiro, -a *m, f*

watchman <-men> *n* vigia *mf* **watchtower** *n* torre *f* de vigia **watchword** *n* lema *m*

water ['wɑ:ţər] I. *n* água *f;* **by ~** por mar; **under ~** embaixo d'água II. *vt* (*plants*) regar III. *vi* (*eyes*) lacrimejar; (*mouth*) salivar ◈ **water down** *vt fig* amenizar

watercolor aquarela *f* **watercress** *n no pl* agrião *m* **waterfall** *n* cachoeira *f* **waterfront** *n* zona *f* portuária **water heater** *n* aquecedor *m* de água

watering can *n* regador *m*

water level *n* nível *m* de água **water lily** <-ies> *n* lótus *m* **watermark** *n* marca-d'água *f* **watermelon** *n* melancia *f* **water polo** *n* pólo *m* aquático

waterproof *adj* impermeável

watershed *n* divisor *m* de águas **water-skiing** *n no pl* esqui *m* aquático **water tank** *n* tanque *m* de água

watertight *adj* hermético, -a

waterway *n* canal *m*

watery <-ier, -iest> *adj* aguado, -a

watt [wɑ:t] *n* watt *m*

wave ['weɪv] I. *n* onda *f;* **to make ~s** *fig* criar caso II. *vi* **to ~ at sb**

W

acenar para alguém; **to ~ goodbye** despedir-se com um aceno

waver ['weɪvər] *vi* hesitar

wavy ['weɪvi] <-ier, -iest> *adj* ondulado, -a

wax [wæks] **I.** *n no pl* cera *f* **II.** *vt* **1.** (*floor*) encerar; (*shoes*) lustrar **2.** (*remove hair from*) depilar com cera

way [weɪ] *n* **1.** caminho *m;* **all the ~** (*the whole distance*) todo o caminho; (*completely*) totalmente; **by the ~** *fig* a propósito; **on the ~ to sth** a caminho de a. c. **2.** (*fashion*) maneira *f;* **either ~** tanto faz; **no ~!** de jeito nenhum!

way out *n* saída *f*

way-out *adj inf* ultramoderno, -a

we [wi:] *pron pers* nós; **~'re going to Rio** vamos ao Rio

weak [wi:k] *adj* fraco, -a

weaken ['wi:kən] *vi, vt* enfraquecer

weakling ['wi:klɪŋ] *n* fracote, -a *m, f*

weakness ['wi:knɪs] <-es> *n no pl* fraqueza *f*

wealth [welθ] *n no pl* riqueza *f*

wealthy ['welθi] <-ier, -iest> *adj* rico, -a

wean [wi:n] *vt* desmamar

weapon ['wepən] *n* arma *f*

wear [wer] <wore, worn> **I.** *n* (*clothing*) roupa *f;* (*amount of use*) desgaste *m* **II.** *vt* (*clothes*) vestir, usar ◈ **wear out** *vi, vt* (*patience*) esgotar-se; (*shoes*) gastar(-se)

weary ['wɪri] <-ier, -iest> *adj* extenuado, -a; **to be ~ of sth** estar farto de a. c.

weasel ['wi:zl] *n* fuinha *f*

weather ['weðər] **I.** *n no pl* tempo *m,* clima *m* **II.** *vt* **to ~ sth** superar a. c.

weather forecast *n* previsão *f* do tempo **weatherman** *n* homem *m* do tempo

weave [wi:v] <wove *Am:* weaved, woven *Am:* weaved> *vi, vt* tecer

weaver ['wi:vər] *n* tecelão, -ã *m, f*

web [web] *n* **spider('s) ~** teia de aranha; **the ~** a Internet

webaddict *n* viciado, -a *m, f* em Internet **web browser** *n* navegador *m* da Internet **webmaster** *n* administrador(a) *m(f)* de rede **web page** *n* página *f* da Internet **website** *n* portal *m* da Internet **web surfer** *n* surfista *mf* da rede **webzine** *n* revista *f* da web

we'd [wi:d] **1.** = **we + would** *s.* **will 2.** = **we + had** *s.* **have**

wed [wed] <wedded *o* wed, wedded *o* wed> *vt form* **to ~ sb** casar(-se) com alguém

wedded ['wedɪd] *adj* casado, -a

wedding *n* casamento *m*

wedding cake *n no pl* bolo *m* de casamento **wedding dress** *n* vestido *m* de noiva **wedding present** *n* presente *m* de casamento **wedding ring** *n* aliança *f*

wedge [wedʒ] **I.** *n* **a ~ of cake** uma fatia de bolo **II.** *vt* **to ~ the door open** pôr um calço para deixar a porta aberta

wedlock ['wedlɑ:k] *n no pl* matrimônio *m;* **to be born out of ~** ser filho ilegítimo

Wednesday ['wenzdeɪ] *n* quarta-feira *f*

wee [wi:] I. *adj Scot, a. inf* **a ~ bit** um bocadinho II. *vi childspeak, inf* fazer pipi

weed [wi:d] I. *n* erva *f* daninha II. *vt* capinar

weedkiller *n no pl* herbicida *m*

weedy ['wi:di] *adj* <-ier, -iest> repleto, -a de ervas daninhas

week [wi:k] *n* semana *f;* **last ~** semana passada; **once a ~** uma vez por semana

weekday *n* dia *m* de semana

weekend ['wi:kend] *n* fim *m* de semana

weekly ['wi:kli] *adj* semanal

weep [wi:p] *vi* <wept, wept> chorar

weeping willow *n* salgueiro-chorão *m*

weigh [weɪ] *vi, vt* pesar ◈**weigh down** *vt fig* sobrecarregar

weight [weɪt] I. *n* peso *m;* **to lift ~s** fazer musculação; **to put on ~** engordar II. *vt* carregar

weight-lifting *n no pl* halterofilismo *m*

weighty ['weɪţi] *adj* <-ier, -iest> pesado, -a, de peso

weird [wɪrd] *adj* esquisito, -a

welcome ['welkəm] I. *vt* acolher bem II. *adj* **to be ~** ser bem-vindo; **you are ~** de nada; **you're ~ to use the phone** esteja à vontade para usar o telefone

welcoming *adj* acolhedor(a)

weld [weld] *vt* soldar

welfare ['welfer] *n no pl* bem-estar *m; Am* (*state aid*) previdência *f* social

we'll [wɪl] 1. = **we + will** *s.* **will** 2. = **we + shall** *s.* **shall**

well¹ [wel] I. *adj* bem; **to get ~** melhorar II. <better, best> *adv* ~ **done** muito bem; **as ~** também; **as ~ as** assim como

well² *n* (*water*) poço *m*

well-balanced *adj* ponderado, -a **well-behaved** *adj* bem-educado, -a **well-being** *n no pl* bem-estar *m* **well-deserved** *adj* merecido, -a **well-developed** *adj* bem desenvolvido, -a **well-earned** *adj* merecido, -a **well-educated** *adj* instruído, -a **well-informed** *adj* **to be ~ about sth** estar bem informado sobre a. c. **well-known** *adj* **it is ~ that ...** é sabido que ... **well-meaning** *adj* bem-intencionado, -a **well-off** *adj* próspero, -a **well-paid** *adj* bem remunerado, -a **well-read** *adj* versado, -a **well-to-do** *adj* abastado, -a **well-wisher** *n* simpatizante *mf*

Welsh [welʃ] *adj* galês, -esa

Welshman ['welʃmən] <-men> *n* galês *m*

Welshwoman ['welʃˌwʊmən] <-women> *n* galesa *f*

welt [welt] *n* vergão *m* (na pele)

went [went] *pt of* **go**

wept [wept] *pt, pp of* **weep**

we're [wɪr] = **we + are** *s.* **be**

were [wɜ:r] *pt of* **be**

weren't [wɜ:rnt] = **were + not** *s.* **be**

west [west] I. *n* **the West** o Ocidente II. *adj* ocidental III. *adv* a oeste

westerly ['westərli] I. *adj* do oeste II. *adv* para oeste, do oeste
western ['westərn] I. *adj* ocidental II. *n* filme *m* de faroeste
westward(s) ['westwərd(z)] *adj* para o oeste
wet [wet] I. *adj* <-tt-> molhado, -a; ~ **through** ensopado, -a; **to get** ~ molhar-se II. <wet, wet> *vt* molhar
wetsuit *n* roupa *f* de mergulho
we've [wɪv] = **we + have** *s.* **have**
whack [wæk] *n* sopapo *m*
whale [weɪl] *n* baleia *f*
wham [wæm] *interj inf* zape
wharf [wɔ:rf] <-ves> *n* cais *m*
what [wʌt] I. *adj interrog* que, qual; ~ **an idiot!** que idiota!; ~ **kind of book?** que tipo de livro?; ~ **time is it?** que horas são? II. *pron* que, qual; ~ **about Paul?** e o Paul?; ~ **can I do?** o que eu posso fazer?; ~**'s up?** tudo bem?; **so** ~**?** e daí?; *rel* o que, a que; ~ **if ...** e se ...; ~ **I like is ...** o que eu gosto é ...
whatever [wʌt'evər] I. *pron* (*anything*) tudo que; (*any of them*) qualquer um II. *adj* seja o que for; (*of any kind*) qualquer; **there is no doubt** ~ não há a menor dúvida
whatsoever [ˌwʌtsoʊ'evər] *adv* **nothing** ~ absolutamente nada
wheat [wi:t] *n no pl* trigo *m*
wheatgerm *n no pl* germe *m* de trigo
wheel [wi:l] *n* roda *f;* AUTO direção *f*
wheelbarrow *n* carrinho *m* de mão
wheelchair *n* cadeira *f* de rodas
wheel clamp *n* jacaré *m*
wheeze [wi:z] <-zing> *vi* respirar com dificuldade
when [wen] *adv, conj* quando
whenever [wen'evər] I. *conj* sempr que; **he can come** ~ **he likes** el pode vir quando quiser II. *ad* quando
where [wer] *adv interrog* onde; **th place** ~ **we always go** o lugar aond [*ou* em que] sempre vamos
whereabout(s) ['werəbaʊt(s)] *n* + *sing/pl vb* paradeiro *m*
whereas [wer'æz] *conj* ao passo que
whereby [wer'baɪ] *conj form* pel qual, pela qual
wherever [ˌwer'evər] *conj* onde que que +*subj*
wherewithal ['werwɪðɔ:l] *n no pl* recursos *mpl*
whether ['weðər] *conj* se; ~ **I go by bus or bike ...** se vou de ônibus o de bicicleta ...; ~ **rich or poor ..** quer sejam ricos ou pobres ...
which [wɪtʃ] I. *adj interrog* que; ~ **one/ones?** qual/quais? II. *pron interrog* que, qual/quais; *rel* que, qual/os quais, a qual/as quais; **the book** ~ **I read** o livro que eu li
whichever [wɪtʃ'evər] I. *pron* qualquer um que II. *adj* qualquer que
whiff [hwɪf] *n* (*of wind*) sopro *m*
while [waɪl] I. *n* **after a** ~ pouco depois; **in a** ~ logo; **once in a** ~ de vez em quando II. *conj* enquanto
whilst [waɪlst] *conj Brit s.* **while**
whim [wɪm] *n* capricho *m*
whimper ['wɪmpər] *vi* choramingar
whine [waɪn] <-ning> *vi* **to** ~ **abou sth** queixar-se de a. c.

whip [wɪp] I. *n* chicote *m* II. <-pp-> *vt* açoitar ◈ **whip out** *vt* sacar de repente ◈ **whip up** *vt* preparar rapidamente

whipped cream *n* chantilly *m*

whipping *n* chicotada *f*

whipping cream *n no pl* chantilly *m*

whirl [wɜːrl] *vi* rodopiar

whirlwind *n* tufão *m;* **a ~ romance** um romance relâmpago

whisker ['wɪskər] *n pl* (*of animal*) bigode *m* (de gato)

whiskey *n Irish, Am,* **whisky** ['wɪski] *n* <-ies> *Brit, Aus* uísque *m*

whisper ['wɪspər] *vi, vt* sussurrar

whistle ['wɪsl] I. <-ling> *vi, vt* assobiar, apitar II. *n no pl* assobio *m;* **to blow the ~ on sb** *fig* denunciar alguém

white [waɪt] I. *adj* branco, -a II. *n* (*person*) branco, -a *m, f*

whitecollar worker *n* colarinho-branco *m* **White House** *n* **the ~** a Casa Branca **white sauce** *n* molho *m* branco

whizz [wɪz] *vi inf* **to ~ by** passar zunindo

whizz kid *n inf* jovem *m* gênio

who [huː] *pron interrog* quem; *rel* quem; **it was your sister ~ did it** foi a sua irmã quem fez isso; **the people ~ work here** as pessoas que trabalham aqui

WHO [ˌdʌbljuːˌeɪtʃ'oʊ] *n abbr of* **World Health Organization** OMS *f*

whoever [huː'evər] *pron rel* quem, quem quer que

whole [hoʊl] I. *adj* 1. todo, -a; **the ~ world** o mundo todo 2. (*in one piece*) inteiro, -a; **a ~ lot of people** *inf* muita gente II. *n* **as a ~** como um todo

wholegrain *adj Am,* **wholemeal** *n Brit* integral

whole-hearted *adj* irrestrito, -a

wholesale ['hoʊlseɪl] *adv* por atacado

wholesaler *n* atacadista *mf*

wholesome ['hoʊlsəm] *adj* saudável

whom [huːm] *pron* quem; *rel* quem, que

whoopee ['wuːpi] *interj* eba

whooping cough ['huːpɪŋkɑːf] *n no pl* coqueluche *f*

whoops [wʊps] *interj inf* opa

whopping ['wɑːpɪŋ] *adj inf* colossal

whore [hɔːr] *n pej* puta *f*

whose [huːz] I. *adj interrog* de quem; *rel* cujo, -a II. *pron poss* de quem

why [waɪ] *adv* por que; **~ not?** por que não?

wick [wɪk] *n* pavio *m*

wicked ['wɪkɪd] *adj* travesso, -a; (*witch*) malvado, -a; **that's ~!** *sl* isso é o máximo!

wicker ['wɪkər] *n no pl* vime *m*

wide [waɪd] I. *adj* 1. amplo, -a; **eyes ~ with fear** olhos arregalados de medo 2. (*measurement*) de largura II. *adv* bem; **to be ~ apart** estar bem afastado; **~ open** escancarado, -a

widely *adv* amplamente

widen ['waɪdən] *vt* ampliar

wide-open *adj* exposto, -a

widespread ['waɪdspred] *adj* difundido, -a

widow ['wɪdoʊ] *n* viúva *f*

widower ['wɪdoʊər] *n* viúvo *m*

width [wɪdθ] *n no pl* (*of house*) extensão *f*; **to be 3 cm in** ~ ter 3 cm de largura

wield [wiːld] *vt* (*instrument*) manejar; (*power*) exercer

wife [waɪf] <wives> *n* mulher *f*

wig [wɪg] *n* peruca *f*

wigger ['wɪgər] *n Am, sl* branco, -a *m, f* de alma negra

wiggle ['wɪgl] *vt* (*toes*) mexer

wild [waɪld] **I.** *adj* **1.** (*animal*) selvagem; (*flower*) silvestre **2.** (*plan*) maluco, -a **II.** *adv* **to grow** ~ crescer naturalmente

wild boar *n* javali *m* **wild card** *n* coringa *m* **wildcat** *n* gato *m* selvagem

wilderness ['wɪldərnəs] *n no pl* ermo *m*

wildlife *n no pl* vida *f* selvagem

wilful *adj Brit s.* **willful**

will[1] [wɪl] <would> **I.** *aux* (*in future tense*) **he'll win** ele vencerá; (*in immediate future*) ; **I'll answer the telephone** eu atendo o telefone; (*with tag question*) ; **they** ~ **accept this credit card in France, won't they?** este cartão de crédito é aceito na França, não é mesmo?; (*expressing intention*) ; **I** ~ **not be spoken to like that!** não aceito que falem comigo assim!; (*in requests and instructions*) ; ~ **you have a slice of cake?** quer uma fatia de bolo?; **just pass me that knife,** ~ **you?** pode me passar a faca, por favor?; (*expressing facts*) ; **the car won't run without petrol** o carro não funciona sem gasolina; (*expressing likelihood*) ; **she** ~ **have received the letter by now** ela já deve ter recebido a carta **II.** *vi form* **as you** ~ como queira

will[2] *n no pl* (*free*) arbítrio *m*; (*testament*) testamento *m*

willful ['wɪlfəl] *adj Am* intencional

willing *adj* disposto, -a

willingness *n no pl* boa vontade *f*

willow ['wɪloʊ] *n* salgueiro *m*

willpower *n no pl* força *f* de vontade

wilt [wɪlt] *vi* (*plants*) murchar

wimp [wɪmp] *n inf* frouxo, -a *m, f*

win [wɪn] <won, won> *vt* vencer; (*recognition*) conquistar

wince [wɪns] *vi* (*in pain*) encolher-se; **to** ~ **at sth** retrair-se com a. c.

wind[1] [wɪnd] *n* vento *m*; **gust of** ~ rajada *f*; **to get** ~ **of sth** ficar sabendo de a. c.; **to break** ~ *no pl* soltar gases

wind[2] [waɪnd] <wound, wound> *vt* enrolar; (*handle*) girar ◈ **wind down** *vi* relaxar ◈ **wind up** *vt* (*meeting*) finalizar; (*watch*) dar corda; **to be/get all wound up** ficar exaltado **wind energy** *n no pl* energia *f* do vento **windfall** *n fig* dinheiro *m* inesperado **wind instrument** *n* instrumento *m* de sopro **windmill** *n* moinho *m* de vento

window ['wɪndoʊ] *n* janela *f* **window-shopping** *n no pl* **to go** ~ ir olhar as vitrines **windowsill** *n* peitoril *m* da janela

windpipe *n* traquéia *f* **wind power** *n no pl* força *f* do vento **windscreen** *n*

Brit, Aus, **windshield** *n Am* pára-brisa *m* **windshield wiper** *n* limpador *m* de pára-brisa
windsurfer *n* windsurfista *mf*
windsurfing *n no pl* windsurfe *m*
windy¹ ['wɪndi] <-ier, -iest> *adj* em que venta muito
windy² ['waɪndi] <-ier, -iest> *adj* empolado, -a
wine [waɪn] *n no pl* vinho *m*
wine glass <-es> *n* copo *m* de vinho
wing [wɪŋ] *n* asa *f;* ARCHIT, POL ala *f*
winger ['wɪŋər] *n* SPORTS lateral *mf*
wing nut *n* TECH porca *f* de borboleta
wink [wɪŋk] *vi* piscar
winner ['wɪnər] *n* vencedor(a) *m(f)*
winning ['wɪnɪŋ] *adj* vencedor(a); (*ticket*) premiado, -a
winter ['wɪntər] *n* inverno *m* **wintertime** *n no pl* inverno *m*
win-win situation *n inf* situação *f* vantajosa para todos
wipe [waɪp] **I.** *n* lenço *m* **II.** *vt* esfregar com pano; (*floor*) limpar
◈ **wipe out** *vt* (*debt*) liquidar; (*species*) exterminar
wire ['waɪər] **I.** *n no pl* arame *m;* ELEC fio *m* elétrico **II.** *vt* **to ~ sb money** fazer uma transferência eletrônica de dinheiro para alguém
wire-cutters *npl* alicate *m* corta-arame
wiring ['waɪərɪŋ] *n no pl* fiação *f*
wiry ['waɪəri] <-ier, -iest> *adj* (*hair*) crespo, -a
wisdom ['wɪzdəm] *n no pl* sabedoria *f*
wisdom tooth <- teeth> *n* dente *m* de siso
wise [waɪz] *adj* (*decision*) sensato, -a; (*person*) sábio, -a
wisecrack *n* **to make a ~ about sth** fazer graça de a. c.
wish [wɪʃ] **I.** <-es> *n* desejo *m;* **give him my best ~es** mande lembranças a ele; (**with**) **best ~es** saudações cordiais **II.** *vt* desejar; **to ~ sb happy birthday** cumprimentar alguém pelo aniversário; **to ~ sb luck** fazer votos de boa sorte a alguém **III.** *vi* fazer um pedido; **if you ~** como queira
wit [wɪt] *n no pl* perspicácia *f*
witch [wɪtʃ] <-es> *n* bruxa *f*
with [wɪð] *prep* com; **~ me** comigo; **~ you** com você; **he took it ~ him** ele o levou consigo; **to cry ~ rage** chorar de raiva; **to fill up ~ fuel** encher o tanque de combustível; **to replace sth ~ something else** substituir a. c. por outra; **to be ~ sb** (*agree with*) concordar com alguém; **to get ~ it** *inf* ficar ligado
withdraw [wɪð'drɑː] *irr* **I.** *vt* retratar **II.** *vi form* retirar-se; *fig* isolar-se
withdrawal [wɪð'drɑːəl] *n* retirada *f*
withhold [wɪð'hoʊld] *irr vt* (*information*) sonegar
within [wɪð'ɪn] **I.** *prep* dentro de; **~ 3 days** no prazo de 3 dias; **~ 2 km of the town** a 2 km da cidade **II.** *adv* dentro; **from ~** de dentro
without [wɪð'aʊt] *prep* sem; **to do ~ sth** passar sem a. c.
withstand [wɪð'stænd] *irr vt* (*pressure*) suportar
witness ['wɪtnəs] **I.** *n* testemunha *f* **II.** *vt* testemunhar

witness box <-es> *n Brit,* **witness stand** *n Am* banco *m* das testemunhas

witty ['wɪţi] <-ier, -iest> *adj* espirituoso, -a

wizard ['wɪzərd] *n* mago, -a *m, f*

wobble ['wɑ:bl] *vi* cambalear

wobbly ['wɑ:bli] <-ier, -iest> *adj* (*chair*) bambo, -a

woke [woʊk] *vt, vi pt of* **wake**

woken ['woʊkən] *vt, vi pp of* **wake**

wolf [wʊlf] <wolves> *n* lobo *m*

woman ['wʊmən] <women> *n* mulher *f*

womanizer *n* mulherengo *m*

womanly *adj* feminino, -a

womb [wu:m] *n* útero *m*

won [wʌn] *vt, vi pt, pp of* **win**

wonder ['wʌndər] **I.** *vt* perguntar-se **II.** *vi* **to ~ about sth** refletir sobre a. c. **III.** *n* maravilha *f;* **no ~ (that) ...** não é de admirar que ... +*subj;* **to do ~s** fazer maravilhas

wonderful ['wʌndərfəl] *adj* maravilhoso, -a

won't [woʊnt] = **will + not** *s.* **will**

wood [wʊd] *n no pl* madeira *f*

wooded ['wʊdɪd] *adj* arborizado, -a

wooden ['wʊdn] *adj* de madeira

woodpecker *n* pica-pau *m* **woodwind** *n* instrumentos *m* de sopro (de madeira) *pl* **woodwork** *n no pl* madeiramento *m; Brit* carpintaria *f*

wool [wʊl] *n no pl* lã *f*

woolly *adj Brit,* **wooly** ['wʊli] <-ier, -iest> *adj Am* (*wool-like*) lanoso, -a

word [wɜ:rd] *n* palavra *f;* **to get ~ of sth** tomar conhecimento de a. c.; **to keep one's ~** cumprir com a palavra

wording *n no pl* fraseado *m*

wordplay *n no pl* jogo *m* de palavras

word processor *n* processador *m* de textos

wore [wɔ:r] *vt, vi pt of* **wear**

work [wɜ:rk] **I.** *n* **1.** *no pl* trabalho *m;* **good ~!** bom trabalho! **2.** *no pl* (*employment*) emprego *m;* **to be out of ~** estar desempregado **3.** (*product*) obra *f;* **~ of reference** obra de consulta; **steel ~s** siderúrgica **II.** *vi* trabalhar; (*function*) funcionar; (*be successful*) dar resultado ◈ **work out I.** *vt* resolver **II.** *vi* ter resultado; (*do exercise*) fazer ginástica ◈ **work up** *vt* (*appetite*) estimular; **to get all worked up about sth** ficar nervoso com a. c.

workable ['wɜ:rkəbl] *adj* viável

worker ['wɜ:rkər] *n* trabalhador(a) *m(f);* (*in factory*) operário, -a *m, f*

work ethic *n* ética *f* de trabalho **workforce** *n + sing/pl vb* mão-de-obra *f*

working *adj* empregado, -a; (*day*) útil; (*functioning*) que funciona; **to have a ~ knowledge of sth** ter conhecimento básico de a. c.

working class <-es> *n* **the ~** a classe operária

workload *n* carga *f* de trabalho

workmanship ['wɜ:rkmənʃɪp] *n no pl* arte *f;* (*quality of work*) execução *f*

work of art *n* obra *f* de arte

workout *n* ginástica *f* **workplace** *n* local *m* de trabalho **workshop** *n* oficina *f* **work station** *n* terminal *m*

world [wɜ:rld] *n no pl* mundo *m*

World Bank *n* **the** ~ o Banco Mundial **world-class** *adj* de nível mundial **World Cup** *n* **the** ~ a Copa do Mundo **world-famous** *adj* de renome internacional

worldly ['wɜːrldli] *adj* mundano, -a

world record *n* recorde *m* mundial **world war** *n* guerra *f* mundial

world-wide *adj* mundial

World Wide Web *n* INFOR rede *f* mundial

worm [wɜːrm] *n* verme *m*

worn [wɔːrn] I. *vt, vi pp of* **wear** II. *adj* gasto, -a

worn-out *adj* (*person*) exausto, -a

worried *adj* preocupado, -a; **to be ~ about sth** estar apreensivo com a. c.

worry ['wɜːri] I. <-ies> *n* preocupação *f* II. *vt* <-ie-, -ing> preocupar; **to ~ oneself about sth** preocupar-se com a. c. III. <-ie-, -ing> *vi* **to ~** (**about sth**) preocupar-se (com a. c.); **don't ~!** não se preocupe!

worrying *adj* preocupante

worse [wɜːrs] I. *adj comp of* **bad** pior; **from bad to ~** de mal a pior II. *adv comp of* **badly to do sth ~ than ...** fazer a. c. pior que ...

worsen ['wɜːrsən] *vi, vt* piorar

worship ['wɜːrʃɪp] *vt* <-pp-, *Am:* -p-> venerar

worst [wɜːrst] I. *adj superl of* **bad the ~** o pior II. *adv superl of* **badly the ~-dressed person** a pessoa mais mal vestida

worth [wɜːtθ] I. *n no pl* (*of person*) mérito *m;* (*of thing*) valor *m* II. *adj* **to be ~ ...** valer ...; **it's ~ a try** vale a pena tentar

worthless ['wɜːrθləs] *adj* sem valor, inútil

worthwhile [ˌwɜːrθ'waɪl] *adj* que vale a pena

worthy ['wɜːrði] <-ier, -iest> *adj* merecedor(a); **a ~ cause** uma causa nobre; **to be ~ of sth** ser digno de a. c.

would [wʊd] *aux pt of* **will** (*future in the past*) **he said he ~ do it later on** ele disse que faria mais tarde; (*intention*) ; **he said he ~ always love her** ele disse que sempre a amaria; **I ~ rather have beer** prefiro tomar uma cerveja; (*possibility*) ; **I'd go myself, but I'm too busy** eu mesmo iria, mas estou muito ocupado; (*conditional*) ; **what ~ you do if you lost your job?** o que você faria se perdesse o emprego?; (*polite request*) ; **~ you like ...?** gostaria ...?; (*regularity in past*) ; **they ~ help each other with their homework** costumavam se ajudar com a lição de casa; (*typical*) ; **he ~ say that, wouldn't he?** é típico dele dizer isso, não é mesmo?; (*opinion*) ; **I ~n't have thought that ...** nunca imaginaria que ... +*subj*

would-be *adj* aspirante

wouldn't [wʊdnt] = **would + not** *s.* **would**

wound[1] [waʊnd] *vi, vt pt, pp of* **wind**[2]

wound[2] [wuːnd] *vt* ferir

wounded *adj* ferido, -a

wove [woʊv] *vt, vi pt of* **weave**

woven ['woʊvən] *vt, vi pp of* **weave**

wrangle ['ræŋgl] <-ling> *vi* discutir

wrap [ræp] I. *n* xale *m* II. *vt* <-pp-> envolver; **to ~ one's fingers around sth** segurar a. c. com as mãos ◈ **wrap up** I. *vt* <-pp-> envolver; **that wraps it up for today** *fig* assim encerramos por hoje II. *vi* agasalhar-se; **to be wrapped up in sth** *fig* estar absorto em a. c.

wrapper ['ræpər] *n* invólucro *m*

wrapping paper *n* papel *m* de embrulho

wreath [ri:θ] <wreaths> *n* coroa *f*

wreck [rek] I. *vt* (*car*) destroçar; (*plan*) arruinar II. *n* **to be a nervous ~** estar com os nervos em frangalhos

wreckage ['rekɪdʒ] *n no pl* (*of vehicle*) destroços *mpl*

wrench [rentʃ] I. *vt* arrancar com puxão; **to ~ one's ankle** torcer o tornozelo II. *n* puxão *m*; *Am* TECH chave *f* inglesa

wrestle ['resl] <-ling> *vi* lutar

wrestler *n* lutador(a) *m(f)*

wrestling *n no pl* luta *f*

wring [rɪŋ] <wrung, wrung> *vt* **to ~ one's hands** torcer as mãos (em apreensão ou desespero)

wrinkle ['rɪŋkl] I. *n* ruga *f* II. <-ling> *vt* (*face*) franzir; (*skin*) enrugar

wrist [rɪst] *n* pulso *m*

wristband *n* correia *f*

wristwatch <-es> *n* relógio *m* de pulso

write [raɪt] <wrote, written, writing> I. *vt* escrever; **to ~ sb a check** passar um cheque a alguém II. *vi* escrever ◈ **write back** *vi* **to ~ back to sb** responder a alguém ◈ **write down** *vt* tomar nota ◈ **write off** *vt* (*debt*) cancelar

write-off *n* **to be a complete ~** (*car*) sofrer perda total; (*project*) ser um total fracasso

writer ['raɪţər] *n* escritor(a) *m(f)*; **CD-ROM/DVD ~** gravador de CD-ROM/DVD

write-up *n* resenha *f*

writing ['raɪţɪŋ] *n no pl* escrita *f*; (*written work*) escritos *mpl*; **in ~** por escrito

written I. *vt, vi pp of* **write** II. *adj* escrito, -a

wrong [rɑ:ŋ] I. *adj* (*answer*) incorreto, -a; (*not appropriate*) inapropriado, -a; (*bad*) errado, -a; **what's ~ with you today?** o que há com você hoje? II. *adv* **to do sth ~** fazer algo incorretamente; **to get sth ~** enganar-se em a. c.; **to go ~** ir mal; **to do ~** fazer de errado III. *n no pl* ofensa *f*; **he can do no ~** ele é incapaz de fazer mal; (**to know**) **right from ~** distinguir o certo do errado; **to right a ~** corrigir uma injustiça

wrongful *adj* injusto, -a

wrongly *adv* erroneamente

wrote [roʊt] *vi, vt pt of* **write**

wrought iron *n no pl* ferro *m* forjado

wrung [rʌŋ] *vt pt, pp of* **wring**

wry [raɪ] <wrier, wriest *o* wryer, wryest> *adj* sarcástico, -a

WW *n abbr of* **World War** guerra *f* mundial

X, **x** [eks] *n* x *m*

Xerox®, **xerox** ['zɪrɑ:ks] I. *vt Am* xerocar II. *n* xerox

Xmas ['krɪsməs] *n inf abbr of* **Christmas** Natal *m*

X-ray ['eksreɪ] I. *n* (*photograph*) radiografia *f* II. *vt* radiografar

xylophone ['zaɪləfoʊn] *n* xilofone *m*

Y, **y** [waɪ] *n* y *m*

yacht [jɑ:t] *n* iate *m*

yam [jæm] *n* 1. (*from Africa*) inhame *m* 2. *Am* (*sweet potato*) batata-doce *f*

yank [jæŋk] I. *vt inf* **to ~ (on) sth** puxar II. *n inf* puxão *m*

yap [jæp] <-pp-> *vi* latir

yard¹ [jɑ:rd] *n* (*3 feet*) jarda *f* (*0,91 m*)

yard² *n* (*paved*) pátio *m*

yardstick *n* metro *m*

yarn [jɑ:rn] *n no pl* (*thread*) fio *m*

yawn [jɑ:n] I. *vi* bocejar II. *n* bocejo *m*

yeah [jeə] *adv inf* sim

year [jɪr] *n* ano *m*; **I'm seven ~s old** tenho sete anos

yearly I. *adj* anual II. *adv* anualmente

yeast [ji:st] *n no pl* fermento *m*

yell [jel] I. *n* berro *m* II. *vi, vt* berrar

yellow ['jeloʊ] I. *adj* amarelo, -a II. *n* amarelo *m*

yelp [jelp] I. *vi* uivar II. *n* uivo *m*

Yemen ['jemən] *n* Iêmen *m*

Yemeni ['jeməni] *adj, n* iemenita *mf*

yes [jes] *adv* sim

yesterday ['jestərdeɪ] *adv* ontem; **~ morning** ontem de manhã; **the day before ~** anteontem

yet [jet] I. *adv* ainda; **have you finished ~?** já acabou?; **not ~** ainda não II. *conj* no entanto

yield [ji:ld] I. *n* 1. FIN rendimento *m* 2. AGR produção *f* II. *vt* (*results*) dar; AGR produzir; FIN render III. *vi* (*cease opposition*) ceder

YMCA [ˌwaɪemsi:'eɪ] *n abbr of* **Young Men's Christian Association** ACM *f*

yoga ['joʊgə] *n no pl* ioga *f*

yog(ho)urt ['joʊgərt, *Brit:* 'jɒgət] *n* iogurte *m*

yolk [joʊk] *n* gema *f* (de ovo)

you [ju:] *pron pers* 1. *2nd person sing* tu, você; *pl:* vocês; **do ~ see me?** você me vê?; **I see ~** eu te vejo, eu vejo você 2. *2nd person sing, polite form* senhor, -a; *pl:* senhores, -as; **older than ~** mais velho do que os senhores

you'd [ju:d] 1. = **you + would** *s.* **would** 2. = **you + had** *s.* **have**

young [jʌŋ] I. *adj* jovem; **~ children** crianças *fpl* pequenas; **a ~ man** um jovem II. *n pl* 1. (*young people*) **the ~** os [*ou* as] jovens *pl* 2. (*offspring*) filhotes *mpl*

your [jʊr] *adj poss* 1. *2nd pers sing*

teu, tua, seu, sua; *pl:* teus, tuas, seus, suas, de vocês; **wash ~ hands** lave as mãos **2.** *2nd pers sing and pl, polite form* do(s) senhor(es), da(s) senhora(s)

yours [jʊrz] *pron poss* **1.** *sing:* o teu, a tua, o seu, a sua; *pl:* os teus, as tuas, os seus, as suas, os de vocês **2.** *polite form* o(s) do(s) senhor(es) *m,* o(s) da(s) senhora(s) *f*

yourself [jʊr'self] *pron refl* **1.** *sing:* te, ti, se; *emphatic, after prep:* você mesmo, -a **2.** *polite form:* o senhor mesmo, a senhora mesma *m, f,* si; *emphatic:* o senhor mesmo, a senhora mesma *m, f; after prep:* si mesmo, -a

yourselves *pron refl* **1.** se, si; *emphatic, after prep:* vocês mesmos, -as **2.** *polite form:* os senhores mesmos, as senhoras mesmas *m, f,* si; *emphatic:* os senhores mesmos, as senhoras mesmas *m, f; after prep:* si mesmos, -as

youth [ju:θ] *n* **1.** *no pl* (*period*) juventude *f;* **in my ~** na minha mocidade *f* **2.** (*young man*) jovem *m* **3.** *no pl* (*young people*) jovens *mpl*

youthful ['ju:θfəl] *adj* juvenil

youth hostel *n* albergue *m* da juventude

yucky [jʌki] *adj* <-ier, -iest> *inf* desagradável

Yugoslavia ['ju:goʊ'slɑ:viə] *n* Iugoslávia *f*

Yugoslavian *adj* iugoslavo, -a

Z

Z, z [zi:, *Brit:* zed] *n* z *m*

Zaire [zaɪ'ɪr, *Brit:* -'ɪə^r] *n* Zaire *m*

Zambia ['zæmbiə] *n* Zâmbia *f*

zeal [zi:l] *n no pl* fervor *m*

zealous ['zeləs] *adj* fervoroso, -a

zebra ['zi:brə, *Brit:* 'zeb-] *n* zebra *f*

zero ['zɪroʊ] <-s *o* -es> *n* zero *m*

zest [zest] *n no pl* (*enthusiasm*) entusiasmo *m*

zigzag ['zɪgzæg] **I.** *n* ziguezague *m* **II.** <-gg-> *vi* ziguezaguear

Zimbabwe [zɪm'bɑ:bweɪ] *n* Zimbábue *m*

zinc [zɪŋk] *n no pl* zinco *m*

zip [zɪp] **I.** *n sl* nada *m* **II.** <-pp-> *vi* **the cars ~ped by** os carros passavam rapidamente **III.** <-pp-> *vt* **to ~ sth (up)** subir o zíper de a. c.

zip code *n Am* código *m* de endereçamento postal

zodiac ['zoʊdiæk] *n no pl* zodíaco *m*

zombie ['zɑ:mbi] *n* zumbi *m*

zone [zoʊn] *n* zona *f*

zoo [zu:] *n* zoológico *m*

zoologist [zoʊ'ɑ:lədʒɪst] *n* zoólogo, -a *m, f*

zoology [zoʊ'ɑ:lədʒi] *n no pl* zoologia *f*

zoom [zu:m] **I.** *n* zum *m* **II.** *vi inf* **to ~ past** passar zunindo

zucchini [zu:'ki:ni] <-(s)> *n inv, Am* abobrinha *f*

A

A, a [a] *m* A, a

a [a] **I.** *art f* the **II.** *pron pess* her, you; **eu ~ vi** I saw her **III.** *pron dem* **~ que** the one which [*o* that] **IV.** *prep* **ir ~ Fortaleza** to go to Fortaleza; **daqui ~ uma semana** one week from now; **à noite** at night; **~ pé** on foot

à [a] = **prep a + art a** *v.* **a**

aba ['aba] *f* brim

abacate [aba'katʃi̥] *m* avocado

abacaxi [abaka'ʃi] *m* pineapple

abafado, -a [aba'fadu, -a] *adj* (*som*) muffled; (*quarto*) stuffy

abafar [aba'far] *vi* to hush up

abaixar [abaj'ʃar] **I.** *vt* to lower; **~ o rádio** to turn down the radio **II.** *vi* go down

abaixo [a'bajʃu] *adv* down; **ir/vir ~** to go/to come down, below

abaixo-assinado [a'bajʃwasi'nadu] *m* petition

abajur [aba'ʒur] *m* lamp

abalado, -a [aba'ladu, -a] *adj* (*objeto*) shaky

abalar [aba'lar] *vt* (*pessoa*) to overwhelm; (*saúde*) to wear down

abalo [a'balu] *m* shock; **~ sísmico** earth tremor

abanar [abɜ̃'nar] *vt* (*mão*) to wave; (*cabeça*) to shake; (*rabo*) to wag

abandonado, -a [abɜ̃ŋdo'nadu, -a] *adj* abandoned

abandonar [abɜ̃ŋdo'nar] *vt* to abandon

abandono [abɜ̃ŋ'donu] *m* abandonment

abarcar [abar'kar] *vt* <c→qu> to comprise

abarrotado, -a [abaxo'tadu, -a] *adj* overloaded

abastado, -a [abas'tadu, -a] *adj* wealthy

abastecer [abaste'ser] <c→ç> *vt* to supply; (*carro*) to fill up; (*loja*) to stock

abastecimento [abastesi'mẽjtu] *m* supply

abater [aba'ter] *vt* to weaken; (*valor*) to decrease; (*animal*) to slaughter

abatido, -a [aba'tʃidu, -a] *adj* (*cansado*) worn-out; (*deprimido*) depressed

abdômen [ab'domẽj] *m* abdomen

abdominal <-ais> [abdomi'naw, -'ajs] **I.** *m* **fazer abdominais** to do abdominal exercises (such as sit-ups) **II.** *adj* abdominal

abelha [a'beʎa] *f* bee

abelhudo, -a [abe'ʎudu, -a] *adj inf* nosy

abençoar [abẽjsu'ar] *vt* <*1. pess pres:* abençôo> to bless

aberração <-ões> [abexa'sɜ̃w, -õjs] *f* aberration

aberto, -a [a'bɛrtu, -a] **I.** *pp de* **abrir** **II.** *adj* (*loja*) open; (*tempo*) clear

abertura [aber'tura] *f* opening

abismado, -a [abiz'madu, -a] *adj* astonished

abismo [a'bizmu] *m* abyss; *fig* gulf

abóbada [a'bɔbada] *f* vault

abóbora [a'bɔbora] **I.** *f* squash **II.** *adj inv* pumpkin

abobrinha [abɔ'briɲa] *f* zucchini *Am,*

courgette *Brit*

abonado, **-a** [abo'nadu, -a] *adj* wealthy

abono [a'bonu] *m* allowance

abordar [abor'dar] *vt* to approach

aborrecer [aboxe'ser] <c→ç> **I.** *vt* to irritate; (*enfadar*) to bore **II.** *vr:* **~-se** to get annoyed; (*enfadar-se*) to get bored

aborrecido, **-a** [aboxe'sidu, -a] *adj* annoying; (*chato*) boring

abortar [abor'tar] *vi* (*plano*) to abort

aborto [a'bortu] *m* abortion; **~ espontâneo** miscarriage

abotoar [aboto'ar] *vt* <*1. pess pres:* abotôo> to button (up)

abraçar [abra'sar] <ç→c> *vt* to hug

abraço [a'brasu] *m* hug; **~s** (*em carta*) kind regards; **dê um ~ em seu irmão** give my best to your brother

abrandar [abrɜ̃ŋ'dar] **I.** *vt* to soften; (*dor*) to ease **II.** *vi* (*chuva*) to subside

abrangência [abrɜ̃ŋ'ʒẽjsia] *f* scope

abrangente [abrɜ̃ŋ'ʒẽjtʃi̥] *adj* extensive

abranger [abrɜ̃ŋ'ʒer] *vt* <g→j> to include

abreviatura [abrevia'tura] *f* abbreviation

abridor [abri'dor] <-es> *m* **~ de garrafas** bottle opener

abrigar [abri'gar] <g→gu> **I.** *vt* to shelter **II.** *vr:* **~-se** to take shelter

abrigo [a'brigo] *m* shelter

abril [a'briw] *m* April

abrir [a'brir] <*pp* aberto> **I.** *vt* to open; (*com chave*) to unlock; (*torneira*) to turn on; **~ caminho** to clear the way; **~ uma exceção** to make an exception **II.** *vi* (*porta*) to open; (*sinal de trânsito*) to turn green **III.** *vr* **~-se com alguém** to open up to sb

abrupto, **-a** [a'bruptu, -a] *adj* abrupt, steep

absoluta *adj v.* **absoluto**

absolutamente [absoluta'mẽjtʃi̥] **I.** *adv* absolutely **II.** *interj* **~!** not at all!

absoluto, **-a** [abso'lutu, -a] *adj* absolute

absolver [absow'ver] *vt* to absolve; JUR to acquit

absorvente [absor'vẽjtʃi̥] **I.** *m* **~ higiênico** sanitary pad **II.** *adj* (*papel*) absorbent; (*leitura*) absorbing

absorver [absor'ver] *vt* to absorb; *fig* to assimilate

abster [abs'ter] *irr como ter* **I.** *vt* to restrain **II.** *vr:* **~-se de** to refrain from; (*em votação*) to abstain

absurdo, **-a** [ab'surdu, -a] *adj* absurd

abundante [abũw'dɜ̃ŋtʃi̥] *adj* abundant

abusado, **-a** [abu'zadu, -a] *adj* abusive; (*confiado*) bold

abusar [abu'zar] *vt* to abuse; **~ da comida** to eat too much; **~ de alguém** to (sexually) abuse sb

abusivo, **-a** [abu'zivu, -a] *adj* (*preços*) outrageous

acabado, **-a** [aka'badu, -a] *adj* finished; (*cansado*) exhausted

acabar [aka'bar] **I.** *vt* to finish; **~ um namoro** to end a relationship **II.** *vi* to end; **acabou o açúcar** we're out of sugar; **acabei de falar com ele** I just

spoke with him
açafrão <-ões> [asa'frɜ̃w, -õjs] *m* saffron
açaí [asa'i] *m* assai (palm)
acaju [aka'ʒu] *m, adj inv* mahogany
acalanto [aka'lɜ̃ŋtu] *m* lullaby
acalmar [akaw'mar] **I.** *vt, vi* (*pessoa*) to calm down; (*dor*) to relieve **II.** *vr:* **~-se** to calm down
acalorado, -a [akalo'radu, -a] *adj* (*discussão*) heated
acampamento [akɜ̃ŋpa'mẽjtu] *m* camp
acampar [akɜ̃ŋ'par] *vi* to camp (out)
acanhado, -a [akɜ̃'ɲadu, -a] *adj* timid
acanhar [akɜ̃'ɲar] *vr:* **~-se** to be ashamed
ação <-ões> [a'sɜ̃w, -õjs] *f* **1.** action; **fazer uma boa ~** to do a good deed **2. ações** FIN stocks and shares **3.** JUR lawsuit
acariciar [akarisi'ar] *vt* to caress
ácaro ['akaru] *m* mite
acarretar [akaxe'tar] *vt* to lead to
acaso [a'kazu] *m* **ao ~** at random; **por ~** by chance
acatar [aka'tar] *vt* to obey
acautelar [akawte'lar] **I.** *vt* to forewarn **II.** *vr:* **~-se** to take precautions
aceder [ase'der] *vi* to agree
aceita *adj v.* **aceito**
aceitar [asej'tar] *vt* <*pp* aceito *ou* aceitado> to accept
aceitável <-eis> [asej'tavew, -ejs] *adj* acceptable
aceito, -a [a'sejtu, -a] **I.** *adj pp de* **aceitar** **II.** *adj* accepted
acelerador [aselera'dor] <-es> *m* accelerator
acelerar [asele'rar] **I.** *vt* to speed up **II.** *vi* (*no automóvel*) to accelerate; (*a pé*) to hurry up
acelga [a'sɛwga] *f* chard
acenar [ase'nar] *vi* to wave; (*com a cabeça*) to nod
acender [asẽj'der] <*pp* aceso *ou* acendido> *vt* (*fogo, cigarro*) to light; (*luz*) to turn on
aceno [a'senu] *m* (*com a mão*) wave; (*com a cabeça*) nod
acento [a'sẽjtu] *m* accent (mark)
acerca [a'serka] *prep* **~ de** around
acerola [ase'rɔla] *f* acerola cherry (*cherry-like tropical fruit rich in vitamin C*)
acertado, -a [aser'tadu, -a] *adj* correct
acertar [aser'tar] **I.** *vt* to hit upon; (*relógio*) to set **II.** *vi* to be right; (*no alvo*) to hit
aceso, -a [a'sezu, -a] **I.** *adj* (*vela*) lit; (*luz*) on **II.** *pp irr de* **acender**
acessar [ase'sar] *vt* to access
acessível <-eis> [ase'sivew, -ejs] *adj* (*lugar*) accessible; (*preço*) affordable
acesso [a'sɛsu] *m* access; **via de ~** access road
acessório [ase'sɔriw] *m* accessory
acetona [ase'tona] *f* nail polish remover
achado [a'ʃadu] *m* **~s e perdidos** lost and found; **ser um ~** to be a find
achado, -a [a'ʃadu, -a] *adj* found
achar [a'ʃar] **I.** *vt* to find; **acho que sim/não** I think/don't think so

II. *vr:* ~-**se** to consider oneself
ácida *adj v.* **ácido**
acidentado, -a [asidẽj'tadu, -a] *adj* (*terreno*) rough
acidental <-ais> [asidẽj'taw, -'ajs] *adj* (*encontro*) chance; (*morte*) accidental
acidentar-se [asidẽj'tarsi] *vr* to have an accident
acidente [asi'dẽjtʃi] *m* accident
ácido ['asidu] *m* acid
ácido, -a ['asidu, -a] *adj* (*sabor*) sour
acima [a'sima] *adv* above; **mais** ~ farther up
acintoso, -a [asĩ'jtozu, -'ɔza] *adj* provocative
acionar [asjo'nar] *vt* **1.** (*máquina*) to activate; (*motor*) to drive **2.** JUR to sue
acionista [asjo'nista] *mf* shareholder
acirrado, -a [asi'xadu, -a] *adj* provoked; **ânimos** ~ high spirits
aclamar [aklɜ̃'mar] *vt* to acclaim
aclive [a'klivi] *m* upward slope
aço ['asu] *m* steel; ~ **inoxidável** stainless steel
acobertar [akober'tar] *vt* (*tapar*) to cover; (*encobrir*) to cover up
acode [a'kɔdʒi] *3. pess pres: de* **acudir**
açoitar [asoj'tar] *vt* to whip
acolá [ako'la] *adv* over there
acolchoado [akowʃu'adu] *m* quilt
acolhedor(a) [akoʎe'dor(a)] <-es> *adj* (*ambiente*) inviting; (*pessoa*) welcoming
acolher [ako'ʎer] *vt* to welcome
acometer [akome'ter] *vt* to attack
acomodar [akomo'dar] *vt* (*alojar*) to accommodate; (*arrumar*) to arrange
acompanhamento [akõwpɜ̃ɲa'mẽjtu] *m* side dish
acompanhar [akõwpɜ̃'ɲar] *vt* to accompany; (*um acontecimento*) to follow
aconchegante [akõwʃe'gɜ̃ɲtʃi] *adj* cozy
aconchego [akõw'ʃegu] *m* comfort
aconselhar [akõwse'ʎar] **I.** *vt* to advise **II.** *vr* ~-**se com alguém** to seek advice from sb
aconselhável <-eis> [akõwse'ʎavew, -ejs] *adj* advisable
acontecer [akõwte'ser] *vi* <c→ç> *impess* to happen; **acontece que ...** it (just so) happens that ...
acontecimento [akõwtesi'mẽjtu] *m* event
acordado, -a [akor'dadu, -a] *adj* awake
acordar [akor'dar] *vt, vi* to wake up
acordo [a'kordu] *m* agreement; **de ~!** OK!; **de ~ com** in accordance with; **chegar a um ~** to reach an agreement
acorrentar [akoxẽj'tar] *vt* to chain
acostumado, -a [akustu'madu, -a] *adj* **estar ~ a a. c.** to be used to sth
acostumar [akustu'mar] *vr:* ~-**se com** to get used to
açougue [a'sowgi] *m* butcher's (shop)
açougueiro, -a [asow'gejru, -a] *m, f* butcher
Acre ['akri] *m* Acre
acreditar [akredʒi'tar] **I.** *vt* to believe **II.** *vr:* ~-**se** to consider oneself

acrescentar [akresẽj'tar] *vt* to add
acréscimo [a'krɛsimu] *m* increase
açúcar [a'sukar] *m* sugar; ~ **cristal** granulated sugar; ~ **mascavo** brown sugar
açucareiro [asuka'rejru] *m* sugar bowl
açude [a'sudʒi̥] *m* dam
acudir [aku'dʒir] *irr como subir vi* to run to help
acumular [akumu'lar] *vt* to accumulate
acurado, **-a** [aku'radu, -a] *adj* accurate
acusação <-ões> [akuza'sɜ̃w, -õjs] *f* accusation
acusar [aku'zar] *vt* to accuse; (*carta recebida*) to confirm receipt of
acústico, **-a** [a'kustʃi̥ku, -a] *adj* acoustic
adaptador [adapta'dor] *m* adaptor
adaptar [adap'tar] **I.** *vt* to adapt, to adjust **II.** *vr:* ~**-se** to adapt
adega [a'dɛga] *f* wine cellar
ademais [ade'majs] *adv* furthermore
adentro [a'dẽjtru] *adv* **noite** ~ into the night
adepto, **-a** [a'dɛptu, -a] *m, f* follower
adequado, **-a** [ade'kwadu, -a] *adj* appropriate
adequar [ade'kwar] **I.** *vt* to adapt **II.** *vr:* ~**-se** to adapt oneself
aderir [ade'rir] *irr como preferir vi* to adhere, to join
adesivo, **-a** [ade'zivu, -a] *adj* adhesive
adestrar [ades'trar] *vt* to train
adeus [a'dews] *m* goodbye
adiantado, **-a** [adʒjɜ̃ŋ'tadu, -a] *adj* advanced; (*relógio*) (running) fast
adiantado [adʒjɜ̃ŋ'tadu] *adv* **pagar** ~ to pay in advance
adiantar [adʒjɜ̃ŋ'tar] **I.** *vt* (*dinheiro*) to advance; ~ **trabalho** to get work done early; ~ **o relógio** to put the clock forward **II.** *vi* to be worthwhile; **não adianta nada** it is no use **III.** *vr:* ~**-se** to come early
adiante [adʒi'ɜ̃ŋtʃi̥] *adv* **mais** ~ further ahead; **ir** ~ **com** to go ahead with
adiar [adʒi'ar] *vt* to postpone
adicional <-ais> [adsjo'naw, -'ajs] **I.** *m* supplement; (*dinheiro*) bonus **II.** *adj* additional
adicionar [adsjo'nar] *vt* to add
adivinhar [adʒivĩ'ɲar] *vt* to guess; (*enigma*) to solve; ~ **o futuro** to predict the future
adjacências [adʒa'sẽjsias] *fpl* surroundings *pl*
adjunto, **-a** [a'dʒũwtu, -a] *m, f* assistant
administração <-ões> [adʒiministra'sɜ̃w, -õjs] *f* administration; (*pessoas*) management; ~ **federal** federal government
administrar [adʒiminis'trar] *vt* to manage
admirado, **-a** [adʒimi'radu, -a] *adj* amazed
admirador(a) [adʒimira'dor(a)] <-es> *m(f)* admirer
admirar [adʒimi'rar] **I.** *vt* to admire **II.** *vr:* ~**-se** to be amazed
admissão <-ões> [adʒimi'sɜ̃w, -õjs] *f* admission; (*em empresa*) hiring

admitir [adʒimi'tʃir] *vt* **1.** (*um erro*) to admit to **2.** (*permitir*) to allow **3.** (*deixar entrar*) to admit

adoçante [ado'sɜ̃ŋtʃi̥] *m* sweetener

adoçar [ado'sar] *vt* <ç→c> to sweeten

adoecer [adoe'ser] *vi* <c→ç> to get sick

adolescente [adole'sẽjtʃi̥] *adj, mf* adolescent

adorar [ado'rar] *vt* to adore, to love

adorável <-eis> [ado'ravew, -ejs] *adj* adorable

adormecer [adorme'ser] <c→ç> **I.** *vt* to put to sleep **II.** *vi* to fall asleep

adormecido, -a [adorme'sidu, -a] *adj* asleep

adotar [ado'tar] *vt* to adopt

adquirir [adʒiki'rir] *vt* to acquire

aduaneiro, -a [aduɜ̃'nejru, -a] **I.** *m, f* customs agent **II.** *adj* customs

adubar [adu'bar] *vt* to fertilize

adubo [a'dubu] *m* fertilizer

adular [adu'lar] *vt* to flatter

adulterar [aduwte'rar] *vt* (*documento*) to forge

adulto, -a [a'duwtu, -a] *adj, m, f* adult

advérbio [adʒi'vɛrbiw] *m* adverb

adversa *adj v.* **adverso**

adversário, -a [adʒiver'sariw, -a] **I.** *m, f* adversary **II.** *adj* opposing

adverso, -a [adʒi'vɛrsu, -a] *adj* adverse

advertência [adʒiver'tẽjsia] *f* warning

advertir [adʒiver'tʃir] *irr como vestir vt* to warn; (*repreender*) to reprimand

advir [adʒi'vir] *irr como vir vi* to happen

advocacia [adʒivoka'sia] *f* **exercer** [*ou* **praticar**] ~ to practice law

advogado, -a [adʒivo'gadu, -a] *m, f* lawyer, attorney *Am*

advogar [adʒivo'gar] *vt* <g→gu> to practice law

aéreo, -a [a'ɛriw, -a] *adj* air; **companhia aérea** airline

aeróbica [ae'rɔbika] *f* aerobics + *sing vb*

aeromoça [aɛro'mosa] *f* flight attendant

aeronáutica [aɛro'nawtʃi̥ka] *f* air force

aeronave [aɛro'navi] *f* aircraft *inv*

aeroplano [aɛro'plɜ̃nu] *m* airplane

aeroporto [aɛro'portu] *m* airport

aerossol <-óis> [aɛro'sɔw, -'ɔjs] *m* aerosol

aeroviário, -a [aɛrovi'ariw, -a] *adj* air-transport

afagar [afa'gar] *vt* <g→gu> to caress; (*lisonjear*) to flatter

afanar [afɜ̃'nar] *vt inf* to swipe

afastado, -a [afas'tadu, -a] *adj* distant; ~ **da cidade** a long way from town

afastar [afas'tar] **I.** *vt* **1.** (*mover*) to move away **2.** ~ **alguém do cargo** to remove sb from the position **II.** *vr:* ~**-se** (*distanciar-se*) to distance onesself; **afaste-se, por favor!** stay back, please!

Afeganistão [afegɜ̃nis'tɜ̃w] *m* Afghanistan

afeição <-ões> [afej'sɜ̃w, -õjs] *f* affection

afeiçoar [afejso'ar] *<1. pess pres:*

afeiçôo> I. *vt* to charm II. *vr:* ~-**se a a. c.** to take a liking to sth
afeições *f pl de* **afeição**
aferrar [afe'xar] I. *vt* to grasp II. *vr:* ~-**se a** to cling on to
afetado, -a [afe'tadu, -a] *adj* affected; (*tocado*) moved
afetar [afe'tar] *vt* (*influenciar*) to affect; (*dizer respeito a*) to concern
afeto [a'fɛtu] *m* affection *no pl*
afetuoso, -a [afetu'ozu, -'ɔza] *adj* affectionate
afiado, -a [afi'adu, -a] *adj* sharp
afiar [afi'ar] *vt* to sharpen
aficionado, -a [afisjo'nadu, -a] *m, f* enthusiast
afilhado, -a [afi'ʎadu, -a] *m, f* godchild
afim [a'fĩj] <-ins> I. *m* **afins** the like II. *adj* related
afinado, -a [afi'nadu, -a] *adj* MÚS in tune
afinal [afi'naw, -'ajs] *adv* finally; ~ **de contas** after all
afinar [afi'nar] *vt* to tune
afinidade [afini'dadʒi] *f* affinity, attraction
afins *adj, m pl de* **afim**
afixar [afik'sar] *vt* (*cartaz*) to post
afligir [afli'ʒir] <g→j> I. *vt* to worry II. *vr:* ~-**se** to be devastated
aflito, -a [a'flitu, -a] *adj* (*preocupado*) worried
aflorar [aflo'rar] *vi* to emerge
afluir [aflu'ir] *conj como incluir vi* 1. ~ **a** (*rio*) to flow into 2. (*pessoas*) to flock
afluxo [a'fluksu] *m* influx
afobar [afo'bar] *vi* to rush
afogado, -a [afo'gadu, -a] *adj* drowned; (*sufocado*) suffocated
afogar [afo'gar] <g→gu> I. *vt* to drown II. *vr:* ~-**se** to drown
afoito, -a [a'fojtu, -a] *adj* rushed; (*ousado*) daring
afora [a'fɔra] I. *adv* out; **por aí** ~ around and about II. *conj* apart from
afortunado, -a [afortu'nadu, -a] *adj* fortunate
África ['afrika] *f* Africa; ~ **do Sul** South Africa
afrouxar [afrow'ʃar] *vt* (*cinto*) to loosen
afta ['afta] *f* mouth ulcer
afugentar [afuʒẽj'tar] *vt* to drive away
afundar [afũw'dar] I. *vt, vi* to sink II. *vr:* ~-**se** to be immersed
agarrado, -a [aga'xadu, -a] *adj* (*pessoa*) attached; (*roupa*) tight
agarrar [aga'xar] I. *vt* to grab; (*oportunidade*) to seize II. *vr:* ~-**se** to hold on
agasalhado, -a [agaza'ʎadu, -a] *adj* dressed warmly
agasalhar [agaza'ʎar] I. *vt* to dress warmly II. *vr:* ~-**se** to wrap up
agasalho [aga'zaʎu] *m* warm clothing
ágeis *adj pl de* **ágil**
agência [a'ʒẽjsia] *f* agency; ~ **bancária** (bank) branch
agenda [a'ʒẽjda] *f* appointment book *Am*, diary *Brit;* ~ **eletrônica** PDA, palmtop
agendar [aʒẽj'dar] *vt* to schedule

agente [a'ʒẽjtʃi̥] *mf* agent; ~ **de polícia** police officer

ágil <-eis> ['aʒiw, -'ejs] *adj* agile

ágio ['aʒiw] *m* premium

agir [a'ʒir] *vi* <g→gu> to act

agitação <-ões> [aʒita'sɜ̃w, -õjs] *f* unrest; *fig* agitation

agitado, -a [aʒi'tadu, -a] *adj* (*mar*) rough; (*pessoa*) agitated

agitar [aʒi'tar] *vt* to shake; *fig* (*uma pessoa*) to agitate

aglomeração <-ões> [aglomera'sɜ̃w, -õjs] *f* crowd

aglomerar [aglome'rar] *vr:* **~-se** to crowd (together)

agonia [ago'nia] *f* agony

agoniado, -a [agoni'adu, -a] *adj* distressed

agonizante [agoni'zɜ̃ŋtʃi̥] **I.** *mf* dying person **II.** *adj* agonizing

agora [a'gɔra] **I.** *adv* now; **de ~ em diante** from now on **II.** *conj* but

agosto [a'gostu] *m* August

agouro [a'gowru] *m* omen

agraciar [agrasi'ar] *vt* to honor

agradar [agra'dar] *vi* ~ **a** to please

agradável <-eis> [agra'davew, -ejs] *adj* pleasant

agradecer [agrade'ser] *vt* <c→ç> to thank

agradecido, -a [agrade'sidu, -a] *adj* grateful; **mal ~** ungrateful

agradecimento [agradesi'mẽjtu] *m* thanks *pl*

agrado [a'gradu] *m* contentment; **ser do ~ de alguém** to be to sb's liking

agravar [agra'var] **I.** *vt* to make worse **II.** *vr:* **~-se** (*situação*) to worsen

agredir [agre'dʒir] *irr como prevenir vt* to attack

agregar [agre'gar] *vt* <g→gu> (*acrescentar*) to add; (*reunir*) to join/bring together

agressão <-ões> [agre'sɜ̃w, -õjs] *f* aggression

agressivo, -a [agre'sivu, -a] *adj* aggressive

agressões *f pl de* **agressão**

agreste [a'grɛstʃi̥] *adj* wild; (*clima*) inclement

agrião <-ões> [agri'ɜ̃w, -õjs] *m* watercress

agrícola [a'grikula] *adj* farming

agricultor(a) [agrikuw'tor(a)] <-es> *m(f)* farmer

agricultura [agrikuw'tura] *f* crop farming

agrida [a'grida] *1./3. pres subj de* **agredir**

agride [a'gridʒi̥] *3. pres de* **agredir**

agrido [a'gridu] *1. pres de* **agredir**

agridoce [agri'dosi] *adj* (*sentimento*) bittersweet; (*molho*) sweet and sour

agriões *m pl de* **agrião**

agrotóxico [agro'tɔksiku] *m* pesticide

agroturismo [agrutu'rizmu] *sem pl m* agritourism

agrupar [agru'par] **I.** *vt* to group **II.** *vr:* **~-se** to gather

água ['agwa] *f* water; ~ **doce/salgada** fresh/salt water; ~ **mineral com/sem gás** carbonated/natural mineral water *Am;* ~ **potável** drinking water

aguaceiro [agwa'sejru] *m* cloudburst

água-de-coco ['agwa-dʒi-'koku] <águas-de-coco> *f* coconut milk
aguapé [agwa'pɛ] *m* water lily
aguardar [agwar'dar] **I.** *vt* to wait for **II.** *vi* to wait
aguardente [agwar'dẽjtʃi̥] *f* liquor *Am,* spirit *Brit;* ~ **de cana** (sugar-cane) rum
água-viva ['agwa-'viva] <águas-vivas> *f* jellyfish *no pl*
aguçado, -a [agu'sadu, -a] *adj* sharp; **visão** ~ keen eyesight
agudo, -a [a'gudu, -a] *adj* (*som*) sharp; (*doença*) acute
agüentar [agwẽj'tar] **I.** *vt* to stand **II.** *vi* (*resistir*) to hold
águia ['agia] *f* eagle
agulha [a'guʎa] *f* needle
ai ['aj] *interj* ~**!** (*dor*) ouch!; (*aflição*) oh dear!
aí [a'i] *adv* ~ **dentro/fora** in/out there; ~ **mesmo** right there; **espera** ~**!** wait a minute!; ~ **pelas quatro horas** around four o'clock
ainda [a'ĩjda] *adv* yet; ~ **não** not yet; **ela** ~ **está aqui** she is still here; ~ **assim** even so; ~ **bem que ...** it's a good thing that ...; ~ **por cima** on top of that; ~ **que** +*subj* even if
aipim [aj'pĩj] <-ins> *m* cassava
aipo ['ajpu] *m* celery
aja ['aʒa] *1./3. pres subj de* **agir**
ajeitar [aʒej'tar] **I.** *vt* to straighten **II.** *vr:* ~**-se** to adapt
ajoelhar-se [aʒue'ʎarsi] *vr:* ~**-se** to kneel (down)
ajuda [a'ʒuda] *f* help; ~ **de custo** allowance
ajudante [aʒu'dɜ̃ŋtʃi̥] *mf* helper
ajudar [aʒu'dar] *vt* to help; **posso** ~**?** can I help (you)?
ajuntar [aʒũw'tar] *vt* (*dinheiro*) to save (up)
ajustar [aʒus'tar] **I.** *vt* to adjust; ~ **contas com alguém** *fig* to settle accounts with sb **II.** *vr:* ~**-se a** to adapt to
ajuste [a'ʒustʃi̥] *m* adjustment
ala ['ala] *f* row; ARQUIT wing
alagar [ala'gar] <g→gu> *vt* to flood
Alagoas [ala'goas] (State of) Alagoas
alambique [alɜ̃ŋ'biki] *m* still
alambrado [alɜ̃ŋ'bradu] *m* wire fencing
alameda [ala'meda] *f* lane
alargar [alar'gar] <g→gu> *vt* to widen
alarmante [alar'mɜ̃ŋtʃi̥] *adj* alarming
alarmar [alar'mar] **I.** *vt* to alarm **II.** *vr:* ~**-se com** to be alarmed by
alarme [a'larmi] *m* alarm
alastrar [alas'trar] **I.** *vt* to spread **II.** *vr:* ~**-se** (*fogo, doença*) to spread
alavanca [ala'vɜ̃ŋka] *f* lever
alavancar [alavɜ̃ŋ'kar] *vt* <c→qu> (*promover*) to promote
Albânia [aw'bɜ̃nia] *f* Albania
albergue [aw'bɛrgi] *m* hostel
álbum ['awbũw] <-uns> *m* album
alça ['awsa] *f* strap; (*de mala*) handle
alcachofra [awka'ʃofra] *f* artichoke
alcaçuz [awka'sus] <-es> *m* licorice
alçada [aw'sada] *f* **1.** power **2.** JUR jurisdiction
alcançar [awkɜ̃ŋ'sar] *vt* <ç→c> (*objetivo*) to achieve; (*pessoa*) to catch

up(to), to reach

alcance [aw'kɜ̃ŋsi] *m* **1.** (*de tiro, visão*) range; **fora do ~ das crianças** out of the children's reach **2.** (*âmbito*) **ao ~ de todos** (*compreensível*) accessible to all; (*para compra*) affordable

alçapão <-ões> [awsa'pɜ̃w, -õjs] *m* chute

alcaparra [awka'paxa] *f* caper

alçar [aw'sar] <ç→c> *vt* to raise; (*edificar*) to erect

alcatra [aw'katra] *f* rump

alcatrão <-ões> [awka'trɜ̃w, -õjs] *m* tar

alce ['awsi] *m* moose

álcool <-óis> ['awkow, -'ɔjs] *m* alcohol

alcoólatra [aw'kɔlatra] *mf* alcoholic

alcoólico, -a [aw'kɔʎiku, -a] *adj, m, f* alcoholic

alcoolizado, -a [awkoʎi'zadu, -a] *adj* intoxicated

alcunha [aw'kũɲa] *f* nickname

aldeão, aldeã <-ões> [awde'ɜ̃w, -'ɜ̃, -õjs] **I.** *m, f* villager **II.** *adj* village

aldeia [aw'deja] *f* village

aldeões *adj, m pl de* **aldeão**

aleatório, -a [alea'tɔriw, -a] *adj* random

alecrim [ale'krĩj] <-ins> *m* rosemary

alegar [ale'gar] <g→gu> **I.** *vt* (*razão*) to state **II.** *vi* to allege

alegórico, -a [ale'gɔriku, -a] *adj* allegorical; **carro ~** theme float

alegrar [ale'grar] **I.** *vt* to make happy; (*festa*) to liven up **II.** *vr:* **~-se** to celebrate

alegre [a'lɛgri] *adj* **1.** (*contente*) happy **2.** (*divertido*) funny **3.** (*animado*) lively **4.** (*cor*) bright

alegria [ale'gria] *f* joy

aleijado, -a [alej'ʒadu, -a] *adj* crippled

aleijar [alej'ʒar] **I.** *vt* to maim **II.** *vr:* **~-se** to become crippled

além [a'lẽj] **I.** *m* **o ~** the afterlife **II.** *adv* beyond, far; **~ disso** besides; **~ do mais** what's more

Alemanha [ale'mɜ̃ɲa] *f* Germany

alento [a'lẽjtu] *m* (*coragem*) courage

alérgico, -a [a'lɛrʒiku, -a] *adj* allergic; **ser ~ a a. c.** to be allergic to sth

alerta [a'lɛrta] **I.** *m* alert; **dar o ~** to sound the alert **II.** *adj* alert; **estar ~** to be alert

alfabético, -a [awfa'bɛtʃiku, -a] *adj* alphabetical

alfabetizado, -a [awfabet'zadu, -a] *adj* literate

alfabetizar [awfabet'zar] *vt* to teach how to read and write

alface [aw'fasi] *f* lettuce

alfaiataria [awfajata'ria] *f* tailor's (shop)

alfaiate [awfaj'atʃi̥] *m* tailor

alfândega [aw'fɜ̃ŋdega] *f* customs

alfazema [awfa'zema] *f* lavender

alfinete [awfi'netʃi̥] *m* pin

alga ['awga] *f* seaweed

algarismo [awga'rizmu] *m* numeral

algazarra [awga'zaxa] *f* racket; **fazer uma ~** to make a racket

algemar [awʒe'mar] *vt* to handcuff

algo ['awgu] *pron indef* something

algodão <-ões> [awgu'dɜ̃w, -õjs] *m*

cotton

algodoeiro [awgodo'ɛjru] *m* cotton plant

algodões *m pl de* **algodão**

alguém [aw'gẽj] *pron indef* somebody; **você conhece alguém que possa ajudar?** do you know anybody who can help?

algum [aw'gũw] *pron indef sing* some, any; **alguma coisa** something; **mais alguma coisa?** anything else?; *pl* a few; **algumas vezes** a few times

alheio, -a [a'ʎeju, -a] *adj* (*estranho*) foreign; (*que não nos pertence*) somebody else's; (*impertinente*) irrelevant

alho ['aʎu] *m* garlic

alho-porro ['aʎu-po'rɔ] <alhos-porós> *m* leek

ali [a'ʎi] *adv* there

aliado, -a [aʎi'adu, -a] **I.** *m, f* ally **II.** *adj* allied

aliança [aʎi'ɜ̃ŋsa] *f* alliance; ~ **de casamento** wedding ring

aliar [aʎi'ar] **I.** *vt* to ally **II.** *vr:* ~**-se** to join

aliás [aʎi'as] *adv* by the way

alicate [aʎi'katʃi̥] *m* pliers; ~ **de unhas** nail clippers

alicerce [aʎi'sɛrsi] *m fig tb.* foundation

aliciar [aʎisi'ar] *vt* (*seduzir*) to seduce

alienado, -a [aʎje'nadu, -a] *adj* (*bens*) alienated; *inf* (*pessoa*) indifferent

alimentação <-ões> [aʎimẽjta'sɜ̃w, -õjs] *f* food; TEC power supply

alimentar [aʎimẽj'tar] **I.** *vt* to feed, to nourish **II.** *vr:* ~**-se** to eat

alimentício, -a [aʎimɛj'tʃisiw, -a] *adj* food; **gêneros alimentícios** foodstuffs *usu pl*

alimento [aʎi'mẽjtu] *m* food; (*de animais*) feed

alinhado, -a [aʎĩ'ɲadu, -a] *adj* (*pessoa*) elegant; (*direção*) aligned; (*competidores*) lined up

alinhar [aʎĩ'ɲar] *vt* to align

alíquota [a'ʎikota] *f* rate

alisar [aʎi'zar] *vt* to smooth

alistar [aʎis'tar] **I.** *vt* to recruit **II.** *vr* ~**-se** to enlist

aliviado, -a [aʎivi'adu, -a] *adj* relieved

aliviar [aʎivi'ar] **I.** *vt* to relieve; (*o peso*) to lighten **II.** *vi* (*dor*) to subside

alívio [a'ʎiviw] *m* relief

alma ['awma] *f* soul

almejar [awme'ʒar] *vt* to long (for)

almirante [awmi'rɜ̃ŋtʃi̥] *m* admiral

almíscar [aw'miskar] <-es> *m* musk

almoçar [awmu'sar] **I.** *vi* <ç→c> to have lunch **II.** *vt* to have for lunch

almoço [aw'mosu] *m* lunch; ~ **comercial** *low-priced lunch of main dish, bread, beverage and dessert*

almofada [awmu'fada] *f* cushion

almôndega [aw'mõwdega] *f* meatball

alô [a'lo] **I.** *m* **dar um alô** to say hello **II.** *interj* (*ao telefone*) hello

alojar [alo'ʒar] **I.** *vt* to put up **II.** *vr:* ~**-se** (*pessoa*) to stay

alongar [alõw'gar] <g→gu> **I.** *vt* (*vestido*) to lengthen; (*corpo*) to stretch; (*prazo*) to extend **II.** *vr:* ~**-se** to delay

alpendre [aw'pẽjdri] *m* porch

alpercata [awper'kata], **alpargata**

[awpar'gata] *f* sandal

alpinista [awpi'nista] *mf* mountain climber

alqueire [aw'kejri] *m* (*paulista*) 24,200 m², (= 28,943 sq. yd.); (*de Minas, Rio, Goiás*) 48,400 m², (= 57,886 sq. yd.)

alta ['awta] *f* increase; (*do hospital*) discharge

alta-roda ['awta-'xɔda] <altas-rodas> *f* high society

alterado, -a [awte'radu, -a] *adj* (*modificado*) altered; (*nervoso*) angry

alterar [awte'rar] **I.** *vt* to alter **II.** *vr:* ~**-se** to change; (*zangar-se*) to get angry

alternado, -a [awter'nadu, -a] *adj* alternate

alternativa [awterna'tʃiva] *f* alternative

altivo, -a [aw'tʃivu, -a] *adj* elevated; (*orgulhoso*) arrogant

alto ['awtu] **I.** *m* top **II.** *adv* (*falar*) loud; **voar** ~ (*avião*) to fly high **III.** *interj* ~ (**lá**)! halt!

alto, -a ['awtu, -a] *adj* (*prédio, pessoa*) tall; (*som*) loud; (*preço*) high; **estar/ficar** ~ *inf* to be/get tipsy

alto-falante ['awtu-fa'lɜ̃ŋtʃi̥] *m* loudspeaker

altruísta [awtru'ista] **I.** *mf* altruist **II.** *adj* altruistic

altura [aw'tura] *f* **1.** height; **tem 100 metros de** ~ it is 100 meters high; **na** ~ **dos acontecimentos** at this stage of events; **nesta** ~ **do campeonato** *inf* at this point in the game **2. estar à** ~ **de alguém/a. c.** to be on the same level as sb/sth; **responder à** ~ to respond in kind **3.** (*de rua*) street number

alugar [alu'gar] *vt* <g→gu> (*casa, carro*) to rent; (*terreno*) to lease

aluguel <-éis> [alu'gɛw, -'ɛjs] *m* lease, rent; ~ **de automóveis** car rental

alumínio [alu'miniw] *m* aluminum

aluno, -a [a'lunu, -a] *m, f* student *Am*, pupil *Brit*

aluvião <-ões> [aluvi'ɜ̃w, -õjs] *m* deluge

alvará [awva'ra] *m* permit

alvejante [awve'ʒɜ̃ŋtʃi̥] *m* bleach

alvejar [awve'ʒar] *vt* to target

alvenaria [awvena'ria] *f* masonry

alvo ['awvu] *m* target; *fig* intention; **acertar no** ~ to hit the target

alvorada [awvo'rada] *f* dawn

alvoroço [awvo'rosu] *m* (*inquietação*) agitation; (*entusiasmo*) enthusiasm; (*balbúrdia*) commotion

amaciante [amasi'ɜ̃ŋtʃi̥] *m* fabric softener

amaciar [amasi'ar] **I.** *vt* to soften; (*motor*) to break in **II.** *vi* to soften

amado, -a [ɜ̃'madu, -a] *m, f* beloved

amadurecer [amadure'ser] <c→ç> *vi* (*frutos*) to ripen; (*uma idéia*) to develop; (*pessoa*) to mature

âmago ['ɜ̃magu] *m* core

amaldiçoar [amawdsu'ar] <*1. pess pres:* amaldiçôo> **I.** *vt* to curse **II.** *vi* to swear

amamentar [amamẽj'tar] *vt* to breastfeed

amanhã [amɜ̃'ɲɜ̃] *adv* tomorrow; ~

de manhã tomorrow morning
amanhecer [amɐ̃ɲe'ser] **I.** *m* dawn **II.** *vi* <c→ç> *impess* to dawn
amansar [amɐ̃ŋ'sar] *vt* to domesticate; (*serenar*) to calm
amante [a'mɐ̃ŋtʃi̥] *mf* lover
Amapá [ama'pa] *m* (State of) Amapá
amar [a'mar] *vt* to love
amarelado, -a [amare'ladu, -a] *adj* (*pele*) sallow; (*tecido*) yellowish
amarelar [amare'lar] *vi* to chicken out
amarelo [ama'rɛlu] *adj, m* yellow; **sorriso** ~ forced smile
amarga *adj v.* **amargo**
amargar [amar'gar] **I.** *vt* <g→gu> to suffer **II.** *vi* to be bitter
amargo, -a [a'margu, -a] *adj fig* bitter
amargura [amar'gura] *f* bitterness; (*padecimento*) suffering
amargurar [amargu'rar] **I.** *vt* to embitter **II.** *vr:* ~**-se** to turn bitter
amarra [a'maxa] *f* knot
amarrar [ama'xar] **I.** *vt* to tie (up) **II.** *vr:* ~**-se** to tie up
amarrotar [amaxo'tar] *vt* to crumple
amassado, -a [ama'sadu, -a] *adj* **1.** (*chapa*) dented **2.** (*tecido*) wrinkled
amassar [ama'sar] *vt* **1.** (*a massa*) to knead; (*o carro*) to dent **2.** (*tecido*) to wrinkle
amável <-eis> [a'mavew, -ejs] *adj* kind
Amazonas [ama'zonas] *m* (*estado*) (State of) Amazonas; (*rio*) the Amazon
Amazônia [ama'zonia] *f* Amazonia
amazônico, -a [ama'zoniku, -a] *adj* Amazon; **floresta amazônica** Amazon rainforest
ambicionar [ɐ̃ŋbisjo'nar] **I.** *vt* to yearn for **II.** *vi* to aspire (after/to)
ambicioso, -a [ɐ̃ŋbisi'ozu, -'ɔza] *adj* ambitious
ambiental <-ais> [ɐ̃ŋbiẽj'taw, -'ajs] *adj* environmental
ambientar [ɐ̃ŋbiẽj'tar] **I.** *vt* to set **II.** *vr:* ~**-se** to get one's bearings
ambiente [ɐ̃ŋbi'ẽjtʃi̥] **I.** *m* environment **II.** *adj* environmental; **temperatura** ~ room temperature
ambíguo, -a [ɐ̃ŋ'biguu, -a] *adj* ambiguous
âmbito ['ɐ̃ŋbitu] *m* field; (*extensão*) scope
ambos ['ɐ̃ŋbus] *pron indef* both
ambulância [ɐ̃ŋbu'lɐ̃ŋsia] *f* ambulance
ambulante [ɐ̃ŋbu'lɐ̃ŋtʃi̥] *adj* ambulatory; **vendedor** ~ street hawker
ambulatório [ɐ̃ŋbula'tɔriw] *m* outpatient clinic
ameaça [ame'asa] *f* threat
ameaçador(a) [ameasa'dor(a)] <-es> *adj* threatening
ameaçar [amea'sar] *vt* <ç→c> to threaten
amedrontar [amedrõw'tar] *vt* to scare
ameixa [a'mejʃa] *f* plum
amém [a'mẽj] *interj* ~! amen!
amena *adj v.* **ameno**
amêndoa [a'mẽjdua] *f* almond
amendoim [amẽjdu'ĩj] <-ins> *m* peanut
amenizar [ameni'zar] *vt* to ease

ameno, -a [a'menu, -a] *adj* (*clima*) mild; (*leitura*) pleasant

América [a'mɛrika] *f* America; ~ **Central** Central America; ~ **Latina** Latin America; ~ **do Norte** North America; ~ **do Sul** South America

amido [a'midu] *m* starch

amigável <-eis> [ami'gavew, -ejs] *adj* friendly

amigo, -a [ã'migu, -a] **I.** *m, f* friend; ~ **do peito** best friend **II.** *adj* friendly

amistoso, -a [amis'tozu, -'ɔza] *adj* (*relações, jogo*) friendly; (*acordo*) amicable

amizade [ami'zadʒi̯] *f* friendship; **fazer ~s** to make friends

amolação [amola'sɜ̃w] *f inf* inconvenience

amolar [amo'lar] *vt* to sharpen; (*molestar*) to bother

amolecer [amole'ser] <c→ç> **I.** *vt* (*substância*) to soften; (*pessoa*) to mollify; (*regra*) to relax **II.** *vi* to soften

amontoar [amõwtu'ar] <*1. pess pres:* amontôo> **I.** *vt* to pile up **II.** *vr:* **~-se** (*pessoas*) to crowd

amor [a'mor] *m* love; **ter ~ por a. c./alguém** to care for sth/sb; **pelo ~ de Deus!** for God's sake; **ela é um ~** (**de pessoa**) she is a sweetheart

amora [a'mɔra] *f* mulberry

amordaçar [amorda'sar] *vt* <ç→c> to muzzle

amoroso, -a [amo'rozu, -'ɔza] *adj* loving

amor-próprio [a'mor-'prɔpriw] <amores-próprios> *m* self-esteem

amortecedor [amortese'dor] **I.** *m* muffler *Am,* silencer *Brit* **II.** *adj* shock-absorbing

amortecer [amorte'ser] *vt* <c→ç> (*queda*) to cushion; (*ruído*) to muffle; (*dor*) to lessen

amostra [a'mɔstra] *f* sample

amotinado, -a [amotʃi'nadu, -a] *adj* rebellious

amparar [ɜ̃ŋpa'rar] **I.** *vt* to support **II.** *vr:* **~-se** to lean

amparo [ɜ̃ŋ'paru] *m* support

ampla *adj v.* **amplo**

ampliar [ɜ̃ŋpli'ar] *vt* (*foto*) to enlarge; (*prazo*) to extend; (*conhecimentos*) to increase

amplificador [ɜ̃ŋplifika'dor] <-es> *m* amplifier

amplo, -a ['ɜ̃ŋplu, -a] *adj* (*território*) wide; (*sala*) spacious; (*conhecimento*) vast

analfabeto, -a [anawfa'bɛtu, -a] *adj* illiterate

analgésico [anaw'ʒɛziku] *m* painkiller

analisar [anaʎi'zar] *vt* to analyze

análise [a'naʎizi] *f* analysis

anão, anã <-ões> [a'nɜ̃w, -'ɜ̃ -õjs] *adj, m, f* dwarf

anarquista [anar'kista] **I.** *mf* anarchist **II.** *adj* anarchistic

anatomia [anato'mia] *f* anatomy

anca ['ɜ̃ŋka] *f* rump

anchova [ɜ̃ŋ'ʃova] *f* anchovy

ancião, anciã <-s *ou* -ões, -ães> [ɜ̃ŋsi'ɜ̃w, -'õjs, -'ɜ̃js] **I.** *m, f* elder **II.** *adj* elderly

ancinho [ĩŋ'sĩɲu] *m* rake

anciões *m pl de* **ancião**

andada [ĩŋ'dada] *f* **dar uma** ~ to take a walk

andador [ĩŋda'dor] <-es> *m* walker

andaime [ĩŋ'dʒjmi] *m* scaffolding

andamento [ĩŋda'mẽjtu] *m* progress, course; **estar em** ~ to be in progress

andar [ĩŋ'dar] **I.** *m* walk; ~ **térreo** ground floor **II.** *vi* to move; ~ **de carro** to go by car; ~ **a pé** to go on foot, to walk; **onde será que ele anda?** where could he be?; **ela anda fazendo ginástica ultimamente** he has been working out lately; **as duas andavam sempre juntas** *inf* the two always used to hang out together

andorinha [ĩŋdu'rĩɲa] *f* swallow

anedota [ane'dɔta] *f* anecdote

anel <-éis> [ĩ'nɛw, -'ɛjs] *m* ring; ~ **rodoviário** beltway *Am,* ring road *Brit*

anestesia [aneste'zia] *f* anesthesia *no pl*

anexo [a'nɛksu] *m* (*documento*) appendix, attachment; (*em carta*) enclosure

anexo, -a [a'nɛksu, -a] *adj* attached

anfíbio [ĩŋ'fibiw] *m* amphibian

anfitrião, -triã <-ões> [ĩŋfitri'ĩw, -'ĩ, -õjs] *m, f* host *m,* hostess *f*

angariar [ĩŋgari'ar] *vt* to secure; (*dinheiro*) to raise; (*votos*) to win

Angola [ĩŋ'gɔla] *f* Angola

angra ['ĩŋgra] *f* bay (*surrounded by high cliffs*)

ângulo ['ĩŋgulu] *m* angle

angustiado, -a [ĩŋgustʃi'adu, -a] *adj* anguished

angustiante [ĩŋgustʃi'ĩŋtʃi] *adj* agonizing

anil [ĩ'niw] *sem pl adj* indigo

animado, -a [ĩni'madu, -a] *adj* (*ambiente*) lively; (*praça*) bustling

animador(a) [ĩnima'dor(a)] <-es> *adj* encouraging

animal <-ais> [ĩni'maw, -'ajs] **I.** *m* animal; ~ **doméstico** [*ou* **de estimação**] pet **II.** *adj* animal

animar [ĩni'mar] **I.** *vt* (*pessoa*) to cheer up; (*conversa*) to liven up **II.** *vr:* ~**-se** to cheer up

ânimo ['ĩnimu] **I.** *m* (*coragem*) spirit **II.** *interj* ~**!** chin up!

aniquilar [ĩniki'lar] *vt* to annihilate

anistiar [ĩnistʃi'ar] *vt* to grant amnesty

aniversário [ĩniver'sariw] *m* birthday; **quando é o seu ~?** when is your birthday?

anjo ['ĩŋʒu] *m* angel

ano ['ĩnu] *m* year; ~ **bissexto** leap year; ~ **civil** calendar year; ~ **letivo** (*escola*) school year; UNIV academic year; **os ~s cinqüenta** the (19)50s, the fifties; **quantos ~s ele tem?** how old is he?

anões *m pl de* **anão**

anoitecer [anojte'ser] **I.** *m* dusk **II.** *vi* <c→ç> to get dark

ano-luz ['ĩnu-'lus] <anos-luz> *m* light year

anônimo, -a [a'nonimu, -a] *adj* anonymous

ano-novo ['ĩnu-'novu] <anos-novos> *m* new year

anotar [ano'tar] *vt* to note down

ânsia ['ĩŋsia] *f* anxiousness; ~ **de vô-**

mito nausea

ansiar [ɜ̃ŋsi'ar] *irr como odiar* I. *vt* to long (for) II. *vi* to yearn

ansioso, -a [ɜ̃ŋsi'ozu, -'ɔza] *adj* anxious

anta ['ɜ̃ŋta] *f* tapir

Antártida [ɜ̃ŋ'tartʃi̥ka] *f* Antarctica

antebraço [ɜ̃ŋte'brasu] *m* forearm

antecedência [ɜ̃ŋtese'dẽjsia] *f* **com** ~ in advance

antecedentes [ɜ̃ŋtese'dẽjts] *mpl* antecedents; **ter** ~ **criminais** to have a criminal record

antecessor(a) [ɜ̃ŋtese'sor(a)] <-es> *m(f)* predecessor

antecipado, -a [ɜ̃ŋtesi'padu, -a] *adj* (*eleições*) early; (*pagamento*) in advance

antecipar [ɜ̃ŋtesi'par] I. *vt* to anticipate; ~ **o pagamento** to pay in advance II. *vr:* ~**-se em fazer a. c.** to do sth in advance

antemão [ɜ̃ŋte'mɜ̃w] *adv* **de** ~ beforehand

antena [ɜ̃ŋ'tena] *f* antenna *Am,* aerial *Brit*

anteontem [ɜ̃ŋtʃi'õwtẽj] *adv* the day before yesterday

anteparo [ɜ̃ŋte'paru] *m* shield

antepassado, -a [ɜ̃ŋtepa'sadu, -a] I. *m, f* ancestor II. *adj* past

anteprojeto [ɜ̃ŋtʃi̥pro'ʒɛtu] *m* draft

anterior [ɜ̃ŋteri'or] <-es> *adj* previous

antes ['ɜ̃ŋts] *adv* before; **alguns dias** ~ a few days before; ~ **ficar em casa que sair** I would rather stay at home than go out; ~ **assim** that would be better

antiaderente [ɜ̃ŋtʃjade'rẽjtʃi̥] *adj* **panela** ~ non-stick pan

antiaéreo, -a [ɜ̃ŋtʃja'ɛriw, -a] *adj* anti-aircraft; **abrigo** ~ air-raid shelter

antibiótico [ɜ̃ŋtʃibi'ɔtʃi̥ku] *m* antibiotic

anticaspa, -a [ɜ̃ŋtʃi̥'kaspa] *adj* **xampu** ~ (anti-)dandruff shampoo

anticoncepcional <-ais> [ɜ̃ŋtʃi̥kõwsepsjo'naw, -'ajs] I. *m* contraceptive II. *adj* (*pílula*) contraceptive

anticongelante [ɜ̃ŋtʃi̥kõwʒe'lɜ̃ŋtʃi̥] *m* antifreeze

anticorpo [ɜ̃ŋtʃi̥'korpu] *m* antibody

antidemocrático, -a [ɜ̃ŋtʃidemo'kratʃi̥ku, -a] *adj* undemocratic

antidepressivo [ɜ̃ŋtʃidepre'sivu] *m* antidepressant

antiderrapante [ɜ̃ŋtʃidexa'pɜ̃ŋtʃi̥] *adj* (*pneu*) nonskid; (*solado*) nonslip

antiesportivo, -a [ɜ̃ŋtʃjespor'tʃivu, -a] *adj* unsportsmanlike

antifurto [ɜ̃ŋtʃi̥'furtu] *adj* anti-theft

antiga *adj v.* **antigo**

antigamente [ɜ̃ŋtʃiga'mẽjtʃi̥] *adv* formerly

antigo, -a [ɜ̃ŋ'tʃigu, -a] *adj* old, ancient; **os** ~**s alunos** the former students

antiguidades [ɜ̃ŋtʃigwi'dads] *fpl* antiques *pl*

anti-horário [ɜ̃ŋtʃjo'rariw] *adj* **sentido** ~ counterclockwise

antiinflamatório [ɜ̃ŋtʃĩjflɜ̃ma'tɔriw] *m* anti-inflammatory

antílope [ɜ̃ŋ'tʃilopi] *m* antelope

antipático, **-a** [ɜ̃ŋtʃi̥'patʃi̥ku, -a] *adj* unpleasant

antipatizar [ɜ̃ŋtʃi̥pat'zar] *vi* ~ **com alguém** to dislike sb

antiquado, **-a** [ɜ̃ŋtʃi̥'kwadu, -a] *adj* old-fashioned

antiquário, **-a** [ɜ̃ŋtʃi̥'kwariw, -a] *m, f* antique shop

anti-roubo [ɜ̃ŋtʃi'xowbu] *adj* anti-theft

antitetânico, **-a** [ɜ̃ŋtʃi̥te'tɜ̃niku, -a] *adj* **vacina antitetânica** tetanus shot

antropólogo, **-a** [ɜ̃ŋtro'pɔlugu, -a] *m, f* anthropologist

anual <-ais> [ɜ̃nu'aw, -'ajs] *adj* annual

anuidade [ɜ̃nuj'dadʒi̥] *f* annuity

anular [ɜ̃nu'lar] **I.** *vt* (*casamento*) to annul; (*pedido*) to cancel **II.** *adj* **dedo** ~ ring finger

anunciar [anũwsi'ar] *vt* to announce, to report, to advertise

anúncio [a'nũwsiw] *m* (*informação*) announcement; (*de publicidade*) advertisement

anzol <-óis> [ɜ̃ŋ'zɔw, -'ɔjs] *m* (fish)hook

ao [aw] = **a** + **o** *v.* **a**

apagado, **-a** [apa'gadu, -a] *adj* **1.** (*fogo*) out; (*aparelho*) off **2.** (*som*) faint **3.** (*sem brilho*) dull

apagar [apa'gar] <g→gu> **I.** *vt* **1.** (*fogo*) to put out; (*aparelho*) to turn off **2.** (*escrita*) to erase; INFOR to delete **II.** *vi* (*motor*) to die; (*pessoa*) to pass out **III.** *vr:* ~**-se** (*luz*) to go out; (*som*) to fade (away)

apaixonado, **-a** [apajʃo'nadu, -a] *adj* (*pessoa*) in love; (*discurso*) impassioned

apaixonar-se [apajʃo'narsi] *vr* ~ **por alguém** to fall in love with sb

apalpar [apaw'par] *vt inf* to grope

apanhar [apɜ̃'ɲar] **I.** *vt* **1.** to catch **2.** (*do chão*) to pick up **II.** *vi* to be beaten; **o meu time apanhou em casa** my team was beaten at home

aparar [apa'rar] *vt* to trim

aparecer [apare'ser] *vi* <c→ç> to appear; ~ **numa festa** to show up at a party

aparelhado, **-a** [apare'ʎadu, -a] *adj* equipped

aparelho [apa'reʎu] *m* appliance; ~ **de som** sound system

aparência [apa'rẽjsia] *f* appearance; **ter boa** ~ to look good

aparentar [aparẽj'tar] *vt* to look

apartamento [aparta'mẽjtu] *m* apartment *Am,* flat *Brit*

apartar [apar'tar] *vt* to break up

apartidário, **-a** [apartʃi'dariw, -a] *adj* nonpartisan

apático, **-a** [a'patʃi̥ku, -a] *adj* apathetic

apavorado [apavo'radu] *adj* terrified

apavorar [apavo'rar] *vt* to terrify

apaziguar [apazi'gwar] *conj como averiguar vt* to pacify

apegado, **-a** [ape'gadu, -a] *adj* attached

apegar-se [ape'garsi] *vr* <g→gu> to become attached

apelar [ape'lar] *vi* to appeal; ~ **para alguém** to appeal to sb

apelido [ape'ʎidu] *m* nickname

apelo [a'pelu] *m* appeal

apenas [a'penas] **I.** *adv* only, just; ~ **audível** barely audible **II.** *conj* ~ **chegou, foi dormir** he came in and went straight to bed

apendicite [apẽjd'sitʃi̯] *f* appendicitis

aperfeiçoar [aperfejsu'ar] <*1. pess pres:* aperfeiçôo> **I.** *vt* to improve **II.** *vr:* ~**-se** to improve oneself

aperitivo [aperi'tʃivu] *m* (*tira-gosto*) appetizer

apertado, -a [aper'tadu, -a] *adj* tight; (*rua*) narrow; (*coração*) broken; **estou** ~ money is tight

apertado [aper'tadu] *adv* **vencer** ~ to win by a narrow margin

apertar [aper'tar] **I.** *vt* **1.** ~ **a mão de alguém** to squeeze sb's hand; ~ **o cinto de segurança** to fasten one's seatbelt **2.** (*parafuso*) to tighten **3.** (*roupa*) to take in **4.** (*botão*) to press **II.** *vr:* ~**-se** to tighten one's belt

aperto [a'pertu] *m* (*espaço*) narrow; ~ **de mão** handshake; **estar num** ~ to be in a bind

apesar [ape'zar] *adv* ~ **de** despite, in spite of

apetecer [apete'ser] *vt* <c→ç> to feel like; **não me apetece sair** I don't feel like going out

apetite [ape'tʃitʃi̯] *m* appetite; **bom** ~**!** enjoy your meal!

apetitoso, -a [apetʃi̯'tozu, -'ɔza] *adj* appetizing

ápice ['apisi] *m* peak

apimentado, -a [apimẽj'tadu, -a] *adj* (*comida*) spicy

apimentar [apimɛj'tar] *vt* to spice (up)

apinhado, -a [apĩɲadu, -a] *adj* packed

apitar [api'tar] *vi* to blow one's whistle

apito [a'pitu] *m* whistle

aplacar [apla'kar] *vt* <c→qu> (*dor*) to lessen

aplainar [aplɜ̃j'nar] *vt* to level

aplauso [a'plawzu] *m* applause

aplicação <-ões> [aplika'sɜ̃w, -õjs] *f* (*de método*) implementation; (*dedicação*) application

aplicado, -a [apli'kadu, -a] *adj* (*ciência*) applied; (*pessoa*) dedicated

aplicar [apli'kar] <c→qu> **I.** *vt* **1.** to apply **2.** (*utilizar*) to use **3.** (*dinheiro*) to invest **4.** (*multa*) to impose **II.** *vr:* ~**-se** to apply oneself

aplicativo [aplika'tʃivu] *m* application

apoderar-se [apode'rarsi] *vr:* ~**-se de a. c.** to take possession of sth

apodrecer [apodre'ser] *vi* <c→ç> to rot

apoiar [apoj'ar] **I.** *vt* to support **II.** *vr:* ~**-se em a. c./alguém** to rely on sth/sb (for support)

apoio [a'poju] *m* support

apólice [a'pɔʎi̯si] *f* ~ **de seguro** insurance policy

apontar [apõw'tar] **I.** *vt* **1.** (*arma*) to point; (*erros*) to point out **2.** (*informações*) to jot down **3.** (*para um cargo*) to recommend **II.** *vi* (*com o dedo*) to point

aportar [apor'tar] *vi* (*navio*) to land; (*em porto*) to be docked

após [a'pɔs] **I.** *prep* after; ~ **uma semana** a week later **II.** *adv* after;

logo ~ o cinema right after the movies

aposentado, **-a** [apozẽj'tadu, -a] **I.** *m, f* retired person **II.** *adj* retired

aposentadoria [aposẽjtado'ria] *f* retirement; (*dinheiro*) pension

aposentar [apozẽj'tar] *vr:* **~-se** to retire

apostar [apos'tar] *vt* to bet

apostila [apos'tʃila] *f* course handbook

apóstrofo [a'pɔstrufu] *m* apostrophe

apreciação <-ões> [apresja'sɜ̃w, -õjs] *f* **1.** (*exame*) analysis **2.** (*juízo*) judgment **3.** (*estima*) appreciation

apreciador(a) [apresja'dor(a)] <-es> *m(f)* enthusiast

apreciar [apresi'ar] *vt* **1.** (*dar valor a*) to appreciate; (*deleitar-se com*) to enjoy **2.** (*avaliar*) to evaluate; (*julgar*) to judge

apreço [a'presu] *m* esteem; (*valor*) worth

apreender [apreẽj'der] *vt* (*mercadoria*) to confiscate

apreensivo, **-a** [apreẽj'sivu, -a] *adj* apprehensive

aprender [aprẽj'der] *vi* to learn

aprendiz(a) [aprẽj'dʒis, -iza] <-es> *m(f)* apprentice

aprendizagem [aprẽjd'zaʒɛj] <-ens> *f* learning

aprendizes *m pl de* **aprendiz**

apresentação <-ões> [aprezẽjta'sɜ̃w, -õjs] *f* introduction; **ter boa ~** to be neat and tidy

apresentador(a) [aprezẽjta'dor(a)] <-es> *m(f)* host

apresentar [aprezẽj'tar] **I.** *vt* to introduce; (*documento*) to present **II.** *vr:* **~-se** to introduce oneself

apressado, **-a** [apre'sadu, -a] *adj* hurried

apressar [apre'sar] **I.** *vt* to hurry **II.** *vr:* **~-se** to hurry

aprimorar [aprimo'rar] **I.** *vt* to improve **II.** *vr:* **~-se** to improve oneself

aprisionar [aprizjo'nar] *vt* to imprison

aprofundar [aprofũw'dar] *vt* (*o conhecimento*) to expand

aprontar [aprõw'tar] *vt* (*preparar*) to prepare

apropriado, **-a** [apropri'adu, -a] *adj* appropriate

apropriar-se [apropri'arsi] *vr* to adapt; **~-se de a. c.** to take (possession) of sth

aprovado, **-a** [apro'vadu, -a] *adj* approved; (*no exame*) passed

aproveitar [aprovej'tar] **I.** *vt* (*oportunidade*) to take advantage of; (*objeto*) to make use of **II.** *vi* to jump at the opportunity **III.** *vr:* **~-se de uma situação** to take advantage of a situation

aproximação <-ões> [aprosima'sɜ̃w, -õjs] *f* approach; MAT approximation

aproximar [aprosi'mar] **I.** *vt* (*pessoas*) to bring together; (*objeto*) to bring closer **II.** *vr:* **~-se de a. c./alguém** to approach sth/sb

apta *adj v.* **apto**

aptidão <-ões> [aptʃi'dɜ̃w, -õjs] *f* aptitude; **ter ~ para a. c.** to have a gift for sth

apto, -a ['aptu, -a] *adj* suitable
apunhalar [apũɲa'lar] *vt* to stab
apuração <-ões> [apura'sɜ̃w, -õjs] *f* (*contagem*) counting
apurar [apu'rar] *vt* **1.** (*aperfeiçoar*) to refine **2.** (*verdade*) to find out **3.** (*sentidos*) to sharpen
apuros [a'purus] *mpl* **estar** [*ou* **ver-se**] **em ~s** to be in trouble
aquarela [akwa'rɛla] *f* watercolor
Aquário [a'kwariw] *m* Aquarius
aquático, -a [a'kwatʃiku, -a] *adj* aquatic
aquecedor [akese'dor] <-es> *m* heater
aquecer [ake'ser] <c→ç> **I.** *vt* (*comida*) to heat; (*motor*) to warm (up) **II.** *vi* (*músculos*) to warm (up) **III.** *vr:* **~-se** to heat [*o* to warm] up
aquecimento [akesi'mẽjtu] *m* heating
aquela [a'kɛla] *pron dem* that; **~ mesa** that table; **~ que ...** whoever ...
àquela [a'kɛla] = **a** + **aquela** *v.* **a**
aquele [a'keʎi] *pron dem* that; **~ homem** that man; **~ que ...** whoever ...
àquele [a'keʎi] = **a** + **aquele** *v.* **a**
aqui [a'ki] *adv* here; **até ~** until now; **daqui a pouco** in a bit
aquilo [a'kilu] *pron dem* that; **~ que ...** that which ...
àquilo [a'kilu] = **a** + **aquilo** *v.* **a**
ar ['ar] *m* air; **~ condicionado** air conditioning; **ao ~ livre** outside, in the open air; **mudar de ~es** to move to a new environment
árabe ['arabi] **I.** *adj, mf* Arab **II.** *m* (*idioma*) Arabic
Arábia [a'rabia] *f* Arabia; **~ Saudita** Saudi Arabia
Aracajú [araka'ʒu] (City of) Aracajú
arado [a'radu] *m* plow
arame [a'rɜ̃mi] *m* wire; **~ farpado** barbed wire
aranha [a'rɜ̃ɲa] *f* spider
arar [a'rar] *vt* to plow *Am*
arara [a'rara] *f* macaw
árbitra *f v.* **árbitro**
arbitrário, -a [arbi'trariw, -a] *adj* arbitrary
arbítrio [ar'bitriw] *m* decision; **de livre ~** of one's own free will
árbitro, -a ['arbitru, -a] *m, f* ESPORT referee
arborizar [arbori'zar] *vt* to plant with trees
arbusto [ar'bustu] *m* bush
arca ['arka] *f* ark
arcabouço [arka'bowsu] *m* frame
arcar [ar'kar] *vi* <c→qu> to bear
arcebispo [arse'bispu] *m* archbishop
arco ['arku] *m* **1.** MÚS bow **2.** (*aro*) hoop **3.** ARQUIT arch
arco-íris [arkw'iris] *m inv* rainbow
ar-condicionado ['ar-kõwdsjo'nadu] <ares-condicionados> *m* air conditioner
arder [ar'der] *vi* (*fogo*) to burn; (*olhos*) to sting
ardil <-is> [ar'diw, -'is] *m* trap
ardiloso, -a [ardʒi'lozu, -'ɔza] *adj* cunning
ardis *m pl de* **ardil**
ardor [ar'dor] <-es> *m* heat, ardor
ardoroso, -a [ardo'rozu, -'ɔza] *adj* en-

thusiastic

árduo, **-a** ['arduu, -a] *adj* arduous

área ['aria] *f* area; ~ **de serviço** utility room; ~ **de trabalho** field of work; **grande** ~ penalty box

areia [a'reja] *f* sand; ~ **movediça** quicksand

arejar [are'ʒar] **I.** *vt* to ventilate **II.** *vi* to get some air

arenque [a'rẽjki] *m* herring

aresta [a'rɛsta] *f* corner

arfar [ar'far] *vi* to pant

Argélia [ar'ʒɛʎia] *f* Algeria

Argentina *f* Argentina

argila [ar'ʒila] *f* clay

argola [ar'gɔla] *f* (*aro*) ring; (*brinco*) hoop earring

argumentar [argumɛj'tar] *vt, vi* to argue

argumento [argu'mẽjtu] *m* argument, plot

árido, **-a** ['aridu, -a] *adj* arid

Áries ['aries] *f* Aries

arisco, **-a** [a'risku, -a] *adj* (*tímido*) timid; (*cão*) untamable

aristocrata [aristo'krata] *mf* aristocrat

arma ['arma] *f* weapon; ~ **de fogo** firearm

armação <-ões> [arma'sɜ̃w, -õjs] *f* frame

armada *adj v.* **armado**

armadilha [arma'dʒiʎa] *f tb. fig* trap

armado, **-a** [ar'madu, -a] *adj* armed

armadura [arma'dura] *f* armor

armamento [arma'mẽjtu] *m* armament

armar [ar'mar] **I.** *vt* **1.** to arm; (*equipar*) **2.** to equip; (*tenda*) to pitch; (*armadilha*) to set **II.** *vr:* ~**-se** to take up arms

armário [ar'mariw] *m* cupboard; (*de roupa*) closet

armas ['armas] *fpl* arms

armazém [arma'zẽj] <-ens> *m* warehouse; (*de comércio*) grocery store

armazenar [armaze'nar] *vt* to store

armazéns *m pl de* **armazém**

Armênia *m* Armenia

armênio, **-a** *adj, m, f* Armenian

aro ['aru] *m* ring

aromatizar [aromat'zar] *vt* to flavor

arqueado, **-a** [arke'adu, -a] *adj* arched; (*pernas*) bowlegged

arqueólogo, **-a** [arke'ɔlogu, -a] *m, f* archaeologist

arquibancada *f* bleachers *Am*, terraces *Brit*

arquipélago [arki'pɛlagu] *m* archipelago

arquiteta *f v.* **arquiteto**

arquitetar [arkite'tar] *vt* to design; (*um plano*) to devise

arquiteto, **-a** [arki'tɛtu, -a] *m, f* architect

arquivar [arki'var] *vt* to file; (*plan*) to shelve; (*processo*) to dismiss

arquivo [ar'kivu] *m* **1.** INFOR file **2.** (*pasta*) folder **3.** (*móvel*) filing cabinet

arraia [a'xaja] *f* ray

arraigado, **-a** [axaj'gadu, -a] *adj* rooted

arrancar [axɜ̃ŋ'kar] <c→qu> **I.** *vt* (*planta*) to uproot; (*dente*) to pull (out); (*confissão*) to extract **II.** *vi* (*motor*) to start

arranha-céu(**s**) [a'xɜ̃ɲa-'sɛw(s)] <*pl* arranha-céus> *m* skyscraper

arranhar [axɜ̃'ɲar] *vt* to scratch

arranjar [axɜ̃ŋ'ʒar] **I.** *vt* **1.** (*ordenar*) to arrange **2.** (*quarto*) to tidy (up) **3.** (*emprego*) to find **II.** *vr:* ~-**se** to do well

arranque [a'xɜ̃ŋki] *m* start-up

arrasar [axa'zar] **I.** *vt* (*cidade*) to destroy; *fig* (*pessoa*) to devastate **II.** *vi inf* to be a big success

arrastado, **-a** [axas'tadu, -a] *adj* **1.** (*passos*) dragging **2.** (*voz*) drawling **3.** (*processo*) long drawn-out

arrastão <-ões> [axas'tɜ̃w, -õjs] *m* (*puxão*) drag; *inf* mass robbery

arrastar [axas'tar] **I.** *vt* to drag **II.** *vr:* ~-**se** to drag oneself

arrastões *m pl de* **arrastão**

arrebanhar [axebɜ̃'ɲar] *vt* (*o gado*) to herd; (*pessoas*) to gather together

arrebatador(**a**) [axebata'dor(a)] <-es> *adj* entrancing

arrebatar [axeba'tar] *vt* to enrapture

arrecadar [axeka'dar] *vt* to collect

arredio, **-a** [axe'dʒiw, -a] *adj* (*pessoa*) withdrawn

arredondado, **-a** [axedõw'dadu, -a] *adj* rounded

arredondar [axedõw'dar] *vt* (*forma*) to make round; (*a conta*) to round (off)

arredores [axe'dɔris] *mpl* surroundings

arregaçar [axega'sar] *vt* <ç→c> to roll up

arreios [a'xejus] *mpl* harness

arremessar [axeme'sar] *vt* (*objeto*) to throw

arrendar [axẽj'dar] *vt* to rent (out)

arrepender-se [axepẽj'dersi] *vr:* ~-**se de a. c.** to regret sth

arrependido, **-a** [axepẽj'dʒidu, -a] *adj* regretful; (*criminoso*) repentant; **estar** ~ **de a. c.** to be sorry for sth

arrepiado, **-a** [axepi'adu, -a] *adj* (*cabelo*) standing on end; **estou** ~ I have goose bumps

arrepiar [axepi'ar] **I.** *vt* (*cabelos*) to stand on end; (*pele de animal*) to bristle; (*pessoa*) to terrify **II.** *vr:* ~-**se** to shudder

arrepio [axe'piw] *m* shiver

arriscado, **-a** [axis'kadu, -a] *adj* risky

arriscar [axis'kar] <c→qu> **I.** *vt* to risk **II.** *vi* to venture **III.** *vr:* ~-**se** to take a risk

arroba [a'xoba] *f* (*em e-mail*) at

arrocho [a'xoʃu] *m* ~ **salarial** pay squeeze

arrogante [axo'gɜ̃ŋtʃi] *adj* arrogant

arrojado, **-a** [axo'ʒadu, -a] *adj* (*pessoa*) daring; (*negócio*) risky

arrolar [axo'lar] *vt* to inventory

arrombar [axõw'bar] *vt* (*porta*) to force open; (*casa*) to break in

arrotar [axo'tar] *vi* to burp

arroz [a'xos] <-es> *m* rice

arroz-doce [a'xoz-'dosi] <arrozes-doces> *m* rice pudding

arrozes *m pl de* **arroz**

arruaça [axu'asa] *f* riot

arruela [axu'ɛla] *f* washer

arruinar [axuj'nar] **I.** *vt* to ruin **II.** *vr:* ~-**se** to go broke

arrumação <-ões> [axuma'sɜ̃w, -õjs]

f (*ação*) tidying up; (*ordem*) order

arrumada *adj v.* **arrumado**

arrumadeira [axuma'dejra] *f* chambermaid

arrumado, -a [axu'madu, -a] *adj* neat

arrumar [axu'mar] **I.** *vt* **1.** (*casa*) to straighten [*o* to tidy] up; ~ **a casa** *fig* to put everything in order **2.** (*emprego*) to find **3.** (*confusão*) to cause **4.** (*televisão*) to fix **5.** (*as malas*) to pack **II.** *vr:* ~**-se** to get ready; (*na vida*) to do well

arte ['artʃi̥] *f* art; (*travessura*) mischief

artefato [arte'fatu] *m* artifact

artesanal <-ais> [arteza'naw, -'ajs] *adj* handmade; **trabalho** ~ craftwork

> **Culture** Noteworthy techniques in Brazilian **craftwork** include ceramics, basketweaving, lace, weaving (mostly of hammocks and nets) and wood, stone and leather artifacts. There are art fairs throughout the country, sometimes referred to as **feiras hippies** (hippy fairs), each boasting the standard esthetic character of its region.

artesão, artesã [arte'zɜ̃w, -'ɜ̃] <-s> *m, f* craftsperson

ártico, -a ['artʃi̥ku, -a] *adj* arctic; **pólo** ~ North Pole

articulação <-ões> [artʃi̥kula'sɜ̃w, -õjs] *f* joint

articulado, -a [artʃi̥ku'ladu, -a] *adj* articulated; (*pessoa*) articulate; (*jogada*) coordinated

artificial <-ais> [artʃi̥fisi'aw, -'ajs] *adj* artificial

artifício [artʃi̥'fisiw] *m* (*habilidade*) skill

artigo [ar'tʃigu] *m* article; (*cláusula*) clause

artilheiro, -a [artʃi'ʎejru, -a] *m, f* leading goal scorer

artista [ar'tʃista] *mf* artist

árvore ['arvori] *f* tree

ás ['as] *m fig* ace

asa ['aza] *f* wing; (*da xícara*) handle

asa-delta ['aza-'dɛwta] <asas-delta(s)> *f* hang glider

ascendência [asẽj'dẽjsia] *f* ancestry

ascender [asẽj'der] *vi* to rise

ascensorista [asẽjso'rista] *mf* elevator attendant *Am,* lift attendant *Brit*

asco ['asku] *m* **que** ~**!** how disgusting!

asfalto [as'fawtu] *m* asphalt

asfixiante [asfiksi'ɜ̃ŋtʃi̥] *adj fig* stifling

asfixiar [asfiksi'ar] **I.** *vt, vi* to asphyxiate **II.** *vr:* ~**-se** to asphyxiate oneself

Ásia ['azia] *f* Asia

asilo [a'zilu] *m* home; (*de doentes mentais*) asylum

asma ['azma] *f* asthma

asna *f v.* **asno**

asneira [az'nejra] *f* nonsense

asno, -a ['aznu, -a] *m, f* ZOOL donkey; (*pessoa*) ass

aspargo [as'pargu] *m* asparagus *no pl*

aspecto [as'pɛktu] *m* look, appearance; **nesse** ~ in that regard

áspera *adj v.* **áspero**

aspergir [asper'ʒir] *irr como convergir vt* to sprinkle

áspero, -a ['asperu, -a] *adj* **1.** (*pele*)

rough **2.** (*severo*) harsh

aspiração <-ões> [aspira'sɜ̃w, -õjs] *f* (*de ar*) breath; (*ambição*) aspiration

aspirador [aspira'dor] *m* ~ **de pó** vacuum cleaner

aspirar [aspi'rar] **I.** *vt* to inhale; (*chão*) to vacuum **II.** *vi* ~ **a a. c.** to aspire to sth

aspirina [aspi'rina] *f* aspirin

assado, -a [a'sadu, -a] *adj* (*carne*) roast

assadura [asa'dura] *f* diaper rash *Am*, nappy rash *Brit*

assalariado, -a [asalari'adu, -a] *m, f* salaried employee

assaltar [asaw'tar] *vt* to mug; (*banco*) to rob; (*casa*) to burglarize

assalto [a'sawtu] *m* (*a pessoa, banco*) robbery; (*a casa*) burglary

assanhado, -a [asɜ̃'ɲadu, -a] *adj* fresh

assar [a'sar] *vt* to roast

assassina *f, adj v.* **assassino**

assassinato [asasi'natu] *m* murder, assassination

assassino, -a [asa'sinu, -a] *m, f* murderer, assassin

asseado, -a [ase'adu, -a] *adj* well-groomed

assediar [asedʒi'ar] *vt* (*importunar*) to harass

assédio [a'sɛdʒiw] *m* harassment; ~ **sexual** sexual harassment

assegurar [asegu'rar] *vt* to assure

assembléia [asẽj'blɛja] *f* (*reunião*) meeting

assentar [asẽj'tar] <*pp* assente *ou* assentado> **I.** *vt* (*pessoas*) to sit down **II.** *vi* (*pessoa*) to sit **III.** *vr:* ~**-se** to settle

assento [a'sẽjtu] *m* seat

assessor(a) [ase'sor(a)] <-es> *m(f)* adviser

assessorar [aseso'rar] *vt* to advise

assessores *m pl de* **assessor**

assessoria [aseso'ria] *f* assistance

assim [a'sĩj] **I.** *adv* (*deste modo*) like this; ~ **como** just as; ~ **que** +*subj* as soon as; **ainda** [*ou* **mesmo**] ~ even so; **como ~?** what do you mean?; **e ~ por diante** and so forth **II.** *conj* so

assinar [asi'nar] *vt* (*documento*) to sign; (*revista*) to subscribe to

assinatura [asina'tura] *f* signature; (*de revista*) subscription

assistência [asis'tẽjsia] *f* assistance; ~ **médica** medical care; ~ **social** social work

assistencial <-ais> [asistẽjsi'aw, -'ajs] *adj* (*obra*) charitable

assistente [asis'tẽjtʃi̥] **I.** *mf* assistant; ~ **social** social worker **II.** *adj* assistant

assistir [asis'tʃir] **I.** *vt* to attend **II.** *vi* ~ **à aula** to attend class; ~ **a um filme** to watch a movie

assoalho [aso'aʎu] *m* wooden floor

assoar [asu'ar] *vt* <*1. pess pres:* assôo> ~ **o nariz** to blow one's nose

assobiar [asubi'ar] *vt, vi* to whistle

associado, -a [asosi'adu, -a] **I.** *m, f* associate **II.** *adj* associated

associar [asosi'ar] **I.** *vt* to associate **II.** *vr:* ~**-se a** (*juntar-se*) to join

assombrar [asõw'brar] *vt* (*fantasma*) to haunt; (*assustar*) to frighten

assombroso, -a [asõw'brozu, -'ɔza] *adj* frightening

assumir [asu'mir] *vt* (*responsabilidade*) to assume; (*culpa*) to accept; (*um erro*) to admit

assunto [a'sũwtu] *m* matter, subject

assustado, -a [asus'tadu, -a] *adj* scared

assustador(a) [asusta'dor(a)] <-es> *adj* scary, frightening

assustar [asus'tar] I. *vt* to scare, to frighten II. *vr:* ~**-se** to be frightened

astro ['astru] *m* CINE, TV star

astrólogo, -a [as'trɔlogu, -a] *m, f* astrologer

astronauta [astro'nawta] *mf* astronaut

astrônomo, -a [as'tronumu, -a] *m, f* astronomer

astuto, -a [as'tutu, -a] *adj* shrewd

ata ['ata] *f* record; (*de reunião*) minutes *pl*

atacado [ata'kadu] *m* **por** ~ wholesale

atacante [ata'kɜ̃ŋtʃi̥] *mf* FUT forward

atacar [ata'kar] *vt* <c→qu> to attack

atadura [ata'dura] *f* bandage

atalho [a'taʎu] *m* shortcut

ataque [a'taki] *m* attack; ~ **do coração** heart attack

atar [a'tar] *vt* (*sapato*) to lace; (*com nó*) to tie

atarracado, -a [ataxa'kadu, -a] *adj fig* stocky

atazanar [atazɜ̃'nar] *vt* to annoy

até [a'tɛ] I. *prep* ~ **agora** until now, as yet; ~ **logo** [*ou* **mais**] see you later; ~ **que** +*subj* until; ~ **certo ponto** (up) to a certain point II. *adv* even

atear [ate'ar] *conj como passear vt* (*fogo*) to set

atéia [a'tɛja] *f v.* **ateu**

ateliê [ateʎi'e] *m* studio

atemorizar [atemori'zar] *vt* to frighten

atenção <-ões> [atẽj'sɜ̃w, -õjs] I. *f* 1. attention; **prestar** ~ **em** to pay attention to; **chamar a** ~ **de alguém** to reprimand sb; (*atrair interesse*) to catch sb's attention 2. (*cuidado*) care II. *interj* ~! watch out!

atenciosamente [atẽjsiɔza'mẽjtʃi̥] *adv* (*em carta*) Yours sincerely

atender [atẽj'der] *vt* 1. (*cliente*) to serve; ~ **às necessidades** to meet the needs of 2. (*telefone*) to answer

atendimento [atẽjdʒi'mẽjtu] *m* service *no pl*

atenta *adj v.* **atento**

atentado [atẽj'tadu] *m* attack; (*assassinato*) attempt on sb's life

atentamente [atẽjta'mẽjtʃi̥] *adv* carefully

atentar [atẽj'tar] *vt* (*observar*) to note; (*considerar*) to consider

atento, -a [a'tẽjtu, -a] *adj* attentive; (*análise*) careful

atenuar [atenu'ar] *vt* to soften

aterrador(a) [atexa'dor(a)] <-es> *adj* terrifying

aterrissar [atexi'sar] *vi* to land

aterrorizar [atexori'zar] *vt* to terrorize

atestado [ates'tadu] *m* certificate; ~ **médico** doctor's certificate; ~ **de óbito** death certificate

atestar [ates'tar] *vt* to certify

ateu, **atéia** [a'tew, a'tɛja] *m, f* atheist
atiçar [at'sar] *vt* <ç→c> (*fogo*) to stoke (up); (*animal*) to provoke
atingir [atʃĩj'ʒir] *vt* <g→j> to reach; (*com tiro*) to hit
atirar [atʃi'rar] I. *vt* to throw II. *vi* to shoot
atitude [atʃi'tuʒi] *f* attitude
ativa *adj v.* **ativo**
ativar [atʃi'var] *vt* to activate
atividade [atʃivi'dadʒi] *f* activity; ~ **profissional** practice; **qual o seu ramo de ~?** what is your line of work?
ativista [atʃi'vista] *mf* activist
ativo [a'tʃivu] *m* assets *pl*
ativo, **-a** [a'tʃivu, -a] *adj* active
Atlântico [a'tlɜ̃ŋtʃiku] *m* the Atlantic (Ocean)
atletismo [atle'tʃizmu] *m sem pl* track and field
atmosfera [atʃmos'fɛra] *f* atmosphere
ato ['atu] *m* action; TEAT act
atolar [ato'lar] I. *vt* to overload II. *vr:* ~**-se** to be bogged down
atoleiro [ato'lejru] *m* quagmire
atômico, **-a** [a'tomiku, -a] *adj* **bomba atômica** atomic bomb
atônito, **-a** [a'tonitu, -a] *adj* astonished; (*confuso*) bewildered
ator, **atriz** [a'tor, a'tris] <-es> *m, f* actor *m,* actress *f*
atordoar [atordu'ar] *vt* <atordôo> *1. pess pres* to stun
atores *m pl v.* **ator**
atormentar [atormẽj'tar] *vt* to torment
atração <-ões> [atra'sɜ̃w, -õjs] *f* attraction; **sentir ~ por alguém** to feel attracted to sb
atraente [atra'ẽjtʃi] *adj* attractive
atrapalhado, **-a** [atrapa'ʎadu, -a] *adj* confused; (*embaraçado*) embarrassed
atrapalhar [atrapa'ʎar] I. *vt* (*confundir*) to confuse; (*incomodar*) II. *vr:* ~**-se** to get confused
atrás [a'tras] *adv* ~ **de** behind; **voltar** ~ to go back (on one's word); **dois meses** ~ two months ago
atrasado, **-a** [atra'zadu, -a] *adj* 1. (*pessoa, pagamento*) late 2. (*país*) backward
atrasar [atra'zar] I. *vt* (*relógio*) to turn back; (*pagamento*) to delay II. *vr:* ~**-se** (*pessoa*) to be late
atraso [a'trazu] *m* delay; (*de país*) backwardness; **vir com uma hora de** ~ to arrive one hour late
atrativo, **-a** [atra'tʃivu, -a] I. *m, f* attraction II. *adj* magnetic
através [atra'vɛs] *adv* through; ~ **dos séculos** throughout the centuries
atravessado, **-a** [atrave'sadu, -a] *adj* askew
atravessar [atrave'sar] *vt* (*mar*) to cross(over); (*cidade*) to pass through; (*crise*) to go through
atrever-se [atre'versi] *vr:* ~**-se a fazer a. c.** to dare to do sth
atrevido, **-a** [atre'vidu, -a] *adj* daring
atribuições [atribuj'sõjs] *fpl* duties *pl*
atribuir [atribu'ir] *conj como incluir vt* to attribute; (*prêmio*) to award; (*poder*) to confer
atribulado, **-a** [atribu'ladu, -a] *adj* distressed; (*vida*) trying
atributo [atri'butu] *m* attribute
atrito [a'tritu] *m* friction; **entrar em** ~

com alguém to have a disagreement with sb

atriz [a'tris] <-es> *f v.* **ator**

atropelar [atrope'lar] *vt* to run over

atroz [a'trɔs] <-es> *adj* atrocious

atuação <-ões> [atua'sɜ̃w, -õjs] *f* performance

atual <-ais> [atu'aw, -'ajs] *adj* current

atualizar [atuaʎi'zar] **I.** *vt* to update; INFOR to update **II.** *vr:* ~**-se** to be up to date

atualmente [atuaw'mẽjtʃi̥] *adv* currently

atuar [atu'ar] *vi* to act

atum [a'tũw] <-uns> *m* tuna

aturar [atu'rar] *vt* to bear

aturdido, -a [atur'dʒidu, -a] *adj* dazed

audácia [aw'dasia] *f* daring

audição <-ões> [awd'sɜ̃w, -õjs] *f* hearing

audiência [awdʒi'ẽjsia] *f* JUR hearing

auditoria [awdʒito'ria] *f* audit

auditório [awdʒi'tɔriw] *m* auditorium; (*ouvintes*) audience; **programa de ~** talk show

auge ['awʒi̥] *m fig* height

aula ['awla] *f* class *Am,* lesson *Brit*

aumentar [awmẽj'tar] *vt, vi* to increase

aumento [aw'mẽjtu] *m* increase; (*do salário*) raise *Am,* rise *Brit*

ausência [aw'zẽjsia] *f* absence; ~ **de a. c.** lack of sth

ausentar-se [awzẽj'tarsi] *vr* to leave

ausente [aw'zẽjtʃi̥] *adj* absent

austero, -a [aws'tɛru, -a] *adj* austere

Austrália [aws'traʎia] *f* Australia

Áustria ['awstria] *f* Austria

autêntico, -a [aw'tẽjtʃi̥ku, -a] *adj* (*obra*) authentic; (*sentimento*) genuine

auto-ajuda ['awtwa'ʒuda] *f sem pl* self-help *no pl*

auto-atendimento [awtwatẽjdʒi'mẽjtu] *m* self-service

auto-avaliação <-ões> ['awtwavaʎia'sɜ̃w, -õjs] *f* self-evaluation

autobiográfico, -a [awtubio'grafiku, -a] *adj* autobiographical

autoconfiança [awtukõwfi'ɜ̃ŋsa] *f sem pl* self-confidence *no pl*

autocontrole [awtukõw'troʎi] *m* self-control *no pl*

autocrítica [awtu'kritʃi̥ka] *f* self-criticism *no pl*

autodefesa [awtude'feza] *f* self-defense *no pl*

autódromo [aw'tɔdrumu] *m* racetrack

auto-escola ['awtwis'kɔla] *f* driving school

auto-estima ['awtwis'tʃima] *f* self-esteem *no pl*

auto-estrada ['autwis'trada] *f* (*estrada*) highway *Am,* motorway *Brit*

autógrafo [aw'tɔgrafu] *m* autograph

automático, -a [awto'matʃi̥ku, -a] *adj* automatic

automobilismo [awtomobi'ʎizmu] *m* auto racing

automobilista [awtomobi'ʎista] *mf* racing driver

automóvel <-eis> [awto'mɔvew, -ejs] *m* automobile, car

autônomo, -a [aw'tonumu, -a] *adj* autonomous; (*independente*) independent

autopeça [awto'pɛsa] *f* car part

autópsia [aw'tɔpsia] *f* autopsy

autor(a) [aw'tor(a)] <-es> *m(f)* author; (*de crime*) perpetrator

autoridades [awtori'dads] *fpl* authorities *pl*

autoritário, -a [awtori'tariw, -a] *adj* authoritarian

autorizar [awtori'zar] *vt* to authorize

auto-serviço ['awtu-ser'visu] *m* **restaurante com ~** self-service restaurant

autuar [awtu'ar] *vt* (*multar*) to fine

auxiliar [awsiʎi'ar] **I.** <-es> *adj, mf* assistant **II.** *vt* to assist

auxílio [aw'siʎiw] *m* aid

avacalhar [avaka'ʎar] *vt inf* to demoralize

aval <-ais *ou* -es> [a'vaw, -'ajs] *m fig* moral support

avaliar [avaʎi'ar] *vt* **1.** (*valor*) to estimate **2.** (*rendimento*) to evaluate **3.** (*calcular*) to calculate

avançado, -a [avɜ̃ŋ'sadu, -a] *adj* advanced

avançar [avɜ̃ŋ'sar] <ç→c> **I.** *vt* to advance **II.** *vi* ~ **com a. c.** to progress with sth

avante [a'vɜ̃ŋtʃi] *adv* ahead; **ir ~** to move forward

avara *adj v.* **avaro**

avarento, -a [ava'rẽjtu, -a] **I.** *m, f* miser **II.** *adj* miserly

avaria [ava'ria] *f* damage

avaro, -a [a'varu, -a] *adj* miserly

aveia [a'veja] *f* oats *pl*

avelã [ave'lɜ̃] *f* hazelnut

ave-maria ['avi-ma'ria] *f* Hail Mary

avenida [ave'nida] *f* avenue

avental <-ais> [avẽj'taw, -'ajs] *m* apron

aventurar [avẽjtu'rar] **I.** *vt* to risk **II.** *vr:* **~-se a fazer a. c.** to venture to do sth

aventureiro, -a [avẽjtu'rejru, -a] **I.** *m, f* adventurer **II.** *adj* adventurous

averiguar [averi'gwar] *irr vt* (*investigar*) to investigate

aversão <-ões> [aver'sɜ̃w, -õjs] *f* aversion

avessa *adj v.* **avesso**

avessas [a'vɛsas] *fpl* **às ~** the other way around; (*roupa*) inside out

avesso, -a [a'vesu, -a] *adj* averse

avestruz [aves'trus] <-es> *mf* ostrich

aviação [avia'sɜ̃w] *sem pl f* aviation

avião <-ões> [avi'ɜ̃w, -õjs] *m* airplane; **~ a jato** jet (plane)

aviar [avi'ar] *vt* (*receita*) to make up

ávido, -a ['avidu, -a] *adj* avid, eager

aviltar [aviw'tar] *vt* to humiliate

aviões *m pl de* **avião**

avisar [avi'zar] *vt* to warn; (*informar*) to notify; (*aconselhar*) to advise

aviso [a'vizu] *m* warning; **dar ~ prévio** to give advance notice

avistar [avis'tar] *vt* to see

avô, -ó [a'vo, a'vɔ] *m, f* grandfather *m,* grandmother *f;* **os avós** grandparents

avulso, -a [a'vuwsu, -a] *adj* (*solto*) single; **comprar a. c. ~** to purchase sth separately

axé [a'ʃɛ] *m energetic dance music with Afro-Brazilian elements*

axila [ak'sila] *f* armpit
azar [a'zar] *m* bad luck
azarado, -a [aza'radu, -a] *adj* unlucky
azarão <-ões> [aza'rɜ̃w, -õjs] *m* underdog
azeda *adj v.* **azedo**
azedar [aze'dar] *vt, vi* to sour
azedo, -a [a'zedu, -a] *adj* sour
azeite [a'zejtʃi̥] *m* (olive) oil
azeite-de-dendê [a'zejtʃi̥-dʒi-dẽj'de] <azeites-de-dendê> *m* palm oil
azeitona [azej'tona] *f* olive
azia [a'zia] *f* indigestion
azucrinar [azukri'nar] *vt inf* to pester
azul <-uis> [a'zuw, -'ujs] *adj, m* blue
azulejo [azu'leʒu] *m* tile
azul-marinho [a'zuw-ma'rĩɲu] *adj inv* marine blue

B

B, b ['be] *m* b, B
babá [ba'ba] *f* nanny
babaca [ba'baka] *adj gír* jerk
babador [baba'dor] *m* bib
babar [ba'bar] *vi* to drool
bacalhau [baka'ʎaw] *m* cod; GASTR salt cod
bacana [ba'kɜ̃na] *adj inf* cool
bacia [ba'sia] *f* (*recipiente*) wash-bowl *Am,* wash-basin *Brit*
badalação [badala'sɜ̃w] *f inf* entertainment
badalado, -a [bada'ladu, -a] *adj* (*artista*) celebrated
badejo [ba'deʒu] *m* sea bass
bafo ['bafu] *m* bad breath *no pl*
bafômetro [ba'fometru] *m inf* Breathalyzer®
baforada [bafo'rada] *f* (*de fumo*) puff
bagaço [ba'gasu] *m* (*de frutas*) pulp *pl;* **estar um** ~ to be a wreck
bagageiro [baga'sejru] *m* (*carro*) roof-rack
bagagem [ba'gaʒẽj] *f* <-ens> luggage *no pl;* **despachar a** ~ to check in; ~ **de mão** hand luggage *no pl*
bagulho [ba'guʎu] *m inf* junk
bagunça [ba'gũwsa] *f* mess
bagunçado, -a [bagũw'sadu] *adj* messy
bagunçar [bagũw'sar] *vt* to mess up
bagunceiro [bagũw'sejru] *m* messer
Bahía [ba'ia] *f* (State of) Bahia
baía [ba'ia] *f* GEO bay
baiano, -a [baj'ɜ̃nu] *adj, m, f* Bahian
bailarino, -a [bajla'rinu, -a] *m, f* ballet dancer
baile ['bajʎi] *m* dance; ~ **de Carnaval** Carnival ball
bainha [ba'ĩɲa] *f* (*da roupa*) hem
bairro ['bajxu] *m* neighborhood
baixa ['bajʃa] **I.** *f* (*de terreno*) drop; (*na Bolsa*) dip **II.** *adj v.* **baixo**
baixar [baj'ʃar] **I.** *vt* **1.** (*os preços*) to lower **2.** (*o som*) to turn down **II.** *vi* (*preços*) to fall
baixo ['bajʃu] *adv* **1. falar** ~ to speak softly; **para** ~ down(ward); **estar por** ~ to be badly off **2.** (*por baixo*) under
baixo, -a ['bajʃu, -a] *adj* **1.** (*pessoa*) short **2.** (*preço*) low **3.** (*volume*)

low **4.** (*classe*) lower **5.** (*desprezível*) low **6.** (*rio*) shallow

baixo-astral <baixo(s)-astrais> ['bajʃwas'traw, -'ajs] *m* **hoje estou num** ~ I'm feeling really down today

bala ['bala] *f* **1.** hard candy *Am,* boiled sweet *Brit* **2.** (*de arma*) bullet; ~ **perdida** stray bullet

balança [ba'lɜ̃ŋsa] *f* **1.** (*instrumento*) scales; **colocar a. c. na** ~ to weigh sth **2.** (*zodíaco*) Libra

balançar [balɜ̃ŋ'sar] <ç→c> *vi* **1.** (*rede*) to swing **2.** (*barco*) to rock

balanceado, -a [balɜ̃ŋsi'adu, -a] *adj* (*dieta*) balanced

balanço [ba'lɜ̃ŋsu] *m* (*brinquedo*) swing

balão <-ões> [ba'lɜ̃w, -õjs] *m* balloon; **fazer o** ~ to make a U-turn

balbuciar [bawbusi'ar] *vi, vt* (*gaguejar*) to stammer

balcão <-ões> [baw'kɜ̃w, -õjs] *m* **1.** (*de loja*) counter **2.** ~ **de informações** information desk

balconista [bawko'nista] *mf* salesclerk *Am,* shop assistant *Brit*

balde ['bawdʒi] *m* bucket

baldeação [bawdʒja'sɜ̃w] *f* **fazer** ~ **para um outro trem** to change trains

baldio, -a [baw'dʒiw, -a] *adj* vacant

baleado, -a [baʎi'adu, -a] *adj* shot

balear [baʎi'ar] *conj como passear vt* to shoot

baleia [ba'leja] *f* whale

baliza [ba'ʎiza] *f* **fazer** ~ to maneuver into a parking space

balões *m pl de* **balão**

balsa ['bawsa] *f* raft; (*em vez de ponte*) ferry

bambo, -a ['bɜ̃ŋbu, -a] *adj* wobbly

banal <-ais> [bɜ̃'naw, -'ajs] *adj* banal

banana [bɜ̃'nɜ̃na] *f* banana; **a preço de** ~ dirt-cheap

bananada [bɜ̃nɜ̃'nada] *f candy made of sugar and bananas*

banana-nanica [bɜ̃'nɜ̃na-nɜ̃'nika] <bananas-nanicas> *f* dwarf banana

bananeira [bɜ̃nɜ̃'nejra] *f* banana tree

banca ['bɜ̃ŋka] *f* **1.** (*de jornais*) newsstand **2.** (*de frutas*) stall

bancada [bɜ̃ŋ'kada] *f* congressional bloc

bancar [bɜ̃ŋ'kar] <c→qu> *vt* **1.** (*financiar*) to finance **2.** (*fingir*) ~ **o cavalheiro** to play the gentleman

bancário [bɜ̃ŋ'kariw] *m* bank clerk

bancário, -a [bɜ̃ŋ'kariw, -a] *adj* bank

banco ['bɜ̃ŋku] *m* **1.** ECON bank; ~ **virtual** Internet bank **2.** (*assento*) seat; ~ **de praça** bench **3.** AUTO seat; **o** ~ **da frente** the front seat **4.** ~ **de sangue** MED blood bank; ~ **de dados** INFOR database; ~ **de reservas** ESPORT reserve bench

banda ['bɜ̃ŋda] *f* MÚS band

bandeira [bɜ̃ŋ'dejra] *f* flag; **dar** ~ to give the game away

bandeirada [bɜ̃ŋdej'rada] *f* (*táxi*) minimum charge

bandeja [bɜ̃ŋ'deʒa] *f* tray

bandidagem [bɜ̃ŋdʒi'daʒẽj] <-ens> *f* banditry

bandido [bɜ̃ŋ'dʒidu] *m* bandit

bando ['bɜ̃ŋdu] *m* group; **um** ~ **de ...**

a bunch of …
banheira [bɜ̃'ɲejra] *f* bathtub
banheiro [bɜ̃'ɲejru] *m* bathroom
banhista [bɜ̃'ɲista] *mf* bather
banho ['bɜ̃ɲu] *m* bath; **tomar** ~ to take a bath *Am,* to have a bath *Brit;* **tomar ~ de chuveiro** to take a shower; **tomar ~ de sol** to sunbathe
banir [bɜ̃'nir] *vt* to ban
banqueiro [bɜ̃ŋ'kejru] *m* banker
bar ['bar] <-es> *m* bar

Culture The **bar** and **barzinho** are common meeting places in Brazil. Some are fancier (**barzinhos**), others more modest (**bares**), but all have a laid-back atmosphere and often live music, snacks and light meals. Note that some establishments or restaurants may refuse entry to men in shorts, bermudas or sandals.

baralho [ba'raʎu] *m* deck of cards
barata [ba'rata] **I.** *f* cockroach **II.** *adj v.* **barato**
baratear [baratʃi'ar] *conj como passear vt* to sell cheaply
barato, -a [ba'ratu, -a] *adj* cheap
barato [ba'ratu] *m gír* **ser um** ~ (*pessoa*) to be cool
barba ['barba] *f* beard; **fazer a** ~ to shave
barbante [bar'bɜ̃ŋtʃi̥] *m* string
bárbara *adj v.* **bárbaro**
barbaridade [barbari'dadʒi̥] *f* **1.** (*crueldade*) barbarity **2.** (*absurdo*) absurdity
bárbaro, -a ['barbaru, -a] *adj* (*desumano*) inhuman; (*fantástico*) fantastic
bárbaro ['barbaru] *interj* **que ~!** how fantastic!
barbear [barbe'ar] *conj como passear vr:* **~-se** to shave
barbearia [barbea'ria] *f* barber shop
barbeira *adj v.* **barbeiro**
barbeiragem [barbej'raʒẽj] <-ens> *f* bad driving
barbeiro [bar'bejru] *m* **1.** barber **2.** *inf* bad driver
barbudo, -a [bar'budu, -a] *adj* bearded
barco ['barku] *m* boat; ~ **a motor** motor boat; **deixar o ~ correr** to let things ride; **tocar o** ~ to keep things moving
bares *m pl de* **bar**
barganhar [bargɜ̃'ɲar] *vt* to bargain
barra ['baxa] *f* **1.** (*de metal, de chocolate*) bar **2.** (*da saia*) hem **3.** JUR ~ **do tribunal** bar **4.** TIPO slash **5.** *inf* (*situação*) fix; **agüentar a** ~ to face the music; **limpar a** ~ to straighten sth out
barraca [ba'xaka] *f* **1.** (*de feira*) stall **2.** (*de camping*) tent
barraco [ba'xaku] *m* shack; **armar o maior** ~ to cause a scandal
barragem [baxa'ʒẽj] <-ens> *f* dam
barranco [ba'xɜ̃ŋku] *m* steep bank
barra-pesada ['baxa-pe'zada] <barras-pesadas> **I.** *f inf* (*situação*) fix **II.** *mf* (*pessoa*) dangerous customer
barrar [ba'xar] *vt* to bar
barreira [ba'xejra] *f* (*obstáculo*) barrier

barriga [ba'xiga] *f* belly; **empurrar com a** ~ to take it easy
barrigudo, -a [baxi'gudu, -a] *adj* pot-bellied
barril <-is> [ba'xiw, -'is] *m* barrel
barro ['baxu] *m* clay
barulheira [baru'ʎejra] *f* racket
barulhento, -a [baru'ʎẽjtu, -a] *adj* noisy
barulho [ba'ruʎu] *m* noise; (*tumulto*) commotion; **fazer** ~ to make a noise
barzinho [bar'zĩɲu] *m* small bar
base ['bazi] *f* **1.** (*suporte*) base; **tremer nas** ~**s** to shake in one's shoes **2.** (*princípio*) foundation; **com** ~ **em** based upon
baseado, -a [bazi'adu, -a] *adj* based
basear [bazi'ar] *conj como passear* **I.** *vt* to base; ~ **a. c. em a. c.** to base sth on sth **II.** *vr:* ~**-se em** (*filme, livro*) to be based on
básico, -a ['baziku, -a] *adj* basic
basquete(bol) [bas'kɛtʃi('bɔw)] *m* basketball
basta ['basta] *interj* ~! that's enough!
bastante [bas'tɜ̃ŋtʃi] **I.** *adj* (*suficiente*) enough; (*muito*) plenty of **II.** *adv* **1.** (*suficientemente*) quite **2.** (*muito: inteligente*) pretty; **ela ganha bastante** she earns plenty
bastar [bas'tar] *vi* to be enough
bastidores [bastʃi'doris] *mpl* TEAT wings *pl; fig* behind the scenes
batalha [ba'taʎa] *f* battle
batalhar [bata'ʎar] *vi* to fight
batata [ba'tata] *f* potato; ~**s fritas** French fries *Am,* chips *pl Brit*
batente [ba'tẽjtʃi] *m* **1.** (*da porta*) doorframe **2.** (*trabalho*) **pegar no** ~ to work
bate-papo ['batʃi-'papu] *m inf* chat
bater [ba'ter] **I.** *vt* **1.** (*golpear*) to beat; ~ **o pé** to stamp one's foot; ~ **palmas** to applaud **2.** (*porta*) to slam; **estão batendo** sb is knocking on the door **3.** (*um recorde*) to break **II.** *vi* **1.** ~ **em alguém** to sock sb **2.** (*ir de encontro a*) **eu bati com o carro** I crashed my car **3.** (*coração*) beat **4.** (*luz*) to shine
bateria [bate'ria] *f* **1.** AUTO battery **2.** MÚS drums *pl*
baterista [bate'rista] *mf* drummer
batida [ba'tʃida] *f* **1.** (*drinque*) *cocktail made of white rum, fruit juice and sugar* **2.** (*de veículos*) crash
batismo [ba'tʃizmu] *m* baptism
batizar [bat'zar] *vt* to baptize
batom [ba'tõw] *m* lipstick; **usar** ~ to wear lipstick
batucada [batu'kada] *f* Afro-Brazilian rhythm
batucar [batu'kar] <c→qu> *vi* to beat the rhythm
batuque [ba'tuki] *m* MÚS beating
baú [ba'u] *m* trunk
bauru [baw'ru] *m reg* (*SP*) *roastbeef, mozzarella and pickle sandwich*
bazar [ba'zar] *m* bazaar
bê-á-bá [bea'ba] *m* **aprender o** ~ to learn one's ABCs
bêbado, -a ['bebadu, -a] *m, f, adj* drunk
bebê [be'be] *m* baby
bebedeira [bebe'dejra] *f* drinking binge

bebedouro [bebe'dowru] *m* drinking fountain
beber [be'ber] *vt* to drink
bebes ['bɛbis] *mpl* **comes e ~** food and drink *no pl*
bebida [be'bida] *f* drink
beco ['beku] *m* alley; **~ sem saída** dead end
bege ['bɛʒi̥] *adj, m* beige
beijada [bej'ʒada] *adj* **dar a. c. a alguém de mão ~** to give sb sth for free
beija-flor ['bejʒa-'flor] *m* humming-bird
beijar [bej'ʒar] *vt* to kiss
beijinho [bej'ʒĩɲu] *m coconut candy made with condensed milk*
beijo ['bejʒu] *m* **1.** kiss **2.** (*numa carta*) **um ~** kisses *pl;* **mande um ~ para ela** give her my love
beira ['bejra] *f* **1. à ~ de** on the brink of **2.** (*de rio*) bank
beira-mar ['bejra-'mar] <-es> *f* seaside; **à ~** by the sea
bela *adj, f v.* **belo**
Belém [be'lẽj] (City of) Belém
beleza [be'leza] *f* beauty
Bélgica ['bɛwʒi̥ka] *f* Belgium
beliche [be'ʎiʃi̥] *m* bunk bed
beliscão [beʎis'kɜ̃w] *m* pinch; **dar um ~ em alguém** to pinch sb
belo, -a ['bɛlu, -a] *adj* beautiful
Belo Horizonte [belori'zõwtʃi̥] *m* (City of) Belo Horizonte
bem ['bẽj] **I.** *m* **1.** good; **estar de ~ com a vida** to be well satisfied with life; **praticar** [*ou* **fazer**] **o ~** to do good **2.** (*bem-estar*) well-being; (*benefício*) benefit; **meu ~** my dear **3.** ECON property; **bens** *pl* goods *pl;* **bens de consumo** consumer goods **II.** *adv* **1.** well; **sentir-se ~** to feel well **2.** (*corretamente*) well; **muito ~!** very good!, well done!; (**é**) **~ feito!** it serves you right! **3.** (*com saúde*) well; **fazer ~ à saúde** to be good for the health; (**está**) **tudo bem?** how are you?; **tudo ~!** everything's fine! **4.** (*muito: caro, grande*) very **5.** (*exatamente*) exactly; **eu ~ te disse** I told you so **6.** (*de boa vontade*) gladly; **ainda ~ que ...** it's just as well that; **está ~!** okay; **falar ~ de alguém** to speak well of sb **III.** *conj* **~ como** as well, also; **se ~ que** although, even though **IV.** *interj* **~, ...** well, ...
bem-disposto, -a [bẽjdʒis'postu, -'ɔsta] *adj* feeling good
bem-educado, -a [bẽɲedu'kadu, -a] *adj* polite
bem-estar [bẽɲis'tar] *m* well-being
bem-humorado, -a [bẽɲumo'radu, -a] *adj* cheerful; **estar ~** to be in a good mood
bem-intencionado, -a [bẽɲĩjtẽjsjo'nadu, -a] *adj* well-meaning
bem-sucedido, -a [bẽjsuse'dʒidu, -a] *adj* successful
bem-vindo, -a [bẽj'vĩjdu, -a] *adj, interj* welcome
beneficiar [benefisi'ar] *conj como enviar* **I.** *vt* to benefit **II.** *vr* **~-se de a. c.** to benefit from sth
benefício [bene'fisiw] *m* benefit; **o ~ da dúvida** the benefit of doubt

bengala [bẽj'gala] *f* walking stick
benigno, -a [be'nignu, -a] *adj* MED benign
berço ['bersu] *m* cradle

Culture The **berimbau** is a percussion instrument of Bantu origin, having a single string mounted on a gourd (resonance box). The string is struck with a small stick to the beat of **capoeira** dancing.

beringela [berĩj'ʒɛla] *f* eggplant *Am,* aubergine *Brit*
bermudas [ber'mudas] *fpl* Bermuda shorts *pl*
berrar [be'xar] *vi* to shout
besta ['besta] **I.** *f inf* idiot **II.** *adj inf* stupid
besteira [bes'tejra] *f inf* stupidity; **dizer ~s** to talk nonsense
beterraba [bete'xaba] *f* beet *Am,* beetroot *Brit*
bexiga [bi'ʃiga] *f* bladder
Bíblia ['biblia] *f* Bible
biblioteca [biblio'tɛka] *f* library
bicar [bi'kar] <c→qu> *vt* to peck at
bicha ['biʃa] *f pej* queer
bicho ['biʃu] *m* **1.** ZOOL animal **2.** (*inseto*) bug
bicho-preguiça *m* sloth
bicicleta [bisi'klɛta] *f* bicycle
bico ['biku] *m* **1.** (*de pássaro*) beak **2.** (*trabalho*) odd job **3.** (*de gás*) burner **4.** (*de seio*) nipple
Bielo-Rússia [bi'ɛlu-'rusia] *f* Belarus
bife ['bifi] *m* steak; **~ à milanesa** breaded steak; **~ bem/mal passado** well-done/rare steak
bifurcação <-ões> [bifurka'sɜ̃w, -õjs] *f* (*na rua*) fork
bifurcar [bifur'kar] <c→qu> *vi* to fork
bigode [bi'gɔdʒi̥] *m* mustache
bijuteria [biʒute'ria] *f* costume jewelry
bilhão <-ões> [bi'ʎɜ̃w, -õjs] *m* billion
bilhete [bi'ʎetʃi̥] *m* **1.** ticket; **~ de ida e volta** round-trip ticket *Am,* return ticket *Brit* **2.** (*recado*) note
bilheteria [biʎete'ria] *f* **1.** (*cinema*) box office **2.** (*do metrô*) ticket window
bilhões *m pl de* **bilhão**
bilíngüe [bi'ʎĩjgwi] *adj* bilingual
bilionário [biʎjo'nariw] *m* billionaire
bingo ['bĩjgu] **I.** *m* bingo **II.** *interj* **~!** bingo!
biologia [biolo'ʒia] *f sem pl* biology *no pl*
biológico, -a [bio'lɔʒiku, -a] *adj* biological
biotecnologia [bioteknolo'ʒia] *f sem pl* biotechnology *no pl*
biquíni [bi'kini] *m* bikini
birra ['bixa] *f* tantrum
bis ['bis] *interj* **~!** encore!
bisavô, -vó [biza'vo, biza'vɔ] *m, f* great-grandfather *m,* great-grandmother *f;* **bisavós** great-grandparents
bisbilhotar [bizbiʎo'tar] *vi* to meddle
biscoito [bis'kojtu] *m* (*doce*) cookie *Am,* biscuit *Brit*
bisnaga [biz'naga] *f* (*pão*) soft roll, bridge roll *Brit*
bisneto, -a [biz'nɛtu, -a] *m, f* great-grandson *m,* great-granddaughter *f;*

~s great-grandchildren *pl*
bispo ['bispu] *m* bishop
bissexto [bi'sestu] *adj* **ano** ~ leap year
bissexual <-ais> [biseksu'aw, -'ajs] *adj* bisexual
bisteca [bis'tɛka] *f* GASTR chop
bisturi [bistu'ri] *m* scalpel
bitolado, -a [bito'ladu, -a] *adj inf* narrow-minded
blablablá [blabla'bla] *m* waffle *no pl*
blecaute [ble'kawtʃi̥] *m* blackout
blefar [ble'far] *vi* to bluff
blindado, -a [blĩj'dadu, -a] *adj* armored
blindar [blĩj'dar] *vt* to armor-plate *Am*
blitz ['blits] *f inv* (*da polícia*) raid
bloco ['blɔku] *m* **1.** (*de gelo*) block **2.** (*de papel*) pad **3.** (*carnaval*) Carnival group **4.** (*edifício*) block
bloquear [bloke'ar] *conj como passear vt* to block
bloqueio [blo'keju] *m* roadblock
blues ['bluws] *m* blues *no pl*
blusa ['bluza] *f* blouse
blusão <-ões> [blu'sɜ̃w, -õjs] *m* jacket
boa ['boa] **I.** *f inf* **estar numa** ~ to be doing fine **II.** *adj* **1. essa é ~!** that's a good one! **2.** *v.* **bom**
boa-fé ['boa-'fɛ] <boas-fés> *f* good faith *no pl*
boas-festas ['boas-'fɛstas] *interj* **~!** Merry Christmas! Happy New Year!
boas-vindas ['boaz-'vĩjdas] *fpl* welcome
boato [bu'atu] *m* rumor
Boa Vista ['boa 'vista] (City of) Boa Vista
boba *adj v.* **bobo**
bobagem [bo'baʒẽj] <-ens> *f* nonsense *no pl*
bobear [bobi'ar] *conj como passear vi* to do sth silly
bobeira [bo'bejra] *f* foolishness *no pl*
bobo, -a ['bobu, -a] **I.** *m, f* fool **II.** *adj* foolish
bobó [bo'bɔ] *m spicy shrimp, brown bean and palm oil dish*
boca ['boka] *f* **1.** mouth; **bater** ~ to argue; **cala a ~!** shut up!; **ficar de ~ aberta** to be struck dumb; **não abrir a** ~ to keep quiet **2.** (*do fogão*) burner
bocado [bo'kadu] *m* (*pedaço*) piece; **um ~ de** quite a lot of
boca-livre ['boka-'ʎivri] <bocas-livres> *f* event with free admission
bocejar [bose'ʒar] *vi* to yawn
bochecha [bu'ʃeʃa] *f* cheek
bochechudo, -a [buʃe'ʃudu, -a] *adj* chubby-cheeked
boda ['boda] *f* wedding; **~s de prata** silver wedding anniversary
bode ['bɔdʒi̥] *m* goat; ~ **expiatório** scapegoat
boêmio [bo'emiw] *adj, m* bohemian
bofetada [bufe'tada] *f* slap; **dar uma ~ em alguém** to slap sb
boi ['boj] *m* ox
boiar [bɔj'ar] *vi* to float; *inf* not to get the drift of sth
boicotar [bojko'tar] *vt* to boycott
boicote [boj'kɔtʃi̥] *m* boycott
bola ['bɔla] *f* ball; **bater** ~ to kick the

ball around; **estar com a ~ toda** *inf* to have it all; **pisar na ~** *inf* to screw up

bolacha [bo'laʃa] *f* (*salgada*) cracker; (*doce*) cookie *Am,* biscuit *Brit*

bola-de-neve ['bɔla-dʒi-'nɛvi] <bolas-de-neve> *f* snowball

bolar [bo'lar] *vt inf* to dream up

boletim [bole'tʃĩj] *m* **1.** (*escola*) **~ de notas** report **2.** (*comunicado*) note; **~ oficial** official bulletin **3.** (*relatório*) report

boleto [bo'letu] *m* payment slip

bolha ['boʎa] *f* MED blister; (*de ar*) air bubble

bolinho [bo'ʎĩɲu] *m* (*de arroz, de bacalhau*) patty *Am,* cake *Brit*

Bolívia [bo'ʎivia] *f* Bolivia

bolo ['bolu] *m* cake

bolorento, -a [bolo'rẽjtu, -a] *adj* moldy

bolsa ['bowsa] *f* **1.** ECON market; **~ de valores** stock market **2.** (*mala*) bag; (*de senhora*) purse *Am,* handbag *Brit* **3.** (*de estudos*) scholarship

bolso ['bowsu] *m* pocket

bom, boa ['bõw, 'boa] *adj* **1.** (*agradável*) good; **boa tarde!** good afternoon!; **boa noite!** good evening; (*ao se deitar*) good night; **ser ~ em a. c.** to be good at something; **tudo ~** how are you(doing)? **2.** (*tempo*) good **3.** (*qualidade*) good **4.** (*com saúde*) well; **eu já estou ~/boa** I'm better now; **não estar ~ da cabeça** not to be in one's right mind,

bom ['bõw] *interj* **~!** good!; **~, vamos embora que é tarde** well, let's go, it's late

bomba ['bõwba] *f* **1.** (*máquina*) pump **2.** (*explosivo*) bomb **3.** (*ser reprovado*) **levei ~ em física** I failed physics

bombardear [bõwbardʒi'ar] *conj como passear vt* bombard

bombeiro [bõw'bejru] *m* fire-fighter

bombom [bõw'bõw] *m* chocolate

bondade [bõw'dadʒi] *f* goodness *no pl*

bonde ['bõwdʒi] *m* streetcar *Am,* tram *Brit*

bondinho [bõw'dʒĩɲu] *m* cable car

boné [bo'nɛ] *m* cap

boneca [bu'nɛka] *f* doll

bonito, -a [bu'nitu, -a] *adj* (*homem*) handsome; (*mulher*) pretty; (*sorriso, música*) nice; **estar ~** to look nice

bonito [bu'nitu] **I.** *interj* **~!** *irôn* very nice! **II.** *adv* beautifully; **fazer ~** to give a good impression

borboleta [borbo'leta] *f* butterfly

borbulhar [borbu'ʎar] *vi* to bubble

borda ['bɔrda] *f* edge; (*de copo*) brim

bordo ['bɔrdu] *m* **a ~** on board

borracha [bo'xaʃa] *f* rubber; (*para apagar*) eraser *Am,* rubber *Brit*

borrachudo [boxa'ʃudu] *m* midge

borrar [bo'xar] *vt* to stain

Bósnia ['boznia] *f* Bosnia

Bósnia-Herzegóvina ['boznia-erze'gɔvina] *f* Bosnia-Herzegovina

bosta ['bɔsta] *f chulo* crap; **que ~!** shit!

bota ['bɔta] *f* boot *pl;* **bater a ~** *inf* to kick the bucket

Culture **Bossa nova** is a style of Brazilian music that became very popular in the 1950s and early 1960s in Europe and in the United States. With the record "Chega de Saudade" by João Gilberto, bossa nova officially began a period that influenced the development of **MPB** (Musica Popular Brasileira). This fusion of jazz with a touch of classical music produced innumerable hits: "Garota de Ipanema" (performed by João Gilberto, written by Vinícius de Moraes and Tom Jobim) is the most famous example.

botão <-ões> [bo'tɜ̃w, -õjs] *m* button
botar [bo'tar] *vt* 1. *(pôr)* to put 2. *(roupa)* to put on 3. *(atribuir)* to point out
bote ['bɔtʃi] *m* *(salva-vidas)* lifeboat
boteco [bu'tɛku] *m* small bar
botequim [butʃi'kĩj] *m* cheap bar
botões *m pl de* **botão**
Bovespa [bo'vespa] *f abr de* **Bolsa de Valores do Estado de São Paulo** São Paulo State Stock Exchange
bovino, -a [bo'vinu, -a] *adj* bovine; **gado** ~ cattle *no pl*
boxe ['bɔksi] *m* boxing
braçada [bra'sada] *f* stroke
braçal <-ais> [bra'saw, -'ajs] *adj* **trabalho** ~ manual labor
braço ['brasu] *m* arm; **de ~s abertos** with open arms; **não dar o ~ a torcer** not to give in; **ser o ~ direito de alguém** to be sb's right hand
braguilha [bra'giʎa] *f* fly
branco, -a ['brɜ̃ŋku, -a] *adj* 1. *(cor)* white 2. **em** ~ *(página, cheque)* blank 3. *(pálido)* white
branco ['brɜ̃ŋku] *mf* 1. white person 2. *(cor)* white
brasil [bra'ziw] *m* brazil wood
Brasil <-is> [bra'ziw, -'is] *m* Brazil
brasileiro, -a [brazi'lejru, -a] *adj, m, f* Brazilian
Brasília [bra'ziʎia] *f* (City of) Brasilia
brasis *m pl de* **brasil**
brava *adj v.* **bravo**
bravo, -a ['bravu, -a] I. *adj* 1. *(pessoa)* angry 2. *(mar)* rough II. *interj* ~! bravo!
brazuca [bra'zuka] *mf inf* Brazilian
brecada [bre'kada] *f* **dar uma** ~ to step on the brakes
brecar [bre'kar] *vi* <c→qu> to brake
brecha ['brɛʃa] *f* opening
brejo ['brɛʒu] *m* marsh; **ir para o** ~ to go down the drain
breque ['brɛki] *m* brake; ~ **de mão** handbrake; **samba de** ~ *samba during which the singer suddenly stops singing to make amusing observations*
breve ['brɛvi] *adv* soon; (**dentro**) **em** ~ in a short while
brevemente [brɛvi'mẽjtʃi] *adv* soon
briga ['briga] *f* fight
brigadeiro [briga'dejru] *m* *candy made of condensed milk and chocolate*
brigar [bri'gar] *vi* <g→gu> to fight
brilhante [bri'ʎɜ̃ŋtʃi] I. *m* diamond II. *adj* 1. *(luminoso)* bright 2. *(muito bom)* brilliant
brilhar [bri'ʎar] *vi* to shine

brilho ['briʎu] *m* shine; (*do sol*) brightness
brim ['brĩj] *m* canvas
brincadeira [brĩjka'dejra] *f* **1.** (*gracejo*) joke; **chega de ~!** stop fooling around!; **de ~** for fun; **não ser ~** to be no laughing matter **2.** (*crianças*) game
brincalhão, -ona <-ões> [brĩjka'ʎɜ̃w, -'ona -õjs] *adj* fun-loving
brincar [brĩj'kar] *vi* <c→qu> **1.** (*crianças*) to play **2.** (*gracejar*) to joke; **eu estava só brincando!** I was only kidding!
brinco ['brĩjku] *m* earring
brindar [brĩj'dar] **I.** *vt* to toast **II.** *vi* to drink a toast
brinde ['brĩjdʒi̥] *m* **1.** (*com copos*) toast; **fazer um ~** to drink a toast **2.** (*presente*) free gift
brinquedo [brĩj'kedu] *m* toy
brisa ['briza] *f* breeze
britânico, -a [bri'tɜ̃niku, -a] *adj, m, f* British; **os ~s** the British
broche ['brɔʃi̥] *m* brooch
brochura [bro'ʃura] *f* booklet
brócolis ['brɔkuʎi̥s] *mpl* broccoli *no pl*
bronca ['brõwka] *f inf* tongue lashing
bronze ['brõwzi] *m* (*metal*) bronze; **pegar um ~** *inf* to get a suntan
bronzeado, -a [brõwzi'adu, -a] *adj* suntanned
bronzeado *m* suntan
bronzeador [brõwzi'ador] *m* suntan lotion
bronzeamento [brõwzja'mẽjtu] *m* tanning
bronzear-se [brõwzi'arsi] *conj como passear vr* to get a suntan
brotar [bro'tar] *vi* to sprout
bruços ['brusus] *adv* **de ~** face down
brusco, -a ['brusku, -a] *adj* abrupt
bruta *adj v.* **bruto**
brutalidade [brutaʎi'daʒi̥] *f* brutality
brutamontes [bruta'mõwts] *m* brute
bruto, -a ['brutu, -a] *adj* **1.** (*pessoa*) brutal **2.** ECON gross; **salário ~** gross salary **3. matéria bruta** raw material
bruxa ['bruʃa] *f* witch
Bruxelas [bru'ʃɛlas] *f* Brussels
bruxo ['bruʃu] *m* wizard
bueiro [bu'ejru] *m* drain
búfalo ['bufalu] *m* buffalo
bufar [bu'far] *vi* to snort
bufê [bu'fe] *m* buffet
bugiganga [buʒi'gɜ̃ŋga] *f* trinket; **loja de ~s** flea market
bujão <-ões> [bu'ʒɜ̃w, -õjs] *m* gas bottle
bule ['buʎi] *m* (*para café*) coffeepot; (*para chá*) teapot
Bulgária [buw'garia] *f* Bulgaria
bulhufas [bu'ʎufas] *pron indef, inf* **não entendo ~** I can't understand a word
bum ['bũw] *interj* boom!
bumbum [bũw'bũw] *m infantil* tush *Am,* bum *Brit*
bunda ['bũwda] *f inf* butt *Am,* bum *Brit*
buquê [bu'ke] *m* bouquet
buraco [bu'raku] *m* hole; **sentir um ~ no estômago** to feel hungry; **sair do ~** to get out of debt; **tapar ~** to get

out of a fix
burburinho [burbu'rĩɲu] *m* babble
burocracia [burokra'sia] *f sem pl* bureaucracy *no pl*
burocrático, -a [buro'kratʃi̥ku, -a] *adj* bureaucratic
burrada [bu'xada] *f* **fazer ~** *inf* to do something stupid
burrice [bu'xisi] *f* stupidity
burro, -a ['buxu, -a] **I.** *m, f* **1.** ZOOL donkey **2.** *pej* (*pessoa*) blockhead **II.** *adj* stupid; **correu pra ~** she ran like crazy; **feio pra ~** really ugly
busca ['buska] *f* search
buscador [buska'dor] *m* INFOR search engine
buscar [bus'kar] *vt* <c→qu> **1.** (*coisa*) to search for **2.** (*pegar*) to fetch
bússola ['busula] *f* compass
bustiê [bustʃi'e] *m* bustier
busto ['bustu] *m* bust
buzina [bu'zina] *f* horn
buzinar [buzi'nar] *vi* to honk (the horn)
Búzios ['buziws] (City of) Búzios

C

C, c ['se] *m* C, c
cá ['ka] *adv* here
cabana [ka'bɜ̃na] *f* hut
cabeça [ka'besa] *f* head; **esquentar a ~** to worry about sth; **perder a ~** to lose one's head; **subir à ~** to go to sb's head
cabeçada [kabe'sada] *f* (*pancada*) headbutt; FUT header
cabeceira [kabesej'ra] *f* headboard
cabeleireiro, -a [kabelej'rejru, -a] *m, f* hairdresser
cabelo [ka'belu] *m* hair
cabeludo, -a [kabe'ludu, -a] *adj* hairy
caber [ka'ber] *irr vt* to fit; **~ a alguém** to be up to sb
cabide [ka'bidʒi̥] *m* coathanger
cabine [ka'bini] *f* booth
cabo ['kabu] *m* **1.** ELETR cable **2.** (*de faca*) handle; **de ~ a rabo** from beginning to end **3.** GEO cape
Cabo Verde ['kabu 'verdʒi̥] *m* Cape Verde *pl*
cabra ['kabra] *f* goat
cabreiro, -a [ka'brejru, -a] *adj inf* suspicious
cabrito [ka'britu] *m* kid
caça ['kasa] *f* (*atividade*) hunting; (*animais*) game
caçador, -a [kasa'dor, -a] *m, f* hunter
caçar [ka'sar] *vt* <ç→c> to hunt
cacau [ka'kaw] *m* cacao
cacete [ka'setʃi̥] *m* club
cachaça [ka'ʃasa] *f* white rum
cacheado, -a [kaʃi'adu, -a] *adj* curly
cachimbo [ka'ʃĩjbu] *m* pipe
cacho ['kaʃu] *m* bunch
cachoeira [kaʃu'ejra] *f* waterfall
cachorro, -a [ka'ʃoxu, -a] *m, f* dog
cachorro-quente [ka'ʃoxu-'kẽjtʃi̥] <cachorros-quentes> *m* hot dog
cacto ['kaktu] *m* cactus
caçula [ka'sula] *mf* the youngest
cada ['kada] *pron indef* each, every; ~

> **Culture** **Cachaça** is obtained by distilling sugarcane mash. Brazil's most popular alcoholic beverage is known by many names: **aguardente de cana** (sugarcane brandy), **branquinha, caninha, pinga**, etc. It is the basic ingredient of the **caipirinha** and of fruit daiquiris, but is also commonly drunk straight. Cachaça boiled with ginger, cinnamon and sugar makes a **quentão**, a typical drink at the **festas juninas**.

um each one

cadastrar [kadas'trar] *vt* to register

cadastro [ka'dastru] *m* record

cadáver [ka'daver] *m* corpse

cadê [ka'de] *adv inf* ~ **o Paulo?** where is Paulo

cadeado [kadʒi'adu] *m* padlock

cadeia [ka'deja] *f* chain

cadeira [ka'dejra] *f* chair

cadela [ka'dɛla] *f* bitch

caderno [ka'dɛrnu] *m* notebook

caduca *adj v.* **caduco**

caducar [kadu'kar] *vi* <c→qu> to expire

caduco, -a [ka'duku, -a] *adj* senile

cães *m pl de* **cão**

café [ka'fɛ] *m* coffee; ~ **em grão** coffee beans; ~ **com leite** white coffee; ~ **da manhã** breakfast; ~ **preto** black coffee

> **Culture** **Café com leite** is coffee with hot milk. There is always more milk than coffee. This is the traditional beverage at a Brazilian breakfast.

cafeteira [kafe'tejra] *f* coffee pot

cafezinho [kafɛ'zĩɲu] *m* ≈ espresso

> **Culture** **Cafezinho** is served in small cups and often sugar-sweet. It is drunk after meals and throughout the day during breaks, trips, meetings, etc.

cafona [ka'fona] *adj inf* tacky

caiaque [kaj'aki] *m* kayak

cãibra ['kɜ̃jbra] *f* cramp

caído, -a [ka'idu, -a] *adj* dejected

caipira [kaj'pira] *mf* country person, hick *pej*

caipirinha *f cocktail prepared by crushing unpeeled pieces of lime with sugar and ice and adding "cachaça"*

caipirosca *f caipirinha prepared with vodka*

cair [ka'ir] *conj como sair vi* **1.** to fall; ~ **de sono** to be dead tired; ~ **em si** to come to one's senses **2.** (*deixar-se enganar*) to fall for

cais ['kajs] *m inv* quay

caixa ['kajʃa] **I.** *f* **1.** box **2.** (*numa loja, banco*) cash desk; (*supermercado*) checkout; ~ **eletrônico** ATM, automated teller machine **II.** *mf* cashier

caixão <-ões> [kaj'ʃɜ̃w, -'õjs] *m* coffin

caixote [kaj'ʃɔtʃi̥] *m* small box

caju [ka'ʒu] *m* fruit of the cashew tree

cajueiro [kaʒu'ejru] *m* cashew tree

calado, -a [ka'ladu, -a] *adj* quiet; **ficar** ~ to be quiet

calafrio [kala'friw] *m* shiver

calar [ka'lar] *vt* to silence; **cala a bo-**

ca! *inf* shut up!
calça ['kawsa] *f v.* **calças**
calçada [kaw'sada] *f* sidewalk *Am,* pavement *Brit*
calçado [kaw'sadu] *m* footwear
calcanhar [kawkɜ̃'ɲar] *m* heel
calção <-ões> [kaw'sɜ̃w, -'õjs] *m* shorts; ~ **de banho** bathing suit
calçar [kaw'sar] <ç→c> *vt* **1.** (*luvas, meias, sapatos*) to put on **2.** (*rua*) to pave
calças ['kawsas] *fpl* pants *pl,* trousers
calcinha(s) [kaw'sĩɲa(z)] *f(pl)* panties *Am,* knickers *Brit*
calculadora [kawkula'dora] *f* calculator
calcular [kawku'lar] *vt* to calculate
cálculo ['kawkulu] *m* MAT calculus; (*aproximado*) estimate; ~ **de cabeça** rough estimate
calda ['kawda] *f* syrup
caldo ['kawdu] *m* stock; ~ **verde** vegetable broth
calendário [kalẽj'dariw] *m* calendar
calma *adj v.* **calmo**
calma ['kawma] *f sem pl* calm
calmante [kaw'mɜ̃ŋtʃi̥] *m* sedative
calmo, -a ['kawmu, -a] *adj* (*pessoa*) calm; (*lugar*) quiet
calo ['kalu] *m* callus
calor [ka'lor] *m* heat; **estou com ~** I'm hot
caloria [kalo'ria] *f* calorie; **de baixa ~** low calorie
caloroso, -a [kalo'rozu, -'ɔza] *adj* warm
calouro, -a [ka'lowru, -a] *m, f* UNIV freshman
calúnia [ka'lunia] *f* slander
calvo, -a ['kawvu, -a] *adj* bald
cama ['kɜ̃ma] *f* bed; ~ **de casal** double bed
camada [kɜ̃'mada] *f* layer
camaleão, -oa <-ões> [kɜ̃male'ɜ̃w, -'oa -'õjs] *m, f* chameleon
câmara ['kɜ̃mara] *f* **1.** chamber; ~ **municipal** city council **2.** ~ **fotográfica** camera
camarada [kɜ̃ma'rada] **I.** *mf* POL comrade; *inf* (*amigo*) buddy *Am,* mate *Brit* **II.** *adj* (*preço*) good
camarão <-ões> [kɜ̃ma'rɜ̃w, -'õjs] *m* shrimp *Am,* prawn *Brit*
camarim [kɜ̃ma'rĩj] <-ins> *m* dressing room
camarões *m pl de* **camarão**
camarote [kɜ̃ma'rɔtʃi̥] *m* TEAT box; NÁUT cabin
cambalear [kɜ̃ŋbaʎi'ar] *conj como passear vi* to stagger
cambalhota [kɜ̃ŋba'ʎɔta] *f* somersault
câmbio ['kɜ̃ŋbiw] *m* exchange
camelo [kɜ̃'melu] *m* camel
camelô [kɜ̃me'lo] *mf* street vendor

> **Culture** A **camelô** is a hawker of merchandise as varied as costume jewelry, CDs, perfume, watches and clothing, set up temporarily along streets or sidewalks, almost always without a legal permit.

caminhada [kɜ̃mĩ'ɲada] *f* walk
caminhão <-ões> [kɜ̃mĩ'ɲɜ̃w, -'õjs] *m* truck *Am,* lorry *Brit*
caminhar [kɜ̃mĩ'ɲar] *vi* to walk

caminho [kɐ̃ˈmĩɲu] *m* way; **cortar ~** to take a shortcut; **estar a ~** to be on the way
caminhões *m pl de* **caminhão**
camisa [kɐ̃ˈmiza] *f* shirt
camiseta [kɐ̃miˈzeta] *f* T-shirt
camisinha [kɐ̃miˈzĩɲa] *f inf* condom
camisola [kɐ̃miˈzɔla] *f* nightdress
campainha [kɐ̃ŋpɐ̃ˈĩɲa] *f* doorbell
campanha [kɐ̃ŋˈpɐ̃ɲa] *f* campaign; **~ publicitária** marketing campaign
campeão, campeã <-ões> [kɐ̃ŋpiˈɐ̃w, -ˈɐ̃, -ˈõjs] *m, f* champion
campeonato [kɐ̃ŋpjoˈnatu] *m* championship
campo [ˈkɐ̃ŋpu] *m* field
Campo Grande [ˈkɐ̃ŋpu ˈgrɐ̃ŋdʒi] *m* (City of) Campo Grande
camundongo [kɐ̃mũwˈdõwgu] *m* mouse
camurça [kɐ̃ˈmursa] *f* suede
cana [ˈkɐ̃na] *f* sugarcane
Canadá [kɐ̃naˈda] *m* Canada
cana-de-açúcar [ˈkɐ̃na-dʒi-aˈsukar] <canas-de-açúcar> *f* sugarcane
canadense [kɐ̃naˈdẽjsi] *adj, mf* Canadian
canal <-ais> [kɐ̃ˈnaw, -ˈajs] *m* canal
canário [kɐ̃ˈnariw] *m* canary
canção <-ões> [kɐ̃ŋˈsɐ̃w, -ˈõjs] *f* song
cancelamento [kɐ̃ŋselaˈmẽjtu] *m* cancellation
cancelar [kɐ̃ŋseˈlar] *vt* to cancel
Câncer *m* Cancer
câncer [ˈkɐ̃ŋser] *m* cancer
cancerígeno, -a [kɐ̃ŋseˈriʒenu, -a] *adj* carcinogenic
cândida *adj v.* **cândido**
candidata *f v.* **candidato**
candidatar-se [kɐ̃ŋdʒidaˈtar-se] *vr* **1.** (*a um cargo*) to run for **2. ~ a** (*um emprego, uma bolsa*) to apply for
candidato, -a [kɐ̃ŋdʒiˈdatu, -a] *m, f* candidate
candidatura [kɐ̃ŋdʒidaˈtura] *f* candidacy
cândido, -a [ˈkɐ̃ŋdʒidu, -a] *adj* (*sincero*) candid
candomblé [kɐ̃ŋdõwˈblɛ] *m* Candomblé (*Brazilian animist religion of African origin*)
caneca [kɐ̃ˈnɛka] *f* mug
canela [kɐ̃ˈnɛla] *f* **1.** GASTR cinnamon **2.** ANAT shin
caneta [kɐ̃ˈneta] *f* pen
canga [ˈkɐ̃ŋga] *f* sarong
canguru [kɐ̃ŋguˈru] *m* kangaroo
canhoto [kɐ̃ˈɲotu] **I.** *m* **1.** left-hander **2.** stub **II.** *adj* left-handed
canil <-is> [kɐ̃ˈniw, -ˈis] *m* kennel
canino, -a [kɐ̃ˈninu, -a] *adj* canine; **com fome canina** ravenous
canis *m pl de* **canil**
canivete [kɐ̃niˈvɛtʃi] *m* penknife
canja [ˈkɐ̃ŋʒa] *f* **1.** chicken soup **2. isto é ~!** this is a piece of cake!
cano [ˈkɐ̃nu] *m* pipe; **dar o ~** *gír* to stand sb up
canoa [kɐ̃ˈnoa] *f* canoe
cansaço [kɐ̃ŋˈsasu] *m* tiredness *no pl*
cansado, -a [kɐ̃ŋˈsadu, -a] *adj* tired
cansar [kɐ̃ŋˈsar] **I.** *vt* to tire **II.** *vr:* **~-se** to become tired
cansativo, -a [kɐ̃ŋsaˈtʃivu, -a] *adj* tiring
canseira [kɐ̃ŋˈsejra] *f* tiredness *no pl*

cantar [kɜ̃ŋ'tar] *vt, vi* to sing
cantarolar [kɜ̃ŋtaro'lar] *vt, vi* to hum
canteiro [kɜ̃ŋ'tejru] *m* flower bed
cantiga [kɜ̃ŋ'tʃiga] *f* ballad
cantil <-is> [kɜ̃ŋ'tʃiw, -'is] *m* (*para bebidas*) flask
cantina [kɜ̃ŋ'tʃina] *f* canteen
cantis *m pl de* **cantil**
canto ['kɜ̃ŋtu] *m* **1.** corner **2.** (*canção*) song
cantor(a) [kɜ̃ŋ'tor(a)] *m(f)* singer
cantoria [kɜ̃ŋto'ria] *f* singing
canudo [kɜ̃'nudu] *m* straw
cão <cães> ['kɜ̃w, 'kɜ̃js] *m* dog
caos ['kaws] *m sem pl* chaos
caótico, -a [ka'ɔtʃi̥ku, -a] *adj* chaotic
capa ['kapa] *f* **1.** ~ **de chuva** raincoat **2.** (*de livro*) cover
capacete [kapa'setʃi̥] *m* helmet
capacho [ka'paʃu] *m* doormat
capacidade [kapasi'dadʒi̥] *f sem pl* capacity; (*aptidão*) ability
capaz [ka'pas] *adj* capable, able
capela [ka'pɛla] *f* chapel
capim [ka'pĩj] <-ins> *m* grass
capitã *f v.* **capitão**
capitães *m pl de* **capitão**
capital <-ais> [kapi'taw, -'ajs] *f* capital
capitão, -ã <-ães> [kapi'tɜ̃w, -'ɜ̃, 'ɜ̃js] *m, f* captain
capítulo [ka'pitulu] *m* chapter
capoeira [kapu'ejra] *f* capoeira (*martial art for attack and defense brought to Brazil by Bantu slaves*)
caprichado, -a [kapri'ʃadu, -a] *adj* done with great care
capricho [ka'priʃu] *m* whim
caprichoso, -a [kapri'ʃozu, -'ɔza] *adj* meticulous
Capricórnio [kapri'kɔrniw] *m* Capricorn
cápsula ['kapsula] *f* capsule
captar [kap'tar] *vt* (*programa, TV*) to pick up; (*interesse, atenção*) catch
capuz [ka'pus] *m* hood
caqui [ka'ki] *m* persimmon
cáqui ['kaki] *m* khaki
cara *adj v.* **caro**
cara ['kara] **I.** *f* **1.** face; **dar as ~s** to show up; **estar na** ~ to be obvious; (*da moeda*) heads **2.** look; **fazer** ~ **feia** to frown; **ter** ~ **de** to look like **II.** *m inf* guy
caracol <-óis> [kara'kɔw, -'ɔjs] *m* **1.** ZOOL snail **2.** (*de cabelo*) ringlet
caracteres [karak'tɛris] *mpl* characters
característica [karakte'ristʃi̥ka] *f* characteristic
característico, -a [karakte'ristʃi̥ku, -a] *adj* characteristic
caracterizar [karakteri'zar] *vt* to characterize
cara-de-pau ['kara-dʒi-'paw] <caras-de-pau> *mf* **que ~!** what a nerve!
caramba [ka'rɜ̃ŋba] *interj* wow!
carambola *f* star fruit
caramelo [kara'mɛlu] *m* caramel
caranguejo [karɜ̃ŋ'geʒu] *m* crab
caráter [ka'rater] *m* character
cardápio [kar'dapiw] *m* menu
cardíaco, -a [kar'dʒiaku, -a] *adj* cardiac
cardigã [kardʒigɜ̃] *m* cardigan
cardiologista [kardʒjolo'ʒista] *mf*

cardiologist

cardume [kar'dumi] *m* shoal

careca [ka'rɛka] **I.** *f* bald spot **II.** *adj* bald

careiro, **-a** [ka'rejru, -a] *adj* overpriced

carência [ka'rẽjsia] *f* lack

careta [ka'reta] *f* grimace; **fazer ~s** to make a face

carga ['karga] *f* load

cargo ['karga] *m* position

caricatura [karika'tura] *f* caricature

carícia [ka'risia] *f* caress

cárie ['karij] *f* cavity

carinho [ka'rĩɲu] *m* affection

carinhoso, **-a** [karĩ'ɲnozu, -'ɔza] *adj* affectionate

carioca [kari'ɔka] *adj, mf* native of Rio de Janeiro

carisma [ka'rizma] *m* charisma

carnal <-ais> [kar'naw, -'ajs] *adj* carnal

carnaval <-ais> [karna'vaw, -'ajs] *m* carnival

carne ['karni] *f* **1.** meat; (*de vaca*) beef; ~ **moída** ground beef *Am,* mince *Brit;* ~ **de porco** pork **2.** (*humana*) flesh; **em ~ e osso** in the flesh

carneiro [kar'nejru] *m* sheep

carne-seca ['karni-'seka] <carnes-secas> *f* dried beef

carnívoro, **-a** [kar'nivoru, -a] *adj* carnivorous

caro, **-a** ['karu, -a] *adj* **1.** (*no preço*) expensive **2.** (*querido*) dear

carona [ka'rona] *f* ride *Am,* lift *Brit*

carpete [kar'pɛtʃi̥] *m* carpet

carpinteiro, **-a** [karpĩj'tejru, -a] *m, f* carpenter

carregador [kaxega'dor] *m* ELETR charger

carregador(a) [kaxega'dor(a)] *m(f)* (*de bagagem*) porter

carregar [kaxe'gar] *vt* <g→gu> **1.** (*navio, caminhão*) to load **2.** ELETR to charge

carreira [ka'xejra] *f* career

carro ['kaxu] *m* car

carrossel <-éis> [kaxo'sɛw, -'ɛjs] *m* merry-go-round

carta ['karta] *f* **1.** letter **2.** (*do baralho*) card

cartão <-ões> [kar'tɜ̃w, -'õjs] *m* card; ~ **de crédito** credit card

cartão-postal <cartões-postais> [kar'tɜ̃w-pos'taw, kar'tõjs-pos'tajs] *m* postcard

cartaz [kar'tas] <-es> *m* poster

carteira [kar'tejra] *f* **1.** wallet **2.** ~ **de identidade** ID card; ~ **de motorista** driver's license *Am,* driving licence *Brit*

cartões *m pl de* **cartão**

cartório [kar'tɔriw] *m* (*tabelião*) public notary's office; (*registro civil*) registry office

cartunista [kartu'nista] *m* cartoonist

carvalho [kar'vaʎu] *m* oak

casa ['kaza] *f* **1.** house; (*lar*) home; ~ **de campo** country house; **em ~** at home; **ir para ~** to go home; **ser de ~** to be one of the family **2.** (*estabelecimento*) establishment; ~ **de câmbio** bureau de change; ~ **de saúde** health clinic

casaco [ka'zaku] *m* coat; ~ **de malha** cardigan
casado, -a [ka'zadu, -a] *adj* married
casal <-ais> [ka'zaw, -'ajs] *m* couple
casamento [kaza'mẽjtu] *m* (*união*) marriage; (*cerimônia*) wedding
casar [ka'zar] **I.** *vi* to get married **II.** *vr* ~-**se com alguém** to marry sb
casarão <-ões> [kaza'rɜ̃w, -'õjs] *m* mansion
casca ['kaska] *f* (*fruta*) peel
cascalho [kas'kaʎu] *m* gravel
cascata [kas'kata] *f* cascade
cascavel <-éis> [kaska'vɛw, -'ɛjs] *f* rattlesnake
casco ['kasku] *m* **1.** (*de navio*) hull **2.** (*de cavalo*) hoof **3.** (*de vinho*) cask
caso ['kazu] *m* case; (*relação amorosa*) affair; ~ **contrário** otherwise
caspa ['kaspa] *f* dandruff
cassete [ka'sɛtʃi] *m* cassette
cassino [ka'sinu] *m* casino
casta *adj v.* **casto**
castanha [kas'tɜ̃ɲa] *f* chestnut
castanha-de-caju [kas'tɜ̃ɲa-dʒi-ka'ʒu] <castanhas-de-caju> *f* cashew
castanha-do-pará [kas'tɜ̃ɲa-du'-pa'ra] <castanhas-do-pará> *f* Brazil nut
castanho [kas'tɜ̃ɲu] *m* (*madeira*) chestnut
castanho, -a [kas'tɜ̃ɲu, -a] *adj* brown
castelo [kas'tɛlu] *m* castle
castiçal <-ais> [kast'saw, -'ajs] *m* candlestick
castigar [kastʃi'gar] <g→gu> *vt* to chastise
castigo [kas'tʃigu] *m* punishment
casto, -a ['kastu, -a] *adj* chaste
castor [kas'tor] *m* beaver
castrar [kas'trar] *vt* castrate
casual <-ais> [kazu'aw, -'ajs] *adj* chance
casualidade [kazuaʎi'dadʒi] *f* chance
catalogar [katalo'gar] *vt* <g→gu> to catalog
catálogo [ka'talugu] *m* catalog
catapulta [kata'puwta] *f* catapult
catarata [kata'rata] *f* waterfall
catarro [ka'taxu] *m* MED catarrh
catástrofe [ka'tastrofi] *f* catastrophe
cata-vento ['kata-'vẽjtu] *m* weather vane
catedral <-ais> [kate'draw, -'ajs] *f* cathedral
categoria [katego'ria] *f* category; **de** ~ first-rate
cativante [katʃi'vɜ̃ŋtʃi̥] *adj* captivating
cativeiro [katʃi'vejru] *m sem pl* captivity
catorze [ka'torzi] *num card v.* **quatorze**
caubói [kaw'bɔj] *m* cowboy
cauda ['kawda] *f* tail
causa ['kawza] *f* (*motivo*) reason; (*origem*) cause; **por** ~ **de** because of
causar [kaw'zar] *vt* to cause
cauteloso, -a [kawte'lozu, -'ɔza] *adj* cautious
cavaleiro, -a [kava'lejru, -a] *m, f* rider
cavaleiro [kava'lejru] *m* HIST knight
cavalgar [kavaw'gar] *vt, vi* <g→gu> to mount
cavalheiro [kava'ʎejru] *m* gentleman

cavalo [ka'valu] *m* horse
cavalo-marinho [ka'valu-ma'rĩɲu] <cavalos-marinhos> *m* sea horse
cavanhaque [kavɜ̃'ɲaki] *m* goatee
cavaquinho [kava'kĩɲu] *m* ukelele
cavar [ka'var] *vt* to dig
caveira [ka'vejra] *f* skull
caverna [ka'vɛrna] *f* cavern
caviar [kavi'ar] *m* caviar
Cazaquistão [kazaks'tɜ̃w] *m* Kazakhstan
CD [se'de] *m abr de* **compact disc** CD
Ceará [sea'ra] *m* (State of) Ceará
cearense [sea'rẽjsi] **I.** *mf* native of Ceará **II.** *adj* from Ceará, of Ceará
cebola [se'bola] *f* onion
cebolinha [sebo'ʎĩɲa] *f* (*erva*) chives *pl*
ceder [se'der] **I.** *vt* **1.** (*lugar, direitos*) to give up **2.** (*à tentação*) to give in to **II.** *vi* to give way
cedilha [se'dʒiʎa] *f* cedilla
cedinho [se'dʒĩɲu] *adv* very early
cedo ['sedu] *adv* (*em breve*) soon; (*antes do tempo*) early; **mais ~ ou mais tarde** sooner or later
cedro ['sɛdru] *m* cedar
cefaléia [sefa'lɛja] *f* headache
cega *adj, f v.* **cego**
cegar [se'gar] <g→gu> **I.** *vt* to blind **II.** *vi* to go blind
cegas ['sɛgas] *f* **às ~** blindly
cego, -a ['sɛgu, -a] **I.** *m, f* blind person **II.** *adj* blind; (*sem fio*) blunt
cegonha [se'gõɲa] *f* ZOOL stork
cegueira [se'gejra] *f* blindness
cela ['sɛla] *f* cell
celebração <-ões> [selebra'sɜ̃w, -'õjs] *f* celebration
celebrar [sele'brar] *vt* to celebrate
célebre ['sɛlebri] *adj* famous
celebridade [selebri'dadʒi̥] *f* celebrity
celeste [se'lɛstʃi̥] *adj* celestial
celestial <-ais> [selestʃi'aw, -'ajs] *adj* celestial
celofane [selo'fɜni] *m* cellophane
celta I. *adj* celtic **II.** *mf* Celt
celular [selu'lar] *m* (*telefone*) cellphone
celulite [selu'ʎitʃi̥] *f sem pl* cellulite
cem ['sẽj] *num card* a hundred
cemitério [semi'tɛriw] *m* cemetery
cena ['sena] *f* scene; **fazer uma ~** *fig* to make a scene
cenoura [se'nora] *f* carrot
censor [sẽj'sor] *m* censor
censura [sẽj'sura] *f* (*de textos*) censorship; (*repreensão*) censure
censurar [sẽjsu'rar] *vt* (*textos*) to censor; (*repreender*) to censure
centavo [sẽj'tavu] *m* cent
centena [sɛj'tena] *f* hundred
centenário, -a [sẽjte'nariw, -a] *adj* centennial
centésimo, -a [sẽj'tɛzimu, -a] *num ord* one hundredth
centímetro [sẽj'tʃimetru] *m* centimeter
cento ['sẽjtu] *m* hundred
centopéia [sẽjto'pɛja] *f* centipede
central <-ais> [sẽj'traw, -'ajs] **I.** *f* (*de operações*) center; **~ elétrica** power plant; **~ nuclear** nuclear power plant **II.** *adj* central
centralização <-ões> [sẽjtraʎiza'sɜ̃w,

-'õjs] *f* centralization

centralizar [sẽjtraʎi'zar] *vt* to centralize

centro ['sẽjtru] *m* center; ~ **da cidade** downtown

CEP ['sɛpi] *m abr de* **código de endereçamento postal** zipcode *Am,* postcode *Brit*

cera ['sera] *f sem pl* wax

cerâmica [se'rɜ̃mika] *f* ceramics *pl*

cerca ['serka] **I.** *f* fence **II.** *adv* ~ **de** around

cercar [ser'kar] <c→qu> *vt* to surround

cerda ['sɛrda] *f* bristle

cereal <-ais> [sere'aw, -'ajs] *m* cereal; ~ **matinal** breakfast cereal

cérebro ['sɛrebru] *m* brain

cereja [se'reʒa] *f* cherry

cerimônia [seri'monia] *f* ceremony

cerrado, -a [se'xadu, -a] *adj* thick

cerrado [se'xadu] *m* scrubland

certa *adj, pron, f v.* **certo**

certamente [sɛrta'mẽjtʃi̥] *adv* certainly

certeza [ser'teza] *f* certainty; **com** ~ certainly

certidão <-ões> [sertʃi'dɜ̃w, -'õjs] *f* certificate; ~ **de nascimento** birth certificate

certificado [sertʃifi'kadu] *m* certificate; ~ **de garantia** warranty

certificar [sertʃifi'kar] <c→qu> **I.** *vt* to certify **II.** *vr:* ~-**se** to make sure

certo, -a ['sɛrtu, -a] **I.** *adj* **1.** certain; **estou ~ de que ...** I'm sure that ... **2.** (*exato*) correct **II.** *pron* certain **III.** *adv* **dar** ~ to work out

cerveja [ser'veʒa] *f* beer

cervical <-ais> [servi'kaw, -'ajs] *adj* cervical

cervo ['sɛrvu] *m* deer

cesta ['sesta] *f* basket

cesto ['sestu] *m* basket

cetim [se'tʃĩj] <-ins> *m* satin

cetro ['sɛtru] *m* scepter

céu ['sɛw] *m* sky; ~ **da boca** roof of the mouth

cevada [se'vada] *f* barley

chá ['ʃa] *m* tea

chacal <-ais> [ʃa'kaw, -'ajs] *m* jackal

chácara ['ʃakara] *f* country house

chafariz [ʃafa'riz] *m* public fountain

chalé [ʃa'lɛ] *m* chalet

chaleira [ʃa'lejra] *f* kettle

chama ['ʃɜ̃ma] *f* flame

chamada [ʃɜ̃'mada] *f* **1.** (*telefônica*) call; ~ **a cobrar** collect call *Am,* reverse charge call *Brit;* ~ **interurbana** long-distance call **2.** (*na escola*) roll call; **segunda** ~ exam repeats

chamar [ʃɜ̃'mar] **I.** *vt* to call **II.** *vr:* ~-**se** to be called

chá-mate ['ʃa-'matʃi̥] *m* maté tea

champanhe [ʃɜ̃ŋ'pɜ̃ɲi], **champanha** *m sem pl* champagne

chamuscar [ʃɜ̃mus'kar] *vt* <c→qu> to singe

chance ['ʃɜ̃ŋsi] *m* chance

chantagear [ʃɜ̃ŋtaʒi'ar] *vt* to blackmail

chantagem [ʃɜ̃ŋ'taʒẽj] <-ens> *f* blackmail

chantagista [ʃɜ̃ŋta'ʒista] *mf* blackmailer

chantilly [ʃɜ̃ŋtʃi'ʎi] *m* whipped cream

chão <-s> ['ʃɜ̃w, 'ʃɜ̃s] *m* ground; (*na casa*) floor
chapa ['ʃapa] *f* license plate; ~ **fria** false license plates
chapéu [ʃa'pɛw] *m* hat; **tirar o ~ para alguém** *fig* to take one's hat off to sb
charco ['ʃarku] *m* swamp
charme ['ʃarmi] *m sem pl* charm
charmoso, -a [ʃar'mozu, -'ɔza] *adj* charming
charuto [xa'rutu] *m* cigar
chassi [ʃa'si] *m* chassis
chata *adj v.* **chato**
chateação <-ões> [ʃatʃja'sɜ̃w, -'õjs] *f inf* irritation
chateado, -a [ʃatʃi'adu, -a] *adj inf* irritated
chatear [ʃatʃi'ar] *conj como passear vt inf* to annoy
chatice [ʃa'tʃisi] *f v.* **chateação**
chato ['ʃatu] *m inf* bore
chato, -a ['ʃatu, -a] *adj inf* (*maçante*) boring; (*irritante*) annoying; **pé ~** flat foot
chave ['ʃavi] *f* key
chaveiro [ʃa'vejru] *m* (*pessoa*) locksmith; (*porta-chaves*) keyring
checar [ʃe'kar] *vt* <c→qu> to check
chefão [ʃɛ'fɜ̃w] *m* big shot
chefe ['ʃɛfi] *mf* (*de um tribo*) chief; ~ **de Estado** chief of state; ~ **de família** head of the family; (*patrão*) boss
chegada [ʃe'gada] *f* arrival
chegado [ʃe'gadu] *adj* close
chegar [ʃe'gar] <g→gu> *vi* **1.** to arrive; (*aproximar-se*) to come **2.** (*ser suficiente*) to be enough
cheia ['ʃeja] *f* flood
cheio, -a ['ʃeju, -a] *adj* **1.** full; ~ **de** full of **2.** *gír* ~ **de** tired of
cheirar [ʃej'rar] *vt, vi* to smell
cheiro ['ʃejru] *m* smell
cheiroso, -a [ʃej'rozu, -'ɔza] *adj* fragrant
cheque ['ʃɛki] *m* check *Am;* ~ **em branco** blank check; ~ **sem fundos** bad check; ~ **de viagem** traveler's check
chiclete [ʃi'klɛtʃi̯] *m* chewing gum
chicória [ʃi'kɔria] *f* chicory
chicote [ʃi'kɔtʃi̯] *m* whip
chifre ['ʃifri] *m* horn
Chile ['ʃiʎi] *m* Chile
chilique [ʃi'ʎiki] *m inf* fit
chimarrão [ʃima'xɜ̃w] *m hot maté tea, popular in southern Brazil*
chimpanzé [ʃĩjpɜ̃ŋ'zɛ] *m* chimpanzee
China ['ʃina] *f* China
chinelo [ʃi'nɛlu] *m* slipper; (*de praia*) flip-flop
chinês, -esa [ʃi'nes, -'eza] *adj, m, f* Chinese
Chipre ['ʃipri] *m* Cyprus
chique ['ʃiki] *adj* chic
chocante [ʃo'kɜ̃ŋtʃi̯] *adj* shocking
chocar [ʃo'kar] <c→qu> **I.** *vt* to shock; ~ **em a. c.** to crash into sth **II.** *vr:* ~**-se** to be shocked
chocolate [ʃoko'latʃi̯] *m* chocolate
chofer [ʃo'fɛr] *m* chauffeur
chope ['ʃopi] *m* draft beer
choperia [ʃope'ria] *f* bar, pub *Brit*
choque ['ʃɔki] *m* **1.** (*comoção*) shock **2.** (*colisão*) collision
choramingar [ʃoramĩj'gar] *vi* <g→gu> to whine

chorão, -ona <-ões *ou* -s> [ʃo'rɜ̃w, -'ona, -'õjs] *m, f* cry baby
chorar [ʃo'rar] *vt, vi* to cry
chorinho [ʃo'rĩɲu] *m a type of choro music with a fast and lively rhythm*
choro ['ʃoru] *m* **1.** crying **2.** *sentimental music from Rio de Janeiro played at dances and parties*
chorões *adj, m pl de* **chorão**
chorona *adj, f v.* **chorão**
chover [ʃo'ver] *vi impess* to rain
chucro, -a ['ʃukru, -a] *adj* wild
chula *adj v.* **chulo**
chuleta [ʃu'leta] *f* ribs
chulo, -a ['ʃulu, -a] *adj* vulgar
chumbo ['ʃũwbu] *m* lead; (*para caça*) shot
chupar [ʃu'par] *vt* to suck
churrascaria [ʃuxaska'ria] *f restaurant whose speciality is barbecued meat*
churrasco [ʃu'xasku] *m* barbecue
churrasqueira [ʃuxas'kejra] *f* barbecue
chutar [ʃu'tar] *vt* to kick
chute ['ʃutʃi̥] *m* kick
chuva ['ʃuva] *f* rain
chuvarada [ʃuva'rada] *f* downpour
chuveiro [ʃu'vejru] *m* shower
chuviscar [ʃuvis'kar] *vi* <c→qu> *impess* to drizzle
chuvoso, -a [ʃu'vozu, -'ɔza] *adj* rainy
cibercafé [siberka'fɛ] *m* cyber café, Internet café
ciberespaço [siberes'pasu] *m* cyberspace
cicatriz [sika'tris] *f* scar
cicatrizar [sikatri'zar] *vi* to heal
cicerone [sise'roni] *mf* tourist guide
cíclico, -a ['sikliku, -a] *adj* cyclical
ciclismo [si'klizmu] *m sem pl* cycling
ciclista [si'klista] *mf* cyclist
ciclone [si'kloni] *m* cylone
ciclovia [siklo'via] *f* cycle lane
cidadã *f v.* **cidadão**
cidadania [sidadɜ̃'nia] *f* citizenship
cidadanizar-se [sidadɜni'zarsi] *vr* to act civilized
cidadão, -dã [sida'dɜ̃w, -ɜ̃] <-s> *m, f* citizen
cidade [si'dadʒi̥] *f* city
ciência [si'ẽjsia] *f* science
científico, -a [siẽj'tʃifiku, -a] *adj* scientific
cientista [siẽj'tʃista] *mf* scientist
cifra ['sifra] *f* **1.** (*algarismo*) figure **2.** (*soma*) total
cifrão <-ões> [si'frɜ̃w, -'õjs] *m* dollar sign
cigano, -a [si'gɜ̃nu, -a] *m, f* gypsy
cigarra [si'gaxa] *f* cicada
cigarro [si'gaxu] *m* cigarette
cilada [si'lada] *f* trap
cílio ['siʎiw] *m* eyelash
cima ['sima] *f* top; **de** ~ from above; **em** ~ above; **em** ~ **de** on top of; **para** ~ upwards; **dar em** ~ **de alguém** *inf* to make advances; **em** ~ **do muro** on the fence
cimentar [simẽj'tar] *vt* to cement
cimento [si'mẽjtu] *m* cement
cimo ['simu] *m* top
cinco ['sĩjku] *num card* five
cineasta [sine'asta] *mf* film maker
cineclube [sini'klubi] *m* film club
cinéfilo [si'nɛfilu] *m* movie buff
cinema [si'nema] *m* **1.** (*sala*) movie

C

theater *Am,* cinema *Brit* **2.** (*arte*) cinema

cinematográfico, -a [sinemato'grafiku, -a] *adj* movie

cínico, -a ['siniku, -a] *adj* cynical

cinismo [si'nizmu] *m sem pl* cynicism

cinqüenta [sĩj'kwẽjta] *num card* fifty

cinqüentenário [sĩjkwẽjte'nariw] *m* fiftieth anniversary

cinto ['sĩjtu] *m* belt; **apertar o** ~ *fig* to tighten one's belt

cintura [sĩj'tura] *f* waist

cinza ['sĩjza] **I.** *f* ash **II.** *adj* gray

cinzeiro [sĩj'zejru] *m* ashtray

cio ['siw] *m sem pl* heat; **estar no** ~ (*cadela*) to be in heat

cipreste [si'prɛstʃi̥] *m* cypress

circo ['sirku] *m* circus

circuito [sir'kwito] *m* circuit; ~ **elétrico** electric circuit

circulação <-ões> [sirkula'sɜ̃w, -'õjs] *f* circulation

circular [sirku'lar] **I.** *adj* circular **II.** *vi* **1.** to circulate **2.** (*pessoas*) to walk around

círculo ['sirkulu] *m* circle

circuncisão <-ões> [sirkũwsi'zɜ̃w, -'õjs] *f* circumcision

circunferência [sirkũwfe'rẽjsia] *f* circumference

circunstância [sirkũws'tɜ̃ŋsia] *f* circumstance

cirrose [si'xɔzi] *f* cirrhosis

cirurgia [sirur'ʒia] *f* surgery

cirurgião, -giã <-ões *ou* -s> [sirurʒi'ɜ̃w, -'ɜ̃, -'õjs] *m, f* surgeon

cisma ['sizma] *f* (*idéia fixa*) obsession

cisne ['sizni] *m* swan

cisterna [sis'tɛrna] *f* cistern

cistite [sis'tʃitʃi̥] *f* cystitis

ciúme [si'umi] *m* jealousy; **ter** ~ **de alguém** to be jealous of sb

ciumento, -a [siu'mẽjtu, -a] *adj* jealous

cívico, -a ['siviku, -a] *adj* civic

civil <-is> [si'viw, -'is] *adj* civil

civilização <-ões> [siviʎiza'sɜ̃w, -'õjs] *f* civilization

civilizado, -a [siviʎi'zadu, -a] *adj* civilized

civis *adj, m pl de* **civil**

clandestino, -a [klɜ̃ŋdes'tʃinu, -a] *adj* secret; **passageiro** ~ stowaway

clara *adj v.* **claro**

clara ['klara] *f* egg white

clarabóia [klara'bɔja] *f* skylight

clareza [kla'reza] *f* clarity; **com** ~ clearly

claridade [klari'dadʒi̥] *f* brightness

clarinete [kari'netʃi̥] *m* clarinet

claro, -a ['klaru, -a] **I.** *adj* **1.** (*nítido*) clear; **é ~!** sure! **2.** (*luz*) bright; (*cor*) light **II.** *adv* clearly **III.** *interj* of course

classe ['klasi] *f* class; ~ **média** middle class

clássico, -a ['klasiku, -a] *adj* classic

classificado, -a [klasifi'kadu, -a] *adj* classified

classificados [klasifi'kadus] *mpl* the classifieds *pl*

classificar [klasifi'kar] <c→qu> *vt* to classify

claustrofóbico, -a [klawstro'fɔbiku, -a] *adj* claustrophobic

cláusula ['klawzula] *f* clause

clavícula [kla'vikula] *f* collarbone
clemente [kle'mẽjtʃi̥] *adj* merciful
cleptomaníaco, -a [klɛptomɜ̃'niaku, -a] *m, f* kleptomaniac
clerical <-ais> [kleri'kaw, -'ajs] *adj* clerical
clero ['klɛru] *m sem pl* clergy *pl*
clichê [kli'ʃe] *m* cliché
cliente [kli'ẽjtʃi̥] *mf* client; (*loja*) customer
clientela [kliẽj'tɛla] *f* clientele
clima ['klima] *m* climate; (*ambiente*) atmosphere
climático, -a [kli'matʃi̥ku, -a] *adj* climatic
clímax ['klimaks] *m sem pl* climax
clínica ['klinika] *f* clinic
clínico ['kliniku] *m* physician
clínico, -a ['kliniku, -a] *adj* clinical
clínico-geral, clínica-geral ['kliniku-ʒe'raw] <clínicos-gerais> *m, f* general practitioner
clipe ['klipi] *m* paper clip
clonagem [klo'naʒẽj] *f* cloning
clonar [klo'nar] *vt* to clone
clube ['klubi] *m* club
coabitar [koabi'tar] *vi* to cohabit
coador [kwa'dor] *m* strainer
coagir [koa'ʒir] *vt* <g→j> to coerce
coagular [koagu'lar] *vt, vi* to clot
coalhada [koa'ʎada] *f* GASTR curds
coar [ku'ar] *vt* <*1. pess pres:* côo> to strain
coaxar [koa'ʃar] *vi* to croak
coberto, -a [ku'bɛrtu, -a] *adj* covered
cobertor [kober'tor] *m* blanket
cobertura [kober'tura] *f* **1.** (*teto*) roof **2.** GASTR topping **3.** (*edifício*) penthouse
cobiçar [kobi'sar] *vt* <ç→c> to covet
cobra ['kɔbra] *f* snake
cobrança [ko'brɜ̃ŋsa] *f* collection; (*quantia*) charge
cobrar [ko'brar] *vt* to charge; (*impostos*) to collect
cobre ['kɔbri] *m* copper
cobrir [ko'brir] <*pp* coberto> *irr como dormir vt* to cover
cocada [ko'kada] *f* coconut dessert
cocaína [koka'ina] *f sem pl* cocaine *no pl*
coçar [ko'sar] <ç→c> *vt* to scratch
cóccix ['kɔksis] *m* coccyx
cócegas ['kosegas] *fpl* **fazer** ~ to tickle; **ter** ~ to be ticklish
coceira [ko'sejra] *f* itch
cochichar [koʃi'ʃar] *vi* to whisper
cochicho [ko'ʃiʃu] *m* whisper
cochilar [kuʃi'lar] *vi* to doze
cochilo [ku'ʃilu] *m* nap
coco ['koku] *m* coconut
cocô [ko'ko] *m infantil* poo; **fazer** ~ to poo
cócoras ['kɔkoras] *fpl* **ficar de** ~ to squat
código ['kɔdʒigu] *m* code; ~ **postal** zip code *Am,* postcode *Brit*
codorna [ko'dɔrna] *f* quail
coelho, -a [ko'eʎu, -a] *m, f* rabbit
coentro [ko'ẽjtru] *m* coriander *no pl*
coerência [koe'rẽjsia] *f sem pl* coherence *no pl*
coerente [koe'rẽjtʃi̥] *adj* coherent
coexistir [koezis'tʃir] *vi* to coexist
cofre ['kɔfri] *m* safe
cogitar [koʒi'tar] *vt* to think about

cogumelo [kogu'mɛlu] *m* mushroom
coincidência [kõjsi'dẽjsia] *f* coincidence
coisa ['kojza] *f* thing; **cheio de ~** touchy
coitado, -a [koj'tadu, -a] **I.** *m, f inf* ~! poor thing! **II.** *adj* poor
cola ['kɔla] *f* glue
colaboração <-ões> [kolabora'sɜ̃w, -õjs] *f* collaboration
colaborador(a) [kolabora'dor(a)] *m(f)* collaborator
colaborar [kolabo'rar] *vt* ~ **com alguém** to collaborate with sb
colar [ko'lar] **I.** *m* necklace **II.** *vt* to glue
colcha ['kowʃa] *f* bed spread
colchão <-ões> [kow'ʃɜ̃w, -õjs] *m* mattress; ~ **de molas** sping mattress
colchonete [kowʃo'nɛtʃi̥] *m* foldaway mattress
coleção <-ões> [kole'sɜ̃w, -õjs] *f* collection
colecionador(a) [kolesjona'dor(a)] *m(f)* collector
colecionar [kolesjo'nar] *vt* to collect
colega [ko'lɛga] *mf* (*de trabalho*) co-worker *Am,* colleague *Brit;* (*de curso*) classmate
colégio [ko'lɛʒiw] *m* school
coleira [ko'lejra] *f* collar
cólera ['kɔlera] *f sem pl* cholera
colesterol [koleste'rɔw] *m sem pl* cholesterol
coletânea [kole'tɜ̃nia] *f* collection
coletar [kole'tar] *vt* to collect
coletiva *adj v.* **coletivo**
coletiva [kole'tʃiva] *f* press conference
coletivo, -a [kole'tʃivu, -a] *adj* collective; (*transporte*) public
colheita [ko'ʎejta] *f* harvest
colher[1] [ko'ʎer] *vt* to harvest; (*flores*) to pick
colher[2] [ko'ʎɛr] *f* spoon; ~ **de chá** teaspoon; ~ **de sopa** soupspoon
cólica ['kɔʎika] *f* colic
colidir [koʎi'dʒir] *vt* to collide
colina [ko'ʎina] *f* hill
colírio [ko'ʎiriw] *m* eye drops
colmeia [kow'mɛja], **colméia** *f* beehive
colo ['kɔlu] *m* lap; **sentar no** ~ to sit on sb's lap
colocação <-ões> [koloka'sɜ̃w, -õjs] *f* **1.** (*emprego*) job **2.** (*ato de colocar*) placement
colocar [kolo'kar] <c→qu> *vt* (*pôr*) to place; (*afixar*) to put; (*num emprego*) to employ
Colômbia [ko'lõwbia] *f* Colombia
colombiano, -a [kolõwbi'ɜ̃nu, -a] *adj, m, f* Colombian
cólon ['kɔlõw] *m* colon
colônia [ko'lonia] *f* colony
coloquial <-ais> [koloki'aw, -'ajs] *adj* colloquial
colorir [kolo'rir] *vt* to color
colossal <-ais> [kolo'saw, -'ajs] *adj* colossal
coluna [ko'luna] *f* column
colunista [kolu'nista] *mf* columnist; ~ **social** gossip columnist
com [kõw] *prep* with; **estar ~ fome/sono** to be hungry/sleepy; **isso é ~ ela** this is her concern
coma ['koma] *m sem pl* coma

comandar [komɜ̃ŋ'dar] *vt* **1.** to command **2.** (*uma empresa*) to run
comando [ko'mɜ̃ŋdu] *m* command
combate [kõw'batʃi̥] *m* combat; ~ **ao crime** crime fighting
combater [kõwba'ter] *vt* to combat
combinação <-ões> [kõwbina'sɜ̃w, -õjs] *f* combination; (*acordo*) agreement
combinar [kõwbi'nar] *vt* to combine; (*um encontro*) to arrange; ~ **com** (*cores, roupas*) to match
combustível <-eis> [kõwbus'tʃivew, -ejs] *m* fuel
começar [kome'sar] <ç→c> *vt, vi* to begin, to start; ~ **um trabalho** to start a job; **começa às 20 horas** it begins at 8 p.m.; **começou a chover** it's started to rain
começo [ko'mesu] *m sem pl* beginning
comédia [ko'mɛdʒia] *f* comedy
comediante [komedʒi'ɜ̃ŋtʃi̥] *mf* comedian
comemoração <-ões> [komemora'sɜ̃w, -õjs] *f* commemoration; **em** ~ **a** in commemoration of
comemorar [komemo'rar] *vt* to commemorate
comentar [komẽj'tar] *vt* to comment on
comentário [komẽj'tariw] *m* **1.** comment **2.** ESPORT commentary
comentarista [komẽjta'rista] *mf* commentator
comer [ko'mer] **I.** *vt* to eat **II.** *vi* to eat; ~ **fora** to eat out
comercial <-ais> [komersi'aw, -'ajs] *adj, m* commercial
comercializar [komersjaʎi'zar] *vt* to market
comerciante [komersi'ɜ̃ŋtʃi̥] *mf* storekeeper *Am*, shopkeeper *Brit*
comércio [ko'mɛrsiw] *m* **1.** (*atividade*) trade **2.** (*lojas*) businesses
comes ['kɔmis] *mpl* ~ **e bebes** food and drink
comestível <-eis> [komes'tʃivew, -ejs] *adj* edible
cometa [ko'meta] *m* comet
cometer [kome'ter] *vt* (*um crime*) to commit; (*erro*) to make
cômica *adj, f v.* **cômico**
comício [ko'misiw] *m* rally
cômico, -a ['komiku, -a] *adj* funny
comida [ko'mida] *f* food; ~ **caseira** home-cooked food
comigo [ko'migu] = **com** + **mim** *v.* **com**
comissão <-ões> [komi'sɜ̃w, -õjs] *f* commission; **5% de** ~ 5% commission
comissário, -a [komi'sariw, -a] *m, f* commissioner; ~ **de bordo** flight attendant
comissões *f pl de* **comissão**
comitê [komi'te] *m* committee
como ['komu] **I.** *conj* like, as; **assim** ~ such as; **tão ...** ~ as ... as; **tanto ...** ~ as much as **II.** *adv* ~**?** how?; ~ **se diz ...?** how do you say ...?
cômoda *adj v.* **cômodo**
cômoda ['komoda] *f* chest of drawers
comodidade [komodʒi'dadʒi̥] *f* comfort
cômodo ['komodu] *m* room

C

cômodo, **-a** ['komodu, -a] *adj* comfortable

comovente [komo'vẽjtʃi̥] *adj* moving

comover [komo'ver] *vt* to move

compacto, **-a** [kõw'paktu, -a] *adj* compact; (*maciço*) solid

companheiro, **-a** [kõwpɜ̃'ɲejru, -a] *m, f* (*camarada*) comrade; (*da escola*) classmate; (*que acompanha*) companion

companhia [kõwpɜ̃'nia] *f* company; **andar em boa** ~ to be in good company; **fazer ~ a alguém** to keep sb company; ~ **aérea** airline

comparação <-ões> [kõwpara'sɜ̃w, -õjs] *f* comparison; **em ~ com** compared to

comparar [kõwpa'rar] *vt* to compare

comparecer [kõwpare'ser] *vt* <c→ç> to appear

compartilhar [kõwpartʃi'ʎar] *vt* to share

compasso [kõw'pasu] *m* **1.** compass **2.** MÚS time

compatível <-eis> [kõwpa'tʃivew, -ejs] *adj* compatible

compatriota [kõwpatri'ɔta] *mf* compatriot

compelir [kõwpe'ʎir] *irr como preferir vt* to compel

compensação <-ões> [kõwpẽjsa'sɜ̃w, -õjs] *f* compensation

compensar [kõwpẽj'sar] *vt* to compensate; (*reparar o dano*) ; ~ **alguém de a. c.** to make amends to sb for sth

competência [kõwpe'tẽjsia] *f* competence

competente [kõwpe'tẽjtʃi̥] *adj* competent

competição <-ões> [kõwpet'sɜ̃w, -õjs] *f* competition

competidor(a) [kõwpetʃi'dor(a)] *m(f)* competitor

competir [kõwpe'tʃir] *irr como preferir vt* to compete

competitivo, **-a** [kõwpetʃi̥'tʃivu, -a] *adj* competitive

compilação <-ões> [kõwpila'sɜ̃w, -õjs] *f* compilation

compilar [kõwpi'lar] *vt* to compile

complacente [kõwpla'sẽjtʃi̥] *adj* eager to please

complementar [kõwplemẽj'tar] *adj* complementary

completa *adj v.* **completo**

completamente [kõwplɛta'mẽjtʃi̥] *adv* completely

completar [kõwple'tar] *vt* **1.** (*preencher*) to fill out [*o* in] **2.** (*terminar*) to finish

completo, **-a** [kõw'plɛtu, -a] *adj* **1.** (*trabalho*) finished **2.** (*total*) complete; **é um ~ idiota** he is a complete idiot **3.** (*inteiro*) entire

complicado, **-a** [kõwpli'kadu, -a] *adj* complicated

complicar [kõwpli'kar] <c→qu> *vt* to complicate

compor [kõw'por] *irr como pôr vt* (*formar*) to form; MÚS to compose

comportado, **-a** [kõwpor'tadu, -a] *adj* **bem/mal** ~ well/badly behaved

comportamento [kõwporta'mẽjtu] *m* behavior

comportar [kõwpor'tar] **I.** *vt* to hold **II.** *vr:* ~**-se** to behave

compositor(a) [kõwpozi'tor(a)] *m(f)* MÚS composer

compra ['kõwpra] *f* purchase; ~ **e venda** buying and selling; **fazer ~s** to do the shopping

comprador(a) [kõwpra'dor(a)] *m(f)* buyer

comprar [kõw'prar] *vt* to buy; ~ **à vista** to pay cash

compreender [kõwpreẽj'der] *vt* 1. to understand 2. (*incluir*) to include

compreensão [kõwpreẽj'sɜ̃w] *f* understanding

compreensiva *adj v.* **compreensivo**

compreensível <-eis> [kõwpreẽj'sivew, -ejs] *adj* understandable

compreensivo, -a [kõwpreẽj'sivu, -a] *adj* understanding

compressor [kõwpre'sor] *m* compressor

comprimento [kõwpri'mẽjtu] *m* length; **ter 5 metros de** ~ to be 5 meters long

comprimido [kõwpri'midu] *m* pill

comprimido, -a [kõwpri'midu, -a] *adj* compressed; **ar** ~ compressed air

comprimir [kõwpri'mir] *vt* to compress

comprometer [kõwprome'ter] I. *vt* to compromise; **não me comprometa** *inf* don't involve me II. *vr* ~**-se a fazer a. c.** to commit oneself to doing sth

comprometido, -a [kõwprome'tʃidu, -a] *adj* commited

compromissado, -a [kõwpromi'sadu, -a] *adj* obligated

compromisso [kõwpro'misu] *m* 1. agreement 2. (*obrigação*) commitment; **ter um** ~ to have a prior engagement

comprovar [kõwpro'var] *vt* to prove

compulsão <-ões> [kõwpuw'sɜ̃w, -õjs] *f* compulsion

compulsivo, -a [kõwpuw'sivu, -a] *adj* compulsive

compulsões *f pl de* **compulsão**

computador [kõwputa'dor] *m* computer; ~ **pessoal** personal computer

comum [ko'mũw] I. *adj* 1. common; **ter a. c. em** ~ to have sth in common 2. (*não especial*) ordinary II. *m* **fora do** ~ out of the ordinary

comunicação <-ões> [komunika'sɜ̃w, -õjs] *f* communication

comunicado [komuni'kadu] *m* announcement; ~ **de imprensa** press release

comunicar [komuni'kar] <c→qu> I. *vi* to communicate II. *vt* to report; ~ **a notícia à família** to tell the family the news III. *vr* ~**-se com alguém** to communicate with sb

comunismo [komu'nizmu] *m sem pl* communism *no pl*

comunista [komu'nista] *adj, mf* communist

comunitário, -a [komuni'tariw, -a] *adj* communal; **serviço** ~ community service

côncavo, -a ['kõwkavu, -a] *adj* concave

conceber [kõwse'ber] *vt* 1. BIOL to

conceive **2.** (*imaginar*) to imagine

conceder [kõwse'der] *vt* (*dar*) to give; (*uma autorização*) to grant

conceito [kõw'sejtu] *m* concept

concentrado, -a [kõwsɛj'tradu, -a] *adj* **1.** concentrated **2.** (*mentalmente*) focused

concentrar [kõwsẽj'trar] **I.** *vt* to concentrate; (*reunir*) to gather together **II.** *vr:* ~**-se 1.** to concentrate; ~**-se na palestra** to concentrate on the lecture **2.** (*pessoas*) to come together

concerto [kõw'sertu] *m* concert

concessionária [kõwsesjo'naria] *f* ~ **de automóveis** car dealership

concha ['kõwʃa] *f* **1.** shell **2.** (*de sopa*) ladle

conciso, -a [kõw'sizu, -a] *adj* concise

concluir [kõwklu'ir] *conj como incluir vt* **1.** to conclude **2.** (*acabar*) to finish

conclusão <-ões> [kõwklu'zɜ̃w, -õjs] *f* conclusion

conclusivo, -a [kõwklu'zivu, -a] *adj* conclusive

conclusões *f pl de* **conclusão**

concordar [kõwkor'dar] *vt* to agree

concorrência [kõwko'xẽjsia] *f* competition

concorrente [kõwko'xẽjtʃi̥] *mf* contestant

concorrer [kõwko'xer] *vi* **1.** to compete; ~ **com alguém** to compete with sb **2.** (*candidatar-se*) ~ **a uma vaga** to apply for a position

concorrido, -a [kõwko'xidu, -a] *adj* popular

concreta *adj v.* **concreto**

concretizar [kõwkret'zar] *vt* to realize

concreto, -a [kõw'krɛtu, -a] *adj, m,* sem pl concrete

concurso [kõw'kursu] *m* (*de beleza*) contest; (*hipismo, dança*) competition

conde, -essa ['kõwdʒi̥, -'esa] *m,* count *m,* countess *f*

condenar [kõwde'nar] *vt* **1.** to condemn **2.** JUR to sentence; ~ **à morte** to sentence to death

condensação [kõwdẽjsa'sɜ̃w] *f* condensation

condescender [kõwdesẽj'der] *vi* to agree

condessa *f v.* **conde**

condição <-ões> [kõwd'sɜ̃w, -õjs] **1.** condition **2.** circumstance; **nestas condições** under these circumstance

condicionar [kõwdsjo'nar] *vt* to impose conditions

condimento [kõwdʒi'mẽjtu] *m* seasoning

condolências [kõwdo'lẽjsias] *fpl* condolences *pl*

condomínio [kõwdo'miniw] *m* **1.** condominium **2.** (*taxa*) service charge

condômino [kõwdo'miniw] *m* joint owner

condor [kõw'dor] *m* condor

condução <-ões> [kõwdu'sɜ̃w, -õjs] transportation

conduta [kõw'duta] *f* conduct; **ter boa/má** ~ to be well/badly behaved

conduto [kõw'dutu] *m* (*cano*) pipe; ~

do lixo garbage chute
condutor(a) [kõwdu'tor(a)] *m(f)* driver
conduzir [kõwdu'zir] *vt* **1.** to lead **2.** (*um automóvel*) to drive
cone ['koni] *m* cone
conexão [konek'sɜ̃w] *f* connection
conferência [kõwfe'rẽjsia] *f* conference
confessar [kõwfe'sar] **I.** *vt* to confess **II.** *vr:* **~-se** to confess
confessionário [kõwfesjo'nariw] *m* confessional
confiança [kõwfi'ɜ̃ŋsa] *f sem pl* trust; **de ~** trustworthy; **ter ~ em alguém** to trust sb
confiar [kõwfi'ar] *vt* to trust; **confie neles** trust them
confidência [kõwfi'dẽjsia] *f* (*segredo*) secret; **em ~** in confidence
confidencial <-ais> [kõwfidẽjsi'aw, -'ajs] *adj* confidential
confirmar [kõwfir'mar] *vt* to confirm
confiscar [kõwfis'kar] *vt* <c→qu> to confiscate
conflito [kõw'flitu] *m* conflict
conformar-se [kõwfor'marsi] *vr* to accept; **~ com a. c.** to accept sth
conforme [kõw'fɔrmi] **I.** *conj* as **II.** *prep* according to; **~ as circunstâncias** according to circumstances
conformes *mpl* **nos ~** *inf* as it should be
confortar [kõwfor'tar] *vt* to comfort
confortável <-eis> [kõwfor'tavew, -ejs] *adj* comfortable
conforto [kõw'fortu] *m* comfort
confrontar [kõwfrõw'tar] **I.** *vt* to confront; (*comparar*) to compare **II.** *vr:* **~-se** to face
confundir [kõwfũw'dʒir] **I.** *vt* **1.** (*coisas*) to mix up **2.** (*tornar confuso*) to confuse **II.** *vr:* **~-se** to be confused
confusa *adj v.* **confuso**
confusão <-ões> [kõwfu'zɜ̃w, -õjs] *f* **1.** confusion; **armar uma ~** to cause trouble **2.** (*equívoco*) mix-up
confuso, -a [kõw'fuzu, -a] *adj* (*perplexo*) confused; (*que confunde*) confusing
confusões *f pl de* **confusão**
congelado, -a [kõwʒe'ladu, -a] *adj* frozen
congelar [kõwʒe'lar] *vt* to freeze
congênito, -a [kõw'ʒenitu, -a] *adj* congenital
congestionamento [kõwʒestʃjona'mẽjtu] *m* congestion
congestionar [kõwʒestʃjo'nar] *vt* to congest
congratulações [kõwgratula'sõjs] *fpl* congratulations
congratular [kõwgratu'lar] *vt* to congratulate
congresso [kõw'grɛsu] *m* congress
congruente [kõwgru'ẽjtʃi̯] *adj* congruent
conhaque [kõ'ɲaki] *m* cognac
conhecer [kõɲe'ser] <c→ç> *vt* to know; **vir a ~** to get to know; (*ser apresentado*) to meet
conhecido, -a [kõɲe'sidu, -a] *m, f* acquaintance
conhecido, -a [kõɲe'sidu, -a] *adj* known; **ser muito ~** to be

well-known
conhecimento [kõɲesi'mẽjtu] *m* knowledge; **ter ~ de a. c.** to get to know about sth
conjecturar [kõwʒektu'rar] *vt* to conjecture
conjugado [kõwʒu'gadu] *m* studio apartment
conjugal <-ais> [kõwʒu'gaw, -'ajs] *adj* conjugal
cônjuge ['kõwʒuʒi̥] *m* spouse
conjunta *adj v.* **conjunto**
conjuntamente [kõwʒũwta'mẽjtʃi̥] *adv* jointly
conjuntivite [kõwʒũwtʃi'vitʃi̥] *f* conjunctivitis
conjunto [kõw'ʒũwtu] *m* **1.** set; **~ residencial** apartment block **2.** MÚS band
conjunto, -a [kõw'ʒũwtu, -a] *adj* joint; **conta conjunta** joint account
conosco [ko'nosku] = **com + nós** *v.* **com**
conquista [kõw'kista] *f* conquest
conquistador [kõwkista'dor] *m* conqueror
conquistar [kõwkis'tar] *vt* **1.** to conquer **2.** (*alcançar*) to achieve
consangüíneo, -a [kõwsɜ̃ŋ'gwiniw, -a] *adj* blood
consciência [kõwsi'ẽjsia] *f* **1.** conscience; **ter a ~ limpa** to have a clear conscience **2.** (*conhecimento*) awareness
consciente [kõwsi'ẽjtʃi̥] *adj* aware; **estar ~ de** to be aware of
consecutiva *adj v.* **consecutivo**
consecutivo, -a [kõwseku'tʃivu, -a] *adj* consecutive
conseguir [kõwse'gir] *irr como seguir* **I.** *vt* to obtain; *inf* to get; **não consigo dormir** I can't sleep; **conseguiu falar com ele?** did you manage to speak with him? **II.** *vi inf* to do it
conselho [kõw'seʎu] *m* advice
consentimento [kõwsẽjtʃi'mẽjtu] *m* consent; **dar o ~** to give one's consent
consentir [kõwsẽj'tʃir] *irr como sentir* *vt* to consent to
conseqüência [kõwse'kwẽjsia] *f* consequence; **em ~ de** as a result of
conseqüente [kõwse'kwẽjtʃi̥] *adj* consequent
conseqüentemente [kõwsekwẽjtʃi'mẽjtʃi̥] *adv* consequently
consertar [kõwser'tar] *vt* to repair
conserto [kõw'sertu] *m* repair
conserva [kõw'sɛrva] *f* conserve; **de** [*ou* **em**] **~** (*enlatado*) canned
conservante [kõwser'vɜ̃ŋtʃi̥] *m* preservative; **sem ~s** preservative free
conservar [kõwser'var] *vt* to preserve; **~ a boa forma** to stay in good shape
conservatório [kõwserva'tɔriw] *m* conservatory
consideração <-ões> [kõwsidera'sɜ̃w, -õjs] *f* consideration
considerado, -a [kõwside'radu, -a] *adj* esteemed
considerar [kõwside'rar] *vt* to consider
considerável <-eis> [kõwside'ravew, -ejs] *adj* considerable
consigo [kõw'sigu] = **com + si** *v.*

com

consistente [kõwsis'tẽj'tʃi̥] *adj* **1.** (*coerente*) consistent **2.** (*firme*) firm

consistir [kõwsis'tʃir] *vt* ~ **em** to consist of

consolação <-ões> [kõwsola'sɜ̃w, -õjs] *f* consolation; **prêmio de** ~ consolation prize

consolado, -a [kõwso'ladu, -a] *adj* consoled

consolador(a) [kõwsola'dor(a)] *adj* consoling

consolo [kõw'solu] *m* consolation

consonante [kõwso'nɜ̃ɲtʃi̥] *adj* consonant

consorte [kõw'sɔrtʃi̥] *mf* consort

conspiração <-ões> [kõwspira'sɜ̃w, -õjs] *f* conspiracy

conspirador(a) [kõwspira'dor(a)] *m(f)* conspirator

conspirar [kõwspi'rar] *vi* to conspire

constante [kõws'tɜ̃ɲtʃi̥] *adj, f* constant

constatar [kõwsta'tar] *vt* to verify

consternado, -a [kõwster'nadu, -a] *adj* dismayed

consternar [kõwster'nar] *vt* to dismay

constipado, -a [kõwstʃi̥'padu, -a] *adj* **estar** ~ **1.** to be constipated **2.** (*resfriado*) to have a cold

constituição <-ões> [kõwstʃi̥tuj'sɜ̃w] *f* constitution

constituir [kõwstʃi̥tu'ir] *conj como incluir vt* **1.** to establish; ~ **família** to start a family **2.** (*ser*) to constitute

constrangedor(a) [kõwstrɜ̃ɲʒe'dor(a)] *adj* embarrassing

constranger [kõwstrɜ̃ɲ'ʒer] *vt* <g→j> to embarrass

constrangido, -a [kõwstrɜ̃ɲʒidu, -a] *adj* uncomfortable

constrangimento [kõwstrɜ̃ɲʒi'mẽjtu] *m* **1.** (*obrigação*) constraint; **sem** ~ freely **2.** (*vergonha*) embarrassment

construção <-ões> [kõwstru'sɜ̃w, -õjs] *f* building

construir [kõwstru'ir] *irr vt* to build

construtivo, -a [kõwstru'tʃivu, -a] *adj* constructive

construtor(a) [kõwstru'tor(a)] *m(f)* builder

construtora [kõwstru'tora] *f* construction company

consulado [kõwsu'ladu] *m* consulate

consulado-geral [kõwsu'ladu-ʒe'raw, -'ajs] <consulados-gerais> *m* consulate general

consulesa [kõwsu'leza] *f* consul

cônsul-geral ['kõwsuw-ʒe'raw, -'ajs] <cônsules-gerais> *m* consul general

consulta [kõw'suwta] *f* **1.** (*a um livro*) consultation **2.** (*no médico*) appointment; **marcar uma** ~ to schedule an appointment

consultar [kõwsuw'tar] *vt* to consult

consultor(a) [kõwsuw'tor(a)] *m(f)* consultant

consultoria [kõwsuwto'ria] *f* consultancy

consultório [kõwsuw'tɔriw] *m* office

consumação [kõwsuma'sɜ̃w] *f sem pl* ~ **mínima** minimum charge

consumado, -a [kõwsu'madu, -a] *adj*

C

fato ~ fait accompli
consumar [kõwsu'mar] *vt* (*um casamento*) to consummate
consumidor(a) [kõwsumi'dor(a)] *m(f)* consumer
consumir [kõwsu'mir] *vt* to consume
consumismo [kõwsu'mizmu] *m sem pl* consumerism *no pl*
consumo [kõw'sumu] *m sem pl* consumption
conta ['kõwta] *f* **1.** (*bancária*) account; **abrir uma** ~ to open an account **2.** (*num restaurante*) check *Am*, bill *Brit*; **a ~, por favor** the check, please; **afinal de ~s** at the end of the day **3. tomar ~ de alguém** to take care of sb; **não é da sua** ~ it's none of your business **4. fazer de** ~ to pretend; **dar-se ~ de** to realize
contábil <-eis> [kõw'tabiw, -ejs] *adj* accounting
contabilidade [kõwtabiʎi'dadʒi] *f sem pl* accountancy
contador(a) [kõwta'dor(a)] *m(f)* accountant
contagem [kõw'taʒẽj] <-ens> *f* count; ~ **regressiva** countdown
contagiar [kõwtaʒi'ar] *conj como enviar vt* to infect
contágio [kõw'taʒiw] *m* contagion
contagioso, -a [kõwtaʒi'ozu, -'ɔza] *adj* contagious; **doença contagiosa** contagious disease
conta-gotas ['kõwta-'gotas] *m sem pl* dropper
contaminar [kõwtami'nar] *vt* to contaminate
contanto [kõw'tɜ̃ŋtu] *conj* ~ **que** +*subj* provided (that)
contar [kõw'tar] **I.** *vt* **1.** (*uma história*) to tell; ~ **a. c. a alguém** to tell s sth **2.** (*números*) to count **3. contar com** to count on **II.** *vi* **1.** to calculate **2. isso não conta** this doesn't count
contatar [kõwta'tar] *vt* to contact
contato [kõw'tatu] *m* contact
contemporâneo, -a [kõwtẽjpo'rɜ̃niw, -a] *adj, m, f* contemporary
contente [kõw'tẽjtʃi] *adj* content
contentor [kõwtẽj'tor] *m* container
conter [kõw'ter] *irr como ter* **I.** *vt* to contain **II.** *vr:* **~-se** to restrain oneself
conterrâneo, -a [kõwte'xɜ̃niw, -a] *m, f* compatriot
contestação <-ões> [kõwtesta'sɜ̃w, -õjs] *f* dispute
contestar [kõwtes'tar] *vt* to contest
conteúdo [kõwte'udu] *m* content
contigo [kõw'tʃigu] = **com** + **ti** v. **com**
contíguo, -a [kõw'tʃigwu, -a] *adj* adjacent
continuação <-ões> [kõwtʃinua'sɜ̃w, -õjs] *f* continuation
continuar [kõwtʃinu'ar] *vt* to continue; ~ **a fazer a. c.** to keep on doing sth; ~ **com a. c.** to go on with sth
continuidade [kõwtʃinuj'dadʒi] *f sem pl* continuity
contínuo, -a [kõw'tʃinuu, -a] *adj* (*repetido*) continual; (*sem interrupção*) continuous
conto ['kõwtu] *m* story
contornar [kõwtor'nar] *vt* (*uma pra*

ça) to go around; *(uma situação)* to get around

contra ['kõwtra] **I.** *m* **os prós e os ~s** the pros and cons **II.** *prep* against

contra-ataque ['kõwtra'taki] *m* counter attack

contrabandear [kõwtrabɜ̃ŋdʒi'ar] *conj como passear vt* to smuggle

contrabandista [kõwtrabɜ̃ŋ'dʒista] *mf* smuggler

contrabando [kõwtra'bɜ̃ŋdu] *m (atividade)* smuggling; *(mercadoria)* contraband

contradição <-ões> [kõwtrad'sɜ̃w, -õjs] *f* contradiction

contraditório, -a [kõwtradʒi'tɔriw, -a] *adj* contradictory

contradizer [kõwtrad'zer] *irr como dizer vt* to contradict

contrafilé [kõwtrafi'lɛ] *m* sirloin

contrafluxo [kõwtra'fluksu] *m* counterflow

contra-indicação ['kõwtra-ĩjdʒika'sɜ̃w] *f* contraindication

contrair [kõwtra'ir] *conj como sair vt (uma doença)* to contract; *(um hábito)* to acquire

contramão [kõwtra'mɜ̃w] *f sem pl* **ir na ~** to go against the flow of traffic

contramedida [kõwtrame'dʒida] *f* countermeasure

contraproducente [kõwtrapro-du'sẽjtʃi̥] *adj* counterproductive

contraproposta [kõwtrapro'pɔsta] *f* counterproposal

contrária *adj v.* **contrário**

contrariado, -a [kõwtrari'adu, -a] *adj* annoyed

contrário [kõw'trariw] *m* **1.** opposite; **(muito) pelo ~** on the contrary **2. ao ~ de** unlike; **do ~** otherwise

contrário, -a [kõw'trariw, -a] *adj* contrary; **caso ~** otherwise; **em sentido ~** in the opposite direction

contra-senha ['kõwtra'sẽɲa] *f* password

contra-senso ['kõwtra'sẽjsu] *m sem pl* nonsense

contrastante [kõwtras'tɜ̃ŋtʃi̥] *adj* contrasting

contrastar [kõwtras'tar] *vt* to contrast; **~ com** to contrast with

contratação <-ões> [kõwtrata'sɜ̃w, -õjs] *f* contract

contratante [kõwtra'tɜ̃ŋtʃi̥] *mf* contractor

contratar [kõwtra'tar] *vt* to hire

contrato [kõw'tratu] *m* contract

contratual <-ais> [kõwtratu'aw, -'ajs] *adj* contractual

contravenção <-ões> [kõwtravẽj'sɜ̃w, -õjs] *f* contravention

contraventor(a) [kõwtravẽj'tor(a)] *m(f)* offender

contribuição <-ões> [kõwtribui'sɜ̃w, -õjs] *f* contribution

contribuinte [kõwtribu'ĩjtʃi̥] *mf* taxpayer

contribuir [kõwtribu'ir] *conj como incluir vt* to contribute; **~ para a. c.** to contribute to sth

controlador(a) [kõwtrola'dor(a)] *m(f)* controller

controlar [kõwtro'lar] **I.** *vt* to control **II.** *vr:* **~-se** to control oneself

controle [kõw'troʎi] *m* control

controversa *adj v.* **controverso**
controvérsia [kõwtro'vɛrsia] *f* controversy
controverso, -a [kõwtro'vɛrsu, -a] *adj* controversial
contudo [kõw'tudu] *conj* nevertheless
contumaz [kõwtu'mas] <-es> *adj* obstinate
contundir [kõwtũw'dʒir] *vt* to bruise
contusão <-ões> [kõwtu'zɜ̃w, -õjs] *f* bruise
convalescença [kõwvale'sẽjsa] *f sem pl* convalescence; **estar em** ~ to be convalescing
convecção <-ões> [kõwvek'sɜ̃w, -õjs] *f* convection
convencer [kõwvẽj'ser] <c→ç> **I.** *vt* to convince **II.** *vr:* ~**-se** to be convinced
convencido, -a [kõwvẽj'sidu, -a] *adj* (*imodesto*) conceited
convencionar [kõwvẽjsjo'nar] *vt* to agree upon
conveniente [kõwveni'ẽjtʃi̥] *adj* convenient
convênio [kõw'veniw] *m* agreement; ~ **médico** health plan
convento [kõw'vẽjtu] *m* convent
conversa [kõw'vɛrsa] *f* conversation; ~ **fiada** idle talk; **ir na** ~ **de alguém** to believe sb
conversador(a) [kõwversa'dor(a)] *adj* conversationalist
conversão <-ões> [kõwver'sɜ̃w, -õjs] *f* conversion
conversar [kõwver'sar] *vt* to talk
conversões *f pl de* **conversão**

converter [kõwver'ter] *vt* to convert; ~ **em a. c.** to turn into sth
convés [kõw'vɛs] *m sem pl* deck
convexo, -a [kõw'vɛksu, -a] *adj* convex
convicção <-ões> [kõwvik'sɜ̃w, -õjs] *f* conviction
convicto, -a [kõw'viktu, -a] *adj* convinced
convidado, -a [kõwvi'dadu, -a] *m,* guest
convidar [kõwvi'dar] *vt* to invite; ~ **a sair** to ask out
convidativo, -a [kõwvida'tʃivu, -a] *adj* inviting
convincente [kõwvĩj'sẽjtʃi̥] *adj* convincing
convir [kõw'vir] *irr como vir vi* to suit
convite [kõw'vitʃi̥] *m* invitation; ~ **de casamento** wedding invitation
convivência [kõwvi'vẽjsia] *f* familiarity
conviver [kõwvi'ver] *vt* to live with
convívio [kõw'viviw] *m* familiarity
convocar [kõwvo'kar] *vt* <c→qu> (*uma reunião, uma greve*) to call
convosco [kõw'vosku] = **com + vós** *v.* **com**
cooper ['kuper] *m sem pl* jogging
cooperação <-ões> [koopera'sɜ̃w, -õjs] *f* cooperation
cooperar [koope'rar] *vt* to cooperate
cooperativa [koopera'tʃiva] *f* cooperative; ~ **agrícola** farming cooperative
cooperativo, -a [koopera'tʃivu, -a] *adj* cooperative
coordenação <-ões> [koordena'sɜ̃w, -õjs] *f* coordination

coordenador [koordena'dor] *m* coordinator

coordenador(a) [koordena'dor(a)] *adj* coordinating

coordenar [koorde'nar] *vt* to coordinate

copas ['kɔpas] *fpl* (*cartas*) hearts

copeiro [ko'pejru] *m* butler

cópia ['kɔpia] *f* copy; ~ **pirata** pirated copy

copiadora [kopia'dora] *f* photocopier

copiar [kopi'ar] *vt* to copy

co-piloto [kopi'lotu] *mf* copilot

copo ['kɔpu] *m* glass

co-proprietário, -a [koproprie'tariw, -a] *m, f* co-owner

coque ['kɔki] *m* (*penteado*) bun

coqueiro [ko'kejru] *m* coconut palm

coquetel <-éis> [koki'tɛw, -'ɛjs] *m* cocktail

cor[1] ['kor] *f* color; **de** ~ colored; **mudar de** ~ to change color; **televisão em** ~**es** color television

cor[2] ['kɔr] *adv* **de** ~ by heart

coração <-ões> [kora'sɜ̃w, -õjs] *m* heart; **de cortar o** ~ heartbreaking; **não ter** ~ to be heartless; **ter bom** ~ to be kind-hearted

coragem [ko'raʒẽj] *f sem pl* courage

corajoso, -a [kora'ʒozu, -'ɔza] *adj* courageous

corante [ko'rɜ̃ŋtʃi] *m* dye

corcova [kor'kɔva] *f* hump

corda ['kɔrda] *f* rope; ~ **bamba** tightrope; MÚS string; ~**s vocais** vocal cords *pl*

cordão <-ões> [kor'dɜ̃w, -õjs] *m* cord; ~ **umbilical** umbilical cord

cor-da-pele ['kor-da-'pɛʎi] *adj inv* flesh-colored

cordeiro [kor'dejru] *m* lamb

cordel <-éis> [kor'dɛw, -'ɛjs] *m pocket-sized, low-priced popular literature*

cor-de-laranja ['kor-dʒi-la'rɜ̃ŋʒa] *adj inv* orange

cor-de-rosa ['kor-dʒi-'xɔza] *adj inv* pink

cordial <-ais> [kordʒi'aw, -'ajs] *adj* cordial

cordilheira [kordʒi'ʎejra] *f* mountain range

cordões *m pl de* **cordão**

coreano, -a [kore'ɜ̃nu, -a] *adj, m, f* Korean

Coréia [ko'rɛja] *f* Korea

coreógrafa *f v.* **coreógrafo**

coreografia [koreogra'fia] *f* choreography

coreógrafo, -a [kore'ɔgrafu, -a] *m, f* choreographer

corisco [ko'risku] *m* flash

coriza [ko'riza] *f sem pl* runny nose

corja ['kɔrʒa] *f pej* rabble

córnea ['kɔrnia] *f* cornea

córner ['kɔrner] *m* FUT corner

coro ['koru] *m* chorus

coroa [ko'roa] *f* crown; **cara ou** ~? heads or tails?

coroar [koro'ar] *vt* <*1. pess pres:* corôo> *fig* to crown

coroca [ko'rɔka] *adj pej* decrepit

coronel <-éis> [koro'nɛw, -'ɛjs] *m* colonel

corpo ['korpu] *m* body

corporação <-ões> [korpora'sɜ̃w,

-õjs] *f* corporation

corporal <-ais> [korpo'raw, -'ajs] *adj* corporal

corpóreo, **-a** [kor'pɔriw, -a] *adj* corporal

corpulência [korpu'lẽjsia] *f* corpulence

corpulento, **-a** [korpu'lẽjtu, -a] *adj* corpulent

correção <-ões> [koxe'sɜ̃w, -õjs] *f* correction

corre-corre ['kɔxi-'kɔxi] <corre(s)-corres> *m inf* rush

corredeira [koxe'dejra] *f* rapids

corrediça [koxe'dʒisa] *f* glide

corrediço, **-a** [koxe'dʒisu, -a] *adj* sliding

corredor [koxe'dor] *m* **1.** runner **2.** (*de predio*) corridor; (*de avião, igreja*) aisle

córrego ['kɔxegu] *m* stream

correia [ko'xeja] *f* belt

correio [ko'xeju] *m* mail; ~ **eletrônico** e-mail; ~ **de voz** voice mail; ~**s** post office

corrente [ko'xẽjtʃi̥] **I.** *f* current; (*metálica*) chain **II.** *adj* current; (*água*) running

correntemente [koxẽjtʃi'mẽjtʃi̥] *adv* currently

correntista [koxẽj'tʃista] *mf* account holder

correr [ko'xer] *vt, vi* to run

correria [koxe'ria] *f* rush

correspondência [koxespõw'dẽjsia] *f* correspondence

correspondente [koxespõw'dẽjtʃi̥] **I.** *mf* correspondent **II.** *adj* corresponding

corresponder [koxespõw'der] **I.** *v*[...] to correspond; ~ **às expectativas** t[...] meet expectations **II.** *vr:* ~**-se** t[...] correspond

correta *adj v.* **correto**

corretivo [koxe'tʃivu] *m* correction

corretivo, **-a** [koxe'tʃivu, -a] *adj* cor[...]rective

correto, **-a** [ko'xɛtu, -a] *adj* correct; **politicamente** ~ politically correct

corretor(**a**) [koxe'tor(a)] *m(f)* reviser; ECON broker

corrida [ko'xida] *f* race; **dar uma** ~ t[...] go for a run

corrigir [koxi'ʒir] <g→j> **I.** *vt* to cor[...]rect **II.** *vr:* ~**-se** to correct oneself

corrimão <-ões> [koxi'mɜ̃w, -õjs] *[...]* handrail

corriqueiro, **-a** [koxi'kejru, -a] *a[...]* everyday

corroer [koxo'er] *conj como roer vt* t[...] corrode

corromper [koxõw'per] *vt* to corrupt

corrosão <-ões> [koxo'zɜ̃w, -õjs] corrosion

corrosivo, **-a** [koxo'zivu, -a] *adj* co[...]rosive

corrosões *f pl de* **corrosão**

corrupção <-ões> [koxup'sɜ̃w, -õjs] corruption

corrupto, **-a** [ko'xuptu, -a] *adj* co[...]rupt

cortador [korta'dor] *m* cutter

cortar [kor'tar] **I.** *vt* **1.** to cut; ~ **a[...] meio** to cut in two **2.** ~ **caminho** t[...] take a shortcut **3.** (*gás, água*) to cu[...] off **II.** *vi* to cut **III.** *vr:* ~**-se** to cu[...]

oneself

corte ['kɔrtʃi̥] *m* cut

cortejar [korte'ʒar] *vt* to court

cortês [kor'tes] <-eses> *adj* courteous

cortesia [korte'zia] *f sem pl* courtesy

cortiça [kur'tʃisa] *f sem pl* cork

cortiço [kur'tʃisu] *m* slum

cortina [kur'tʃina] *f* curtain

cortisona [kortʃi'zona] *f sem pl* cortisone

coruja [ku'ruʒa] **I.** *f* owl **II.** *adj* doting

corujão <-ões> [kuru'ʒɜ̃w, -õjs] *m* late-night flight

corvo ['korvu] *m* crow

cós ['kɔs] *m sem pl* waistband

cosmética [koz'mɛtʃi̥ka] *f* cosmetic industry

cosmético [koz'mɛtʃi̥ku] *m* cosmetics *pl*

cosmético, -a [koz'mɛtʃi̥ku, -a] *adj* cosmetic

cósmico, -a ['kɔzmiku, -a] *adj* cosmic

cosmopolita [kozmopo'ʎita] *adj* cosmopolitan

cosmos ['kɔzmus] *m sem pl* cosmos

costa ['kɔsta] *f* coast

Costa Rica ['kɔsta-xi'ka] *f* Costa Rica

costa-riquenho, -a ['kɔsta-xi'kẽɲu, -a] *adj, m, f* Costa Rican

costas ['kɔstas] *fpl* back; **virar as ~ para alguém** to turn one's back on sb

costeiro, -a [kos'tejru, -a] *adj* coastal

costela [kos'tɛla] *f* rib

costeleta [koste'leta] *f* GASTR chop

costumar [kustu'mar] *vt* **ele costuma ser simpático** he is usually friendly; **costuma fazer calor** it is generally hot

costume [kus'tume] *m* habit; **como de ~** as usual

costumeiro, -a [kostu'mejru, -a] *adj* customary

costura [kos'tura] *f* sewing

costurar [kostu'rar] *vt* to sew

costureiro, -a [kostu'rejru, -a] *m, f* women's tailor; **costureira** dressmaker

cota ['kɔta] *f* quota

cotação <-ões> [kota'sɜ̃w, -õjs] *f* quotation

cotado, -a [ko'tadu, -a] *adj* highly rated

cotar [ko'tar] *vt* to quote

cotejar [kote'ʒar] *vt* to compare

cotejo [ko'teʒu] *m* comparison

cotidiano [kotʃidʒi'ɜ̃nu] *m* daily routine

cotidiano, -a [kotʃidʒi'ɜ̃nu, -a] *adj* daily

cotonete [koto'nɛtʃi̥] *m* cotton swab

cotovelada [kotove'lada] *f* nudge; **dar uma ~ em a. c.** to elbow sb

cotovelo [koto'velu] *m* elbow

cotovia [koto'via] *f* lark

coube ['kowbi] *3. pret de* **caber**

couro ['kowru] *m* leather; **~ cabeludo** scalp

couve ['kowvi] *f* kale

couve-flor ['kowvi-'flor] <couves-flor(es)> *f* cauliflower

couvert [ku'vɛr] *m* cover charge

cova ['kɔva] *f* grave

covarde [ko'vardʒi̥] *adj, mf* coward

C

covardia [kovar'dʒia] *f sem pl* cowardice
covinha [kɔ'vĩɲa] *f* dimple
coxa *adj v.* **coxo**
coxa ['koʃa] *f* thigh
coxinha [ko'ʃĩɲa] *f* chicken croquette
coxo, -a ['koʃu, -a] *adj* lame
cozido [ku'zidu] *m* stew
cozido, -a [ku'zidu, -a] *adj* boiled
cozinha [ku'zĩɲa] *f* kitchen
cozinhar [kozĩ'ɲar] *vi* to cook
cozinheiro, -a [kuzĩ'ɲejru, -a] *m, f* cook
CPF [sepe'ɛfi] *m abr de* **Cadastro de Pessoa Física** taxpayer's ID number
crachá [kra'ʃa] *m* badge
crânio ['krɜ̃niw] *m* skull
crápula ['krapula] *m* scoundrel
craque ['kraki] *m* expert; (*esporte*) star
cratera [kra'tɛra] *f* crater
cravo ['kravu] *m* **1.** BOT carnation **2.** (*condimento*) clove **3.** (*ponto negro*) blackhead
creche ['krɛʃi̥] *f* daycare center *Am*, creche *Brit*
crediário [kredʒi'ariw] *m* installment plan *Am*, hire purchase
creditar [kredʒi'tar] *vt* to credit
crédito ['krɛdʒitu] *m* credit
credor(a) [kre'dor(a)] *m(f)* creditor
crédula *adj v.* **crédulo**
credulidade [kreduʎi'dadʒi̥] *f sem pl* credulity
crédulo, -a ['krɛdulu, -a] *adj* gullible
cremar [kre'mar] *vt* to cremate
crematório [krema'tɔriw] *m* crematorium
creme ['kremi] *m* cream; ~ **hidratante** moisturizer; ~ **de leite** cream
cremoso, -a [kre'mozu, -'ɔza] *adj* creamy
crença ['krẽjsa] *f* belief
crendice [krɛj'dʒisi] *f* superstition
crente ['krẽjtʃi̥] *mf* believer
crepe ['krɛpi] *m* crepe
crepúsculo [kre'puskulu] *m* twilight
crer ['krer] *irr irr vi* to beleive; ~ **em** to have faith in
crescente [kre'sẽjtʃi̥] *adj* increasing
crescer [kre'ser] *vi* <c→ç> **1.** (*pessoa*) to grow; (*criar-se*) grow up **2.** (*bolo*) to rise
crescido, -a [kre'sidu, -a] *adj* grown
crespo, -a ['krespu, -a] *adj* curly
cretino, -a [kre'tʃinu, -a] *m, f* cretin
cria ['kria] *f* ~**s** offspring
criação <-ões> [kria'sɜ̃w, -õjs] *f* **1.** creation **2.** (*de crianças*) upbringing **3.** (*de animais*) breeding
criado, -a [kri'adu, -a] *m, f* servant
criador(a) [kria'dor(a)] *m(f)* (*de animais*) breeder
criança [kri'ɜ̃ŋsa] *f* child; ~ **de colo** infant
criançada [kriɜ̃ŋ'sada] *f sem pl* children
criancice [kriɜ̃ŋ'sisi] *f pej* childishness
criar [kri'ar] *conj como enviar vt* **1.** to create **2.** (*crianças*) to raise *Am*, to bring up *Brit* **3.** (*animais*) to breed
criativa *adj v.* **criativo**
criatividade [kriatʃivi'dadʒi̥] *f* creativity
criativo, -a [kria'tʃivu, -a] *adj* creative
criatura [kria'tura] *f* creature

crime ['krimi] *m* crime

criminal <-ais> [krimi'naw, -'ajs] *adj* criminal

criminalidade [kiminaʎi'dadʒi̥] *f sem pl* criminality

criminoso, -a [krimi'nozu, -'ɔza] I. *m, f* criminal II. *adj* criminal

crina ['krina] *f* mane

crioulo, -a [kri'olu, -a] *adj, m, f* creole; *pej* black

cripta ['kripta] *f* crypt

crise ['krizi] *f* crisis; ~ **de nervos** attack of nerves

crispar [kris'par] I. *vt* to crinkle II. *vr:* ~**-se** to twitch

cristã *adj, f v.* **cristão**

crista ['krista] *f* crest

cristal <-ais> [kris'taw, -'ajs] *m* crystal; **de** ~ crystal; **os cristais** glassware

cristaleira [krista'lejra] *f* china cabinet

cristalizado, -a [kristaʎi'zadu, -a] *adj* candied

cristão, -tã [kris'tɜ̃w, -ɜ̃] <-s> *adj, m, f* Christian

Cristo ['kristu] *m* Christ

critério [kri'tɛriw] *m* criterion

riterioso, -a [kriteri'osu, -'ɔza] *adj* judicious

crítica *adj v.* **crítico**

rítica ['kritʃi̥ka] *f* criticism; (*de filme, livro*) review

criticar [kritʃi̥'kar] *vt* <c→qu> to criticize; (*obra*) to review

criticável <-eis> [kritʃi̥'kavew, -ejs] *adj* censurable

rítico ['kritʃi̥ku] *m* critic

crítico, -a ['kritʃi̥ku, -a] *adj* critical; **estado** ~ critical condition

crivar [kri'var] *vt* to sift

crível <-eis> ['krivew, -ejs] *adj* believable

Croácia [kro'asia] *f* Croatia

croata [kro'ata] I. *mf* Croat II. *adj* Croatian

crocante [kro'kɜ̃ŋtʃi̥] *adj* crunchy

crochê [kro'ʃe] *m* crochet

crocodilo [kroko'dʒilu] *m* crocodile

croissant [krua'sɜ̃] *m* croissant

cromossomo [kromo'somu] *m* chromosome

crônica ['kronika] *f* chronicle; (*conto*) short story

crônico, -a ['kroniku, -a] *adj* chronic

cronista [kro'nista] *mf* columnist

cronologia [kronolo'ʒia] *f sem pl* chronology

cronológico, -a [krono'lɔʒi̥ku, -a] *adj* chronological

cronometrar [kronome'trar] *vt* to time

cronômetro [kro'nometru] *m* stop watch

croquete [kro'kɛtʃi̥] *m* croquette

crosta ['krosta] *f* crust

cru ['kru] *adj* (*alimento*) raw; (*material*) unprocessed

crucifixo [krusi'fiksu] *m* crucifix

cruel <-éis> [kru'ɛw, -'ɛjs] *adj* cruel

crueldade [kruew'dadʒi̥] *f* cruelty

crustáceo [krus'tasiw] *m* crustacean

cruz ['krus] *f* cross; **a Cruz Vermelha** the Red Cross

cruzada [kru'zada] *f* crusade

cruzado, -a [kru'zadu, -a] *adj* (*braços*) folded; (*pernas*) crossed

C

cruzamento [kruza'mẽjtu] *m* crossroads; BIOL crossbreeding
cruzar [kru'zar] *vt* to cross; ~ **os braços** to fold one's arms
cruzeiro [kru'zejru] *m* cruise
Cuba *f* Cuba
cubano, -a *adj, m, f* Cuban
cubículo [ku'bikulu] *m* cubicle
cubo ['kubu] *m* cube
cueca [ku'ɛka] *f* (men's) underpants
Cuiabá [kuja'ba] (City of) Cuiabá
cuidado [kuj'dadu] **I.** *m* **1.** care; **com** ~ with care; **ter** ~ **com a. c.** to be careful with sth **2. aos ~s de** in the care of **II.** *interj* ~**!** look out!
cuidadoso, -a [kujda'dozu, -'ɔza] *adj* careful; **ser** ~ **com a. c.** to be careful with sth
cuidar [kuj'dar] **I.** *vt* ~ **de** to take care of **II.** *vr:* ~**-se** to take care of oneself
cujo, -a ['kuʒu, -a] *pron rel* whose
culatra [ku'latra] *f* breech; **o tiro saiu pela** ~ the shot backfired
culinária [kuʎi'naria] *f* cookery
culinário, -a [kuʎi'nariw, -a] *adj* culinary
culinarista [kuʎina'rista] *mf* culinarian
culpa ['kuwpa] *f* fault; **a** ~ **não é minha** it's not my fault; **ter (a)** ~ **de** to be to blame for sth; **por** ~ **de** because of
culpado, -a [kuw'padu, -a] *adj* guilty
culpar [kuw'par] *vt* to blame; ~ **alguém** to blame sb
culpável <-eis> [kuw'pavew, -ejs] *adj* culpable
culta *adj v.* **culto**
cultivar [kuwtʃi'var] *vt* to cultivate
cultivável <-eis> [kuwtʃi'vavew, -ejs] *adj* arable
culto ['kuwtu] *m* cult
culto, -a ['kuwtu, -a] *adj* cultured
cultura [kuw'tura] *f* culture
cultural <-ais> [kuwtu'raw, -'ajs] *adj* cultural
cumbuca [kũw'buka] *f* bowl
cume ['kumi] *m* summit
cúmplice ['kũwplisi] *mf* accomplice
cumplicidade [kũwplisi'dadʒi] *f* complicity
cumpridor(a) [kũwpri'dor(a)] *adj* reliable
cumprimentar [kũwprimẽj'tar] *vt* to greet
cumprimento [kũwpri'mẽjtu] *m* **1.** greeting **2.** (*de uma ordem, lei*) compliance
cumprir [kũw'prir] *vt* (*uma tarefa*) to carry out; (*a palavra, promessa*) to keep; (*uma ordem, lei*) to obey
cúmulo ['kumulu] *m sem pl* culmination; **isso é o** ~**!** this is the last straw!
cunhado, -a [kũ'ɲadu, -a] *m, f* brother-in-law
cupido [ku'pidu] *m* cupid
cupim [ku'pĩj] *m* termite
cupincha ['pĩjʃa] *m* pal
cupom [ku'põw] <-ons> *m* coupon
cúpula ['kupula] *f* dome
cura ['kura] *f* cure
curado, -a [ku'radu, -a] *adj* cured
curar [ku'rar] **I.** *vt* to cure **II.** *vr:* ~**-se** to recover
curativo [kura'tʃivu] *m* MED dressing

curável <-eis> [ku'ravew, -ejs] *adj* curable

curiosa *adj v.* **curioso**

curiosidade [kuriozi'dadʒi̥] *f* curiosity

curioso, -a [kuri'ozu, -'ɔza] *adj* curious

Curitiba [kuri'tʃiba] (City of) Curitiba

curitibano, -a [kuritʃi'bɜ̃nu, -a] **I.** *m, f* native of Curitiba **II.** *adj* from Curitiba, of Curitiba

curral <-ais> [ku'xaw, -'ajs] *m* corral

currículo [ku'xikulu] *m* curriculum

curriculum vitae [kuxiku'lũw 'vitɛ] *m sem pl* resumé *Am,* curriculum vitae *Brit*

cursar [kur'sar] *vt* (*matéria*) to study; **ele cursa medicina** he studies medicine

curso ['kursu] *m* course; **fazer um ~** to take a course

cursor [kur'sor] *m* cursor

curta *adj v.* **curto**

curta-metragem [kurtame'traʒẽj] <curtas-metragens> *m* short film

curtir [kur'tʃir] **I.** *vt inf* **1.** (*couro*) to tan **2.** (*férias, música*) to enjoy **II.** *vi inf* to enjoy oneself

curto, -a ['kurtu, -a] *adj* short

curto-circuito ['kurtu-sir'kwitu] <curtos-circuitos> *m* short circuit

curva ['kurva] *f* curve; **~ fechada** hairpin bend

curvado, -a [kur'vadu, -a] *adj* curved

curvar [kur'var] **I.** *vt* to bend **II.** *vr:* **~-se** to bow

cuspe ['kuspi] *m sem pl* spit

cuspir [kus'pir] *irr como subir vi* to spit

custar [kus'tar] **I.** *vt* to cost; **quanto custa?** how much does it cost? **II.** *vi* **custa a crer** it's hard to believe; **custe o que ~** at all costs

custo ['kustu] *m* cost; **o ~ da vida** the cost of living; **~s** expenses *pl;* **~s de viagem** travel expenses *pl;* **a ~** with difficulty

custo-benefício ['kustu-bene'fisiw] *sem pl m* cost-effectiveness *no pl;* **relação ~** cost-benefit ratio

custoso, -a [kus'tozu, -'ɔza] *adj* difficult

cutícula [ku'tʃikula] *f* cuticle

cútis ['kuts] *f sem pl* complexion

czar [ki'zar] *m* czar

D

D, d ['de] *m* D, d

da [da] = **de + a** *v.* **de**

dado ['dadu] **I.** *m* **1.** (*de jogo*) dice *pl;* **lançar os ~s** to throw the dice **2.** *tb.* INFOR data *pl;* **~s pessoais** personal data **II.** *conj* **~ que ...** given that ...

dado, -a ['dadu, -a] *adj* given; **em ~ momento** at a given time

daí [da'i] *adv* **1.** (*desse lugar*) from there **2.** (*por isso*) therefore; **e ~?** so what?

dali [da'ʎi] *adv* from there

dama ['dɜma] *f* **1.** (*senhora*) lady **2.** (*baralho*) queen

damasco [dɜ'masku] *m* apricot

danado, -a [dʒ'nadu, -a] *adj* **1.** (*furioso*) livid **2.** (*travesso*) naughty

dança [dʒ̃ŋ'sa] *f* dance; ~ **de salão** ballroom dancing

dançar [dʒ̃ŋ'sar] <c→ç> *vt, vi* to dance

dançarino, -a [dʒ̃ŋsa'rinu, -a] *m, f* dancer

danificar [dʒnifi'kar] <c→qu> *vt* to damage

dano ['dʒnu] *m* damage

daquele, -a [da'keʎi, -'ɛla] = **de** + **aquele** *v.* **de**

daqui [da'ki] *adv* from here; ~ **em diante** from now on; ~ **a pouco** in a short while; ~ **a uma semana** a week from now; **sai** [*ou* **some**] ~! get out (of here)!

daquilo [da'kilu] = **de** + **aquilo** *v.* **de**

dar ['dar] *irr* **I.** *vt* **1.** (*oferecer*) to give **2.** (*ceder*) to give away; ~ **lugar** to give way (to) **3.** (*entregar*) to give **4.** (*conceder*) to give; ~ **satisfação a alguém** to give sb an explanation; **dá licença, por favor** excuse me, please **5.** (*comunicar*) to give; ~ **informações** to give information; ~ **os parabéns a alguém** to congratulate sb **6.** (*fazer*) to give; ~ **uma festa** to give [*o* to throw] a party **7.** (*soma*) to pay; ~ **entrada no carro** to put a down payment on the car **8.** (*causar*) to cause; ~ **problemas** to cause problems; **isso dá medo/pena** it's scary/a pity **9.** (*produzir*) ~ **um grito** to let out a yell **10.** (*ir ter*) **este caminho dá no rio** this path leads to the river **11.** (*estar voltado*) to overlook; **a janela dá para o jardim** the window overlooks the garden **12.** (*no jornal*) **o que deu hoje no jornal?** what was in the paper today? **13.** (*horas*) to strike **II.** *vi* **1.** (*ser possível*) **não dá!** it's impossible! **2.** (*ser suficiente*) **a comida não dá** there won't be enough food **3.** ~ **certo** to work (out) **III.** *vr:* ~**-se** **1.** (*sentir-se*) **esta planta não se dá bem dentro de casa** this plant does not do well indoors **2.** (*com alguém*) ~**-se bem/mal com alguém** to get along well/badly with sb

data ['data] *f* date

DDD [dede'de] *m abr de* **discagem direta a distância** area code

DDI [dede'i] *m abr de* **discagem direta internacional** country code

de [dʒi] *prep* **1.** from **2. ele saiu ~ casa** he left home; **recebi uma carta do João** I received a letter from João **3.** (*material*) **bolo ~ chocolate** chocolate cake **4.** (*posse*) **a casa/o carro do Manuel** Manuel's house/car **5.** (*temporal*) ~ **... a ...** from ... to ...; ~ **dia** during the day; ~ **manhã** in the morning **6.** (*causa*) **morrendo ~ fome** dying of hunger **7.** (*comparação*) than; **mais ~ vinte** more than twenty

debaixo [dʒi'bajʃu] *adv* ~ **de** under

debate [de'batʃi] *m* debate

debater [deba'ter] *vt* to debate

débil <-eis> ['dɛbiw, -ejs] *adj* weak

debitar [debi'tar] *vt* to debit

débito ['dɛbitu] *m* debit

debochar [debo'ʃar] *vt* (*zombar*) to mock
debruçar-se <c→ç> [debru'sar] *vr* ~**-se na janela** to lean out (of) the window; ~**-se sobre a mesa** to lean over the table
década ['dɛkada] *f* decade
decadente [deka'dẽjtʃi̥] *adj* decadent
decaído [deka'idu] *adj* (*prédio*) run-down; (*pessoa*) down-and-out
decência [de'sẽjsja] *f sem pl* decency
decente [de'sẽjtʃi̥] *adj* decent
decepção <-ões> [desep'sɜ̃w, -'õjs] *f* disappointment
decepcionado, -a [desepsjo'nadu, -a] *adj* disappointed
decepcionante [desepsjo'nɜ̃ɲtʃi̥] *adj* disappointing
decepcionar [desepsjo'nar] I. *vt* to disappoint II. *vr* ~**-se com a. c./alguém** to be disappointed with sth/sb
decidida *adj v.* **decidido**
decididamente [desidʒida'mẽjtʃi̥] *adv* decidedly
decidido, -a [desi'dʒidu, -a] *adj* 1. (*resolvido*) decided 2. (*resoluto*) determined
decidir [desi'dʒir] I. *vt, vi* to decide II. *vr:* ~**-se** to decide; ~**-se por a. c.** to decide on sth
decifrar [desi'frar] *vt* to decipher
décima ['dɛsima] *f* tenth
décimo ['dɛsimu] *num ord* tenth
decisão <-ões> [desi'zɜ̃w, -'õjs] *f* decision; **tomar uma** ~ to make a decision
decisivo, -a [desi'zivu] *adj* decisive
decisões *f pl de* **decisão**
declaração <-ões> [deklara'sɜ̃w, -'õjs] *f* 1. (*documento*) declaration; ~ **do imposto de renda** income tax return 2. (*afirmação*) statement
declarar [dekla'rar] I. *vt* to declare; **nada a** ~ nothing to declare II. *vr* ~**-se a favor de a. c./alguém** to declare oneself in favor of sth/sb
declinar [dekli'nar] *vt, vi* to decline
declínio [de'kliniw] *m* decline *no pl*
decolagem [deko'laʒẽj] <-ens> *f* AERO takeoff
decolar [deko'lar] *vi* AERO to take off
decoração <-ões> [dekora'sɜ̃w, -'õjs] *f* decoration
decorar [deko'rar] *vt* 1. (*ornamentar*) to decorate 2. (*uma matéria*) to memorize
decorativo, -a [dekora'tʃivu, -a] *adj* decorative
decotado, -a [deko'tadu, -a] *adj* low-cut
decote [de'kɔtʃi̥] *m* neckline
decréscimo [de'krɛsimu] *m* decrease
decretar [dekre'tar] *vt* to decree
decreto [de'krɛtu] *m* decree
dedão [de'dɜ̃w] *m* (*do pé*) big toe; (*da mão*) thumb
dedicação [dedʒika'sɜ̃w] *f sem pl* dedication *no pl*
dedicado, -a [dedʒi'kadu, -a] *adj* dedicated
dedicar [dedʒi'kar] *vt* to dedicate
dedo ['dedu] *m* ANAT finger; ~ **polegar** thumb; ~ **do pé** toe
deduzir [dedu'zir] *vt* 1. (*de uma quantia*) to deduct 2. (*inferir*) to deduce

default [de'fawtʃi̯] *m* INFOR default
defeito [de'fejtu] *m* (*físico*) deformity; (*imperfeição*) defect
defeituoso, **-a** [defejtu'ozu, -'ɔza] *adj* defective
defender [defẽj'der] **I.** *vt* to defend **II.** *vr:* **~-se** to defend oneself
defensivo, **-a** [defẽj'sivu, -a] *adj* defensive
defensor(a) [defẽj'sor(a)] <-es> *m(f)* defender
defesa [de'feza] *f* defense
deficiência [defisi'ẽjsja] *f* deficiency
deficiente [defisi'ẽjtʃi̯] **I.** *adj* deficient **II.** *mf* disabled person
definido, **-a** [defi'nidu, -a] *adj* defined
definir [defi'nir] *vt* to define
definitiva *adj v.* **definitivo**
definitivamente [definitʃiva'mẽjtʃi̯] *adv* (*permanentemente*) for good; (*sem dúvida*) definitely
definitivo, **-a** [defini'tʃivu, -a] *adj* (*decisão*) final; (*versão*) definitive
deformação <-ões> [deforma'sɜ̃w, -'õjs] *f* deformation
deformar [defor'mar] *vt* to deform
deformidade [deformi'dadʒi] *f* deformity
defronte [dʒi'frõwtʃi̯] *adv* (*em frente*) opposite; ~ **a** [*ou* **de**] opposite
defumado, **-a** [defu'madu, -a] *adj* smoked
degradante [degra'dɜ̃ŋtʃi̯] *adj* degrading
degrau [de'graw] *m* step
degustação <-ões> [degusta'sɜ̃w, -'õjs] *f* tasting
dei ['dej] *1. pret perf de* **dar**
deitado, **-a** [dej'tadu, -a] *adj* lying down
deitar [dej'tar] **I.** *vr:* **~-se** to lie down; (*à noite*) to go to bed **II.** *vt* to lay
deixar [dej'ʃar] *vt* **1.** (*permitir*) to allow **2.** (*abandonar*) to leave; ~ **o emprego** to quit one's job **3.** (*adiar*) to leave **4.** (*soltar*) ~ **cair a. c.** to drop sth **5.** (*um recado*) to leave **6.** (*desistir*) **deixa disso!** quit it!; ~ **para lá** *inf* never mind
dela ['dɛla] = **de** + **ela** *v.* **de**
dele ['deʎi] = **de** + **ele** *v.* **de**
delegacia [delega'sia] *f* (*da polícia*) police station
delegado, **-a** [dele'gadu, -a] *m, f* (*da polícia*) police chief; (*representante*) delegate
delegar [dele'gar] <g→gu> *vt* to delegate
deletar [de'lejtar] *vt* INFOR to delete
delicada *adj v.* **delicado**
delicadeza [deʎika'deza] *f* delicacy; (*pessoa*) courtesy *no pl*
delicado, **-a** [deʎi'kadu, -a] *adj* **1.** (*pessoa*) courteous **2.** (*situação*) delicate
delícia [de'ʎisja] *f* delight; **ser uma ~** (*comida*) to be delicious
delicioso, **-a** [deʎisi'ozu, -'ɔza] *adj* delicious
delinqüente [deʎĩj'kwẽjtʃi̯] *mf* delinquent
delirar [deʎi'rar] *vi* to be delirious
demais [dʒi'majs] **I.** *adv* too much; **ele é ~!** *inf* he is wonderful! **II.** *pron indef* **os ~** the rest

demanda [de'mɜ̃ŋda] *f* demand

demissão <-ões> [demi'sɜ̃w, -'õjs] *f* dismissal; **pedir** ~ to resign

demitir [demi'tʃir] **I.** *vt* (*empregados*) to dismiss **II.** *vr:* ~**-se** to resign

democracia [demokra'sia] *f* democracy

democrático, -a [demo'kratʃiku, -a] *adj* democratic

demolição <-ões> [demoʎi'sɜ̃w, -'õjs] *f* demolition

demolir [demo'ʎir] *vt* to demolish

demonstração <-ões> [demõwstra'sɜ̃w, -'õjs] *f* demonstration

demonstrar [demõws'trar] *vt* to demonstrate

demora [de'mɔra] *f* delay

demorado, -a [demo'radu, -a] *adj* lengthy

demorar [demo'rar] *vi* to take; **demora muito?** does it take long?; **eu não demoro** it doesn't take me long; ~ **a chegar** to arrive late

dendê [dẽj'de] *m* **azeite de** ~ palm oil

denegrir [dene'grir] *vt* to denigrate

densa *adj v.* **denso**

densidade [dẽjsi'dadʒi] *f sem pl* density

denso, -a ['dẽjsu, -a] *adj* dense

dentada [dẽj'tada] *f* bite

dentadura [dẽjta'dura] *f* dentures *pl*

dental <-ais> [dẽj'taw, -'ajs] *adj* dental; **fio** ~ dental floss

dentário, -a [dẽj'tariw, -a] *adj* dental; **clínica dentária** dental clinic

dente ['dẽjtʃi] *m* **1.** ANAT tooth; ~ **de leite/siso** baby/wisdom tooth **2.** (*de alho*) clove **3.** (*de garfo*) prong

dentista [dẽj'tʃista] *mf* dentist

dentre ['dẽjtri] = **de + entre** *v.* **de**

dentro ['dẽjtru] *adv* **1.** (*local*) inside; **aí** ~ in there; **por** ~ (on the) inside; **eles estão lá** ~ they are in there **2.** (*temporal*) within; ~ **de cinco dias** within five days

denúncia [de'nũwsja] *f* (*acusação*) accusation

denunciar [denũwsi'ar] **I.** *vt* to denounce; (*acusar*) to accuse; ~ **alguém à polícia** to report sb to the police **II.** *vr:* ~**-se** to give oneself away

departamento [departa'mẽjtu] *m* department

dependência [depẽj'dẽjsja] *f* **1.** (*de pessoa*) dependence *no pl* **2.** (*cômodo*) room

dependente [depẽj'dẽjtʃi] *adj* dependent

depender [depẽj'der] *vt* to depend; (**isso**) **depende** it depends

depilação <-ões> [depila'sɜ̃w, -'õjs] *f* hair removal; **fazer** ~ (*com cera*) to wax

depilar [depi'lar] *vt* (*com cera*) to wax

depoimento [depoi'mẽjtu] *m* (*na delegacia*) statement; JUR testimony

depois [de'pojs] *adv* **1.** after **2.** (*em seguida*) then **3.** (*mais tarde*) later; ~ **de** after; ~ **disso** after that; ~ **de amanhã** the day after tomorrow; **dois dias** ~ two days later; **e** ~**?** and then what?

depor [de'por] *irr como pôr* **I.** *vt* to depose **II.** *vi* JUR to testify

D

depositar [depozi'tar] *vt* **1.** (*dinheiro*) to deposit; ~ **em dinheiro** to make a deposit in cash **2.** (*confiar*) to place

depósito [de'pɔzitu] *m* **1.** (*de dinheiro*) deposit **2.** (*de água*) reservoir **3.** (*armazém*) warehouse

depressa [de'prɛsa] *adv* quickly

depressão <-ões> [depre'sɜ̃w, -'õjs] *f* depression

deprimente [depri'mẽjtʃi] *adj* depressing

deprimido, -a [depri'midu, -a] *adj* depressed

deprimir [depri'mir] *vt* to depress

deputado, -a [depu'tadu, -a] *m, f* deputy

derivado, -a [deri'vadu] *m, f* (*produto*) by-product

derramamento [dexama'mẽjtu] *m* spillage

derramar [dexɜ'mar] *vt* **1.** (*sangue, lágrimas*) to shed **2.** (*despejar*) to spill

derrame [de'xɜmi] *m* MED stroke

derrapar [dexa'par] *vi* to skid

derreter [dexe'ter] **I.** *vt, vi* to melt **II.** *vr:* ~**-se** to melt

derrota [de'xɔta] *f* defeat

derrotado, -a [dexo'tadu, -a] *adj* defeated

derrotar [dexo'tar] *vt* to defeat

derrubar [dexu'bar] *vt* **1.** (*um objeto*) to knock (sth) over **2.** (*o governo*) to overthrow

desabafar [dʒizaba'far] **I.** *vi* to get sth off one's chest **II.** *vr* ~**-se com alguém** to open up to sb

desabafo [dʒiza'bafu] *m* outburst

desabamento [dʒizaba'mẽjtu] *m* (*muro*) collapse; (*do morro*) landslide

desabar [dʒiza'bar] *vi* **1.** (*terra*) to slide **2.** (*muro*) to collapse

desabitado, -a [dʒizabi'tadu, -a] *adj* uninhabited

desabituado, -a [dʒizabitu'adu, -a] *adj* out of practice

desabotoar [dʒizabotu'ar] *vt* <*1. pess pres* desabotôo> to unbutton

desabrigado, -a [dʒizabri'gadu, -a] *adj* (*pessoa*) homeless; (*local*) exposed

desabrigar [dʒizabri'gar] <g→gu> *vt* to make homeless

desacompanhado, -a [dʒizakõwpɜ̃'ɲadu, -a] *adj* unaccompanied

desaconselhar [dʒizakõwse'ʎar] *vt* to advise against

desaconselhável <-eis> [dʒizakõwse'ʎavew, -ejs] *adj* inadvisable

desacordado, -a [dʒizakor'dadu, -a] *adj* unconscious

desacreditado, -a [dʒizakredʒi'tadu, -a] *adj* discredited

desacreditar [dʒizakredʒi'tar] *vt* to discredit

desafiador(a) [dʒizafia'dor(a)] <-es> *adj* challenging

desafiar [dʒizafi'ar] *vt* to challenge

desafinado, -a [dʒizafi'nadu, -a] *adj* out of tune

desafinar [dʒizafi'nar] *vi* to be out of tune

desafio [dʒiza'fiw] *m* challenge

desagradar [dʒizagra'dar] *vi* to displease

desagradável <-eis> [dʒizagra'davew, -ejs] *adj* unpleasant

desagregação <-ões> [dʒizagrega'sɜ̃w, -'õjs] *f* separation

desagregar-se [dʒizagre'gar] <g→gu> *vr* to become separated

desaguar [dʒiza'gwar] *vt* ~ **em** (*rio*) to flow into

desajeitado, -a [dʒizaʒej'tadu, -a] *adj* clumsy

desajuizado, -a [dʒizaʒui'zadu, -a] *adj* unwise

desajustado, -a [dʒizaʒus'tadu, -a] *adj* PSICO maladjusted

desalinhado, -a [dʒizaʎĩ'ɲadu, -a] *adj* disheveled

desalojado, -a [dʒizalo'ʒadu, -a] *adj* ousted

desalojar [dʒizalo'ʒar] *vt* to oust

desamarrar [dʒizama'xar] *vt* to untie

desamassar [dʒizama'sar] *vt* to smooth (out)

desamparado, -a [dʒizɜ̃ŋpa'radu, -a] *adj* **1.** (*indefeso*) defenseless **2.** (*abandonado*) abandoned

desamparar [dʒizɜ̃ŋpa'rar] *vt* to abandon

desanimado, -a [dʒizɜni'madu, -a] *adj* disheartened

desanimar [dʒizɜni'mar] **I.** *vt* to dishearten **II.** *vi* to despair

desânimo [dʒi'zɜnimu] *m* despair *no pl*

desaparecer [dʒizapare'ser] <c→ç> *vi* to disappear

desaparecido, -a [dʒizapare'sidu, -a] **I.** *m, f* missing person **II.** *adj* missing

desaparecimento [dʒizaparesi'mẽjtu] *m* disappearance

desapegado, -a [dʒizape'gadu, -a] *adj* detached

desapego [dʒiza'pegu] *m* detachment *no pl*

desapertar [dʒizaper'tar] *vt* to undo

desapropriação <-ões> [dʒizapropria'sɜ̃w, -'õjs] *f* JUR expropriation

desapropriar [dʒizapropri'ar] *vt* JUR to expropriate

desarmado, -a [dʒizar'madu, -a] *adj* unarmed

desarmamento [dʒizarma'mẽjtu] *m* MIL disarmament

desarmar [dʒizar'mar] *vt* (*pessoas*) to disarm; (*barraca*) to take down

desarranjo [dʒiza'xɜ̃ŋʒu] *m* disarray

desarrumado, -a [dʒizaxu'madu, -a] *adj* (*quarto*) messy; (*pessoa*) disheveled

desarrumar [dʒizaxu'mar] *vt* to mess up

desastrado, -a [dʒizas'tradu, -a] *adj* (*pessoa*) clumsy

desastre [dʒi'zastri] *m* disaster

desatar [dʒiza'tar] *vt* to untie

desatenção [dʒizatẽj'sɜ̃w] *f sem pl* inattentiveness *no pl*

desatento, -a [dʒiza'tẽjtu, -a] *adj* distracted

desatualizado, -a [dʒizatwaʎi'zadu, -a] *adj* **1.** (*pessoa*) behind the times **2.** (*documento*) outdated

desbotado, -a [dʒizbo'tadu, -a] *adj* faded

desbotar [dʒizbo'tar] *vt, vi* to fade

desbravar [dʒizbra'var] *vt* **1.** (*terras*) to explore **2.** (*caminho*) to clear

descalço, **-a** [dʒis'kawsu, -a] *adj* barefoot

descansado, **-a** [dʒiskɜ̃ŋ'sadu, -a] *adj* (*vida*) calm; (*pessoa*) rested; **fique ~!** don't worry!

descansar [dʒiskɜ̃ŋ'sar] *vt, vi* to rest

descanso [dʒis'kɜ̃ŋsu] *m* (*repouso*) rest

descaradamente [dʒiskarada'mẽjtʃi̥] *adv* brazenly

descarga [dʒis'karga] *f* **1.** (*de eletricidade, tiros*) discharge **2.** (*de mercadoria*) unloading **3.** (*de vaso sanitário*) flush; **dar** [*ou* **puxar**] **a descarga** to flush

descarregar [dʒiskaxe'gar] <g→gu> *vt* **1.** (*mercadoria, caminhão*) to unload **2.** (*arma*) to unload

descartar [dʒiskar'tar] *vt* to discard

descartável <-eis> [dʒiskar'tavew, -ejs] *adj* disposable

descascar [dʒiskas'kar] <c→qu> *vt, vi* to peel

descaso [dʒis'kazu] *m* disregard

descendente [desẽj'dẽjtʃi̥] **I.** *mf* descendant **II.** *adj* **ser ~ de** to be descended from

descentralização <-ões> [desẽjtraʎiza'sɜ̃w, -'õjs] *f* decentralization

descentralizar [desẽjtraʎi'zar] *vt* to decentralize

descer [de'ser] <c→ç> **I.** *vt* to go down **II.** *vi* ~ **do carro** to get out of the car; ~ **do ônibus** to get off the bus

descida [de'sida] *f* descent

desclassificado, **-a** [dʒisklasifi'kadu, -a] *adj* ESPORT disqualified

desclassificar [dʒisklasifi'kar] <c→qu> *vt* ESPORT to disqualify

descoberta [dʒisko'bɛrta] *f* discovery

descoberto [dʒisko'bɛrtu] *pp de* **descobrir**

descoberto, **-a** [dʒisko'bɛrtu, -a] *adj* uncovered

descobridor(a) [dʒiskobri'dor(a)] <-es> *m(f)* discoverer

descobrimento [dʒiskobri'mẽjtu] *m* discovery

descobrir [dʒisko'brir] *irr como cobrir vt* **1.** (*encontrar*) to discover **2.** (*cabeça, verdade*) to uncover

descolar [dʒisko'lar] *vt* to unstick

desconcentrar-se [dʒiskõwsẽj'trar] *vr* to lose one's concentration

desconcertar [dʒiskõwser'tar] *vt* to disconcert

desconectar [dʒiskonek'tar] *vt* to disconnect

desconfiado, **-a** [dʒiskõwfi'adu, -a] *adj* suspicious

desconfiança [dʒiskõwfi'ɜ̃ŋsa] *f* suspicion

desconfiar [dʒiskõwfi'ar] *vt* to suspect

desconfortável <-eis> [dʒiskõwfor'tavew, -ejs] *adj* uncomfortable

descongelamento [dʒiskõwʒela'mẽjtu] *m* defrosting

descongelar [dʒiskõwʒe'lar] *vt* to defrost

descongestionar [dʒiskõwʒestʃjo'nar] *vt* (*trânsito, rua*) to clear

desconhecer [dʒiskõɲe'ser] <c→ç> *vt* to be unaware of

desconhecido, **-a** [dʒiskõɲe'sidu, -a]

I. *adj* unknown II. *m, f* stranger

desconhecimento [dʒiskõɲesi'mẽjtu] *m* ignorance

desconsideração [dʒiskõwside-ɾa'sɜ̃w] *f sem pl* disregard *no pl*

desconsiderar [dʒiskõwside'ɾar] *vt* to disregard

descontar [dʒiskõw'tar] *vt* 1. (*um cheque*) to cash; (*subtrair*) to deduct 2. (*não levar em conta*) to discount

descontentamento [dʒiskõwtẽjta'-mẽjtu] *m* discontentment

descontente [dʒiskõw'tẽjtʃi̥] *adj* discontented

desconto [dʒis'kõwtu] *m* discount

descontração [dʒiskõwtɾa'sɜ̃w] *f sem pl* informality *no pl*

descontraído, -a [dʒiskõwtɾa'idu, -a] *adj* relaxed

descontrair [dʒiskõwtɾa'ir] *conj como sair* I. *vt* to relax II. *vr:* **~-se** to relax

descontrolado, -a [dʒiskõwtɾo'ladu, -a] *adj* out of control

descontrolar-se [dʒiskõwtɾo'lar] *vr* to lose control

descontrole [dʒiskõw'tɾoʎi] *m* lack of control

desconversar [dʒiskõwver'sar] *vi* to change the subject

descrédito [dʒis'kɾɛdʒitu] *m* discredit

descrever [dʒiskɾe'ver] *vt* to describe

descrição <-ões> [dʒiskɾi'sɜ̃w, -'õjs] *f* description

descrito [dʒis'kɾitu] *pp de* **descrever**

descuidado, -a [dʒiskuj'dadu, -a] *adj* careless

descuidar [dʒiskuj'dar] *vt* to neglect

descuido [dʒis'kujdu] *m* carelessness

desculpa [dʒis'kuwpa] *f* 1. (*perdão*) **pedir ~(s) a alguém por a. c.** to apologize to sb for sth 2. (*pretexto*) excuse

desculpar [dʒiskuw'par] I. *vt* 1. (*perdoar*) to forgive; **desculpe!** sorry! 2. (*justificar*) to excuse II. *vr:* **~-se por a. c.** to apologize for sth

desde ['dezdʒi] *prep* 1. (*temporal*) since; **~ então** since then; **~ que** since 2. (*local*) from 3. (*condição*) **~ que** as long as

desdizer [dʒizdʒi'zer] *irr como dizer vt* (*o que disse*) to take back; (*contrariar*) to contradict

desdobrar [dʒizdo'bɾar] *vt* to unfold

desejado, -a [deze'ʒadu, -a] *adj* desired

desejar [deze'ʒar] *vt* 1. (*querer*) to want, ansiar, to desire; **o que deseja?** what would you like?; **isso deixa muito a ~** that leaves much to be desired 2. (*boa sorte*) to wish

desejável <-eis> [deze'ʒavew, -ejs] *adj* desirable

desejo [de'zeʒu] *m* 1. (*anseio*) desire 2. (*vontade*) wish; **satisfazer um ~** to grant a wish

deselegante [dʒizele'gɜ̃ɲtʃi̥] *adj* inelegant

desembaraçado, -a [dʒizĩjbaɾa'sadu, -a] *adj* untangled

desembaraçar [dʒizĩjbaɾa'sar] <ç→c> *vt* to untangle

desembarcar [dʒizĩjbar'kar] <c→qu> I. *vt* (*carga*) to unload II. *vi* to dis-

D

embark

desembarque [dʒizĩj'barki] *m* (*de passageiros*) arrival; (*do navio*) disembarkation; (*de mercadoria*) unloading

desembolsar [dʒizĩjbow'sar] *vt* to spend

desembrulhar [dʒizĩjbru'ʎar] *vt* to unwrap

desempacotar [dʒizĩjpako'tar] *vt* to unpack

desempatar [dʒizĩjpa'tar] *vi* ESPORT to break the tie

desempate [dʒizĩj'patʃi] *m* ESPORT tie-breaker

desempenhar [dʒizĩjpẽ'ɲar] *vt* (*função, tarefa*) to perform; (*papel*) to play

desempenho [dʒizĩj'pẽɲu] *m* performance

desempregado, -a [dʒizĩjpre'gadu, -a] **I.** *adj* unemployed **II.** *m, f* unemployed person

desempregar [dʒizĩjpre'gar] <g→gu> **I.** *vt* to dismiss **II.** *vr:* ~**-se** to become unemployed

desemprego [dʒizĩj'pregu] *m* unemployment

desencadear [dʒizĩjkade'ar] *conj como passear vt* (*provocar*) to trigger

desencaminhar [dʒizĩjkɜmĩ'ɲar] *vt* to lead astray

desencargo [dʒizĩj'kargu] *m* discharge

desencontrar-se [dʒizĩjkõw'trarsi] *vr* to miss each other

desencorajar [dʒizĩjkora'ʒar] *vt* to discourage

desencostar [dʒizĩjkos'tar] *vt* to move away

desenferrujar [dʒizĩjfexu'ʒar] *vt* (*as pernas*) to stretch; (*uma língua*) to brush up

desenfreado, -a [dʒizĩjfre'adu, -a] *adj* (*pessoa, ambição*) unrestrained

desenganado, -a [dʒizĩjgɜ'nadu, -a] *adj* (*doente*) incurable

desenhar [dezẽ'ɲar] *vt* to draw; TEC to design

desenhista [dezẽ'ɲista] *mf* designer

desenho [de'zẽɲu] *m* drawing; TEC design; ~ **animado** animated cartoon

desenlace [dʒizĩj'lasi] *m* denouement

desenrolar [dʒizĩjxo'lar] *vt* to unroll

desentender-se [dʒizĩjtẽj'dersi] *vr* to have a disagreement

desentendido, -a [dʒizĩjtẽj'dʒidu, -a] *adj* **fazer-se de** ~ to play dumb

desentendimento [dʒizĩjtẽjdʒi'mẽjtu] *m* **1.** (*mal-entendido*) misunderstanding **2.** (*discussão*) argument

desenterrado, -a [dʒizĩjtexadu, -a] *adj* dug up

desenterrar [dʒizĩjte'xar] *vt* **1.** (*um osso*) to dig up; (*cadáver*) to exhume **2.** *fig* to uncover; (*passado, memórias*) to dig up

desentortar [dʒizĩjtor'tar] *vt* to straighten (out)

desentupidor [dʒizĩjtupi'dor] *m* plunger

desentupir [dʒizĩjtu'pir] *vt* to unblock

desenvoltura [dʒizĩjvow'tura] *f* **1.** (*desembaraço*) self-confidence **2.** (*facilidade*) ease

desenvolver [dʒizĩjvow'ver] **I.** *vt* to develop **II.** *vr:* ~**-se** to develop

desenvolvido, **-a** [dʒizĩjvow'vidu, -a] *adj* developed

desenvolvimento [dʒizĩjvowvi'mẽjtu] *m* (*progresso*) development; (*aumento*) growth; **país em** ~ developing country

desequilibrado, **-a** [dʒizikiʎi'bradu, -a] *adj* unbalanced

desequilibrar [dʒizikiʎi'brar] I. *vt* to unbalance II. *vr:* ~**-se** to lose one's balance

desequilíbrio [dʒiziki'ʎibriw] *m* imbalance

deserdar [dʒizer'dar] *vt* to disinherit

deserto [de'zɛrtu] *m* desert

deserto, **-a** [de'zɛrtu, -a] *adj* deserted

desesperado, **-a** [dʒizispe'radu] *adj* desperate

desesperar [dʒizispe'rar] I. *vt* to drive to despair II. *vr:* ~**-se** to despair

desespero [dʒizis'peru] *m* despair

desfavorável <-eis> [dʒisfavo'ravew, -ejs] *adj* unfavorable

desfazer [dʒisfa'zer] *irr como fazer* I. *vt* (*nó, costura*) to undo; ~ **as malas** to unpack II. *vr:* ~**-se** to disintegrate; (*casa*) to fall apart; (*uma sociedade*) to dissolve

desfecho [dʒis'feʃu] *m* conclusion

desfeita [dʒis'fejta] *f* insult

desfeito [dʒis'fejtu] *pp de* **desfazer**

desfeito, **-a** [dʒis'fejtu, -a] *adj* dissolved

desfigurar [dʒisfigu'rar] *vt* to disfigure

desfilar [dʒisfi'lar] *vi* to parade

desfile [dʒis'fiʎi] *m* parade; ~ **de moda** fashion show

desflorestamento [dʒisfloresta'mẽjtu] *m* deforestation *no pl*

desforra [dʒis'fɔxa] *f* retaliation

desfrutar [dʒisfru'tar] *vt* to enjoy

desgastado, **-a** [dʒizgas'tadu, -a] *adj* worn; (*completamente*) worn-out

desgastante [dʒizgas'tɜ̃ŋtʃi̥] *adj fig* trying

desgastar [dʒizgas'tar] I. *vt* to wear out II. *vr:* ~**-se** 1. (*material*) to wear out 2. (*pessoa*) to wear oneself out

desgaste [dʒiz'gastʃi̥] *m* wear

desgosto [dʒiz'gostu] *m* (*infelicidade*) unhappiness

desgovernado, **-a** [dʒizgover'nadu, -a] *adj* out of control

desgraça [dʒiz'grasa] *f* misfortune

desgraçado, **-a** [dʒizgra'sadu, -a] I. *m, f* wretch II. *adj* 1. (*infeliz*) unhappy 2. (*malsucedido*) wretched

desidratação [dʒizidrata'sɜ̃w] *f sem pl* dehydration *no pl*

desidratado, **-a** [dʒizidra'tadu, -a] *adj* dehydrated

desidratar-se [dʒizidra'tar] *vr* to become dehydrated

desigual <-ais> [dʒizi'gwaw, -'ajs] *adj* 1. (*não igual*) unequal 2. (*injusto*) unfair 3. (*superfície*) uneven

desigualdade [dʒizigwaw'dadʒi] *f* inequality

desiludido, **-a** [dʒizilu'dʒidu, -a] *adj* disappointed

desiludir-se [dʒizilu'dʒir] *vr* ~**-se com alguém** to be disappointed by sb

desilusão <-ões> [dʒizilu'zɜ̃w, -'õjs] *f* disappointment; **ter uma** ~ to be disappointed

desimpedido, -a [dʒizĩjpi'dʒidu, -a] *adj* (*tráfego*) clear

desimpedir [dʒizĩjpi'dʒir] *irr como pedir vt* to clear

desinchar [dʒizĩj'ʃar] *vi* MED to go down

desinfetar [dʒizĩjfe'tar] *vt* to disinfect

desinformado, -a [dʒizĩjfor'madu, -a] *adj* uninformed; (*mal informado*) misinformed

desinibido, -a [dʒizini'bidu, -a] *adj* uninhibited

desintegração <-ões> [dʒizĩjtegra'sɜ̃w, -'õjs] *f* disintegration

desintegrar-se [dʒizĩjte'grar] *vr* to disintegrate

desinteressado, -a [dʒizĩjtere'sadu, -a] *adj* (*não interessado*) uninterested; (*não interesseiro*) disinterested

desinteressar-se [dizĩjtere'sarsi] *vr* ~ **de a. c.** to lose interest in sth

desinteresse [dʒizĩjte'resi] *m* indifference

desintoxicação <-ões> [dʒizĩjtoksika'sɜ̃w, -'õjs] *f* detoxification

desintoxicar-se [dʒizĩjtoksi'kar] <c→qu> *vr* to detoxify

desistência [dʒizis'tẽjsia] *f* cancellation

desistir [dʒizis'tʃir] *vi* to give up; ~ **de fazer a. c.** to give up doing sth

desleal <-ais> [dʒizle'aw, -'ajs] *adj* disloyal; (*concorrência*) unfair

deslealdade [dʒisleaw'dadʒi] *f* disloyalty

desleixado, -a [dʒizlej'ʃadu, -a] *adj* careless

desleixo [dʒiz'leʃu] *m* carelessness

desligado, -a [dʒizʎi'gadu, -a] *adj* **1.** (*aparelho*) (turned) off **2.** *inf* (*pessoa*) oblivious

desligar [dʒizʎi'gar] <g→gu> *vt* **1.** to turn off **2.** TEL to hang up

deslizar [dʒizʎi'zar] *vi* to slide

deslize [dʒiz'ʎizi] *m* (*lapso*) slip

deslocado, -a [dʒizlo'kadu, -a] *adj* **1.** dislocated **2.** (*pessoa*) out of place

deslocar [dʒizlo'kar] <c→qu> **I.** *vt* (*osso*) to dislocate **II.** *vr:* ~-**se** to move [*o* to get] around

deslumbrado, -a [dʒizlũw'bradu, -a] *adj* dazzled

deslumbrante [dʒizlũw'brɜ̃ŋtʃi] *adj* dazzling

deslumbrar [dʒizlũw'brar] **I.** *vt* to dazzle **II.** *vr:* ~-**se** to be dazzled

desmaiado, -a [dʒizmaj'adu, -a] *adj* unconscious

desmaiar [dʒizmaj'ar] *vi* to faint

desmaio [dʒiz'maju] *m* faint

desmancha-prazeres [dʒis'mɜ̃ŋʃa-pra'zeris] *mf inv, inf* killjoy

desmanchar [dʒizmɜ̃ŋ'ʃar] *vt* **1.** (*nó*) to undo **2.** (*cama, penteado*) to mess up **3.** (*noivado*) to break off

desmantelar [dʒizmɜ̃ŋte'lar] *vt* to dismantle

desmarcar [dʒizmar'kar] <c→qu> *vt* to cancel

desmascarar [dʒizmaska'rar] *vt* to

unmask

desmatamento [dʒizmata'mẽjtu] *m* deforestation *no pl*

desmedido, -a [dʒizme'dʒidu, -a] *adj* excessive

desmentido [dʒizmĩj'tʃidu] *m* denial

desmentir [dʒizmĩj'tʃir] *irr como sentir vt* (*negar, contestar*) to deny; (*retratar-se*) to take back

desmistificar [dʒizmistʃifi'kar] <c→qu> *vt* to demystify

desmontar [dʒizmõw'tar] *vt* (*máquina*) to dismantle; (*barraca*) to take down

desmoralizar [dʒizmoraʎi'zar] *vt* to demoralize

desmoronamento [dʒizmorona'mẽjtu] *m* collapse; ~ **de terra** landslide

desmoronar [dʒizmoro'nar] *vi* to collapse; (*terra*) to slide

desnecessário, -a [dʒiznese'sariw, -a] *adj* unnecessary

desnível <-eis> [dʒiz'nivew, -ejs] *m* disparity

desnutrição [dʒiznutri'sɜ̃w] *f sem pl* malnutrition *no pl*

desnutrido, -a [dʒiznu'tridu, -a] *adj* malnourished

desobedecer [dʒizobede'ser] <c→ç> *vt* to disobey

desobediência [dʒizobedʒi'ẽjsia] *f* disobedience

desobediente [dʒizobedʒi'ẽjtʃi] *adj* disobedient

desobstruir [dʒizobstru'ir] *conj como incluir vt* to unblock

desocupado, -a [dʒizoku'padu, -a] *adj* **1.** (*desempregado*) unemployed **2.** (*casa*) empty; (*banheiro, telefone*) free

desocupar [dʒizoku'par] *vt* to vacate

desodorante [dʒizodo'rɜ̃ŋtʃi] *m* deodorant

desolado, -a [dʒizo'ladu, -a] *adj* desolate

desonesta *adj v.* **desonesto**

desonestidade [dʒizonestʃi'dadʒi] *f* dishonesty

desonesto, -a [dʒizo'nɛstu, -a] *adj* dishonest

desordem [dʒi'zɔrdẽj] <-ens> *f* disorder

desorganizado, -a [dʒizorgɜni'zadu, -a] *adj* disorganized

desorganizar [dʒizorgɜni'zar] *vt* to disorganize

desorientado, -a [dʒizorjẽj'tadu, -a] *adj* disoriented

desorientar-se [dʒizorjẽj'tar] *vr* to lose one's bearings

despachado, -a [dʒispa'ʃadu, -a] *adj* shipped

despachante [dʒispa'ʃɜ̃ŋtʃi] *m* agent

despachar [dʒispa'ʃar] *vt* to ship

despedaçar [dʒispeda'sar] <ç→c> *vt* to shatter

despedida [dʒispi'dʒida] *f* farewell

despedir [dʒispi'dʒir] *irr como pedir* **I.** *vt* to dismiss **II.** *vr:* ~**-se** to say goodbye; (*de um emprego*) to resign

despejar [dʒispe'ʒar] *vt* **1.** (*líqüido*) to pour **2.** (*recipiente*) to empty **3.** (*inquilinos*) to evict

despejo [dʒis'peʒu] *m* eviction

despencar [dʒispẽj'kar] <c→qu> *vi*

D

to plummet

despenteado, **-a** [dʒispẽjtʃi'adu, -a] *adj* unkempt

despentear [dʒispẽjtʃi'ar] *conj como passear vt* to mess up

despercebido, **-a** [dʒisperse'bidu, -a] *adj* unnoticed

desperdiçar [dʒisperdʒi'sar] <ç→c> *vt* to waste

desperdício [dʒisper'dʒisiw] *m* waste

despertador [dʒisperta'dor] <-es> *m* alarm clock

despertar [dʒisper'tar] <*pp* desperto *ou* despertado> *vt* to wake up

despesa [dʒis'peza] *f* expense

despido, **-a** [dʒis'pidu, -a] *adj* naked

despir [dʒis'pir] **I.** *vt* to strip **II.** *vr:* **~-se** to get undressed

despovoado, **-a** [dʒispovo'adu, -a] *adj* uninhabited

despovoamento [dʒispovoa'mẽjtu] *m* depopulation

desprazer [dʒispra'zer] <-es> *m* displeasure

desprender [dʒisprẽj'der] **I.** *vt* to detach; (*desatar*) to untie **II.** *vr:* **~-se** to let go (of)

desprendido, **-a** [dʒisprẽj'dʒidu, -a] *adj* unattached

despreocupado, **-a** [dʒisprew-ku'padu, -a] *adj* carefree

despreparado, **-a** [dʒisprepa'radu, -a] *adj* unprepared

desprevenido, **-a** [dʒisprevi'nidu, -a] *adj* unprepared

desprezado, **-a** [dʒispre'zadu, -a] *adj* slighted

desprezar [dʒispre'zar] *vt* to despise

desprezível <-eis> [dʒispre'zivew, -ejs] *adj* despicable

desprezo [dʒis'prezu] *m* contempt

desproporcional <-ais> [dʒispro-porsjo'nal, -'ajs] *adj* disproportionate

desprotegido, **-a** [dʒisprote'ʒidu, -a] *adj* unprotected

desqualificado, **-a** [dʒiskwaʎifi'kadu, -a] *adj* **1.** ESPORT disqualified **2.** (*sem reputação*) discredited

desqualificar [dʒiskwaʎifi'kar] <c→qu> *vt* disqualify

desquite [dʒis'kitʃi] *m* JUR separation

desrespeitar [dʒisxespej'tar] *vt* **1.** (*lei*) to violate **2.** (*pessoa*) to disrespect

desrespeito [dʒisxes'pejtu] *m* disrespect

dessa ['dɛsa] = **de** + **essa** *v.* **de**

desse ['desi] = **de** + **esse** *v.* **de**

desserviço [deser'visu] *m* disservice

desta ['dɛsta] = **de** + **esta** *v.* **de**

destacado, **-a** [dʒista'kadu, -a] *adj* emphasized

destacar [dʒista'kar] <c→qu> **I.** *vt* **1.** to emphasize **2.** (*papel*) to detach **II.** *vr:* **~-se** to stand out

destacável <-eis> [dʒista'kavew, -ejs] *adj* detachable

destapar [dʒista'par] *vt* to uncover

destaque [dʒis'taki] *m* emphasis; **de ~** prominent; **em ~** highlighted

deste ['destʃi] = **de** + **este** *v.* **de**

destemido, **-a** [dʒiste'midu, -a] *adj* fearless

destilado, **-a** [dʒistʃi'ladu, -a] *adj* distilled

destinar [destʃi'nar] *vt* to intend

destinatário, **-a** [dʒistʃina'tariw] *m, f* addressee
destino [dʒis'tʃinu] *m* **1.** (*sina*) destiny **2.** (*de carta, de viagem*) destination; **sem** ~ aimless; **o ônibus com** ~ **a Salvador** the bus to Salvador
destituir [dʒistʃitu'ir] *conj como incluir vt* to dismiss
destra *adj v.* **destro**
destrancar [dʒistrɜ̃ŋ'kar] <c→qu> *vt* to unlock
destratar [dʒistra'tar] *vt* to insult
destro, **-a** ['dɛstru, -a] *adj* right-handed
destroços [dʒis'trɔsus] *mpl* wreckage
destruição <-ões> [dʒistruj'sɜ̃w, -'õjs] *f* destruction
destruir [dʒistru'ir] *conj como incluir vt* to destroy
destrutivo, **-a** [dʒistru'tʃivu, -a] *adj* destructive
desuso [dʒi'zuzu] *m* disuse
desvalorização <-ões> [dʒizvaloriza'sɜ̃w, -'õjs] *f* devaluation
desvalorizar [dʒizvalori'zar] *vt, vi* to devalue
desvantagem [dʒizvɜ̃ŋ'taʒẽj] <-ens> *f* disadvantage
desvantajoso, **-a** [dʒizvɜ̃ŋta'ʒozu, -'ɔza] *adj* disadvantageous
desvendar [dʒizveẽj'dar] *vt* (*mistério*) to solve
desviar [dʒizvi'ar] **I.** *vt* **1.** ~ **o olhar/cabeça** to look/turn away **2.** (*dinheiro*) to misappropriate **3.** (*trânsito*) to divert **II.** *vr:* ~**-se** (*do caminho*) to stray; (*de uma pessoa*) to avoid sb
desvio [dʒiz'viw] *m* (*na estrada*) detour; (*de dinheiro*) misappropriation
detalhada *adj v.* **detalhado**
detalhadamente [detaʎada'mẽjtʃi̥] *adv* in detail
detalhado, **-a** [deta'ʎadu, -a] *adj* detailed
detalhe [de'taʎi] *m* detail
detalhista [deta'ʎista] *adj* meticulous
detectar [detek'tar] *vt* to detect
detectável <-eis> [detek'tavew, -ejs] *adj* detectable
deter [de'ter] *irr como ter* **I.** *vt* (*fazer parar*) to deter; (*prender; fazer demorar*) to detain **II.** *vr:* ~**-se** (*parar*) to stop; (*conter-se*) to restrain oneself
detergente [deter'ʒẽjtʃi̥] *m* (*para limpeza*) detergent; (*da louça*) dishwashing liquid
deterioração [deterjora'sɜ̃w] *f sem pl* deterioration *no pl*
deteriorar-se [deterjo'rar] *vr* (*produto*) to spoil; (*situação*) to deteriorate
determinação <-ões> [determina'sɜ̃w, -'õjs] *f* determination
determinado, **-a** [determi'nadu, -a] *adj* **1.** (*decidido*) determined **2.** (*certo*) certain
determinar [determi'nar] *vt* **1.** (*precisar*) to determine **2.** (*decretar*) to order
detestar [detes'tar] *vt* to detest
detestável <-eis> [detes'tavew, -ejs] *adj* detestable
detetive [dete'tʃivi] *mf* detective
detonar [deto'nar] *vt* to set off
Detran [de'trɜ̃] *m abr de* **Departa-**

mento Estadual de Trânsito State Transit Department

detrás [de'tɾas] *adv* ~ **de** behind; **por** ~ from behind

detritos [de'tɾitus] *mpl* remains

deturpação [deturpa'sɜ̃w] *f sem pl* distortion

deturpar [detur'par] *vt* to distort

deu ['dew] *1. pret de* **dar**

deus ['dews] *m* god; **Deus me livre!** God forbid!; **graças a Deus** thank God; **meu Deus** (**do céu**)! dear God (in heaven)!; **pelo amor de Deus!** for crying out loud!; **se Deus quiser** God willing

deusa ['dewza] *f* goddess

devagar [dʒiva'gar] *adv* slowly

devastar [devas'tar] *vt* to devastate

devedor(**a**) [deve'dor(a)] <-es> *m(f)* debtor

dever [de'ver] **I.** *m* duty; ~**es de casa** homework **II.** *vt* **1.** to owe **2.** (*obrigação*) **ele devia ir ao médico** he should go to the doctor **3.** (*probabilidade*) **ela deve estar em casa** she is probably at home

devida *adj v.* **devido**

devidamente [devida'mẽjtʃi̥] *adv* duly

devido [de'vidu] *adv* ~ **a** due to

devido, **-a** [de'vidu, -a] *adj* proper; **com o** ~ **respeito** with all due respect

devoção <-ões> [devo'sɜ̃w, -'õjs] *f* devotion

devolução <-ões> [devolu'sɜ̃w, -'õjs] *f* return; (*restituição*) refund

devolver [devow'ver] *vt* **1.** (*entregar*) to return **2.** (*restituir*) to refund

dez ['dɛs] *num card* ten

dezembro [de'zẽjbɾu] *m* December

dezena [de'zena] *f* ten

dezenove [deze'nɔvi] *num card* nineteen

dezesseis [deze'sejs] *num card* sixteen

dezessete [deze'sɛtʃi̥] *num card* seventeen

dezoito [de'zojtu] *num card* eighteen

dia ['dʒia] *m* **1.** day; ~ **de folga** day off; ~ **de semana** weekday; ~ **útil** business day; ~ **a** ~ day by day; **durante o** ~ during the day; **um** ~ one day; **bom** ~ good morning; **um** ~ **destes** one of these days; ~ **sim,** ~ **não** every other day; **faz alguns** ~**s** a few days ago; **hoje em** ~ nowadays; (**no**) **outro** ~ the other day **2. estar em** ~ (*documento*) to be valid

diabetes [dʒia'bɛts] *mf* MED diabetes

diabético, **-a** [dʒia'bɛtʃi̥ku, -a] *adj, m, f* diabetic

diabo [dʒi'abu] *m* **1.** devil **2.** *gír* **que** ~**!** what the hell!; **por que** ~(**s**) ... ? why the hell ... ?

diabólico, **-a** [dʒia'bɔʎiku, -a] *adj* diabolical

diagnosticar [dʒiagnostʃi̥'kar] <c→qu> *vt* to diagnose

diagnóstico [dʒiag'nɔstʃi̥ku] *m* diagnosis

dialogar [dʒialo'gar] <g→gu> *vi* to talk

diálogo [dʒi'alugu] *m* dialog

diamante [dʒia'mɜ̃ŋtʃi̥] *m* diamond

diâmetro [dʒi'ɜmetɾu] *m* diameter

diante [dʒiˈɜ̃ŋtʃi̥] **I.** *adv* **de hoje em** ~ from now on; **e assim por** ~ and so on **II.** *prep* ~ **de 1.** (*local*) in front of **2.** (*perante*) before
dianteira [dʒiɜ̃ŋˈtejɾa] *f* **1.** (*de objeto*) front **2.** (*liderança*) lead
dianteiro, -a [dʒiɜ̃ŋˈtejɾu, -a] *adj* front
diária [dʒiˈaɾia] *f* daily rate
diário [dʒiˈaɾiw] *m* diary
diário, -a [dʒiˈaɾiw, -a] *adj* daily
diarréia [dʒiaˈxɛja] *f* diarrhea
dica [ˈdʒika] *f inf* hint
dicionário [dʒisjoˈnaɾiw] *m* dictionary
didático, -a [dʒiˈdatʃi̥ku, -a] *adj* didactic
diesel [ˈdʒizew] *m sem pl* diesel
dieta [dʒiˈɛta] *f* diet; **estar de** ~ to be on a diet
diferença [dʒifeˈɾẽjsa] *f* difference
diferenciar [dʒifeɾẽjsiˈar] *vt* to differentiate
diferente [dʒifeˈɾẽjtʃi̥] *adj* different
diferir [dʒifeˈɾir] *irr como preferir vi* to differ
difícil <-eis> [dʒiˈfisiw, -ejs] *adj* difficult
dificílimo [dʒifiˈsiʎimu] *superl de* **difícil**
dificilmente [dʒifisiwˈmẽjtʃi̥] *adv* hardly
dificuldade [dʒifikuwˈdadʒi] *f* difficulty; **causar ~s** to cause problems
dificultar [dʒifikuwˈtar] *vt* (*progresso*) to hinder
difusão [dʒifuˈzɜ̃w] *f sem pl* **1.** (*rádio*) broadcasting **2.** FÍS diffusion
digerir [dʒiʒeˈɾir] *irr como preferir vt* to digest
digestão [dʒiʒesˈtɜ̃w] *f sem pl* digestion
digestivo, -a [dʒiʒesˈtʃivu, -a] *adj* digestive; **aparelho** ~ digestive tract
digitação <-ões> [dʒiʒitaˈsɜ̃w, -ˈõjs] *f* typing
digitador(a) [dʒiʒitaˈdor(a)] <-es> *m(f)* typist
digital <-ais> [dʒiʒiˈtaw, -ajs] *adj* digital; **impressão** ~ fingerprint
digitar [dʒiʒiˈtar] *vt* TEL to press; INFOR to enter
dignidade [dʒigniˈdadʒi] *f* dignity
digno, -a [ˈdʒignu, -a] *adj* worthy
dilapidar [dʒilapiˈdar] *vt* to squander
dilema [dʒiˈlema] *m* dilemma
diluir [dʒiluˈir] *conj como incluir vt* **1.** (*substância*) to dissolve **2.** (*líquido*) to dilute
dilúvio [dʒiˈluviw] *m* deluge
dimensão <-ões> [dʒimẽjˈsɜ̃w, -ˈõjs] *f* dimension
diminuição <-ões> [dʒiminujˈsɜ̃w, -ˈõjs] *f* reduction
diminuir [dʒiminuˈir] *conj como incluir* **I.** *vt* to reduce **II.** *vi* (*a quantidade*) to diminish; (*preço*) to go down
Dinamarca [dʒinaˈmarka] *f* Denmark
dinâmico, -a [dʒiˈnɜmiku, -a] *adj* dynamic
dinamismo [dʒinɜˈmizmu] *m sem pl* dynamism
dinheiro [dʒĩˈɲejɾu] *m* money; ~ **trocado** change; ~ **vivo** cash; **pagar em** ~ to pay in cash
dino [ˈdʒinu] *m abr de* **dinossauro**

D

dino

dinossauro [dʒino'sawru] *m* dinosaur

diploma [dʒi'ploma] *m* diploma

diplomacia [dʒiploma'sia] *f sem pl* diplomacy

diplomático, -a [dʒiplo'matʃiku, -a] *adj* diplomatic

direção <-ões> [dʒire'sɜ̃w, -'õjs] *f* **1.** (*administração*) management **2.** (*sentido*) direction; **em ~ a** towards **3.** TEC steering

direcionar [dʒiresjo'nar] *vt* to direct

direita [dʒi'rejta] *f tb.* POL right; **à ~** to the right; **seguir pela ~** stay on the right

direitinho [dʒirej'tʃĩɲu] *adv* just right

direito [dʒi'rejtu] **I.** *m* **1.** (*regalia*) right; **ter ~ a a. c.** to be entitled to sth; **ter o ~ de fazer a. c.** to have the right to do sth **2.** (*ciência*) law **II.** *adv* correctly

direito, -a [dʒi'rejtu, -a] *adj* **1.** (*mão, lado*) right **2.** (*em linha reta*) straight **3.** (*pessoa*) honest **4.** (*justo*) fair

direta *adj v.* **direto**

diretamente [dʒirɛta'mẽjtʃi] *adv* directly

direto, -a [dʒi'rɛtu, -a] **I.** *adj* direct; **ônibus ~** express bus; **transmitir ~** TEL to transmit live **II.** *adv* straight; **foi ~ para cama** he went straight to bed

diretor(a) [dʒire'tor(a)] <-es> *m(f)* **1.** (*de empresa*) director **2.** (*de escola*) principal **3.** TEAT, CINE director

diretoria [dʒireto'ria] *f* management

diretriz [dʒire'tris] *f* guideline

dirigir [dʒiri'ʒir] **I.** *vt* **1.** (*um negócio*) to run; (*um partido*) to lead **2.** (*a atenção*) to direct **3.** (*um veículo*) to drive **II.** *vi* (*veículo*) to drive **III.** *vr:* **~-se 1.** (*a alguém*) to approach **2.** (*ir em direção*) to head

discar [dʒis'kar] <c→qu> *vt* to dial

disciplina [dʒisi'plina] *f* discipline

disco ['dʒisku] *m* **1.** (*objeto circular*) disk; MÚS record **2.** INFOR disk; **~ rígido** hard disk

discordar [dʒiskor'dar] *vi* to disagree; **~ de alguém** to disagree with sb

discorrer [dʒisko'xer] *vt* to ramble

discrepância [dʒiskre'pɜ̃ŋsia] *f* discrepancy

discrepante [dʒiskre'pɜ̃ŋtʃi] *adj* inconsistent

discreta *adj v.* **discreto**

discretamente [dʒikrɛta'mẽjtʃi] *adv* discreetly

discreto, -a [dʒis'krɛtu, -a] *adj* discreet

discrição [dʒiskri'sɜ̃w] *f sem pl* discretion

discriminação <-ões> [dʒiskrimina'sɜ̃w, -'õjs] *f* discrimination

discriminar [dʒiskrimi'nar] *vt* to discriminate

discurso [dʒis'kursu] *m* speech

discussão <-ões> [dʒisku'sɜ̃w, -'õjs] *f* **1.** (*amigável*) discussion **2.** (*conflito*) argument

discutido, -a [dʒisku'tʃidu, -a] *adj* discussed

discutir [dʒisku'tʃir] **I.** *vt* to discuss **II.** *vi* to argue

discutível <-eis> [dʒisku'tʃivew, -ejs]

adj debatable
disenteria [dʒizĩjte'ria] *f* dysentery
disfarçado, -a [dʒisfar'sadu, -a] *adj* disguised
disfarçar [dʒisfar'sar] <ç→c> **I.** *vt* to disguise **II.** *vi* to pretend **III.** *vr:* ~**-se de** to disguise oneself as
disparado, -a [dʒispa'radu, -a] *adj* (*preços*) skyrocketing
disparar [dʒispa'rar] **I.** *vt* (*uma arma*) to shoot **II.** *vi* **1.** (*pessoa*) to fire **2.** (*preços*) to shoot up
disparidade [dʒispari'dadʒi] *f* disparity
dispensado, -a [dʒispẽj'sadu, -a] *adj* excused
dispensar [dʒispẽj'sar] *vt* **1.** (*de um dever*) to excuse **2.** (*prescindir*) to dispense with **3.** (*demitir*) to dismiss
dispersar [dʒisper'sar] *vt, vi* to disperse
displicente [dʒispli'sẽjtʃi̥] *adj* negligent
disponibilidade [dʒisponibiʎi'dadʒi] *f* availability
disponível <-eis> [dʒispo'nivew, -ejs] *adj* available
dispor [dʒis'por] **I.** *vt* **1.** (*ordenar*) to arrange **2.** (*empregar*) to use **II.** *vi* **disponha!** at your service! **III.** *vr:* ~**-se** (*estar pronto*) to be prepared
disposição [dʒispozi'sɜ̃w] *f sem pl* disposal *no pl;* **pôr as informações à ~ de todos** to make the information available to everybody
dispositivo [dʒispozi'tʃivu] *m* device
disposto [dʒis'postu] **I.** *pp de* **dispor II.** *adj* (*pronto*) prepared
disputa [dʒis'puta] *f* **1.** (*contenda*) dispute **2.** ESPORT contest
disputar [dʒispu'tar] *vt* to compete for
disquete [dʒis'kɛtʃi̥] *m* diskette
disse ['dʒisi] *1./3. pret perf de* **dizer**
disseminar [dʒisemi'nar] *vt* to disseminate
dissidente [dʒisi'dẽjtʃi̥] *adj, mf* dissident
dissimulado, -a [dʒisimu'ladu, -a] *adj* hidden
dissimular [dʒisimu'lar] **I.** *vt* to hide **II.** *vi* to pretend
disso ['dʒisu] = **de + isso** *v.* **de**
dissolver [dʒisow'ver] *vt* to dissolve
dissuadir [dʒiswa'dʒir] *vt* to dissuade
distância [dʒis'tɜ̃ŋsia] *f* distance; **a 10 quilômetros de ~** ten kilometers away; **manter a ~** keep your distance
distanciar [dʒitɜ̃ŋsi'ar] *vr:* ~**-se** (*de idéia, pessoa*) to distance oneself
distante [dʒis'tɜ̃ŋtʃi̥] *adj* distant
distinção <-ões> [dʒistʃĩj'sɜ̃w, -'õjs] *f* distinction
distinguir [dʒistʃĩj'gir] **I.** *vt* to distinguish **II.** *vr:* ~**-se** to distinguish oneself
distinta *adj v.* **distinto**
distintivo [dʒistʃĩj'tʃivu] *m* (*da polícia*) badge
distinto, -a [dʒis'tʃĩjtu, -a] *adj* **1.** distinct **2.** (*educado*) distinguished
disto ['dʒistu] = **de + isto** *v.* **de**
distorção <-ões> [dʒistor'sɜ̃w, -'õjs] *f* distortion
distorcer [dʒistor'ser] <c→ç> *vt* to

D

distort

distorcido, **-a** [dʒistor'sidu, -a] *adj* distorted

distração <-ões> [dʒistra'sɜ̃w, -'õjs] *f* distraction; (*divertimento*) diversion

distraído, **-a** [dʒistra'idu, -a] *adj* distracted

distrair [dʒistra'ir] *conj como sair* **I.** *vt* to distract **II.** *vr:* ~**-se** to get distracted; (*entreter-se*) to entertain oneself

distribuição <-ões> [dʒistribui'sɜ̃w, -'õjs] *f* **1.** (*de presentes, jornais*) distribution **2.** (*de tarefas*) assignment **3.** ~ **de renda** distribution of income

distribuidor(a) [dʒistribui'dor(a)] *m(f)* distributor

distribuir [dʒistribu'ir] *conj como incluir vt* to distribute

distrito [dʒis'tritu] *m* district; ~ **policial** police precinct

distúrbio [dʒis'turbiw] *m* disturbance

dita *adj v.* **dito**

ditado [dʒi'tadu] *m* (*na escola*) dictation; (*provérbio*) saying

ditador(a) [dʒita'dor(a)] <-es> *m(f)* dictator

ditadura [dʒita'dura] *f* dictatorship

ditar [dʒi'tar] *vt* to dictate

dito ['dʒitu] *pp de* **dizer** ~ **e feito** no sooner said than done

dito, **-a** ['dʒitu, -a] *adj* said; **o** ~ **documento** the said document

diurético [dʒiw'rɛtʃiku] *m* diuretic

diurno, **-a** [dʒi'urnu, -a] *adj* daytime

diva ['dʒiva] *f* diva

divã [dʒi'vɜ̃] *m* divan

divagar [dʒiva'gar] <g→gu> *vi* **1.** (*falando, pensando*) to daydream **2.** (*andando*) to wander

divergência [dʒiver'ʒẽjsia] *f* divergence

divergente [dʒiver'ʒẽjtʃi] *adj* divergent

divergir [dʒiver'ʒir] *vi* to diverge

diversa *adj v.* **diverso**

diversão <-ões> [dʒiver'sɜ̃w, -'õjs] *f* diversion

diversidade [dʒiversi'dadʒi] *f sem pl* diversity *no pl*

diversificado, **-a** [dʒiversifi'kadu, -a] *adj* diversified

diversificar [dʒiversifi'kar] <c→qu> *vt, vi* to diversify

diverso, **-a** [dʒi'vɛrsu, -a] *adj* diverse

diversões *f pl de* **diversão**

divertido, **-a** [dʒiver'tʃidu, -a] *adj* amusing

divertimento [dʒivertʃi'mẽjtu] *m* fun

divertir [dʒiver'tʃir] **I.** *vt* to entertain **II.** *vr:* ~**-se** to enjoy oneself

dívida ['dʒivida] *f* debt; ~ **externa** foreign debt

dividido, **-a** [dʒivi'dʒidu, -a] *adj* divided

dividir [dʒivi'dʒir] *vt* **1.** (*um bolo, trabalho*) to divide up **2.** (*compartilhar*) to share **3.** (*separar*) to divide **4.** MAT to divide

divino, **-a** [dʒi'vinu, -a] *adj* divine

divisa [dʒi'viza] *f* border

divisão <-ões> [dʒivi'zɜ̃w, -'õjs] *f* division

divisível <-eis> [dʒivi'zivew, -ejs] *adj*

divisible

divisões *f pl de* **divisão**

divorciado, -a [dʒivorsi'adu, -a] *adj* divorced

divorciar-se [dʒivorsi'arsi] *vr* to get divorced; ~ **de alguém** to divorce sb

divórcio [dʒi'vɔrsiw] *m* divorce

divulgação <-ões> [dʒivuwga'sɜ̃w, -'õjs] *f* spreading

divulgado, -a [dʒivuw'gadu, -a] *adj* widespread

divulgar [dʒivuw'gar] <g→gu> *vt* to spread

dizer [dʒi'zer] *irr vt* to say; **como se diz isso em inglês?** how do you say that in English?; **dizem que ...** they say that ...; **não me diga!** you're kidding!; **o que isso quer dizer?** what does that mean?; **o que você quer** ~ (**com isso**)? what do you mean (by that)?

do [du] = **de + o** *v.* **de**

dó ['dɔ] *m* pity; **dá** ~ it's a pity

doação <-ões> [doa'sɜ̃w, -'õjs] *f* donation; ~ **de sangue** blood donation

doador(a) [doa'dor(a)] <-es> *m(f)* donor

doar [do'ar] *vt* <*1. pess pres:* **dôo**> to donate

dobra ['dɔbɾa] *f* fold; (*das calças*) cuff *Am*, turn-up *Brit*

dobrada *adj v.* **dobrado**

dobradiça [dobɾa'dʒisa] *f* hinge

dobrado, -a [do'bɾadu, -a] *adj* **1.** (*duplicado*) double **2.** (*papel*) folded

dobrar [do'bɾar] **I.** *vt* **1.** (*papel*) to fold **2.** (*duplicar*) to double **3.** (*flexionar*) to bend **II.** *vi* to bend; (*duplicar*) to double **III.** *vr:* ~**-se** (*ceder*) to give in

dobrável <-eis> [do'bɾavew, -ejs] *adj* foldable

dobro ['dobɾu] *m* double

doce ['dosi] **I.** *m* sweet; ~ **de leite** *creamy fudge* **II.** *adj* sweet

dócil <-eis> ['dɔsiw, -ejs] *adj* docile

Culture Typical fare at birthday parties, Brazilian sweets are tiny treats. Rolled into small shapes and served in paper wrappers, their ingredients are common in Brazilian recipes: **beijinhos** (grated coconut), **brigadeiros** (soft fudge balls covered with chocolate), **cajuzinhos** (peanut balls), **maria-mole** (grated coconut), **queijadinhas** (grated cheese and coconut), **quindins** (egg yolks and grated coconut), etc.

documentação <-ões> [dokumẽjta'sɜ̃w, -'õjs] *f* (*documentos*) papers

documentado, -a [dokumẽj'tadu, -a] *adj* documented

documentário [dokumẽj'taɾiw] *m* documentary

documento [doku'mẽjtu] *m* document

doçura [do'suɾa] *f* tenderness

doença [du'ẽjsa] *f* disease

doente [du'ẽjtʃi̥] **I.** *adj* ill **II.** *mf* sick person

doer [du'er] *vi impess* to hurt

dogmático, -a [dog'matʃi̥ku] *adj* dogmatic

dogueiro, **-a** [do'gejru, -a] *m, f* hot dog vendor

doido, **-a** ['dojdu, -a] **I.** *m, f* lunatic **II.** *adj* crazy; **ele é ~ por ela** he is crazy about her

dois, **duas** ['dojs, 'duas] *num card* two

dois-quartos ['dojs-'kwartus] *m inv* (*apartamento*) two-bedroom apartment

dólar ['dɔlar] *m* dollar

dolorido, **-a** [dolo'ɾidu, -a] *adj* sore

doloroso, **-a** [dolo'ɾozu, -'ɔza] *adj* painful

dom ['dõw] <-ons> *m* gift

doméstica *adj, f* maid

domesticar [domestʃi̥'kar] <c→qu> *vt* to domesticate

doméstico, **-a** [do'mɛstʃi̥ku] *adj* domestic

domicílio [domi'siʎiw] *m* residence

dominação <-ões> [domina'sɜ̃w, -'õjs] *f* domination

dominador(a) [domina'dor(a)] <-es> *adj* (*pessoa*) domineering

dominante [domi'nɜ̃ŋtʃi̥] *adj* dominant

dominar [domi'nar] *vt* (*pessoa*) to control; (*língua*) to be proficient (in); (*país*) to rule

domingo [du'mĩjgu] *m* Sunday; **Domingo de Páscoa** Easter Sunday

domínio [do'miniw] *m* **1.** (*poder*) influence **2.** (*âmbito, de internet*) domain

dona ['dona] *f* lady; **~ de casa** housewife

dono, **-a** ['donu, -a] *m, f* owner; **~ da verdade** know-it-all

dons *m pl de* **dom**

dopado, **-a** [do'padu, -a] *adj* doped

dopar [do'par] *vt* to dope

dor ['dor] *f* pain; (*mágoa*) anguish; **~ de barriga** stomach ache; **~ de cabeça** headache; **~ de dente** toothache

dor-de-cotovelo <dores-de-cotovelo> ['dor-dʒi-koto'velu, 'doɾiz-] *f inf* jealousy *no pl*

dormida [doɾ'mida] *f* nap; **dar uma ~** to take a nap

dormir [dur'mir] *irr vi* to sleep; (*estar adormecido*) to be asleep

dormitório [durmi'tɔriw] *m* (*quarto*) bedroom; (*comunitário*) dormitory

dose ['dɔzi] *f* dose

dotado, **-a** [do'tadu, -a] *adj* (*talentoso*) gifted

dou ['dow] *1. pres de* **dar**

dourado, **-a** [dow'ɾadu, -a] *adj* golden

doutor(a) [dow'tor(a)] <-es> *m(f)* doctor

doutorado [dowto'ɾadu] *m* doctorate

doutores *m pl de* **doutor**

doutrina [dow'tɾina] *f* doctrine

download [daw'lowdʒi] *m* download; **fazer um ~** to download

doze ['dozi] *num card* twelve

dragão <-ões> [dɾa'gɜ̃w, -'õjs] *m* dragon

drama ['dɾɜma] *m* drama; **fazer um ~** to make a scene

dramático, **-a** [dɾɜ'matʃi̥ku, -a] *adj* dramatic

drástica *adj v.* **drástico**
drasticamente [drastʃika'mẽjtʃi] *adv* drastically
drástico, -a ['drastʃiku, -a] *adj* drastic
driblar [dri'blar] *vt, vi* ESPORT to dribble
drible ['dribli] *m* ESPORT dribble
drinque ['drĩjki] *m* (alcoholic) drink
droga ['drɔga] *f* drug; ~**s leves/pesadas** recreational/heavy drugs; **que** ~! *inf* damn!
drogado, -a [dro'gadu, -a] **I.** *adj* drugged **II.** *m, f* drug addict
drogar [dro'gar] <g→gu> **I.** *vt* to drug **II.** *vr:* ~-**se** to take drugs
drogaria [droga'ria] *f* drugstore
duas ['duas] *num card v.* **dois**
dublagem [du'blaʒẽj] <-ens> *f* dubbing
dublar [du'blar] *vt* to dub
ducha ['duʃa] *f* shower; **tomar uma** ~ to take a shower
duende [du'ẽjdʒi] *m* goblin
dueto [du'etu] *m* MÚS duet
dulcíssimo [duw'sisimu] *superl de* **doce**
dum [dũw] = **de + um** *v.* **de**
duma ['duma] = **de + uma** *v.* **de**
duna ['duna] *f* dune
dupla ['dupla] **I.** *adj v.* **duplo II.** *f* MÚS duo; (*par*) pair
dúplex ['duplɛks] *m inv* two-storey apartment
duplicação <-ões> [duplika'sɜ̃w, -'õjs] *f* duplication
duplicar [dupli'kar] <c→qu> *vt, vi* to duplicate
duplo, -a ['duplu, -a] *adj* double
dura ['dura] *adj v.* **duro**
duração [dura'sɜ̃w] *f sem pl* length
duradouro, -a [dura'dowru, -a] *adj* long-lasting
durante [du'ɜ̃ŋtʃi] *prep* during; ~ **uma hora** for an hour
durar [du'rar] *vi* to last
durex® [du'rɛks] *m* **fita** ~ Scotch® tape
duro ['duru] *adv inf* hard
duro, -a ['duru, -a] *adj* **1.** (*material*) hard; (*carne*) tough **2.** (*atitude*) harsh; **ser** ~ **com alguém** to be tough on sb **3.** *inf* (*sem dinheiro*) broke
dúvida ['duvida] *f* doubt; **estar em** ~ to be in doubt; **sem** ~ undoubtedly; **em caso de** ~ if there are any questions
duvidar [duvi'dar] *vt* to doubt; ~ **de a. c./alguém** to doubt sth/sb
duzentos [du'zẽjtus] *num card* two hundred
dúzia ['duzia] *f* dozen; **meia** ~ half a dozen
DVD [deve'de] *m* DVD

E

e [i] *conj* and
é ['ɛ] *3. pres de* **ser**
ébano ['ɛbɜnu] *m* ebony
ébrio, -a ['ɛbriw, -a] *adj* drunk
ebulição <-ões> [ebuʎi'sɜ̃w, -'õjs] *f* boiling

eclipse [e'klipsi] *m* eclipse
eco ['ɛku] *m* echo
ecoar [eko'ar] <*1. pess pres:* ecôo> *vi, vt* to echo
ecologia [ekolo'ʒia] *f sem pl* ecology
economia [ekono'mia] *f* **1.** (*ciência*) economics **2.** (*sistema produtivo*) economy **3.** (*cautela com dinheiro*) thrift *no pl*
economias [ekono'mias] *fpl* savings *pl*
econômico, -a [eko'nomiko, -a] *adj* **1.** (*de economia*) economic **2.** (*barato*) economical
economista [ekono'mista] *mf* economist
economizar [ekonomi'zar] **I.** *vt* to save **II.** *vi* to economize
edição <-ões> [edʒi'sɜ̃w, -'õjs] *f* **1.** (*publicação*) publication **2.** (*conjunto de exemplares*) edition
edificar [edʒifi'kar] *vt* <c→qu> to build
edifício [edʒi'fisiw] *m* building
edifício-garagem [edʒi'fisiw-ga'raʒẽj] <edifícios-garagens *ou* edifícios-garagem> *m* multistorey parking garage *Am*, multistorey car park *Brit*
editar [edʒi'tar] *vt* **1.** (*preparar*) to edit **2.** (*publicar*) to publish
editor(a) [edʒi'tor(a)] *m(f)* PREN editor; (*que publica um livro*) publisher
editora [edʒi'tora] *f* publishing house
edredom [edre'dõw] <-ns> *m* comforter *Am*, duvet *Brit*
educação [eduka'sɜ̃w] *sem pl f* **1.** (*boas maneiras*) manners *pl;* **falta de** ~ bad manners **2.** ENS education *no pl*
educado, -a [edu'kadu, -a] *adj* (*polido*) polite
educar [edu'kar] *vt* <c→qu> **1.** (*criar*) to bring up **2.** (*ensinar*) to educate
educativo, -a [eduka'tʃivu, -a] *adj* educational
efeito [e'fejtu] *m* effect; ~ **colateral** side effect
efêmero, -a [e'femeru, -a] *adj* ephemeral
efeminado, -a [efemi'nadu, -a] *adj* effeminate
efervescente [eferve'sẽjtʃi] *adj* effervescent
efetiva *adj v.* **efetivo**
efetivamente [efetʃiva'mẽjtʃi] *adv* (*realmente*) in fact
efetivo, -a [efe'tʃivu, -a] *adj* **1.** (*real*) real **2.** (*funcionário*) permanent
efetuar [efetu'ar] **I.** *vt* (*realizar*) to carry out **II.** *vr* ~**-se** to take place
eficácia [efi'kasia] *f* effectiveness *no pl;* (*eficiência*) efficiency
eficaz [efi'kas] *adj* (*tratamento, lei*) effective; (*pessoa*) efficient
eficiência [efisi'ẽjsia] *f* efficiency
Egito [e'ʒitu] *m* Egypt
egoísmo [ego'izmu] *m* selfishness
egoísta [ego'ista] **I.** *adj* selfish **II.** *mf* selfish person
égua ['ɛgwa] *f* mare
ei-lo, -a ['ej-lu, -a] = **eis + o/a** *v.* **eis**
eis ['ejs] *adv* (*singular*) here is; (*plural*) here are; ~**-me** (**aqui**) here I am
eixo ['ejʃu] *m* axis

ejaculação <-ões> [eʒakula'sɜ̃w, -'õjs] *f* ejaculation

ela ['ɛla] *pron pess* **1.** (*pessoa*) she; (*com preposição*) her; **saí com** ~ I went out with her **2.** (*coisa*) it

elaboração <-ões> [elabora'sɜ̃w, -'õjs] *f* elaboration *no pl*

elaborar [elabo'rar] *vt* to elaborate; (*plano*) to draw up

elas ['ɛlas] *pron pess pl* **1.** (*sujeito*) they **2.** (*com preposição*) them; **~s por ~s** tit for tat

elástico [e'lastʃiku] *m* **1.** (*tira*) rubber band **2.** (*de uma calça*) elastic

elástico, -a [e'lastʃiko, -a] *adj* elastic

ele ['eʎi] *pron pess* **1.** (*pessoa*) he; (*com preposição*) him **2.** (*coisa*) it

elefante [ele'fɜ̃ŋtʃi] *m* elephant

elegância [ele'gɜ̃ŋsia] *f* elegance *no pl*

elegante [el'gɜ̃ŋtʃi] *adj* elegant; (*moda*) chic

eleger [ele'ʒer] *vt* <*pp* eleito *ou* elegido; g→j> to elect

eleição <-ões> [elej'sɜ̃w, -'õjs] *f* election

eleito [e'lejtu] *pp irr de* **eleger**

eleito, -a [e'lejtu, -a] *adj* elected

eleitor(a) [elej'tor(a)] *m(f)* voter

elementar [elemẽj'tar] <-es> *adj* elementary

elemento [ele'mẽjtu] *m* element

elenco [e'lẽjku] *m* cast

eles ['eʎis] *pron pess pl* they; (*com preposição*) them

elétrica *adj v.* **elétrico**

eletricidade [eletrisi'dadʒi] *f* electricity *no pl*

eletricista [eletri'sista] *mf* electrician

elétrico, -a [e'lɛtriku, -a] *adj* electric

eletrodoméstico [elɛtrodo'mɛstʃiku] *m* household appliance

eletrônica [ele'tronika] *f sem pl* electronics *pl*

eletrônico, -a [ele'tronika, -a] *adj* electronic

elevado, -a [ele'vadu, -a] *adj* high

elevador [eleva'dor] <-es> *m* elevator *Am,* lift *Brit*

elevar [ele'var] *vt* to raise

eliminar [eʎimi'nar] *vt* to eliminate

eliminatória [eʎimina'tɔria] *f* ESPORT heat

elite [e'ʎitʃi] *f* elite

elo ['ɛlu] *m* link

elogiar [eloʒi'ar] *conj como enviar vt* to praise

elogio [elo'ʒiw] *m* praise *no pl*

eloqüente [elo'kwẽjtʃi] *adj* eloquent

em [ĩj] *prep* **1.** (*local; dentro de*) in; (*sobre*) on; (*perto de*) by; **na gaveta** in the drawer; **no avião/ônibus** on a plane/bus; **na mesa/no chão** on the table/floor; ~ **casa** at home; **na casa de alguém** at sb's house; **no Brasil** in Brazil; **no litoral** on the coast; ~ **cima** on top (of) **2.** (*temporal*) in; ~ **dois dias** in two days; ~ **2005** in 2005; ~ **março** in March; **no domingo/fim-de-semana** on Sunday/the weekend; (*dentro de*) ; ~ **dois dias** within two days **3.** (*modo*) ~ **inglês** in English; ~ **forma** in shape; ~ **silêncio** in silence **4.** (*diferença*) by; **aumentar/diminuir** ~ **5%** to increase/decrease by 5%

E

emagrecer [emagɾe'ser] <c→ç> *vi* to lose weight

e-mail [e'meiw] *m* e-mail

emancipar [emɜ̃ŋsi'par] **I.** *vt* to emancipate **II.** *vr:* **~-se** to become independent

emaranhado, -a [emaɾɜ̃'ɲadu, -a] *adj* tangled

embaçar [ĩjba'sar] <c→ç> *vt, vi* (*vidro*) to steam up

embaixada [ĩjbaj'ʃada] *f* embassy

embaixador, -a [ĩjbajʃa'dor] *m, f* ambassador

embaixo [ĩj'bajʃu] *adv* downstairs; **~ de** under(neath)

embalagem [ĩjbala'ʒẽj] <-ens> *f* packaging; **~ plástica** plastic wrapping

embalar [ĩjba'lar] *vt* **1.** (*uma encomenda*) to pack **2.** (*bebê*) to rock

embalsamar [ĩjbawsɜ'mar] *vt* to embalm

embaraçar [ĩjbaɾa'sar] <c→ç> **I.** *vt* to embarrass **II.** *vr:* **~-se** to get confused

embaraçoso, -a [ĩjbaɾa'sozu, -'ɔza] *adj* embarrassing

embarcação <-ões> [ĩjbarkasɜ̃w, -'õjs] *f* vessel

embarcar [ĩjbar'kar] <c→qu> *vi* to board

embargo [ĩj'bargu] *m* embargo

embarque [ĩj'barki] *m* boarding *no pl;* **sala de ~** departure lounge

embebedar-se [ĩjbebe'darsi] *vr* to get drunk

embelezar [ĩjbele'zar] *vt* to embellish

embora [ĩj'bɔɾa] **I.** *adv* **ir(-se) ~** to go away **II.** *conj* although

emboscada [ĩjbos'kada] *f* ambush

embreagem [ĩjbɾe'aʒẽj] <-ns> *f* clutch

embriagar-se [ĩjbɾia'garsi] <g→gu> *vr* to get drunk

embrião <-ões> [ĩjbɾi'ɜ̃w, -'õjs] *m* embryo

embromar [ĩjbɾo'mar] *vt inf* to deceive

embrulhada [ĩjbɾu'ʎada] *f inf* muddle

embrulhado, -a [ĩjbɾu'ʎadu, -a] *adj* wrapped; **estômago ~** *inf* upset stomach

embrulhar [ĩjbɾu'ʎar] *vt* to wrap (up)

embrulho [ĩj'bɾuʎu] *m* package; **papel de ~** wrapping paper

embutido, -a [ĩjbu'tʃidu, -a] *adj* built-in

emenda [i'mẽjda] *f* **1.** (*correção*) correction **2.** JUR amendment

emendar [imẽj'dar] **I.** *vt* (*um erro*) to correct **II.** *vr:* **~-se** to mend one's ways

emergência [emer'ʒẽjsia] *f* emergency

emigrar [emi'grar] *vi* to emigrate

emissão <-ões> [emi'sɜ̃w, -'õjs] *f* **1.** (*de gas*) emission **2.** RÁDIO, TEL broadcast

emissora [emi'soɾa] *f* broadcasting station

emitir [emi'tʃir] *vt* **1.** (*gases, som, luz*) to emit **2.** (*cheque, documento*) to issue **3.** RÁDIO to broadcast

emoção <-ões> [emo'sɜ̃w, -'õjs] *f* emotion

emocional <-ais> [emosjo'naw, -ajs]

adj emotional

emocionante [emosjo'nɜ̃ŋtʃi̥] *adj* **1.** (*excitante*) exciting **2.** (*comovente*) touching

emoldurar [emowdu'rar] *vt* to frame

emotivo, -a [emo'tʃivu, -a] *adj* emotional

empacotar [ĩjpako'tar] *vt* to pack

empada [ĩj'pada] *f* pie

empadão <-ões> [ĩjpa'dɜ̃w, -'õjs] *m* ~ **de carne/camarão** meat/shrimp pie

empalhar [ĩjpa'ʎar] *vt* to stuff

empalidecer [ĩjpaʎide'ser] <c→ç> *vi* to pale

empanar [ĩjpɜ'nar] *vt* to bread

empanturrar-se [ĩjpɜ̃ŋtu'xarsi] *vr* to gorge oneself

empatar [ĩjpa'tar] **I.** *vt* (*dinheiro*) to tie up **II.** *vi* ESPORT to draw

empate [ĩj'patʃi̥] *m* tie

empenar [ĩjpe'nar] *vi* to warp

empenhar [ĩjpẽ'ɲar] **I.** *vt* to pawn **II.** *vr* **~-se 1.** (*endividar-se*) to get into debt **2.** (*esforçar-se*) **~-e em fazer a. c.** to do one's utmost to do sth

empilhar [ĩjpi'ʎar] *vt* to stack

empinar [ĩjpi'nar] *vt* to raise; ~ **pipa** to fly a kite

empírico, -a [ĩj'piriku, -a] *adj* empirical

empobrecer [ĩjpobre'ser] <c→ç> **I.** *vt* to impoverish **II.** *vi* to become poor

empolgado, -a [ĩjpow'gadu, -a] *adj* excited

empolgar [ĩjpow'gar] <g→gu> **I.** *vt* to excite **II.** *vr:* **~-se** to become excited

empreender [ĩjpreẽj'der] *vt* to undertake

empreendimento [ĩjpriẽjdʒi'mẽjtu] *m* undertaking; ECON enterprise

empregado, -a [ĩjpre'gadu, -a] *m, f* employee; **empregada doméstica** maid

empregar [ĩjpre'gar] <g→gu> **I.** *vt* (*pessoal*) to employ; (*utilizar*) to use **II.** *vr:* **~-se** to get a job

emprego [ĩj'pregu] *m* **1.** (*trabalho*) employment; **arranjar** ~ to get a job **2.** (*utilização, uso*) use

empreitada [ĩjprej'tada] *f* contract work *no pl*

empreiteiro [ĩjprej'tejru] *m* building contractor

empresa [ĩj'preza] *f* company

empresário, -a [ĩjpre'zariw, -a] *m, f* **1.** businessman *m,* businesswoman *f* **2.** (*de atriz, cantor, tenista*) manager

emprestado, -a [ĩjpres'tadu, -a] *adj* on loan

emprestar [ĩjpres'tar] *vt* to lend

empréstimo [ĩj'prɛstʃimu] *m* loan

empunhar [ĩjpũ'ɲar] *vt* to hold

empurrão <-ões> [ĩjpu'xɜ̃w, -'õjs] *m* shove

empurrar [ĩjpu'xar] *vt* to push

empurrões *m pl de* **empurrão**

enamorar-se [enamo'rarsi] *vr* ~ **de alguém** to fall in love with sb

encabulado, -a [ĩjkabu'ladu, -a] *adj* shy

encabular [ĩjkabu'lar] **I.** *vt* to embar-

rass **II.** *vr* ~**-se** to become shy
encadernação <-ões> [ĩjkaderna'sɜ̃w, -'õjs] *f* bookbinding
encaixar [ĩjkaj'ʃar] **I.** *vt, vi* to fit **II.** *vr* ~**-se** to fit in
encaixotar [ĩjkajʃo'tar] *vt* to box
encalhar [ĩjka'ʎar] *vi* NÁUT to run aground
encaminhar [ĩjkɜmĩ'ɲar] **I.** *vt* to direct (towards) **II.** *vr:* ~**-se** to head for
encanado, -a [ĩjkɜ'nadu, -a] *adj* piped
encanador(a) [ĩjkɜna'dor(a)] *m(f)* plumber
encanamento [ĩjkɜna'mẽjtu] *m* plumbing *no pl*
encantador(a) [ĩjkɜ̃ŋta'dor(a)] *adj* enchanting
encantar [ĩjkɜ̃ŋ'tar] **I.** *vt* to delight **II.** *vr* ~**-se** to become enchanted
encanto [ĩj'kɜ̃ŋtu] *m* spell; **ela é um** ~ she is enchanting
encapar [ĩjka'par] *vt* to cover
encaracolado, -a [ĩjkarako'ladu, -a] *adj* curly
encarar [ĩjka'rar] *vt* to face
encardido, -a [ĩjkar'dʒidu, -a] *adj* grimy
encarnação <-ões> [ĩjkarna'sɜ̃w, -'õjs] *f* embodiment
encarregado, -a [ĩjkaxe'gadu, -a] **I.** *adj* in charge of **II.** *m, f* person in charge
encarregar [ĩjkaxe'gar] <g→gu> **I.** *vt* to put in charge **II.** *vr* ~**-se de a. c.** to take sth upon oneself
encenação <-ões> [ĩjsena'sɜ̃w, -'õjs] *f* staging
encenar [ĩjse'nar] *vt* TEAT to put on
encerar [ĩjse'rar] *vt* (*com cera*) to wax
encerramento [ĩjsexa'mẽjtu] *m* close
encerrar [ĩjse'xar] *vt* **1.** (*reunião, audiência*) to end **2.** (*fechar*) to close
encharcar [ĩjʃar'kar] <c→qu> **I.** *vt* to soak **II.** *vr:* ~**-se** to get soaked
enchente [ĩj'ʃẽjtʃi] *f* flood
encher [ĩj'ʃer] **I.** *vt* (*recipiente, sala*) to fill; (*pneu*) to inflate **II.** *vr:* ~**-se 1.** (*de comida*) to stuff oneself **2.** *inf* (*aborrecer-se*) to get fed up
enchimento [ĩjʃi'mẽjtu] *m* (*recheio*) filling
encoberto [ĩjku'bɛrtu] **I.** *pp de* **encobrir II.** *adj* **1.** (*céu, tempo*) overcast **2.** (*oculto*) hidden
encobrir [ĩjku'brir] *irr como dormir vt* to cover up
encolher [ĩjko'ʎer] **I.** *vt* (*os ombros*) to shrug **II.** *vi* to shrink **III.** *vr:* ~**-se** to huddle up
encomenda [ĩjko'mẽjda] *f* (*pedido*) order; ~ **postal** mail order
encomendar [ĩjkomẽj'dar] *vt* (*pedir*) to order; (*obra*) to commission
encontrar [ĩjkõw'trar] **I.** *vt* **1.** (*achar, localizar*) to find **2.** (*inesperadamente*) to come across **II.** *vr:* ~**-se 1.** (*estar*) to be **2.** (*ter encontro*) ~**-se com alguém** to meet up with sb
encontro [ĩj'kõwtru] *m* meeting; ~ (**marcado**) appointment
encorajar [ĩjkora'ʒar] *vt* to encourage
encorpado, -a [ĩjkor'padu, -a] *adj* **1.** (*vinho*) full-bodied **2.** (*pessoa*) burly

encosta [ĩj'kɔsta] *f* slope
encostar [ĩjkos'tar] I. *vt* 1. (*um objeto*) to lean 2. (*o carro*) to park (beside sth) 3. (*a porta*) to leave ajar II. *vi* 1. ~ **em a. c./alguém** to touch sth/sb 2. (*automóvel*) to pull over III. *vr:* ~**-se** to lean against sth
encosto [ĩj'kostu] *m* (*da cadeira*) back
encravado, -a [ĩjkra'vadu, -a] *adj* ingrowing
encrenca [ĩj'krẽjka] *f inf* trouble; **meter-se numa** ~ to get into trouble
encrencar [ĩjkrẽj'kar] <c→qu> *vi inf* to get complicated
encrespar [ĩjkres'par] I. *vt* to frizz II. *vr:* ~**-se** to go frizzy
encruzilhada [ĩjkruzi'ʎada] *f* crossroads
encurralado, -a [ĩjkuxa'ladu, -a] *adj* hemmed in
encurtar [ĩjkur'tar] *vt* to shorten
endereço [ĩjde'resu] *m* address; ~ **eletrônico** e-mail address
endiabrado, -a [ĩjdʒia'bradu, -a] *adj* mischievous
endinheirado, -a [ĩjdʒĩɲej'radu, -a] *adj* well-off
endireitar [ĩjdʒirej'tar] I. *vt* (*objeto*) to set right; (*situação*) to straighten out II. *vr:* ~**-se** to straighten up
endívia [ẽj'dʒivia] *f* endive
endividado, -a [ĩjdʒivi'dadu, -a] *adj* in debt
endoidecer [ĩjdojde'ser] <c→ç> I. *vt* to madden II. *vi* to go crazy
endossar [ĩjdo'sar] *vt* to endorse
endurecer [ĩjdure'ser] <c→ç> *vt, vi* to harden
endurecimento [ĩjduresi'mẽjtu] *m* hardening *no pl*
energia [ener'ʒia] *f* energy *no pl;* ~ **elétrica** electric power
enérgico, -a [e'nɛrʒiku] *adj* energetic
enevoado, -a [enevo'adu, -a] *adj* misty; (*nublado*) cloudy
enfadonho, -a [ĩjfa'dõɲu, -a] *adj* annoying
enfaixar [ĩjfaj'ʃar] *vt* to bandage
ênfase ['ẽjfazi] *m* emphasis
enfatizar [ĩjfatʃi'zar] *vt* to emphasize
enfeitar [ĩjfej'tar] *vt* to decorate
enfeite [ĩj'fejtʃi] *m* decoration
enfeitiçar [ĩjfejt'sar] <ç→c> *vt* to bewitch
enfermagem [ĩjfer'maʒẽj] *f* nursing *no pl*
enfermaria [ĩjferma'ria] *f* ward
enfermeiro, -a [ĩjfer'mejru, -a] *m, f* nurse
enfermidade [ĩjfermi'dadʒi] *f* illness
enferrujar [ĩjfexu'ʒar] *vi, vt* to rust
enfiar [ĩjfi'ar] *conj como enviar vt* (*meter*) to put (in); *inf* (*vestir, calçar*) to put on
enfim [ĩj'fĩj] *adv* finally; **até que** ~! at last!
enforcar [ĩjfor'kar] <c→qu> I. *vt* to hang II. *vr:* ~**-se** to hang oneself
enfraquecer [ĩjfrake'ser] <c→ç> *vt, vi* to weaken
enfrentar [ĩjfrẽj'tar] *vt* to confront
enfurecer [ĩjfure'ser] <c→ç> I. *vt* to anger II. *vr:* ~**-se** to get angry
enganar [ĩjgɜ'nar] I. *vt* (*iludir*) to deceive; (*trair*) to cheat on II. *vr:* ~**-se** to be mistaken

engano [ĩŋ'gɜnu] *m* mistake; **por** ~ by mistake; **desculpe, foi** ~ sorry, wrong number

engarrafado, -a [ĩŋgaxa'fadu, -a] *adj* (*vinho*) bottled; *fig* (*trânsito*) blocked

engarrafamento [ĩŋgaxafa'mẽjtu] *m* bottling *no pl; fig* traffic jam

engasgar-se [ĩŋgaz'garsi] <g→gu> *vr* to choke

engatar [ĩŋga'tar] *vt* (*enganchar*) to hook

engatinhar [ĩŋgatʃi'ɲar] *vi* to crawl

engavetamento [ĩŋgaveta'mẽjtu] *m* (*acidente*) pile-up

engenharia [ĩʒẽɲa'ɾia] *f* engineering *no pl;* ~ **genética** genetic engineering

engenheiro, -a [ĩʒẽ'ɲejɾu, -a] *m, f* engineer

engenho [ĩʒẽ'ɲu] *m* machine

engenhoca [ĩʒẽ'ɲɔka] *f inf* contraption

engenhoso, -a [ĩʒẽ'ɲozu, -'ɔza] *adj* ingenious

engolir [ĩŋgu'ʎir] *irr como dormir vt* to swallow

engomar [ĩŋgo'mar] *vt* to starch

engordar [ĩŋgor'dar] **I.** *vt* to fatten **II.** *vi* **1.** (*pessoa*) to put on weight **2.** (*comida*) to be fattening

engordurar [ĩŋgordu'ɾar] *vt* to grease

engraçado, -a [ĩŋgɾa'sadu, -a] *adj* funny

engravidar [ĩŋgɾavi'dar] **I.** *vt* ~ **alguém** to get sb pregnant **II.** *vi* to become pregnant

engraxar [ĩŋgɾa'ʃar] *vt* to polish

engraxate [ĩŋgɾa'ʃatʃi] *mf* shoe shiner

engrossar [ĩŋgɾo'sar] *vt, vi* to thicken

enguia [ẽj'gia] *f* eel

enguiçar [ĩŋgi'sar] <ç→c> *vi* to break down

enguiço [ĩŋ'gisu] *m* breakdown

enjaular [ĩʒaw'lar] *vt* to cage

enjeitar [ĩʒej'tar] *vt* to abandon

enjoado, -a [ĩʒu'adu, -a] *adj* sick; (*no mar*) seasick; (*no carro*) carsick

enjoar [ĩʒu'ar] <*1. pess pres:* enjôo> **I.** *vt* **1.** to make sick **2.** (*enfastiar*) to bore **II.** *vi* **1.** (*em viagem*) to feel sick **2.** (*enfastiar-se*) ~ **de a. c.** to get sick of sth

enjoativo, -a [ĩʒua'tʃivu, -a] *adj* sickening

enjôo [ĩ'ʒow] *m* nausea *no pl;* (*no carro*) carsickness; (*no mar*) seasickness

enlatado, -a [ĩla'tadu, -a] *adj* canned

enlatado [ĩla'tadu, -a] *m* **1.** canned food **2.** *pej, fig* cheap low-quality movie

enlouquecer [ĩlowke'ser] <c→ç> **I.** *vi* to go crazy **II.** *vt* to drive crazy

enojar [eno'ʒar] *vt* to disgust

enorme [e'nɔrmi] *adj* enormous

enquadrar [ĩkwa'dɾar] **I.** *vt* to frame **II.** *vr:* ~**-se** to fit in

enquanto [ĩ'kwɜ̃ŋtu] *conj* **1.** (*temporal*) while; ~ **isso** meanwhile; **por** ~ for the time being **2.** (*ao passo que*) while, whereas

enquete [ĩ'kɛtʃi] *f* survey

enraivecer [ĩxajve'ser] <c→ç> *vt* to enrage

enraizado, -a [ĩxaj'zadu, -a] *adj* rooted

enredo [ĩ'xedu] *m* plot

enriquecer [ĩjxike'ser] <c→ç> **I.** *vt* ~ **alguém** to make sb rich; *fig* to enrich **II.** *vi* to get rich

enriquecimento [ĩjxikesi'mẽjtu] *m fig* enrichment *no pl*

enrolar [ĩjxo'lar] *vt* **1.** to roll up **2.** *inf* (*pessoa*) to take for a ride

enroscar [ĩjxos'kar] <c→qu> **I.** *vt* (*tampa*) to screw on **II.** *vr:* ~**-se** (*cobra*) to coil up; (*gato*) to curl up

enrouquecer [ĩjxowke'ser] <c→ç> *vi* to go hoarse

enrugar [ĩjxu'gar] <g→gu> *vt* to wrinkle

ensaiar [ĩjsaj'ar] *vt* to rehearse; QUÍM to test

ensaio [ĩj'saju] *m* **1.** (*de teatro*) rehearsal; ~ **final** dress rehearsal **2.** LIT essay **3.** QUÍM test

ensangüentar [ĩjsɜ̃ŋgwẽj'tar] **I.** *vt* to bloody **II.** *vr:* ~**-se** to become bloodstained

enseada [ĩjse'ada] *f* cove

ensinamento [ĩjsina'mẽjtu] *m* teaching

ensinar [ĩjsi'nar] *vt* to teach

ensino [ĩj'sinu] *m* (*instrução*) teaching; (*sistema*) education; ~ **público** public education

ensopado [ĩjso'padu] *m* ~ **de carne** beef stew

ensopado, -a [ĩjso'padu, -a] *adj* drenched

ensopar [ĩjso'par] *vt* to drench

ensurdecedor, -a [ĩjsurdese'dor, -a] *adj* deafening

ensurdecer [ĩjsurde'ser] <c→ç> **I.** *vt* to deafen **II.** *vi* to go deaf

entalhar [ĩjta'ʎar] *vt, vi* to carve

entalhe [ĩj'taʎi] *m* carving

então [ĩj'tɜ̃w] **I.** *adv* **1.** (*nessa altura*) then; **até** ~ until then; **desde** ~ ever since **2.** (*nesse caso*) so **II.** *adj* former; **a** ~ **URSS** the former USSR **III.** *interj* **e** ~**?** what then?

ente ['ẽjtʃi̥] *m* being; **meus** ~**s queridos** my loved ones

enteado, -a [ĩjte'adu, -a] *m, f* stepson *m*, stepdaughter *f*

entender [ĩjtẽj'der] *vt* **1.** to understand **2.** ~ **de a. c.** to know about sth

entendimento [ĩjtẽjdʒi'mẽjtu] *m* understanding

enternecer [ĩjterne'ser] <c→ç> **I.** *vt* to move **II.** *vr* ~**-se** to be moved

enterrar [ĩjte'xar] *vt* to bury

enterro [ĩj'texu] *m* funeral

entidade [ẽjtʃi'dadʒi] *f* entity; (*corporação*) body

entonação <-ões> [ĩjtona'sɜ̃w, -'õjs] *f* intonation *no pl*

entornar [ĩjtor'nar] **I.** *vt* to spill **II.** *vi* to overflow

entorpecente [ĩjtorpe'sẽjtʃi̥] *m* narcotic

entorpecido, -a [ĩjtorpe'sidu, -a] *adj* numb

entortar [ĩjtor'tar] *vt, vi* to bend

entrada [ĩj'trada] *f* **1.** (*ação de entrar*) entry; (*num país*) admission; ~ **proibida** no entry **2.** (*local*) entrance; (*em lugar público*) lobby **3.** (*preço*) entrance fee; ~ **gratuita** free admission; (*ingresso*) ticket **4.** (*pagamento inicial*) down payment **5.** GASTR appetizer

entrar [ĩj'tɾar] *vi* **1.** (*ir/vir para dentro*) to enter; (*automóvel*) to get in(to); (*ônibus, trem*) to get on **2.** (*numa associação*) to join **3.** JUR ~ **em vigor** to become effective **4.** (*num jogo, num filme*) to participate in

entre ['ẽjtɾi] *prep* (*duas coisas*) between; (*várias coisas*) among; ~ **outras coisas** among other things; ~ **si** among themselves

entreaberto, -a [ẽjtɾea'bɛrtu, -a] **I.** *adj* (*porta*) ajar; (*janela*) partly open **II.** *pp de* **entreabrir**

entreabrir [ẽjtɾea'brir] <*pp* entreaberto> *vt, vi* to open slightly

entrega [ĩj'tɾɛga] *f* delivery; ~ **a domicílio** home delivery

entregar [ĩjtɾe'gar] <*pp* entregue *ou* entregado; g→gu> **I.** *vt* to deliver **II.** *vr:* ~**-se** **1.** ~**-se a a. c.** to dedicate oneself to sth **2.** (*render-se*) ~**-se à polícia** to turn oneself in to the police

entregue [ĩj'tɾɛgi] *pp de* **entregar**

entretanto [ẽjtɾe'tɜ̃ŋtu] **I.** *m* **no** ~ in the meantime **II.** *adv* meanwhile **III.** *conj* however

entreter [ĩjtɾe'ter] *irr como ter* **I.** *vt, vi* to entertain **II.** *vr:* ~**-se** to amuse oneself

entrevista [ĩjtɾe'vista] *f* interview; ~ **coletiva** press conference

entrevistador(a) [ĩjtɾevista'dor(a)] *m(f)* interviewer

entristecer [ĩjtɾiste'ser] <c→ç> **I.** *vt* to sadden **II.** *vi* to grow sad

entroncamento [ĩjtɾõwka'mẽjtu] *m* junction

entulho [ĩj'tuʎu] *m* rubble

entupido, -a [ĩjtu'pidu, -a] *adj* blocked

entupimento [ĩjtupi'mẽjtu] *m* blockage

entupir [ĩjtu'pir] *irr com subir* **I.** *vt, vi* to block **II.** *vr:* ~**-se** *inf* to get blocked; (*de comida*) to stuff oneself

entusiasmar [ĩjtuzjaz'mar] **I.** *vt* to fill with enthusiasm **II.** *vr* ~**-se com a. c.** to get excited about sth

entusiasmo [ĩjtuzi'azmu] *m* enthusiasm

enunciar [enũwsi'ar] *conj como enviar vt* to express

envelhecer [ĩjveʎe'ser] <c→ç> **I.** *vt* to age **II.** *vi* to grow old

envelhecimento [ĩjveʎesi'mẽjtu] *m* aging

envelope [ĩjve'lɔpi] *m* envelope

envenenamento [ĩjvenena'mẽjtu] *m* poisoning

envenenar [ĩjvene'nar] **I.** *vt* to poison **II.** *vr:* ~**-se** to poison oneself

enveredar [ĩjvere'dar] *vi* ~ **por** to head for

envergonhado, -a [ĩjvergõ'ɲadu, -a] *adj* (*embaraçado*) embarrassed; (*tímido*) shy

envergonhar [ĩjvergõ'ɲar] **I.** *vt* (*humiliar*) to shame; (*embaraçar*) to embarrass **II.** *vr:* ~**-se** to be ashamed; ~**-se de alguém/a. c.** to be ashamed of sb/sth

envernizar [ĩjverni'zar] *vt* to varnish

enviar [ĩjvi'ar] *vt* to send

envidraçado, **-a** [ĩjvidɾa'sadu, -a] *adj* glazed
envio [ĩj'viw] *m* sending
enviuvar [ĩjviu'var] *vi* to be widowed
envolvente [ĩjvow'vẽjtʃi̥] *adj* gripping
envolver [ĩjvow'ver] **I.** *vt* **1.** (*incluir*) to involve **2.** (*embrulhar*) to wrap **II.** *vr:* ~-**se** to become involved
enxada [ĩj'ʃada] *f* hoe
enxaguar [ĩjʃa'gwar] *vt* to rinse
enxame [ĩj'ʃɜmi] *m* swarm
enxaqueca [ĩjʃa'keka] *f* migraine
enxergar [ĩjʃer'gar] <g→gu> *vt, vi* to see; **ele não enxerga bem** he can't see well
enxerto [ĩj'ʃertu] *m* graft
enxofre [ĩj'ʃofɾi] *m* sulfur
enxotar [ĩjʃo'tar] *vt* to drive away
enxugar [ĩjʃu'gar] <*pp* enxuto *ou* enxugado g→gu> *vt, vi* to dry
enxurrada [ĩjʃu'xada] *f* **1.** (*de água*) flash flood **2.** (*grande quantidade*) torrent
enxuto, **-a** [ĩj'ʃutu, -a] *adj* dry
enxuto [ĩjʃutu] *pp de* **enxugar**
enzima [ẽj'zima] *f* enzyme
eólico, **-a** [e'ɔʎiku] *adj* **energia eólica** wind energy
epidemia [epide'mia] *f* epidemic
epilepsia [epilep'sia] *f* epilepsy *no pl*
epílogo [e'pilogu] *m* epilogue
episódio [epi'zɔdʒiw] *m* episode
época ['ɛpuka] *f* **1.** time; **naquela** ~ at that time **2.** (*do ano*) time of year **3.** HIST era
equação <-ões> [ekwa'sɜ̃w, -'õjs] *f* equation
equador [ekwa'dor] *m* equator
Equador [ekwa'dor] *m* Ecuador
equilibrar [ekiʎi'bɾar] **I.** *vt* to balance **II.** *vr:* ~-**se** to balance
equilíbrio [eki'ʎibɾiw] *m* balance
equipamento [ekipa'mẽjtu] *m* equipment
equipar [eki'par] *vt* to equip
equiparar [ekipa'ɾar] **I.** *vt* to equate **II.** *vr* ~-**se a alguém** to equal
equiparável <-eis> [ekipa'ɾavew, -ejs] *adj* comparable
equipe [e'kipi] *f* team; **em** ~ as a team
equitação [ekita'sɜ̃w] *sem pl f* (horseback) riding *no pl*
equivalente [ekiva'lẽjtʃi̥] *adj, m* equivalent
equivocado, **-a** [ekivo'kadu, -a] *adj* **estar** ~ to be mistaken
equivocar-se [ekivo'karsi] *vr* <c→qu> to be mistaken
equívoco [e'kivoku] *m* mistake
era¹ ['ɛɾa] *imp de* **ser**
era² ['ɛɾa] *f* (*época*) era
ereto, **-a** [e'ɾɛtu, -a] *adj* (*pessoa*) upright; (*pênis*) erect
ergo ['ergu] *1. pres de* **erguer**
erguer [er'ger] **I.** *vt* **1.** (*levantar*) to lift up **2.** (*um monumento*) to erect **II.** *vr:* ~-**se** to get up
eriçado, **-a** [eɾi'sadu, -a] *adj* on end
erosão <-ões> [eɾo'zɜ̃w, -'õjs] *f* erosion *no pl*
erótico, **-a** [e'ɾɔtʃi̥ku, -a] *adj* erotic
errada *adj v.* **errado**
erradicar [exadʒi'kar] *vt* <c→qu> to eradicate
errado, **-a** [e'xadu, -a] *adj* wrong
errante [e'xɜ̃ŋtʃi̥] *adj* wandering

errar [e'xar] **I.** *vt* ~ **o caminho** to lose one's way; ~ **o alvo** to miss the target **II.** *vi* **1.** (*enganar-se*) to be wrong **2.** (*cometer um erro*) to make a mistake

erro ['exu] *m* mistake

erupção <-ões> [erup'sɜ̃w, -'õjs] *f* **1.** GEO eruption **2.** ~ **cutânea** rash

erva ['ɛrva] *f* herb; ~**s aromáticas** aromatic herbs; ~**s daninhas** weeds

erva-doce ['ɛrva-'dosi] <ervas-doces> *f* fennel

ervilha [er'viʎa] *f* pea

és ['ɛs] *pres de* **ser**

esbaforido, -a [izbafo'ridu, -a] *adj* breathless

esbanjar [izbɜ̃ŋ'ʒar] *vt* to squander

esbarrar [izba'xar] *vi* to collide (with); ~ **com problemas** to run into problems

esbelto, -a [iz'bɛwtu, -a] *adj* slim

esboço [iz'bosu] *m* ARTE sketch

esbofetear [izbofetʃi'ar] *conj como passear vt* to slap

esborrachar [izboxa'ʃar] *vt* to squash

escabroso, -a [iska'brozu, -'ɔza] *adj* improper

escada [is'kada] *f* **1.** (*fixa*) stairs *pl;* ~ **rolante** escalator **2.** (*portátil*) ladder

escadaria [iskada'ria] *f* staircase

escala [is'kala] *f* scale; AERO stopover

escalada [iska'lada] *f* escalation

escalão <-ões> [iska'lɜ̃w, -'õjs] *m* **1.** (*nível*) level **2.** (*profissional*) echelon

escalar [iska'lar] *vt* to climb

escaldante [iskaw'dɜ̃ŋtʃi̥] *adj* scalding

escaldar [iskaw'dar] *vt* to scald

escalões *m pl de* **escalão**

escama [is'kɜma] *f* scale

escamar [iskɜ'mar] *vt* to scale

escancarar [iskɜ̃ŋka'rar] *vt* to open wide

escandalizar [iskɜ̃ŋdaʎi'zar] **I.** *vt* to shock **II.** *vr:* ~-**se** to be shocked

escândalo [is'kɜ̃ŋdalu] *m* scandal; **fazer um** ~ to make a scene

Escandinávia [iskɜ̃ŋdʒi'navia] *f* Scandinavia

escanear [iskɜ̃ni'ar] *conj como passear vt* to scan

escangalhar [iskɜ̃ŋga'ʎar] *vt inf* to break (up)

escanteio [iskɜ̃ŋ'teju] *m* corner

escapada [iska'pada] *f* **1.** (*fuga*) escape **2.** (*aventura*) escapade

escapamento [iskapa'mẽjtu] *m* exhaust (system)

escapar [iska'par] *vi* to escape

escaravelho [iskara'veʎu] *m* beetle

escarcéu <-éis> [iskar'sɛw, -'ɛjs] *m* uproar

escarlate [iskar'latʃi̥] *adj, m* scarlet

escarlatina [iskarla'tʃi̥na] *f* scarlet fever

escárnio [is'karniw] *m* scorn *no pl*

escarpado, -a [iskar'padu, -a] *adj* steep

escarrar [iska'xar] **I.** *vi* to spit (out) **II.** *vt* to spit

escassa *adj v.* **escasso**

escassez [iska'ses] *f* shortage

escasso, -a [is'kasu, -a] *adj* (*tempo, material*) scarce; (*vegetação*) sparse

escavação <-ões> [iskava'sɜ̃w, -'õjs] *f* excavation

escavar [iska'var] *vt* to excavate

esclarecer [isklaɾe'ser] *vt* <c→ç> to clarify

esclarecimento [isklaɾesi'mẽjtu] *m* **1.** (*explicação*) explanation **2.** (*informação*) information *no pl*

escoar [isko'ar] *vt* <*1. pess pres:* escôo> to drain (off)

escocês, -esa [isko'ses, -'eza] **I.** *m, f* Scot **II.** *adj* Scottish

Escócia [is'kɔsia] *f* Scotland

escola [is'kɔla] *f* school; ~ **secundária** high school

> **Culture** **Escolas de samba** are not actually "schools". Contrary to what the name suggests, the samba "schools" do not give samba lessons per se. Each samba group organizes its annual parade and holds parties and rehearsal presentations all year round. Many samba groups actively participate in the community and carry out social projects. **Escolas de samba** have a defined structure, including a president, a **carnavalesco** (creative director), the **samba-enredo** (annual theme song with lyrics), **puxador-de-samba** (leading samba singer who keeps the beat going), and the distinguished couple that leads the parade. The contestant samba groups compete for points awarded after the parade according to the rules. Depending on the results of the count the groups move on to be semi-finalists and finalists.

escolar [isko'lar] <-es> *adj* school

escolha [is'koʎa] *f* choice

escolher [is'koʎer] *vt* to choose

escombros [is'kõwbɾus] *mpl* ruins *pl*

esconder [iskõw'der] **I.** *vt* to hide **II.** *vr:* ~-**se** to hide

esconderijo [iskõwde'ɾiʒu] *m* hiding place

escondida *adj v.* **escondido**

escondidas [iskõw'dʒidas] *fpl* **fazer a. c. às** ~ to do sth in secret

escondido, -a [iskõw'dʒidu, -a] *adj* hidden

escora [is'kɔɾa] *f* prop

escoriação <-ões> [iskoɾia'sɜ̃w, -'õjs] *f* graze

escorpião <-ões> [iskorpi'ɜ̃w, -'õjs] *m* scorpion

Escorpião <-ões> [iskorpi'ɜ̃w, -'õjs] *m* Scorpio

escorregadio, -a [iskoxega'dʒiw, -a] *adj* slippery

escorregar [iskoxe'gar] *vi* <g→gu> **1.** to slip **2.** (*deslizar*) to slide

escorrer [isko'xer] **I.** *vt* to drain **II.** *vi* (*pingar*) to drip

escoteiro, -a [isko'tejɾu, -a] *m, f* boy scout *m,* girl scout *f*

escova [is'kova] *f* brush; ~ **de dentes/de cabelo** toothbrush/hairbrush

escovar [isko'var] *vt* to brush; (*um cavalo*) to groom

escrava *adj, f v.* **escravo**

escravidão <-ões> [iskɾavi'dɜ̃w, -'õjs] *f* slavery *no pl*

escravizar [iskɾavi'zar] *vt* to enslave

escravo, -a [is'kɾavu, -a] *adj, m, f* slave

escrever [iskɾe'ver] <*pp* escrito> *vt, vi* to write
escrita [is'kɾita] *f* writing *no pl*
escrito [is'kɾitu] *pp de* **escrever**
escrito, -a [is'kɾitu, -a] *adj* written; ~ **à mão** handwritten; **por** ~ in writing
escritor(a) [iskɾi'tor(a)] <-es> *m(f)* writer
escritório [iskɾi'tɔɾiw] *m* office; (*em casa*) study
escritura [iskɾi'tuɾa] *f* deed
escrivaninha [iskɾivɜ'nĩɲa] *f* (writing) desk
escrúpulo [is'kɾupulu] *m* scruple
escrupuloso, -a [iskɾupu'lozu, -'ɔza] *adj* scrupulous
escudo [is'kudu] *m* **1.** (*arma*) shield **2.** (*moeda*) escudo
esculpir [iskuw'pir] *vt* to sculpt
escultor(a) [iskuw'tor(a)] <-es> *m(f)* sculptor
escultura [iskuw'tuɾa] *f* sculpture
escuna [is'kuna] *f* schooner
escura *adj v.* **escuro**
escuras [is'kuɾas] *f* **às** ~ in the dark
escurecer [iskuɾe'ser] <c→ç> **I.** *vt* to darken **II.** *vi* to get dark
escuridão [iskuɾi'dɜ̃w] *sem pl f* darkness *no pl*
escuro, -a [is'kuɾu, -a] *adj* dark
escuro [is'kuɾu] *m* dark
escutar [isku'tar] **I.** *vt* **1.** to hear **2.** (*com atenção*) to listen (to) **II.** *vi* to listen
esfaquear [isfaki'ar] *conj como passear vt* to stab
esfarelar [isfaɾe'lar] *vi, vt* to crumble
esfarrapado, -a [isfaxa'padu, -a] *adj* **1.** (*tecido*) tattered **2.** (*desculpa*) shoddy
esfera [is'fɛɾa] *f* sphere
esférico, -a [is'fɛɾiku, -a] *adj* spherical
esferográfica [isfeɾo'gɾafika] *f* ballpoint pen
esfiapar [isfia'par] *vi* to fray
esfinge [is'fĩʒi̥] *f* sphinx
esfolar [isfo'lar] *vt* (*um animal*) to skin; (*ferir levemente*) to graze
esfomeado, -a [isfomi'adu, -a] *adj* famished
esforçado, -a [isfor'sadu, -a] *adj* hard-working
esforçar-se [isfor'sarsi] *vr* <ç→c> to try hard
esforço [is'forsu] *m* effort; **sem** ~ effortlessly
esfregão <-ões> [isfɾe'gɜ̃w, -'õjs] *m* mop
esfregar [isfɾe'gar] <g→gu> *vt* **1.** (*panela*) to scour; (*o chão*) to mop; (*com esforço*) to scrub **2.** (*friccionar*) to rub
esfregões *m pl de* **esfregão**
esfriar [isfɾi'ar] *conj como enviar* **I.** *vt* to cool **II.** *vi* to cool (down)
esganar [izgɜ'nar] *vt* to strangle
esganiçado, -a [izgɜni'sadu, -a] *adj* shrill
esgotado, -a [izgo'tadu, -a] *adj* **1.** (*entradas, livro*) sold out **2.** (*pessoa*) exhausted
esgotamento [izgota'mẽjtu] *m* **1.** MED breakdown **2.** (*exaustão*) exhaustion *no pl*
esgotar [izgo'tar] **I.** *vt* to exhaust; (*gastar até o fim*) to use up **II.** *vi*

(*mercadoria*) to sell out **III.** *vr:* ~**-se** (*forças, energia, paciência*) to become exhausted
esgoto [iz'gotu] *m* sewer
esgrima [iz'gɾima] *f* fencing *no pl*
esgueirar-se [izgej'ɾarsi] *vr* to sneak off
esguelha [iz'geʎa] *f* **de** ~ sideways
esguia *adj v.* **esguio**
esguichar [izgi'ʃar] **I.** *vt* to squirt **II.** *vi* to spurt (out)
esguicho [iz'giʃu] *m* **1.** (*jato*) jet **2.** (*instrumento*) squirter
esguio, -a [iz'giw, -a] *adj* slender
Eslováquia [izlo'vakia] *f* Slovakia
Eslovênia [izlo'venia] *f* Slovenia
esmagador(a) [izmaga'dor(a)] <-es> *adj* crushing; (*maioria*) overwhelming
esmagar [izma'gar] *vt* <g→gu> to crush
esmalte [iz'mawtʃi̥] *m* enamel; (*de unhas*) nail polish
esmeralda [izme'ɾawda] *f* emerald
esmero [iz'meɾu] *m* diligence *no pl;* **com** ~ with great care
esmigalhar [izmiga'ʎar] *vt* to crumble
esmo ['ezmu] *m* **a** ~ at random
esmola [iz'mɔla] *f* **dar uma** ~ **a alguém** to give money to sb; **pedir** ~ to beg
esmurrar [izmu'xar] *vt* to punch
esnobe [iz'nɔbi] **I.** *adj* snobbish **II.** *mf* snob
esnobismo [izno'bizmu] *m* snobbery *no pl*
espacial <-ais> [ispasi'aw, -'ajs] *adj* space; **estação** ~ space station
espaço [is'pasu] *m* **1.** (*extensão, distância*) space; (*lugar*) area; ~ **cultural** cultural center **2.** (*intervalo*) interval
espaçoso, -a [ispa'sozu, -'ɔza] *adj* spacious
espada [is'pada] *f* sword
espadas [is'padas] *fpl* (*cartas*) spades *pl*
espádua [is'padwa] *f* shoulder blade
espairecer [ispajɾe'ser] <c→ç> *vi* to relax
espalhar [ispa'ʎar] **I.** *vt* **1.** (*polvilhar*) to sprinkle **2.** (*notícia, pânico*) to spread **II.** *vr:* ~**-se** **1.** (*notícia, doença*) to spread **2.** (*dispersar-se*) to scatter
espanador [ispɜna'dor] *m* duster
espancar [ispɜ̃ŋ'kar] *vt* <c→qu> to beat (up)
Espanha [is'pɜ̃ɲa] *f* Spain
espantalho [ispɜ̃ŋ'taʎu] *m* scarecrow
espantar [ispɜ̃ŋ'tar] **I.** *vt* (*pasmar*) to astonish; (*afugentar*) to scare (off) **II.** *vr:* ~**-se** to be amazed
espanto [is'pɜ̃ŋtu] *m* surprise
espantoso, -a [ispɜ̃ŋ'tozu, -'ɔza] *adj* amazing
esparadrapo [ispaɾa'dɾapu] *m* Band-Aid
espasmo [is'pazmu] *m* spasm
espatifar-se [ispatʃi̥'far] *vr* to shatter
especial <-ais> [ispesi'aw, -'ajs] *adj* special; **em** ~ especially; **nada de** ~ nothing special
especialidade [ispesjaʎi'dadʒi] *f* specialty
especialista [ispesja'ʎista] *mf* special-

ist; (*profissional*) expert
especializar-se [ispesjaʎi'zarsi] *vr* to specialize
especialmente [ispesjaw'mẽjtʃi̥] *adv* **1.** (*de propósito*) (e)specially **2.** (*principalmente*) particularly
espécie [is'pɛsii] *f* **1.** (*tipo*) kind **2.** BIOL species
especificação <-ões> [ispesifika'sɜ̃w, -'õjs] *f* specification
especificar [ispesifi'kar] *vt* <c→qu> to specify
espécime [is'pɛsimi] *m* specimen
espectador(a) [ispekta'dor(a)] <-es> *m(f)* spectator
especulação <-ões> [ispekula'sɜ̃w, -'õjs] *f* speculation
especular [ispeku'lar] *vi* to speculate
espelho [is'peʎu] *m* mirror; ~ **retrovisor** rearview mirror
espelunca [ispe'lũwka] *f pej* dump
espera [is'pɛɾa] *f* wait; **estar à ~ de** (*esperar por*) to be waiting; (*contar com*) to be expecting
esperança [ispe'ɾɜ̃ŋsa] *f* hope
esperançoso, -a [isperɜ̃ŋ'sozu, -'ɔza] *adj* hopeful
esperar [ispe'ɾar] **I.** *vt* **1.** (*aguardar*) to wait for **2.** (*desejar*) to hope **3.** (*contar com*) to expect **II.** *vi* **1.** (*aguardar*) to wait; ~ **por alguém/a. c.** to wait for sb/sth **2.** (*ter esperança*) to hope; **espero que sim/não** I hope so/not
esperma [is'pɛrma] *m* sperm
esperto, -a [is'pɛrtu, -a] *adj* smart
espesso, -a [is'pesu, -a] *adj* thick
espessura [ispe'suɾa] *f* thickness
espetacular [ispetaku'lar] *adj* spectacular
espetáculo [ispe'takulu] *m* show
espevitado, -a [ispevi'tadu, -a] *adj* vivacious
espezinhar [ispezĩ'ɲar] *vt* to trample on
espiã *f v.* **espião**
espiada [ispi'ada] *f* peep
espião, espiã *m, f* spy
espiga [is'piga] *f* ~ **de milho** ear of corn
espinafre [ispi'nafɾi] *m* spinach
espingarda [ispĩj'garda] *f* rifle
espinha [is'pĩɲa] *f* **1.** (*do peixe*) (fish)bone **2.** ANAT spine **3.** (*na pele*) pimple
espinho [is'pĩɲu] *m* **1.** (*de rosa*) thorn **2.** (*de animal*) quill
espinhoso, -a [ispi'ɲozu, -'ɔza] *adj* **1.** BOT thorny **2.** (*difícil*) tough
espiões *m pl de* **espião**
espionar [ispio'nar] *vt* to spy (on)
espiritismo [ispiɾi'tʃizmu] *m* spiritualism *no pl*
espírito [is'piɾitu] *m* spirit
Espírito Santo [is'piɾitu 'sɜ̃ŋtu] *m* (State of) Espírito Santo
espirituoso, -a [ispiɾitu'ozu, -'ɔza] *adj* witty
espirrar [ispi'xar] **I.** *vt* to spurt (out) **II.** *vi* to sneeze
espirro [is'pixu] *m* sneeze; **dar um ~** to sneeze
esplêndido, -a [is'plẽjdʒidu] *adj* splendid
esplendor [isplẽj'dor] *m* splendor
espoliar [ispoʎi'ar] *conj como enviar*

vt to plunder
esponja [is'põwʒa] *f* sponge
espontânea *adj v.* **espontâneo**
espontaneamente [ispõwtɜnja'mẽjtʃi̥] *adv* spontaneously
espontâneo, -a [ispõw'tɜniw, -a] *adj* spontaneous
espora [is'pɔɾa] *f* spur
esporte [is'pɔrtʃi̥] **I.** *m* sport **II.** *adj* **traje** ~ sportswear
esportista [ispor'tʃista] *mf* sportsman *m,* sportswoman *f*
esportivo, -a [ispor'tʃivu, -a] *adj* sports
esposo, -a [is'pozu, -a] *m, f* spouse
espreita [is'pɾejta] *f* **estar à** ~ to be on the lookout
espreitar [ispɾej'tar] *vt* to spy on
espremedor [ispɾeme'dor] *m* squeezer
espremer [ispɾe'mer] *vt* to squeeze
espuma [is'puma] *f* (*de sabão*) lather; (*das ondas*) surf; (*de cerveja, leite*) froth
espumante [ispu'mɜ̃ŋtʃi̥] **I.** *adj* (*vinho*) sparkling **II.** *m* sparkling wine
esquadra [is'kwadɾa] *f* fleet
esquecer [iske'ser] <c→ç> **I.** *vt* to forget **II.** *vr* ~**-se de a. c.** to forget sth
esquecido, -a [iske'sidu, -a] *adj* forgotten; (*esquecidiço*) forgetful
esquecimento [iskesi'mẽjtu] *m* forgetfulness *no pl*
esqueleto [iske'letu] *m* skeleton
esquema [is'kema] *m* **1.** (*figura*) diagram **2.** (*projeto*) scheme
esquentar [iskẽj'tar] *vt* to heat (up)
esquerda *adj v.* **esquerdo**
esquerda [is'kerda] *f* **1.** POL left (wing) **2. virar à** ~ to turn left
esquerdista [isker'dʒista] *mf* left-winger
esquerdo, -a [is'kerdu, -a] *adj* left
esqui [is'ki] *m* (*eqipamento*) ski; (*esporte*) skiing; ~ **aquático** water skiing
esquiar [iski'ar] *conj como enviar vi* to ski
esquilo [is'kilu] *m* squirrel
esquina [is'kina] *f* corner
esquisito, -a [iski'zitu] *adj* weird
esquivar-se [iski'varsi] *vr* to dodge
esse, -a ['esi, 'ɛsa] **I.** *adj* (*aí*) that; (*aqui*) this **II.** *pron dem* (*coisa: aqui/aí*) this/that one; **essa é boa!** how do you like that!; **ora essa!** (*surpresa*) well, well!; (*indignação*) don't give me that!; **é por essas e por outras** that's why
essência [e'sẽjsia] *f* essence
essencial [esẽjsi'aw] *adj* <-ais> essential
esta *pron v.* **este**
estabelecer [istabele'ser] <c→ç> **I.** *vt* to establish **II.** *vr:* ~**-se** to settle
estabelecimento [istabelesi'mẽjtu] *m* **1.** (*fundação*) foundation **2.** (*das regras*) establishment **3.** (*instituição*) institution
estabilidade [istabiʎi'dadʒi] *f* stability *no pl*
estabilizar [istabiʎi'zar] **I.** *vt* to stabilize **II.** *vr:* ~**-se** to become stable
estaca [is'taka] *f* stake

E

estação <-ões> [ista'sɜ̃w, -'õjs] *f* **1.** (*de trem, ônibus*) station **2.** (*do ano*) season **3.** (*de rádio*) station **4.** (*de águas*) spa

estacionamento [istasjona'mẽjtu] *m* **1.** (*ação*) parking; ~ **proibido** no parking **2.** (*lugar*) parking lot *Am,* car park *Brit*

estacionar [istasjo'nar] *vt, vi* to park

estada [is'tada] *f* stay

estadia [ista'dʒia] *f v.* **estada**

estádio [is'tadʒiw] *m* stadium

estadista [ista'dʒista] *m* statesman *m,* stateswoman *f*

estado [is'tadu] *m* **1.** (*condição*) condition; ~ **civil** marital status **2.** POL state; **Estados Unidos da América** United States of America

estadual <-ais> [istadu'aw, -'ais] *adj* state

estafa [is'tafa] *f* tiredness *no pl*

estafado, -a [ista'fadu, -a] *adj* tired out

estagiário, -a [istaʒi'ariw, -a] *m, f* trainee

estágio [is'taʒiw] *m* **1.** (*aprendizagem*) training; **fazer** ~ to be in training **2.** (*fase*) stage

estagnado, -a [istag'nadu, -a] *adj* stagnant

estagnar [istag'nar] *vi* to stagnate

estalagem [ista'laʒẽj] *f* inn

estalar [ista'lar] **I.** *vt* (*os dedos*) to snap **II.** *vi* **1.** (*fender*) to crack **2.** (*dar estalos*) to crackle

estaleiro [ista'lejru] *m* shipyard

estampado, -a [istɜ̃ŋ'padu, -a] *adj* printed

estancar [istɜ̃ŋ'kar] <c→qu> *vt* (*terminar*) to stop; (*sangue*) to stanch

estância [is'tɜ̃ŋsia] *f* (*para gado*) ranch; ~ **termal** spa

estanho [is'tɜ̃ɲu] *m* tin; **papel de** ~ tin foil

estante [is'tɜ̃ŋtʃi̥] *f* bookcase

estar [is'tar] *irr vi* **1.** (*encontrar-se*) to be; ~ **em casa** to be at home **2.** (*presença*) to be (here/there); **quem está aí?** who's there? **3.** (*modo*) ~ **de chapéu/óculos** to be wearing a hat/glasses; ~ **doente/contente** to be sick/happy; ~ **de férias** to be on vacation; ~ **com fome/sede** to be hungry/thirsty; ~ **frio/calor** to be cold/hot; ~ **com medo** to be afraid; (**ainda**) ~ **por fazer** (still) needing to be done; **como está?** how are you?; **está bem!** all right!; **ela está sem dormir/comer há dois dias** she has gone without sleep/food for two days **4.** (*ação contínua*) ~ **fazendo a. c.** to be doing sth **5.** (*temperatura*) **estou com frio, calor** I am (feeling) cold/hot

estardalhaço [istarda'ʎasu] *m inf* racket

estarrecer [istaxe'ser] <c→ç> *vt* to terrify

estatal [ista'taw] *adj* state

estático, -a [is'tatʃi̥ku, -a] *adj* static

estatística [ista'tʃistʃi̥ka] *f* statistics *pl*

estátua [is'tatwa] *f* statue

estatura [ista'tura] *f* stature *no pl*

estatuto [ista'tutu] *m* statute

estável <-eis> [is'tavew, -ejs] *adj* (*funcionário*) permanent; (*situação,* *saúde*) stable

este ['ɛstʃi̥] *m v.* **leste**

este, -a ['estʃi̥, -'ɛsta] *pron dem* this; ~ **livro** this book; **esta senhora** this lady; (*tempo presente*) ; **esta noite** this evening, tonight

esteira [is'tejɾa] *f* (*tapete*) mat; ESPORT treadmill; ~ **rolante** conveyor belt

estender [istẽj'der] *vt* **1.** (*um mapa, uma toalha*) to spread out **2.** (*a mão*) to hold out; (*as pernas, os braços*) to stretch (out) **3.** (*um prazo*) to extend

estepe [is'tɛpi] *m* spare tire

esterco [is'terku] *m* manure *no pl*

estéreis *adj v.* **estéril**

estereofônico, -a [istɛɾjo'foniku, -a] *adj* stereo(phonic)

estereótipo [isteɾi'ɔtʃi̥pu] *m* stereotype

estéril <-eis> [is'tɛɾiw, -ejs] *adj* infertile; (*asséptico*) sterile

esterilizar [isteɾiʎi'zar] *vt* to sterilize

esterlino, -a [ister'ʎinu, -a] *adj* **libra esterlina** pound sterling

estética *adj v.* **estético**

estética [is'tɛtʃi̥ka] *f* esthetics *no pl*

esteticista [istet'sista] *mf* beautician

estético, -a [is'tɛtʃi̥ku] *adj* esthetic

estetoscópio [istetos'kɔpiw] *m* stethoscope

estiagem [istʃi'aʒẽj] *f* dry spell

esticar [istʃi̥'kar] <c→qu> **I.** *vt* to stretch **II.** *vr:* ~-**se** to stretch out

estilista [istʃi'ʎista] *mf* designer

estilo [is'tʃilu] *m* style; ~ **de vida** lifestyle

estima [is'tʃima] *f* esteem

estimação <-ões> [istʃima'sɜ̃w, -'õjs] *f* esteem *no pl;* **bichinho de** ~ pet; **objeto de** ~ prize possession

estimar [istʃi'mar] *vt* **1.** (*ter estima por*) to think highly of **2.** (*calcular*) to estimate

estimativa [istʃima'tʃiva] *f* estimate

estimulante [istʃimu'lɜ̃ŋtʃi̥] **I.** *adj* stimulating **II.** *m* stimulant

estimular [istʃimu'lar] *vt* to stimulate; (*incentivar*) to encourage

estipular [istʃipu'lar] *vt* to stipulate

estofado, -a [isto'fadu, -a] *adj* upholstered

estofamento [istofa'mẽjtu] *m* ~ **do carro** car upholstery

estofar [isto'far] *vt* (*móveis*) to upholster

estofo [is'tofu] *m* (*para móveis*) upholstery

estojo [is'toʒu] *m* case; ~ **de óculos** glasses case; ~ **de lápis** pencil case; ~ **de primeiros socorros** first aid kit

estômago [is'tomagu] *m* stomach

estoque [is'tɔki] *m* stock

estorvo [is'torvu] *m* **1.** (*incômodo*) inconvenience **2.** (*pessoa*) nuisance

estourar [istow'ɾar] **I.** *vt* to burst **II.** *vi* to burst; (*bomba, foguetes*) to explode

estouro [is'towɾu] *m* **1.** (*estrondo*) explosion **2.** *fig* (*discussão, raiva súbita*) outburst

estrábico, -a [is'tɾabiku, -a] *adj* cross-eyed

estrada [is'tɾada] *f* (*rua*) street; (*fora da cidade*) road; ~ **de ferro** railroad *Am,* railway *Brit*

estrado [is'tradu] *m* **1.** (*palanque, tablado*) platform **2.** (*de cama*) base
estragado, **-a** [istra'gadu, -a] *adj* **1.** (*comida*) off **2.** (*objeto*) damaged
estragar [istra'gar] <g→gu> **I.** *vt* (*máquina*) to damage; (*saúde, planos*) to ruin **II.** *vr:* ~**-se** (*comida*) to go off
estrangeiro [istrɜ̃ŋ'ʒejru] *m* foreign countries *pl;* **ir para o** ~ to go abroad
estrangeiro, **-a** [istrɜ̃ŋ'ʒejru, -a] **I.** *adj* foreign **II.** *m, f* foreigner
estranha *adj, f v.* **estranho**
estranhar [istrɜ̃'ɲar] *vt* **1.** (*achar estranho*) to find strange **2.** (*o clima, um ambiente*) not to be used to
estranho, **-a** [is'trɜ̃ɲu, -a] **I.** *adj* strange **II.** *m, f* stranger
estratégia [istra'tɛʒia] *f* strategy
estrear [istre'ar] *conj como passear* **I.** *vt* (*peça, filme*) to show for the first time; (*roupa*) to wear for the first time **II.** *vi* (*filme*) to premiere; (*peça*) to open
estréia [is'trɛja] *f* **1.** (*peça*) opening night; (*filme*) premiere **2.** (*de ator*) debut
estreita *adj v.* **estreito**
estreitar [istrej'tar] *vt* to narrow
estreito [is'trejtu] *m* strait
estreito, **-a** [is'trejtu, -a] *adj* narrow
estrela [is'trela] *f* star
estremecer [istreme'ser] *vi* <c→ç> to shake; (*pessoa*) to tremble
estressado, **-a** [istre'sadu, -a] *adj* stressed
estresse [is'trɛsi] *m* stress *no pl*
estribo [is'tribu] *m* stirrup
estridente [istri'dẽjtʃi̥] *adj* strident
estritamente [istrita'mẽjtʃi̥] *adv* strictly; ~ **necessário** strictly necessary
estrondo [is'trõwdu] *m* boom; (*de trovão*) clap
estropiar [istropi'ar] *conj como enviar vt* to maim
estrume [is'trumi] *m* manure *no pl*
estrutura [istru'tura] *f* structure
estudante [istu'dɜ̃ŋtʃi̥] *mf* student
estudar [istu'dar] *vt, vi* to study
estúdio [is'tudiw] *m* studio
estudioso, **-a** [istudi'osu, -'ɔza] *adj* studious
estudo [is'tudu] *m* study
estufa [is'tufa] *f* greenhouse
estupefato, **-a** [istupe'fatu, -a] *adj* astounded
estupendo, **-a** [istu'pẽjdu, -a] *adj* sensational
estúpida *adj, f v.* **estúpido**
estupidez [istupi'des] *f* stupidity
estúpido, **-a** [is'tupidu, -a] **I.** *adj* stupid **II.** *m, f* idiot
estuprar [istu'prar] *vt* to rape
estupro [is'tupru] *m* rape
estuque [is'tuki] *m* stucco
esvaziar [izvazi'ar] *conj como enviar vt* to empty
esvoaçar [izvoa'sar] *vi* <c→ç> to flutter
etapa [e'tapa] *f* stage; **por** ~**s** in stages
eterna *adj v.* **eterno**
eternidade [eterni'dadʒi] *f* eternity
eterno, **-a** [e'tɛrnu, -a] *adj* eternal
ética ['ɛtʃi̥ka] *f* ethics *no pl*
ético, **-a** ['ɛtʃi̥ku, -a] *adj* ethical
Etiópia [etʃi'ɔpia] *f* Ethiopia

etiqueta [etʃi̥'keta] *f* **1.** (*na roupa; rótulo*) label; (*com preço*) tag **2.** (*protocolo*) etiquette *no pl*
étnico, -a ['ɛtʃiniku] *adj* ethnic
eu ['ew] *pron pess* I; ~ **também** me too; **sou** ~! it's me!
EUA *m abr de* **Estados Unidos da América** USA
eucalipto [ewka'ʎiptu] *m* eucalyptus
eufemismo [ewfe'mizmu] *m* euphemism
euforia [ėwfo'ria] *f* euphoria *no pl*
euro ['ewru] *m* euro
Europa [ew'rɔpa] *f* Europe
europeu, -péia [ewro'pew, ewro'pɛja] *adj, m, f* European
evacuação <-ões> [evakwa'sɜ̃w, -'õjs] *f* evacuation
evacuar [evaku'ar] *vt* to evacuate
evadir-se [eva'dʒirsi] *vr* ~**-se** (**de a. c.**) to run away (from sth)
evangelho [evɜ̃ŋ'ʒɛʎu] *m* gospel
evaporar [evapo'rar] **I.** *vt, vi* to evaporate **II.** *vr:* ~**-se** *inf* (*líquido*) to evaporate; (*desaparecer*) to vanish
evasão <-ões> [eva'zɜ̃w, 'õjs] *f* **1.** ~ **escolar** truancy *no pl;* ~ **fiscal** tax evasion **2.** (*de prisioneiros*) escape
evasivo, -a [eva'zivu, -a] *adj* evasive
evasões *f pl de* **evasão**
evento [e'vẽjtu] *m* event
eventual <-ais> [evẽjtu'aw, 'ajs] *adj* **1.** (*possível*) possible **2.** (*casual, ocasional*) occasional
eventualidade [evẽjtwaʎi'dadʒi] *f* **1.** (*possibilidade*) possibilty; **na** ~ **de** in the event that **2.** (*casualidade*) eventuality
eventualmente [evẽjtwaw'mẽjtʃi̥] *adv* **1.** (*possivelmente*) possibly **2.** (*casualmente*) by chance
evidência [evi'dẽjsia] *f* evidence *no pl*
evidente [evi'dẽjtʃi̥] *adj* obvious; **é** ~ **que sim/não** obviously/obviously not
evitar [evi'tar] *vt* to avoid
evocar [evo'kar] *vt* <c→qu> to evoke
evolução <-ões> [evolu'sɜ̃w, -'õjs] *f* evolution *no pl*
evoluir [evolu'ir] *conj como incluir vi* to evolve
exagerar [ezaʒe'rar] *vt, vi* to exaggerate
exagero [eza'ʒeru] *m* exaggeration; **que** ~! what an exaggeration!
exaltado, -a [ezaw'tadu, -a] *adj* (*irritado*) irritated
exaltar [ezaw'tar] **I.** *vt* (*irritar*) to irritate; (*glorificar*) to exalt **II.** *vr:* ~**-se** to become irritated
exame [e'zɜmi] *m* **1.** (*prova*) exam **2.** (*do ensino médio*) test **3.** MED test; ~ **médico** medical examination
examinar [izɜmi'nar] *vt* to examine
exasperar [ezaspe'rar] **I.** *vt* to exasperate **II.** *vr:* ~**-se** to become exasperated
exatamente [ezata'mẽjtʃi̥] *adv* exactly
exatidão <-ões> [izatʃi'dɜ̃w, -'õjs] *f* **1.** (*precisão*) precision *no pl* **2.** (*de uma conta*) accuracy *no pl*
exato, -a [e'zatu, -a] *adj* **1.** (*correto*) correct **2.** (*preciso*) precise
exausto, -a [e'zawstu, -s] *adj* exhausted

exceção <-ões> [ese'sɜ̃w, -'õjs] *f* exception; **com ~ de** with the exception of; **sem ~** without exception
excedente [ese'dẽjtʃi̥] *adj, m* surplus *no pl*
exceder [ese'der] **I.** *vt* (*ultrapassar*) to exceed **II.** *vr:* **~-se 1.** (*superar-se*) to surpass **2.** (*descomedir-se*) to overdo (sth)
excelência [ese'lẽjsia] *f* **1.** (*tratamento*) **Vossa ~** Your Excellency **2.** (*qualidade*) excellence *no pl*
excelente [ese'lẽjtʃi̥] *adj* excellent
excêntrico, -a [e'sẽjtriku, -a] *adj* eccentric
excepcional <-ais> [esepsjo'naw, 'ajs] *adj* exceptional
excessiva *adj v.* **excessivo**
excessivo, -a [ese'sivu, -a] *adj* excessive
excesso [e'sɛsu] *m* **1.** (*falta de moderação*) excess **2.** (*excedente*) surplus
exceto [e'sɛtu] *prep* except (for)
excitação <-ões> [esita'sɜ̃w, -'õjs] *f* **1.** (*agitação*) excitement **2.** (*sexual*) arousal
excitado, -a [esi'tadu, -a] *adj* **1.** (*agitado*) excited **2.** (*sexualmente*) aroused
excitar [esi'tar] **I.** *vt* to excite; (*agitar, provocar*) to incite; (*sexualmente*) to arouse **II.** *vr:* **~-se** to become aroused
exclamação <-ões> [isklɜma'sɜ̃w, -'õjs] *f* exclamation
exclamar [isklɜ'mar] *vt* to exclaim
excluir [isklu'ir] *conj como incluir vt* to exclude
exclusão <-ões> [isklu'zɜ̃w, -'õjs] *f* exclusion
exclusivo, -a [esklu'zivu, -a] *adj* exclusive
exclusões *f pl de* **exclusão**
excursão <-ões> [iskur'sɜ̃w, -'õjs] *f* trip
execução <-ões> [ezeku'sɜ̃w, -'õjs] *f* execution *no pl*
executar [ezeku'tar] *vt* **1.** (*uma tarefa, ordem*) to carry out **2.** MÚS to perform **3.** (*uma pessoa*) to execute
executivo, -a [ezeku'tʃivu, -a] **I.** *adj* executive **II.** *m, f* (business) executive
exemplar [ezẽj'plar] **I.** *adj* exemplary **II.** *m* (*unidade*) copy; (*exemplo*) example
exemplo [e'zẽjplu] *m* **1.** example; **por ~** for example **2.** (*modelo*) **dar o ~** to set an example
exercer [ezer'ser] *vt* <c→ç> **1.** (*poder, influência*) to exercise **2.** (*uma atividade*) to practice
exercício [ezer'sisiw] *m* **1.** (*ação de exercitar*) exercise **2.** (*ação de exercer*) practice
exercitar [ezersi'tar] *vt* to exercise
exército [e'zɛrsitu] *m* army
exibição <-ões> [ezibi'sɜ̃w, -'õjs] *f* exhibition; (*de um filme*) showing; (*de uma peça*) performance
exibir [ezi'bir] **I.** *vt* **1.** to exhibit **2.** (*um filme*) to show **II.** *vr:* **~-se** to show off
exigência [ezi'ʒẽjsia] *f* demand
exigir [ezi'ʒir] *vt* <g→j> to demand

exilado, **-a** [ezi'ladu, -a] I. *adj* exiled II. *m, f* exile

exilar [ezi'lar] I. *vt* to exile II. *vr:* **~-se** to go into exile

existir [ezis'tʃir] *vi* 1. (*viver*) to exist 2. (*haver*) there is/there are

êxito ['ezitu] *m* success

exorbitante [ezorbi'tɜ̃ŋtʃi̥] *adj* exorbitant

exótico, **-a** [e'zɔtʃi̥ku, -a] *adj* exotic

expandir [ispɜ̃ŋ'dʒir] I. *vt* to expand II. *vr:* **~-se** to expand

expansivo, **-a** [ispɜ̃ŋ'sivu, -a] *adj* expansive

expectativa [ispekta'tʃiva] *f* expectation; **ficar na** ~ to hope for (sth)

expedição <-ões> [ispedʒi'sɜ̃w, -'õjs] *f* 1. (*viagem*) expedition 2. (*envio*) shipment (of goods)

expediente [ispedʒi'ẽjtʃi̥] *m* **horário de** ~ business hours

expedir [ispe'dʒir] *irr como pedir vt* to dispatch

experiência [ispeɾi'ẽjsia] *f* 1. (*prática*) experience 2. (*ensaio*) experiment

experiente [ispeɾi'ẽjtʃi̥] *adj* experienced

experimentar [ispeɾimẽj'tar] *vt* 1. (*comida*) to try 2. (*roupa*) to try on 3. (*droga, uma atividade*) to try out 4. (*pôr à prova*) to test 5. (*passar por*) to experience

expirar [ispi'ɾar] *vi* 1. (*respiração*) to exhale 2. (*prazo*) to expire

explicação <-ões> [isplika'sɜ̃w, -'õjs] *f* explanation

explicar [ispli'kar] <c→qu> I. *vt* to explain II. *vr:* **~-se** to explain oneself

explícito, **-a** [is'plisitu, -a] *adj* explicit

explodir [isplo'dʒir] *vi* to explode; *fig* to blow one's top

exploração <-ões> [isploɾa'sɜ̃w, -'õjs] *f* 1. (*de terreno, região*) exploration 2. (*em excesso, de pessoa*) exploitation

explorar [isplo'ɾar] *vt* 1. (*uma região*) to explore; (*em excesso*) to exploit 2. (*uma pessoa*) to exploit

explosão <-ões> [isplo'zɜ̃w, -'õjs] *f* (*bomba*) explosion

explosivo [isplo'zivu] *m* explosive

explosões *f pl de* **explosão**

expor [is'por] *irr como pôr vt* 1. (*um cartaz, em vitrine*) to display; (*em exposição*) to exhibit 2. (*explicar*) to explain 3. FOTO to expose

exportação <-ões> [isporta'sɜ̃w, -'õjs] *f* export(ation)

exportar [ispor'tar] *vt* to export

exposição <-ões> [ispozi'sɜ̃w, -'õjs] *f* 1. (*de arte*) exhibition; (*feira*) fair 2. (*descrição*) account

exposto, **-a** [is'postu, -'ɔsta] *adj* 1. (*na vitrine, na exposição*) on display 2. (*lugar, pessoa*) exposed

expressa *adj v.* **expresso**

expressão <-ões> [ispɾe'sɜ̃w, -'õjs] *f* expression

expressar [ispɾe'sar] *vt* <*pp* expresso *ou* expressado> *v.* **exprimir**

expressivo, **-a** [ispɾe'sivu -a] *adj* expressive

expresso [is'pɾɛsu] I. *pp irr de* **exprimir** II. *m* (*trem*) express (train)

expresso, -a [is'prɛsu, -a] *adj* (*rápido*) express; (*café*) espresso; **correio** ~ express mail

expressões *f pl de* **expressão**

exprimir [ispri'mir] <*pp* expresso *ou* exprimido> **I.** *vt* to express **II.** *vr:* ~-**se** to express oneself

expulsão <-ões> [ispuw'sɜ̃w, -'õjs] *f* expulsion

expulsar [ispuw'sar] *vt* <*pp* expulso *ou* expulsado> to expel

expulso [is'puwsu] *pp irr de* **expulsar**

expulsões *f pl de* **expulsão**

extensa *adj v.* **extenso**

extensão <-ões> [istẽj'sɜ̃w, -'õjs] *f* **1.** (*dimensão, alcance*) extent **2.** ELETR extension

extensivo, -a [istẽj'sivu, -a] *adj* extensive

extenso, -a [is'tẽjsu, -a] *adj* **1.** (*comprido*) long; **por** ~ in full **2.** (*vasto*) extensive

extensões *f pl de* **extensão**

exterior [isteri'or] **I.** *m* exterior; (*estrangeiro*) foreign countries; **no** ~ abroad **II.** *adj* outside; **o lado** ~ the outside

exterminar [istermi'nar] *vt* to exterminate

extermínio [ister'miniw] *m* extermination

externo, -a [is'tɛrnu, -a] *adj* **1.** external **2.** (*de outro país*) foreign

extinção <-ões> [istʃĩj'sɜ̃w, -'õjs] *f* **1.** (*do fogo*) putting out *no pl* **2.** (*de uma espécie*) extinction

extinguir [istʃĩj'gir] <*pp* extinto *ou* extinguido> **I.** *vt* **1.** (*o fogo*) to put out **2.** (*um povo*) to exterminate **II.** *vr:* ~-**se** **1.** (*fogo*) to go out **2.** (*espécie*) to become extinct; (*povo*) to die out

extinto, -a [is'tʃĩjtu, -a] *adj* **1.** (*fogo*) extinguished **2.** defunct, dead **3.** (*espécie*) extinct

extintor [istʃĩj'tor] *m* extinguisher

extorsão <-ões> [istor'sɜ̃w, -'õjs] *f* extortion *no pl*

extra ['ɛstra] **I.** *adj inv* extra; **horas** ~ overtime **II.** *m* extra

extração <-ões> [istra'sɜ̃w, -õjs] *f* **1.** (*da loteria*) draw **2.** (*de um dente*) extraction

extrair [istra'ir] *conj como sair vt* **1.** (*um dente*) to pull out **2.** (*minério, petróleo*) to extract

extraordinário, -a [istraordʒi'nariw, -a] *adj* extraordinary

extrato [is'tratu] *m* extract; (*bancário*) bank statement

extravagante [istrava'gɜ̃ɲtʃi̥] *adj* extravagant

extraviar [istravi'ar] *conj como enviar* **I.** *vt* **1.** to lose **2.** (*desencaminhar*) to lead astray **II.** *vr:* ~-**se** to get lost

extrema *adj v.* **extremo**

extremamente [istrema'mẽjtʃi̥] *adv* extremely

extremidade [istremi'dadʒi] *f* extremity; (*no corpo*) tip; ~ **dos dedos** fingertips

extremista [istre'mista] *adj, mf* extremist

extremo [is'tremu] *m* extreme

extremo, **-a** [is'tremu, -a] *adj* extreme; **o Extremo Oriente** the Far East

extrovertido, **-a** [istrover'tʃidu, -a] *adj* extrovert

exuberante [ezube'rɜ̃ŋtʃi̥] *adj* exuberant

exumar [ezu'mar] *vt* to exhume

F

F, **f** ['ɛfi] *m* F, f

fá ['fa] *m* F

fã ['fɜ̃] *mf* fan

fábrica ['fabrika] *f* factory

fabricante [fabri'kɜ̃ŋtʃi̥] *mf* manufacturer

fabricar [fabri'kar] *vt* <c→qu> to manufacture; (*provas*) to fabricate

fábula ['fabula] *f* fable

fabuloso, **-a** [fabu'lozu, -'ɔza] *adj* fabulous

faca ['faka] *f* knife

facada [fa'kada] *f* stab

façanha [fa'sɜ̃ɲa] *f* achievement

face ['fasi] *f* face; ~ **a** ~ face to face

fáceis *adj pl de* **fácil**

fachada [fa'ʃada] *f* façade

facho ['faʃu] *m* torch

facial [fasi'aw] *adj* **creme** ~ face cream

fácil <-eis> ['fasiw, -ejs] *adj* easy; (*pessoa*) easy-going

facilidade [fasiʎi'dadʒi] *f sem pl* ease *no pl*

facilidades [fasiʎi'dadʒis] *fpl* means *pl*

facilitar [fasiʎi'tar] *vt* to facilitate

facilmente [fasiw'mẽjtʃi̥] *adv* easily

factício, **-a** [fak'tʃisiw, -a] *adj* artificial

faculdade [fakuw'dadʒi] *f* **1.** UNIV college, university **2.** **~s mentais** mental faculties

facultar [fakuw'tar] *vt* to enable

facultativo, **-a** [fakuwta'tʃivu, -a] *adj* optional

fada ['fada] *f* fairy

fadiga [fa'dʒiga] *f* fatigue *no pl*

fagulha [fa'guʎa] *f* spark

faisão <-ões *ou* -ães> [faj'zɜ̃w, -õjs, -ɜ̃js] *m* pheasant

faísca [fa'iska] *f* spark

faisões *m pl de* **faisão**

faixa ['fajʃa] *f* **1.** (*no chão*) line; (*na estrada*) lane; ~ **de pedestres** pedestrian crossing **2.** (*tira*) strip **3.** (*de CD*) track **4.** ~ **etária** age group

fajuto, **-a** [fa'ʒutu, -a] *adj inf* fake

fala ['fala] *f* speech

falador(**a**) [fala'dor(a)] **I.** *m(f)* (great) talker **II.** *adj* talkative

falante [fa'lɜ̃ŋtʃi̥] **I.** *adj* talkative **II.** *mf* speaker

falar [fa'lar] **I.** *vt* to speak; ~ **a. c. a alguém** to say sth to sb; ~ **a verdade** to tell the truth; **fala português?** do you speak Portuguese? **II.** *vi* to speak; ~ **de** [*ou* **sobre**] **alguém/a. c.** to talk about sb/sth; (*no telefone*) ; **posso** ~ **com a Carla?** may I speak to Carla, please?; **quem fala?** who's speaking?

falastrão, **-ona** [falas'trɜ̃w, -'ona] *adj*

loquacious

falatório *m* buzz (of voices)

falcão <-ões> [faw'kɜ̃w, -'õjs] *m* falcon

falcatrua [fawka'trua] *f* deception

falcões *m pl de* **falcão**

falecer [fale'ser] *vi* <c→ç> to pass away

falecido, -a [fale'sidu, -a] I. *m, f* **o** ~ the deceased II. *adj* deceased

falecimento [falesi'mẽjtu] *m* death

falência [fa'lẽjsia] *f* bankruptcy; **ir à** ~ to go bankrupt

falha ['faʎa] *f* fault; (*de máquina*) defect

falhar [fa'ʎar] *vi* (*não acertar*) to miss; (*planos*) to fall through; (*na vida*) to fail

falir [fa'ʎir] *vi* to go bankrupt

falsa *adj v.* **falso**

falsificar [fawsifikar] *vt* <c→qu> (*assinatura*) to forge; (*identidade*) to falsify

falso, -a ['fawsu, -a] *adj* false; (*jóia*) fake; (*assinatura*) forged; (*pessoa*) insincere

falta ['fawta] *f* 1. (*carência*) lack; ~ **de respeito** lack of respect; **sem** ~ without fail; **sentir** ~ **de alguém/a. c.** to miss sb/sth 2. ESPORT foul

faltar [faw'tar] I. *vt* to be lacking; **ainda faltam cinco minutos** there are still five minutes left II. *vi* to be absent

fama ['fɜma] *f sem pl* (*celebridade*) fame *no pl;* (*reputação*) reputation; **ter má** ~ to have a bad reputation

família [fɜ'miʎia] *f* family

Culture As it has such an important place in the life of Brazilians, the **family** is quite a common topic of conversation, and such talk should not be interpreted as indiscreet.

familiar [fɜmiʎi'ar] I. *mf* relative II. *adj* family

familiarizar [fɜmiʎjari'zar] I. *vt* to make known II. *vr* ~**-se com a. c.** to get used to sth

faminto, -a [fɜ'mĩjtu, -a] *adj* starving

famoso, -a [fɜ'mozu, -'ɔza] *adj* famous

fanático, -a [fɜ'natʃiku, -a] I. *m, f* fanatic II. *adj* fanatical

fanfarrão <-ões> [fɜ̃ŋfa'xɜ̃w, -'õjs] *m* braggart

faniquito [fɜni'kitu] *m inf* tantrum

fantasia [fɜ̃ŋta'zia] *f* fantasy, imagination; ~ **de carnaval** carnival costume

fantasiar [fɜ̃ŋtazi'ar] *conj como passear* I. *vi* to fantasize II. *vr* ~**-se de a. c.** to dress up as sth

fantasma [fɜ̃ŋ'tazma] *m* ghost

fantástico, -a [fɜ̃ŋ'tastʃiku, -a] *adj* fantastic

fantoche [fɜ̃ŋ'tɔʃi] *m* puppet

faqueiro [fa'kejru] *m* set of flatware

farda ['farda] *f* uniform

fardo ['fardu] *m* bundle; (*sobrecarga*) burden

farejar [fare'ʒar] *vi* to sniff out

farelo [fa'rɛlu] *m* (*de pão*) crumbs *pl;* (*de trigo*) chaff *no pl*

farinha [fa'rĩɲa] *f* flour; ~ **integral** whole-wheat flour; ~ **de rosca** bread crumbs; ~ **de mesa** fine-ground cassava flour

farmacêutico, -a [farma'sewtʃiku, -a] **I.** *m, f* pharmacist **II.** *adj* pharmaceutical

farmácia [far'masia] *f* pharmacy

faro ['faɾu] *m* sense of smell; *fig* intuition

faroeste [faɾu'ɛstʃi] *m sem pl* CINE western

Culture **Farofa** accompanies many Brazilian dishes, especially **feijoada** . It is made with toasted **farinha de mandioca** (manioc flour), oil or butter, bacon, onion, parsley, and scallions.

farol <-óis> [fa'ɾɔw, -'ɔjs] *m* lighthouse; AUTO headlight

farpa ['farpa] *f* splinter

farpado, -a [far'padu, -a] *adj* **arame** ~ barbed wire

farra ['faxa] *f* **só por** ~ *inf* just for [*o* in] fun

farrapo [fa'xapu] *m* rag

farta *adj v.* **farto**

fartar-se [far'tarsi] <*pp* farto *ou* fartado> *vr* to stuff oneself; ~ **de alguém/a. c.** *fig* to be tired of sb/sth

farto, -a ['fartu, -a] *adj* **estar** ~ **de fazer a. c.** to be (sick and) tired of doing sth

fascinado, -a [fasi'nadu, -a] *adj* fascinated

fascinante [fasi'nɜ̃ŋtʃi] *adj* fascinating

fase ['fazi] *f* phase

fatal <-ais> [fa'taw, -'ajs] *adj* fatal

fatalidade [fataʎi'dadʒi] *f* **foi uma fatalidade** it was a disaster

fatalmente [fataw'mẽjtʃi] *adv* inevitably

fatia [fa'tʃia] *f* slice; (*parcela*) share

fato ['fatu] **I.** *m* fact; ~ **consumado** fait accompli **II.** *adv* **de** ~ in fact, actually

fator [fa'tor] *m* factor

fatura [fa'tuɾa] *f* invoice, bill

faturar [fatu'ɾar] *vt* to make money

fauna ['fawna] *f* fauna + *sing vb*

favela [fa'vɛla] *f* shantytown (*slum characterized by flimsy, improvised shacks, often on a hill*)

favelado, -a [fave'ladu, -a] *m, f* inhabitant of a favela

favo ['favu] *m* honeycomb

favor [fa'vor] *m* favor; **por** ~**!** please!; **por** ~**, onde fica ...?** excuse me, where's ...?

favorável <-eis> [favo'ɾavew, -ejs] *adj* favorable; **ser** ~ **a a. c./alguém** to be in favor of sth/sb

favorecer [favore'ser] <c→ç> **I.** *vt* to favor **II.** *vr:* ~**-se** to make use (of)

favorito, -a [favo'ɾitu, -a] **I.** *m, f* **franco** ~ clear favorite **II.** *adj* favorite

fax ['faks] *inv m* **mandar** [*ou* **enviar**] **um** ~ to send a fax

faxina [fa'ʃina] *f* cleaning *no pl*

faxineiro, -a [faʃi'nejɾu, -a] *m, f* cleaner

fazenda [fa'zẽjda] *f* farm; (*pano*) cloth; (*finanças*) public treasury

fazendeiro, -a [fazẽj'dejɾu, -a] *m, f* farmer

fazer [fa'zer] *irr* **I.** *vt* to do, to make; **o que você está fazendo?** what are

F

you doing?; **fiz 18 anos ontem** I turned 18 yesterday **II.** *vt, vi* **isso faz bem/mal à saúde** that is good/bad for your health **III.** *vi impess* **faz frio/calor** it is cold/hot; **faz seis meses que ela está aqui** she has been here for six months; **tanto faz** whatever

faz-tudo [fas-'tudu] *mf inv* jack-of-all-trades

fé ['fɛ] *f sem pl* faith; **levar** [*ou* **ter**] ~ **em a. c./alguém** to trust sth/sb

febre ['fɛbri] *f sem pl* fever

febril <-is> [fe'briw, -'is] *adj* **estar** ~ to be feverish

fechado, -a [fe'ʃadu, -a] *adj* (*loja*) closed; (*via*) closed off; (*tempo*) overcast; **sinal** ~ *inf* red light

fechadura [feʃa'dura] *f* lock

fechar [fe'ʃar] **I.** *vt* to close; (*torneira*) to turn off; **o tempo fechou** it clouded over **II.** *vi* (*deixar de funcionar*) close down; (*sinal*) to turn red

fecho ['feʃu] *m* fastener

fecundar [fekũw'dar] *vt* to fertilize

fecundo, -a [fe'kũwdu, -a] *adj* fertile

feder [fe'der] *vi* to stink

fedorento, -a [fedo'rẽjtu, -a] *adj* smelly

feia *adj v.* **feio**

feição <-ões> [fej'sɜ̃w, -õjs] *f* appearance; (*maneira*) manner

feições [fej'sõjs] *fpl* features

feijão <-ões> [fej'ʒɜ̃w, -õjs] *m* bean

feijoada [fejʒu'ada] *f Brazilian black bean stew made with different types of sausage and salt beef*

feijões *m pl de* **feijão**

feio, -a ['feju, -a] **I.** *adj* ugly; (*atitude*) not nice; **é** ~ **falar assim** it's rude to speak like that **II.** *adv* shamefully

feira ['fejra] *f* fair; ~ **livre** farmer's market

feita *adj v.* **feito**

feitiçaria [fejtʃi̥sa'ria] *f* witchcraft

feiticeiro, -a [fejtʃi̥'sejru, -a] *m, f* witch *f,* wizard *m*

feitiço [fej'tʃisu] *m* spell

feitio [fej'tʃiw] *m* shape; **isso não é do meu** ~ that's not my style

feito, -a ['fejtu, -a] *adj* **1.** made; ~ **à mão** handmade **2.** (*terminado*) done, finished; **bem** ~! well done!, it serves you right! *iron*

feito ['fejtu] **I.** *pp de* **fazer II.** *m* act **III.** *conj* like

feixe ['fejʃi̥] *m sem pl* bundle; ~ **de luz** beam of light

felicidade [feʎisi'dadʒi] *f sem pl* happiness *no pl;* (*fortuna*) good fortune *no pl*

felicidades [feʎisi'dads] *fpl* **muitas** ~! congratulations!

felicitações [feʎisita'sõjs] *f* congratulations

felicitar [feʎisi'tar] *vt* to congratulate

feliz [fe'ʎis] *adj* happy

felizmente [feʎiz'mẽjtʃi̥] *adv* luckily

felpudo, -a [few'pudu, -a] *adj* fluffy

feltro ['fewtru] *m* felt *no pl*

fêmea ['femia] *f* female

feminino, -a [femi'ninu, -a] *adj* feminine; (*sexo*) female; **equipe** ~ women's team

fenda ['fẽjda] *f* (*na terra*) crack; (*na saia*) slit

feno ['fenu] *m sem pl* hay *no pl*
fenômeno [fe'nomenu] *m* phenomenon
fera ['fɛɾa] *f* beast; *fig* brute; **ser uma ~ em a. c.** to be a genius at sth
feriadão [ferja'dɜ̃w] *m inf* long (holiday) weekend
feriado [feri'adu] *m* holiday
férias ['fɛɾias] *fpl* vacation, holiday(s); **estar de ~** to be on vacation
ferida [fe'ɾida] *f* wound; **casca de ~** scab
ferido, -a [fe'ɾidu, -a] **I.** *m, f* injured person **II.** *adj* hurt
ferimento [feɾi'mẽjtu] *m* (*por arma*) wound; (*em acidente*) injury
ferir [fe'ɾir] *irr como preferir* **I.** *vt* to injure; (*por arma*) to wound; (*machucar, irritar*) to hurt **II.** *vr:* **~-se** to get hurt
fermento [fer'mẽjtu] *m sem pl* yeast *no pl;* **~ em pó** baking powder
feroz [fe'ɾɔs] *adj* (*animal*) ferocious; (*pessoa*) brutal
ferragem <-ens> [fe'xaʒẽj, -ẽjs] *f* hardware *no pl*
ferramenta [fexa'mẽjta] *f* tool
ferreiro, -a [fe'xejɾu, -a] *m, f* blacksmith
ferrenho, -a [fe'xẽɲu, -a] *adj* (*vontade*) iron; (*inimigo*) relentless
férreo, -a ['fɛxiw, -a] *adj* **via férrea** railway
ferro ['fɛxu] *m sem pl* iron *no pl;* **passar a ~** to iron
ferroada [fexu'ada] *f* sting
ferrolho [fe'xoʎu] *m* bolt
ferrovia [fexo'via] *f* railroad *Am,* railway *Brit*
ferrugem [fe'xuʒẽj] <-ens> *f* rust
fertilizante [fertʃiʎi'zɜ̃ŋtʃi] *m* fertilizer
fervente [fer'vẽjtʃi] *adj* boiling
ferver [fer'ver] *vt, vi* to boil
fervilhar [fervi'ʎar] *vi* to simmer
fervura [fer'vuɾa] *f* boiling point

Culture **Feriados nacionais**

(national holidays):
January 1: Ano-Novo, New Year's Day
February or March: Carnaval, Carnival
Terça-Feira de Carnaval, Shrove Tuesday
Quarta-Feira de Cinzas, Ash Wednesday
Quinta-Feira Santa, Holy Thursday
Sexta-Feira Santa, Good Friday
Páscoa, Easter
April 21: Dia de Tiradentes
May 1: Dia do Trabalho, Labor Day
May or June: Corpo de Christo, Corpus Christi
September 7: Independência do Brasil, Independence Day
October 12: Nossa Senhora da Aparecida, Holy Day of Brazil's Patron Saint
November 2: Finados, All Souls' Day
November 15: Proclamação da República, Proclamation of the Republic
December 24: Véspera de Natal, Christmas Eve
December 25: Natal, Christmas
December 31: Réveillon, New Year's Eve

festa ['fɛsta] *f* party; *inf* celebration; **dar uma** ~ to throw a party
festejar [feste'ʒar] *vt* to celebrate
festivo, **-a** [fes'tʃivu, -a] *adj* festive
fevereiro [feve'ɾejɾu] *m* February
fez ['fes] *3. pret de* **fazer**
fezes ['fɛzis] *fpl* feces
fiação <-ões> [fja'sɜ̃w, -'õjs] *f* wiring
fiado [fi'adu] *adv* on credit
fiador(a) [fja'dor(a)] *m(f)* guarantor
fiança [fi'ɜ̃ŋsa] *f* guarantee; **sob** ~ on bail
fibra ['fibɾa] *f* fiber
ficar [fi'kar] <c→qu> *vi* to stay; ~ **parado** to stay (in one place); **a loja fica no centro** the store is downtown; ~ **com medo/frio** to be afraid/cold; **isso fica para amanhã** leave this for tomorrow
ficção <-ões> [fik'sɜ̃w, -'õjs] *f* fiction *no pl*
ficha ['fiʃa] *f* (*de jogo*) chip; **preencher uma** ~ to fill out a form; **ter** ~ **limpa** *inf* to have a clean record
fichário [fi'ʃaɾiw] *m* filing cabinet
fidedigno, **-a** [fide'dʒignu] *adj* trustworthy
fiel <-éis> [fi'ɛw, -'ɛjs] **I.** *m* believer **II.** *adj* faithful
fígado ['figadu] *m* liver
figo ['figu] *m* fig
figura [fi'guɾa] *f* figure; **ele é uma** ~ he's a character
figurante [figu'ɾɜ̃ŋtʃi̥] *mf* extra
figurar [figu'ɾar] *vi* to stand out
figurino [figu'ɾinu] *m* costume
fila ['fila] *f* line *Am*, queue *Brit*; **fazer** ~ to stand in line
filão <-ões> [fi'lɜ̃w, -'õjs] *m* vein
filé [fi'lɛ] *m* fillet
fileira [fi'lejɾa] *f* row
filha ['fiʎa] *f* daughter
filho ['fiʎu] *m* son *m*, child *m,f*; ~s children
filhote [fi'ʎɔtʃi̥] *m* young *no pl*; (*de gato*) kitten; (*de cadela*) puppy
filial <-ais> [fiʎi'aw, -'ajs] *f* branch
filiar-se [fiʎi'arsi] *vr* to join
Filipinas [fiʎi'pinas] *fpl* the Philippines
filmagem [fiw'maʒẽj] <-ens> *f* filming
filme ['fiwmi] *m* film, movie; **assistir a um** ~ to watch a movie
filósofo, **-a** [fi'lɔzofu, -a] *m, f* philosopher
filtro ['fiwtɾu] *m* filter; ~ **solar** sunblock
fim [fĩj] <-ins> *m* end; **por** ~ finally; **sem** ~ endless; **estar a** ~ **de fazer a. c.** *gír* to feel like doing sth; **no** ~ **de semana** on the weekend
fina *adj v.* **fino**
final <-ais> [fi'naw, -'ajs] **I.** *m* end; ~ **feliz** happy ending **II.** *f* ESPORT final **III.** *adj* final
finalidade [finaʎi'dadʒi] *f* aim; **com a** ~ **de** for the purpose of
finalmente [finaw'mẽjtʃi̥] *adv* finally
finanças [fi'nɜ̃ŋsas] *fpl* finances *pl*
financeiro, **-a** [finɜ̃ŋ'sejɾu, -a] *adj* financial
financiamento [finɜ̃ŋsja'mẽjtu] *m* financing *no pl*
fingido, **-a** [fĩj'ʒidu, -a] *adj* (*pessoa*) insincere; (*sentimento*) feigned

fingir [fĩj'ʒir] <g→j> **I.** *vt* to fake **II.** *vi* to pretend

Finlândia [fĩj'lɜ̃ŋdʒia] *f* Finland

fino, -a ['finu, -a] *adj* (*lâmina*) fine; (*esbelto*) slender; (*educado*) polite; (*ambiente*) refined

fins *m pl de* **fim**

fio ['fiw] *m* **1.** thread; ~ **dental** dental floss; **perdi o ~ da meada** I lost my train of thought **2.** (*de cabelo*) strand **3.** ELETR, TEL wire

firme ['firmi] *adj* (*decisão*) firm; (*muro*) solid; (*namoro*) steady

fiscal [fis'kaw] **I.** *mf* inspector **II.** *adj* fiscal; **nota ~** *tax invoice;* **sonegação ~** tax evasion

fiscalizar [fiskaʎi'zar] *vt* to inspect

fisco ['fisku] *m* tax authorities

fisgar [fiz'gar] *vt* <g→gu> to hook

física ['fizika] *f sem pl* physics + *sing vb*

físico, -a ['fiziku, -a] **I.** *m, f* physicist **II.** *adj* physical

físico ['fiziku] *m* (*de pessoa*) physique

fisionomia [fizjono'mia] *f* face, physiognomy *no pl form*

fisioterapeuta [fizjotera'pewta] *mf* physical therapist *Am,* physiotherapist *Brit*

fissura [fi'sura] *f* crack

fita ['fita] *f* **1.** (*de tecido*) ribbon **2.** tape; ~ **Durex®** Scotch tape® *Am,* Sellotape® *Brit*

fitar [fi'tar] *vt* to stare at

fivela [fi'vɛla] *f* (*cinto*) buckle; (*para cabelo*) barrette *Am,* hair slide *Brit*

fixa *adj v.* **fixo**

fixador [fiksa'dor] *m* hair gel; (*spray*) hair spray

fixar [fik'sar] **I.** *vt* (*prazo*) to fix; (*atenção*) to focus; (*preço*) to set **II.** *vr* **~-se no interior** to settle in the interior

fixo, -a ['fiksu, -a] *adj* (*salário*) fixed; (*emprego*) permanent; **namorado ~** steady boyfriend

fiz ['fis] *1. pret de* **fazer**

flã ['flɜ̃] *m* baked caramel custard

flácido, -a ['flasidu, -a] *adj* flabby

flagelo [fla'ʒɛlu] *m* scourge

flamejar [flame'ʒar] *vi* to flame

flanela [flɜ'nɛla] *f* flannel; (*para limpeza*) duster

flauta ['flawta] *f* flute

flecha ['flɛʃa] *f* arrow

flertar [fler'tar] *vi* to flirt

fletir [fle'tʃir] *irr como refletir vt* to bend

flexão <-ões> [flek'sɜ̃w, -'õjs] *f* **fazer flexões** to do push-ups

flexível <-eis> [flek'sivew, -ejs] *adj* flexible

flexões *f pl de* **flexão**

floco ['flɔku] *m* flake; **~s de milho** cornflakes *pl*

flor ['flor] *f* flower; **estar em ~** (*flores*) to be blooming

flora ['flɔra] *f* flora + *sing vb*

floreira [flo'rejra] *f* flowerpot

florescer [flore'ser] *vi* <c→ç> to flower; *fig* to flourish

floresta [flo'rɛsta] *f* forest; ~ **tropical** rainforest

Florianópolis [floriɜ'nɔpuʎis] (City of) Florianópolis

floricultura [florikuw'tura] *f* flower

shop, florist's *Brit*

florido, -a [flo'ɾidu, -a] *adj* (*estilo*) flowery; (*jardim*) in (full) bloom

florir [flo'ɾir] *vi* to bloom

fluência [flu'ẽjsia] *f sem pl* **falar com** ~ to speak fluently

fluido, -a ['flujdu, flu'idu, -a] *adj* liquid; (*movimento*) fluid

fluir [flu'ir] *conj como incluir vi* to flow

fluminense [flumi'nẽjsi] **I.** *mf* person from Rio de Janeiro state **II.** *adj* from Rio de Janeiro state

flúor ['fluor] *m sem pl* (*gás*) fluorine; (*em dentifrício*) fluoride

fluorescente [fluoɾe'sẽjtʃi̥] *adj* fluorescent

flutuação <-ões> [flutua'sɜ̃w, -'õjs] *f* flotation; (*instabilidade*) fluctuation

flutuar [flutu'ar] *vi* (*barco*) to float; (*variar*) to fluctuate

fluxo ['fluksu] *m* flow

fobia [fo'bia] *f* phobia

foca ['fɔka] *f* seal

focalizar [fokaʎi'zar] *vt* to focus

focinho [fu'sĩɲu] *m* (*de porco*) snout; (*de cão*) muzzle

foco ['fɔku] *m* **pôr em** ~ to bring into focus

fofo, -a ['fofu, -a] *adj* soft, fluffy

fofoca [fo'fɔka] *f inf* gossip *no pl*

fogão <-ões> [fo'gɜ̃w, -'õjs] *m* stove *Am,* cooker *Brit*

fogo <-s> ['fogu, 'fɔgus] *m* fire; **pegar** ~ to catch (on) fire; **à prova de** ~ fireproof; **abrir/cessar** ~ to open/to cease fire; ~ **de artifício** firework

fogões *m pl de* **fogão**

fogueira [fo'gejɾa] *f* bonfire

foguete [fo'getʃi̥] *m* rocket

foi ['foj] *3. pret de* **ir, ser**

fôlego ['folegu] *m* breath; **perder o** ~ to lose one's breath

folga ['fɔwga] *f* **1.** time off (from work/school); **ter** ~ to have a day off **2.** (*alívio*) respite; **me dá uma** ~**!** give me a break! **3.** (*espaço*) gap

folgado, -a [fow'gadu, -a] *adj* **1.** (*roupa*) loose-fitting; (*vida*) easy **2.** *inf* (*atrevido*) sassy *Am,* cheeky *Brit*

folgar [fow'gar] *vi* <g→gu> to take a break; (*do trabalho*) to take time off

folha ['foʎa] *f* leaf; (*de papel*) sheet

folheado, -a [foʎi'adu, -a] *adj* plated

folhear [foʎi'ar] *conj como passear vt* to page (through)

folheto [fo'ʎetu] *m* leaflet

folia [fu'ʎia] *f* merrymaking *no pl,* revelry *no pl*

folião <-ões> [fuʎi'ɜ̃w, -'õjs] *m* carnival reveler

fome ['fɔmi] *f sem pl* hunger; **estar com** [*ou* **ter**] ~ to be hungry

fomentar [fo'mẽjtar] *vt* (*ódio*) to incite; (*economia*) to stimulate

fonte ['fõwtʃi̥] *f* spring; (*chafariz*) fountain; ~ **de energia** power source

for ['for] *1./3. fut subj de* **ir, ser**

fora ['fɔɾa] **I.** *adv* away; **cair** ~ to go away (abruptly); **jogar** ~ to throw away; (**ir**) **jantar** ~ to eat out; **estar** ~ to be away **II.** *prep* **1.** away; ~ **de casa** away from home; ~ **de serviço** out of order **2.** (*além de*) except (for), besides **III.** *interj* ~**!** (get) out!

foragido, **-a** [fora'ʒidu, -a] *m, f* fugitive

forca ['forka] *f* gallows *no pl*

força ['forsa] *f* (*robustez*) strength; (*violência*) force; **fazer** ~ to make an effort; **acabou a** ~ there was a power cut; **dar uma** ~ **a alguém** to help sb out

forçado, **-a** [for'sadu, -a] *adj* obliged; **pouso** ~ forced landing

forçar [for'sar] *vt* <ç→c> to force; (*a vista*) to strain

forjar [for'ʒar] *vt* (*metal*) to forge; (*inventar*) to invent

forma¹ ['fɔrma] *f* (*maneira*) way; **desta** ~ accordingly; **de** ~ **alguma/nenhuma** no way; **de alguma** ~ somehow; **de qualquer** ~ anyway; **estar fora de** ~ to be out of shape

forma² ['forma] *f* form, mold; (*para bolos*) cake pan

formação <-ões> [forma'sɜ̃w, -'õjs] *f* upbringing; (*educação*) education

formado, **-a** [for'madu, -a] *adj* composed of

formal <-ais> [for'maw, -'ajs] *adj* formal

formando, **-a** [for'mɜ̃ŋdu, -a] *m, f* (university or college) graduate

formar [for'mar] **I.** *vt* to form; (*uma equipe*) to put together **II.** *vr:* **~-se** to emerge; **~-se médico** to get a degree in medicine

formatar [forma'tar] *vt* to format

formato [for'matu] *m* shape, format

formidável <-eis> [formi'davew, -ejs] *adj* magnificent

formiga [fur'miga] *f* ant

formigueiro [furmi'gejru] *m* ant hill; (*de pessoas*) crowd

formulário [formu'lariw] *m* form; **preencher um** ~ to fill out a form

fornecedor(a) [fornese'dor(a)] *m(f)* supplier

fornecer [forne'ser] *vt* <c→ç> to supply

fornecimento [fornesi'mẽjtu] *m sem pl* supply *no pl*

forno ['fornu] *m* oven; ~ **de microondas** microwave oven

foro ['foru] *m* jurisdiction

forrado, **-a** [fo'xadu, -a] *adj* (*revestido*) covered; (*roupa*) lined

forro ['foxu] *m* lining; (*de sofá*) covering

forró [fo'xɔ] *m popular music from the Northeast of Brazil for dancing in pairs*

fortalecer [fortale'ser] *vt* <c→ç> to strengthen

fortaleza [forta'leza] *f* fortress

Fortaleza [forta'leza] *f* (City of) Fortaleza

forte ['fɔrtʃi̥] **I.** *m* fort **II.** *adj* (*pessoa, vento, bebida*) strong; (*dor de cabeça*) bad; **moeda** ~ hard currency **III.** *adv* solidly, hard

fortemente [fɔrtʃi'mẽjtʃi̥] *adv* strongly

fortuna [fur'tuna] *f* fortune

fórum ['fɔrũw] *m* <-uns> court

fosco, **-a** ['fosku, -a] *adj* (*cor*) dull

fósforo ['fɔsfuru] *m* match

fossa ['fɔsa] *f* septic tank

fosse ['fosi] *1./3. imp subj de* **ir**, **ser**

foto ['fɔtu] *f* photo, picture; **tirar uma**

~ **de alguém/a. c.** to take a picture of sb/sth

fotocópia [foto'kɔpia] *f* photocopy

fotografia [fotogra'fia] *f* photograph

fotográfico, -a [foto'grafiku, -a] *adj* photographic; **máquina fotográfica** camera

fotógrafo, -a [fo'tɔgrafu, -a] *m, f* photographer

foz ['fɔs] <fozes> *f* mouth (of a river)

fraca *adj v.* **fraco**

fração <-ões> [fra'sɜ̃w, -õjs] *f* fraction

fracassar [fraka'sar] *vi* to fail

fracasso [fra'kasu] *m* failure

fraco, -a ['fraku, -a] *adj* weak; (*desempenho*) poor; (*chuva*) light

frade ['fradʒi] *m* friar

frágil <-eis> ['fraʒiw, -ejs] *adj* fragile

fragmentar-se [fragmẽj'tar] *vr* to shatter

fragrância [fra'grɜ̃ŋsia] *f* fragrance

fralda ['frawda] *f* diaper *Am,* nappy *Brit*

framboesa [frɜ̃ŋbo'eza] *f* raspberry

França ['frɜ̃ŋsa] *f* France

franca *adj v.* **franco**

francamente [frɜ̃ŋka'mẽjtʃi] **I.** *adv* frankly **II.** *interj* ~! really!

franco, -a ['frɜ̃ŋku, -a] *adj* frank; **entrada franca** free admission; **zona franca** free-trade zone

frango ['frɜ̃ŋgu] *m* chicken

franja ['frɜ̃ŋʒa] *f* fringe; (*de cabelo*) bangs *pl Am,* fringe *Brit*

fraquejar [frake'ʒar] *vi* to weaken, to lose heart

frasco ['frasku] *m* flask; (*de perfume*) bottle

frase ['frazi] *f* sentence

fraternal <-ais> [frater'naw, -'ajs] *adj* fraternal

fraternidade [fraterni'dadʒi] *f sem pl* brotherhood, harmony

fraturar [fratu'rar] *vt* to fracture; (*janela*) to break

fraudar [fraw'dar] *vt* to defraud, to deceive

fraude ['frawdʒi] *f* fraud

frear [fre'ar] *conj como passear vt* to brake

freguês, -esa [fre'ges, -'eza] *m, f* customer

freguesia [frege'zia] *f* clientele, customers

freio ['freju] *m* brake; ~ **de mão** hand brake

freira ['frejra] *f* nun

frenético, -a [fre'nɛtʃiku, -a] *adj* (*multidão*) angry; (*ritmo*) frenetic

frente ['frẽjtʃi] *f* front; ~ **a** ~ face to face; **sempre em** ~ straight ahead; **ele está à** [*ou* **na**] **minha** ~ (*posição*) he is in front of me; (*obstáculo*) he is in my way; ~ **fria/quente** cold/warm front

frentista [frẽj'tʃista] *mf* service station attendant *Am,* petrol pump attendant *Brit*

freqüência [fre'kwẽjsia] *f* frequency; **com** ~ often; (*aula, trabalho*) attendance; ~ **de rádio** radio frequency

freqüentador, -a [fre'kwẽjta'dor, -a] *m, f* regular

freqüentar [frekwẽj'tar] *vt* to frequent; (*curso*) to attend

fresca *adj v.* **fresco**

frescão <-ões> [fres'kɜ̃w, -'õjs] *m inf* air-conditioned tourist bus

fresco ['fresku] *m gír* finicky person

fresco, -a ['fresku, -a] *adj* fresh; (*temperatura, bebida*) cool; (*roupa*) light

frescões *m pl de* **frescão**

fretar [fre'tar] *vt* (*um caminhão*) to freight; (*avião, ônibus*) to charter

frete ['frɛtʃi̥] *m* freight *no pl*

frevo ['frevu] *m frenetic dance with ornate umbrellas from the Brazilian Northeast*

fria *adj v.* **frio**

friccionar [friksjo'nar] *vt* to rub

frieira [fri'ejra] *f* chilblain

frigideira [friʒi'dejra] *f* frying pan

frigorífico [frigo'rifiku] *m* meat-packing plant

frigorífico, -a [frigo'rifiku, -a] *adj* cold-storage

frio, -a ['friw, -a] *adj* cold; **está** [*ou* **faz**] ~ it is cold

frios ['friws] *mpl* cold cuts *Am,* cold meats *Brit*

frisar [fri'zar] *vt* (*o cabelo*) to curl; (*salientar*) to emphasize

frito, -a ['fritu, -a] *adj* fried; **batatas fritas** French fries *Am,* chips *pl Brit;* **estou ~!** I'm in trouble!

fritura [fri'tura] *f* fried food

frívolo, -a ['frivulu, -a] *adj* frivolous

fronha ['frõɲa] *f* pillowcase

frontal <-ais> [frõw'taw, -'ajs] *adj* frontal; **choque** ~ head-on collision

fronte ['frõwtʃi̥] *f* forehead

fronteira [frõw'tejra] *f* border

fronteiro, -a [frõw'tejru, -a] *adj* (*em frente*) in front

frota ['frɔta] *f* fleet

frouxo, -a ['froʃu, -a] *adj* (*músculo*) flaccid; (*corda*) slack

frouxo ['froʃu] *m* weakling

frustração <-ões> [frustra'sɜ̃w, -õjs] *f* frustration

frustrado, -a [frus'tradu, -a] *adj* (*pessoa*) frustrated; (*tentativa*) foiled

frustrante [frus'trɜ̃ɲtʃi̥] *adj* frustrating

frustrar [frus'trar] **I.** *vt* to frustrate **II.** *vr* **~-se** (*falhar*) to fail

fruta ['fruta] *f* fruit *no pl*

frutífero, -a [fru'tʃiferu, -a] *adj* fruit(-bearing); *fig* fruitful

fruto ['frutu] *m* fruit; **~s do mar** seafood

fubá [fu'ba] *m sem pl* cornmeal

fuçar [fu'sar] <c→ç> *vt, vi inf* to snoop

fuga ['fuga] *f* escape; (*de gás*) leakage

fugaz [fu'gas] <-es> *adj* quick; (*efêmero*) fleeting

fugir [fu'ʒir] *irr vi* to flee, to escape

fugitivo, -a [fu'ʒi'tʃivu, -a] *m, f* fugitive

fui ['fuj] **1.** *1. pret de* **ir, ser 2.** *1. pret de* **ir**

fulano, -a [fu'lɜnu, -a] *m, f* ~ **de tal** a Mr. so-and-so

fuleiro, -a [fu'lejru, -a] *adj inf* (*ambiente*) tasteless; (*objeto*) tacky

fulgor [fuw'gor] *m* flash of light

fulgurante [fuwgu'rɜ̃ɲtʃi̥] *adj* flashing

fuligem [fu'ʎiʒẽj] *f sem pl* soot *no pl*

fulminante [fuwmi'nɜ̃ɲtʃi̥] *adj* fulminating; (*olhar*) withering

fulminar [fuwmi'nar] *vt* to destroy

fumaça [fu'masa] *f* smoke

F

fumante [fu'mɜ̃ŋtʃi̥] *mf* smoker

fumar [fu'mar] *vi* to smoke

fumegar [fume'gar] *vi* <g→gu> (*vapor*) to steam; (*fumo*) to smoke

fumo ['fumu] *m* **1.** (*de fogo*) smoke **2.** (*vapor*) vapor **3.** (*tabaco*) tobacco

função <-ões> [fũw'sɜ̃w, -'õjs] *f* (*papel*) role; (*cargo*) position

funcionamento [fũwsjona'mẽjtu] *m* operation *no pl*

funcionar [fũwsjo'nar] *vi* (*máquina*) to function, to operate

funcionário, -a [fũwsjo'nariw, -a] *m, f* (*de empresa*) employee; ~ **público** civil servant

funda *adj v.* **fundo**

fundador(a) [funda'dor(a)] **I.** *m(f)* founder **II.** *adj* founding

fundamento [fũwda'mẽjtu] *m* (*justificação*) grounds *pl;* **sem** ~ groundless; (*base*) basis, foundation

fundar [fũw'dar] *vt* to establish

fundiário, -a [fũwdʒi'ariw, -a] *adj* of landholding

fundir [fũw'dʒir] *vt* (*vidro*) to melt; (*minério*) to smelt; (*empresas*) to consolidate

fundo ['fũwdu] **I.** *m* **1.** bottom; **a** ~ thoroughly; **ir ao** ~ to go to the bottom; *tb. fig* to get to the bottom of sth **2.** (*do quadro*) back **3.** ECON ~**s** funds *pl* **II.** *adv* deeply

fundo, -a ['fũwdu, -a] *adj* deep

fúnebre ['funebri] *adj* **cortejo** ~ funeral procession

funeral <-ais> [fune'raw, -'ajs] *m* funeral

funerária [fune'raria] *f* funeral home, funeral parlor

fungar [fũw'gar] *vi* <g→gu> to sniff

fungo ['fũwgu] *m* fungus

funil <-is> [fu'niw, -'is] *m* funnel

furacão <-ões> [fura'kɜ̃w, -'õjs] *m* hurricane

furadeira [fura'dejra] *f* drill

furado, -a [fu'radu, -a] *adj* (*orelha*) pierced; (*pneu* ~) flat (tire) *Am,* puncture *Brit;* **papo** ~ nonsense

furador [fura'dor] *m* hole puncher

furar [fu'rar] **I.** *vt* to pierce; (*papel*) to punch a hole in **II.** *vi* **o pneu furou** the tire went flat; **o passeio furou** the trip fell through

furgão <-ões> [fur'gɜ̃w, -'õjs] *m* delivery van

furioso, -a [furi'ozu, -'ɔza] *adj* furious

furo ['furu] *m* hole; (*num pneu*) puncture

furor [fu'ror] *m* rage

furtar [fur'tar] *vt* to steal

furto ['furtu] *m* theft

furúnculo [fu'rũwkulu] *m* boil

fusão <-ões> [fu'zɜ̃w, -'õjs] *f* **1.** fusion; **ponto de** ~ melting point **2.** (*de empresas*) merger

fusível <-eis> [fu'zivew, -ejs] *m* fuse

fuso ['fuzu] *m* ~ **horário** time zone

fusões *f pl de* **fusão**

futebol [futʃi'bɔw] *m sem pl* soccer *no pl,* football *no pl esp Brit;* **jogador de** ~ soccer player, footballer *esp Brit*

fútil <-eis> ['futʃiw, -ejs] *adj* (*pessoa*) superficial; (*discussão*) futile

futuro [fu'turu] *m sem pl* **o** ~ the future

futuro, -a [fu'turu, -a] *adj* future

fuzil <-is> [fu'ziw, -is] *m* rifle
fuzilar [fuzi'lar] *vt* to shoot to death
fuzileiro [fuzi'lejɾu] *m* rifleman; ~ **naval** marine
fuzis *m pl de* **fuzil**

G

G, g ['ʒe] *m* G, g
gabar [ga'bar] *vr:* ~**-se de a. c.** to boast about sth
gabarito [gaba'ritu] *m* (*de uma prova*) answer key
gado ['gadu] *m* livestock *no pl*
gafanhoto [gafɜ̃'ɲotu] *m* grasshopper
gafe ['gafi] *f* blunder
gago, -a ['gagu, -a] **I.** *adj inf* stuttering **II.** *m, f* stutterer
gaguejar [gage'ʒar] *vi* to stutter
gaiola [gaj'ɔla] *f* cage
gaivota [gai'vɔta] *f* seagull
galã [ga'lɜ̃] *m* leading man; *fig* ladies' man
galão <-ões> [ga'lɜ̃w, -'õjs] *m* (*medida*) gallon
galáxia [ga'laksia] *f* galaxy
galera [ga'lɛɾa] *f inf* gang
galeria [gale'ria] *f* (*de arte*) gallery; (*de lojas*) arcade
Gales ['gaʎis] **País de** ~ Wales
galgar [gaw'gar] <g→gu> *vi* to speed along
galho ['gaʎu] *m* **1.** (*de árvore*) branch **2.** *inf* (*complicação*) trouble; **quebrar um** ~ to help sort sth out
galinha [ga'ʎĩɲa] *f* hen, chicken
galinhar [gaʎĩ'ɲar] *vi gír* to fool around
galinheiro [gaʎĩ'ɲejɾu] *m* hen house
galo ['galu] *m* rooster
galões *m pl de* **galão**
galopar [galo'par] *vi* to gallop
galope [ga'lɔpi] *m* gallop
gama ['gɜma] *f* range
gamado, -a [gɜ'madu, -a] *adj inf* **estar** ~ **por alguém** to be in love with sb
gana ['gɜna] *f* craving, desire
Gana ['gɜna] *m* Ghana
ganância [gɜ'nɜ̃ŋsia] *f sem pl* greed *no pl*
ganancioso, -a [gɜnɜ̃ŋsi'ozu, -'ɔza] *adj* greedy
gancho ['gɜ̃ŋʃu] *m* hook
gandaia [gɜ̃ŋ'daja] *f inf* carousing
gangorra [gɜ̃ŋ'goxa] *f* seesaw
gangrena [gɜ̃ŋ'gɾena] *f* gangrene *no pl*
ganhador(a) [gɜ̃ɲa'dor] <-es> *m(f)* winner
ganha-pão ['gɜ̃ɲa-'pɜ̃w] <ganha-pães> *m* livelihood, living
ganhar [gɜ̃'ɲar] <*pp* ganho *ou* ganhado> *vt* **1.** (*adquirir*) gain; ~ **coragem para a. c.** to muster the courage for sth **2.** (*um presente*) to get **3.** (*salário, respeito*) to earn **4.** (*jogo, prêmio*) to win **5.** ~ **tempo** to save time
ganho ['gɜ̃ɲu] **I.** *pp de* **ganhar** **II.** *m* (*lucro*) profit, gain
ganho, -a ['gɜ̃ɲu, -a] *adj* **1.** (*adquirido*) acquired

2. (*recebido*) obtained 3. (*salário, respeito*) earned 4. (*jogo, prêmio*) won 5. (*tempo*) saved

ganso, -a ['gɜ̃ŋsu, -a] *m, f* gander *m,* goose *f*

garagem [ga'ɾaʒẽj] <-ens> *f* garage

garanhão <-ões> [gaɾɜ̃'ɲɜ̃w, -'õjs] *m* stallion

garantia [gaɾɜ̃ŋ'tʃia] *f* **1.** (*de um aparelho*) warranty **2.** (*abonação*) guarantee

garantir [gaɾɜ̃ŋ'tʃir] *vt* **1.** (*prometer*) to guarantee **2.** (*abonar*) to endorse

garapa [ga'ɾapa] *f* sugarcane juice

garçom, garçonete [gar'sõw, garso'nɛtʃi] <-ons> *m, f* waiter *m,* waitress *f*

garfada [gar'fada] *f* forkful

garfar [gar'far] *vt inf* (*prejudicar*) to harm

garfo ['garfu] *m* fork

gargalhada [garga'ʎada] *f* burst of laughter

gargalo [gar'galu] *m* bottleneck

garganta [gar'gɜ̃ŋta] *f* throat; **estou com dor de** ~ I have a sore throat

gargarejo [garga'ɾeʒu] *m* gargling

gari [ga'ɾi] *mf* street sweeper

garimpar [gaɾĩj'par] *vt* (*ouro*) to prospect

garimpeiro, -a [gaɾĩj'pejɾu, -a] *m, f* prospector

garoar [gaɾo'ar] <*1. pess pres:* garoô> *vi* to drizzle

garota *f v.* **garoto**

garotada [gaɾo'tada] *f* group of youngsters

garoto, -a [ga'ɾotu, -a] *m, f* boy *m,* girl *f*

garra ['gaxa] *f* (*de animal*) claw; **ter** ~ *fig* to have determination [*o* pluck]

garrafa [ga'xafa] *f* bottle

garupa [ga'ɾupa] *f* (*do cavalo*) hindquarters *pl*

gás ['gas] *m* **1.** FÍS gas; ~ **natural** natural gas **2.** (*de bebidas*) **água com/sem** ~ sparkling [*o* carbonated] /still water **3.** *sem pl, inf* (*energia*) energy

gasoduto [gazo'dutu] *m* gas pipeline

gasolina [gazo'ʎina] *f* gas *no pl Am,* petrol *no pl Brit;* **pôr** ~ to fill up the tank

gasoso, -a [ga'zozu, -'ɔza] *adj* gaseous

gasta *adj v.* **gasto**

gastador, -eira, -a [gasta'dor, -dejɾa, -doɾa] *adj* spendthrift

gastar [gas'tar] <*pp* gasto *ou* gastado> *vt* **1.** (*dinheiro, tempo*) to spend; (*gasolina*) to use; (*a roupa, sapatos*) to wear out **2.** (*água, energia*) to waste

gasto ['gastu] *pp de* **gastar**

gasto, -a ['gastu, -a] *adj* (*objeto*) worn out; (*roupa*) threadbare

gastos ['gastus] *mpl* expenses

gastronomia [gastɾono'mia] *f sem pl* gastronomy *no pl*

gata [gata] *f* **1.** (*animal*) (female) cat **2.** *inf* babe *inf*

gatilho [ga'tʃiʎu] *m* trigger

gato, -a ['gatu, -a] *m, f* **1.** (*animal*) cat **2.** *inf* (*homem atraente*) hunk *m*

gaúcho, -a [ga'uʃu, -a] **I.** *adj* of Rio Grande do Sul **II.** *m, f* native of Rio

Grande do Sul

gaveta [ga'veta] *f* drawer

gavião <-ões> [gavi'ɜ̃w, -'õjs] *m* hawk

gay ['gej] *adj, mf inf* gay

gear [ʒe'ar] *conj como passear vi impess* to freeze

gel <géis *ou* geles> ['ʒɛw, 'ʒɛjs, 'ʒɛʎis] *m* gel

gelada [ʒe'lada] *adj v.* **gelado**

geladeira [ʒela'dejɾa] *f* refrigerator

gelado, -a [ʒe'ladu, -a] *adj* (*pés*) freezing cold; **água gelada** iced water

gelar [ʒe'lar] *vt* (*esfriar*) to cool; (*congelar*) to freeze

gelatina [ʒela'tʃina] *f* **1.** (*ingrediente*) gelatin(e) **2.** (*sobremesa*) Jell-O® *Am,* jelly *Brit*

geléia [ʒe'lɛja] *f* (*de morango, uva*) jelly *Am,* jam *Brit;* (*de laranja*) marmalade

geles *m pl de* **gel**

gelo ['ʒelu] *m* ice *no pl*

gema ['ʒema] *f* yolk

gêmeo, -a ['ʒemiw, -a] *adj, m, f* twin

Gêmeos ['ʒemiws] *mpl* (*zodíaco*) Gemini

gemer [ʒe'mer] *vi* to wail; ~ **de dor** to moan

gemido [ʒe'midu] *m* moan

geminiano, -a [ʒemini'ɜnu, -a] *adj, m, f* Gemini

gene ['ʒeni] *m* gene

general <-ais> [ʒene'ɾaw, -a] *m* MIL general

generalizar [ʒeneɾaʎi'zar] **I.** *vt* (*tornar geral*) to propagate **II.** *vr:* ~**-se** to become widespread

genérico, -a [ʒe'nɛɾiku, -a] *adj* (*geral*) general; **medicamento** ~ generic drug

gênero ['ʒeneɾu] *m* (*tipo*) kind, type

generoso, -a [ʒene'ɾozu, -'ɔza] *adj* (*pessoa*) generous; (*quantia*) considerable

genética [ʒe'nɛtʃi̥ka] **I.** *f sem pl* genetics + *sing vb* **II.** *adj v.* **genético**

genético, -a [ʒe'nɛtʃi̥ku, -a] *adj* genetic

gengiva [ʒĩj'ʒiva] *f* gum

genial <-ais> [ʒeni'aw, -ajs] *adj* ingenious; *inf* (*idéia*) brilliant

gênio ['ʒeniw] *m* **1.** (*pessoa*) genius **2.** (*temperamento*) temperament

genital <-ais> [ʒeni'taw, -ajs] *adj* genital; **órgãos genitais** genitals *pl*

genitália [ʒeni'taʎia] *fpl* genitalia *pl*

genoma [ʒe'noma] *m* genome

genro [ʒẽjxu] *m* son-in-law

gente ['ʒẽjtʃi̥] *f* **1.** (*pessoas*) people; ~ **boa** [*ou* **fina**] *inf* good [*o* nice] person/people **2.** *inf* ~**!** (*vocativo, grupo*) hey everyone!; (*nós*(*sujeito*)) we; (*nós*(*objeto*)) us

gentil <-is> [ʒẽj'tʃiw, -'is] *adj* kind

gentileza [ʒẽjʎi'leza] *f* kindness; **por ~, você poderia ...?** would you be so kind as to ...?

gentilmente [ʒẽjtʃiw'mɛjtʃi̥] *adv* kindly

gentis *adj pl de* **gentil**

genuíno, -a [ʒenu'inu, -a] *adj* genuine

geografia [ʒeogɾa'fia] *f sem pl* geography *no pl*

geologia [ʒeolo'ʒia] *f sem pl* geology *no pl*

geometria [ʒeome'tɾia] *f sem pl* geometry *no pl*

geração <-ões> [ʒeɾa'sɜ̃w, -'õjs] *f* 1. (*de pessoas*) generation; **de última** ~ state-of-the-art 2. *sem pl* (*ação de gerar*) generation *no pl*

gerador [ʒeɾa'dor] *m* TEC generator

geral <-ais> [ʒe'ɾaw-'ajs] I. *m sem pl* **no** ~ in general, generally II. *f* (*revisão*) overhaul, service *Brit* III. *adj* general; **de um modo** ~ on the whole

geralmente [ʒeɾaw'mẽjtʃi̥] *adv* generally

gerar [ʒe'ɾar] I. *vt* 1. (*um filho*) to have 2. (*energia*) to generate 3. (*mal-estar,problema*) to cause II. *vr:* ~-**se** to arise

gerenciamento [ʒeɾẽjsja'mẽjtu] *m* management *no pl*

gerente [ʒe'ɾẽjtʃi̥] *mf* manager

gerir [ʒe'ɾir] *irr como preferir vt* to manage

gesso ['ʒesu] *m* plaster

gestação <-ões> [ʒesta'sɜ̃w, -'õjs] *f* pregnancy

gestante [ʒes'tɜ̃ŋtʃi̥] I. *f* MED pregnant woman II. *adj* pregnant

gesto ['ʒɛstu] *m* gesture

gibi [ʒi'bi] *m inf* comic book

gigante [ʒi'gɜ̃ŋtʃi̥] I. *adj* giant, huge II. *mf* giant

gilete [ʒi'lɛtʃi̥] *f* 1. (*lâmina*) razor blade; (*aparelho*) razor 2. *chulo* (*bissexual*) bi

ginásio [ʒi'naziw] *m* gymnasium

ginástica [ʒi'nastʃi̥ka] *f* 1. gymnastics, exercise(s) 2. *fig* (*esforço intelectual*) mental gymnastics

ginecologia [ʒinekolo'ʒia] *f sem pl* gynecology *no pl*

ginecologista [ʒinekolo'ʒista] *mf* gynecologist

gingar [ʒĩj'gar] <g→gu> *vi* to sway

girafa [ʒi'ɾafa] *f* giraffe

girar [ʒi'ɾar] *vi* 1. to turn 2. (*moeda*) to bring into circulation

girassol <-óis> [ʒiɾa'sɔw, -'ɔjs] *m* sunflower

giratório, -a [ʒiɾa'tɔɾiw, -a] *adj* revolving

gíria ['ʒiɾia] *f* slang *no pl*

giro ['ʒiɾu] *m* 1. (*passeio*) stroll 2. *sem pl* ECON (*de dinheiro*) circulation *no pl*

glamour [glɜ'mur] *m sem pl* glamour *no pl*

glândula ['glɜ̃ŋdula] *f* gland

glicose [gli'kɔzi] *f* glucose *no pl*

global <-ais> [glo'baw, -'ajs] *adj* 1. global 2. (*geral*) overall

globalização [globaʎiza'sɜ̃w] *f* <-ões> globalization *no pl*

globalizar [globaʎi'zar] *vt* to globalize

globo ['globu] *m* globe

glóbulo ['glɔbulu] *m* ~**s brancos/vermelhos** white/red blood cells

glória ['glɔɾia] *f* glory

glorificar [gloɾifi'kar] <c→qu> *vt* to glorify

glorioso, -a [gloɾi'ozu, -'ɔza] *adj* (*espetáculo*) splendid, glorious

glúteo ['glutʃiw] *m* gluteus

goela [gu'ɛla] *f* ANAT (*esôfago*) gullet (*garganta*) throat

gogó [go'gɔ] *m inf* Adam's apple
goiaba [goj'aba] *f* guava

Culture **Goiabada** is sweetened guava paste commonly cut into slices and served with slices of **queijo branco** (white cheese); such a combination is called **Romeu e Julieta** (Romeo and Juliet).

goiano, -a [goj'ɜnu] **I.** *adj* from (the Brazilian state of) Goiás **II.** *m, f* native of Goiás
Goiás [goj'as] *m* (the Brazilian state of) Goiás
gol ['gow] <gols *ou* goles> *m* goal; ~ **contra** FUT own goal; **marcar** [*ou* **fazer**] **um** ~ to score a goal
gola ['gɔla] *f* (*de roupa*) collar
gole ['gɔʎi] *m* sip
golear [goʎi'ar] *conj como passear vt* to thrash
goleiro [go'lejɾu] *m* goalkeeper
goles *m pl de* **gol**
golfinho [gow'fĩɲu] *m* dolphin
golpe ['gɔwpi] *m* **1.** (*pancada*) blow **2.** (*trapaça*) trick, ploy; **dar um** ~ **em alguém** to con sb **3.** (*desgraça*) misfortune **4.** ~ **de mestre** masterstroke
golpista [gow'pista] *mf* swindler
gols *m pl de* **gol**
gomo ['gomu] *m* (*de laranja*) segment
gorar [go'ɾar] *vi* (*plano*) to fall through
gordo, -a ['gordu, -a] *adj* **1.** (*pessoa*) fat **2.** (*gorjeta*) generous
gordura [gor'duɾa] *f* **1.** (*no corpo*) GASTR TB. fat **2.** (*obesidade*) obesity
gorduroso, -a [gordu'ɾozu, -'ɔza] *adj* **1.** (*pele, mãos*) greasy **2.** (*comida*) fatty
gorjeta [gur'ʒeta] *f* tip
gorro ['goxu] *m* cap
gostar [gos'tar] **I.** *vt* ~ **de** to like; ~ **muito de a. c./alguém** to like/enjoy sth/sb very much; (*amar*) to love sth/sb; ~ **de fazer a. c.** to enjoy doing sth **II.** *vr:* ~**-se** to like each other
gosto ['gostu] *m* **1.** taste; **ter** ~ **de laranja** to taste like orange; **ter bom/mau** ~ to have good/bad taste **2.** (*entusiasmo*) **tomar** ~ **por a. c.** to acquire a taste for sth **3.** **tempere a** ~ season to taste
gostoso, -a [gos'tozu, -'ɔza] *adj* **1.** (*comida*) delicious **2.** (*ambiente*) delightful **3.** *inf* (*pessoa*) sexy
gota ['gota] *f* (*de um líqüido*) drop; **ser a** ~ **d'água** to be the last straw
goteira [go'tejɾa] *f* leak
gotejar [gote'ʒar] *vi* to drip
gotícula [go'tʃikula] *f* droplet
governabilidade [governabiʎi'dadʒi] *f sem pl* governability *no pl*
governador(a) [governa'dor(a)] <-es> *m(f)* governor
governanta [gover'nɜ̃ŋta] *f* (*de casa*) housekeeper; (*de criança*) governess
governar [gover'nar] *vt* POL to govern
governo [go'vernu] *m* **1.** POL government **2.** (*informação*) information
gozação <-ões> [goza'sɜ̃w, -'õjs] *f* enjoyment *no pl*
gozado, -a [go'zadu, -a] *adj* funny
gozar [go'zar] **I.** *vt* (*desfrutar*) to enjoy **II.** *vi* **1.** (*zombar*) to make fun of **2.** (*atingir o orgasmo*) to come

G

gozo ['gozu] *m* 1. (*desfrute*) enjoyment *no pl* 2. (*orgasmo*) orgasm
Grã-Bretanha [grɜ̃-bre'tɜ̃ɲa] *f* Great Britain
graça ['grasa] *f* 1. (*graciosidade*) grace; **ficar sem** ~ to be embarrassed; **o menino é uma** ~ the boy is delightful 2. (*brincadeira*) joke, jest; **não ter** ~ to be unfunny; **sem** ~ dull, boring 3. **de** ~ (*gratuitamente*) (for) free; (*sem motivo*) for no reason
graças ['grasas] *fpl* thanks; ~ **a Deus!** thank God!
gradativo, -a [grada'tʃivu, -a] *adj* gradual
grade ['gradʒi] *f* 1. (*em janela*) grating; (*em prisão*) bars *pl* 2. (*quadro*) ~ **de horários** schedule, timetable
graduação <-ões> [gradwa'sɜ̃w, -'õjs] *f* 1. (*divisão em graus*) graduation 2. UNIV **curso de** ~ undergraduate degree
graduado, -a [gradu'adu, -a] *adj* (*escala, régua*) graduated; UNIV graduate
gradual <-ais> [gradu'aw, -'ajs] *adj* gradual
graduar [gradu'ar] I. *vt* (*dividir em graus*) to graduate II. *vr:* ~**-se** to graduate (from university); ~**-se em Biologia** to get a degree in biology
gráfica ['grafika] *f* (*oficina*) printer
gráfico ['grafiku] *m* (*representação*) graph; (*profissional*) printer
gráfico, -a ['grafiku, -a] *adj* graphic
grama ['grɜma] I. *m* (*peso*) gram II. *f* BOT grass
gramado [grɜ'madu] *m* lawn; FUT (*campo de futebol*) football field, football pitch *Brit*
gramática [grɜ'matʃika] *f* grammar *no pl*
grampear [grɜ̃ŋpi'ar] *conj como passear vt* to staple; *inf* (*ligações telefônicas*) to tap
grampo ['grɜ̃ŋpu] *m* staple; ~ **de cabelo** hairpin
grana ['grɜna] *f gír* bucks *Am, inf,* dosh *no pl Brit, inf*
grande ['grɜ̃ŋdʒi] *adj* 1. (*tamanho*) big, large 2. (*altura*) tall 3. (*intensidade*) **uma** ~ **dor** a terrible pain 4. (*qualidade*) **um** ~ **espetáculo** a magnificent show; (*importante*) important
grandeza [grɜ̃ŋ'deza] *f* greatness
granel <-éis> [grɜ'nɛw, -'ɛjs] *m* **a granel** *sem pl* in bulk
granizo [grɜ'nizu] *m* hail *no pl;* **chover** ~ to hail
granja ['grɜ̃ŋʒa] *f* small farm
grão ['grɜ̃w] <-s> *m* (*de areia, arroz*) grain; (*de milho*) kernel
grata *adj v.* **grato**
gratidão [gratʃi'dɜ̃w] *sem pl f* gratitude *no pl*
gratificante [gratʃifi'kɜ̃ŋtʃi] *adj* rewarding
gratificar [gratʃifi'kar] <c→qu> *vt* to reward
grátis ['grats] *adj inv* free
grato, -a ['gratu, -a] *adj* (*agradecido*) grateful
gratuito, -a [gra'tujtu, -a] *adj* 1. (*serviço, viagem*) free 2. (*comentário, ofensa*) gratuitous
grau ['graw] *m* 1. MAT, FÍS, GEO de-

gree; ~ **centígrado** degree centigrade **2.** (*nível*) level; ~ **de dificuldade** degree of difficulty **3.** (*parentesco*) degree of kinship; **primos de segundo** ~ second cousins **4.** UNIV degree; ~ **de doutor em Psicologia** doctorate [*o* PhD] in Psychology **5.** (*ótica*) **óculos de** ~ prescription glasses

graúdo, -a [gra'udu, -a] *adj* **1.** (*coisa*) large, big **2.** (*pessoa*) important

gravação <-ões> [grava'sɜ̃w, -'õjs] *f* recording

gravador [grava'dor] *m* recorder

gravadora [grava'dora] *f* record company

gravar [gra'var] *vt* **1.** (*em CD, cassete*) to record **2.** (*na memória*) to memorize

gravata [gra'vata] *f* tie

grave ['gravi] *adj* **1.** (*assunto, situação*) serious; (*ofensa*) grievous **2.** (*som, voz*) deep

grávida ['gravida] **I.** *adj* pregnant **II.** *f* pregnant woman

gravidade [gravi'dadʒi] *f sem pl* seriousness *no pl;* FÍS gravity *no pl*

gravidez [gravi'des] <-es> *f* pregnancy

graviola [gravi'ɔla] *f* soursop

gravitação [gravita'sɜ̃w] *sem pl f* FÍS gravitation *no pl*

Grécia ['grɛsia] *f* Greece

grego, -a ['gregu, -a] *adj, m, f* Greek

grelhar [gre'ʎar] *vt* to grill

grená [gre'na] *adj* (*cor*) dark red

greve ['grɛvi] *f* strike; **estar em** ~ to be on strike

grevista [gre'vista] *mf* striker

grifar [gri'far] *vt* to italicize

grife ['grifi] *f* designer label

grilo ['grilu] *m* cricket

gringo, -a ['grĩjgu, -a] *m, f pej* foreigner

gripado, -a [gri'padu, -a] *adj* **estar/ficar** ~ to have/get the flu

gripar [gri'par] *vr:* ~**-se** to come down with the flu

gripe ['gripi] *f* flu

grisalho, -a [gri'zaʎu, -a] *adj* (*cabelo, barba*) gray; (*pessoa*) gray-haired

gritar [gri'tar] **I.** *vt* to shout **II.** *vi* to scream

gritaria [grita'ria] *f* shouting

grito ['gritu] *m* shout, scream

Groenlândia [groẽj'lɜ̃ŋdʒia] *f* Greenland

grossa *adj v.* **grosso**

grosseiro, -a [gro'sejru, -a] *adj* **1.** (*pessoa, modos*) rude **2.** (*pano*) coarse

grosseria [grose'ria] *f* **1.** (*ato*) act of disrespect **2.** (*palavra*) rude language

grosso ['grosu] **I.** *m* bulk **II.** *adv* ~ **modo** roughly

grosso, -a ['grosu, 'grɔsa] *adj* **1.** (*livro, papel*) thick; (*pele*) rough **2.** (*voz*) deep **3.** (*grosseiro*) rude

grossura [gro'sura] *f* **1.** (*espessura*) thickness **2.** *inf* rudeness

grotesco, -a [gro'tesko, -a] *adj* grotesque

grudar [gru'dar] *vt* to stick

grudento, -a [gru'dẽjtu, -a] *adj* (*substância*) sticky; (*pessoa*) clingy

grupo ['grupu] *m* group; ~ **de músi-**

ca band, group

> **Culture** **Guaraná** is the most popular soft drink in Brazil. The seeds of the Amazon tree of the same name have medicinal qualities. They are transformed into a paste, bar, or powder especially in the making of tonics and stimulants.

guarda ['gwarda] I. *f* 1. *(pessoas)* guard 2. *(defesa)* defense 3. *(custódia)* custody II. *mf* security guard, watchman

guarda-chuva ['gwarda-'ʃuva] *m* umbrella

guarda-costas ['gwarda-'kɔstas] *mf inv (pessoa)* bodyguard

guardanapo [gwardʒ'napu] *m* (table) napkin

guarda-noturno ['gwarda-no'turnu] <guardas-noturnos> *m* night watchman

guardar [gwar'dar] *vt* 1. *(conservar)* to keep; ~ **um segredo** to keep a secret 2. *(vigiar)* to guard, to watch over 3. *(arrumar)* to put away 4. *(memorizar)* to remember

guarda-roupa ['gwarda-'xopa] *m* wardrobe

guarda-sol <-sóis> ['gwarda-'sɔw, -'ɔjs] *m* sunshade, parasol

guarda-volumes ['gwarda-vo'lumis] *m inv* baggage room, luggage locker

guaribada [gwari'bada] *f reg (RJ, SP)* **dar uma** ~ to tidy up a little

guarita [gwa'rita] *f* guard house

Guatemala [gwate'mala] *f* Guatemala

guerra ['gɛxa] *f* war; ~ **santa** holy war; **estar em** ~ **com** to be at war with

guia[1] ['gia] I. *m (livro)* guidebook; *(manual)* manual II. *mf (pessoa)* guide

guia[2] ['gia] *f (meio-fio)* curb

guiar [gi'ar] I. *vt (uma pessoa)* to guide; *(um automóvel)* to drive II. *vr:* ~**-se por a. c.** to go [*o* be guided] by sth

guichê [gi'ʃe] *m* ticket window [*o* counter]

guinada [gi'nada] *f (com o automóvel)* swerve

guinchar [gĩj'ʃar] *vt (automóvel)* to tow

guindaste [gĩj'dastʃi̥] *m (grande)* crane; *(pequeno)* hoist

Guiné [gi'nɛ] *f* Guinea

Guiné-Bissau [gi'nɛ-bi'saw] *f* Guinea-Bissau

guitarra [gi'taxa] *f* guitar

guloso, -a [gu'lozu, -'ɔza] I. *adj (comilão)* gluttonous II. *m, f* glutton

H

H, h [a'ga] *m* H, h

há ['a] *3. pres de* **haver**

habilidade [abiʎi'dadʒi] *f* 1. *(capacidade)* capability 2. *(talento)* ability 3. *(manual)* skill

habilidoso, -a [abi'ʎi'dozu, -'ɔza] *adj* able; *(jeitoso)* skillful

habilitação <-ões> [abiʎita'sɜ̃w,

-'õjs] *f* (*para dirigir*) competence; **carteira de** ~ driver's license
habitacional <-ais> [abitasjo'naw, -'ajs] *adj* housing
habitado, -a [abi'tadu, -a] *adj* inhabited
habitante [abi'tɜ̃ŋtʃi̥] *mf* (*de uma casa*) resident; (*de país, cidade*) inhabitant
hábito ['abitu] *m* **1.** (*costume*) custom **2.** (*mania*) habit
habituado, -a [abitu'adu] *adj* used to
Haiti [ai'tʃi] *m* Haiti
hálito ['aʎitu] *m* breath
hambúrguer [ɜ̃ŋ'burger] *m* hamburger
hardware ['xardʒiwɛr] *m* INFOR hardware
harmonia [armo'nia] *f* harmony
harmônico, -a [ar'moniku, -a] *adj* harmonic
harmonioso, -a [armoni'ozu, -'ɔza] *adj* harmonious
Havaí [ava'i] *m* Hawaii
haver [a'ver] *irr* **I.** *vt impess* **1.** (*existir*) **há** there is/are; **havia muita gente lá** there were a lot of people there **2.** (*acontecer*) to happen; **o que houve?** what happened?; **houve um acidente** there was an accident **3.** (*atrás*) ago; **há pouco (tempo)** a short while ago **4.** (*duração*) for; **há uma semana** for a week **II.** *vi* (*futuro*) ~ **de** will; **eu hei de vencer!** I will win **III.** *vr:* **~-se com alguém** to deal with sb **IV.** *aux* to have; **ele havia comprado uma casa nova** he had bought a new house
hei ['ej] *1. pres de* **haver**
hein ['ẽj] *interj* uh?; (*o quê*) huh?
hélice ['ɛʎisi] *f* propeller
helicóptero [eʎi'kɔpteru] *m* helicopter
hemisfério [emis'fɛriw] *m* hemisphere; **Hemisfério Norte/Sul** Northern/Southern Hemisphere
hemorragia [emoxa'ʒia] *f* hemorrhage
hepatite [epa'tʃitʃi̥] *f* hepatitis
herança [e'rɜ̃ŋsa] *f* inheritance
herdar [er'dar] *vt* to inherit
herdeiro, -a [er'dejru, -a] *m, f* heir
hereditário, -a [eredʒi'tariw, -a] *adj* hereditary
herói, heroína [e'rɔj, ero'ina] *m, f* hero
heroína[1] [ero'ina] *f* (*mulher*) heroine
heroína[2] [ero'ina] *f* (*droga*) heroin
heroísmo [ero'izmu] *m* heroism *no pl*
hesitação <-ões> [ezita'sɜ̃w, -'õjs] *f* hesitation
hesitante [ezi'tɜ̃ŋtʃi̥] *adj* hesitant
hesitar [ezi'tar] *vi* to hesitate
heterossexual <-ais> [ɛteruseksu'aw, -'ajs] *adj* heterosexual
hidratação [idrata'sɜ̃w] *f sem pl* hydration
hidratante [idra'tɜ̃ŋtʃi̥] *adj* hydrating; **creme** ~ moisturizer
hidratar [idra'tar] *vt* (*pele, cabelos*) to moisturize; MED to hydrate
hidrelétrica [idre'lɛtrika] *f* hydroelectric power plant
hidrelétrico, -a [idre'lɛtriku, -a] *adj* hydroelectric

H

hidromassagem [idroma'saʒẽj] <-ens> *f* hydro massage
hidrovia [idro'via] *f* waterway
hierarquia [ierar'kia] *f* hierarchy
hierárquico, -a [ie'rarkiku, -a] *adj* hierarchical
hierarquizar [ierarki'zar] *vt* to rank according status
hífen ['ifẽj] <hifens> *m* hyphen
higiene [iʒi'eni] *f* hygiene
higiênico, -a [iʒi'eniku, -a] *adj* hygienic; **absorvente** ~ sanitary napkin; **papel** ~ toilet paper
hino ['inu] *m* REL hymn; ~ **nacional** National Anthem
hiperativo, -a [ipera'tʃivu, -a] *adj* hyperactive
hiperinflação <-ões> [iperĩjfla'sɜ̃w, -'õjs] *f* hyperinflation
hipermercado [ipermer'kadu] *m* hypermarket
hipersensível <-eis> [ipersẽj'sivew, -ejs] *adj* hypersensitive
hipertensão [ipertẽj'sɜ̃w] *f sem pl* hypertension
hip-hop ['xipi-'xɔpi] *m* MÚS hip-hop
hipnotizado, -a [ipnotʃi'zadu, -a] *adj* (*encantado*) fascinated
hipocrisia [ipokri'zia] *f* hypocrisy
hipócrita [i'pɔkrita] **I.** *mf* hypocrite **II.** *adj* hypocritical
hipopótamo [ipo'pɔtɜmu] *m* hippopotamus
hipoteca [ipo'tɛka] *f* mortgage
hipótese [i'pɔtezi] *f* **1.** (*suposição*) hypothesis; **na melhor/pior das ~s** at best/worst **2.** (*teoria*) assumption
hispânico, -a [is'pɜniku, -a] *adj* Hispanic
histeria [iste'ria] *f* hysteria
histérico, -a [is'tɛriku, -a] *adj* hysterical
história [is'tɔria] *f* **1.** (*passado*) history **2.** (*conto*) story; ~ **em quadrinhos** comic **3.** (*de filme*) plot
histórico [is'tɔriku] *m* records, background
histórico, -a [is'tɔriku, -a] *adj* historic
hoje ['oʒi] *adv* today; ~ **à tarde** this afternoon
Holanda [o'lɜ̃ŋda] *f* the Netherlands, Holland
holandês, -esa [olɜ̃ŋ'des, -'eza] **I.** *m, f* (*língua*) Dutch; (*pessoa*) Dutchman *m,* Dutchwoman *f;* **os holandeses** the Dutch **II.** *adj* Dutch
holofote [olo'fɔtʃi] *m* spotlight
homem ['ɔmẽj] <-ens> *m* **1.** (*do sexo masculino*) man; ~ **de negócios** businessman **2.** (*ser humano*) human being
homenageado, -a [omenaʒi'adu, -a] *m, f* honored
homenagear [omenaʒi'ar] *conj como passear vt* to honor
homenagem [ome'naʒẽj] <-ens> *f* honor; **prestar ~ a alguém** to honor sb
homens *m pl de* **homem**
homicídio [omi'sidʒiw] *m* homicide; ~ **culposo** manslaughter
homogênea *adj v.* **homogêneo**
homogeneizar [omoʒenej'zar] *vt* to homogenize
homogêneo, -a [omo'ʒeniw, -a] *adj* homogeneous

homossexual <-ais> [omoseksu'aw, -'ajs] *adj, mf* homosexual
homossexualidade [omosekswaʎi'dadʒi] *f sem pl* homosexuality
Honduras [õw'duɾas] *fpl* Honduras
honesta *adj v.* **honesto**
honestamente [onesta'mẽjtʃi̥] *adv* honestly
honestidade [onestʃi'dadʒi] *f sem pl* honesty
honesto, -a [o'nɛstu, -a] *adj* honest
honorários [ono'ɾaɾiws] *mpl* fees
honra ['õwxa] *f* honor; **palavra de ~** word of honor
honrado, -a [õw'xadu, -a] *adj* **1.** (*que tem honra*) honorable **2.** (*respeitado*) respected
hora ['ɔɾa] *f* **1.** (*60 minutos*) hour; **meia ~** half an hour; **fazer ~ extra** to work overtime **2.** (*velocidade*) **100 km por ~** 100 km an hour **3.** (*em relógio*) o'clock; **às dez ~s** at ten o'clock; **que ~s são?** what time is it?; **a que ~s?** at what time?; **é uma ~/são dez ~s** it is one/it is ten o'clock; **chegar em cima da ~** to arrive at the last minute; **chegar na ~ H** to arrive just at the right time **4.** (*momento*) time; **~ de chegada** arrival time; **a toda a ~** all the time **5.** (*compromisso*) appointment; **marcar uma ~** to make an appointment **6. de última ~** last-minute
horário [o'ɾaɾiw] *m* **1.** timetable; (*da escola*) schedule, timetable **2.** (*dos transportes*) schedule; **~ de atendimento** business hours; **~ de trabalho** working hours; **~ de verão** daylight saving time
horizontal <-ais> [oɾizõw'taw, -'ajs] *adj, f* horizontal
horizonte [oɾi'zõwtʃi̥] *m* horizon
hormônio [or'moniw] *m* hormone
horóscopo [o'ɾɔskopu] *m* horoscope
horrível <-eis> [o'xivew, -ejs] *adj* horrible
horror [o'xor] *m* **1.** (*impressão*) **que ~!** how terrible **2.** (*aversão, medo*) horror; **tem ~ a baratas** he's afraid of cockroaches
horrorizar [oxoɾi'zar] **I.** *vt* to horrify **II.** *vr:* **~-se** to be horrified
horroroso, -a [oxo'ɾozu, -'ɔza] *adj* horrible
horta ['ɔrta] *f* vegetable garden
hortaliça [orta'ʎisa] *f* **~s** greens
hospedado, -a [ospe'dadu, -a] *adj* **estar ~ na casa de alguém** to be a guest in sb's home
hospedar [ospe'dar] **I.** *vt* to put up **II.** *vr:* **~-se em um hotel** to stay in a hotel
hóspede ['ɔspedʒi] *mf* guest
hospício [os'pisiw] *m* mental asylum
hospital <-ais> [ospi'taw, -'ajs] *m* hospital; **estar no ~** to be in the hospital
hospitalidade [ospitaʎi'dadʒi] *f sem pl* hospitality
hospitalizado, -a [ospitaʎi'zadu, -a] *adj* **estar ~** to be hospitalized
hospitalizar [ospitaʎi'zar] *vt* to hospitalize
hostilidade [ostʃiʎi'dadʒi] *f* hostility
hotel <-éis> [o'tɛw, -'ɛjs] *m* hotel

houve ['ouvi] *3. pret de* **haver**
hum [m:] *interj* hum
humana *adj v.* **humano**
humanidade [umɜni'dadʒi] *f* humanity
humanitário, -a [umɜni'tariw, -a] *adj* humanitarian
humanizar [umɜni'zar] *vt* to make more humane
humano [u'mɜnu] *m* human being; **os ~s** humanity *no pl*
humano, -a [u'mɜnu, -a] *adj* human
humildade [umiw'dadʒi] *f sem pl* **1.** (*pobreza*) humbleness **2.** (*sentimento*) humility
humilde [u'miwdʒi] *adj* (*modesto*) humble
humilhação <-ões> [umiʎa'sɜ̃w, -'õjs] *f* humiliation *no pl*
humilhante [umi'ʎɜ̃ɲtʃi̥] *adj* humiliating
humilhar [umi'ʎar] **I.** *vt* to humiliate **II.** *vr:* **~-se** to humiliate oneself
humor [u'mor] *m* **1.** (*comicidade*) humor **2.** (*disposição*) mood
humorado, -a [umo'radu, -a] *adj* **estar bem/mal ~** to be good/bad humored
humorista [umo'rista] *mf* humorist
Hungria [ũw'gria] *f* Hungary
hurra ['uxa] *interj* hurray, hurrah

I

I, i ['i] *m* I, i
iate [i'atʃi̥] *m* yacht
içar [i'sar] <ç→c> *vt* to hoist
ícone ['ikoni] *m* icon
ida ['ida] *f* departure; **~ e volta** round trip
idade [i'dadʒi] *f* age; **ser menor de ~** to be a minor
ideal <-ais> [ide'aw, -'ajs] *adj, m* ideal
idéia [i'dɛja] *f* idea; **não fazer ~** to not have a clue
idêntico, -a [i'dẽjtʃi̥ku, -a] *adj* identical
identidade [idẽjtʃi'dadʒi] *f* ID card
identificar [idẽjtʃi̥fi'kar] <c→qu> *vr:* **~-se** to identify oneself
idioma [idʒi'oma] *m* language
idiota [idʒi'ɔta] *mf* idiot
idolatrar [idola'trar] *vt* to worship
ídolo ['idulu] *m* idol
idoso, -a [i'dozu, -'ɔza] **I.** *m, f* elderly person **II.** *adj* aged
Iêmen ['jemẽj] *m* Yemen
ignorância [igno'rɜ̃ŋsia] *f sem pl* ignorance *no pl*
ignorante [igno'rɜ̃ɲtʃi̥] *adj* ignorant
ignorar [igno'rar] *vt* to be unaware of
igreja [i'greʒa] *f* church
igual [i'gwaw] **I.** *adj* <-ais> equal **II.** *adv* equally **III.** *conj* **~ a** like
igualmente [igwaw'mẽjtʃi̥] *adv* equally, likewise
iguaria [igwa'ria] *f* delicacy
ilegal <-ais> [ile'gaw, -'ajs] *adj* illegal

ilegítimo, -a [ile'ʒitʃimu, -a] *adj* (*filho*) illegitimate; (*ato*) illegal
ilegível <-eis> [ile'ʒivew, -ejs] *adj* illegible
ileso, -a [i'lezu, -a] *adj* unharmed
iletrado, -a [ile'tradu, -a] *adj* illiterate
ilha ['iʎa] *f* island
ilícito, -a [i'ʎisitu, -a] *adj* illicit
ilimitado, -a [iʎimi'tadu, -a] *adj* unlimited
ilógico, -a [i'lɔʒiku, -a] *adj* illogical
iludir [ilu'dʒir] *vt* to delude
iluminado, -a [ilumi'nadu, -a] *adj* lit up
iluminar [ilumi'nar] *vt* to illuminate
ilusão <-ões> [ilu'zɜ̃w, -'õjs] *f* illusion
ilustrado, -a [ilus'tradu, -a] *adj* illustrated
ímã ['imɜ̃] *m* magnet
imagem [i'maʒẽj] <-ens> *f* image
imaginação <-ões> [imaʒina'sɜ̃w, -'õjs] *f* imagination
imaginar [imaʒi'nar] *vt* **1.** to think up **2.** (*supor*) to imagine
imaturo, -a [ima'turu, -a] *adj* immature
imbatível <-eis> [ĩjba'tʃivew, -ejs] *adj* unbeatable
imediações [imedʒja'sõjs] *fpl* **nas** ~ in the surrounding area
imediato, -a [ime'dʒjatu, -a] *adj* immediate; **de** ~ immediately
imerso, -a [i'mɛrsu, -a] *adj* immersed
imigrante [imi'grɜ̃ŋtʃi̥] *mf* immigrant
imigrar [imi'grar] *vi* to immigrate
imitação <-ões> [imita'sɜ̃w, -'õjs] *f* imitation
imobiliária [imobiʎi'aria] *f* real estate agency
imobilizado, -a [imobiʎi'zadu, -a] *adj* **ficar** ~ to be immobilized
imoral <-ais> [imo'raw, -'ajs] *adj* immoral
imortal <-ais> [imor'taw, -'ajs] *adj* immortal
imóveis [i'mɔvejs] *m* real estate *pl*
imóvel <-eis> [i'mɔvew, -ejs] *adj* real property
impaciente [ĩjpasi'ẽjtʃi̥] *adj* impatient
impacto [ĩj'paktu] *m* impact
impagável <-eis> [ĩjpa'gavew, -ejs] *adj* **1.** (*dívida*) unpayable **2.** (*sem preço*) priceless
ímpar ['ĩjpar] <-es> *adj* **1.** (*número*) uneven **2.** (*único*) unparalleled
impasse [ĩj'pasi] *m* stalemate
impecável <-eis> [ĩjpe'kavew, -ejs] *adj* impeccable
impedido, -a [ĩjpi'dʒidu, -a] *adj* **1.** (*rua*) closed **2.** FUT offside
impedir [ĩjpi'dʒir] *irr como pedir vt* to impede
impensado, -a [ĩjpẽj'sadu, -a] *adj* (*ato*) unexpected
impensável <-eis> [ĩjpẽj'savew, -ejs] *adj* unthinkable
imperdoável <-eis> [ĩjperdo'avew, -ejs] *adj* inexcusable
imperfeito, -a [ĩjper'fejtu, -a] *adj* imperfect
imperialismo [ĩjperja'ʎizmu] *m sem pl* imperialism *no pl*
império [ĩj'pɛriw] *m* empire
impermeável <-eis> [ĩjpermi'avew, -ejs] **I.** *m* raincoat **II.** *adj* waterproof

imperturbável <-eis> [ĩjpertur'bavew, -ejs] *adj* serene

impessoal <-ais> [ĩjpesu'aw, -'ajs] *adj* impersonal

impetuoso, -a [ĩjpetu'ozu, -'ɔza] *adj* impetuous

impiedoso, -a [ĩjpje'dozu, -'ɔza] *adj* impious

implacável <-eis> [ĩjpla'kavew, -ejs] *adj* ruthless

implantar [ĩjplɜ̃ŋ'tar] *vt* to implement

implicar [ĩjpli'kar] <c→qu> **I.** *vt* **1.** (*envolver*) to implicate **2.** (*acarretar*) to lead (to) **II.** *vi* to find fault (with)

implícito, -a [ĩj'plisitu, -a] *adj* implicit

implorar [ĩjplo'rar] *vt* to implore

imponente [ĩjpo'nẽjtʃi̥] *adj* (*altivo*) arrogant; (*magnífico*) magnificent

impopular [ĩjpopu'lar] <-es> *adj* unpopular

impor [ĩj'por] *irr como pôr* **I.** *vt* to impose **II.** *vr:* **~-se** to assert oneself

importação <-ões> [ĩjporta'sɜ̃w, -'õjs] *f* importation

importância [ĩjpor'tɜ̃ŋsia] *f* **1.** importance; **sem ~** unimportant **2.** (*quantia*) amount

importante [ĩjpor'tɜ̃ŋtʃi̥] *adj* important

importar [ĩjpor'tar] **I.** *vt* ECON, INFOR to import **II.** *vi* (*ter importância*) to matter **III.** *vr:* **~-se** to care

importuna *adj v.* **importuno**

importunar [ĩjportu'nar] *vt* to bother

importuno, -a [ĩjpor'tunu, -a] *adj* importunate

impossibilitar [ĩjposibiʎi'tar] *vt* to prevent

impossível <-eis> [ĩjpo'sivew, -ejs] *adj* impossible

imposto [ĩj'postu] **I.** *pp de* **impor** **II.** *m* tax; **~ de renda** income tax

impotente [ĩjpo'tẽjtʃi̥] *adj* impotent

impreciso, -a [ĩjpre'sizu, -a] *adj* imprecise

imprensa [ĩj'prẽjsa] *f* press

imprescindível <-eis> [ĩjpresĩj'dʒivew, -ejs] *adj* essential

impressa *adj v.* **impresso**

impressão <-ões> [ĩjpre'sɜ̃w, -'õjs] *f* **1.** impression **2.** **~ digital** fingerprint

impressionado, -a [ĩjpresjo'nadu, -a] *adj* impressed

impressionante [ĩjpresjo'nɜ̃ŋtʃi̥] *adj* impressive

impressionar [ĩjpresjo'nar] *vt* (*de forma positiva*) to impress; (*de forma negativa*) to shock

impresso, -a [ĩj'prɛsu] *adj* printed

impressões *f pl de* **impressão**

impressora [ĩjpre'sora] *f* printer

imprevisível <-eis> [ĩjprevi'zivew, -ejs] *adj* **1.** (*acontecimento*) unforeseeable **2.** (*pessoa*) unpredictable

imprevisto, -a [ĩjpre'vistu, -a] *adj* unexpected

imprimir [ĩjpri'mir] *vt* to print

impróprio, -a [ĩj'prɔpriw, -a] *adj* (*medida*) improper; (*atitude*) inappropriate

improvável <-eis> [ĩjpro'vavew, -ejs] *adj* unlikely

improvisar [ĩjprovi'zar] *vt* to improvise

imprudente [ĩjpru'dẽjtʃi̥] *adj* imprudent

impulsionar [ĩjpuwsjo'nar] *vt* to impel

impulsivo, **-a** [ĩjpuw'sivu, -a] *adj* impulsive

impulso [ĩj'puwsu] *m* **1.** impulse **2.** TEL pulse

impuro, **-a** [ĩj'puru, -a] *adj* impure

imundo, **-a** [i'mũwdu, -a] *adj* filthy

imunização [imuniza'sɜ̃w] *f* immunization

inabitado, **-a** [inabi'tadu, -a] *adj* uninhabited

inacabado, **-a** [inaka'badu, -a] *adj* unfinished

inaceitável <-eis> [inasej'tavew, -ejs] *adj* unacceptable

inacessível <-eis> [inase'sivew, -ejs] *adj* inaccessible

inacreditável <-eis> [inakredʒi'tavew, -ejs] *adj* unbelievable

inadequado, **-a** [inade'kwadu, -a] *adj* inadequate

inadiável <-eis> [inadʒi'avew, -ejs] *adj* that cannot be delayed

inadmissível <-eis> [inadʒimi'sivew, -ejs] *adj* unacceptable

inadvertido, **-a** [inadʒiver'tʃidu, -a] *adj* inadvertent

inalar [ina'lar] *vt* to inhale

inalcançável <-eis> [inawkɜ̃ŋ'savew, -ejs] *adj* (*meta*) unattainable

inapropriado, **-a** [inapropri'adu, -a] *adj* inappropriate

inapto, **-a** [in'apto, -a] *adj* inept

inatingível <-eis> [inatʃĩj'ʒivew, -ejs] *adj* unattainable

inativa *adj v.* **inativo**

inativar [ina'tʃivar] *vt* to deactivate

inativo, **-a** [ina'tʃivu, -a] *adj* inactive; (*aposentado*) retired

inaugurar [inawgu'rar] *vt* to inaugurate

incalculado, **-a** [ĩjkawku'ladu, -a] *adj* (*risco*) unforeseen

incansável <-eis> [ĩjkɜ̃ŋ'savew, -ejs] *adj* tireless

incapacitado, **-a** [ĩjkapasi'tadu, -a] *adj* disabled; ~ **de trabalhar** unfit to work, unqualified

incapaz [ĩjka'pas] **I.** *mf* disabled **II.** *adj* incapable

incendiar [ĩjsẽjdʒi'ar] *irr como odiar vt* to inflame

incêndio [ĩj'sẽj'diw] *m* fire

incentivar [ĩjsẽjtʃi'var] *vt* to incite, to encourage

incentivo [ĩjsẽj'tʃivu] *m* incentive; ~ **fiscal** tax incentive

incerto, **-a** [ĩj'sɛrtu, -a] *adj* uncertain

inchado, **-a** [ĩj'ʃadu, -a] *adj* swollen

incidente [ĩjsi'dẽjtʃi̥] *m* incident

incinerar [ĩjsine'rar] *vt* (*lixo*) to incinerate

incisivo, **-a** [ĩjsi'zivu, -a] *adj* incisive

incitar [ĩjsi'tar] *vt* to provoke, to incite

incivilizado, **-a** [ĩjsiviʎi'zadu, -a] *adj* uncivilized

inclinado, **-a** [ĩjkli'nadu, -a] *adj* inclined, prone

inclinar [ĩjkli'nar] **I.** *vt* to incline **II.** *vr:* ~**-se** **1.** (*terreno*) to slope **2.** (*baixar-se*) to bow **3.** (*debruçar-se*) to lean

incluído, **-a** [ĩjklu'idu, -a] *adj* included, enclosed

incluir [ĩjklu'ir] <*pp* incluso *ou* incluído> *irr vt* to include; (*em anexo*) to enclose

inclusive [ĩjklu'zivi] *adv* inclusively; **do dia 1º ao dia 30** ~ from the 1st through the 30th

incoerente [ĩjkoe'ɾẽjtʃi̥] *adj* incoherent

incogitável <-eis> [ĩjkoʒi'tavew, -ejs] *adj* unthinkable

incolor [ĩjko'lor] *adj* colorless

incólume [ĩj'kɔlumi] *adj* (*pessoa*) unscathed; (*objeto*) undamaged

incomestível <-eis> [ĩjkomes'tʃi̥vew, -ejs] *adj* inedible

incômoda *adj v.* **incômodo**

incomodar [ĩjkomo'dar] **I.** *vt* to bother **II.** *vr:* ~**-se** to be bothered

incômodo [ĩj'komudu] *m* (*transtorno*) bother

incômodo, -a [ĩj'komudu, -a] *adj* (*posição*) uncomfortable; (*pessoa*) bothersome; (*visita*) inopportune

incomparável <-eis> [ĩjkõwpa'ɾavew, -ejs] *adj* incomparable

incompatível <-eis> [ĩjkõwpa'tʃivew, -ejs] *adj* incompatible

incompetente [ĩjkõwpe'tẽjtʃi̥] *adj, mf* incompetent

incompleto, -a [ĩjkõw'plɛtu, -a] *adj* incomplete

incompreendido, -a [ĩjkõwpɾẽj'dʒidu, -a] *adj* misunderstood; (*não reconhecido*) unappreciated

incompreensível <-eis> [ĩjkõwpɾɛj'sivew, -ejs] *adj* enigmatic; (*pessoa*) bitter

incomum [ĩjko'mũw] <-uns> *adj* uncommon

inconcebível <-eis> [ĩjkõwse'bivew, -ejs] *adj* inconceivable

inconciliável <-eis> [ĩjkõwsiʎi'avew, -ejs] *adj* irreconcilable

incondicional <-ais> [ĩjkõwdʒisjo'naw, -ajs] *adj* unconditional

inconfundível <-eis> [ĩjkõwfũw'dʒivew, -ejs] *adj* unmistakable

inconsciente [ĩjkõwsi'ẽjtʃi̥] *adj* unconscious; (*irresponsável*) careless

inconseqüente [ĩjkõwse'kwẽjtʃi̥] *adj* inconsequential; (*irresponsável*) reckless

inconsistente [ĩjkõwsis'tẽjtʃi̥] *adj* inconsistent

inconsolável <-eis> [ĩjkõwso'lavew, -ejs] *adj* inconsolable

inconstante [ĩjkõws'tɜ̃ɲtʃi̥] *adj* variable; (*pessoa*) fickle

incontável <-eis> [ĩjkõw'tavew, -ejs] *adj* uncountable

incontestável <-eis> [ĩjkõwtes'tavew, -ejs] *adj* uncontestable

incontornável <-eis> [ĩjkõwtor'navew, -ejs] *adj* unavoidable

incontrolável <-eis> [ĩjkõwtɾo'lavew, -ejs] *adj* uncontrollable

inconveniência [ĩjkõwveni'ẽjsia] *f* inconvenience

inconveniente [ĩjkõwveni'ẽjtʃi̥] **I.** *m* disadvantage **II.** *adj* (*atitude*) inappropriate; (*pessoa*) discourteous; (*momento*) inconvenient

incorporação <-ões> [ĩjkorpoɾa'sɜ̃w, -'õjs] *f* merger

incorporar [ĩjkorpo'ɾar] *vt* to incorporate

incorreto, **-a** [ĩjko'xɛtu, -a] *adj* incorrect; (*comportamento*) improper

incorrigível <-eis> [ĩjkoxi'ʒivew, -ejs] *adj* incorrigible

incrédulo, **-a** [ĩj'kɾɛdulu, -a] *adj* incredulous

incrementar [ĩjkɾemẽj'tar] *vt* to boost

incriminar [ĩjkɾimi'nar] *vt* to incriminate

incrível <-eis> [ĩj'kɾivew, -ejs] *adj* incredible

inculto, **-a** [ĩj'kuwtu, -a] *adj* (*pessoa*) uncultured; (*terreno*) uncultivated

incumbir [ĩjkũw'bir] **I.** *vt* to charge **II.** *vr:* ~**-se** to take charge

incurável <-eis> [ĩjku'ɾavew, -ejs] *adj* incurable

incutir [ĩjku'tʃir] <g→gu> *vt* to instill

indagar [ĩjda'gar] <g→gu> *vt* to inquire

indecente [ĩjde'sẽjtʃi̥] *adj* indecent

indecifrável <-eis> [ĩjdesi'fɾavew, -ejs] *adj* indecipherable

indeciso, **-a** [ĩjde'sizu, -a] *adj* indecisive

indecoroso, **-a** [ĩjdeko'ɾozu, -'ɔza] *adj* (*proposta*) indecent; (*salário*) undignified

indeferir [ĩjdefi'ɾir] *irr como preferir vt* (*pedido*) to deny

indefeso, **-a** [ĩjde'fezu, -a] *adj* defenseless

indefinido [ĩjdefi'nidu] *adj* **por tempo** ~ indefinitely

indelicadeza [ĩjdeʎika'deza] *f* indiscretion

indenização <-ões> [ĩjdeniza'sɜ̃w, -'õjs] *f* indemnification; ~ **de danos** payment of [*o* for] damages

indenizar [ĩjdeni'zar] *vt* to reimburse

independente [ĩjdepẽj'dẽjtʃi̥] *adj* independent

independentemente [ĩjdepẽjdẽjtʃi'mẽjtʃi̥] *adv* regardless

indescritível <-eis> [ĩjdeskɾi'tʃivew, -ejs] *adj* indescribable

indesculpável <-eis> [ĩjdeskuw'pavew, -ejs] *adj* inexcusable

indesejável <-eis> [ĩjdeze'ʒavew, -ejs] *adj* undesirable

indestrutível <-eis> [ĩjdestɾu'tʃivew, -ejs] *adj* indestructible; (*inabalável*) unshakable

indeterminado [ĩjdetermi'nadu] *adj* indeterminate

indevido, **-a** [ĩjde'vidu, -a] *adj* improper

índex <índices> ['ĩjdeks, 'ĩjdʒisis] *m* index, forefinger

índia *f v.* **índio**

Índia ['ĩjdʒia] *f* India

indicação <-ões> [ĩjdʒika'sɜ̃w, -'õjs] *f* (*instrução*) instruction; (*informação*) directions *pl*

indicador [ĩjdʒika'dor] *m* index finger

indicar [ĩjdʒi'kar] <c→qu> *vt* to indicate; (*sugerir*) to recommend

índice <-es> ['ĩjdʒisi] *m* index

indício [ĩj'dʒisiw] *m* indication

Índico ['ĩjdʒiku] *m sem pl* Indian Ocean *no pl*

indiferente [ĩjdʒife'ɾẽjtʃi̥] *adj* indifferent

indigesta *adj v.* **indigesto**

indigestão <-ões> [ĩjdʒiʒes'tɜ̃w] *f* indigestion
indigesto, -a [ĩjdʒi'ʒɛstu, -a] *adj* indigestible
indigestões *f pl de* **indigestão**
indigna *adj v.* **indigno**
indignado, -a [ĩjdʒig'nadu, -a] *adj* indignant
indignar [ĩjdʒig'nar] **I.** *vt* to outrage **II.** *vr:* ~**-se** to be outraged
indigno, -a [ĩj'dʒignu, -a] *adj* unworthy
índio, -a ['ĩjdʒiw, -a] *m, f* Indian
indireto, -a [ĩjdʒi'rɛtu, -a] *adj* indirect
indisciplinado, -a [ĩjdʒisipli'nadu, -a] *adj* undisciplined
indiscreto, -a [ĩjdʒis'krɛtu, -a] *adj* indiscreet
indiscutível <-eis> [ĩjdʒisku'tʃivew, -ejs] *adj* indisputable
indispensável <-eis> [ĩjdʒispẽj'savew, -ejs] **I.** *m* **o** ~ the bare essentials *no pl* **II.** *adj* indispensable
indisponível <-eis> [ĩjdʒispo'nivew, -ejs] *adj* unavailable
indispor [ĩjdʒis'por] *irr como pôr* **I.** *vt* to irritate; (*de saúde*) to indispose **II.** *vr:* ~**-se** to get irritated
indisposto, -a [ĩjdʒis'postu, -'ɔsta] *adj* indisposed
individual <-ais> [ĩjdʒividu'aw, -'ajs] *adj* individual
individualista [ĩjdʒividwa'ʎista] **I.** *mf* individualist **II.** *adj* individualistic
indivíduo [ĩjdʒi'viduu] *m* individual
Indochina [ĩjdo'ʃina] *f* Indochina
índole ['ĩjduʎi] *f* character; **de boa** ~ good-natured; **de má** ~ ill-natured
indolor [ĩjdo'lor] *adj* painless
indomável <-eis> [ĩjdo'mavew, -ejs] *adj* (*pessoa*) invincible
Indonésia [ĩjdo'nɛzia] *f* Indonesia
indulgente [ĩjduw'ʒẽjtʃi] *adj* indulgent
indultar [ĩjduw'tar] *vt* to pardon
indústria [ĩj'dustria] *f* industry
industrial <-ais> [ĩjdustri'aw, -'ajs] **I.** *mf* industrialist **II.** *adj* industrial
induzir [ĩjdu'zir] *vt* to induce
inédito, -a [i'nɛdʒitu, -a] *adj* (*livro*) unpublished; (*acontecimento*) original
ineficaz [inefi'kas] <-es> *adj* inefficient; (*inútil*) useless
ineficiente [inefisi'ẽjtʃi] *adj* inefficient
inegável <-eis> [ine'gavew, -ejs] *adj* undeniable
inerente [ine'rẽjtʃi] *adj* inherent
inescrupuloso, -a [ineskrupu'lozu, -'ɔza] *adj* unscrupulous
inesgotável <-eis> [inesgo'tavew, -ejs] *adj* (*recursos*) abundant; (*sabedoria*) unfailing
inespecífico, -a [inespe'sifiku, -a] *adj* unspecific
inesperado, -a [inespe'radu, -a] *adj* unexpected
inesquecível <-eis> [ineske'sivew, -ejs] *adj* unforgettable
inestimável <-eis> [inestʃi'mavew, -ejs] *adj* inestimable
inevitável <-eis> [inevi'tavew, -ejs] *adj* inevitable
inexeqüível <-eis> [ineze'kwivew, -ejs] *adj* (*plano*) unexecutable; (*lei*) unenforceable
inexistente [inezis'tẽjtʃi] *adj* nonex-

istent
inexperiente [inesperi'ējtʃi] *adj* inexperienced
inexplicável <-eis> [inespli'kavew, -ejs] *adj* unexplainable
inexpressivo, **-a** [inespresivu, -a] *adj* insignificant
infalível <-eis> [ĩjfa'ʎivew, -ejs] *adj* infallible
infame [ĩj'fɜmi] *adj* (*indigno*) shameful; (*desprezível*) disreputable
infância [ĩj'fɜ̃ŋsia] *f* infancy
infantil <-is> [ĩjfɜ̃ŋ'tʃiw, -'is] *adj* **1.** (*para crianças*) children's **2.** (*atitude*) childish
infecção <-ões> [ĩjfek'sɜ̃w, -'õjs] *f* infection
infeccionado, **-a** [ĩjfeksjo'nadu, -a] *adj* infected
infeccioso, **-a** [ĩjfeksi'ozu, -'ɔza] *adj* infectious
infectar [ĩjfek'tar] *vt* to infect
infelicidade [ĩjfeʎisi'dadʒi] *f* unhappiness; (*azar*) misfortune
infeliz [ĩjfe'ʎis] <-es> **I.** *mf* wretch **II.** *adj* sad; (*comentário*) inopportune
infelizmente [ĩjfeʎiz'mẽjtʃi] *adv* unfortunately
inferior [ĩjferi'or] *adj* **1.** lower **2.** (*qualidade*) inferior
inferiorizar [ĩjferjori'zar] *vt* to demean
infernal <-ais> [ĩjfer'naw, -'ajs] *adj* (*barulho*) terrible
inferno [ĩj'fɛrnu] *m* hell
infértil <-eis> [ĩj'fɛrtʃiw, -ejs] *adj* infertile
infestar [ĩjfes'tar] *vt* to infest
infiel <-éis> [ĩjfi'ɛw, -'ɛjs] *adj* unfaithful
infiltrar-se [ĩjfiw'trarsi] *vr* to infiltrate
ínfimo, **-a** ['ĩjfimu, -a] *adj* trifling
infindável <-eis> [ĩjfĩj'davew, -ejs] *adj* unending
infinidade [ĩjfini'dadʒi] *f* infinity; **uma ~ de** countless
infinito [ĩjfi'nitu] *adj* infinite
inflação [ĩjfla'sɜ̃w] *f sem pl* inflation *no pl*
inflacionado, **-a** [ĩjflasjo'nadu, -a] *adj* inflated
inflamação <-ões> [ĩjflɜma'sɜ̃w, 'õjs] *f* inflammation
inflamado, **-a** [ĩjflɜ'madu, -a] *adj* inflamed
inflamar [ĩjflɜ'mar] *vt* to inflame
inflamável <-eis> [ĩjflɜ'mavew, -ejs] *adj* flammable
inflável <-eis> [ĩj'flavew, -ejs] *adj* inflatable
inflexível <-eis> [ĩjflek'sivew, -ejs] *adj* inflexible
influência [ĩjflu'ẽjsia] *f* influence
influenciar [ĩjfluẽjsi'ar] *vt* to influence
influenciável <-eis> [ĩjfluẽjsi'avew, -ejs] *adj* impressionable
influir [ĩjflu'ir] *conj como incluir* **I.** *vt* ~ **em** [*ou* **sobre**] to influence **II.** *vi* to matter
informação <-ões> [ĩjforma'sɜ̃w, -'õjs] *f* information *no pl;* **pedir informações a alguém** (**sobre a. c.**) to ask sb for information (about sth); **para sua** ~ for your information
informado, **-a** [ĩjfor'madu, -a] *adj* informed

I

informar [ĩjfor'mar] **I.** *vt* to inform; ~ **alguém de** [*ou* **sobre**] **a. c.** to inform sb of sth; **pode me informar os horários dos ônibus?** could you tell me the bus schedule? **II.** *vr:* ~**-se** to find out; ~**-se sobre a. c.** to find out about sth; **informe-se com o frentista no posto** ask the attendant at the gas station; **informou-se com o policial sobre o acidente** he found out from the policeman about the accident

informática [ĩjfor'matʃika] *f sem pl* IT, information technology *no pl*

informatizado, -a [ĩjformatʃi'zadu, -a] *adj* computerized

infração <-ões> [ĩjfra'sɜ̃w, -'õjs] *f* infraction

infra-estrutura [ĩjfrajstru'tura] *f* infrastructure

infrator(a) [ĩjfra'tor(a)] *m(f)* offender

infravermelho, -a [ĩjfraver'meʎu, -a] *adj* infrared

infringir [ĩjfrĩj'ʒir] *vt* to infringe

infrutífero, -a [ĩjfru'tʃiferu, -a] *adj* unfruitful

infundado, -a [ĩjfũw'dadu, -a] *adj* unfounded

ingênuo, -a [ĩj'ʒenuu, -a] *adj* naive

ingerir [ĩjʒe'rir] *irr como preferir* **I.** *vt* to ingest, to swallow **II.** *vr:* ~**-se** to interfere

Inglaterra [ĩjgla'tɛxa] *f* England

inglês, -esa [ĩj'gles, -'eza] **I.** *m, f* Englishman *m,* Englishwoman *f* **II.** *adj* English

ingovernável <-eis> [ĩjgover'navew, -ejs] *adj* (*país*) ungovernable; (*automóvel*) uncontrollable

ingrato, -a [ĩj'gratu, -a] *adj* ungrateful

ingrediente [ĩjgredʒi'ẽjtʃi] *m* ingredient

íngreme ['ĩjgrimi] *adj* steep

ingressar [ĩjgre'sar] *vi* to enter

ingresso [ĩj'grɛsu] *m* **1.** entry **2.** (*na escola*) admittance **3.** (*bilhete*) ticket

inhame [ĩ'ɲɜmi] *f* taro

inibido, -a [ini'bidu, -a] *adj* inhibited

inibir [ini'bir] *vt* to inhibit

inicial <-ais> [inisi'aw, -'ajs] *adj, f* initial

iniciante [inisi'ɜ̃ŋtʃi] *mf* beginner

iniciar [inisi'ar] *vt* to initiate; INFOR to boot

iniciativa [inisja'tʃiva] *f* initiative

início [i'nisiw] *m* start; **no** ~ at the start

inigualável <-eis> [inigwa'lavew, -ejs] *adj* incomparable

inimigo, -a [ini'migu, -a] *adj, m, f* enemy

inimizade [inimi'zadʒi] *f* unfriendliness

ininteligível <-eis> [inĩjteʎi'ʒivew, -ejs] *adj* unintelligible

ininterrupto, -a [inĩjte'xuptu, -a] *adj* uninterrupted

injeção <-ões> [ĩjʒe'sɜ̃w, -'õjs] *f* injection

injetar [ĩjʒe'tar] *vt* to inject

injusta *adj v.* **injusto**

injustiça [ĩjʒus'tʃisa] *f* injustice

injustiçado, -a [ĩjʒustʃi'sadu, -a] *adj* wronged

injustificado, -a [ĩjʒustʃifi'kadu, -a]

adj unjustified
injusto, **-a** [ĩj'ʒustu, -a] *adj* unfair
inocência [ino'sẽjsia] *f sem pl* innocence
inocentar [inosẽj'tar] *vt* to absolve
inocente [ino'sẽjtʃi̥] *adj* innocent
inodoro, **-a** [ino'dɔru, -a] *adj* odorless
inofensivo, **-a** [inofẽj'sivu, -a] *adj* inoffensive
inoperante [inope'rɜ̃ŋtʃi̥] *adj* inoperative
inoportuno, **-a** [inopor'tunu, -a] *adj* inopportune
inóspito, **-a** [i'nɔspitu, -a] *adj* inhospitable
inovação <-ões> [inova'sɜ̃w, -õjs] *f* innovation
inovador(a) [inova'dor(a)] *adj* innovative
inoxidável <-eis> [inoksi'davew, -ejs] *adj* rustproof; **aço** ~ stainless steel
inquebrável <-eis> [ĩjke'bravew, -ejs] *adj* unbreakable
inquérito [ĩj'kɛritu] *m* investigation
inquestionável <-eis> [ĩjkestʃjo'navew, -ejs] *adj* unquestionable
inquietante [ĩjkje'tɜ̃ŋtʃi̥] *adj* unsettling
inquietar [ĩjkje'tar] **I.** *vt* to disquiet **II.** *vr:* ~**-se** to fret
inquilino, **-a** [ĩjki'ʎinu, -a] *m, f* tenant
inquirir [ĩjki'rir] *vt* to inquire
insaciável <-eis> [ĩjsasi'avew, -ejs] *adj* insatiable
insalubre [ĩjsa'lubri] *adj* unhealthy
insano, **-a** [ĩj'sɜnu, -a] *adj* insane
insatisfação <-ões> [ĩjsatsfa'sɜ̃w, -'õjs] *f* dissatisfaction
insatisfatório, **-a** [ĩjsatsfa'tɔriw, -a] *adj* unsatisfactory
insatisfeito, **-a** [ĩjsats'fejtu, -a] *adj* dissatisfied
insaturado, **-a** [ĩjsatu'radu, -a] *adj* unsaturated
inscrever [ĩjskre'ver] <*pp* **inscrito**> **I.** *vt* (*em curso*) to enroll; (*em lista*) to register **II.** *vr:* ~**-se** to sign up
inscrição <-ões> [ĩjskri'sɜ̃w, -'õjs] *f* (*em curso*) enrollment; (*em lista*) registration
inscrito [ĩjs'kritu] *pp de* **inscrever**
inscrito, **-a** [ĩjs'kritu, -a] *adj* enrolled
insegura *adj v.* **inseguro**
insegurança [ĩjsegu'rɜ̃ŋsa] *f* insecurity; ~ **pública** public safety
inseguro, **-a** [ĩjsi'guru, -a] *adj* unsafe; (*sem confiança*) insecure
insensata *adj v.* **insensato**
insensatez [ĩjsẽjsa'tes] <-es> *f* foolishness
insensato, **-a** [ĩjsẽj'satu, -a] *adj* senseless
insensível <-eis> [ĩjsẽj'sivew, -ejs] *adj* insensible
inseparável <-eis> [ĩjsepa'ravew, -ejs] *adj* inseparables
inserir [ĩjse'rir] *irr como preferir vt* to insert
inseticida [ĩjsetʃi̥'sida] *m* insecticide
inseto [ĩj'sɛtu] *m* insect
insignificante [ĩjsignifi'kɜ̃ŋtʃi̥] *adj* insignificant
insincero, **-a** [ĩjsĩj'sɛru, -a] *adj* insincere
insinuante [ĩjsinu'ɜ̃ŋtʃi̥] *adj* (*atitude*) insinuating

insinuar [ĩjsinu'ar] *vt* to insinuate

insistente [ĩjsis'tẽjtʃi̥] *adj* insistent

insistir [ĩjsis'tʃir] *vt* to insist

insolação <-ões> [ĩjsola'sɜ̃w, -'õjs] *f sem pl* sunstroke *no pl*

insolente [ĩjso'lẽjtʃi̥] *adj* insolent

insondável <-eis> [ĩjsõw'davew, -ejs] *adj* unfathomable

insone [ĩj'soni] *adj* insomniac

insônia [ĩj'sonia] *f sem pl* insomnia *no pl*

insosso, -a [ĩj'sosu, -a] *adj* bland

inspeção <-ões> [ĩjspe'sɜ̃w, -'õjs] *f* inspection

inspecionar [ĩjspesjo'nar] *vt* to inspect

inspetor(a) [ĩjspe'tor(a)] *m(f)* inspector

inspiração <-ões> [ĩjspira'sɜ̃w, -'õjs] *f* inhalation

inspirado, -a [ĩjspi'radu, -a] *adj* inspired

inspirar [ĩjspi'rar] *vi* to inhale

instabilidade [ĩjstabiʎi'dadʒi] *f sem pl* instability *no pl*

instalação <-ões> [ĩjstala'sɜ̃w, -'õjs] *f* installation

instalações [ĩjstala'sõjs] *fpl* facilities *pl*

instalar [ĩjsta'lar] *vt* to install

instantâneo [ĩjstɜ̃ŋ'tɜniw] *m* snapshot

instantâneo, -a [ĩjstɜ̃ŋ'tɜniw, -a] *adj* sudden

instante [ĩjs'tɜ̃ŋtʃi̥] *m* instant; **neste ~** this instant; **um ~, por favor** one moment, please

instigar [ĩjstʃi'gar] <g→gu> *vt* to instigate

instintivo, -a [ĩjstʃĩj'tʃivu, -a] *adj* instinctive

instinto [ĩjs'tʃĩjtu] *m* instinct

instituição <-ões> [ĩjstʃi̥tuj'sɜ̃w, -'õjs] *f* institution

instituir [ĩjstʃi̥tu'ir] *conj como incluir vt* to institute

instituto [ĩjstʃi̥'tutu] *m* institute

instrução <-ões> [ĩjstru'sɜ̃w, -'õjs] *f* instruction

instruções [ĩjstru'sõjs] *fpl* directions *pl;* ~ **de funcionamento** operating instructions

instruído, -a [ĩjstru'idu, -a] *adj* educated

instruir [ĩjstru'ir] *conj como incluir vt* to instruct; (*dar instruções*) to give directions

instrumento [ĩjstru'mẽjtu] *m* instrument

instrutor, -a [ĩjstru'tor, -a] *m, f* instructor

insubornável <-eis> [ĩjsubor'navew, -ejs] *adj* incorruptible

insubstituível <-eis> [ĩjsubstʃi̥tu'ivew, -ejs] *adj* irreplaceable

insucesso [ĩjsu'sɛsu] *m* failure

insuficiente [ĩjsufisi'ẽjtʃi̥] *adj* insufficient

insultar [ĩjsuw'tar] *vt* to insult

insulto [ĩj'suwtu] *m* insult

insuperável [ĩjsupe'ravew] *adj* insurmountable

insuportável [ĩjsupor'tavew] *adj* unbearable

insuspeito, -a [ĩjsus'pejtu, -a] *adj* unexpected; (*opinião*) irreproachable

insustentável <-eis> [ĩjsustẽj'tavew,

-ejs] *adj* unsustainable

intato [ĩj'tatu] *adj* intact

íntegra ['ĩjtegɾa] *adj v.* **íntegro**

integral <-ais> [ĩjte'gɾaw, -'ajs] *adj* whole; **pão** ~ whole-wheat bread

integrante [ĩjte'gɾɜ̃ŋtʃi̥] *mf* member

integrar [ĩjte'gɾar] *vt* to integrate; ~**-se em** [*ou* **a**] **a. c.** to join sth

íntegro, -a ['ĩjtegɾu, -a] *adj* (*pessoa*) upstanding

inteira *adj v.* **inteiro**

inteirar-se [ĩjtej'ɾar] *vr* to find out; ~**-se de a. c.** to find out about sth

inteiro, -a [ĩj'tejɾu, -a] *adj* entire; (*ileso*) intact

intelectual <-ais> [ĩjtelektu'aw, -'ajs] *adj, mf* intellectual

inteligência [ĩjteʎi'ʒẽjsia] *f* intelligence

inteligente [ĩjteʎi'ʒẽjtʃi̥] *adj* intelligent

inteligível <-eis> [ĩjteʎi'ʒivew, -ejs] *adj* intelligible

intenção <-ões> [ĩjtẽj'sɜ̃w, -'õjs] *f* intention

intencionado, -a [ĩjtẽjsjo'nadu, -a] *adj* intentioned

intencional <-ais> [ĩjtẽjsjo'naw, -'ajs] *adj* intentional

intencionar [ĩjtẽjsjo'nar] *vt* to intend

intensa *adj v.* **intenso**

intensidade [ĩjtẽjsi'dadʒi] *f sem pl* intensity *no pl*

intensificar [ĩjtẽjsifi'kar] <c→qu> **I.** *vt* (*relações*) to enhance **II.** *vr:* ~**-se** (*conflito*) to intensify; (*trânsito*) to become heavy

intensivo, -a [ĩjtẽj'sivu, -a] *adj* intensive

intenso, -a [ĩj'tẽjsu, -a] *adj* intense

interagir [ĩjteɾa'ʒir] *vt* to interact

interativo, -a [ĩjteɾa'tʃivu, -a] *adj* interactive

intercalar [ĩjterka'lar] *vt* to insert

intercâmbio [ĩjter'kɜ̃ŋbiw] *m* exchange

interceder [ĩjterse'der] *vt* to intercede

interdição <-ões> [ĩjterdʒi'sɜ̃w, -'õjs] *f* prohibition

interditado, -a [ĩjterdʒi'tadu, -a] *adj* (*rua*) closed (off)

interditar [ĩjterdʒi'tar] *vt* to prohibit

interessado, -a [ĩjteɾe'sadu, -a] *adj* interested

interessante [ĩjteɾe'sɜ̃ŋtʃi̥] *adj* interesting

interessar [ĩjteɾe'sar] **I.** *vi* ~ **a alguém** to interest sb **II.** *vr:* ~**-se** to be interested

interesse [ĩjte'ɾesi] *m* interest; **ter** ~ **em a. c./alguém** to be interested in sth/sb

interestadual <-ais> [ĩjteɾistadu'aw, -'ajs] *adj* (*rodovia*) interstate

interferir [ĩjterfe'ɾir] *irr como preferir vi* to interfere

interior [ĩjteɾi'or] **I.** *m* inside, interior; (*do país*) inland **II.** *adj* interior

interligado, -a [ĩjterʎi'gadu, -a] *adj* interconnected

intermediar [ĩjtermedʒi'ar] *irr como odiar vt* to intermediate

intermediário, -a [ĩjtermedʒi'aɾiw, -a] *m, f* intermediary

interminável <-eis> [ĩjtermi'navew, -ejs] *adj* unending

interna *adj v.* **interno**

internacional <-ais> [ĩjternasjo'naw, -'ajs] *adj* international
internado, -a [ĩjter'nadu, -a] *adj* hospitalized
internato [ĩjter'natu] *m* boarding school
internauta [ĩjter'nawta] *mf* web surfer
Internet [ĩjter'nɛtʃi̥] *f* Internet; **navegar na** ~ to surf the internet
interno, -a [ĩj'tɛrnu, -a] *adj* internal
interpretação <-ões> [ĩjterpreta'sɜ̃w, -'õjs] *f* interpretation; (*de papel*) performance
interpretar [ĩjterpre'tar] *vt* to interpret; (*papel*) to perform
intérprete [ĩj'tɛrpretʃi̥] *mf* performer; (*tradutor*) interpreter
interrogar [ĩjtexo'gar] <g→gu> *vt* to interrogate
interromper [ĩjtexõw'per] *vt* to interrupt
interruptor [ĩjtexup'tor] *m* switch
intersectar [ĩjtersek'tar] *vt* to intersect
interurbano, -a [ĩjterur'bɜnu, -a] *adj* long-distance; (*ônibus*) intercity
intervalo [ĩjter'valu] *m* intermission
intervir [ĩjter'vir] *irr como vir* **I.** *vt* to interfere **II.** *vi* to intercede
intestino [ĩjtes'tʃinu] *m* intestine
íntima *adj v.* **íntimo**
intimidade [ĩjtʃimi'dadʒi] *f* intimacy; (*familiaridade*) intimacy
intimidador(a) [ĩjtʃimida'dor(a)] *adj* intimidating
intimidar [ĩjtʃimi'dar] **I.** *vt* to intimidate **II.** *vr:* ~**-se** to be intimidated
íntimo ['ĩjtʃimu] **I.** *m* intimate; (*amigo*) close **II.** *adj* (*vida*) intimate; (*ligações*) close
intolerante [ĩjtole'rɜ̃ŋtʃi̥] *adj* intolerant
intolerável <-eis> [ĩjtole'ravew, -ejs] *adj* intolerable
intoxicação <-ões> [ĩjtoksika'sɜ̃w, -'õjs] *f* poisoning
intragável <-eis> [ĩjtra'gavew, -ejs] *adj* (*comida*) unpalatable; (*pessoa*) unbearable
intranqüilo, -a [ĩjtrɜ̃ŋ'kwilu, -a] *adj* restless
intransitável <-eis> [ĩjtrɜ̃ŋzi'tavew, -ejs] *adj* (*rua*) impassable
intransponível <-eis> [ĩjtrɜ̃ŋspo'nivew, -ejs] *adj* insurmountable
intratável <-eis> [ĩjtra'tavew, -ejs] *adj* unsociable
intravenoso, -a [ĩjtrave'nozu, -'ɔza] *adj* intravenous
intriga [ĩj'triga] *f* intrigue, gossip
intrigado, -a [ĩjtri'gadu, -a] *adj* (*desconfiado*) wary; (*curioso*) intrigued
intrigante [ĩjtri'gɜ̃ŋtʃi̥] *adj* intriguing
intrigar [ĩjtri'gar] <g→gu> **I.** *vt* to intrigue **II.** *vr:* ~**-se** to find sth intriguing [*o* puzzling]
intrincado, -a [ĩjtrĩj'kadu, -a] *adj* intricate
introdução <-ões> [ĩjtrodu'sɜ̃w, -'õjs] *f* introduction; (*de moeda, disquete*) insertion
introduzir [ĩjtrodu'zir] *vt* to introduce; (*moeda, disquete*) to insert
intrometer-se [ĩjtrome'tersi] *vr* to meddle
intrometido, -a [ĩjtrome'tʃidu, -a] *adj* busybody

introvertido, **-a** [ĩjtrover'tʃidu, -a] *adj* introverted
intruso, **-a** [ĩj'truzu, -a] *m, f* intruder
intuição [ĩjtuj'sɜ̃w] *f* intuition
intuitivo, **-a** [ĩjtuj'tʃivu, -a] *adj* intuitive
intuito [ĩj'tujtu] *m* intention
inumerável <-eis> [inume'ravew, -ejs] *adj* innumerable
inúmero [i'numeru] *adj* numerous
inundação <-ões> [inũwda'sɜ̃w, -'õjs] *f* inundation
inundado, **-a** [inũw'dadu, -a] *adj* inundated
inundar [inũw'dar] *vt* to flood
inútil <-eis> [i'nutʃiw, -ejs] *adj pej* useless; (*tentativa*) vain
inutilidade [inutʃiʎi'dadʒi] *f* uselessness
invadir [ĩjva'dʒir] *vt* to invade; (*uma casa*) to break into
inválida *adj, f v.* **inválido**
invalidar [ĩjvaʎi'dar] *vt* to cancel
invalidez [ĩjvaʎi'des] *f sem pl* disability
inválido, **-a** [ĩj'vaʎidu, -a] **I.** *m, f* invalid **II.** *adj* invalid
invariável <-eis> [ĩjvari'avew, -ejs] *f, adj* invariable
inveja [ĩj'vɛʒa] *f* envy; **ter ~ de alguém** to envy sb
invejar [ĩjve'ʒar] *vt* (*uma pessoa*) to envy; (*um objeto*) to covet
invejável <-eis> [ĩjve'ʒavew, -ejs] *adj* enviable
invejoso, **-a** [ĩjve'ʒozu, -'ɔza] *adj* envious
invenção <-ões> [ĩjvẽj'sɜ̃w, -'õjs] *f* invention
invencível <-eis> [ĩjvẽj'sivew, -ejs] *adj* (*inimigo*) invincible; (*obstáculo*) insurmountable
inventar [ĩjvẽj'tar] *vt* (*máquina*) to invent; (*história*) to make up
inventário [ĩjvẽj'tariw] *m* inventory
inventivo, **-a** [ĩjvẽj'tʃivu, -a] *adj* inventive
inventor, **-a** [ĩjvẽj'tor, -a] *m, f* inventor
inverno [ĩj'vɛrnu] *m* winter
inverso [ĩj'vɛrsu] *m* inverse
inverso, **-a** [ĩj'vɛrsu, -a] *adj* (*ordem*) inverse; (*oposto*) opposite
invertebrado [ĩjverte'bradu] *adj, m* invertebrate
invertido, **-a** [ĩjver'tʃidu, -a] *adj* inverted
invés [ĩj'vɛs] *m* **ao ~ de** as opposed to, instead of
investida [ĩjves'tʃida] *f* assault
investidor, **-a** [ĩjvestʃi'dor, -a] *m, f* investor
investigação <-ões> [ĩjvestʃiga'sɜ̃w, -'õjs] *f* investigation
investigador, **-a** [ĩjvestʃiga'dor, -a] *m, f* investigator
investigar [ĩjvestʃi'gar] <g→gu> *vt* to investigate
investimento [ĩjvestʃi'mẽjtu] *m* investment
investir [ĩjves'tʃir] *irr como vestir* **I.** *vt* to invest **II.** *vi* ~ **contra** to attack
inviável <-eis> [ĩjvi'avew, -ejs] *adj* unfeasible
invicto, **-a** [ĩj'viktu, -a] *adj* invincible
invisível <-eis> [ĩjvi'zivew, -ejs] *adj*

invisible
invocar [ĩjvo'kar] <c→qu> *vt* to invoke
invólucro [ĩj'vɔlukru] *m* wrapper
involuntário, -a [ĩjvolũw'tariw, -a] *adj* involuntary
invulnerável <-eis> [ĩjvuwne'ravew, -ejs] *adj* invulnerable
iodo ['jodu] *m sem pl* iodine *no pl*
ioga [i'oga] *m ou f sem pl* yoga *no pl*
iogurte [jo'gurtʃi] *m* yogurt
ir ['ir] *irr* **I.** *vi* to go; ~ **de carro/avião** to drive/to fly; ~ **a cavalo/pé** to go on horseback/foot; **vamos (embora)**! let's go!; **ir à escola** to go to school; **como vai?** how are you?; **vou sair** I'm going out **II.** *vr* ~**-se (embora)** to leave
Irã [i'rɜ̃] *m* Iran
irado, -a [i'radu, -a] *adj* furious
Iraque [i'raki] *m* Iraq
Irlanda [ir'lɜ̃ŋda] *f* Ireland
irmã [ir'mɜ̃] *f* <-s> sister
irmão [ir'mɜ̃w] <-s> *m* brother
ironia [iro'nia] *f* irony
irônico, -a [i'roniku, -a] *adj* ironic
irracional <-ais> [ixasjo'naw, -'ajs] *adj* irrational
irradiar [ixadʒi'ar] *vt* to irradiate
irreal <-ais> [ixe'aw, -'ajs] *adj* unreal
irreconciliável <-eis> [ixekõwsiʎi'avew, -ejs] *adj* irreconcilable
irreconhecível <-eis> [ixekõɲe'sivew, -ejs] *adj* unrecognizable
irrecuperável <-eis> [ixekupe'ravew, -ejs] *adj* unrecoverable
irrecusável <-eis> [ixeku'zavew, -ejs] *adj* irrefutable
irredutível <-eis> [ixedu'tʃivew, -ejs] *adj* (*pessoa*) unyielding
irrefletido, -a [ixefle'tʃidu, -a] *adj* (*gesto*) rash
irrefutável <-eis> [ixefu'tavew, -ejs] *adj* irrefutable
irregular [ixegu'lar] *adj* irregular; (*superfície*) uneven
irregularidade [ixegulari'dadʒi] *f* irregularity; (*em superfície*) unevenness
irrelevante [ixele'vɜ̃tʃi] *adj* irrelevant
irreparável <-eis> [ixepa'ravew, -ejs] *adj* irreparable
irrepreensível <-eis> [ixepreẽj'sivew, -ejs] *adj* irreproachable
irresistível <-eis> [ixezis'tʃivew, -ejs] *adj* irresistible
irrespirável <-eis> [ixespi'ravew, -ejs] *adj* stuffy
irresponsável <-eis> [ixespõw'savew, -ejs] *adj* irresponsible
irrestrito, -a [ixes'tritu, -a] *adj* unrestricted
irreverente [ixeve'rẽjtʃi] *adj* irreverent
irreversível <-eis> [ixever'sivew, -ejs] *adj* irreversible
irrigação <-ões> [ixiga'sɜ̃w, -'õjs] *f* irrigation
irrigar [ixi'gar] <g→gu> *vt* to irrigate
irrisório, -a [ixi'zɔriw, -a] *adj* negligible
irritado, -a [ixi'tadu, -a] *adj* irritated
irritar [ixi'tar] **I.** *vt* to irritate **II.** *vr:* ~**-se** to be irritated

isca ['iska] *f* bait

isento, **-a** [i'zẽjtu, -a] *adj* exempt

islâmico, **-a** [iz'lɜmiku, -a] *adj* Islamic

Islândia [iz'lɜ̃ŋdʒia] *f* Iceland

isolado, **-a** [izo'ladu, -a] *adj* (*lugar*) isolated; (*fio*) insulated

isolar [izo'lar] **I.** *vt* (*pessoa*) to isolate; (*fio*) to insulate **II.** *vr:* **~-se** to isolate oneself

isopor [izo'por] <-es> *m* Styrofoam®

isqueiro [is'kejɾu] *m* lighter

Israel [isxa'ɛw] *m* Israel

isso ['isu] *pron dem* that; **o que é ~?** what is that?; **me dá ~ aqui!** give that to me!; **~ mesmo!** that's right!

isto ['istu] *pron dem* this; **o que é ~?** what is this?; **~ é** that is, i.e.

Itália [i'taʎja] *f* Italy

item ['itẽj] <-ens> *m* item

itinerário [itʃine'ɾariw] *m* itinerary

Iugoslávia [juguz'lavia] *f* Yugoslavia

J

J, **j** ['ʒɔta] *m* J, j

já [ʒa] **I.** *adv* **1.** already; **~ terminei** I've already finished **2.** yet; **~ terminou?** have you finished yet? **3.** (*anteriormente*) ever **4.** (*negativo*) no longer; **~ não sei mais** I no longer understand **5.** (*agora*) now; **desde ~** as of now **6.** soon; **até ~!** see you soon **7.** (*imediatamente*) immediately; **faça isso ~!** do it now! **II.** *conj* **~ que** *+subj* since

jaca ['ʒaka] *f* jackfruit

jacaré [ʒaka'ɾɛ] *m* alligator, caiman

jacto *m v.* **jato**

jaguatirica [ʒagwatʃi'ɾika] *f* ocelot

jagunço [ʒa'gũwsu] *m* hired gun

jamaicano, **-a** [ʒamaj'kɜnu, -a] *adj, m, f* Jamaican

jamais [ʒa'majs] *adv* **1.** (*nunca*) never; **~ irei lá** I will never go there **2.** (*alguma vez*) ever

jamanta [ʒa'mɜ̃ŋta] *f* manta ray

janeiro [ʒɜ'nejɾu] *m* January

janela [ʒɜ'nɛla] *f* **1.** window **2.** *inf* gap

jangada [ʒɜ̃ŋ'gada] *f* raft

jantar [ʒɜ̃ŋ'tar] **I.** *m* dinner, supper **II.** *vi* to have dinner

Japão [ʒa'pɜ̃w] *m* Japan

japonês, **-esa** [ʒapo'nes, -'eza] *adj, m, f* Japanese

jaqueta [ʒa'keta] *f* jacket

jararaca [ʒaɾa'ɾaka] *f* pit viper

jardim [ʒar'dʒĩj] <-ins> *m* garden; (*público*) park; **~ botânico** botanical garden; **~ zoológico** zoo

jardim-de-infância [ʒar'dʒĩj-dʒĩj'fɜ̃ŋsia] <jardins-de-infância> *m* kindergarten

jardineiro, **-a** [ʒardʒi'nejɾu, -a] *m, f* gardener

jardins *m pl de* **jardim**

jarra ['ʒaxa] *f* (*de água*) pitcher, jug; (*de flores*) vase

jarro ['ʒaxu] *m* (*de água*) pitcher, jug; (*de flores*) flowerpot

jasmim [ʒaz'mĩj] <-ins> *m* jasmine

jato ['ʒatu] *m* jet

jaula ['ʒawla] *f* cage

jeca ['ʒɛka] *mf* country bumpkin

jeitinho [ʒej'tʃĩɲu] *m inf* **1.** talent; **fazer a. c. com** ~ to do sth. skillfully **2.** shrewdness; **não é possível dar um ~?** can't we find a way around this?

jeito ['ʒejtu] *m sem pl* **1.** (*aptidão*) knack; **falta de** ~ awkwardness; **sem** ~ useless **2.** (*maneira*) manner; ~ **brincalhão** playful manner **3.** (*modo*) way; **de que ~?** how?; **de ~ nenhum!** no way!; **ficar sem** ~ to be uncomfortable **4.** *inf* **fazer de qualquer** ~ any old way **5. dar um ~ em a. c.** to repair [*o* fix] sth **6. dar um ~ em a. c.** to find a solution to something

jejum [ʒe'ʒũw] <-uns> *m* **1.** fast; **estar em** ~ to fast **2.** *fig* abstention

jibóia [ʒi'bɔja] *f* boa constrictor

jiló [ʒi'lɔ] *m* gilo

jipe ['ʒipi] *m* jeep

joalheria [ʒuaʎe'ria] *f* jewelry store

joaninha [ʒuɜ'nĩɲa] *f* ladybug *Am,* ladybird *Brit*

joão-ninguém <joões-ninguém> [ʒu'ɜ̃w-nĩj'gẽj, ʒu'õjs-] *m* **um** ~ a nobody

João Pessoa [ju'ɜ̃w pe'soa] (City of) João Pessoa

joelho [ʒu'eʎu] *m* knee; **de ~s** kneeling

jogada [ʒo'gada] *f* play; **foi uma boa** ~ it was a good play

jogador(a) [ʒoga'dor(a)] *m(f)* player, gambler

jogar [ʒo'gar] <g→gu> **I.** *vt* **1.** to play; ~ **cartas** to play cards **2.** (*arriscar*) to gamble; ~ **na loteria** to play the lottery **3.** (*atirar*) to throw; ~ **fora** to throw away **II.** *vi* to rock back and forth

jogo ['ʒogu] *m* **1.** game; ~ **de azar** gambling *no pl;* ~ **sujo** dirty play; **abrir o** ~ *fig* to speak frankly; **estar em** ~ *fig* to be at stake; **fazer** ~ **duplo** to have a hidden agenda; **virar o** ~ *inf* to turn the game around **2.** (*conjunto*) set

jóia ['ʒɔja] *f* piece of jewelry; **~s** jewelry

Jordânia [ʒor'dɜnia] *f* Jordan

jornal <-ais> [ʒor'naw, -'ajs] *m* newspaper; (*noticiário*) the news

jornalista [ʒorna'ʎista] *mf* journalist

jovem ['ʒɔvẽj] <-ens> **I.** *mf* young man *m,* young woman *f;* **os jovens** young people **II.** *adj* young

judaico, -a [ʒu'dajku, -a] *adj* Jewish

judeu [ʒu'dew] **I.** *m* Jew **II.** *adj* Jewish

judô [ʒu'do] *m* judo

juiz, juíza [ʒu'iz, ju'iza] *m, f* JUR judge; ESPORT referee

juízo [ʒu'izu] *m* **1.** (*sensatez*) good judgment; **ter** ~ to have good judgment; **~!** take care of yourself! **2.** JUR sentence; **responder em** ~ to appear in court **3.** (*parecer*) opinion

julgamento [ʒuwga'mẽjtu] *m* (*audiência*) trial; (*ação de julgar*) judgment

julgar [ʒuw'gar] <g→gu> **I.** *vt* JUR to sentence; (*considerar*) to consider **II.** *vt* to suppose **III.** *vr:* **~-se** to think oneself

julho ['ʒuʎu] *m* July

jumento, **-a** [ʒu'mẽjtu, -a] *m, f* donkey, ass; *fig* jackass

junho ['ʒũɲu] *m* June

junino, **-a** [ʒu'ninu, -a] *adj* June; **festas juninas** Brazilian June Festival

júnior <juniores> ['ʒunjor, ʒu'njoris] **I.** *m* junior team player **II.** *adj* junior

junta *adj v.* **junto**

juntar [ʒũw'tar] <*pp* junto *ou* juntado> **I.** *vt* **1.** (*unir*) to join; ~ **a. c. a a. c.** to join sth to sth **2.** (*acrescentar*) to add **II.** *vr:* ~**-se 1.** (*unir-se*) to join **2.** (*reunir-se*) to get together **3.** (*casal*) to live together

junto, **-a** ['ʒũwtu, -a] *adj* (*um com o outro*) together; (*um perto do outro*) near; ~**s** all together; **todos** ~**s** everybody

junto ['ʒũwtu] *adv* **1.** (*ao lado*) next to, beside; **sentou-se** ~ **à porta** he sat down next to the door **2.** (*de uma vez*) together; **tudo** ~ all together

Júpiter ['ʒupiter] *m* Jupiter

jurado, **-a** [ʒu'radu, -a] **I.** *m, f* juror **II.** *adj* **1.** sworn **2.** (*ameaçado*) threatened

juramentado, **-a** [ʒuramẽj'tadu, -a] *adj* certified

juramento [ʒura'mẽjtu, -a] *m* oath; **sob** ~ under oath

jurar [ʒu'rar] **I.** *vt* (*testemunha*) to testify; (*prometer*) to promise, to vow **II.** *vi* to swear; (*prometer*) to promise

júri ['ʒuri] *m* jury

jurídico, **-a** [ʒu'ridʒiku, -a] *adj* legal

juro ['ʒuru] *m* interest; **taxa de** ~**s** interest rate

justa *adj v.* **justo**

justamente [ʒusta'mẽjtʃi̥] *adv* **1.** (*precisamente*) precisely **2.** (*com justiça*) justly

justiça [ʒus'tʃisa] *f* **1.** (*eqüidade*) justice; **fazer** ~ to do justice to **2.** JUR **a** ~ the law

justificação <-ões> [ʒustʃifika'sɜ̃w, -'õjs] *f* justification

justificar [ʒustʃi̥fi'kar] <c→qu> **I.** *vt* to justify **II.** *vr:* ~**-se** to clear oneself

justo, **-a** ['ʒustu, -a] *adj* **1.** (*imparcial*) just, fair; **não é** ~**!** it's not fair! **2.** (*roupa*) tight-fitting **3.** (*correto*) correct

justo ['ʒustu] *adv* just; **estava pensando** ~ **em você** I was just thinking about you

juvenil <-is> [ʒuve'niw, -is] *adj* **1.** youth **2.** (*equipe*) junior **3.** (*delinqüência*) juvenile

juventude [ʒuvẽj'tudʒi] *f* young people; (*época*) youth

K

K, k ['ka] *m* K, k

kartódromo [kar'tɔdromu] *m* kart speedway

ketchup [kɛtʃi̥'ʃupi] *m* ketchup

kg [kilo'gɾɜma] *m abr de* **quilograma** kg

K

kit ['kitʃi̥] *m* kit; (*de facas, CD*) set
kiwi [kiw'i] *m* kiwi fruit
km [ki'lometɾu] *m abr de* **quilômetro** km
km/h [ki'lometɾus pu'ɾɔɾa] *m abr de* **quilômetros por hora** km/h, kph
kuwaitiano, -a [kwajtʃi'ɜnu, -a] *adj, m, f* Kuwaiti

L

L, l ['ɛʎi] *m* L, l
la [la] *pron f* it
lá ['la] *adv* **1.** (*naquele lugar*) there; (**para**) ~ over there; (**por**) ~ that way; **de ~ para cá** back and forth **2.** (*ênfase*) **sei ~!** how should I know?; **pra ~ de ...** beyond ... **3.** (*aproximadamente*) around; **~ pelas 4 horas** around 4 o'clock **4.** (*temporal*) then
lã ['lɜ̃] *f* wool
lábia ['labia] *f inf* (*palavreado*) smooth talk *no pl*
labial <-ais> [labi'aw, -'ajs] *adj* lip
lábio ['labiw] *m* lip
labirinto [labi'ɾĩjtu] *m* labyrinth; (*em jardim*) maze
laboratório [laboɾa'tɔɾiw] *m* laboratory
laçar [la'sar] <ç→c> *vt* to lasso
laço ['lasu] *m* **1.** (*nó*) knot; (*de fita*) bow; **dar um ~** to tie a bow/knot **2.** (*de família*) bond
lacrar [la'kɾar] *vt* to seal
lacre ['lakɾi] *m* seal
lacrimejar [lakɾime'ʒar] *vi* (*olhos*) to water
lacuna [la'kuna] *f* (*em formulário*) blank; **preencher uma ~** to fill in a blank
ladeira [la'dejɾa] *f* slope; (*rua íngreme*) steep street
lado ['ladu] *m* side; **ao** [*ou* **no**] **~ de** beside, next to; **de ~** sideways; **de um ~ para o outro** back and forth; **por um ~ ..., por outro ~ ...** on the one hand ..., on the other hand ...
ladrão, -a <-ões> [la'dɾɜ̃w, 'ladɾa, -'õjs] *m, f* thief
lagarto [la'gartu] *m* lizard
lago ['lagu] *m* lake; (*de jardim*) pond
lagoa [la'goa] *f* small lake
lagosta [la'gosta] *f* lobster
lágrima ['lagɾima] *f* tear
lama ['lɜma] *f* mud
lamaçal <-ais> [lɜma'saw, -'ajs] *m* quagmire
lambada [lɜ̃ŋ'bada] *f* MÚS lambada
lamber [lɜ̃ŋ'ber] *vt* to lick
lambida [lɜ̃ŋ'bida] *f* lick
lambreta [lɜ̃ŋ'bɾeta] *f* scooter
lambuzar [lɜ̃ŋbu'zar] *vt* to smear
lamentar [lamẽj'tar] *vt* **1.** (*pena, desculpas*) to be sorry for **2.** (*a morte de alguém*) to lament
lamentável <-eis> [lamẽj'tavew, -ejs] *adj* regrettable
lâmina ['lɜmina] *f* (*cortante*) blade; **~ de barbear** razor blade
lâmpada ['lɜ̃ŋpada] *f* (*elétrica*) light bulb
lançamento [lɜ̃ŋsa'mẽjtu] *m* **1.** (*de

foguete) firing **2.** (*de produto, livro*) launch; (*de CD, filme*) release

lançar [lɜ̃ŋ'sar] <ç→c> **I.** *vt* **1.** (*objeto*) to throw **2.** (*CD, filme*) to release; (*produto; foguete*) to launch; (*dados*) to enter **II.** *vr* **~-se a a. c.** to throw oneself into sth

lance ['lɜ̃ŋsi] *m* **1.** (*arremesso*) throw **2.** (*em leilão*) bid **3.** ESPORT shot

lanche ['lɜ̃ŋʃi] *m* (*à tarde*) afternoon snack; (*refeição rápida*) quick meal

lanchonete [lɜ̃ŋʃo'nɛtʃi̥] *f* coffee shop *Am*, snack bar *Brit*

lanterna [lɜ̃ŋ'tɛrna] *f* **1.** lantern **2.** (*de pilhas*) flashlight *Am*, torch *Brit* **3.** AUTO headlight

lápis ['lapis] *m inv* pencil; **~ de cor** colored pencil

lapiseira [lapi'zejɾa] *f* mechanical pencil *Am*, propelling pencil *Brit*

lar [lar] <-es> *m* **1.** (*casa*) home **2.** (*família*) household

laranja [la'ɾɜ̃ŋʒa] **I.** *f* (*fruta*) orange **II.** *m* **1.** (*cor*) orange **2.** *inf* (*testa-de-ferro*) front man **III.** *adj inv* orange

laranjada [laɾɜ̃ŋ'ʒada] *f* orangeade

laranjeira [laɾɜ̃ŋ'ʒejɾa] *f* orange tree

larápio [la'ɾapiw] *m* thief

lareira [la'ɾejɾa] *f* fireplace

lares *m pl de* **lar**

larga *adj v.* **largo**

largada [lar'gada] *f* (*em corrida*) start; **dar a ~** to start

largado, -a [lar'gado, -a] *adj* (*abandonado*) abandoned; (*displicente com a aparência*) scruffy, shabby(-looking)

largar [lar'gar] <g→gu> **I.** *vt* **1.** (*soltar*) to release, to let go **2.** (*abandonar*) to give up, to abandon **II.** *vi* ESPORT to start

largo, -a ['largu, -a] *adj* **1.** (*com grande extensão transversal*) wide, broad **2.** (*roupa*) loose (fitting)

largura [lar'guɾa] *f* width

las [las] *pron pl* them; (*após infinitivo*) them; **não posso proibí-las de sair** I can't forbid them to go out

lasca ['laska] *f* (*de louça, madeira*) chip

laser ['lejzer] *m* laser

lassear [lasi'ar] *conj como passear vi* (*roupa, sapatos*) to loosen

lata ['lata] *f* **1.** (*recipiente*) tin, can; **~ de lixo** garbage can *Am*, rubbish bin *Brit* **2.** *inf* face; **falar a. c. na ~** to say sth straight to sb's face

lataria [lata'ɾia] *f* AUTO bodywork

latejar [late'ʒar] *vi* (*sangue*) to pulse; (*cabeça*) to throb

lateral <-ais> [late'ɾaw, -'ajs] **I.** *mf* ESPORT **~ direita/esquerda** right/left wing **II.** *adj* side, lateral

laticínio [latʃi'siniw] *m* dairy product

latido [la'tʃidu] *m* bark

latifúndio [latʃi̥'fũwdʒiw] *m* large landed estate

latino, -a [la'tʃinu, -a] *adj, m, f* Latin

latino-americano, -a [la'tʃinu-ameɾi'kɜnu, -a] *adj, m, f* Latin American

latir [la'tʃir] *vi impess* to bark

laudo ['lawdu] *m* (*parecer técnico*) findings, report

lavabo [la'vabu] *m* (*lavatório*) washroom *Am*

lavada *adj v.* **lavado**

lavadeira [lava'dejɾa] *f* washerwoman

lavado, -a [la'vadu] *adj* washed

lavadora [lava'doɾa] *f* (*de louça*) dishwasher; (*de roupa*) washing machine

lavagem [la'vaʒẽj] <-ens> *f* (*ação de lavar*) wash(ing); ~ **de dinheiro** money laundering

lava-louças ['lava-'losas] *f inv* dishwasher

lavanderia [lavɜ̃ŋde'ɾia] *f* (*loja*) laundry

lavar [la'var] **I.** *vt* (*cabelo, roupa*) to wash; (~ *a louça*) to wash [*o* do] the dishes *Am;* **pôr a. c. para** ~ to put sth in the wash **II.** *vr:* ~**-se** to wash (up)

lavoura [la'voɾa] *f* farming *no pl*

lavrador, -eira [lavɾa'dor, -'ejɾa] *m, f* (*agricultor*) farm laborer *Am*

laxante [la'ʃɜ̃ŋtʃi̥] *m* laxative

lazer [la'zer] *m* **1.** (*descanso*) leisure **2.** (*divertimento*) recreation

leão, leoa <-ões> [ʎi'ɜ̃w, le'oa, -'õjs] *m, f* ZOOL lion *m,* lioness *f*

Leão [ʎi'ɜ̃w] *m* (*zodíaco*) Leo

legal <-ais> [le'gaw, -'ajs] *adj* **1.** (*permitido por lei*) legal **2.** *inf* (*local, pessoa, roupa*) cool

legalização <-ões> [legaʎiza'sɜ̃w, -'õjs] *f* legalization

legalizar [legaʎi'zar] *vt* to legalize

legalmente [legaw'mẽjtʃi̥] *adv* legally

legenda [le'ʒẽjda] *f* **1.** (*de filme*) subtitles; (*de foto*) caption **2.** (*de mapa*) legend

legislativo, -a [leʒizla'tʃivu, -a] *adj* legislative; **o poder** ~ the legislature

legítimo, -a [le'ʒitʃimu, -a] *adj* **1.** (*filho*) legitimate **2.** (*autêntico*) genuine

legível <-eis> [le'ʒivew, -ejs] *adj* legible

legume [le'gumi] *m* vegetable

lei ['lej] *f* POL law

leigo, -a ['lejgu, -a] **I.** *adj* lay **II.** *m, f* layperson

leilão <-ões> [lej'lɜ̃w, -'õjs] *m* auction

leiloar [lejlo'ar] <*1. pess pres:* leiloô> *vt* to auction

leilões *m pl de* **leilão**

leite ['lejtʃi̥] *m* milk; ~ **desnatado** skim milk; ~ **integral** whole milk

> **Culture** **Leitos** are intercity buses which offer more space, with fewer seats than ordinary buses, and are consequently more comfortable. **Ônibus-leito** are a good alternative for those travelling great distances.

leitor(a) [lei'tor(a)] <-es> *m(f)* (*de livro, de texto*) reader

leitura [lej'tuɾa] *f* (*de texto*) reading

lembrança [lẽj'bɾɜ̃ŋsa] *f* **1.** (*memória*) memory **2.** (*presente*) souvenir

lembranças [lẽj'bɾɜ̃ŋsas] *f pl* greetings; **mandar** ~ **a alguém** to give sb one's regards

lembrar [lẽj'bɾar] **I.** *vt* **1.** to remember **2.** to remind of **II.** *vr:* ~**-se de a. c./alguém** to remember sth/sb

lenço ['lẽjsu] *m* handkerchief; (*de cabeça, pescoço*) scarf; ~ **de papel** (paper) tissue

lençol <-óis> [lẽj'sɔw, -'ɔjs] *m* (*de cama*) sheet

lenha ['lẽɲa] *f* firewood

lenta *adj v.* **lento**

lentamente [lẽjta'mẽjtʃi] *adv* slowly

lente ['lẽjtʃi] *f* lens; **~s de contato** contact lenses

lentidão [lẽjtʃi'dɜ̃w] *f sem pl* slowness; (*de movimentos*) sluggishness

lento, -a ['lẽjtu, -a] *adj* slow

leoa [le'oa] *f v.* **leão**

leões *m pl de* **leão**

leonino, -a [leo'ninu, -a] *adj* leonine; (*zodíaco*) ; **ser ~** to be a Leo

leque ['lɛki] *m* **1.** (*objeto*) fan **2.** (*de produtos*) range

ler ['ler] *irr vt* (*livro, jornal, etc.*) to read

lerdo, -a ['lɛrdu, -a] *adj* slow

lésbica ['lɛzbika] *adj, f* lesbian

leste ['lɛstʃi] **I.** *m* east **II.** *adj* (*costa, vento*) east

Letônia [le'tonia] *f* Latvia

letra ['letɾa] *f* **1.** (*do alfabeto*) letter; **tirar de ~** to be able do sth with one's eyes closed **2.** (*escrita*) print; (*de pessoa*) handwriting; **~ de fôrma** block letters; **~ maiúscula/minúscula** capital/lowercase letter **3.** (*de música*) lyrics

leucemia [lewse'mia] *f sem pl* leukemia *Am*

levado, -a [le'vadu, -a] *adj* mischievous

levantamento [levɜ̃ŋta'mẽjtu] *m* **1.** (*ação de levantar*) lifting **2.** *fig* **~ de dados** survey

levantar [levɜ̃ŋ'tar] **I.** *vt* **1.** (*peso*) to lift; (*mão, voz, dúvida*) to raise **2.** (*do chão*) to pick up **II.** *vi* (*avião*) to take off **III.** *vr:* **~-se** to get up, to stand up

levar [le'var] *vt* **1.** (*objeto, pessoa; tempo*) to take **2.** (*receber*) to get **3.** (*induzir*) to lead; **~ alguém a fazer a. c.** to lead sb to do sth; **~ a. c./alguém a sério** to take sth/sb seriously; **~ tempo** to take time

leve ['lɛvi] **I.** *adj* **1.** (*refeição, roupa*) light **2.** (*falta, ferimento*) slight **II.** *adv* **de ~** lightly

levemente [lɛvi'mẽjtʃi] *adv* (*ferido*) slightly; (*apimentado, armado*) lightly

lhe [ʎi] *pron* **1.** (*a ele*) him; (*a ela*) her; (*a você*) you; (*a uma coisa*) it **2.** (*depois de preposição*) to him/her/you, for him/her/you

lhes [ʎis] *pron pl* **1.** (*a eles/elas*) them; (*a vocês*) you **2.** (*depois de preposição*) to them/you, for them/you

lhufas ['ʎufas] *pron indef* **não entendi ~ da aula** I didn't understand anything in the lesson

li *1. pret de* **ler**

libanês, -esa [ʎibɜ'nes, -'eza] *adj, m, f* Lebanese

Líbano ['ʎibɜnu] *m* Lebanon

liberação [ʎibeɾa'sɜ̃w] *f sem pl* **1.** liberation *no pl* **2.** COM (*mercadorias*) release

liberal <-ais> [ʎibe'ɾaw, -'ajs] *adj* (*pessoa*) generous; (*profissional*) self-employed

liberar [ʎibe'ɾar] **I.** *vt* **1.** to release **2.** (*permitir*) to lift restrictions; **~ geral** *gír* to give sb carte blanche **II.** *vr:* **~-se de a. c.** to free oneself of

L

sth

liberdade [ʎiber'dadʒi] *f* liberty; ~ **de imprensa** freedom of the press; **tomar a ~ de fazer a. c.** to take the liberty of doing sth

Libéria [ʎi'bɛria] *f* Liberia

libertação <-ões> [ʎiberta'sɜ̃w -'õjs] *f* (*da prisão*) release

libertar [ʎiber'tar] <*pp* liberto *ou* libertado> **I.** *vt* (*preso*) to (set) free **II.** *vr:* ~**-se de a. c./alguém** to free oneself from sth/sb

Líbia ['ʎibia] *f* Libya

libra ['ʎibra] *f* **1.** (*peso*) pound (≈ 454 g) **2.** FIN ~ **esterlina** pound sterling

Libra ['ʎibra] *f* Libra

libriano, -a [ʎi'briɜ̃nu, -a] *adj, m, f* Libra

lição <-ões> [ʎi'sɜ̃w, -'õjs] *f* (*aula; de vida*) lesson; **dar uma ~ a** [*ou* **em**] **alguém** *fig* to teach sb a lesson

licença [ʎi'sẽjsa] *f* **1. com ~!** excuse me!; **dá ~?** may I?; **pedir ~** to excuse oneself **2.** (*permissão*) permission; **pedir ~ a alguém para fazer a. c.** to ask sb for permission to do sth **3.** AUTO license *Am* **4.** (*do trabalho*) leave (of absence); ~ **médica** sick leave

licenciar [ʎisẽjsi'ar] *vt* (*marca, software*) to license

licor [ʎi'kor] *m* liqueur

lidar [ʎi'dar] *vi* to deal

líder ['ʎider] <-es> *mf* leader

liderança [ʎide'rɜ̃ŋsa] *f* leadership

liderar [ʎide'rar] *vt* to lead

líderes *mf pl de* **líder**

lido ['ʎidu] *pp de* **ler**

ligação <-ões> [ʎiga'sɜ̃w, -'õjs] *f* **1.** TEL call; ~ **interurbana** long-distance call; **fazer uma ~** to make a phone call **2.** (*entre eventos, transportes, fios*) connection

ligada [ʎi'gada] *f* TEL call; **dar uma ~ para alguém** to give sb a call

ligado, -a [ʎi'gadu, -a] *adj* **1.** (*aparelho, luz*) turned on **2.** *gír* lit **3.** (*relacionado*) linked

ligar [ʎi'gar] <g→gu> *vt* **1.** (*um aparelho, a luz*) to turn on; (*motor*) to start **2.** (*fio; acontecimento*) to connect **3.** (*telefonar*) to call (up) **4.** (*dar importância*) to mind; **se liga!** *gír* pay attention!

lilás [ʎi'las] **I.** *m* <lilases> BOT lilac **II.** *adj inv* lilac

lima ['ʎima] *f* BOT sweet lime

limão <-ões> [ʎi'mɜ̃w] *m* (*amarelo*) lemon; (*verde*) lime

limitação <-ões> [ʎimita'sɜ̃w, -'õjs] *f* limitation

limitar [ʎimi'tar] **I.** *vt* (*despesas*) to reduce; (*liberdade*) to restrict **II.** *vr:* ~**-se a fazer a. c.** to limit [*o* confine] oneself to doing sth

limite [ʎi'mitʃi] *m* **1.** limit; ~ **de velocidade** speed limit **2.** (*fronteira*) border; **passar dos ~s** to go too far

limoeiro [ʎimo'ejru] *m* (*fruto amarelo*) lemon tree; (*fruto verde*) lime tree

limões *m pl de* **limão**

limonada [ʎimo'nada] *f* lemonade

limpar [ʎĩj'par] <*pp* limpo *ou* limpado> **I.** *vt* (*a casa, o chão*) to clean; (*boca, nariz*) to wipe **II.** *vi* (*céu*) to clear up **III.** *vr:* ~**-se** to wash (oneself)

limpeza [ʎĩj'peza] *f* **1.** (*estado*) cleanliness **2.** (*processo*) cleaning; **fazer uma ~ em a. c.** to clean sth up

limpo ['ʎĩjpu] **I.** *pp irr de* **limpar** **II.** *adj* **1.** (*sem sujeira*) clean; (*ar*) fresh; **passar a. c. a ~** to make a clean copy of sth **2.** (*céu, consciência*) clear

linchar [ʎĩj'ʃar] *vt* to lynch

lindo, -a ['ʎĩjdu, -a] *adj* (*paisagem, dia*) beautiful; (*moço*) handsome; (*moça*) pretty, beautiful

língua ['ʎĩjgwa] *f* **1.** (*idioma*) language **2.** ANAT tongue; **ficar com a ~ de fora** to be out of breath

linguagem [ʎĩj'gwaʒẽj] <-ens> *f* language; ~ **de sinais** sign language

lingüiça [ʎĩj'gwisa] *f* sausage

linha ['liɲa] *f* (*traço; de telefone; de texto; de crédito*) line; (*de costurar*) thread; ~ **aérea** airline; **manter alguém na ~** to make sb toe the line

lipoaspiração <-ões> [ʎipwaspira'sɜ̃w, -'õjs] *f* liposuction *no pl*

liquidação <-ões> [ʎikida'sɜ̃w, -'õjs] *f* (*em loja*) ~ **total** clearance sale

liquidar [ʎiki'dar] *vt* **1.** (*dívida*) to pay off **2.** (*mercadorias*) to sell off

liquidificador [ʎikidʒifika'dor] *m* blender

líquido ['ʎikidu] **I.** *m* liquid **II.** *adj* **1.** (*estado*) liquid **2.** ECON net

liso, -a ['ʎizu, -a] *adj* **1.** (*superfície*) smooth **2.** (*cabelo*) straight **3.** (*de uma cor só*) solid

lista ['ʎista] *f* (*rol*) list; ~ **de espera** waiting list; ~ **telefônica** telephone directory

listar [ʎis'tar] *vt* to list

listra ['ʎistra] *f* stripe

listrado, -a [ʎis'tradu, -a] *adj* striped

literatura [ʎitera'tura] *f* literature

litoral <-ais> [ʎito'raw, -'ajs] **I.** *m* coast(line) **II.** *adj* coastal

litorâneo, -a [ʎito'rɜniw, -a] *adj* coastal

litro ['litru] *m* liter *Am*

Lituânia [ʎitu'ɜnia] *f* Lithuania

livrar [ʎi'vrar] **I.** *vt* (*libertar*) to liberate, to free; **Deus me livre!** God forbid! **II.** *vr:* ~**-se** ~**-se de a. c./alguém** to get rid of sth/sb; ~**-se de fazer a. c.** to get out of doing sth

livraria [ʎivra'ria] *f* bookstore

livre ['ʎivri] *adj* (*com liberdade, desocupado*) free; ~ **de impostos** tax-free; **ter um dia ~** to have a day off; **este lugar está ~** this seat is free

livro ['livru] *m* book

lixa ['ʎiʃa] *f* (*para madeira*) sandpaper; ~ **de unhas** emery board

lixar [ʎi'ʃar] *vr:* ~**-se** *inf* to not to give a damn; **estou pouco me lixando** I couldn't care less

lixeira [ʎi'ʃejra] *f* (*recipiente*) garbage can *Am,* dustbin *Brit*

lixeiro [ʎi'ʃejru] *m* garbage collector *Am,* refuse collector *Brit*

lixo ['liʃu] *m* garbage *Am,* rubbish *Brit,* waste; **jogar a. c. no ~** to throw sth in the garbage

lo [lu] *pron m* **1.** (*coisa*) it **2.** (*pessoa*) him

lobo, **-a** ['lobu, -a] *m, f* ZOOL wolf

locação <-ões> [loka'sɜ̃w, -'õjs] *f* (*de imóvel*) lease; (*de fitas de vídeo*) rental

locadora [loka'dora] *f* (*de carro*) car rental agency *Am*, car hire firm *Brit*; (*de fitas de vídeo*) video (rental) shop

local <-ais> [lo'kaw, -'ajs] **I.** *m* **1.** place, spot; ~ **de nascimento** birthplace **2.** (*de show*) venue **II.** *adj* (*costume, hora*) local

localização <-ões> [lokaʎiza'sɜ̃w, -'õjs] *f* **1.** (*ação de localizar*) localization **2.** (*local*) location

localizar [lokaʎi'zar] *vt* (*lugar*) to locate

loção <-ões> [lo'sɜ̃w, -'õjs] *f* lotion

locomoção [lokomo'sɜ̃w] *f sem pl* locomotion *no pl*

locutor(a) [loku'tor(a)] <-es, -as> *m(f)* announcer; ~ **esportivo** sports commentator

lógica ['lɔʒika] *f* logic *no pl*; **ter** ~ to be logical

lógico, **-a** ['lɔʒiku, -a] *adj* **1.** (*racional*) logical **2.** ~**!** of course!

logo ['lɔgu] **I.** *adv* **1.** (*em seguida*) immediately **2.** (*mais tarde*) soon; ~ **mais** later (on); **até** ~**!** so long!, see you later! **3.** (*justamente*) ~ **agora!** why now? **II.** *conj* so, therefore

loiro, **-a** ['lojru, -a] *m, f v.* **louro**, **-a**

loja ['lɔʒa] *f* store, shop; ~ **de departamentos** department store

lombo ['lõwbu] *m* GASTR (*de carne de vaca*) sirloin; (*de porco*) pork loin

Londres ['lõwdris] *f* London

londrino, **-a** [lõw'drinu, -a] *m, f* Londoner

longa *adj v.* **longo**

longe ['lõwʒi] **I.** *adv* far; **de** ~ from a distance; *fig* by far; **ir** ~ **demais** to go too far **II.** *adj* faraway, remote

longo, **-a** ['lõwgu] *adj* long

lotado, **-a** [lo'tadu, -a] *adj* (*cinema, teatro*) filled to capacity

lotar [lo'tar] *vt* to fill

lote ['lɔtʃi] *m* **1.** (*de terreno*) lot **2.** (*de mercadoria*) shipment

loteamento [lotʃja'mẽjtu] *m* allotment

loteria [lote'ria] *f* lottery

lotérico, **-a** [lo'tɛriku] *adj* lottery; **casa lotérica** lottery shop

louça ['lowsa] *f* (*de cozinha*) dishes *pl*; **lavar a** ~ to do the dishes [*o* wash]

louco, **-a** ['loku, -a] **I.** *m, f* madman *m*, madwoman *f* **II.** *adj* (*paixão*) crazy; **me deixa** ~ it drives me crazy

loucura [low'kura] *f* madness; (*demência*) insanity

louro, **-a** ['loru, -a] **I.** *m, f* blond (man) *m*, blond(e) *f* **II.** *adj* (*pessoa, cabelo*) blond

LTDA [ʎimi'tada] *f abr de* **limitada sociedade limitada** Ltd, Limited

lua ['lua] *f* moon; ~ **cheia** full moon

lua-de-mel ['lua-dʒi-'mɛw] <luas-de-mel> *f* honeymoon

lucrar [lu'krar] *vi* to benefit; ~ **com a. c.** to profit from sth

lucrativo, **-a** [lukra'tʃivu, -a] *adj* (*financeiramente*) profitable, lucrative

lucro ['lukru] *m* (*financeiro*) profit

lugar [lu'gar] <-es> *m* (*local, ordem*) place; **ceder o** ~ **a alguém** to give sb one's seat; **ponha-se no meu** ~ put yourself in my shoes

lugar-comum [lu'gar-ko'mũw] <lugares-comuns> *m* commonplace

lugares *m pl de* **lugar**

lustrar [lus'trar] *vt* (*móveis, sapatos*) to polish

lustre ['lustri] *m* (*iluminação elétrica*) chandelier

luta ['luta] *f* struggle; **ir à** ~ *fig* to go after what one wants

lutador(a) [luta'dor(a)] *m(f)* fighter

lutar [lu'tar] *vi* to struggle

luto ['lutu] *m* mourning; **estar de** ~ to be in mourning

luva ['luva] *f* glove

Luxemburgo [luʃẽj'burgu] *m* Luxemburg

luxo ['luʃu] *m* luxury

luxuoso, -a [luʃu'ozu, -'ɔza] *adj* luxurious

luz ['lus] *f* **1.** (*clareza*) light; **dar à** ~ to give birth to **2.** light; **acender/apagar a** ~ to turn on/off the light **3.** (*eletricidade*) electricity; **faltou** ~ there was a power outage

M

M, m ['emi] *m* M, m

ma [ma] *v.* **me**

má ['ma] *adj v.* **mau**

maca ['maka] *f* stretcher

maçã [ma'sɜ̃] *f* apple

macacão <-ões> [maka'kɜ̃w, -'õjs] *m* overalls *Am,* dungarees *Brit*

macaco [ma'kaku] *m* AUTO jack

macaco, -a [ma'kaku, -a] *m, f* monkey

macacões *m pl de* **macacão**

maçaneta [masɜ'neta] *f* knob

macarrão [maka'xɜ̃w] *m* pasta

Macedônia [mase'donia] *f* Macedonia

machado [ma'ʃadu] *m* ax

machista [ma'ʃista] **I.** *m* male chauvinist **II.** *adj* macho

macho ['maʃu] **I.** *m* male **II.** *adj* **1.** male **2.** manly

machucado [maʃu'kadu] *m* injury

machucado, -a [maʃu'kadu, -a] *adj* hurt

machucar [maʃu'kar] <c→qu> *vt* to hurt

macia *adj v.* **macio**

maciço, -a [ma'sisu, -a] *adj* solid

macio, -a [ma'siw, -a] *adj* soft

maço ['masu] *m* **1.** pack *Am,* packet *Brit* **2.** bundle

maconha [ma'kɔɲa] *f* marijuana

má-criação ['ma-kria'sɜ̃w, -'õjs] <má(s)-criações> *f* rudeness

macumba [ma'kũwba] *f* Brazilian voodoo

madeira [ma'dejra] *f* wood

madrasta [ma'drasta] *f* stepmother

madre ['madri] *f* nun

madrinha [ma'drĩɲa] *f* (*batizado*) godmother; (*casamento*) maid of honor

madrugada [madru'gada] *f* early morning

maduro, -a [ma'duru] *adj* mature;

M

(*fruit*) ripe
mãe ['mɜ̃j] *f* mother
maestro, **-ina** [ma'estɾu, -'ina] *m, f* conductor
má-fé ['ma-'fɛ] <más-fés> *f* bad faith
magia [ma'ʒia] *f* magic
mágica ['maʒika] *f* magic
mágico, **-a** ['maʒiku, -a] **I.** *adj* magical **II.** *m, f* magician
magnata [mag'nata] *m* magnate
mago ['magu] *m* magician
mágoa ['magwa] *f* sorrow
magoado, **-a** [magu'adu, -a] *adj* hurt
magoar [magu'ar] <*1. pess pres:* magôo> *vi, vt* to hurt
magra *adj v.* **magro**
magrelo, **-a** [ma'gɾɛlu, -a] *m, f* skinny
magreza [ma'gɾeza] *f sem pl* thinness
magricela [magɾi'sɛla] *mf pej* skeleton
magro, **-a** ['magɾu, -a] *adj* thin
maio ['maju] *m* May
maiô [maj'o] *m* bathing suit *Am,* swimsuit *Brit*
maionese [majo'nɛzi] *f* mayonnaise
maior [maj'ɔr] *adj* **1.** (*tamanho*) bigger; ~ (**do**) **que** bigger than; (*importância*) greater; ~ **de idade** adult **2. o/a** ~ the biggest, the greatest
maioria [majo'ɾia] *f* majority; **a** ~ **das pessoas** most people
maioridade [majoɾi'dadʒi] *f sem pl* adulthood
mais ['majs] **I.** *m* most **II.** *adv* **1.** more; ~ **bonito** (**do**) **que ...** more beautiful than ... **2.** ~ **de dez** more than ten; ~ **ou menos** kind of; **muito** ~ much more; **até** ~ see you later; **cada vez** ~ more and more; **sem** ~ **nem menos** out of the blue **3.** most; **o** ~ **bonito** the most beautiful **4.** ~ **alguma coisa?** is there anything else? **5. gosto** ~ **de ler** I prefer reading **6.** plus **7. por** ~ **que tente** no matter how hard he tries **III.** *conj* and
maiúscula [maj'uskula] *f* capital
majestade [maʒes'tadʒi] *f* majesty; **Sua Majestade** His/Her Majesty
mal <-es> ['maw, 'maʎis] **I.** *m* **1.** evil; **não fez por** ~ he didn't mean any harm **2.** (*doença*) disease **II.** *adv* **1. você fez** ~ you were wrong **2. isso está** ~ **feito** this is badly done; **tratar** ~ **a alguém** to treat sb badly **3.** bad **4.** sick *esp Am,* ill *esp Brit* **5.** hardly; **eu** ~ **falei com ele** I hardly spoke with him **III.** *conj* hardly
mala ['mala] *f* suitcase; **fazer a** ~ to pack one's suitcase
mal-acostumado, **-a** [mawakustu'madu, -a] *adj* spoiled
mal-agradecido, **-a** [mawagɾade'sidu, -a] *adj* ungrateful
malagueta [mala'geta] *f* **pimenta** ~ chili pepper
malandro, **-a** [ma'lɜ̃ŋdɾu, -a] **I.** *m, f* **1.** (*patife*) crook **2.** (*preguiçoso*) bum **II.** *adj* **1.** (*preguiçoso*) lazy **2.** (*astuto*) cunning
mal-arrumado, **-a** [mawaxu'madu] *adj* untidy
Malásia [ma'lazia] *f* Malaysia
malcomportado, **-a** [mawkõwpor'tadu, -a] *adj* badly be-

haved

malcriado, **-a** [mawkri'adu, -a] *adj* rude

maldade [maw'dadʒi] *f* wickedness

maldição <-ões> [mawdʒi'sɜ̃w, -'õjs] *f* curse

maldito, **-a** [maw'dʒitu, -a] *adj* damned

maldoso, **-a** [maw'dozu, -'ɔza] *adj* wicked

mal-educado, **-a** [mawedu'kadu, -a] *adj* rude

malemolência [malemo'lẽjsia] *f sem pl* swing

mal-entendido [mawĩjtẽj'dʒidu] *m* misunderstanding

males *m pl de* **mal**

mal-estar [mawis'tar] *m sem pl* discomfort

maleta [ma'leta] *f* small suitcase

malfeito, **-a** [maw'fejtu, -a] *adj* shoddy

malha ['maʎa] *f* (*casaco*) sweater

malhar [ma'ʎar] *vi inf* to work out

malharia [maʎa'ria] *f* knitwear

mal-humorado, **-a** [mawumo'radu, -a] *adj* grumpy

malícia [ma'ʎisia] *f* malice

malicioso, **-a** [maʎisi'ozu, -'ɔza] *adj* malicious

maligno, **-a** [ma'ʎignu, -a] *adj* malignant

mal-intencionado, **-a** [mawĩjtẽjsjo'nadu, -a] *adj* malicious

malnutrido, **-a** [mawnu'tridu, -a] *adj* malnourished

malote [ma'lɔtʃi̥] *m* courier service

malpassado, **-a** [mawpa'sadu, -a] *adj* **bife** ~ rare steak

malsucedido, **-a** [mawsuse'dʒidu, -a] *adj* unsuccessful

Malta ['mawta] *f* Malta

maltrapilho, **-a** [mawtra'piʎu, -a] *m, f* ragged

maltratar [mawtra'tar] *vt* to mistreat

maluco, **-a** [ma'luku, -a] **I.** *adj* crazy **II.** *m, f* madman *m,* madwoman *f*

maluquice [malu'kisi, -a] *f* madness

malvado, **-a** [maw'vadu, -a] *adj* wicked

mama ['mɜma] *f* breast; **câncer de** ~ breast cancer

mamadeira [mɜma'dejra] *f* (baby's) bottle

mamãe [mɜ'mɜ̃j] *f* mommy *Am,* mummy *Brit*

mamão [ma'mɜ̃w] *m* papaya

mamar [mɜ'mar] *vt* to breast feed

mamífero [mɜ'miferu] *m* mammal

mamilo [mɜ'milu] *m* nipple

mana *f inf v.* **mano**

Manaus [mɜ'naws] (City of) Manaus

mancada [mɜ̃ŋ'kada] *f inf* gaffe

mancar [mɜ̃ŋ'kar] <c→qu> *vi* to limp

mancha ['mɜ̃ŋʃa] *f tb. fig* stain

Mancha ['mɜ̃ŋʃa] *f* **Canal da** ~ English Channel

manchar [mɜ̃ŋ'ʃar] *vt* to stain

mancha-roxa ['mɜ̃ŋʃa-'xoʃa] <manchas-roxas> *f* bruise

manchete [mɜ̃ŋ'ʃɛtʃi̥] *f* headline

mandado [mɜ̃ŋ'dadu] *m* order; ~ **de busca** search warrant

mandão, **-ona** <-ões> [mɜ̃ŋ'dɜ̃w, -'ona, -'õjs] *adj* bossy

mandar [mɜ̃ŋ'dar] **I.** *vt* **1.** (*dar or-*

M

dens) to order **2.** (*enviar*) to send **3.** ~ **embora** to fire **II.** *vi* to give orders

mandato [mɜ̃ŋ'datu] *m* mandate

mandíbula [mɜ̃ŋ'dʒibula] *f* jaw

mandioca [mɜ̃ŋdʒi'ɔka] *f* cassava

Culture **Manioc** is the most important culinary inheritance from Brazilian indians. Once its toxin is extracted, the root may be boiled, fried, or ground. Manioc flour is used to make **farofa**, an essential accompaniment to **feijoada** .

mando ['mɜ̃ŋdu] *m* **a** ~ **de** by order of

mandões *adj v.* **mandão**

mandona *adj v.* **mandão**

mané [mɜ'nɛ] *m pej, inf* simpleton

maneira [mɜ'nejɾa] *f* way; **à** ~ **de** like; **de** ~ **nenhuma** absolutely not; **de qualquer** ~ anyway

maneirar [mɜnej'ɾar] *vi inf* to be careful

manejar [mɜne'ʒar] *vt* to handle

manequim [mɜni'kĩj] <-ins> **I.** *m* mannequin; (*tamanho*) size **II.** *mf* model

manga ['mɜ̃ŋga] *f* **1.** (*roupa*) sleeve **2.** BOT mango

mangue ['mɜ̃ŋge] *m* mangrove swamp

mangueira [mɜ̃ŋ'gejɾa] *f* **1.** hose **2.** (*árvore*) mango tree

manha ['mɜ̃ɲa] *f* (*astúcia*) cunning

manhã [ma'ɲɜ̃] *f* morning; **às sete da** ~ seven in the morning; **de** ~ in the morning

mania [mɜ'nia] *f* mania

maníaco, -a [mɜ'niaku, -a] *m, f* maniac

manicômio [mɜni'komiw] *m* asylum

manicure [mɜni'kuɾi] *f* manicure

manifestação <-ões> [mɜnifesta'sɜ̃w, -'õjs] *f* **1.** display **2.** POL demonstration

manifestar [mɜnisfes'tar] *vt* to show

manipulação <-ões> [mɜnipula'sɜ̃w, -'õjs] *f* manipulation

manipular [mɜnipu'lar] *vt* to manipulate

manjado, -a [mɜ̃ŋ'ʒadu, -a] *adj inf* well-known

manjericão <-ões> [mɜ̃ŋʒeɾi'kɜ̃w, -'õjs] *m* basil

manjuba [mɜ̃ŋ'ʒuba] *f* smelt

mano, -a ['mɜnu, a] *m, f inf* brother *m,* sister *f*

manobra [mɜ'nɔbɾa] *f* maneuver

manobrar [mɜno'bɾar] *vt* to maneuver

manobrista [mɜno'brista] *mf* valet

mansa *adj v.* **manso**

mansão <-ões> [mɜ̃ŋ'sɜ̃w, -'õjs] *f* mansion

manso, -a ['mɜ̃ŋsu, -a] *adj* tame

mansões *f pl de* **mansão**

manta ['mɜ̃ŋta] *f* blanket

manteiga [mɜ̃ŋ'tega] *f* butter

manter [mɜ̃ŋ'ter] *irr como ter* **I.** *vt* **1.** to maintain **2.** to keep; ~ **a palavra** to keep one's word **II.** *vr:* ~**-se** to remain; ~**-se em forma** *inf* to keep in shape

mantimentos [mɜ̃ŋtʃi'mẽjtus] *mpl* provisions

manto ['mɜ̃ŋtu] *m* cloak

manual <-ais> [mɜnu'aw, -'ajs] *adj, m* manual

manutenção <-ões> [mɜnutẽj'sɜ̃w, -'õjs] *f* maintenance

mão ['mɜ̃w] <-s> *f* **1.** hand; **à** ~ by hand; **dar uma** ~ **a alguém** to give sb a hand; **de** ~**s dadas** holding hands; **em primeira** ~ first hand; **estar à** ~ to be close at hand **2.** ~ **única** one-way

mão-aberta ['mɜ̃w-a'bɛrta] <mãos-abertas> *adj* generous

mão-cheia ['mɜ̃w-'ʃeja] <mãos-cheias> *f inf* first-rate

mão-de-obra ['mɜ̃w-dʒi-'ɔbɾa] <mãos-de-obra> *f* labor

mapa ['mapa] *m* map

mapa-múndi ['mapa-'mũwdʒi] <mapas-múndi> *m* world map

maquiagem [maki'aʒẽj], **maquilagem** [maki'laʒẽj] <-ens> *f* makeup

maquiar [maki'ar] **I.** *vt* to make up **II.** *vr:* ~**-se** to put on one's make-up

máquina ['makina] *f* machine; ~ **fotográfica** camera; ~ **de lavar** washing machine; **à** ~ by machine

mar ['mar] *m* sea; **alto** ~ the open sea; **por** ~ by sea

maracujá [maɾaku'ʒa] *m* passion fruit

maracutaia [maɾaku'taja] *f* dirty trick

Maranhão [maɾɜ̃'ɲɜ̃w] *m* (State of) Maranhão

maranhense [maɾɜ̃'ɲẽjsi] **I.** *adj pertaining to the state of Maranhão* **II.** *mf native of Maranhão*

maratona [maɾa'tona] *f* marathon

maratonista [maɾato'nista] *mf* marathon runner

maravilha [maɾa'viʎa] *f* marvel; **isto é uma** ~ *inf* this is wonderful

maravilhoso, **-a** [maɾavi'ʎozu] *adj* marvelous

marca ['marka] *f* **1.** mark **2.** brand, make; ~ **registrada** registered trademark

marcado, **-a** [mar'kadu, -a] *adj* marked

marcante [mar'kɜ̃ŋtʃi̥] *adj* striking

marcapasso [marka'pasu] *m* pacemaker

marcar [mar'kar] *vt* <c→qu> **1.** to mark **2.** ~ **uma consulta** to make an appointment

marceneiro, **-a** [marse'nejɾu, -a] *m, f* carpenter

marcha ['marʃa] *f* **1.** (*desfile*) march **2.** AUTO gear; **dar** ~ **a ré** to put in reverse

março ['marsu] *m* March

maré [ma'ɾɛ] *f* tide; ~ **alta** high tide; ~ **de sorte** run of good luck

maremoto [maɾe'mɔtu] *m* tidal wave

maresia [maɾe'zia] *f* sea air

marfim [mar'fĩj] <-ins> *m* ivory

margarida [marga'ɾida] *f* daisy

margarina [marga'ɾina] *f* margarine

margem ['marʒẽj] <-ens> *f* **1.** margin; ~ **de lucro** profit margin **2.** riverbank

marginal [marʒi'naw, -'ajs] **I.** *adj* marginal **II.** *mf* delinquent

marginalizar [marʒinaʎi'zar] *vt* to marginalize

maria-chiquinha [ma'ɾia-ʃi'kĩɲa] <marias-chiquinhas> *f* pigtail

marido [ma'ɾidu] *m* husband

marimbondo [maɾĩj'bõwdu] *m* hornet
marinha [ma'ɾĩɲa] *f* navy
marinheiro [maɾĩ'ɲejɾu] *m* sailor
marinho, -a [ma'ɾĩɲu, -a] *adj* **1.** (*do mar*) marine **2. azul** ~ navy blue
mariposa [maɾi'poza] *f* moth
marisco [ma'ɾisku] *m* mussell
maritaca [maɾi'taka] *f* parakeet
marítimo, -a [ma'ɾitʃimu] *adj* sea
marmelada [marme'lada] *f* quince jam
marmita [mar'mita] *f* box lunch
mármore ['marmuɾi] *m* marble
maromba [ma'ɾõwba] *f gír* weight training
marqueteiro, -a [marke'tejɾu, -a] *m, f* marketing executive
marra ['maxa] *f inf* **na** ~ (*a qualquer preço*) at all costs; (*contra a vontade*) unwillingly
Marrocos [ma'xɔkus] *m* Morocco
marrom [ma'xõw] <-ons> *adj* brown
marroquino, -a [maxo'kinu, -a] *adj, m, f* Moroccan
Marte ['martʃi] *m* ASTRON Mars
martelar [marte'lar] *vt* to hammer
martelo [mar'tɛlu] *m* hammer
martíni [mar'tʃini] *m* martini
martírio [mar'tʃiɾiw] *m* martyrdom
marujo [ma'ɾuʒu] *m* sailor
mas [mas] *conj* but; **não só ...** ~ **também** not only but also
mascar [mas'kar] *vt* <c→qu> to chew
máscara ['maskaɾa] *f* mask
mascavo [mas'kavu] *adj* **açúcar** ~ brown sugar
masculino, -a [masku'ʎinu, -a] *adj* masculine
massa ['masa] *f* **1.** mass **2.** (*para pão*) dough; (*para torta*) pastry; (*macarrão*) pasta; ~ **folhada** puff pastry
massagem [ma'saʒẽj] <-ens> *f* massage
massagista [masa'ʒista] *mf* masseur *m,* masseuse *f*
mastigar [mastʃi'gar] *vt* <g→gu> to chew
mata ['mata] *f* forest
matador(a) [mata'dor(a)] <-es> *m(f)* killer
matagal <-ais> [mata'gaw, -ajs] *m* thicket
matar [ma'tar] <*pp* morto *ou* matado> **I.** *vt* to kill **II.** *vr:* ~**-se** to commit suicide
mate ['matʃi] *adj* matt
matemática [mate'matʃika] *f* mathematics
matéria [ma'tɛɾia] *f* **1.** (*substância*) matter **2.** (*disciplina*) subject
material <-ais> [mateɾi'aw, -'ajs] *adj, m* material
materna *adj v.* **materno**
maternal <-ais> [mater'naw, -'ajs] *adj* maternal
maternidade [materni'dadʒi] *f* **1.** motherhood **2.** MED maternity ward
materno, -a [ma'tɛrnu, -a] *adj* maternal
matilha [ma'tʃiʎa] *f* pack
matina [ma'tʃina] *f inf* morning
matinal [matʃi'naw, -'ajs] *adj* morning
mato ['matu] *m* bush

mato-grossense [matugro'sẽjsi] **I.** *adj* pertaining to the state of Mato Grosso **II.** *mf* native of the state of Mato Grosso
Mato Grosso ['matu 'grosu] *m* state of Mato Grosso
Mato Grosso do Sul ['matu 'grosu du 'suw] *m* (State of) Mato Grosso do Sul
matraca [ma'traka] *f inf* chatterbox
matrícula [ma'trikula] *f* enrollment
matricular [matriku'lar] *vt* to enroll
matriz [ma'tris] *f* **1.** (*de foto*) original **2.** (*sede*) headquarters
matutino, -a [matu'tʃinu, -a] *adj* morning
mau, má ['maw, 'ma] <pior, péssimo> *adj* bad; **~s modos** bad manners; **má notícia** bad news
maus-tratos ['maws-'tratus] *mpl* ill-treatment
maxilar [maksi'lar] *adj, m* jaw
máximo ['masimu] *m* maximum; **ao ~** to the utmost; **no ~** at most; **a festa foi o ~!** *inf* the party was great!
máximo, -a ['masimu, -a] *adj superl de* **grande** greatest
me [mi] *pron pess* (*objeto direto, indireto*) me; (*reflexivo*) myself; **ela me pergunta** she asks me; **eu me lavo** I wash myself
meado [me'adu] *m* middle; **em ~s de janeiro** in the middle of January
mecânica [me'kɜnika] *f* mechanics
mecânico, -a [me'kɜniku, -a] **I.** *adj* mechanical **II.** *m, f* mechanic
mecha ['mɛʃa] *f* **1.** (*de vela*) wick **2.** (*de cabelo*) highlight
meço ['mɛsu] *3. pres de* **medir**
medalha [me'daʎa] *f* medal
medalhão <-ões> [meda'ʎɜ̃w, -'õjs] *m* medallion
média *adj v.* **médio**
média ['mɛdʒia] *f* average
mediano, -a [medʒi'ɜnu, -a] *adj* average
mediante [medʒi'ɜ̃ŋtʃi̥] *prep* through
médica *adj, f v.* **médico**
medicamento [medʒika'mẽjtu] *m* medicine
medicina [medʒi'sina] *f sem pl* medicine
médico, -a ['mɛdʒiku, -a] **I.** *adj* medical **II.** *m, f* doctor
medida [mi'dʒida] *f* **1.** measurement; **feito sob ~** made-to-measure **2.** (*decisão*) measure
medidor [midʒi'dor] <-es> *m* (*de gás*) meter
médio, -a ['medʒiw, -a] *adj* **classe média** middle class; **tamanho ~** medium size
medir [mi'dʒir] *irr como pedir vt* to measure; **ele mede 1,70 m** he is 1.70m tall
medo ['medu] *m* fear; **estar com ~** to be afraid
medroso, -a [me'drozu, -'ɔza] *adj* frightened
medusa [me'duza] *f* jellyfish
megabaite [mɛga'bajtʃi̥] *m* megabyte
megabit [mɛga'bitʃi̥] *m* megabit
meia ['meja] **I.** *f* sock **II.** *num card* six; **~ dúzia** half a dozen
meia-calça ['meja-'kawsa] <meias-calças> *f* pantyhose *Am,* tights *Brit*

meia-entrada ['meja-ẽj'trada] <meias-entradas> *f* half-price ticket

meia-noite ['meja-'nojtʃi̥] <meias-noites> *f* midnight

meigo, **-a** ['mejgu, -a] *adj* sweet

meio ['meju] **I.** *m* **1.** middle **2.** half; **cortar a. c. ao** ~ to cut sth in half; ~ **a** ~ fity-fifty **3.** (*modo*) means; ~ **ambiente** environment **II.** *adj* half; ~ **litro** half a liter; **meia hora** half an hour **III.** *adv* kind of; **estar** ~ **cansado** I'm kind of tired

meio-dia ['meju-'dʒia] *m* midday

meio-irmão, **meia-irmã** ['meju-ir'mɜ̃w] <meios-irmãos, meias-irmãs> *m, f* half brother

meio-termo ['meju-'termu] *m* compromise

mel ['mɛw] <méis *ou* meles> *m* honey

melado, **-a** [me'ladu, -a] *adj* sticky

melancia [melɜ̃ŋ'sia] *f* watermelon

melancolia [melɜ̃ŋko'ʎia] *f* melancholy

melão <-ões> [me'lɜ̃w, -'õjs] *m* melon

meles *m pl de* **mel**

melhor [me'ʎɔr] **I.** *m* **o** ~ the best **II.** *adj* **1.** better **2. o/a** ~ the best **III.** *adv* better **IV.** *conj* **..., ou melhor, ...** or rather

melhora [me'ʎɔra] *f* improvement

melhorar [meʎo'rar] **I.** *vt* to improve **II.** *vi* to improve, to get better

melodia [melo'dʒia] *f* melody

melões *m pl de* **melão**

membro ['mẽjbru] *m* **1.** ANAT limb **2.** (*de grupo*) member

memória [me'mɔria] *f* memory

memorizar [memori'zar] *vt* to memorize

mencionar [mẽjsjo'nar] *vt* to mention

mendigo, **-a** [mẽj'dʒigu, -a] *m, f* beggar

menina [mi'nina] *f* girl

meninada [mini'nada] *f sem pl* kids

meningite [mixĩj'ʒitʃi̥] *f* meningitis

menino, **-a** [mi'ninu, -a] *m, f* boy *m*, girl *f*; **~s de rua** street kids

menor [me'nɔr] **I.** *mf* minor **II.** *adj* **1.** *comp de* **pequeno** smaller; ~ (**do**) **que** smaller than **2.** *superl de* **pequeno o/a** ~ the smallest; (*mínimo*) the least

menos ['menus] **I.** *m* **o** ~ least **II.** *adv* **1.** less; ~ (**do**) **que** less than **2.** least; **o/a** ~ **inteligente** the least intelligent **III.** *prep* **1.** (*exceto*) except **2.** MAT minus **IV.** *conj* **a** ~ **que** unless

mensageiro, **-a** [mẽjsa'ʒejru, -a] *adj, m, f* messenger

mensagem [mẽj'saʒẽj] <-ens> *f* message; ~ **eletrônica** e-mail

mensal <-ais> [mẽj'saw, -'ajs] *adj* monthly

mensalidade [mẽjsaʎi'dadʒi] *f* monthly payment

menstruação <-ões> [mẽjstrua'sɜ̃w, -'õjs] *f* menstruation *no pl*

menstruado, **-a** [mẽjstru'adu, -a] *adj* menstruating

menta ['mẽjta] *f* mint

mental <-ais> [mẽj'taw, 'ajs] *adj* mental

mente ['mẽjtʃi̥] *f* mind

mentir [mĩj'tʃir] *irr como sentir vt* to lie

mentira [mĩj'tʃira] *f* lie; **contar uma** ~ to tell a lie

mentiroso, **-a** [mĩjtʃi'rozu, -'ɔza] *m, f* liar

menu [me'nu] *m* menu

mercado [mer'kadu] *m* market

mercadoria [merkado'ria] *f* merchandise

mercearia [mersea'ria] *f* grocery store

Mercosul [merko'suw] *m abr de* **Mercado Comum do Sul** Mercosur

mercúrio [mer'kuriw] *m sem pl* mercury

Mercúrio [mer'kuriw] *m* ASTRON Mercury

merecer [mere'ser] *vt* <c→ç> to deserve

merecido, **-a** [mere'sidu, -a] *adj* deserved

merenda [me'rẽjda] *f* snack; ~ **escolar** school lunch

mergulhador(**a**) [merguʎa'dor(a)] *m(f)* diver

mergulhar [mergu'ʎar] **I.** *vi* to dive **II.** *vt* ~ **a. c. em a. c.** to dip sth into sth

mergulho [mer'guʎu] *m* dive; **dar um** ~ to take a dip

meridional <-ais> [meridʒjo'naw, -'ajs] *adj* southern

mérito ['mɛritu] *m* merit

merreca [me'xɛka] *f inf* measly amount

mês ['mes] <meses> *m* month

mesa ['meza] *f* table; **pôr a** ~ to set the table

mesada [me'zada] *f* monthly allowance

meses *m pl de* **mês**

mesma *adj v.* **mesmo**

mesma ['mezma] *f* **dá na** ~ it's all the same; **ficar na** ~ to stay the same

mesmo ['mezmu] *adv* **1.** exactly; **aqui**~ right here **2.** just; **ela chegou agora** ~ he arrived just now **3.** even; ~ **assim** even so **4.** even; ~ **ele não concordou** not even he agreed

mesmo, **-a** ['mezmu, -a] **I.** *adj* same; **ao** ~ **tempo** at the same time **II.** *m, f* **o** ~/**a mesma** the same

mesquinho, **-a** [mes'kĩɲu, -a] *adj* stingy

mestiço, **-a** [mes'tʃisu, -a] *adj, m, f* mestizo

mestrado [mes'tradu] *m* master's degree

mestre, **-a** ['mɛstri, -a] *m, f* master

mestre-cuca ['mɛstri-'kuka] <mestres-cucas> *m* head chef

mestre-sala ['mɛstri-'sala] <mestres-salas> *m performer who is paired with the standard-bearer in the samba school parade*

meta ['mɛta] *f* goal

metade [me'tadʒi] *f* half

metal <-ais> [me'taw, -'ajs] *m* metal

metalúrgico [meta'lurʒiku] *m* metalworker

metamorfose [metamor'fɔzi] *f* metamorphosis

meteorologia [meteorolo'ʒia] *f sem pl* meteorology

M

meter [me'ter] **I.** *vt* to put; ~ **a. c. em a. c.** to put sth in sth **II.** *vr:* ~**-se** to get involved

metido, -a [me'tʃidu, -a] *adj* nosy; (*pretensioso*) snobbish

método ['mɛtodu] *m* method

metralhadora [metraʎa'dora] *f* machine gun

metro ['mɛtru] *m* meter

metrô [me'tro] *m* subway *Am,* underground *Brit;* **ir de** ~ to go by subway

meu, minha ['mew, 'mĩɲa] *pron poss* **1.** my; **o** ~ **quarto** my room; **a minha amiga** my friend **2.** mine; **isso é** ~ this is mine; **um amigo** ~ a friend of mine; **uma amiga minha** a friend of mine

meus ['mews] *m pl* **os** ~ my folks

mexer [me'ʃer] **I.** *vt* to move; (*comida*) to stir **II.** *vi* **1.** (*mover-se*) to move **2.** ~ **em a. c.** to touch sth **3.** ~ **com alguém** *inf* to get to sb **4.** ~ **com alguém** to fool with sb **III.** *vr:* ~**-se** to move

mexerica [miʃi'rika] *f* tangerine

mexericos [miʃi'rikus] *mpl* gossip

México ['mɛʃiku] *m* Mexico

mexido, -a [me'ʃidu, -a] *adj* **ovos** ~**s** scrambled eggs

mexilhão <-ões> [meʃi'ʎɜ̃w, -'õjs] *m* mussel

miar [mi'ar] *vi* to meow

mico ['miku] *m* capuchin monkey

mico-leão <micos-leões *ou* micos-leão> ['miku-ʎi'ɜ̃w, -'õjs] *m* lion tamarin monkey

micose [mi'kɔzi] *f* mycosis

micro ['mikru] *m v.* **microcomputador**

micróbio [mi'krɔbiw] *m* microbe

microchip [mikro'ʃipi] *m* microchip

microcomputador [mikro-kõwputa'dor] *m* personal computer

microempresa [mikrwĩj'preza] *f* small business

microempresário, -a [mikrwĩjpre'zariw, -a] *m, f* small business owner

microfone [mikro'foni] *m* microphone

microondas [mikro'õwdas] *m* microwave oven

microônibus [mikro'onibus] *m inv* minibus

microprocessador [mikroprosesa'dor] *m* microprocessor

microscópio [mikros'kɔpiw] *m* microscope

microvariz [mikrova'ris] <-es> *f* spider vein

mídia ['midʒia] *mpl* media

migalha [mi'gaʎa] *f* crumb

mil ['miw] *num card* thousand

milagre [mi'lagri] *m* miracle

milagroso, -a [mila'grozu, -a] *adj* miraculous

milanesa [milɜ'neza] *f* **à** ~ breaded and fried

milésimo, -a [mi'lɛzimu, -a] *num ord* thousandth

milha ['miʎa] *f* mile

milhagem [mi'ʎaʒẽj] <-ens> *f* mileage

milhão <-ões> [mi'ʎɜ̃w, -'õjs] *m* million

milhar ['miʎar] *m* thousand
milho ['miʎu] *m* corn
milhões *m pl de* **milhão**
miligrama [miʎi'grɜma] *m* milligram
mililitro [miʎi'ʎitru] *m* milliliter
milímetro [mi'ʎimetru] *m* millimeter
milionário, -a [miʎjo'nariw, -a] *m, f* millionaire
militar [miʎi'tar] <-es> **I.** *m* soldier **II.** *adj* military; **Polícia Militar** Military Police
mim ['mĩj] *pron pess* me
mimado, -a [mi'madu, -a] *adj* spoiled
mímica ['mimika] *f* mime
mina ['mina] *f* mine
Minas Gerais [minaʒe'rajs] *fpl* (State of) Minas Gerais
mindinho [mĩj'dʒĩɲu] *m inf* pinky *Am,* little finger *Brit*
mineiro, -a [mi'nejru, -a] **I.** *adj* **1.** mining **2.** from the state of Minas Gerais **II.** *m, f* **1.** miner **2.** native of the state of Minas Gerais
mineral <-ais> [mine'raw, -'ajs] *adj, m* mineral
mingau [mĩj'gaw] *m* (*de aveia*) oatmeal
minguado, -a [mĩj'gwadu, -a] *adj* meagre
minha *pron poss* **1.** *v.* **meu 2. ficar na** ~ to mind my own business
minhoca [mĩ'ɲɔka] *f* (earth)worm
miniatura [minja'tura] *f* miniature
mínima ['minima] *f* minimum; **não dou a** ~ *inf* I could care less
mínimo ['minimu] *m* least
mínimo, -a ['minimu,-a] *adj superl de* **pequeno** smallest; **salário** ~ minimum wage; **nota mínima** minimum grade
mininovela [minino'vɛla] *f* miniseries
minissaia [mini'saja] *f* miniskirt
minissérie [mini'sɛrii] *f* miniseries
ministério [minis'tɛriw] *m* ministry
ministro, -a [mi'nistru, -a] *m, f* minister
minivan [mini'vɜ̃] *f* minivan
minoria [mino'ria] *f* minority
minta ['mĩjta] *1. e 3. pres subj de* **mentir**
minto ['mĩjtu] *1. pres de* **mentir**
minucioso, -a [minusi'ozu, -a] *adj* thorough
minúscula [mi'nuskula] *f* lower case letter
minúsculo, -a [mi'nuskulu, -a] *adj* minute; (*letra*) lower case
minuto [mi'nutu] *m* minute
miolo [mi'olu] *m* core
míope ['miwpi] *adj* nearsighted *Am,* short-sighted *Brit*
miragem [mi'raʒẽj] <-ens> *f* mirage
mirante [mi'rɜ̃ɲtʃi̥] *m* viewpoint
mirar [mi'rar] **I.** *vt* to look at **II.** *vr:* ~**-se** to look at oneself
mirim [mi'rĩj] <-ins> *adj* small
mirrado, -a [mi'xadu, -a] *adj* undersized
miscelânea [mise'lɜnia] *f* miscellany
mísera *adj v.* **mísero**
miserável <-eis> [mize'ravew, -ejs] *adj* (*pobre*) poverty stricken; (*situação*) miserable
miséria [mi'zɛria] *f* abject poverty
mísero, -a ['mizeru, -a] *adj* miserable
missa ['misa] *f* mass

missão <-ões> [mi'sɜ̃w, -'õjs] *f* mission

míssil <-eis> ['misiw, -ejs] *m* missile

missões *f pl de* **missão**

mista *adj v.* **misto**

mistério [mis'tɛɾiw] *m* mystery

misterioso, -a [misteɾi'ozu, -'ɔza] *adj* mysterious

mística *adj v.* **místico**

misticismo [mistʃi̥'sizmu] *m sem pl* mysticism

místico, -a ['mistʃi̥ku, -a] *adj* mystical

misto, -a ['mistu, -a] *adj* mixed; **colégio** ~ coed high school

misto-quente ['mistu-'kẽjtʃi̥] <mistos-quentes> *m toasted ham and cheese sandwich*

mistura [mis'tuɾa] *f* mixture

misturar [mistu'ɾar] *vt* **1.** to mix **2.** (*confundir*) to mix up

mito ['mitu] *m* myth

miúdo, -a [mi'udu, -a] *adj* small; **dinheiro** ~ small change

miúdos [mi'udus] *mpl* giblets

mixa *adj v.* **mixo**

mixaria [miʃa'ɾia] *f* nothing

mixo, -a ['miʃu, -a] *adj* poor

mixuruca [miʃu'ɾuka] *adj gír* poor

mobília [mo'biʎia] *f* furniture

mobiliado, -a [mobiʎi'adu, -a] *adj* furnished

moçada [mo'sada] *f* group of young people

moçambicano, -a [mosɜ̃ŋbi'kɜnu, -a] *adj, m, f* Mozambican

Moçambique [mosɜ̃ŋ'biki] *m* Mozambique

mocassim [moka'sĩj] <-ins> *m* moccasin

mochila [mu'ʃila] *f* backpack

mocinho [mo'sĩɲu] *m* good guy

moço, -a ['mosu, -a] **I.** *adj* young **II.** *m, f* young man *m,* young woman *f*

moda ['mɔda] *f* **1.** fashion; **estar na** ~ to be in fashion; **sair de** ~ to go out of fashion; **a última** ~ the latest fashion **2. à** ~ **da casa** house specialty *Am,* house speciality *Brit*

modelo [mo'delu] **I.** *m* model **II.** *mf* ~ (**fotográfico**) model

moderado, -a [mode'ɾadu, -a] *adj* moderate

moderar [mode'ɾar] *vt* to reduce

moderna *adj v.* **moderno**

modernidade [moderni'dadʒi] *f* modernity

modernizar [moderni'zar] *vt* to modernize

moderno, -a [mo'dɛrnu, -a] *adj* modern

modesto, -a [mo'dɛstu, -a] *adj* modest

módico, -a ['mɔdʒiku, -a] *adj* modest

modificar [modʒifi'kar] <c→qu> **I.** *vt* to modify **II.** *vr:* ~**-se** to change

modo ['mɔdu] *m* way; **de outro** ~ otherwise; **de qualquer** ~ anyway

modos ['mɔdus] *mpl* manners; **com** ~ well-mannered; **sem** ~ ill-mannered

moeda [mo'ɛda] *f* **1.** coin; **uma** ~ **de cinqüenta centavos** a fifty centavo coin **2.** ~ (**corrente**) currency

moedeiro [moe'dejɾu] *m* coin purse

moedor [moe'dor] *m* ~ **de café** coffee grinder

moer [mu'er] *conj como roer vt* (*café*) to grind

mofar [mo'far] *vi* to go moldy

mofo ['mofu] *m* mold

mogno ['mɔgnu] *m* mahogany

moído, -a [mu'idu, -a] *adj* (*café*) ground

moita ['mojta] *f* thicket

Moldávia [mow'davia] *f* Moldova

molde ['mɔwdʒi] *m* mold

moldura [mow'dura] *f* frame

mole ['mɔʎi] *adj* soft; (*pessoa*) listless

molecagem [mule'kaʒẽj] <-ens> *f* mischief

molestar [moles'tar] *vt* to bother

moléstia [mo'lɛstʃia] *f* illness

moletom [mole'tõw] <-ons> *m* sweatshirt

moleza [mo'leza] *f* softness; **este trabalho é** ~ *inf* this work is a piece of cake

molhado, -a [mo'ʎadu, -a] *adj* wet

molhar [mo'ʎar] **I.** *vt* to wet **II.** *vr:* ~**-se** to get wet

molho[1] ['moʎu] *m* **1.** GASTR sauce **2. pôr a. c. de** ~ to soak sth

molho[2] ['mɔʎu] *m* bundle; (*de chaves*) bunch

molusco [mo'lusku] *m* mollusk

momento [mo'mẽjtu] *m* moment; **neste** ~ at the moment; **um ~, por favor!** just a moment, please!

Mônaco ['monaku] *m* Monaco

monarca [mo'narka] *mf* monarch

monetário, -a [mone'tariw, -a] *adj* monetary; **Fundo Monetário Internacional** International Monetary Fund

monge ['mõwʒi] *m* monk

Mongólia [mõw'gɔʎia] *f* Mongolia

monitor(a) [moni'tor(a)] *m(f)* monitor

monitor [moni'tor] *m* INFOR monitor

monitoria [monito'ria] *f* control

monografia [monogra'fia] *f* monograph

monólogo [mo'nɔlugu] *m* monolog

monopólio [mono'pɔʎiw] *m* monopoly

monopolizar [monopoʎi'zar] *vt* to monopolize

monótono, -a [mo'nɔtonu, -a] *adj* monotonous

monstro ['mõwstru] *m* monster

monstruoso, -a [mõwtru'osu, -'ɔza] *adj* monstrous

montanha [mõw'tɜ̃ɲa] *f* mountain

montanha-russa [mõw'tɜ̃ɲa-'rusa] <montanhas-russas> *f* roller coaster

montanhismo [mõwtɜ̃'ɲizmu] *m sem pl* mountaineering

montanhista [mõwtɜ̃'ɲista] *mf* mountaineer

montanhoso, -a [mõwtɜ̃'ɲozu, -'ɔza] *adj* mountainous

montão <-ões> [mõw'tɜ̃w, -'õjs] *m fig* **um ~ de dinheiro** a load of money

montar [mõw'tar] **I.** *vt* **1.** to assemble; (*barraca*) to put up **2.** (*motocicleta*) to get on **3.** (*filme*) to edit **II.** *vi* ~ **a cavalo** to ride

monte ['mõwtʃi] *m* **1.** GEO mountain **2.** (*pilha*) pile

montões *m pl de* **montão**

monumento [monu'mẽjtu] *m* monu-

M

ment

moqueca [mu'kɛka] *f* ~ **de peixe** fish stew

morada [mo'ɾada] *f,* **moradia** [moɾa'dʒia] *f* residence

morador(**a**) [moɾa'dor(a)] *m(f)* resident

moral [mo'ɾaw, -'ajs] **I.** *f sem pl* morals **II.** *m* morale; **estar com o ~ baixo** to be in low spirits **III.** <-ais> *adj* moral

moralista [moɾa'ʎista] *mf* moralist

morango [mo'ɾɜ̃ŋgu] *m* strawberry

morar [mo'ɾar] *vt* to live

morcego [mor'segu] *m* bat

morder [mor'der] *vt, vi* to bite

mordida [mor'dʒida] *f* bite

mordiscar [mordʒis'kar] *vt* <c→qu> to nibble

mordomia [mordo'mia] *f* benefits

mordomo [mordo'mu] *m* butler

moreno, -a [mo'ɾenu, -a] **I.** *adj* dark; (*bronzeado*) tanned **II.** *m, f* brown-skinned person

mormaço [mor'masu] *m* sultry weather

morno, -a ['mornu, 'mɔrna] *adj* lukewarm

morrer [mo'xer] *vi* <*pp* morto *ou* morrido> to die; ~ **de fome** to die of hunger; ~ **de rir** to die laughing

morro ['moxu] *m* hill

morta *adj, f v.* **morto**

mortadela [morta'dɛla] *f* mortadella

mortal <-ais> [mor'taw, -'ajs] **I.** *adj* **1.** mortal **2.** (*veneno*) deadly **II.** *mf* mortal

mortalidade [mortaʎi'dadʒi] *f sem pl* mortality

morte ['mɔrtʃi̥] *f* death

morto, -a ['mortu, 'mɔrta] **I.** *pp irr de* **matar II.** *m, f* dead person **III.** *adj* dead; **estar ~ de fome** to be starving

mosca ['moska] *f* fly; **acertar na ~** to hit the nail on the head

mosquiteiro [moski'tejɾu] *m* mosquito net

mosquito [mus'kitu] *m* mosquito

mostarda [mus'tarda] *f* mustard

mostra ['mɔstɾa] *f* sign; ~ **de cinema** film festival

mostrar [mos'tɾar] **I.** *vt* to show **II.** *vr:* ~**-se** (*exibir-se*) to show off

mostruário [mostɾu'aɾiw] *m* display case

motel <-éis> [mo'tɛw, -'ɛjs] *m* sex hotel

> **Culture** **Motels** are a type of hotel located along highways, that cater specifically to couples. The turnover is high as rooms can be rented by the hour. **Motels** have a fairly decent infrastructure, such as parking, food service, etc.

motivação <-ões> [motʃiva'sɜ̃w, -'õjs] *f* motivation

motivar [motʃi'var] *vt* to motivate

motivo [mo'tʃivu] *m* motive; **por ~ de doença** because of illness

moto ['mɔtu] *f abr de* **motocicleta** motorcycle

motocicleta [motosi'klɛta] *f* motorcycle

motociclista [motosi'klista] *mf* motorcyclist

motoqueiro, **-a** [moto'kejɾu, -a] *m, f inf* biker
motor [mo'tor] *m* motor, engine
motorista [moto'ɾista] *mf* driver
mouse ['mawzi] *m* INFOR mouse
móvel <-eis> ['mɔvew, -ejs] I. *m* furniture II. *adj* movable
mover [mo'ver] *vt* to move
movimentação <-ões> [movimẽjta'sɜ̃w, -'õjs] *f* movement, bustle
movimentado, **-a** [movimẽj'tadu, -a] *adj* bustling
movimentar [movimẽj'tar] *vt* to move
movimento [movi'mẽjtu] *m* 1. movement; **em** ~ in motion 2. (*na rua*) activity
muamba [mu'ɜ̃ŋba] *f* contraband
muambeiro, **-a** [muɜ̃ŋ'bejɾu, -a] *m, f* smuggler
muçulmano, **-a** [musuw'mɜnu, -a] *adj, m, f* Muslim
muda *adj v.* **mudo**
muda ['muda] *f* 1. BOT seedling 2. **uma** ~ **de roupa** a change of clothes
mudança [mu'dɜ̃ŋsa] *f* change; **de casa** move
mudar [mu'dar] I. *vt, vi* to change; ~ **de casa** to move house; ~ **de trem** to change trains; ~ **de opinião** to change one's mind; ~ **de roupa** to change clothes II. *vr:* ~**-se** to move
mudo, **-a** ['mudu, -a] *adj* mute; **cinema** ~ silent film
muito, **-a** ['mũjtu, -a] I. *adj* a lot of; **muitas pessoas** a lot of people; **não tenho** ~ **tempo** I don't have much time; **há** ~ **tempo** a long time ago II. *pron indef* a lot
muito ['mũjtu] I. *m* much II. *adv* 1. (*com adjetivo*) very; ~ **caro** very expensive; ~ **melhor** much better; ~ **bem!** very well! 2. (*com verbo*) a lot; **ler** ~ to read a lot
mulato, **-a** [mu'latu, -a] *m, f* mulatto
muleta [mu'leta] *f* crutch
mulher [mu'ʎɛr] *f* woman; (*esposa*) wife
mulherengo [muʎe'rẽjgu] *m* womanizer
multa ['muwta] *f* fine; **levar uma** ~ to get fined
multar [muw'tar] *vt* to fine
multidão <-ões> [muwtʃi'dɜ̃w, -'õjs] *f* crowd
multimídia [muwtʃi'midʒia] *adj, f* multimedia
multimilionário, **-a** [muwtʃimiʎjo'naɾiw, -a] *m, f* multimillionaire
multinacional <-ais> [muwtʃinasjo'naw, -'ajs] I. *adj* multinational II. *f* multinational company
múltipla *adj v.* **múltiplo**
multiplicação <-ões> [muwtʃiplika'sɜ̃w, -'õjs] *f* multiplication
multiplicar [muwtʃipli'kar] <c→qu> I. *vt* to multiply II. *vr:* ~**-se** to multiply
múltiplo, **-a** ['muwtʃiplu, -a] *adj* multiple
múltiplo ['muwtʃiplu] *m* multiple

múmia ['mumia] *f* mummy

mundial <-ais> [mũwdʒi'aw, -'ajs] I. *adj* world II. *m* world championship

mundo ['mũwdu] *m* world; **todo** ~ everyone

municipal <-ais> [munisi'paw, -'ajs] *adj* municipal

município [muni'sipiw] *m* town

muralha [mu'ɾaʎa] *f* high wall

murchar [mur'ʃar] *vi impess* to wilt

mureta [mu'ɾeta] *f* low wall

murmurar [murmu'ɾar] *vt, vi* to murmur

muro ['muɾu] *m* wall

murro ['muxu] *m* punch

musculação <-ões> [muskula'sɜ̃w, -'õjs] *f* bodybuilding

músculo ['muskulu] *m* muscle

musculoso, -a [musku'lozu, -'ɔza] *adj* muscular

museu [mu'zew] *m* museum

música ['muzika] I. *f* music II. *f* (*pessoa*) *v.* **músico**

musical <-ais> [muzi'kaw, -'ajs] *adj, m* musical

músico, -a ['muziku, -a] *m, f* musician

mutreta [mu'tɾeta] *f inf* trick

mútuo, -a ['mutuw, -a] *adj* mutual

muvuca [mu'vuka] *f inf* unruly crowd

muxoxo [mu'ʃoʃu] *m* tutting

N

N, n ['eni] *m* N, n

na [na] I. = **em + a** *v.* **em** II. *pron* her, it

nabo ['nabu] *m* turnip

nação <-ões> [na'sɜ̃w, -'õjs] *f* nation

nacional <-ais> [nasjo'naw, -'ajs] *adj* national

nacionalidade [nasjonaʎi'dadʒi] *f* nationality

nada ['nada] I. *m sem pl* nothing *no pl* II. *pron indef* 1. nothing; ~ **disso** not at all; **obrigada – de** ~ thank you – you're welcome; **antes de mais** ~ first of all 2. anything; **não quer mesmo** ~ **para beber?** are you sure you don't want anything to drink?; **não sei de** ~ I don't know a thing III. *adv* at all

nadador(a) [nada'dor(a)] <-es> *m(f)* swimmer

nadar [na'dar] *vi* to swim

nádegas ['nadegas] *fpl* buttocks *pl*

nado ['nadu] *m* stroke; ~ **livre** freestyle

naftalina [nafta'ʎina] *f sem pl* mothball

naipe ['najpi] *m* suit

nalgum, -a [naw'gũw, -'guma] <-uns> = **em + algum** *v.* **algum**

Namíbia [nɜ'mibia] *f* Namibia

namorado, -a [namo'ɾadu, -a] *m, f* boyfriend *m,* girlfriend *f*

namorar [namo'ɾar] *vt* ~ (**com**) **alguém** to date sb *Am,* to go out with sb *Brit*

namoro [na'moru] *m* relationship

não ['nɜ̃w] *adv* **1.** no; **ele vem? – ~** is he coming? – no **2.** not; **ele ~ vem** he is not coming; **ela já ~ vem** he is no longer coming

não-fumante ['nɜ̃w-fu'mɜ̃ŋtʃi̥] *mf* nonsmoker

não-remunerado, -a [nɜ̃wxemuneradu, -a] *adj* unpaid

naquele, -a [na'keʎi, na'kɛla] = **em + aquele/-a** *v.* **aquele**

naquilo [na'kilu] = **em + aquilo** *v.* **aquilo**

narciso [nar'sizu] *m* daffodil

narcotráfico [narko'trafiku] *m* narcotraffic

narina [na'rina] *f* nostril

nariz [na'ris] <-es> *m* nose

narrar [na'xar] *vt* to narrate

nas [nas] = **em + as** *v.* **em**

nascença [na'sẽjsa] *f sem pl* birth

nascente [na'sẽjtʃi̥] **I.** *f* (*de um rio*) source; **água de ~** spring water **II.** *adj* (*sol*) rising

nascer [na'ser] <c→ç> *vi* (*pessoa, animal*) to be born; (*dia*) to begin; (*sol*) to rise; (*planta*) to sprout

nascimento [nasi'mẽjtu] *m* birth; **data de ~** date of birth

nata ['nata] *f* cream

natação [nata'sɜ̃w] *f sem pl* swimming *no pl*

natal <-ais> [na'taw, -'ajs] *adj* native; **minha cidade ~** my hometown; **minha terra ~** my native country

Natal [na'taw] *m* **1.** Christmas; **Feliz ~!** Merry Christmas **2.** GEO (City of) Natal

nativo, -a [na'tʃivu, -a] *adj, m, f* native

nato, -a ['natu, -a] *adj* born

natural <-ais> [natu'raw, -'ajs] *adj* **1.** natural; **suco ~** pure juice **2. ~ de** a native of

naturalidade [naturaʎi'dadʒi] *f sem pl* (*com normalidade*) naturally; (*local de nascimento*) place of birth

naturalmente [naturaw'mẽjtʃi̥] **I.** *adv* naturally **II.** *interj* certainly!

natureza [natu'reza] *f sem pl* nature

náufraga *f v.* **náufrago**

naufragar [nawfra'gar] <g→gu> *vi* to be shipwrecked

naufrágio [naw'fraʒiw] *m* shipwreck

náufrago, -a ['nawfragu, -a] *m, f* castaway

náusea ['nawzia] *f* nausea *no pl;* **sentir ~s** to feel sick

náutico, -a ['nawtʃiku, -a] *adj* nautical

N

naval <-ais> [na'vaw, -'ajs] *adj* naval; **polícia ~** coast-guard

navalha [na'vaʎa] *f* (*de barbeiro*) (cut throat) razor; (*faca*) pocket knife

nave ['navi] *f* ship; **~ espacial** space ship

navegador(a) [navega'dor(a)] *m(f)* navigator; (*internauta*) surfer; (*programa*) browser

navegar [nave'gar] <g→gu> **I.** *vt* to sail **II.** *vi* to navigate; (*velejar*) to sail; (*na Internet*) to surf

navio [na'viw] *m* ship

nazista [na'zista] *adj, mf* Nazi

N.E. [nor'dɛstʃi̥] *m abr de* **nordeste** NE

neblina [ne'blina] *f* mist

nebuloso, **-a** [nebu'lozu, -'ɔza] *adj* foggy; (*céu*) cloudy

nécessaire [nese'sɛr] *f* make-up bag

necessário, **-a** [nese'sariw, -a] *adj* necessary

necessidade [nesesi'dadʒi] *f* necessity; **de primeira** ~ basic need; **não há** ~ **de ...** there is no need for...; (*falta*) need; **sem** ~ needlessly

necessitar [nesesi'tar] *vi* ~ **de a. c.** to need sth

nectarina [nekta'rina] *f* nectarine

negar [ne'gar] <g→gu> **I.** *vt* (*boatos*) to deny; (*ajuda*) to refuse **II.** *vr:* ~**-se a fazer a. c.** to refuse to do sth

negativo [nega'tʃivu] *m* FOTO negative

negativo, **-a** [nega'tʃivu, -a] *adj* (*efeitos*) negative; (*inferior a zero*) ; **está 5 graus** ~**s** it is 5 degrees below zero

negligente [negli'ʒẽjtʃi] *adj* negligent

negociar [negosi'ar] **I.** *vt* ~ **a. c. com alguém** to negotiate sth with sb **II.** *vi* to do business

negócio [ne'gɔsiw] *m* business; **fazer** ~ to do business; **fechar um** ~ to close a deal

negro, **-a** ['negru, -a] *adj* black

negro ['negru] *m* black

nele, **-a** ['neʎi, 'nɛla] = **em + ele/-a** *v.* **em**

nem [nẽj] **I.** *adv* not; ~ **...** ~ neither ... nor **II.** *conj* ~ **que** +*subj* not even

nenê [ne'ne] *mf,* **neném** [ne'nẽj] <-ens> *mf inf* baby

nenhum, **-a** [nẽ'ɲũw, -ɲuma] <-uns> *pron indef* none; **de modo** ~ no way; **em lugar** ~ nowhere

nervo ['nervu] *m* nerve; **dar nos** ~**s de alguém** to get on sb's nerves

nervoso, **-a** [ner'vozu,-'ɔza] *adj* nervous, irritated; **ficar** ~ to get worked up; **ele me deixa** ~ he really irritates me

nesse, **-a** ['nesi, 'nɛsa] = **em + esse/-a** *v.* **esse**

neste, **-a** ['nestʃi, 'nɛsta] = **em + este/-a** *v.* **este**

neto, **-a** ['nɛtu, -a] *m, f* grandson *m,* granddaughter *f;* ~**s** *pl* grandchildren *pl*

neurológico, **-a** [newro'lɔʒiku, -a] *adj* neurological

neurótico, **-a** [new'rɔtʃiku, -a] *adj, m, f* neurotic

neutra *adj v.* **neutro**

neutralizar [newtraʎi'zar] *vt* to neutralize

neutro, **-a** ['newtru, -a] *adj* **1.** (*cor, país*) neutral **2.** LING neuter

nevar [ne'var] *vi impess* to snow

neve ['nɛvi] *f* snow

névoa ['nɛvua] *f* haze

nevoeiro [nevu'ejru] *m* fog

nexo ['nɛksu] *m* **com/sem** ~ coherent/incoherent

Nicarágua [nika'ragwa] *f* Nicaragua

nicotina [niko'tʃina] *f sem pl* nicotine *no pl*

Nigéria [ni'ʒɛria] *f* Nigeria

ninar [ni'nar] *vt* **cantiga de** ~ lullaby

ninguém [nĩj'gẽj] *pron indef* nobody, no-one; **não tem** ~ there's nobody around; **mais** ~ nobody else

ninhada [nĩ'ɲada] *f* (*de cães*) litter

ninharia [nĩɲa'ria] *f* trifle
ninho ['nĩɲu] *m* nest
níquel <-eis> ['nikew, -ejs] *m* nickel *no pl*
nisso ['nisu] = **em + isso** *v.* **isso**
nisto ['nistu] = **em + isto** *v.* **isto**
nítida *adj v.* **nítido**
nitidamente [nitʃida'mẽjtʃi̥] *adv* clearly
nítido, -a ['nitʃi̥du, -a] *adj* clear
nitrogênio [nitro'ʒeniw] *m sem pl* nitrogen *no pl*
nível <-eis> ['nivew, -ejs] *m* level; ~ **do mar** sea level
niveladora [nivela'dora] *f* bulldozer
nivelar [nive'lar] *vt* (*terreno*) to level; (*diferenças*) to even out
no [nu] = **em + o** *v.* **em**
nó ['nɔ] *m* knot; **dar um** ~ to tie a knot; **ter um** ~ **na garganta** to have a lump in one's throat
nobre ['nɔbri] *adj* noble
nobreza [no'breza] *f* nobility
noção <-ões> [no'sɜ̃w, -'õjs] *f* notion
nocautear [nokawtʃi'ar] *conj como passear vt* to knock out
nocivo, -a [no'sivu, -a] *adj* noxious
nódoa ['nɔdua] *f* stain
nódulo ['nɔdulu] *m* node
nogueira [no'gejra] *f* walnut tree
noite ['nojtʃi̥] *f* night; (*noitinha*) evening; **à** ~ at night; **da** ~ **para o dia** overnight; **boa** ~**!** good evening; (*despedida*) good night; **hoje à** ~ tonight
noiva *f v.* **noivo**
noivado [noj'vadu] *m* engagement
noivo, -a ['nojvu, -a] *m, f* fiancé *m,* fiancée *f;* (*no casamento*) groom *m,* bride *f*
nojento, -a [no'ʒẽjtu, -a] *adj* disgusting
nojo ['noʒu] *m* disgust *no pl;* **isto me dá** ~ this makes me sick
nome ['nɔmi] *m* name; **em** ~ **de** on behalf of; ~ **completo** full name; ~ **de solteira** maiden name; **qual é o seu** ~**?** what is your name?
nomear [nomi'ar] *conj como passear vt* (*designar*) to appoint; (*mencionar nome de*) to name; (*para prêmio*) to nominate
nominal <-ais> [nomi'naw, -'ajs] *adj* nominal; **cheque** ~ personal check
nonagésimo, -a [nona'ʒɛzimu, -a] *num ord* ninetieth
nono, -a ['nonu, -a] *num ord* ninth
nora ['nɔra] *f* daughter-in-law
nordeste [nor'dɛstʃi̥] *m* northeast; **a** ~ **de** to the northeast of
nordestino, -a [nordes'tʃinu, -a] *m, f* person from the Northeast (of Brazil)
norma ['nɔrma] *f* norm; **ter como** ~ **fazer a. c.** to do sth as a rule
normal <-ais> [nor'maw, -ajs] *adj* normal
normalizar [normaʎi'zar] *vr:* ~**-se** to get back to normal
noroeste [noro'ɛstʃi̥] *m sem pl* northwest; **a** ~ **de** to the northwest of
norte ['nɔrtʃi̥] **I.** *m sem pl* north; **ao** ~ **de** to the north of; **no** ~ in the north **II.** *adj* **pólo norte** the north pole
norte-americano, -a [nɔrtʃi̥ameri'kɜnu, -a] *adj, m, f* North

N

American

nortear-se [nortʃi'ar] *conj como passear vr* to get one's bearings

Noruega [noru'ɛga] *f* Norway

nos [nus] **I.** *pron* us; **nosso filho ~ dá muita alegria!** our son gives us a lot of happiness! **II.** = **em + os** *v.* **em**

nós ['nɔs] *pron pess* (*sujeito*) we; (*objeto, após prep.*) us; **isso é para ~?** is this for us?

nosso, -a ['nɔsu, -a] *pron poss* our; **~ amigo** our friend; **um amigo ~** a friend of ours

nostalgia [nostaw'ʒia] *f* nostalgia *no pl*

nostálgico, -a [nos'tawʒiku, -a] *adj* nostalgic

nota ['nɔta] *f* note; **tomar ~ de a. c.** to make a note of something; (*de escola*) grade; (*dinheiro*) bill *Am,* note *Brit;* (*numa loja*) receipt

notar [no'tar] *vt* to notice

notável <-eis> [no'tavew, -ejs] *adj* (*pessoa*) remarkable; (*melhora*) noticeable

notícia [no'tʃisia] *f* news + *sing vb;* **mandar ~s** to send news; **ter ~s de alguém** to hear from sb

noticiar [notʃisi'ar] *vt* to announce

noticiário [notʃisi'ariw] *m* **o ~** the news + *sing vb*

notória *adj v.* **notório**

notoriedade [notorje'dadʒi] *f sem pl* fame *no pl*

notório, -a [no'tɔriw, -a] *adj* well-known

noturno, -a [no'turnu, -a] *adj* **curso ~** evening course; **trabalho ~** night shift

noutro, -a ['nowtru, -a] = **em + outro/-a** *v.* **outro**

nova *adj v.* **novo**

nova ['nɔva] *f* piece of news

Nova Inglaterra ['nɔvĩjgla'tɛxa] *f* New England

nova-iorquino, -a [nɔvajor'kinu, -a] *m, f* New Yorker

novamente [nɔva'mẽjtʃi] *adv* again

novato, -a [no'vatu, -a] *m, f* novice

Nova York ['nɔva 'jɔrki] *f* New York

Nova Zelândia ['nova ze'lɜ̃ŋdʒia] *f* New Zealand

nove ['nɔvi] *num card* nine

novecentos, -as [nɔvi'sẽjtus, -as] *num card* nine hundred

novela [no'vɛla] *f* soap opera

novelo [no'velu] *m* ball

novembro [no'vẽjbru] *m* November

noventa [no'vẽjta] *num card* ninety

novidade [novi'dadʒi] *f* (*notícia*) piece of news

novo, -a ['novu, 'nɔva] *adj* new; (*pessoa*) young; **~ em folha** brand new; **de ~** again

noz ['nɔs] *f* walnut

noz-moscada ['nɔz-mos'kada] <nozes-moscadas> *f* nutmeg *no pl*

nu, -a ['nu, 'nua] *adj* naked

nublado, -a [nu'bladu, -a] *adj* cloudy

nuca ['nuka] *f* nape (of the neck)

nuclear [nukle'ar] *adj* nuclear; **armas ~es** nuclear weapons

núcleo ['nukliw] *m* nucleus

nudez [nu'des] *f* nudity *no pl*

nulo, **-a** ['nulu, -a] *adj* non-existent; (*esforços*) useless; (*contrato*) invalid

num, **-a** [nũw, numa] <-uns> = **em + um/-a** *v.* **em**

numeral <-ais> [nume'raw, -'ajs] *m* numeral; ~ **ordinal** ordinal number

numerar [nume'rar] *vt* to number

numérico, **-a** [nu'mεriku, -a] *adj* numerical

número ['numeru] *m* **1.** number; **sem** ~ countless **2.** (*cifra*) figure; ~ **de telefone** telephone number **3.** (*de calçado*) size

numeroso, **-a** [nume'rozu, -'ɔza] *adj* (*grande*) large; (*vários*) numerous

nunca ['nũwka] *adv* never; ~ **mais** never again; **mais** (**do**) **que** ~ more than ever; **quase** ~ hardly ever

nuns *pl de* **num**

núpcias ['nupsias] *fpl* wedding; **noite de** ~ wedding night

nutrição <-ões> [nutri'sɜ̃w, -'õjs] *f sem pl* nutrition

nutrido, **-a** [nu'tridu, -a] *adj* **bem/mal** ~ well/badly nourished

nutrir [nu'trir] *vt* to feed; (*um sentimento*) to nurture

nutritivo, **-a** [nutri'tʃivu, -a] *adj* nourishing

nuvem ['nuvẽj] <-ens> *f* cloud; **andar nas nuvens** to have one's head in the clouds; **estar nas nuvens** to be on cloud nine

O

O, **o** ['o] *m* O, o

o [u] **I.** *art m* the; ~ **homem** the man **II.** *pron pess* **1.** him; **"viu o João?" – "Eu o vi lá fora"** did you see John? I saw him outside **2.** you; **conheço-**~ **bem** I know you well

oásis [o'azis] *m inv* oasis

obcecado, **-a** [obse'kadu, -a] *adj* obsessed

obedecer [obede'ser] <c→ç> *vi* to obey; ~ **a alguém** to obey sb

obediente [obedʒi'ẽjtʃi] *adj* obedient

obeso, **-a** [o'bezu, -a] *adj* obese

óbito ['ɔbitu] *m* death; **certidão de** ~ death certificate

obituário [obitu'ariw] *m* obituary

objetivo, **-a** [obʒe'tʃivu, -a] *adj, m, f* objective

objeto [ob'ʒεtu] *m* object

oblíquo, **-a** [o'blikwo, -a] *adj* oblique

obra ['ɔbra] *f* work; (*de construção*) construction work; **estar em ~s** to be under repair; **mãos à** ~ let's get to work

obra-prima ['ɔbra-'prima] <obras-primas> *f* masterpiece

obrigação <-ões> [obriga'sɜ̃w, -'õjs] *f* obligation; ECON bond

obrigado, **-a** [obri'gadu, -a] **I.** *adj* obliged **II.** *interj* thank you

obrigar [obri'gar] <g→gu> *vt* ~ **alguém a a. c.** to make sb do sth

obrigatório, **-a** [obriga'tɔriw, -a] *adj* compulsory

obscena *adj v.* **obsceno**

obscenidade [obseni'dadʒi] *f* obscenity

obsceno, -a [ob'senu, -a] *adj* obscene

obscura *adj v.* **obscuro**

obscuridade [obskuri'dadʒi] *f* obscurity *no pl*

obscuro, -a [obs'kuru, -a] *adj* obscure

observação <-ões> [observa'sɜ̃w, -'õjs] *f* observation; (*comentário*) comment

observador, -a [observa'dor, -a] **I.** *m, f* observer **II.** *adj* observant

observar [obser'var] *vt* to observe; (*dizer*) to remark

observatório [observa'tɔriw] *m* observatory

obsessivo, -a [obse'sivu, -a] *adj* obsessive

obsoleto, -a [obso'letu, -a] *adj* obsolete

obstáculo [obs'takulu] *m* obstacle

obstetra [obs'tɛtra] *mf* obstetrician

obstinado, -a [obstʃi'nadu, -a] *adj* obstinate

obstruir [obstru'ir] *conj como incluir vt* (*caminho*) to block

obter [ob'ter] *irr vt* to obtain

obturar [obtu'rar] *vt* (*um dente*) to fill

óbvio, -a ['ɔbviw, -a] *adj* obvious

ocasião <-ões> [okazi'ɜ̃w, -'õjs] *f* occasion; **aproveitar a** ~ to take advantage of the opportunity

ocasional <-ais> [okazjo'naw, -'ajs] *adj* (*às vezes*) occasional; (*casual*) chance

ocasionar [okazjo'nar] *vt* to cause

Oceania [oseɜ'nia] *f* Oceania

oceano [osi'ɜnu] *m* ocean

ocidental <-ais> [osidẽj'taw, -'ajs] *adj* western

ocidente [osi'dẽjtʃi̥] *m sem pl* west *no pl*

ocioso, -a [osi'ozu, -'ɔza] *adj* idle

oco ['oku, -a] *adj* hollow

ocorrer [oko'xer] *vi* to happen

octogésimo [okto'ʒɛzimu] *num ord* eightieth

ocular [oku'lar] *adj* **testemunha** ~ eyewitness

oculista [oku'ʎista] *mf* (*oftalmologista*) ophthalmologist; (*vendedor*) optometrist *Am,* optician *Brit*

óculos ['ɔkulus] *mpl* glasses; ~ **escuros** sunglasses *pl*

oculta *adj v.* **oculto**

ocultar [okuw'tar] *vt* to hide

oculto, -a [o'kuwtu, -a] *adj* hidden

ocupado, -a [oku'padu, -a] *adj* (*pessoa*) busy; (*telefone*) busy *Am,* engaged *Brit;* (*assento*) taken

ocupar [oku'par] **I.** *vt* (*tempo, espaço*) to take up; (*uma pessoa*) to keep busy; (*um lugar*) to occupy; (*uma casa*) to live in **II.** *vr:* ~**-se** to keep (oneself) busy

odiar [odʒi'ar] *irr vt* to hate

ódio ['ɔdʒiw] *m* hate

odioso, -a [odʒi'ozu, -'ɔza] *adj* hateful

odontológico, -a [odõwto'lɔʒiku] *adj* **tratamento** ~ dental treatment

odor [o'dor] *m* odor

oeste [o'ɛstʃi̥] *m sem pl* west *no pl;* **a** ~ **de** to the west of

ofegante [ofe'gɜ̃ŋtʃi̥] *adj* panting

ofegar [ofe'gar] <g→gu> *vi* to pant

ofender [ofẽj'der] **I.** *vt* to offend

II. *vr* ~**-se com a. c.** to take offense
ofensa [o'fẽjsa] *f* insult
ofensivo, -a [ofẽj'sivu, -a] *adj* offensive
oferecer [ofeɾe'ser] <c→ç> *vt* to offer; (*um presente*) to give
oferta [o'fɛrta] *f* offer; (*em loja*) special offer; (*presente*) gift
oficial <-ais> [ofisi'aw, -'ajs] I. *mf* officer II. *adj* official
oficina [ofi'sina] *f* workshop; (*mecânica*) garage
ofício [o'fisiw] *m* trade; (*carta*) official letter
oftalmologista [oftawmolo'ʒista] *mf* ophthalmologist
ofuscante [ofus'kɜ̃ɲtʃi̥] *adj* dazzling
oi ['oj] *interj* hi
oitavo [oi'tavu] *num ord* eighth
oitenta [oj'tẽjta] *num card* eighty
oito ['ojtu] *num card* eight
oitocentos [ojtu'sẽjtus] *num card* eight hundred
olá [o'la] *interj* hello
olaria [ola'ɾia] *f* (*de louças*) pottery, de tijolos, brickworks
óleo ['ɔʎiw] *m* oil; ~ **diesel** diesel fuel
oleoso, -a [oʎi'ozu, -'ɔza] *adj* greasy
olfato [ow'fatu] *m sem pl* sense of smell
olhada [o'ʎada] *f* look; **dar uma** ~ to have a look
olhar [o'ʎar] I. *vi* to look; ~ **para** to look at; ~ **por** (*crianças*) to look after II. *vt* to look at III. <-es> *m* look
olho ['oʎu] *m* eye; **a** ~ **nu** with the naked eye; **custar os ~s da cara** to cost am arm and a leg; **ficar de** ~ **em a. c.** to keep one's eyes on sth; **não pregar o** ~ to not sleep a wink
olimpíadas [oʎĩj'piadas] *fpl* Olympic Games *pl*
olímpico, -a [o'ʎĩjpiku, -a] *adj* olympic
Olinda [o'ʎĩjda] (City of) Olinda
oliveira [oʎi'vejɾa] *f* olive tree
olmo ['owmu] *m* elm
ombro ['õwbɾu] *m* shoulder
omissa *adj v.* **omisso**
omissão <-ões> [omi'sɜ̃w, -'õjs] *f* omission
omisso, -a [o'misu, -a] *adj* (*pessoa*) remiss
omissões *f pl de* **omissão**
omitir [omi'tʃir] I. *vt* to omit II. *vr:* ~**-se** to be negligent
onça ['õwsa] *f* jaguar
onça-parda <onças-pardas> *f* cougar
onda ['õwda] *f* wave; ~ **de calor** heat wave; **ir na** ~ to fall for sth
onde ['õwdʒi] *adv* where; **não sei para onde ele vai** I don't know where he's going; **de onde ela vem?** where's she from?; ~ **você está?** where are you?
ondulado, -a [õwdu'ladu, -a] *adj* (*superfície*) rippled; (*cabelo*) wavy
onerar [one'ɾar] *vt* to burden
ônibus ['onibus] *inv m* bus; **ponto de** ~ bus stop; **ir de** ~ to go by bus
onipotente [onipo'tẽjtʃi̥] *adj* omnipotent
onipresente [onipɾe'zẽjtʃi̥] *adj* omnipresent
onírico, -a [o'niɾiku, -a] *adj* dreamlike

ontem ['õwtẽj] *adv* yesterday; ~ **à noite** last night; ~ **de manhã/à tarde** yesterday morning/evening

ONU ['ɔnu] *f abr de* **Organização das Nações Unidas** UN

ônus ['onus] *inv m sem pl* onus

onze ['õwzi] *num card* eleven

opaco, **-a** [o'paku, -a] *adj* opaque

opção <-ões> [op'sɜ̃w, -'õjs] *f* option

ópera ['ɔpera] *f* opera

operação <-ões> [opera'sɜ̃w, -'õjs] *f* operation; ~ **financeira** financial transaction

operacional <-ais> [operasjo'naw, -'ajs] *adj* (*máquina*) working; (*custo*) operating

operador, **-a** [opera'dor, -'a] *m, f* operator; ~ **de sistemas** systems operator

operadora [opera'dora] *f* (*empresa*) operator; ~ **de turismo** tour operator

operar [ope'rar] **I.** *vt* (*um paciente*) to operate on; (*uma máquina*) to work **II.** *vi* to operate

operário, **-a** [ope'rariw, -a] **I.** *adj* working; **classe operária** working class **II.** *m, f* worker

opinar [opi'nar] *vi* ~ **sobre a. c.** to give an opinion about sth

opinião <-ões> [opini'ɜ̃w, -'õjs] *f* opinion; **mudar de** ~ to change one's mind; **na minha** ~ in my opinion

oponente [opo'nẽjtʃi̥] **I.** *mf* opponent **II.** *adj* opposing

opor [o'por] *irr como pôr vr:* ~**-se** to be opposed

oportuna *adj v.* **oportuno**

oportunidade [oportuni'dadʒi] *f* **aproveitar uma** ~ to take an opportunity

oportunista [oportu'nista] *adj* opportunist

oportuno, **-a** [opor'tunu, -a] *adj* opportune; **no momento** ~ at the right time

oposição <-ões> [opozi'sɜ̃w -'õjs] *f* opposition

oposto, **-a** [o'postu, o'pɔsta] *adj* opposite

opressivo, **-a** [opre'sivu, -a] *adj* oppressive

oprimido, **-a** [opri'midu, -a] *adj* oppressed

oprimir [opri'mir] *vt* to oppress

optar [op'tar] *vi* ~ **por a. c.** to opt for sth

opulento, **-a** [opu'lẽjtu, -a] *adj* opulent

ora ['ɔra] **I.** *adv* **por** ~ for now **II.** *conj* but **III.** *interj* ~**!** well!; ~ **essa!** well now!

oração <-ões> [ora'sɜ̃w, -'õjs] *f* prayer

orador, **-a** [ora'dor, -a] *m, f* speaker

oral <-ais> [o'raw, -'ajs] *adj* oral

orar [o'rar] *vi* to make a speech; REL to pray

órbita ['ɔrbita] *f* orbit

orca ['ɔrka] *f* killer whale

orçamentário, **-a** [orsamẽj'tariw, -a] *adj* budgetary

orçamento [orsa'mẽjtu] *m* budget; (*de obra*) estimate

orçar [or'sar] <ç→c> *vt* to estimate

ordem ['ɔrdẽj] <-ens> *f* order; ~ **de pagamento** banker's draft; **dar uma**

~ **a alguém** to give sb an order; **às ordens de alguém** at sb's disposal; **pôr a. c. em** ~ to put sth in order
ordenado [orde'nadu] *m* pay
ordenado, -a [orde'nadu, -a] *adj* orderly
ordenar [orde'nar] *vt* to put in order; (*mandar*) to order
ordenhar [ordẽ'ɲar] *vt* to milk
ordens *f pl de* **ordem**
ordinário, -a [ordʒi'nariw, -a] *adj* (*habitual*) ordinary; (*grosseiro*) vulgar
orelha [o'reʎa] *f* ear
orelhão <-ões> [ore'ʎɜ̃w, -'õjs] *m Brazilian telephone booth*
órfã *f v.* **órfão**
orfanato [orfɜ'natu] *m* orphanage
órfão, órfã ['ɔrfɜ̃w, -'ɜ̃] <-s> I. *m, f* orphan II. *adj* orphaned
orgânico, -a [or'gɜniku, -a] *adj* organic; **alimentos ~s** organic food
organismo [orgɜ'nizmu] *m* organism
organização <-ões> [orgɜniza'sɜ̃w, -'õjs] *f* organization
organizado, -a [orgɜni'zadu, -a] *adj* organized
organizador, -a [orgɜniza'dor, -a] *m, f* organizer
organizar [orgɜni'zar] *vt* to organize
órgão ['ɔrgɜ̃w] <-s> *m* ANAT organ; (*instituição*) body
orgia [or'ʒia] *f* orgy
orgulhar [orgu'ʎar] I. *vt* to make proud II. *vr:* ~-**se** to be proud of
orgulho [or'guʎu] *m sem pl* pride
orgulhoso, -a [orgu'ʎozu, -'ɔza] *adj* proud; **ficar ~ de alguém/a. c.** to be proud of sb/sth
orientação <-ões> [oriẽjta'sɜ̃w, -'õjs] *f* orientation; (*direção*) direction; (*vocacional*) guidance
oriental <-ais> [oriẽj'taw, -'ajs] *adj* (*do leste*) eastern; (*do Oriente*) oriental
orientar [oriẽj'tar] I. *vt* (*guiar*) to direct; (*aconselhar*) to advise II. *vr:* ~-**se** to get one's bearings
oriente [ori'ẽjtʃi] *m sem pl* east *no pl*
origem [o'riʒẽj] <-ens> *f* origin
original <-ais> [oriʒi'naw, -'ajs] *adj, m* original
originar [oriʒi'nar] I. *vt* to give rise to II. *vr:* ~-**se** to originate
originário, -a [oriʒi'nariw, -a] *adj* **ser ~ de** (*pessoa*) to be a native of
oriundo [ori'ũwdu, -a] *adj* native; (*objeto*) (coming) from
orla ['ɔrla] *f* ~ **marítima** shore
ornamentar [ornamẽj'tar] *vt* to decorate
ornamento [orna'mẽjtu] *m* ornament
orquestra [or'kɛstra] *f* orchestra
orquídea [or'kidʒia] *f* orchid
ortografia [ortogra'fia] *f* spelling
ortopedista [ortope'dʒista] *mf* orthopedic surgeon
orvalho [or'vaʎu] *m* dew
os [us] I. *art pl* the II. *pron pess* (*eles*) them; **eu os vi ontem** I saw them yesterday; (*vocês*) you; **chamei-os várias vezes** I called you several times
oscilar [osi'lar] *vi* (*preços*) to fluctuate; (*pêndulo*) to swing
ósseo, -a ['ɔsiw, -a] *adj* **1.** ANAT bone **2.** (*como osso*) bony

osso ['osu] *m* bone

ostensivo, -a [ostẽj'sivu, -a] *adj* ostensible

ostentação <-ões> [ostẽjta'sɜ̃w, -'õjs] *f* ostentation *no pl*

ostentar [ostẽj'tar] *vt* to show off

ostra ['ostra] *f* oyster

otário, -a [o'tariw] *m, f inf* sucker

ótima *adj v.* **ótimo**

otimista [otʃi'mista] **I.** *mf* optimist **II.** *adj* optimistic

ótimo, -a ['ɔtʃimu, -a] **I.** *adj* **1.** *superl de* **bom** *v.* **bom** **2.** excellent **II.** *interj* great!

otorrinolaringologista [otoxinolarĩjgolo'ʒista] *mf* ear, nose and throat specialist

ou [o] *conj* or; ~ **...** ~ **...** either ... or; ~ **melhor** or better (still); ~ **seja ...** in other words ...

ouriço [ow'risu] *m* hedgehog

ouriço-do-mar [ow'risu-du-'mar] <ouriços-do-mar> *m* ZOOL sea urchin

ourives [ow'rivis] *mf inv* (*vendedor*) jeweler

ouro ['oru] *m* gold; **ter um coração de** ~ to have a heart of gold

Ouro Preto ['owru 'pretu] (City of) Ouro Preto

ouros ['owrus] *mpl* (*cartas*) diamonds *pl*

ousada *adj v.* **ousado**

ousadia [owza'dʒia] *f sem pl* audacity; **ter a** ~ **de fazer a. c.** to have the nerve to do sth

ousado, -a [ow'zadu, -a] *adj* daring

ousar [ow'zar] *vt* to dare

outdoor [awtʃi'dɔr] *m* billboard *Am,* hoarding *Brit*

outono [ow'tonu] *m* fall *Am,* autumn

outorgar [owtor'gar] *vt* to grant

outro, -a ['otru, -a] **I.** *pron indef* another; **os** ~**s** the others **II.** *adj* (**no**) ~ **dia** (*há dias*) the other day; **outras pessoas** other people; ~ **café** another coffee; **outra vez** (once) again; **de** ~ **modo** otherwise

outubro [ow'tubru] *m* October

ouvido [o'vidu] *m* ear; **de** ~ by ear; **dar** ~**s a alguém** to listen to sb

ouvinte [ow'vĩjtʃi] *mf* listener

ouvir [o'vir] *irr vt* to hear; **ouvi dizer que ...** I heard that...; **já ouviu falar de ...?** have you (ever) heard of...?; ~ **música** to listen to music

ovação <-ões> [ova'sɜ̃w, -'õjs] *f* ovation

oval <-ais> [o'vaw, -'ajs] *adj* oval

ovário [o'variw] *m* ovary

ovelha [o'veʎa] *f* sheep

ovo ['ovu] *m* egg; ~ **cozido** boiled egg; ~ **frito** fried egg; ~**s mexidos** scrambled eggs; ~ **de Páscoa** Easter egg; **pôr** ~**s** to lay eggs; **pisar em** ~**s** to watch one's step

oxidar [oksi'dar] *vi* (*ferro*) to go rusty

oxigênio [ɔksi'ʒeniw] *m sem pl* oxygen *no pl*

ozônio [o'zoniw] *m* **camada de** ~ ozone layer

P

P, p ['pe] *m* p, P
pá ['pa] *f* spade
pacato, -a [pa'katu, -a] *adj* placid
paciência [pasi'ẽjsia] *f* **1.** patience **2.** solitaire *Am,* patience *Brit*
paciente [pasi'ẽjtʃi̯] *adj, mf* patient
pacífico, -a [pa'sifiku, -a] *adj* peaceful
pacote [pa'kɔtʃi̯] *m* package
pacto ['paktu] *m* pact
padaria [pada'ɾia] *f* bakery
padeiro, -a [pa'dejɾu, -a] *m, f* baker
padrão <-ões> [pa'dɾɜ̃w, -'õjs] *m* standard; ~ **de vida** standard of living; (*modelo*) model; (*de tecido*) pattern
padrasto [pa'dɾastu] *m* stepfather
padre ['padɾi] *m* priest
padrinho [pa'dɾĩɲu] *m* **1.** (*batismo*) godfather **2.** (*casamento*) best man
padrões *m pl de* **padrão**
pães *m pl de* **pão**
paga *adj v.* **pago**
pagamento [paga'mẽjtu] *m* payment
pagar [pa'gar] <*pp* pago *ou* pagado; g→gu> *vt* to pay; ~ **a. c.** to pay for sth; **gostaria de** ~ I would like to pay; ~ **em dinheiro** to pay cash
página ['paʒina] *f* page
pago, -a ['pagu, -a] **I.** *pp de* **pagar** **II.** *adj* paid
pagode [pa'gɔdʒi] *m a kind of samba music*
pai ['paj] *m* father
pai-de-santo ['pai-dʒi-'sɜ̃ŋtu] <pais-de-santo> *m* voodoo priest
painel <-éis> [paj'nɛw, -'ɛjs] *m* panel
pais ['pajs] *mpl* parents *pl*
país [pa'is] *m* country
paisagem [paj'zaʒẽj] <-ens> *f* landscape
Países Baixos [pa'iziz 'bajʃus] *mpl* the Netherlands *pl*
paixão <-ões> [paj'ʃɜ̃w, -'õjs] *f* passion
palácio [pa'lasiw] *m* palace
paladar [pala'dar] <-es> *m* taste
palavra [pa'lavɾa] *f* word; **ter** ~ to keep one's promises
palavrão <-ões> [pala'vɾɜ̃w, -'õjs] *m* swearword
palco ['pawku] *m* stage
palerma [pa'lɛrma] *mf* fool
Palestina [pales'tʃina] *f* Palestine
palestra [pa'lɛstɾa] *f* lecture
palestrante [pales'tɾɜ̃ŋtʃi̯] *mf* lecturer
paletó [pale'tɔ] *m* jacket
palha ['paʎa] *f* straw
palhaça *f v.* **palhaço**
palhaçada [paʎa'sada] *f* **fazer** ~ to clown around
palhaço, -a [pa'ʎasu, -a] *m, f* clown
pálido, -a ['paʎidu, -a] *adj* pale
palitar [paʎi'tar] *vt* ~ **os dentes** to pick one's teeth
palito [pa'ʎitu] *m* toothpick
palma ['pawma] *f* palm
palmada [paw'mada] *f* smack
palmas ['pawmas] *fpl* **bater** ~ to clap
Palmas ['pawmas] (City of) Palmas
palmeira [paw'mejɾa] *f* palm tree
palmito [paw'mitu] *m* palm heart
palmo ['pawmu] *m* ~ **a** ~ inch by inch
pálpebra ['pawpebɾa] *f* eyelid

palpitar [pawpi'tar] *vi* to palpitate
palpite [paw'pitʃi] *m* hunch
Panamá [pɜna'ma] *m* Panama
pan-americano, -a [pɜnameri'kɜnu, -a] *adj* Pan-American
pança ['pɜ̃ŋsa] *f inf* paunch
pancada [pɜ̃ŋ'kada] *f* **1.** blow **2. dar uma ~ em alguém** to give sb a beating **3.** *inf* **uma ~ de chuva** a sudden downpour
panda ['pɜ̃ŋda] *m* panda
pandeiro [pɜ̃ŋ'dejru] *m* tambourine
pandemônio [pɜ̃ŋde'moniw] *m* pandemonium
pane ['pɜni] *f* failure; **me deu uma ~** *inf* my mind went blank
panela [pɜ'nɛla] *f* saucepan
panelinha [pɜnɛ'ʎĩɲa] *f* clique
panfleto [pɜ̃ŋ'fletu] *m* pamphlet
pânico ['pɜniku] *m* panic
pano ['pɜnu] *m* cloth; **~ de prato** dishtowel *Am,* tea towel *Brit*
panqueca [pɜ̃ŋ'kɛka] *f* pancake
panturrilha [pɜ̃ŋtu'xiʎa] *f* calf (of leg)
pão <-ães> ['pɜ̃w, -'ɜ̃js] *m* bread
Pão-de-Açúcar ['pɜ̃w-dʒj-a'sukar] *m* Sugar Loaf Mountain

Culture **Pão de queijo** is a type of cheese bread in the form of small rolls made from **polvilho** (sifted manioc flour), grated cheese, oil, milk, and eggs. It is sold in bakeries, delis, snack bars, and supermarkets.

pão-duro <pães-duros> [pɜ̃w'duru, -'ɜ̃js-] **I.** *mf inf* skinflint **II.** *adj* stingy
pãozinho <pãezinhos> [pɜ̃w'zĩɲu, pɜ̃j'zĩɲus] *m* roll
papa¹ ['papa] *m* pope
papa² ['papa] *f inf* (*para bebê*) (baby) food
papagaio [papa'gaju] *m* **1.** parrot **2.** (*de papel*) kite
papai [pa'paj] *m* daddy; **Papai Noel** Santa Claus
papaia [pa'paja] *m* papaya
paparicar [papari'kar] *vt* <c→qu> to pamper
papéis [pa'pɛjs] *mpl* papers *pl*
papel <-éis> [pa'pɛw, -'ɛjs] *m* **1.** paper; **~ de alumínio** aluminum foil; **~ higiênico** toilet paper **2.** CINE role
papelão [pape'lɜ̃w] *m sem pl* cardboard *no pl*
papelaria [papela'ria] *f* stationery shop
papo ['papu] *m inf* double chin, chat; **bater (um) ~** to (have a) chat
paquerar [pake'rar] *vt* to flirt with
Paquistão [pakis'tɜ̃w] *m* Pakistan
par ['par] **I.** *m* pair **II.** *adj* even
para [pra] *prep* **1.** (*direção*) towards; **~ baixo** downward; **~ cima** upward; **ir ~ casa** to go home **2.** (*finalidade*) for; **~ quê?** what for? **3.** (*a fim de*) (in order) to; **eu trabalho ~ pagar as contas** I work (in order) to pay my bills; **~ que** so that **4.** (*temporal*) for; **~ sempre** forever
pára *3. pres de* **parar**
Pará [pa'ra] *m* (State of) Pará
parabéns [para'bẽjs] *mpl* congratulations; **dar ~** to congratulate; **~!** congratulations!; (*no aniversário*) happy

birthday
pára-brisa ['para-'briza] *m* windshield
pára-choques ['para-'ʃɔkis] *m* bumper
parada [pa'rada] *f* **1.** MIL parade **2.** (*de ônibus*) stop
parado, **-a** [pa'radu, -a] *adj* **1.** (*pessoa*) motionless **2.** (*carro*) stationary
parafuso [para'fuzu] *m* screw
parágrafo [pa'ragrafu] *m* paragraph
Paraguai [para'gwaj] *m* Paraguay
Paraíba [para'iba] *f* (State of) Paraíba
paraíso [para'izu] *m* paradise
paralelo, **-a** [para'lɛlu] *adj, m, f* parallel
paralisado, **-a** [paraʎi'zadu, -a] *adj* paralyzed
paralisar [paraʎi'zar] *vt* to paralyze
paralítico, **-a** [para'ʎitʃiku, -a] *adj, m, f* paralytic
paramédico, **-a** [para'mɛdʒiku, -a] *adj, m, f* paramedic
Paraná [parɜ'na] *m* (State of) Paraná
paranóico, **-a** [para'nɔjku, -a] *adj* paranoid
paraplégico, **-a** [para'plɛʒiku, -a] *adj, m, f* paraplegic
pára-quedas ['para-'kɛdas] *m inv* parachute
parar [pa'rar] *vt, vi* to stop; **sem** ~ nonstop; **pára com isso!** stop that!
pára-raios ['para-'xajus] *m inv* lightning rod
parasita [para'zita] *m* parasite
parceiro, **-a** [par'sejru, -a] *m, f* partner
parcela [par'sɛla] *f* (*dos lucros*) share; (*de pagamento*) installment
parcelado, **-a** [parse'ladu, -a] *adj* in installments
parceria [parse'ria] *f* partnership
parcial <-ais> [parsi'aw, -'ajs] *adj* **1.** (*em parte*) partial **2.** (*faccioso*) biased
parda *adj v.* **pardo**
pardal <-ais> [par'daw, -'ajs] *m* sparrow
pardo, **-a** ['pardu, -a] *adj* mulatto
parecer[1] [pare'ser] *m* opinion
parecer[2] [pare'ser] <c→ç> **I.** *vi* ~ **a alguém** to look like sb **II.** *vt* **1.** to look **2.** to seem; **parece que ...** it seems that ... **III.** *vr:* ~**-se** to look like
parecido, **-a** [pare'sidu, -a] *adj* like
parede [pa'redʒi] *f* wall
parente [pa'rẽjtʃi] *mf* relative
parêntese [pa'rẽjtezi] *m* parenthesis *Am,* brackets *Brit*
parir [pa'rir] **I.** *vt* to give birth to **II.** *vi* to give birth
parmesão [parme'zɜ̃w] *adj sem pl* **queijo** ~ parmesan cheese *no pl*
paródia [pa'rɔdʒia] *f* parody
parque ['parki] *m* park; ~ **de diversões** amusement park
parte ['partʃi] *f* **1.** part; **em** ~ partly; **a** ~ **de baixo** the lower half; **a parte da frente** the front end **2.** place; **em toda a** ~ everywhere **3.** (*lado*) **de minha** ~ on my part **4.** JUR party **5.** (*participação*) **fazer** ~ **de** to be a part of
parteira [par'tejra] *f* midwife
participação <-ões> [partʃisipa'sɜ̃w,

P

-'õjs] *f* participation; (*comunicação*) notification

participante [partʃisi'pɜ̃ŋtʃi̥] *mf* participant

participar [partʃisi'par] I. *vi* to participate II. *vt* to inform

particular [partʃi̥ku'lar] *adj* 1. (*pessoal*) personal 2. (*privada*) private

partida [par'tʃida] *f* 1. departure; **estar de** ~ to be about to depart 2. ESPORT match

partida *adj v.* **partido**

partidão <-ões> [partʃi'dɜ̃w, -'õjs] *m inf* good catch

partido [par'tʃidu] *m* POL party

partido, -a [partʃidu, -a] I. *pp de* **partir** II. *adj* broken

partidões *m pl de* **partidão**

partir [par'tʃir] I. *vt* to break II. *vi* 1. to leave 2. (*quebrar-se*) to break 3. **a** ~ **de ...** as of

parto ['partu] *m* (child)birth

Páscoa ['paskwa] *f* Easter

passa ['pasa] *f* **uva** ~ raisin

passada *adj v.* **passado**

passada [pa'sada] *f* quick visit; **dar uma** ~ *inf* to drop by

passado [pa'sadu] *m* past

passado, -a [pa'sadu, -a] *adj* 1. last 2. GASTR **bem/mal** ~ well-done/rare

passageiro, -a [pasa'ʒejɾu, -a] I. *m, f* passenger II. *adj* passing

passagem [pa'saʒẽj] <-ens> *f* 1. passage; ~ **de ano** New Year's Eve; **estar de** ~ to be in transit 2. (*travessia*) crossing 3. ~ **proibida** no trespassing 4. ticket; ~ **de ida e volta** round trip ticket

passaporte [pasa'pɔrtʃi̥] *m* passport

passar [pa'sar] I. *vt* 1. (*ponte*) to cross 2. to pass; **por favor, me passe a manteiga** pass me the butter, please 3. (*tempo*) to spend 4. (*a roupa*) to iron 5. ~ **fome** to go hungry 6. ~ **pomada na ferida** to put ointment on a wound 7. (*ser aprovado*) to pass 8. (*mostrar: filme*) to show 9. (*as marchas*) to shift II. *vi* 1. **passa lá em casa!** come by any time! 2. ~ **de moda** to go out of fashion; **isso vai** ~ **logo** it'll be over soon 3. ~ **dos limites** to go too far; ~ **a ser** to become 4. (*tempo*) to go by 5. **como tem passado?** how have you been?; **ele passou mal ontem à noite** he felt bad last night 6. (*prescindir de*) ~ **sem a. c.** to do without sth III. *vr:* ~**-se** (*acontecer*) to happen; **o que se passa?** what's happening?

pássaro ['pasaɾu] *m* bird

passatempo [pasa'tẽjpu] *m* hobby

passe ['pasi] *m* pass

passear [pasi'ar] *irr vi* to take a walk

passeata [pasi'ata] *f* demonstration

passeio [pa'seju] *m* (*a pé*) walk; (*de carro*) ride

passivo, -a [pa'sivu, -a] *adj* passive

passo ['pasu] *m* step; **ao** ~ **que** while; ~ **a** ~ step by step

pasta ['pasta] *f* 1. paste; ~ **de dentes** toothpaste 2. (*para documentos*) portfolio; (*com asa*) briefcase; INFOR file

pastar [pas'tar] *vi* to graze
pastel¹ <-éis> [pas'tɛw, -'ɛjs] *m* deep-fried pastry
pastel² [pas'tɛw] *adj inv* pastel
pastilha [pas'tʃiʎa] *f* lozenge
pastor(a) [pas'tor(a)] <-es> *m(f)* shepherd
pata ['pata] *f* (*de gato, cão*) paw; (*de cavalo*) hoof; (*perna de animal*) leg
patamar [pata'mar] <-es> *m* landing
patê [pa'te] *m* pâté
patela [pa'tɛla] *f* kneecap
patente [pa'tẽjtʃi̥] **I.** *f* ECON patent; MIL rank **II.** *adj* evident
patentear [patẽjtʃi'ar] *conj como passear vt* to patent
paternidade [paterni'dadʒi] *f* paternity
paterno [pa'tɛrnu] *adj* **a casa** ~ family home
pateta [pa'tɛta] **I.** *mf* fool **II.** *adj* foolish
patético, -a [pa'tɛtʃi̥ku, -a] *adj* pathetic
patife [pa'tʃifi] *m* rogue
patim [pa'tʃĩj] <-ins> *m* (*de rodas*) roller skate; (*para gelo*) ice skate; ~ **em linha** roller blade
patinar [patʃi'nar] *vi* to skate
patinete [patʃi'nɛtʃi̥] *m* scooter
patins *m pl de* **patim**
pátio ['patʃiw] *m* patio; ~ **interno** courtyard
pato, -a ['patu, -a] *m, f* duck *mf*
patrão, patroa <-ões> [pa'trɜ̃w, -'oa, -'õjs] *m, f* boss *mf*
pátria ['patria] *f* homeland
patriarca [patri'arka] *m* patriarch
patrimônio [patri'moniw] *m* assets; ~ **mundial** world heritage
patroa [pa'troa] *f inf v.* **patrão**
patrocinador(a) [patrosina'dor(a)] <-es> *m(f)* sponsor
patrocinar [patrosi'nar] *vt* to sponsor
patrocínio [patro'siniw] *m* sponsorship
patrões *m pl de* **patrão**
patrulhar [patru'ʎar] *vt, vi* to patrol
pau ['paw] *m* (*madeira*) wood; (*vara*) stick; **a dar com o** ~ loads of
paulista [paw'lista] *adj, mf* Paulista, from or of São Paulo State
Paulistano, -a *adj, m, f* person from (the city of) São Paulo
paupérrimo, -a [paw'pɛximu, -a] *superl de* **pobre**
paus ['paws] *mpl* (*cartas*) clubs *pl*
pausa ['pawza] *f* pause; **fazer uma** ~ to take a break
pausado [paw'zadu] *adv* unhurriedly
pauta ['pawta] *f* **1.** (*agenda*) agenda **2.** MÚS staff
pavão, -oa <-ões> [pa'vɜ̃w, -'oa, -'õjs] *m, f* peacock *m,* peahen *f*
pavilhão <-ões> [pavi'ʎɜ̃w, -'õjs] *m* pavilion
pavio [pa'viw] *m* wick
pavoa [pa'voa] *f v.* **pavão**
pavões *m pl de* **pavão**
pavor [pa'vor] <-es> *m* terror
pavoroso, -a [pavo'rozu, -'ɔza] *adj* terrifying
paz ['pas] *f* peace; **fazer as ~es** to make up; **me deixa em ~!** leave me alone!
pé ['pɛ] *m* **1.** foot; ~ **chato** flat feet *pl;*

dos ~s **à cabeça** from head to toe; **estar de** ~ to be standing (upright); **ir a** ~ to go on foot **2. ao** ~ **da letra** literally; **dar no** ~ to take to one's heels; **em** ~ **de igualdade** on an equal footing; **não ter** ~ **nem cabeça** to be absurd **3.** BOT tree; **um** ~ **de goiaba** a guava tree

peão <-ões> [pi'ɜ̃w, -'õjs] *m* **1.** (*trabalhador*) laborer **2.** (*xadrez*) pawn

peça[1] ['pɛsa] *f* **1.** piece **2.** TEAT ~ (**de teatro**) play **3.** TEC part; ~ **sobressalente** spare part

peça[2] ['pɛsa] *1./3. pres subj de* **pedir**

pecado [pe'kadu] *m* sin; **cometer um** ~ to sin

pecador(**a**) [peka'dor(a)] <-es> *m(f)* sinner

pecar [pe'kar] *vi* <c→qu> to sin

pechincha [pi'ʃĩʃa] *f* bargain

peço ['pɛsu] *1. pres de* **pedir**

pedaço [pe'dasu] *m* **1.** piece; **fazer em** ~**s** to smash to pieces **2.** (*trecho*) part **3.** (*de tempo*) bit; **eu esperei um** ~ I waited a bit

> **Culture** Those traveling by car on Brazilian highways should be ready to pay the **pedágio** (toll) charged by the government or an authorized concessionaire.

pedal <-ais> [pe'daw, -'ajs] *m* pedal

pedalinho [peda'ʎĩɲu] *m* paddle boat

pé-de-galinha ['pɛ-dʒi-ga'ʎĩɲa] <pés-de-galinha> *m* crow's-feet *pl*

pé-de-meia ['pɛ-dʒi-'meja] <pés-de-meia> *m* nest egg

pé-de-moleque ['pɛ-dʒi-mu'lɛki] <pés-de-moleque> *m* peanut brittle

pé-de-pato ['pɛ-dʒi-'patu] <pés-de-pato> *m* flippers

pedestre [pe'dɛstɾi] *mf* pedestrian

pediatra [pedi'atɾa] *mf* pediatrician

pedicure [pedʒi'kuɾi] *mf* pedicure

pedido [pi'dʒidu] *m* request; (*encomenda*) order; **a meu** ~ at my request; ~ **de casamento** marriage proposal; ~ **de desculpa**(**s**) apology

pedinte [pi'dʒĩjtʃi] *mf* beggar

pedir [pi'dʒir] *irr* **I.** *vt* **1.** (*em restaurante*) to order **2.** (*solicitar*) to ask for; ~ **ajuda** to ask for help; ~ **perdão** to apologize **II.** *vi* to ask for things

pedófilo, **-a** [pe'dɔfilu, -a] *m, f* pedophile

pedra ['pɛdɾa] *f* stone; ~ **preciosa** precious stone; **dormir como uma** ~ to sleep like a log

pedreiro [pe'dɾejɾu] *m* bricklayer

pé-frio ['pɛ-'fɾiw] <pés-frios> *m* jinx

pegada [pe'gada] *f* footprint

pegadinha [pega'dʒĩɲa] *f* trick

pegado [pe'gadu] *adj* **1.** (*colado*) stuck (together) **2.** (*amizade*) **os dois são muito** ~**s** the two are very close

pegajoso, **-a** [pega'ʒozu, -'ɔza] *adj* sticky

pegar [pe'gar] <g→gu> **I.** *vt* **1.** to catch; ~ **em flagrante** to catch red-handed **2.** (*apanhar alguém*) to pick up **II.** *vi* ~ **em** to take hold of;

é ~ ou largar take it or leave it; **~ no sono** to fall asleep

pego ['pegu] I. *pp irr de* **pegar** II. *adj* **ser ~** to get caught

pegue ['pɛgi] *1./3. pres subj de* **pegar**

peguei [pe'gei] *1. pret perf de* **pegar**

peitar [pej'tar] *vt* to stand up to sb

peito ['pejtu] *m* ANAT chest; (*de mulher*) breast; **~ de galinha** chicken breast; **amigo do ~** bosom buddy

peitudo, -a [pej'tudu, -a] I. *m, f fig* tough guy II. *adj* (*mulher*) busty; (*valente*) brave

peixaria [pejʃa'ria] *f* fish market

peixe ['peʃi] *m* fish

peixe-boi ['peʃi-'boj] <peixes-boi(s)> *m* manatee

peixeiro, -a [pe'ʃeru, -a] *m, f* fishmonger

Peixes ['pejʃis] *mpl* Pisces *pl*

pejorativo, -a [peʒora'tʃivu, -a] *adj* pejorative

pela [pela] = **por + artigo a** *v.* **por**

pelado, -a [pe'ladu, -a] *adj* naked

pele ['pɛʎi] *f* skin; **arriscar a ~** to risk one's neck; **ser só ~ e osso** to be all skin and bones; **sentir a. c. na própria ~** to know how sth feels

película [pe'ʎikula] *f* film

pelo [pelu] = **por + artigo o** *v.* **por**

pêlo ['pelu] *m* (*de pessoa*) hair; (*de animal*) fur; (**nu**) **em ~** stark naked

pelúcia [pe'lusia] *f* plush; **bicho de ~** cuddly toy (animal)

peludo, -a [pe'ludu, -a] *adj* (*animal*) furry; (*pessoa*) hairy

pena ['pena] *f* 1. JUR sentence; **~ de morte** death penalty 2. (*piedade*) pity; **é ~!** that's too bad!; (**isso**) **não vale a ~** that's not worth it 3. (*de ave*) feather

penal <-ais> [pe'naw, -'ajs] *adj* **código ~** penal code

pênalti ['penawtʃi̥] *m* penalty

penar [pe'nar] *vi* to suffer

pendência [pẽj'dẽjsia] *f* dispute

pendente [pẽj'dẽjtʃi̥] *adj* (*pendurado*) hanging; (*assunto, trabalho*) pending

pendurado, -a [pĩjdu'radu, -a] *adj* hanging

pendurar [pĩjdu'rar] *vt* to hang

peneira [pe'nejra] *f* sieve

penetrante [pene'trɜ̃ŋtʃi̥] *adj* penetrating

penetrar [pene'trar] *vt, vi* to penetrate

penhasco [pẽ'ɲasku] *m* cliff

penico [pi'niku] *m* chamber pot

pênis ['penis] *m inv* penis

penitenciária [penitẽjsi'aria] *f* penitentiary

penoso, -a [pe'nozu, -'ɔza] *adj* (*trabalho*) difficult; (*tratamento*) painful

pensamento [pẽjsa'mẽjtu] *m* thought

pensão <-ões> [pẽj'sɜ̃w, -'õjs] *f* 1. (*hospedaria*) boarding house; **~ completa** room and board 2. (*dinheiro*) pension; **~ alimentícia** alimony

pensar [pẽj'sar] *vt, vi* to think; **em que você está pensando?** what are you thinking about?; **nem ~ nisso!** not on your life!; **pensando bem ...** on second thought ...; **penso que sim** I think so

pensativo, **-a** [pẽjsa'tʃivu, -a] *adj* thoughtful

pensões *f pl de* **pensão**

pente ['pẽjtʃi̥] *m* comb

penteado [pẽjtʃi'adu] *m* hairdo

penteado, **-a** [pẽjtʃi'adu, -a] *adj* groomed

pentear [pẽjtʃi'ar] *conj como passear vt* to comb

pentelhar [pẽjte'ʎar] *vt chulo* to annoy

pentelho [pẽj'teʎu] *m chulo* pain in the butt

penumbra [pe'nũwbɾa] *f* half-light

peões *m pl de* **peão**

pepino [pi'pinu] *m* cucumber

pequena *adj, f v.* **pequeno**

pequenino, **-a** [peke'ninu, -a] *adj* tiny

pequeno, **-a** [pi'kenu, -a] *adj* little, small

pé-quente ['pɛ-'kẽjtʃi̥] <pés-quentes> *m* lucky person

pêra ['peɾa] *f* pear

perambular [peɾɜ̃ŋbu'lar] *vi* to wander

perante [pe'ɾɜ̃ŋtʃi̥] *prep* in the presence of

perca ['perka] *1./3. pres subj de* **perder**

perceber [perse'ber] *vt* to realize

percentagem [persẽj'taʒẽj] <-ens> *f* percentage

perceptível <-eis> [persep'tʃivew, -ejs] *adj* perceptible

percevejo [perse'veʒu] *m* (*inseto*) bedbug; (*prego*) thumb tack *Am,* drawing pin *Brit*

perco ['perku] *1. pres de* **perder**

percorrer [perko'xer] *vt* (*a pé*) to go through; (*com transporte*) to travel through

percussão <-ões> [perku'sɜ̃w, -'õjs] *f* percussion

percussionista [perkusjo'nista] *mf* percussionist

percussões *f pl de* **percussão**

perda ['perda] *f* loss; (*desperdício*) waste

perdão <-ões> [per'dɜ̃w, -'õjs] *m* forgiveness; ~**!** sorry!

perdedor(**a**) [perde'dor(a)] <-es> *m(f)* loser

perder [per'der] *irr* **I.** *vt* **1.** (*um objeto, peso*) to lose **2.** (*trem, avião*) to miss **3.** (*tempo*) to waste **II.** *vi* to lose **III.** *vr:* ~**-se** to get lost

perdição <-ões> [perdʒi'sɜ̃w, -'õjs] *f* ruin

perdida *adj v.* **perdido**

perdidamente [perdʒida'mẽjtʃi̥] *adv* desperately

perdido, **-a** [per'dʒidu, -a] *adj* lost

perdidos [per'dʒidus] *mpl* **achados e** ~ lost and found *pl*

perdoar [perdu'ar] <*1. pess pres:* perdôo> *vt* to forgive

perdões *m pl de* **perdão**

perecível <-eis> [peɾe'sivew, -'ejs] *adj* perishable

pereira [pe'ɾejɾa] *f* pear tree

perene [pe'ɾeni] *adj* everlasting

perereca [peɾe'ɾɛka] *f* tree frog

perfeição <-ões> [perfej'sɜ̃w, -'õjs] *f* perfection

perfeito, **-a** [per'fejtu, -a] *adj* perfect

perfil <-is> [per'fiw, -'is] *m* profile

perfumado, **-a** [perfu'madu, -a] *adj* fragrant
perfume [per'fumi] *m* perfume
perfuradora [perfura'dora] *f* (*de papel*) (hole)punch
perfurar [perfu'rar] *vt* (*um órgão*) to perforate; (*papel*) to punch a hole in
pergunta [per'gũwta] *f* question
perguntar [pergũw'tar] *vt, vi* to ask
perícia [pe'risia] *f* (*conhecimento*) expertise; (*inspeção*) inspection
periciar [perisi'ar] *vt* ~ **alguém/a. c.** to search sb/sth (*for drugs or other illegal items*)
periferia [perife'ria] *f* outskirts
perigo [pi'rigu] *m* danger; **correr** ~ to run risks
perigoso, **-a** [piri'gozu, -'ɔza] *adj* dangerous
periódico, **-a** [peri'ɔdʒiku, -a] *adj* periodic(al)
período [pe'riwdu] *m* period
periquito [piri'kitu] *m* parakeet
perito, **-a** [pe'ritu, -a] *m, f* expert
permaneça [permɜ'nesa] *1./3. pres subj de* **permanecer**
permanecer [permɜne'ser] *vt* <c→ç> to remain, to stay
permaneço [permɜ'nesu] *1. pres de* **permanecer**
permanência [permɜ'nẽjsia] *f* permanence; **visto de** ~ permanent visa
permanente [permɜ'nẽjtʃi̥] **I.** *mf* **fazer uma** ~ to have one's hair permed **II.** *adj* permanent
permissão <-ões> [permi'sɜ̃w, -'õjs] *f* permission
permitir [permi'tʃir] *vt* to allow
perna ['pɛrna] *f* leg; **de ~s para o ar** upside down
Pernambuco [pernɜ̃ŋ'buku] (State of) Pernambuco
pernilongo [perni'lõwgu] *m* mosquito
pernoitar [pernoj'tar] *vi* to spend the night
pérola ['pɛrula] *f* pearl
perpendicular [perpẽjdʒiku'lar] *adj, f* perpendicular
perpétua *adj v.* **perpétuo**
perpetuar [perpetu'ar] **I.** *vt* to perpetuate **II.** *vr:* **~-se** to self-perpetuate
perpétuo, **-a** [per'pɛtuu, -a] *adj* everlasting
perplexo, **-a** [per'plɛksu, -a] *adj* puzzled
persa ['pɛrsa] *adj, mf* Persian
perseguição <-ões> [persegi'sɜ̃w, -'õjs] *f* persecution; ~ **política** political persecution
perseguir [perse'gir] *irr como seguir vt* to persecute
persiana [persi'ɜna] *f* blind
persiga [per'siga] *1./3. pres subj de* **perseguir**
persigo [per'sigu] *1. pres de* **perseguir**
persistente [persis'tẽjtʃi̥] *adj* persistent
personagem [perso'naʒẽj] <-ens> *mf* character; ~ **principal** main character
personalidade [personaʎi'dadʒi] *f* personality; **sem** ~ characterless
personalizar [personaʎi'zar] *vt* to

personalize
personal trainer ['personaw 'trejner] *mf* personal trainer
perspectiva [perspek'tʃiva] *f* perspective
perspicaz [perspi'kas] <-es> *adj* shrewd
persuadir [persua'dʒir] *vt* to persuade
persuasivo, -a [persua'zivu, -a] *adj* persuasive
pertencente [pertẽj'sẽjtʃi̯] *adj* belonging to
pertencer [pertẽj'ser] *vt* <c→ç> to belong
pertences [per'tẽjsis] *mpl* belongings *pl*
perto ['pɛrtu] I. *adj* nearby II. *adv* ~ **de** close to; **ver de** ~ to see close up
perturbador(a) [perturba'dor(a)] <-es> *adj* disturbing
perturbar [pertur'bar] I. *vt* to disturb II. *vr:* ~**-se** to become upset
peru, -a [pi'ru, pi'rua] *m, f* turkey
Peru [pe'ru] *m* Peru
perua [pi'rua] *f* station wagon *Am,* estate car *Brit*
peruca [pi'ruka] *f* wig
perverso, -a [per'vɛrsu, -a] *adj* (*malvado*) evil
perverter [perver'ter] *vt* to pervert
pesada *adj v.* **pesado**
pesadelo [peza'delu] *m* nightmare
pesado, -a [pe'zadu, -a] *adj* heavy
pêsames ['pezɜmis] *mpl* **meus** ~ please accept my condolences
pesar [pe'zar] *vt, vi* to weigh
pesca ['pɛska] *f* fishing
pescador(a) [peska'dor(a)] <-es> *m(f)* fisherman *m,* fisherwoman *f*
pescar [pes'kar] <c→qu> I. *vt* (*peixe*) to catch II. *vi* to fish; **vara de** ~ fishing rod
pescaria [peska'ria] *f* fishing
pescoço [pes'kosu] *m* neck
peso ['pezu] *m* weight; ~ **bruto** gross weight
pesquisa [pes'kiza] *f* research
pesquisador(a) [peskiza'dor(a)] <-es> *m(f)* researcher
pesquisar [peski'zar] *vt* to research
pêssego ['pesegu] *m* peach
péssima *adj v.* **péssimo**
pessimista [pesi'mista] I. *mf* pessimist II. *adj* pessimistic
péssimo, -a ['pɛsimu, -a] *superl de* **mau**
pessoa [pe'sowa] *f* person; **as** ~**s** people; **em** ~ in person
pessoal [pesu'aw] I. *m sem pl* personnel *no pl* II. <-ais> *adj* personal
pétala ['pɛtala] *f* petal
peteca [pe'tɛka] *f* shuttlecock
petiscar [petʃis'kar] <c→qu> *vt, vi* to nibble
petisco [pe'tisku] *m* tidbit
petróleo [pe'trɔʎiw] *m* petroleum
petulante [petu'lɜ̃ŋtʃi̯] *adj* sassy *Am,* cheeky *Brit*
p. ex. [pore'zẽjplu] *abr de* **por exemplo** e.g.
pia ['pia] *f* sink
piada [pi'ada] *f* joke
piano [pi'ɜnu] *m* piano
Piauí [piaw'i] (State of) Piauí
PIB ['pibi] *m abr de* **Produto Interno**

Bruto GDP
picada [pi'kada] *f* bite
picado, -a [pi'kadu, -a] *adj* chopped; (*carne*) ground *Am,* minced *Brit*
picanha [pi'kɜ̃ɲa] *f* rump
picante [pi'kɜ̃ŋtʃi̥] *adj* (*comida*) spicy; (*anedota*) risqué
picar [pi'kar] <c→qu> **I.** *vt* **1.** (*abelha*) to sting; (*mosquito, cobra*) to bite; (*com agulha*) to prick **2.** (*carne*) to grind *Am,* to mince *Brit;* (*cebola*) to chop **II.** *vi* (*abelha*) to sting **III.** *vr:* **~-se** (*ferir-se*) to prick oneself
pichação <-ões> [piʃa'sɜ̃w, -'õjs] *f* graffiti; *inf* (*crítica*) criticism
pico ['piku] *m* peak
picolé [piko'lɛ] *m* popsicle *Am,* ice lolly *Brit*
picotado, -a [piko'tadu, -a] *adj* (*papel*) perforated
piercing [pir'sĩj] *m* piercing
pifar [pi'far] *vi inf* to break down
pigarrear [pigaxe'ar] *conj como passear vi* to clear one's throat
pijama [pi'ʒɜma] *m* pajamas *pl*
pilantra [pi'lɜ̃ŋtra] *mf inf* crook
pileque [pi'lɛki] *m inf* drinking binge; **estar de ~** to be drunk
pilha ['piʎa] *f* **1.** pile **2.** FÍS battery
pilotar [pilo'tar] *vt* to pilot
piloto [pi'lotu] **I.** *mf* pilot; (*de carro*) driver **II.** *adj inv* **plano ~** pilot plan
pílula ['pilula] *f* pill; **estar tomando ~ anticoncepcional** to be on the pill
pimenta [pi'mẽjta] *f* pepper
pimenta-do-reino [pi'mẽjta-du-'xeinu] <pimentas-do-reino> *f* black pepper
pimenta-malagueta [pi'mẽjta-mala'ge-ta] <pimentas-malagueta(s)> *f* chili pepper
pimentão <-ões> [pimẽj'tɜ̃w, -'õjs] *m* bell pepper
pinça ['pĩjsa] *f* tweezers *pl*
pincel <-éis> [pĩj'sɛw, -'ɛjs] *m* brush
pindaíba [pĩjda'iba] *f inf* **estar na ~** to be flat broke
pinga ['pĩjga] *f inf* white rum
pingar [pĩj'gar] <g→gu> *vt, vi* to drip
pingente [pĩj'ʒẽjtʃi̥] *m* (*de colar*) pendant
pingo ['pĩjgu] *m* drop
pinguço [pĩj'gusu] *m inf* drunkard
pingue ['pĩjgi] *1./3. pres subj de* **pingar**
pingue-pongue ['pĩjgi-'põwgi] *m* ping-pong
pingüim [pĩj'gwĩj] <-ins> *m* penguin
pinheiro [pĩ'ɲejru] *m* pine tree
pino ['pinu] *m* **1.** (*peça*) pin **2. o sol a ~** at high noon
pinta ['pĩjta] *f* **1.** (*mancha*) mole **2.** *inf* (*aparência*) look; **ter boa ~** to be good-looking; **ter ~ de** to look like
pintado, -a [pĩj'tadu, -a] *adj* painted
pintar [pĩj'tar] **I.** *vt* (*quadro*) to paint; (*o cabelo*) to dye **II.** *vr:* **~-se** to put on makeup
pinto ['pĩjtu] *m* chick
pintor(a) [pĩj'tor(a)] <-es> *m(f)* painter
pintura [pĩj'tura] *f* painting
pio ['piw] *m inf* peep
piolho [pi'oʎu] *m* louse
pioneiro, -a [pio'nejru, -a] **I.** *m, f* pi-

P

oneer **II.** *adj* pioneering

pior [pi'ɔr] **I.** *m* **o ~** the worst; **o ~ já passou** the worst is over **II.** *adj* **1.** worse; ~ (**do**) **que** worse than **2.** (the) worst **III.** *adv* **1.** worse (than); **ele está muito ~** he is much worse **2.** (the) worst **3. levar a ~** to get the worst of it

piorar [pio'rar] *vt, vi* to worsen

pipa ['pipa] *f* kite; **soltar ~** to fly a kite

pipi [pi'pi] *m infantil* pee; **fazer ~** to pee

Culture **Pipoca**, the Portuguese word for popcorn is a word of Tupi origin. In Brazil, **pipoca** is served either salted or sweetened.

pique[1] ['piki] *m* (*disposição*) **estar no maior ~** to be full of energy

pique[2] ['piki] *1./3. pres subj de* **picar**

piquenique [piki'niki] *m* picnic; **fazer um ~** to go on a picnic

pirado, -a [pi'radu, -a] *adj inf* crazy

piranha [pi'rɜ̃ɲa] *f* **1.** ZOOL piranha **2.** *pej* slut

pirar [pi'rar] *vi inf* to go mad

pirata [pi'rata] **I.** *mf* pirate; **~ eletrônico** INFOR hacker **II.** *adj inv* **programa ~** pirated software

pirataria [pirata'ria] *f* piracy

piratear [piratʃi'ar] *conj como passear vt* to pirate

pires ['piris] *m inv* saucer

pirotécnico, -a [piro'tɛkniku, -a] *adj* firework

pirralho, -a [pi'xaʎu] *m, f* kid

pirueta [piru'eta] *f* pirouette

pirulito [piru'ʎitu] *m* lollipop

pisar [pi'zar] *vt* **1.** to step **2. ~ no acelerador** to step on the gas **3.** *fig* **~ em alguém** to step on sb **4.** *inf* **~ na bola** to goof up

pisca-pisca ['piska-'piska] <pisca(s)-piscas> *m* indicator, blinker

piscar [pis'kar] <c→qu> **I.** *vt* **~ os olhos** to blink; **~ o olho** to wink **II.** *vi* to blink **III.** *m* **num ~ de olhos** in the blink of an eye

piscina [pi'sina] *f* swimming pool

piso ['pizu] *m* floor; **no segundo ~** on the second floor

pisões *m pl de* **pisão**

pista ['pista] *f* **1.** lane; **~ de avião** runway; **~ de dança** dance floor **2.** (*rastro*) trail; **seguir uma ~** to follow a trail **3.** (*dica*) clue

pistache [pis'taʃi] *m* pistachio

pistola [pis'tɔla] *f* pistol

pistolão <-ões> [pisto'lɜ̃w, -'õjs] *m inf* big shot

pistoleiro, -a [pisto'lejru, -a] *m, f* gunman

pistolões *m pl de* **pistolão**

pitada [pi'tada] *f* pinch

pitoresco, -a [pito'resku, -a] *adj* picturesque

pizza ['pitsa] *f* pizza; **acabar em ~** *inf* to come to nothing

pizzaria [pitsa'ria] *f* pizzeria

placa ['plaka] *f* sign; **~ de carro** license plate *Am*, number plate *Brit*

placar [pla'kar] <-es> *m* (*quadro*) scoreboard; (*resultado*) score

plácido, -a ['plasidu, -a] *adj* placid

plagiar [plaʒi'ar] *vt* to plagiarize

plágio ['plaʒiw] *m* plagiarism

plana *adj v.* **plano**
planador [plɜna'dor] <-es> *m* glider
planalto [plɜ'nawtu] *m* **1.** GEO plateau **2. o Planalto** *seat of the Brazilian Federal Government*
planejamento [plɜneʒa'mẽjtu] *m* planning
planejar [plɜne'ʒar] *vt* to plan
planeta [plɜ'neta] *m* planet
planetário, -a [plɜne'tariw, -a] **I.** *m, f* planetarium **II.** *adj* planetary
planície [plɜ'nisii] *f* plain
plano ['plɜnu] *m* plan; ~ **de saúde** health plan
plano, -a ['plɜnu, -a] *adj* flat
planta ['plɜ̃ŋta] *f* **1.** BOT plant **2.** (*de prédio, casa*) plan **3.** (*do pé*) sole
plantação <-ões> [plɜ̃ŋta'sɜ̃w, -'õjs] *f* (*ação*) planting; (*terreno*) plantation
plantão <-ões> [plɜ̃ŋ'tɜ̃w, -'õjs] *m* duty; **estar de** ~ to be on duty; **farmácia de** ~ 24-hour drugstore
plantar [plɜ̃ŋ'tar] *vt* to plant
plantões *m pl de* **plantão**
plástica *adj v.* **plástico**
plástica ['plastʃika] *f* plastic surgery
plástico ['plastʃiku] *m* plastic
plástico, -a ['plastʃiku, -a] *adj* plastic; **artes plásticas** fine arts *pl*
plataforma [plata'fɔrma] *f* platform
platéia [pla'tɛja] *f* audience
platônico, -a [pla'toniku, -a] *adj* platonic
plausível <-eis> [plaw'zivew, -ejs] *adj* plausible
plena *adj v.* **pleno**
plenamente [plena'mẽjtʃi] *adv* fully
pleno(a) ['plenu, -a] *adj* full; **em** ~ **dia** in broad daylight; **em** ~ **inverno** in the middle of winter; **em plena forma** in perfect health
plugue ['plugi] *m* plug
plural <-ais> [plu'raw, -'ajs] *m* plural
pneu [pe'new] *m* tire; **ter um** ~ **furado** to have a flat tire
pneumonia [penewmo'nia] *f* pneumonia
pó ['pɔ] *m* **1.** dust **2. em** ~ powdered
pobre ['pɔbri] **I.** *mf* pauper **II.** *adj* poor; ~ **de você!** poor you!
pobreza [po'breza] *f* poverty
poça ['pɔsa] *f* pool
pochete [po'ʃɛtʃi] *f* fanny pack *Am*, bumbag *Brit*
pocilga [po'siwga] *f* pigsty
poço ['posu] *m* well
pôde ['podʒi] *3. pret perf de* **poder**
poder[1] [po'der] *m* power; **estar no** ~ to be in power; ~ **aquisitivo** purchasing power
poder[2] [po'der] *irr vt, vi* **1.** (*possibilidade*) to be able to; **eu posso me encontrar com você amanhã** I can meet you tomorrow; **como é que pode?** how can that be? **2.** (*permissão*) can, may; **posso entrar?** may I come in? **3.** (*suposição*) may; **pode ser** perhaps; **ele pode estar ocupado** he may be busy **4.** (*capacidade*) ~ **com** to be able to cope with
poderoso, -a [pode'rozu, -'ɔza] *adj* powerful
pódio ['pɔdʒiw] *m* ESPORT podium
podre ['podri] *adj* rotten; **ser** ~ **de rico** to be filthy rich

poeira [pu'ejɾa] *f* dust
poema [po'ema] *m* poem
poesia [poe'zia] *f* poetry
poeta [po'ɛta] *mf* poet
point ['põjtʃi̥] *m* hot spot
pois ['pojs] **I.** *conj* for **II.** *adv* ~ **é!** that's right!; ~ **não?** yes?
polar [po'lar] <-es> *adj* polar
polegada [pole'gada] *f* inch
polegar [pole'gar] <-es> *m* thumb
polêmica [po'lemika] *f* controversy
polêmico, -a [po'lemiku, -a] *adj* controversial
polícia [pu'ʎisia] *f* **1.** (*instituição*) police **2.** (*membros*) police officer; ~ **de trânsito** traffic warden
policial <-ais> [puʎisi'aw, -'ajs] **I.** *mf* police officer **II.** *adj* police
policiar [puʎisi'ar] *vt* to police
poliglota [poʎi'glɔta] *adj, mf* polyglot
polimento [poʎi'mẽjtu] *m* polishing
Polinésia [poʎi'nɛzia] *f* Polynesia
polir [pu'ʎir] *irr vt* to polish
política [po'ʎitʃi̥ka] *f* politics; (*programa*) policy
político, -a [po'ʎitʃi̥ku, -a] **I.** *m, f* politician **II.** *adj* political
politizado, -a [poʎitʃi'zadu, -a] *adj* politically aware
polivalente [poʎiva'lẽjtʃi̥] *adj* versatile
pólo ['pɔlu] *m* **1.** FÍS, GEO pole **2.** ESPORT polo; ~ **aquático** water polo
Polônia [po'lonia] *f* Poland
polpa ['powpa] *f* pulp
poltrona [pow'trona] *f* armchair
poluição <-ões> [polui'sɜ̃w, -'õjs] *f* pollution
poluído, -a [polu'idu, -a] *adj* polluted
poluir [polu'ir] *conj como incluir vt* to pollute
polvo ['powvu] *m* octopus
pólvora ['pɔwvuɾa] *f* gun powder
pomada [po'mada] *f* ointment
pomar [po'mar] <-es> *m* orchard
pomba ['põwba] *f* dove
pombo ['põwbu] *m* pigeon
ponderado, -a [põwde'ɾadu, -a] *adj* prudent
ponderar [põwde'ɾar] *vt, vi* to consider
ponha ['põɲa] *1./3. pres subj de* **pôr**
ponho ['põɲu] *1. pres de* **pôr**
ponta ['põwta] *f* **1.** tip; ~ **do dedo** fingertip; **na** ~ **dos pés** on tiptoe; **saber a. c. na** ~ **da língua** to know sth inside out **2.** end; ~ **de cigarro** cigarette butt **3.** ~ **de estoque** outlet; **uma** ~ **de** a touch of
pontada [põw'tada] *f* twinge
pontapé [põwta'pɛ] *m* kick
pontaria [põwta'ɾia] *f* aim; **fazer** ~ to aim at
ponte ['põwtʃi̥] *f* bridge; ~ **aérea** air shuttle service
ponteiro [põw'tejɾu] *m* **1.** (*indicador*) pointer; (*de relogio*) hand **2.** *fig* **acertar os ~s** to put things right
pontiagudo, -a [põwtʃia'gudu] *adj* sharp
pontinha [põw'tʃĩɲa] *f inf* **uma** ~ **de** a touch of
ponto ['põwtu] *m* **1.** point; ~ **de encontro** meeting point; (*de ônibus*) bus stop; (*de táxi*) taxi stand; ~ **mor-**

to neutral; ~ **de vista** viewpoint; **filé ao** ~ medium-done steak; **às cinco horas em** ~ five o'clock sharp **2.** (*marca*) dot; **pôr os ~s nos is** to dot the i's (and cross the t's); (*de pontuação*) period *Am,* full stop *Brit;* **... e ~ final!** ... period!; ~ **de interrogação** question mark; ~ **de exclamação** exclamation point; ~ **de interrogação** question mark; **dois ~s** colon **3.** (*sutura*) stitch

pontocom [põwtu'kõw] <inv> **I.** *m* e-commerce **II.** *f* dot com (company)

pontual <-ais> [põwtu'aw, -'ajs] *adj* punctual

população <-ões> [popula'sɜ̃w, -'õjs] *f* population

popular [popu'lar] *adj* popular

popularidade [populari'dadʒi] *f sem pl* popularity *no pl*

por [pur] *prep* **1.** (*lugar*) through; **passear pela cidade** to take a walk/ride through town; ~ **aqui** through here; ~ **fora** outside (of); ~ **dentro** inside (of) **2.** (*temporal*) by, for, around; **pelo dia 20 de maio** by May 20; **lá pelas 3 horas** around 3:00; **pela manhã** in the morning; ~ **dois anos** for two years; ~ **enquanto** for now; ~ **hoje** for today; ~ **pouco tempo** for a short while **3.** (*preço*) **comprei este livro ~ 20 reais** I bought this book for 20 reals **4.** (*distribuição*) per, a; **30 horas ~ mês** 30 hours per/a month; **uma vez ~ semana** once a week; **20 ~ cento** 20 percent **5.** (*causa*) ~ **acaso** by chance; ~ **exemplo** for example, for instance; ~ **isso** that's why; ~ **razões pessoais** for personal reasons; **ela fez isso ~ mim** she did that for me **6.** (*agente*) by; **este quadro foi pintado ~ mim** this picture was painted by me **7. multiplicar ~ dez** to multiply by 10 **8.** (*modo*) ~ **escrito** in writing; ~ **via aérea** by airmail

pôr ['por] *irr* **I.** *vt* **1.** to put; ~ **açúcar** to add sugar; ~ **no lixo** to throw away; ~ **mais alto** to raise the volume; ~ **à venda** to put up for sale; ~ **uma carta no correio** to put a letter in the mail; ~ **o CD para tocar** to play a CD **2.** (*roupa, sapatos*) to put on **3.** (*a mesa*) to set **4.** ~ **um ovo** to lay an egg **5.** (*um problema, uma dúvida*) to raise **II.** *vr:* **~-se 1. ~-se de pé** to stand up; **~-se de joelhos** to kneel; **~-se à vontade** to make oneself comfortable **2. ~-se a fazer a. c.** to start to do sth; **~-se a rir** to start laughing

porão <-ões> [po'rɜ̃w, -õjs] *m* basement

porção <-ões> [por'sɜ̃w, -'õjs] *f* portion

porcaria [porka'ria] *f* rubbish

porcelana [porse'lɜna] *f* porcelain

porcentagem [porsẽj'taʒẽj] <-ens> *f* percentage

porco ['porku] **I.** *m* pig; (*pessoa*) slob **II.** *adj* filthy

porco-espinho ['porku-is'pĩɲu] <porcos-espinhos> *m* porcupine

pôr-do-sol <pores-do-sol> *m* sunset

porém [po'rẽj] *conj* however

pormenor [porme'nɔr] <-es> *m* detail

pornô [por'no] *adj inf* porno

pornográfico, **-a** [porno'grafiku, -a] *adj* pornographic

poro ['pɔru] *m* pore

porões *m pl de* **porão**

poroso, **-a** [po'rozu, -'ɔza] *adj* porous

porquanto [por'kwɜ̃ŋtu] *conj* considering, since

porque [purke] *conj* because

porquê [pur'ke] *m* reason

porquinho-da-índia [por'kĩɲu-da-'ĩjdʒia] <porquinhos-da-índia> *m* guinea pig

porra ['poxa] *interj chulo* ~**!** shit!

porta ['pɔrta] *f* door; ~ **corrediça** sliding door; ~ **dos fundos** back door; ~ **giratória** revolving door; **abrir/fechar a** ~ open/close the door

portador(**a**) [porta'dor(a)] <-es> *m(f)* (*de documento*) bearer; (*de doença*) carrier

porta-malas ['pɔrta-'malas] *m inv* trunk *Am,* boot *Brit*

portanto [por'tɜ̃ŋtu] *conj* therefore

portão <-ões> [por'tɜ̃w, -'õjs] *m* gate; ~ **de embarque** departure gate

portar [por'tar] **I.** *vt* to carry **II.** *vr:* ~**-se** to behave

porta-retratos ['pɔrta-xe'tratus] *m inv* picture frame

portaria [porta'ria] *f* (main)entrance

portátil <-eis> [por'tatʃiw, -ejs] *adj* portable

porta-voz ['pɔrta-vɔs] <-es> *m* spokesperson

porte ['pɔrtʃi] *m* **1.** (*transporte*) haulage **2.** (*taxa*) ~ **pago** postage paid **3. de grande** ~ large

porteiro, **-a** [por'tejru, -a] *m, f* doorman *m,* doorwoman *f*

porto ['portu] *m* port

Porto Alegre ['portu a'lɛgri] *m* (City of) Pôrto Alegre

portões *m pl de* **portão**

Porto Rico ['portu 'xiku] *m* Puerto Rico

Porto Velho ['portu 'vɛʎu] *m* (City of) Pôrto Velho

Portugal [purtu'gaw] *m* Portugal

português, **-esa** [purtu'ges, -'eza] *adj, m, f* Portuguese

pôs *3. pret de* **pôr**

posar [po'zar] *vt* to pose

posição <-ões> [pozi'sɜ̃w, -'õjs] *f* position

posicionar [pozisjo'nar] *vt* to position

positivo, **-a** [pozi'tʃivu, -a] *adj* positive

possa ['pɔsa] *1./3. pres subj de* **poder**

posse ['pɔsi] *f* possession; **tomar** ~ (**de um cargo**) to take office

possessivo, **-a** [pose'sivu, -a] *adj* possessive

possesso, **-a** [po'sɛsu] *adj* possessed

possibilidade [posibiʎi'dadʒi] *f* possibility

possibilitar [posibiʎi'tar] *vt* to make possible

possível <-eis> [po'sivew, -ejs] **I.** *m* **fazer** (**todo**) **o** ~ to do one's utmost

II. *adj* possible; **o mais depressa** ~ as fast as possible; **é** ~ **que ...** +*subj* it is quite possible that...

posso ['pɔsu] *1. pres de* **poder**

possuir [posu'ir] *conj como incluir vt* (*ser dono de*) to own; (*talento*) to possess

posta *adj v.* **posto**

posta ['pɔsta] *f* (*de peixe*) steak

postal <-ais> [pos'taw, -'ajs] **I.** *m* postcard **II.** *adj* postal

postar [pos'tar] **I.** *vt* to post **II.** *vr:* ~**-se** to station oneself

poste ['pɔstʃi̥] *m* pole; ~ **de luz** lamppost

pôster ['poster] <-es> *m* poster

posteridade [posteri'dadʒi] *f sem pl* posterity

posterior [posteri'or] <-es> *adj* **1.** (*no tempo*) subsequent **2.** (*no espaço*) back

postiço, -a [pus'tʃisu, -a] *adj* false

posto ['postu] *m* (*emprego*) post; (*da polícia*) station; ~ **de gasolina** gas station *Am,* petrol station *Brit;* ~ **de saúde** health clinic

posto, -a ['postu, pɔsta] **I.** *pp de* **pôr** **II.** *conj* ~ **que** (al)though

postura [pos'tura] *f* posture

potável <-eis> [po'tavew, -ejs] *adj* **água** ~ drinking water

pote ['pɔtʃi̥] *m* pot

potência [po'tẽjsia] *f* power

potencial <-ais> [potẽjsi'aw, -'ajs] *adj, m* potential

potente [po'tẽjtʃi̥] *adj* powerful

pouco ['poku] **I.** *m* little, bit; **um** ~ **de** a bit of; ~ **a** ~ little by little; **por** ~ nearly; **aos** ~**s** gradually; **nem um** ~ not a bit **II.** *pron indef* few, little; **há** ~ (**tempo**) a short time before; ~**s acham isso** few believe that **III.** *adj* (*singular*) little; **eu tenho** ~ **tempo** I have little time; (*plural*) few; **poucas pessoas** few people **IV.** *adv* little; **ela lê muito** ~ she reads very little

poupança [pow'pɜ̃wsa] *f* **caderneta de** ~ savings account

poupar [pow'par] *vt* to save

pousada [pow'zada] *f* inn

pousar [pow'zar] *vi* to land

pouso ['powzu] *m* landing

povão [po'vɜ̃w] *m sem pl, inf* masses

povo ['povu] *m* people

povoado [povo'adu] *m* village

pra [pra] *prep inf v.* **para**

praça ['prasa] *f* **1.** (*largo*) square **2.** (*mercado*) market(place); ~ **de alimentação** food court

praga ['praga] *f* (*peste*) plague; (*maldição*) curse

praia ['praja] *f* beach

prancha ['prɜ̃ŋʃa] *f* board; ~ **de surfe** surf board

prata ['prata] *f* silver

prateado, -a [prate'adu, -a] *adj* (*cor*) silver; (*revestido de prata*) silver-plated

prateleira [pratʃi'lejra] *f* shelf

prática *adj, f v.* **prático**

prática ['pratʃi̥ka] *f* practice; **pôr em** ~ to put into practice

praticante [pratʃi̥'kɜ̃ŋtʃi̥] **I.** *mf* (*de esporte*) sportsman **II.** *adj* practicing

praticar [pratʃi'kar] <c→qu> *vt, vi* to practice; (*um esporte*) to play

prático, -a ['pratʃi̥ku, -a] *adj* practical

prato ['pratu] *m* **1.** (*louça*) plate; ~ **raso** dinner plate; ~ **fundo** soup bowl **2.** (*em refeição*) dish; ~ **de carne** meat dish

> **Culture** Those who want to eat well and spend little should go to a small restaurant that offers a **prato do dia** (daily lunch special) or **prato comercial** (business lunch), often enough for two.

prazer [pra'zer] *m* pleasure; **com muito ~!** with pleasure!; **muito ~!** nice to meet you!

prazeroso, -a [praze'rozu, -'ɔza] *adj* pleasurable

prazo ['prazu] *m* term; **a longo** ~ in the long term; ~ **de validade** expiration date; **a curto** ~ at short notice; **comprar a** ~ to buy on credit

precário, -a [pre'kariw, -a] *adj* precarious

precaução <-ões> [prekaw'sɜ̃w, -'õjs] *f* precaution

precaver-se [preka'ver] *vr* ~ **contra a. c.** to take precautions against sth

precavido, -a [preka'vidu, -a] *adj* cautious

preceder [prese'der] *vt* to precede

precioso, -a [presi'ozu, -'ɔza] *adj* precious

precipício [presi'pisiw] *m* precipice

precipitação <-ões> [presipita'sɜ̃w, -'õjs] *f* (*pressa*) haste

precipitado, -a [presipi'tadu, -a] *adj* hasty

precipitar-se [presipi'tar] *vr* (*agir irrefletidamente*) to act hastily; (*atirar-se*) ; ~ **contra** to hurl oneself against

precisa *adj v.* **preciso**

precisar [presi'zar] *vt* (*necessitar*) ~ **de a. c.** to need sth

preciso, -a [pre'sizu, -a] *ad* **1.** (*necessitar*) necessary **2.** (*exato*) precise

preço ['presu] *m* price; **a ~ de banana** *inf* dirt cheap

preço-base ['presu-'bazi <preços-base> *m* starting price

precoce [pre'kɔsi] *adj* (*criança*) precocious; (*decisão*) hasty

preconcebido, -a [prekõwse'bidu, -a *adj* preconceived

preconceito [prekõw'sejtu] *m* prejudice

preconceituoso, -a [prekõwsejtu'ozu, -'ɔza] *adj* prejudiced

predador [preda'dor] <-es> *m* predator

predador(a) [preda'dor(a)] *adj* predatory

pré-datado, -a [prɛda'tadu, -a] *ad* **cheque** ~ predated check

predestinado, -a [predes'tʃi'nadu, -a *adj* predestined

predileção <-ões> [predʒile'sɜ̃w, -'õjs] *f* preference

predileto, -a [predʒi'lɛtu, -a] *adj* favorite

prédio ['prɛdʒiw] *m* building

predisposto, -a [predʒis'postu, -a] *adj* predisposed

predominante [predomi'nɜ̃ŋtʃi̥] *ad* predominant

predominantemente

[predominɜ̃ŋtʃi'mẽjtʃi̥] *adv* predominantly

predominar [predomi'nar] *vi* to predominate

predomínio [predo'miniw] *m* predominance

preencher [preẽj'ʃer] *vt* to fill (in, out)

pré-escola [prɛis'kɔla] *f* kindergarten

pré-escolar [prɛisko'lar] <-es> *adj* preschool

pré-fabricado, **-a** [prɛfabri'kadu, -a] *adj* prefabricated

prefeito, **-a** [pre'fejtu, -a] *m, f* mayor

prefeitura [prefej'tura] *f* city hall

preferência [prefe'rẽjsia] *f* preference; **de** ~ preferably

preferido, **-a** [prefe'ridu, -a] *adj* favorite

preferir [prefe'rir] *irr vt* to prefer

preferível <-eis> [prefe'rivew, -ejs] *adj* preferable

prefira [pre'fira] *1./3. pres subj de* **preferir**

prefiro [pre'firu] *1. pres de* **preferir**

prefixo [pre'fiksu] *m* **1.** LING prefix **2.** TEL area code

prega ['prɛga] *f* pleat

pregar [pre'gar] *vt* <g→gu> **1.** (*prego*) to hammer in **2.** (*um botão*) to sew on

prego ['prɛgu] *m* nail

preguiça [pri'gisa] *f* laziness

preguiçoso, **-a** [prigi'sozu, -'ɔza] **I.** *m, f* lazybones **II.** *adj* lazy

prejudicar [preʒudʒi'kar] <c→qu> *vt* (*o ambiente*) to harm; (*a saúde*) to damage

prejudicial <-ais> [preʒudʒisi'aw, -'ajs] *adj* harmful

prejuízo [preʒu'izu] *m* (*dano*) damage; (*perda*) loss

preliminares [preʎimi'naris] *mpl* preliminaries *pl*

prematuro, **-a** [prema'turu, -a] *adj* premature

premeditar [premedʒi'tar] *vt* to premeditate

premiação <-ões> [premia'sɜ̃w, -'õjs] *f* award

premiado, **-a** [premi'adu, -a] **I.** *m, f* prize-winner **II.** *adj* **bilhete** ~ prize-winning ticket

premiar [premi'ar] *conj como passear vt* **1.** (*obra, autor*) to award **2.** (*recompensar*) to reward

prêmio ['premiw] *m* **1.** (*de concurso*) prize; **grande** ~ grand prix **2.** (*recompensa*) reward **3.** (*de uma ação*) premium

pré-natal <-ais> [prɛna'taw, -'ajs] *adj* prenatal

prendado, **-a** [prẽj'dadu, -a] *adj* talented

prendedor [prẽjde'dor] <-es> *m* clothespin

prender [prẽj'der] <*pp* preso *ou* prendido> **I.** *vt* **1.** (*atar*) to tie **2.** (*um ladrão*) to arrest **II.** *vr:* **~-se** to get caught

preocupado, **-a** [preoku'padu, -a] *adj* worried

preocupar [preoku'par] **I.** *vt* to worry **II.** *vr:* **~-se** to worry; **~-se com a. c.** to worry about sth; **não se preocupe!** don't worry!

preparação <-ões> [prepara'sɜ̃w,

P

-'õjs] *f* preparation

preparado, -a [prepa'radu, -a] *adj* ready

preparar [prepa'rar] **I.** *vt* to prepare **II.** *vr:* ~**-se** to get ready

preparo [pre'paru] *m* preparation; ~ **físico** physical fitness

preponderante [prepõwde'rɜ̃ŋtʃi̥] *adj* preponderant

preposição <-ões> [prepozi'sɜ̃w, -'õjs] *f* preposition

prepotência [prepo'tẽjsia] *f* superiority

pré-requisito [prɛxeki'zitu] *m* prerequisite

prerrogativa [prexoga'tʃiva] *f* prerogative

presa ['preza] **I.** *f* **1.** (*de caça*) prey **2.** (*de elefante*) tusk; (*de cobra*) fang **3.** *v.* **preso II.** *adj v.* **preso**

prescindir [presĩj'dʒir] *vt* ~ **de** to dispense with

prescrever [preskre'ver] <*pp* prescrito> *vt* to prescribe

prescrição [preskri'sɜ̃w] *f* MED prescription; **fazer uma** ~ to write a prescription

presença [pre'zẽjsa] *f* presence; ~ **de espírito** presence of mind

presenciar [prezẽjsi'ar] *vt* to witness

presente [pre'zẽjtʃi̥] **I.** *adj* present **II.** *m* **1.** present; **dar a. c. de** ~ to give sth as a gift **2. os** ~**s** (*pessoas que comparecem*) those present **3.** LING present tense

preservação <-ões> [prezerva'sɜ̃w, -'õjs] *f* preservation

preservar [prezer'var] *vt* to preserve

preservativo [prezerva'tʃi̥vu] *n* **1.** (*camisinha*) condom **2.** (*em ali*memtos) preservative

presidência [prezi'dẽjsia] *f* presidency

presidente [prezi'dẽjtʃi̥] *mf* president

presidiário, -a [prezidʒi'ariw, -a] *m,* convict

presídio [pre'zidʒiw] *m* prison

presilha [pre'ziʎa] *f* hair clasp

preso, -a ['prezu, -a] **I.** *m, f* prisone **II.** *adj* **1.** (*na cadeia*) in prison **2.** (*fixo*) tied

pressa ['prɛsa] *f* **estar com** ~ to be in a hurry; **às** ~**s** hurriedly

presságio [pre'saʒiw] *m* omen

pressão <-ões> [pre'sɜ̃w, -'õjs] pressure; ~ **arterial** blood pressure **estar sob** ~ to be under pressure

pressentimento [presẽjtʃi'mẽjtu] *m* feeling; **eu tenho o** ~ **de que ele não vem** I have a feeling he's not coming; **um mau** ~ **em relação a a. c.** a bad feeling about sth

pressionar [presjo'nar] *vt* (*um botão*) to press; (*uma pessoa*) to put pressure on

pressões *f pl de* **pressão**

pressupor [presu'por] *irr como pôr v* (*pessoa*) to presume; (*coisa*) to presuppose

prestação <-ões> [presta'sɜ̃w, -'õjs] *f* **1.** installment; **comprar a. c. a** ~ to buy sth in installments **2.** (*de um serviço, de ajuda*) provision

prestar [pres'tar] **I.** *vt* (*serviço*) to provide; (*contas*) to render; ~ **atenção** to pay attention; ~ **um exame** to take an exam; ~ **juramento** to take an oath **II.** *vi* ~ **para** to be suitable for

prestativo, -a [presta'tʃivu, -a] *adj* helpful

prestável <-eis> [pres'tavew, -ejs] *adj* useful

prestes ['prɛstʃis] *adj inv* **estar ~ a fazer a. c.** to be about to do sth

prestígio [pres'tʃiʒiw] *m* prestige

presumir [prezu'mir] *vt* to presume

presunção <-ões> [prezũw'sɜ̃w, -'õjs] *f* presumption

presunçoso, -a [prezũw'sozu, -'ɔza] *adj* conceited

presunto [pre'zũwtu] *m* ham

preta *adj, f v.* **preto**

pretendente [pretẽj'dɛjtʃi] *mf* (*amoroso*) suitor

pretender [pretẽj'dɛr] *vt* (*tencionar*) to intend; (*querer*) to want

pretendido, -a [pretẽj'dʒidu, -a] *adj* intended

pretensa *adj v.* **pretenso**

pretensão <-ões> [pretẽj'sɜ̃w, -'õjs] *f* **1.** (*exigência*) claim **2.** (*intenção*) intention

pretensioso, -a [pretẽjsi'ozu, -'ɔza] *adj* pretentious

pretenso, -a [pre'tẽjsu, -a] *adj* so-called

pretensões *f pl de* **pretensão**

pretexto [pre'testu] *m* pretext

preto, -a ['pretu, -a] **I.** *m, f* (*pessoa*) black; **pôr o ~ no branco** to put sth in writing **II.** *adj* black; **pão ~** brown bread

preto-e-branco ['pretu-i-'brɜ̃ŋku] *adj* black and white

prevalecer [prevale'ser] <c→ç> *vi* to prevail

prevenção <-ões> [prevẽj'sɜ̃w, -'õjs] *f* prevention

prevenido, -a [previ'nidu, -a] *adj* cautious; **estar ~** to be forewarned

prevenir [previ'nir] *vt* **1.** (*evitar*) to prevent **2.** (*avisar*) to warn

prever [pre'ver] *irr como ver vt* to foresee

prévia *adj v.* **prévio**

previdência [previ'dẽjsia] *f* welfare; ~ **social** social welfare

previdente [previ'dẽjtʃi] *adj* far-sighted

prévio, -a ['prɛviw, -a] *adj* prior

previsão <-ões> [previ'zɜ̃w, -'õjs] *f* foresight; ~ **do tempo** weather forecast

previsível <-eis> [previ'zivew, -ejs] *adj* predictable

previsões *f pl de* **previsão**

previsto, -a [pre'vistu, -a] **I.** *pp de* **prever II.** *adj* foreseen

prezado, -a [pre'zadu, -a] *adj* highly esteemed; ~ **senhor ...** dear sir ...

prima *adj, f v.* **primo**

primário, -a [pri'mariw, -a] *adj* **1.** primary; **escola primária** elementary school **2.** (*principal*) main

primavera [prima'vɛra] *f* spring

primeira [pri'mejra] *f* **1.** (*classe*) first class; **de ~** first-rate **2. na ~** at first try **3.** (*automóvel*) first

primeiro [pri'mejru] *adv* first

primeiro, -a [pri'mejru, -a] **I.** *m, f* the first **II.** *num ord* first; **em ~ lu-**

gar in first place

primeiros-socorros [pri'mejruz-so'kɔxus] *mpl* first aid

primitivo, **-a** [primi'tʃivu, -a] *adj* primitive

primo, **-a** ['primu, -a] *m, f* cousin; ~ **de primeiro grau** first cousin

primogênito, **-a** [primo'ʒenitu, -a] **I.** *m, f* first born (child) **II.** *adj* first born

princesa [prĩj'seza] *f* princess

principal <-ais> [prĩjsi'paw, -'ajs] **I.** *m* **o** ~ **é ...** the main thing is... **II.** *adj* main; **ator** ~ leading actor

principalmente [prĩjsipaw'mẽjtʃi] *adv* mainly

príncipe ['prĩjsipi] *m* prince

principiante [prĩjsipi'ɜ̃ɲtʃi] *mf* beginner

princípio [prĩj'sipiw] *m* **1.** (*início*) beginning; **no** ~ in the beginning **2.** (*moral*) principle; **em** ~ in principle; **por** ~ on principle

prioridade [priori'dadʒi] *f* priority

prisão <-ões> [pri'zɜ̃w, -'õjs] *f* **1.** (*captura*) capture **2.** (*cadeia*) prison **3.** MED ~ **de ventre** constipation

prisioneiro, **-a** [prizjo'nejru, -a] *m, f* prisoner

prisma ['prizma] *m* prism

prisões *f pl de* **prisão**

privação <-ões> [priva'sɜ̃w, -'õjs] *f* deprivation

privacidade [privasi'dadʒi] *f sem pl* privacy

privada [pri'vada] *f* toilet

privado, **-a** [pri'vadu, -a] *adj* **1.** (*privativo*) private **2.** (*despojado*) deprived; ~ **de** deprived of

privar [pri'var] **I.** *vt* to deprive **II.** *v* ~**-se de a. c.** to go without sth

privativo, **-a** [priva'tʃivu, -a] *adj* private

privê <privês> [pri've] *adj* private; **salão de festa** ~ VIP room

privilegiado, **-a** [privileʒi'adu, -a] *adj* privileged

privilegiar [privileʒi'ar] *vt* to favor

privilégio [privi'lɛʒiw] *m* privilege

pró ['prɔ] **I.** *m* pro **II.** *adv* on behalf of

probabilidade [probabiʎi'dadʒi] *f* probability

problema [pro'blema] *m* problem

problemático, **-a** [proble'matʃiku, -a] *adj* problematic

procedência [prose'dẽjsia] *f* origin

procedente [prose'dẽjtʃi] *adj* ~ **de** coming from

proceder [prose'der] *vi* **1.** (*agir*) to act; ~ **bem** to act well **2.** ~ **de** to proceed from

procedimento [prosedʒi'mẽjtu] *m* procedure

processamento [prosesa'mẽjtu] *m* processing

processar [prose'sar] *vt* **1.** JUR (*indivíduo*) to sue; (*Estado*) to prosecute **2.** (*informação, dados*) to process

processo [pro'sɛsu] *m* lawsuit

proclamação <-ões> [proklɜma'sɜ̃w, -'õjs] *f* proclamation

procura [pru'kura] *f* **1.** (*busca*) search **2.** ECON demand

procurador(a) [prokura'dor(a)]

<-es> *m(f)* attorney
procurar [proku'rar] *vt* **1.** (*buscar*) to look for **2.** (*esforçar-se*) to try; ~ **fazer a. c.** to try to do sth
prodígio [pro'dʒiʒiw] *m* prodigy
produção <-ões> [produ's3̃w, -'õjs] *f* production
produtiva *adj v.* **produtivo**
produtividade [produtʃivi'dadʒi] *f* productivity
produtivo, **-a** [produ'tʃivu, -a] *adj* (*negócio*) profitable; (*conversa*) productive
produto [pro'dutu] *m* product
produtor(**a**) [produ'tor(a)] <-es> *m(f)* producer
produtora [produ'tora] *f* production company
produtores *m pl de* **produtor**
produzir [produ'zir] *vt* to produce
proeminência [proemi'nẽjsia] *f* prominence
proeminente [proemi'nẽjtʃi̥] *adj* prominent
proeza [pro'eza] *f* feat
profana *adj v.* **profano**
profanar [prof3'nar] *vt* to desecrate
profano, **-a** [pro'f3nu, -a] *adj* profane
profecia [profe'sia] *f* prophecy
professar [profe'sar] *vt* to profess
professor(**a**) [profe'sor(a)] <-es> *m(f)* (*de escola*) teacher; (*universitário*) professor
profetisa [profe'tʃiza] *f* prophetess
profetizar [profetʃi'zar] *vt* to prophesy
proficiência [profisi'ẽjsia] *f* proficiency
proficiente [profisi'ẽjtʃi̥] *adj* proficient
profissão <-ões> [profi's3̃w, -'õjs] *f* profession
profissional <-ais> [profisjo'naw, -'ajs] *adj, mf* professional
profissões *f pl de* **profissão**
profunda *adj v.* **profundo**
profundamente [profũwda'mẽjtʃi̥] *adv* profoundly
profundeza [profũw'deza] *f* depth
profundo, **-a** [pro'fũwdu, -a] *adj* deep; (*mudança*) profound
profusão <-ões> [profu'z3̃w, -'õjs] *f* profusion
prognóstico [prog'nɔstʃi̥ku] *m* (*predição*) forecast; MED prognosis
programa [pro'gr3ma] *m* program
programação <-ões> [progr3ma's3̃w, -'õjs] *f* programming
programador(**a**) [progr3ma'dor(a)] <-es> *m(f)* INFOR programmer
programar [progr3'mar] *vt* **1.** (*uma máquina*) to program **2.** (*as férias*) to plan
progredir [progre'dʒir] *vi* to make progress
progressivo, **-a** [progre'sivu, -a] *adj* progressive
progresso [pro'grɛsu] *m* progress; **fazer ~s** to make progress
proibição <-ões> [proibi's3̃w, -'õjs] *f* prohibition
proibido, **-a** [proi'bidu, -a] *adj* prohibited; ~ **fumar** no smoking
proibir [proi'bir] *vt* to forbid
proibitivo, **-a** [proibi'tʃivu, -a] *adj* prohibitive
projeção <-ões> [proʒe's3̃w, -'õjs] *f* projection

P

projetar [proʒe'tar] *vt* **1.** (*filme, a voz*) to project **2.** (*planejar*) to plan

projétil <-eis> [pro'ʒɛtʃiw, -ejs] *m* missile

projeto [pro'ʒɛtu] *m* project; ~ **de lei** bill

projetor [proʒe'tor] <-es> *m* projector

prol <próis> ['prɔw, 'prɔis] *m* **em ~ de** on behalf of

prole ['prɔʎi] *f* offspring *pl*

proletariado [proletari'adu] *m* proletariat

proletário, -a [prole'tariw, -a] *adj, m, f* proletarian

proliferação <-ões> [proʎifera'sɜ̃w, -'õjs] *f* proliferation

proliferar [proʎife'rar] *vi* to proliferate

prolífico, -a [pro'ʎifiku, -a] *adj* prolific

prólogo ['prɔlogu] *m* prologue

prolongar [prolõw'gar] <g→gu> **I.** *vt* (*um prazo*) to extend; (*um discurso, uma visita*) to prolong **II.** *vr:* **~-se** (*durar*) to last

promessa [pro'mɛsa] *f* promise

prometer [prome'ter] *vt, vi* to promise

promíscuo, -a [pro'miskuu, -a] *adj* promiscuous

promissor(a) [promi'sor(a)] <-es> *adj* promising

promissória [promi'sɔria] *f* promissory note

promoção <-ões> [promo'sɜ̃w, -'õjs] *f* **1.** (*profissional*) promotion **2.** (*de produto*) sale; **estar em ~** to be on sale

promocional <-ais> [promosjo'naw, -'ajs] *adj* (*preços*) bargain

promotor(a) [promo'tor(a)] <-es> *m(f)* **1.** promoter **2. ~ público** public prosecutor

promover [promo'ver] *vt* to promote

pronome [pro'nɔmi] *m* pronoun

prontamente [prõwta'mẽjtʃi] *adv* promptly

prontidão <-ões> [prõwtʃi'dɜ̃w, -'õjs] *f* promptness

pronto ['prõwtu] **I.** *adj* ready **II.** *interj inf* **~!** that's it!

pronto-socorro ['prõwtu-so'koxu] <prontos-socorros> *m* emergency room

prontuário [prõwtu'ariw] *m* (*de produto*) handbook

pronúncia [pro'nũwsia] *f* pronunciation

pronunciamento [pronũwsja'mẽjtu] *m* pronouncement

pronunciar [pronũwsi'ar] *vt* to pronounce

propaganda [propa'gɜ̃ŋda] *f* **1.** (*política*) propaganda **2.** (*publicitária*) advertising

propagar [propa'gar] <g→gu> *vt* to spread

propensão <-ões> [propẽj'sɜ̃w, -'õjs] *f* propensity

propício, -a [pro'pisiw, -a] *adj* auspicious

propina [pro'pina] *f* (*gratificação*) tip; (*suborno*) bribe

propor [pro'por] *irr como pôr vt* to propose

proporção <-ões> [propor'sɜ̃w, -'õjs] *f* proportion

proporcional <-ais> [proporsjo'naw,

-ajs] *adj* proportional
proporcionar [proporsjo'nar] *vt* to provide
proposital <-ais> [propozi'taw, -'ajs] *adj* deliberate
propósito [pro'pɔzitu] *m* intention; **de** ~ on purpose; **a** ~, **...** by the way...
proposta [pro'pɔsta] *f* **1.** (*sugestão*) proposition **2.** (*oferta*) offer
proposto, **-a** [pro'postu, -'ɔsta] **I.** *pp de* **propor** **II.** *adj* proposed
própria *adj v.* **próprio**
propriamente [propria'mẽjtʃi̥] *adv* exactly; ~ **dito** strictly speaking
propriedade [proprie'dadʒi] *f* property
proprietário, **-a** [proprie'tariw, -a] *m, f* owner
próprio, **-a** ['prɔpriw, -a] *adj* **1.** (*apropriado*) appropriate **2.** (*mesmo*) self; **eu** ~ I myself **3.** (*posse*) own; **o meu** ~ **filho** my own son
propulsão <-ões> [propuw'sɜ̃w, -'õjs] *f* propulsion; ~ **a jato** jet propulsion
prorrogação <-ões> [proxoga'sɜ̃w, -'õjs] *f* (*esporte*) extra time
prorrogar [proxo'gar] *vt* <g→gu> (*prazo*) to extend
prosa ['prɔza] *f* prose
proscrito, **-a** [pros'kritu, -a] *adj* proscribed
prospector *m* prospector
prosperar [prospe'rar] *vi* to prosper
prosperidade [prosperi'dadʒi] *f sem pl* (*riqueza*) prosperity
próspero, **-a** ['prɔsperu, -a] *adj* prosperous
prosseguir [prose'gir] *irr como seguir* **I.** *vt* to pursue **II.** *vi* ~ **com** to continue with
prossiga [pro'siga] *1./3. pres subj de* **prosseguir**
prossigo [pro'sigu] *1. pres de* **prosseguir**
próstata ['prɔstata] *f* prostate
prostíbulo [pros'tʃibulu] *m* brothel
prostituição <-ões> [prostʃi̥tui'sɜ̃w, -'õjs] *f* prostitution
prostituto, **-a** [prostʃi̥'tutu, -a] *m, f* prostitute
prostrado, **-a** [pros'tradu, -a] *adj* prostrate
protagonista [protago'nista] *mf* protagonist
protagonizar [protagoni'zar] *vt* to star in
proteção <-ões> [prote'sɜ̃w, -'õjs] *f* protection; ~ **do meio ambiente** environmental protection
proteger [prote'ʒer] <g→j> *vt* to protect
proteína [prote'ina] *f* protein
proteja [pro'teʒa] *1./3. pres subj de* **proteger**
protejo [pro'teʒu] *1. pres de* **proteger**
prótese ['prɔtezi] *f* prosthesis; ~ **dentária** dental prosthesis
protestante [protes'tɜ̃ŋtʃi] *adj, mf* Protestant
protestar [protes'tar] *vt* to protest
protesto [pro'tɛstu] *m* protest
protetor(a) [prote'tor(a)] <-es> **I.** *m(f)* protector; ~ **solar** sunblock

II. *adj* protective
protetorado [proteto'radu] *m* protectorate
protocolo [proto'kɔlu] *m* (*documento*) record; (*regulamento*) protocol
protótipo [pro'tɔtʃipu] *m* prototype
prova ['prɔva] *f* **1.** (*comprovação*) proof **2.** (*exame*) exam **3.** ESPORT contest **4. à ~ d'água** waterproof
provado, -a [pro'vadu, -a] *adj* proven
provador [prova'dor] *m* fitting room
provador(a) [prova'dor(a)] <-es> *m(f)* taster
provar [pro'var] *vt* **1.** (*comprovar*) to prove **2.** (*roupa*) to try on **3.** (*experimentar*) to try
provável <-eis> [pro'vavew, -ejs] *adj* probable
provavelmente [provavew'mẽjtʃi] *adv* probably
provedor(a) [prove'dor(a)] <-es> *m(f)* provider; **~ de acesso à Internet** Internet service provider
proveito [pro'vejtu] *m* benefit; **bom ~!** enjoy (your meal)!
proveitoso, -a [provej'ozu, -'ɔza] *adj* useful
proveniente [proveni'ẽjtʃi] *adj* **~ de** coming from
prover [pro'ver] *irr como ver vt* to provide
proverbial <-ais> [proverbi'aw, -'ajs] *adj* proverbial
provérbio [pro'vɛrbiw] *m* proverb
proveta [pro'veta] *f* test tube; **bebê de ~** test-tube baby
providência [provi'dẽjsia] *f* measure; **tomar ~s** to take measures
providencial <-ais> [providẽjsi'aw, -'ajs] *adj* providential
providenciar [providẽjsi'ar] *vt* to arrange
provinciano, -a [provĩjsi'ɜnu, -a] *adj, m, f* provincial
provisões [provi'zõjs] *fpl* provisions *pl*
provisório, -a [provi'zɔriw, -a] *adj* temporary
provocação <-ões> [provoka'sɜ̃w, -'õjs] *f* provocation
provocante [provo'kɜ̃ŋtʃi] *adj* provocative
provocar [provo'kar] *vt* <c→qu> (*causar*) to cause; (*desafiar*) to provoke
próxima *adj v.* **próximo**
proximidade [prosimi'dadʒi] *f* proximity; **nas ~s de** in the proximity of
próximo ['prɔsimu] **I.** *m* next; **o ~, por favor!** next, please! **II.** *adv* **o mercado fica ~** the market is nearby
próximo, -a ['prɔsimu, -a] *adj* (*no espaço*) nearby; (*no tempo*) next; **na próxima semana** next week; **parentes ~s** close relatives
prudência [pru'dẽjsia] *f* prudence
prudente [pru'dẽjtʃi] *adj* prudent
prurido [pru'ridu] *m* MED itching
pseudônimo [psew'donimu] *m* pseudonym
psicanálise [psikɜ'naʎizi] *f* psychoanalysis
psicanalista [psikɜna'ʎista] *mf* psychoanalyst
psicologia [psikolo'ʒia] *f sem pl* psychology

psicológico, **-a** [psiko'lɔʒiku, -a] *adj* psychological
psicólogo, **-a** [psi'kɔlogu, -a] *m, f* psychologist
psicopata [psiko'pata] *mf* psychopath
psicose [psi'kɔzi] *f* psychosis
psicossomático, **-a** [psiko-so'matʃiku, -a] *adj* psychosomatic
psicoterapeuta [psikotera'pewta] *mf* psychotherapist
psicótico, **-a** [psi'kɔtʃiku, -a] *adj* psychotic
psique ['psiki] *f* psyche
psiquiatra [psiki'atra] *mf* psychiatrist
psiquiatria [psikia'tria] *f* psychiatry
psiquiátrico, **-a** [psiki'atriku, -a] *adj* psychiatric
psíquico, **-a** ['psikiku, -a] *adj* psychic
psiu ['psiw] *interj* ~! pst!
psoríase [pso'riazi] *f* psoriasis
pub ['pɜb] *m* bar *Am,* pub *Brit*
puberdade [puber'dadʒi] *f sem pl* puberty
pública *adj v.* **público**
publicação <-ões> [publika'sɜ̃w, -'õjs] *f* publication
publicar [publi'kar] *vt* <c→qu> to publish
publicidade [publisi'dadʒi] *f* publicity; (*propaganda*) advertising
publicitário, **-a** [publisi'tariw] *adj* advertising
público ['publiku] *m* **1. o grande ~** the general public **2.** (*platéia*) audience
público, **-a** ['publiku, -a] *adj* public
pude ['pudʒi] *1. pret perf de* **poder**
pudera [pu'dɛra] *interj* ~! what did you expect!
pudico, **-a** [pu'dʒiku, -a] *adj* modest
pudim [pu'dʒĩj] <-ins> *m* pudding
pudor [pu'dor] <-es> *m* modesty
pufe ['pufi] *m* ottoman *Am,* pouffe *Brit*
pugilismo [puʒi'ʎizmu] *m sem pl* boxing *no pl*
pugilista [puʒi'ʎista] *mf* boxer
pular [pu'lar] *vt, vi* to jump
pulga ['puwga] *f* flea
pulgueiro [puw'gejru] *m* fleapit
pulguento [puw'gẽjtu] *adj* (*animal*) fleabag
pulmão <-ões> [puw'mɜ̃w, -'õjs] *m* lung
pulmonar [puwmo'nar] <-es> *adj* pulmonary
pulo ['pulu] *m* jump; **dar um ~** *inf* to drop by
púlpito ['puwpitu] *m* pulpit
pulsação <-ões> [puwsa'sɜ̃w, -'õjs] *f* (*do pulso*) pulse
pulsar [puw'sar] *vi* (*artéria*) to pulse
pulseira [puw'sejra] *f* bracelet
pulso ['puwsu] *m* **1.** ANAT wrist **2.** MED pulse
pulverizar [puwveri'zar] *vt* **1.** (*líquidos*) to spray **2.** (*fazer em pó*) to pulverize
pum ['pũw] *interj* ~! boom!
pungente [pũw'ʒẽjtʃi] *adj* (*dor*) acute
punha ['pũɲa] *1./3. pret imperf de* **pôr**
punhado [pũ'ɲadu] *m* handful
punhal <-ais> [pũ'ɲaw, -'ajs] *m* dagger
punhalada [pũɲa'lada] *f* knife stab

punho ['pũɲu] *m* fist
punição <-ões> [puni'sɜ̃w, -'õjs] *f* punishment
punir [pu'nir] *vt* to punish
punível <-eis> [pu'nivew, -ejs] *adj* punishable
pupila [pu'pila] *f* ANAT pupil
pura *adj v.* **puro**
puramente [puɾa'mẽjtʃi̥] *adv* purely
purê [pu'ɾe] *m* purée; ~ **de batatas** mashed potatoes
pureza [pu'ɾeza] *f* purity
purgante [pur'gɜ̃ŋtʃi̥] *m* purgative
purgatório [purga'tɔriw] *m* purgatory
purificador [puɾifika'dor] <-es> *m* ~ **do ar** air freshener
purificar [puɾifi'kar] *vt* <c→qu> to purify
purista [pu'ɾista] *mf* purist
puritano, -a [puɾi'tɜnu, -a] **I.** *m, f* Puritan **II.** *adj* puritan
puro, -a ['puɾu, -a] *adj* pure; **é a pura verdade** it is the absolute truth; **por ~ acaso** purely by chance
puro-sangue ['puɾu-'sɜ̃ŋgi] <puros-sangues> *mf* thoroughbred
púrpura ['purpuɾa] *f* purple
pus[1] ['pus] *m* MED pus
pus[2] ['pus] *1. pret de* **pôr**
puta ['puta] *f chulo* whore
puxa ['puʃa] *interj inf* ~! gosh!
puxado, -a [pu'ʃadu, -a] *adj* (*difícil*) hard; **um dia/exame** ~ a really hard day/exam
puxador [puʃa'dor] <-es> *m* handle
puxão <-ões> [pu'ʃɜ̃w, -'õjs] *m* hard tug
puxar [pu'ʃar] *vt* (*um objeto*) to pull; ~ **ao pai** to take after one's father
puxa-saco ['puʃa-'saku] *mf in* ass-kisser
puxões *m pl de* **puxão**

Q, q ['ke] *m* Q, q
quadra ['kwadɾa] *f* (*quarteirão*) block; ESPORT court
quadrado [kwa'dɾadu] *m* MAT square
quadrado, -a [kwa'dɾadu, -a] *adj* square; **metro** ~ square meter
quadragésimo, -a [kwadɾa'ʒɛzimu, -a] *num ord* fortieth
quadril <-is> [kwa'dɾiw, -'is] *m* hip
quadrilha [kwa'dɾiʎa] *f* gang
quadris *m pl de* **quadril**
quadro ['kwadɾu] *m* painting; ~ **negro** black board
quaisquer *adj, pron pl de* **qualquer**
qual <-is> ['kwal, 'kwais] **I.** *pron interr* which; ~ **você gosta mais?** which do you like most?, what; ~ **é seu nome?** what is your name? **II.** *pron rel* **a/o** ~ which, that **III.** *pron indef* **cada** ~ each one
qualidade [kwaʎi'dadʒi] *f* quality
qualificado, -a [kwaʎifi'kadu, -a] *adj* qualified
qualitativo, -a [kwaʎitatʃivu, -a] *adj* qualitative
qualquer <quaisquer> [kwaw'kɛr, kwais'kɛr] **I.** *adj* any; ~ **coisa** anything; **de ~ forma** in any case, any-

way II. *pron* ~ **que seja a razão** whatever the reason

quando ['kwɜ̃ŋdu] I. *adv* when II. *conj* when; **de vez em** ~ from time to time

quantia [kwɜ̃ŋ'tʃia] *f* amount

quantidade [kwɜ̃ŋtʃi'dadʒi] *f* quantity; (*incontável*) amount; (*contável*) number

quantitativo, -a [kwɜ̃ŋtʃi̥ta'tʃivu, -a] *adj* quantitative

quanto ['kwɜ̃ŋtu] I. *adj* how much; ~ **custa?** how much does it cost?; **quantas vezes?** how many times? II. *pron rel* as much, as many; **tanto** ~ **sei** as far as I know III. *adv* ~ **mais cedo, melhor** the sooner, the better

quarenta [kwa'rẽjta] *num card* forty

quarta ['kwarta] I. *f* Wednesday II. *adj v.* **quarto**

quarta-feira <quartas-feiras> ['kwarta-'fejra, 'kwartas-] *f* Wednesday

quarteirão <-ões> [kwartej'rɜ̃w, -'õjs] *m* block

quartel <-éis> [kwar'tɛw, -'ɛjs] *m* barracks *pl*

quarto ['kwartu] *m* 1. bedroom; ~ **de hóspedes** guestroom 2. quarter; **um** ~ **de hora** a quarter of an hour

quarto, -a ['kwartu] *num ord* fourth

quase ['kwazi] *adv* almost, nearly; ~ **nunca** almost never, hardly ever

quatorze [ka'torzi] *num card* fourteen

quatro ['kwatru] I. *num card* four II. *adv* **ficar de** ~ to get on all fours

quatrocentos, -as [kwatru'sẽjtus, -as] *num card* four hundred

que [ki] I. *pron rel* that, which II. *pron interr* what; (**o**) ~ **ela disse?** what did she say? III. *conj* 1. that; **ela disse** ~ **estava doente** she said (that) she was sick 2. (**do**) ~ (*em relativos*) than; **ela é maior** (**do**) ~ **ele** she is taller than him IV. *adv* ~ **lindo!** how beautiful!

quê ['ke] *pron interr* (**o**) ~**?** what?; **para** ~**?** what for?; **por** ~**?** why?

quebra ['kɛbra] *f* break; (*falência*) bankruptcy

quebra-cabeça ['kɛbra-ka'besa] *m* jigsaw puzzle

quebrada *adj v.* **quebrado**

quebradiço, -a [kebra'dʒisu, -a] *adj* (*cabelo*) brittle

quebrado, -a [ke'bradu, -a] *adj* (*telefone*) broken; *inf* (*sem dinheiro*) broke

quebra-mar ['kɛbra-'mar] <quebra-mares> *m* breakwater

quebra-molas ['kɛbra-'mɔlas] *m inv, inf* speed bump *Am,* speed hump *Brit*

quebra-nozes ['kɛbra-'nɔzis] *m sem pl* nutcracker

quebra-quebra ['kɛbra-'kɛbra] *m* riot

quebrar [ke'brar] *vi, vt* to break

queda ['kɛda] *f* fall; (*de avião*) crash; **de energia** blackout; ~ **de preços** drop in prices

queda-d'água ['kɛda-'dagwa] <quedas-d'água> *f* waterfall

queijo ['keʒu] *m* cheese

queijo-de-minas ['keʒu-dʒi-'minas] <queijos-de-minas> *m* *mild,* *white, low-fat cheese, often home-made and usually eaten for breakfast or dessert*

queima ['kejma] *f* ~ **de estoque** clearance sale; ~ **de fogos** firework display

queimação [kejma'sɜ̃w] *f* heartburn

queimado, -a [kej'madu, -a] *adj* (*alimentos*) burnt; (*bronzeado*) tan

queimadura [kejma'duɾa] *f* burn; ~ **solar** sunburn

queimar [kej'mar] **I.** *vt* to burn; (*estoque*) to clear **II.** *vi* to burn; (*lâmpada*) to blow **III.** *vr:* **~-se** to burn oneself

queixa ['kejʃa] *f* complaint; **fazer/apresentar uma ~ contra alguém** to make/to file a complaint against sb

queixar-se [kej'ʃarsi] *vr* ~ **de a. c.** to complain about sth

queixo ['keʃu] *m* chin

quem ['kẽj] **I.** *pron interr* who; ~ **está aí?** who is there? **II.** *pron rel* whom, who; **o rapaz com ~ eu falei** the guy (who) I talked to **III.** *pron indef* ~ **quer que seja** whoever; ~ **diria!** who'd have thought it!; ~ **dera!** I wish!

Quênia ['kenia] *m* Kenya

quente ['kẽjtʃi̥] *adj* hot, warm; (*notícia*) reliable; (*acolhida*) warm

quepe ['kɛpi] *m* cap

quer ['kɛr] *conj* ~ **ele venha,** ~ **não** whether or not he comes; **quem/o que/onde ~ que seja** whoever/whatever/wherever it may be

querer [ke'ɾer] *irr* **I.** *vt* to want; **por/sem ~** intentionally/unintentionally; **como queira** [*ou* **quiser**] as you wish; **o que eu quero dizer é ...** what I mean is ...; **por favor, eu quero uma cerveja** I'd like a beer, please; **quer ir ao cinema hoje?** do you want to go to the movies today?; **quer dizer ...** I mean ..., or rather ... **II.** *vi* ~ **bem/mal a alguém** to wish sb well/ill

querido, -a [ki'ɾidu, -a] **I.** *m, f* dear **II.** *adj* dear; ~ **Nélson/querida Ana** dear Nelson/Ana

questão <-ões> [kes'tɜ̃w, -'õjs] *f* question

questionar [kestʃjo'nar] **I.** *vt* to question **II.** *vr:* **~-se** to ask oneself

questionário [kestʃjo'naɾiw] *m* questionnaire

questionável <-eis> [kestʃjo'navew, -ejs] *adj* questionable

questões *f pl de* **questão**

quiabo [ki'abu] *m* okra

quicar [ki'kar] <c→qu> *vi* to bounce (back)

quieto, -a [ki'ɛtu, -a] *adj* quiet; **fica/fique ~!** be quiet!; (*imóvel*) stay still!

quilo ['kilu] *m* kilo

quilometragem [kilome'tɾaʒẽj] *f* number of kilometers traveled

quilômetro [ki'lometɾu] *m* kilometer

química ['kimika] *f* chemistry

químico, -a ['kimiku, -a] **I.** *m, f* chemist **II.** *adj* chemical

quindim [kĩj'dʒĩj] <-ins> *m a sweet made with egg yolk and coconut, usually served at parties*

quinhentos [kĩ'ɲẽjtus] *num card* five hundred

qüinquagésimo, **-a** [kĩjkwa'ʒɛzimu, -a] *num ord* fiftieth
quinquilharia [kĩjkiʎa'ɾia] *f* trinket
quinta ['kĩjta] **I.** *f* Thursday **II.** *num ord v.* **quinto**
quinta-feira ['kĩjta-'fejɾa] *f* Thursday
quintal <-ais> [kĩj'taw, -'ajs] *m* backyard
quinto, **-a** ['kĩjtu, -a] *num ord* fifth
quinze ['kĩjzi] *num card* fifteen; **são três e** ~ it's a quarter past three; **são** ~ **para as nove** it's a quarter to nine
quinzena [kĩj'zena] *f* two-week period, fortnight *Brit*
quiosque [ki'ɔski] *m* kiosk
quis ['kis] *vt, vi v.* **1./3. pret de** *v.* **querer**
quiser [ki'zɛɾ] *vt, vi v.* **1. fut imperf subj de** *v.* **querer**
quitanda [ki'tɜ̃ŋda] *f* greengrocery, greengrocer's *Brit*
quitar [ki'tar] *vt* (*uma dívida*) to pay off, to settle
quite ['kitʃi̥] *adj* **estar** ~ to be settled
quitute [ki'tutʃi̥] *m* delicacy, tidbit
quota ['kwɔta] *f* quota

R

R. ['xua] *f abr de* **rua** St.
rã ['xɜ̃] *f* frog
rabanada [xabɜ'nada] *f* ≈ French toast
rabanete [xabɜ'netʃi̥] *m* radish
rabicho [xa'biʃu] *m* cue, tail
rabino [xa'binu] *m* rabbi
rabiscar [xabis'kar] *vi* <c→qu> to scribble
rabo ['xabu] *m* tail
rabo-de-cavalo ['xabu-dʒi-ka'valu] <rabos-de-cavalo> *m* ponytail
rabugento, **-a** [xabu'ʒẽjtu, -a] *adj* ornery
raça ['xasa] *f* race; (*animal*) breed
ração <-ões> [xa'sɜ̃w, -'õjs] *f* **1.** ration **2.** (*para animais*) feed
rachadura [xaʃa'duɾa] *f* crack
rachar [xa'ʃar] *vt* **1.** (*lenha*) to chop **2.** (*despesas*) to split
racial <-ais> [xasi'aw, -'ajs] *adj* racial
raciocinar [xasjosi'nar] *vi* to reason
raciocínio [xasjo'siniw] *m* reasoning
racional <-ais> [xasjo'naw, -'ajs] *adj* rational
racismo [xa'sizmu] *m sem pl* racism *no pl*
radiação <-ões> [xadʒja'sɜ̃w, -'õjs] *f* radiation
radiador [xadʒja'dor] <-es> *m* radiator
radiante [xadʒi'ɜ̃ŋtʃi̥] *adj* radiant
radicado, **-a** [xadʒi'kadu, -a] *adj* established
radical <-ais> [xadʒi'kaw, -'ajs] *adj, m* radical
rádio ['xadʒiw] *m* radio
radioatividade [xadʒiwatʃivi'dadʒi] *f* radioactivity
radiografia [xadʒjogɾa'fia] *f* X-ray (photograph)
radiologista [xadʒjolo'ʒista] *mf* radiologist
radiotáxi [xadʒjo'taksi] *m* taxicab dis-

patch service
raia ['xaja] *f* ESPORT racecourse
rainha [xa'ĩɲa] *f* queen
raio ['xaju] *m* 1. (*de sol, luz*) ray 2. (*relâmpago*) flash of lightning 3. (*de roda*) spoke
raiva ['xajva] *f* 1. MED rabies 2. (*fúria*) rage
raivoso, **-a** [xaj'vozu, -'ɔza] *adj* (*cão*) rabid; (*pessoa*) furious
raiz [xa'is] *f* root
rajada [xa'ʒada] *f* (*de vento*) gust
ralador [xala'dor] <-es> *m* grater
ralar [xa'lar] *vt* (*queijo*) to grate; (*o braço*) to scrape
ralé [xa'lɛ] *f* riffraff
ralo, **-a** ['xalu] *adj* thin
ralo ['xalu] *m* drain
ramal <-ais> [xɜ'maw, -'ajs] *m* extension
ramo ['xɜmu] *m* 1. (*de árvore*) branch 2. (*área*) line
rampa ['xɜ̃ŋpa] *f* ramp
rancor [xɜ̃ŋ'kor] <-es> *m* resentment; **guardar** ~ to hold a grudge
rancoroso, **-a** [xɜ̃ŋko'rozu, -'ɔza] *adj* resentful
rançoso, **-a** [xɜ̃ŋ'sozu, -'ɔza] *adj* rancid
ranger [xɜ̃ŋ'ʒer] *vt, vi* to creak
rango ['xɜ̃ŋgu] *m gír* chow
ranhura [xɜ̃'ɲura] *f* slit; (*na superfície*) groove
ranzinza [xɜ̃ŋ'zĩjza] *adj* cranky
rapadura [xapa'dura] *f raw brown sugar*
rapaz [xa'pas] *m* young man
rápida *adj v.* **rápido**
rapidez [xapi'des] *f sem pl* speed
rápido, **-a** ['xapidu, -a] *adj* fast
raposa [xa'poza] *f* fox
raptar [xap'tar] *vt* to abduct, to kidnap
raptor(a) [xap'tor(a)] <-es> *m(f)* abductor, kidnapper
raquete [xa'kɛtʃi̥] *f* racket
raquítico, **-a** [xa'kitʃi̥ku, -a] *adj* frail
rara *adj v.* **raro**
raramente [xara'mẽjtʃi̥] *adv* rarely, seldom
raridade [xari'dadʒi] *f* rarity
raro, **-a** ['xaru] *adj* (*acontecimento*) uncommon; (*objeto*) rare; **raras vezes** rarely
rasa *adj v.* **raso**
rascunho [xas'kũɲu] *m* draft
rasgado, **-a** [xaz'gadu, -a] *adj* torn
rasgão <-ões> [xaz'gɜ̃w, -'õjs] *m* tear
rasgar [xaz'gar] *vt* <g→gu> to tear, to rip
rasgo ['xazgu] *m* rip, tear; *fig* impulsive act
rasgões *m pl de* **rasgão**
raso ['xazu] *m* shallow
raso, **-a** ['xazu, -a] *adj* 1. (*água, piscina*) shallow 2. (*vegetação*) low 3. (*planície*) flat
raspa ['xaspa] *f* (*de madeira*) chips *pl*; (*de limão*) grated peel
raspar [xas'par] *vt* (*superfície*) to scratch; (*tinta, cola seca*) to scrape; (*ralar*) to grate
rasteira [xas'tejra] *f* trip
rasteiro, **-a** [xas'tejru, -a] *adj* low-growing
rastejante [xaste'ʒɜ̃ŋtʃi̥] *adj* BOT creeping; ZOOL crawling

rastejar [xaste'ʒar] *vi* to crawl
rastro ['xastru] *m* trace
ratazana [xata'zɜna] *f* (female) rat
rato ['xatu] *m* rat
razão <-ões> [xa'zɜ̃w, -'õjs] *f* **1. ter/não ter ~** to be right/wrong **2.** (*motivo*) reason
razoável <-eis> [xazu'avew, -ejs] *adj* reasonable
razões *f pl de* **razão**
ré ['xɛ] *f* AUTO reverse; **dar marcha a ~** to shift into reverse
reabastecer [xeabaste'ser] <c→ç> **I.** *vt* **1.** (*veículo*) to fill up **2.** (*estabelecimento*) to restock **II.** *vr:* **~-se de a. c.** to replenish with sth
reação <-ões> [xea'sɜ̃w, -'õjs] *f* reaction
reacionário, -a [xeasjo'nariw, -a] *adj, m, f* reactionary
readaptação <-ões> [xeadapta'sɜ̃w, -'õjs] *f* readjustment
readmitir [xeadʒimi'tʃir] *vt* to reinstate
readquirir [xeadʒiki'rir] *vt* to regain
reagir [xea'ʒir] *vi* to react
reajuste [xea'ʒustʃi̥] *m* readjustment
real <-ais> [xe'aw, -'ajs] **I.** *adj* **1.** (*da realeza*) royal **2.** (*autêntico*) real **II.** *m* ECON Real

Culture The **Real** (plural: Reais) has been Brazil's official currency since July 1994. Fractions of a Real are called "centavos", e.g. R$1,20 = one Real and twenty centavos.

realçar [xeaw'sar] <ç→c> *vt* to emphasize, to highlight
realeza [xea'leza] *f* royalty
realidade [xeaʎi'dadʒi] *f* reality; **em ~** actually
realista [xea'ʎista] **I.** *adj* realistic **II.** *mf* realist
realização <-ões> [xeaʎiza'sɜ̃w, -'õjs] *f* **1.** (*de tarefa*) performance; (*de projeto*) implementation; **~ pessoal** personal achievement **2.** (*de um sonho*) fulfillment
realizar [xeaʎi'zar] **I.** *vt* **1.** (*tarefa*) to perform; (*projeto*) to implement, to carry out **2.** (*sonho*) to fulfill **II.** *vr:* **~-se 1.** (*sonho, previsão*) to come true **2.** (*pessoa*) to fulfill oneself
realmente [xeaw'mẽjtʃi̥] *adv* (*de fato*) actually
reanimar [xeɜni'mar] **I.** *vt* MED to resuscitate; (*animar*) to reassure **II.** *vr:* **~-se** to reassure oneself
reaparelhar [xeapare'ʎar] *vt* to refit
reapresentar [xeaprezẽj'tar] *vt* to present again
reaproveitar [xeaprovej'tar] *vt* to reuse
rearmamento [xearma'mẽjtu] *m* rearmament
reatar [xea'tar] *vt* (*relação*) to reestablish; (*amizade*) to renew
reativar [xeatʃi'var] *vt* (*fábrica*) to reactivate; (*economia*) to revive
reator [xea'tor] <-es> *m* reactor
reavaliar [xeavaʎi'ar] *conj como enviar vt* to reevaluate
reaver [xea'ver] *irr vt* to recover
rebaixar [xebaj'ʃar] **I.** *vt* (*terreno, preço*) to lower; *fig* (*uma pessoa*) to humiliate **II.** *vr:* **~-se** to lower one-

R

self
rebanho [xe'bɜ̃ɲu] *m* flock, herd
rebater [xeba'ter] *vt* **1.** (*golpe*) to hit (sth) back **2.** (*argumento*) to refute
rebelde [xe'bɛwdʒi] *mf* rebel
rebeldia [xebew'dʒia] *f* obstinacy
rebelião <-ões> [xebeʎi'ɜ̃w, -'õjs] *f* rebellion
rebentar [xebẽj'tar] **I.** *vt* (*porta*) to break down **II.** *vi* **1.** (*balão*) to burst (open) **2.** (*corda*) to break
rebobinar [xebobi'nar] *vt* to rewind
rebocador [xeboka'dor] <-es> *m* tugboat
rebocar [xebo'kar] *vt* <c→qu> **1.** (*automóvel*) to tow **2.** (*parede*) to plaster
reboco [xe'boku] *m* plaster
reboque [xe'bɔki] *m* tow truck
rebuliço [xebu'ʎisu] *m* commotion
recado [xe'kadu] *m* message
recaída [xeka'ida] *f* relapse
recair [xeka'ir] *conj como sair vi* to fall on
recalcado, -a [xekaw'kadu, -a] *adj* suppressed; (*pessoa*) withdrawn
recanto [xe'kɜ̃ŋtu] *m* retreat
recapitular [xekapitu'lar] *vt* to summarize
recarregar [xekaxe'gar] *vt* <g→gu> to recharge
recauchutar [xekawʃu'tar] *vt* to retread
recear [xese'ar] *conj como passear vt* to fear
receber [xese'ber] **I.** *vt* to receive **II.** *vi* (*convidados*) to host
receio [xe'seju] *m* apprehension
receita [xe'sejta] *f* **1.** GASTR recipe **2.** MED prescription **3.** ECON income; ~**s** revenue, receipts *pl*
receitar [xesej'tar] *vt* to prescribe
recém-casado, -a [xe'sẽj-ka'zadu, -a] *adj* newlywed
recém-chegado, -a [xe'sẽj-ʃe'gadu, -a] *m, f* newcomer
recém-nascido, -a [xe'sẽj-na'sidu, -a] *adj* newborn
recenseamento [xesẽjsja'mẽjtu] *m* census
recente [xe'sẽjtʃi] *adj* recent
receoso, -a [xese'ozu, -'ɔza] *adj* fearful
recepção <-ões> [xesep'sɜ̃w, -'õjs] *f* reception
recepcionista [xesepsjo'nista] *mf* receptionist
receptivo, -a [xesep'tʃivu, -a] *adj* receptive
recessão <-ões> [xese'sɜ̃w, -'õjs] *f* recession
recheado, -a [xeʃe'adu, -a] *adj* stuffed; (*bolo*) filled
rechear [xeʃe'ar] *conj como passear vt* (*ave*) to stuff; (*bolo*) to fill
recheio [xe'ʃeju] *m* filling
rechonchudo, -a [xeʃõw'ʃudu, -a] *adj* plump, chubby
recibo [xe'sibu] *m* receipt
reciclagem [xesi'klaʒẽj] <-ens> *f* recycling
reciclável <-eis> [xesi'klavew, -ejs] *adj* recyclable
Recife [re'sifi] (City of) Recife
recinto [xe'sĩjtu] *m* enclosure
recipiente [xesipi'ẽjtʃi] *m* container

recíproco, **-a** [xe'sipɾuku, -a] *adj* mutual

recital <-ais> [xesi'taw, -'ajs] *m* recital

recitar [xesi'tar] *vt* to recite

reclamação <-ões> [xeklɜma'sɜ̃w, -'õjs] *f* complaint

reclamar [xeklɜ'mar] *vt, vi* to complain

reclame [xe'klɜmi] *m* advertisement

reclinável <-eis> [xekli'navew, -ejs] *adj* reclining

recoberto, **-a** [xeko'bɛrtu, -a] *adj* covered

recobrar [xeko'bɾar] *vt* to recover

recolher [xeko'ʎer] *vt* **1.** (*informações*) to gather **2.** (*dinheiro*) to collect

recolhimento [xekoʎi'mẽjtu] *f* collection

recomeçar [xekome'sar] *vi* <ç→c> to begin again

recomendação <-ões> [xekomẽda'sɜ̃w, -'õjs] *f* recommendation

recomendações [xekomẽjda'sõjs] *fpl* (*cumprimentos*) greetings *pl*

recomendar [xekomẽj'dar] *vt* to recommend

recomendável <-eis> [xekomẽj'davew, -ejs] *adj* commendable

recompensa [xekõw'pẽjsa] *f* reward

reconciliação <-ões> [xekõwsiʎia'sɜ̃w, -'õjs] *f* reconciliation

reconduzir [xekõwdu'zir] *vt* to return

reconfortar [xekõwfor'tar] *vt* to comfort

reconhecer [xekõɲe'ser] *vt* <c→ç> **1.** (*identificar*) to recognize **2.** (*erro*) to acknowledge

reconhecido, **-a** [xekõɲe'sidu, -a] *adj* recognized

reconhecimento [xekõɲesi'mẽjtu] *m* **1.** (*de trabalho*) recognition **2.** (*de um erro*) acknowledgement **3.** (*de firma*) authentication

reconquistar [xekõwkis'tar] *vt* to regain

reconstruir [xekõwstɾu'ir] *conj como incluir vt* to rebuild

recordação <-ões> [xekorda'sɜ̃w, -'õjs] *f* **1.** (*memória*) memory **2.** (*objeto*) memento

recordar [xekor'dar] **I.** *vt* to remember **II.** *vr:* **~-se de a. c./alguém** to remember sth/sb

reco-reco ['xɛku-'xɛku] *m* MÚS guiro, (wooden) fish

recorrer [xeko'xer] *vt* **1.** JUR to appeal **2.** **~ a novos métodos** to make use of new methods

recorte [xe'kɔrtʃi] *m* **~ de jornal** newspaper clipping

recreativo, **-a** [xekea'tʃivu, -a] *adj* recreational

recreio [xe'kɾeju] *m* **1.** (*diversão*) recreation **2.** (*na escola*) recess

recriar [xekɾi'ar] *conj como enviar vt* to recreate

recriminar [xekɾimi'nar] *vt* to recriminate

recrutamento [xekɾuta'mẽjtu] *m* recruitment

recuar [xeku'ar] *vi* **1.** (*andando*) to step back **2.** (*no tempo*) to recede **3.** (*hesitar*) to back up

recuperação <-ões> [xekupeɾa'sɜ̃w,

R

-'õjs] *f* **1.** (*de dinheiro*) recovery **2.** (*de obra*) salvage

recuperar [xekupe'ɾar] **I.** *vt* to retrieve; (*forças*) to regain; (*quadro, edifício*) to restore; INFOR to recover **II.** *vr:* **~-se de a. c.** to recover from sth

recurso [xe'kursu] *m* (*meio*) resort; **como último ~** as a last resort

recursos [xe'kursus] *mpl* resources *pl*

recusar [xeku'zar] **I.** *vt* (*proposta, convite*) to refuse; (*auxílio*) to deny **II.** *vr:* **~-se a fazer a. c.** to refuse to do sth

redator(a) [xeda'tor(a)] <-es> *m(f)* editor

rede ['xedʒi] *f* **1.** network **2.** (*para descansar*) hammock **3.** (*de pesca*) fishing net

rédea ['xɛdʒia] *f* reins

redentor(a) [xedẽj'tor(a)] <-es> *m(f)* redeemer

redigir [xedʒi'ʒir] *vt* to write

redonda *adj v.* **redondo**

redondamente [xedõwda'mẽjtʃi] *adv* completely

redondezas [xedõw'dezas] *fpl* urroundings *pl*

redondo, -a [xe'dõwdu, -a] *adj* round

redor [xe'dɔr] *m* **ao ~ de a. c./alguém** around sth/sb

redução <-ões> [xedu'sɜ̃w, -'õjs] *f* decrease

redundante [xedũw'dɜ̃ŋtʃi] *adj* redundant

reduto [xe'dutu] *m* stronghold

reduzir [xedu'zir] *vt, vi* to reduce

reembolsar [xeẽjbow'sar] *vt* to reimburse

reembolso [xeĩj'bowsu] *m* refund

reencarnação <-ões> [xeĩjkarna'sɜ̃w, -'õjs] *f* reincarnation

reencontrar [xeĩjkõw'trar] *vt* to meet again

reestruturar [xeistrutu'ɾar] *vt* to restructure

refazer [xefa'zer] *irr como fazer* **I.** *vt* to redo **II.** *vr:* **~-se do cansaço** to recover one's strength

refeição <-ões> [xefej'sɜ̃w, -'õjs] *f* meal

refeito [xe'fejtu] *pp de* **refazer**

refeitório [xefej'tɔriw] *m* dining hall

refém [xe'fẽj] <-éns> *mf* hostage

referência [xefe'ɾẽjsia] *f* reference

referências [xefe'ɾẽjsias] *fpl* (*para emprego*) references *pl*

referente [xefe'ɾẽjtʃi] *adj* **~ a** regarding

referido, -a [xefi'ɾidu, -a] *adj* above mentioned

referir [xefi'ɾir] *irr como preferir* **I.** *vt* to report, to relate **II.** *vr:* **~-se a** to refer to

refinado, -a [xefi'nadu, -a] *adj* refined

refinanciar [xefinɜ̃ŋsi'ar] *conj como enviar vt* to refinance

refinaria [xefina'ɾia] *f* refinery

refletir [xefle'tʃir] *irr* **I.** *vt, vi* **1.** to reflect **2.** (*meditar*) **~ sobre a. c.** to meditate upon sth **II.** *vr:* **~-se em** to reflect

refletor [xefle'tor] <-es> *m* reflector

reflexão <-ões> [xeflek'sɜ̃w, -'õjs] *f* reflection

reflexivo, -a [xeflek'sivu, -a] *adj* reflexive

reflexo [xe'flɛksu] *m* reflection

reflexões *f pl de* **reflexão**

reflorestamento [xefloresta'mẽjtu] *m* reforesting

refogar [xefo'gar] *vt* <g→gu> **1.** (*cebola*) to sauté **2.** (*carne*) to braise

reforçar [xefor'sar] *vt* <ç→c> **1.** (*construção*) to strengthen **2.** (*afirmação*) to reinforce

reforma [xe'fɔrma] *f* **1.** (*modificação*) reform **2.** ARQUIT renovation, remodeling **3.** MIL retirement

reformar [xefor'mar] *vt* (*reorganizar*) to reform; ARQUIT to restore

refrão <-s *ou* -ães> [xe'frɜ̃w, -'ɜ̃js] *m* refrain

refrear [xefre'ar] *conj como passear vt* to restrain

refrescante [xefres'kɜ̃ŋtʃi̥] *adj* refreshing

refrescar [xefres'kar] <c→qu> **I.** *vt* (*ar*) to refresh; (*corpo*) to cool **II.** *vr:* **~-se** to refresh oneself

refresco [xe'fresku] *m* cool drink

refrigeração [xefriʒera'sɜ̃w] *f sem pl* refrigeration

refrigerante [xefriʒe'rɜ̃ŋtʃi̥] *m* soft drink

refugiado, -a [xefuʒi'adu, -a] *m, f* refugee

refugiar-se [xefuʒi'arsi] *conj como enviar vr* (*abrigar-se*) to seek shelter; (*partir*) to take refuge

refúgio [xe'fuʒiw] *m* refuge

refugo [xe'fugu] *m* refuse

rega-bofe ['xɛga-'bɔfi] *m* feast

regador [xega'dor] <-es> *m* watering can

regalia [xega'ʎia] *f* special privilege

regar [xe'gar] *vt* <g→gu> (*campo*) to irrigate; (*jardim*) to water

regência [xe'ʒẽjsia] *f* directorship

regenerar [xeʒene'rar] **I.** *vt* to regenerate **II.** *vr:* **~-se** to reform

reger [xe'ʒer] *vt* to conduct

região <-ões> [xeʒi'ɜ̃w, -'õjs] *f* region

regime [xe'ʒimi] *m* **1.** POL regime **2.** (*alimentar*) diet

regiões *f pl de* **região**

regional <-ais> [xeʒjo'naw, -ajs] *adj* regional

registrado, -a [xeʒis'tradu, -a] *adj* registered; **marca registrada** brand name

registrar [xeʒis'trar] *vt* **1.** to register **2.** (*dados*) to record

registro [xe'ʒistru] *m* **1.** (*documento*) record **2.** (*repartição*) registry

regra ['xɛgra] *f* rule

regredir [xegre'dʒir] *vi* to regress

regressar [xegre'sar] *vi* to return

regresso [xe'grɛsu] *m* return; **~ à casa** homecoming

régua ['xegwa] *f* ruler

regulamento [xegula'mẽjtu] *m* regulation; **~s** regulations *pl*

regular [xegu'lar] **I.** *vt* **1.** (*temperatura*) to adjust **2.** (*trânsito*) to control **II.** *adj* regular

regulável <-eis> [xegu'lavew, -ejs] *adj* adjustable

rei ['xej] *m* king

reinado [xej'nadu] *m* reign

reinar [xej'nar] *vi* to reign

reincidente [xẽjsi'dẽjtʃi̥] *adj* repeat

reiniciar [xeinisi'ar] *conj como enviar* *vt* to begin again

reino ['xejnu] *m* kingdom, realm; **Reino Unido** United Kingdom

reitor(a) [xej'tor(a)] <-es> *m(f)* university president

reivindicação <-ões> [xejvĩjdʒika'sɜ̃w, -'õjs] *f* claim

reivindicar [xejvĩjdʒi'kar] *vt* <c→qu> to claim

rejeitar [xeʒei'tar] *vt* to reject

rejuvenescer [xeʒuvene'ser] *vi* <c→ç> to rejuvenate

relação <-ões> [xela'sɜ̃w, -'õjs] *f* **1.** (*entre pessoas*) relationship **2.** (*entre fatos*) connection

relações [xela'sõjs] *fpl* **1.** (*pessoais*) relations *pl* **2.** (*sexuais*) **ter ~ com alguém** to sleep with sb

relações-públicas [xela'sõjs-'publikas] *mf inv* public relations *no pl*

relâmpago [xe'lɜ̃ŋpagu] **I.** *m* flash of lightning **II.** *adj* **visita ~** quick visit

relapso, -a [xe'lapsu, -a] *adj* unmindful

relatar [xela'tar] *vt* to report

relativa *adj v.* **relativo**

relativamente [xelatʃiva'mẽjtʃi̥] *adv* relatively

relativo, -a [xela'tʃivu, -a] *adj* **1.** (*em proporção*) relative, comparative **2.** (*referente*) regarding

relatório [xela'tɔriw] *m* report

relaxado, -a [xela'ʃadu, -a] *adj* **1.** (*pessoa, músculo*) relaxed **2.** (*desleixado*) sloppy

relaxar [xela'ʃar] *vt, vi* **1.** to relax **2.** **~ em a. c.** to become lax

relembrar [xelẽj'brar] *vt* to recall

relevo [xe'levu] *m* relief

religião <-ões> [xeʎiʒi'ɜ̃w, -'õjs] *f* religion

relíquia [xe'ʎikia] *f* relic

relógio [xe'lɔʒiw] *m* clock; (*de pulso*) watch

relógio-despertador [xe'lɔʒiw-dʒisperta'dor] <relógios-despertadores> *m* alarm clock

relutante [xelu'tɜ̃ŋtʃi̥] *adj* reluctant

remar [xe'mar] *vi* to row

remarcação <-ões> [xemarka'sɜ̃w, -'õjs] *f* price adjustment

remédio [xe'mɛdʒiw] *m* remedy; **isto já não tem ~** that can't be helped

remendar [xemẽj'dar] *vt* (*roupa*) to mend

remendo [xe'mẽjdu] *m* patch

remessa [xe'mɛsa] *f* shipment

remetente [xeme'tẽjtʃi̥] *mf* sender

remeter [xeme'ter] *vt* to send

remexer [xeme'ʃer] *vt* to rummage through

reminiscência [xemini'sẽjsia] *f* reminiscence

remo ['xemu] *m* oar

remoção <-ões> [xemo'sɜ̃w, -'õjs] *f* removal

remoçar [xemo'sar] *vt* <ç→c> to rejuvenate

remoções *f pl de* **remoção**

remorso [xe'mɔrsu] *m* remorse

remoto, -a [xe'mɔtu, -a] *adj* remote

remover [xemo'ver] *vt* **1.** (*retirar*) to remove **2.** (*deslocar*) to shift

remuneração <-ões> [xemunera'sɜ̃w, -'õjs] *f* remuneration

rena ['xena] *f* reindeer
renascer [xena'ser] *vi* <c→ç> *fig* to be reborn
renda ['xẽjda] *f* **1.** (*em vestuário*) lace **2.** (*rendimento*) income
render [xẽj'der] **I.** *vt* (*dinheiro*) to pay; (*juros*) to yield **II.** *vr:* ~**-se** to surrender
renegar [xene'gar] *vt* <g→gu> to renounce
renitente [xeni'tẽjtʃi̥] *adj* obstinate
renomado, -a [xeno'madu, -a] *adj* renowned, reputable
renovar [xeno'var] *vt* **1.** (*contrato*) to renew **2.** (*pessoal, estoque*) to replace
rentável <-eis> [xẽj'tavew, -ejs] *adj* profitable
renúncia [xe'nũwsia] *f* renunciation
renunciar [xenũwsi'ar] *conj como enviar* **I.** *vt* (*a um cargo*) to resign **II.** *vi* to renounce
reorganizar [xeorgɜni'zar] *vt* to reorganize
reparar [xepa'ɾar] *vt* **1.** (*aparelho*) to repair **2.** to notice; ~ **em alguém/a. c.** to notice sb/sth
reparo [xe'paɾu] *m* (*conserto*) repair
repartição <-ões> [xepartʃi'sɜ̃w, -'õjs] *f* bureau; ~ **pública** government office
repartir [xepar'tʃir] *vt* **1.** (*partilhar*) to distribute **2.** (*dividir*) to divide
repelir [xepe'ʎir] *irr como preferir vt* to repel
repente [xe'pẽjtʃi̥] *m* **1. de** ~ all of a sudden **2.** (*canto*) *traditional folk music with improvised lyrics*
repentino, -a [xepẽj'tʃinu, -a] *adj* sudden, unexpected
repercussão <-ões> [xeperku'sɜ̃w, -'õjs] *f* **1.** (*de som*) repercussion **2.** *fig* (*efeito*) backlash
repertório [xeper'tɔɾiw] *m* repertory
repetente [xepe'tẽjtʃi̥] *mf* flunkout
repetição <-ões> [xepetʃi'sɜ̃w, -'õjs] *f* repetition
repetidamente [xepitʃida'mẽjtʃi̥] *adv* repeatedly
repetir [xepi'tʃir] *irr como preferir* **I.** *vt* to repeat **II.** *vi* (*refeição*) to have a second helping **III.** *vr:* ~**-se** to repeat oneself
replicar [xepli'kar] <c→qu> *vi* to reply
repolho [xe'poʎu] *m* cabbage
repor [xe'por] *irr como pôr vt* to replace
reportagem [xepor'taʒẽj] <-ens> *f* report
repórter [xe'pɔrter] <-es> *mf* reporter
reposição <-ões> [xepozi'sɜ̃w, -'õjs] *f* replacement
reposto [xe'postu] *pp de* **repor**
repousar [xepow'zar] *vt, vi* to rest
repreender [xepɾeẽj'der] *vt* to reprimand
represa [xe'pɾeza] *f* dam
representação <-ões> [xepɾezẽjta'sɜ̃w, -'õjs] *f* TEAT performance
representante [xepɾezẽj'tɜ̃ŋtʃi̥] *mf* representative
representar [xepɾezẽj'tar] *vt* **1.** (*uma pessoa, empresa*) to represent

R

2. (*significar*) to represent 3. TEAT to perform

repressão <-ões> [xepre'sɜ̃w, -'õjs] *f* repression

repressor(a) [xepre'sor(a)] <-es> *adj* repressive

reprimir [xepri'mir] *vt* (*sentimentos*) to repress; (*um protesto*) to quell

reprise [xe'prizi] *f* TV rerun; TEAT repeat

reprodução <-ões> [xeprodu'sɜ̃w, -'õjs] *f* reproduction

reproduzir [xeprodu'zir] I. *vt* to reproduce II. *vr:* ~**-se** to reproduce

reprovar [xepro'var] *vt* (*atitude*) to disapprove of; (*aluno*) to fail

reprovável <-eis> [xepro'vavew, -ejs] *adj* objectionable

réptil <-eis> ['xɛptʃiw, -ejs] *m* reptile

república [xe'publika] *f* 1. POL republic 2. UNIV dorm(itory)

repudiar [xepudʒi'ar] *conj como enviar vt* to repudiate

repugnância [xepug'nɜ̃ŋsia] *f* aversion

repugnante [xepug'nɜ̃ŋtʃi̥] *adj* repugnant

repulsa [xe'puwsa] *f* repulsion

repulsivo, -a [xepuw'sivu, -a] *adj* repulsive

reputação <-ões> [xeputa'sɜ̃w, -'õjs] *f* reputation

requebrar [xeke'brar] *vt, vi* to wiggle

requeijão <-ões> [xeke'ʒɜ̃w, -'õjs] *m* processed cheese spread

requentar [xekẽj'tar] *vt* to reheat

requerer [xeke'rer] *irr como querer vt* 1. (*com requerimento*) to petition; (*um emprego, licença*) to request 2. (*tempo*) to require

requerimento [xekeri'mẽjtu] *m* petition

requintado, -a [xekĩj'tadu, -a] *adj* highly refined

requinte [xe'kĩjtʃi̥] *m* refinement

requisito [xeki'zitu] *m* requirement

rescindir [xesĩj'dʒir] *vt* to cancel

resenha [xe'zẽɲa] *f* review

reserva [xe'zɛrva] *f* 1. (*de mesa, quarto*) reservation 2. (*de alimentos*) provisions *pl;* (*de dinheiro*) reserve

reservado, -a [xezer'vadu, -a] *adj* 1. reserved 2. (*decisão*) private

reservar [xezer'var] *vt* to reserve

reservatório [xezerva'tɔriw] *m* reservoir

resfriado [xesfri'adu] *m* cold

resfriar [xesfri'ar] *conj como enviar* I. *vt* to cool (off) II. *vr:* ~**-se** to catch cold

resgate [xez'gatʃi̥] *m* 1. (*de hipoteca*) payoff 2. (*de refém*) ransom

residência [xezi'dẽjsia] *f* 1. residence 2. ~ **médica** medical internship

resíduo [xe'ziduu] *m* residue

resignação [xezigna'sɜ̃w] *f sem pl* resignation

resignar-se [xezig'narsi] *vr* to resign oneself

resistência [xezis'tẽjsia] *f* 1. (*renitência*) resistance 2. (*física*) strength

resistente [xezis'tẽjtʃi̥] *adj* (*pessoa*) hardy; (*material*) resistant

resistir [xezis'tʃir] *vt* 1. (*opor-se*) to resist 2. (*a doença*) to survive

3. (*material*) to endure
resmungão, -ona <-ões> [xezmũw'gɜ̃w, -'ona, -õjs] *adj* grumpy
resoluto, -a [xezo'lutu, -a] *adj fig* determined
resolver [xezow'ver] **I.** *vt, vi* (*problema, mistério*) to solve; (*decidir*) to decide **II.** *vr:* ~-**se** to make up one's mind
respectivamente [xespektʃiva'mẽjtʃi̥] *adv* respectively
respectivo, -a [xespek'tʃivu, -a] *adj* respective
respeitado, -a [xespej'tadu, -a] *adj* respected
respeitar [xespej'tar] **I.** *vt* to respect **II.** *vr:* ~-**se** to respect oneself
respeitável <-eis> [xespej'tavew, -ejs] *adj* respectable
respeito [xes'pejtu] *m* **1.** respect **2.** (*referência*) **a ~ de** in regard to
respiração [xespiɾa'sɜ̃w] *f sem pl* breathing
respirar [xespi'ɾar] *vt, vi* to breathe
resplandecer [xesplɜ̃ŋde'ser] *vi* <c→ç> to gleam
respondão, -ona <-ões> [xespõw'dɜ̃w, -'ona, -õjs] **I.** *m, f* smart aleck **II.** *adj* fresh, impudent
responder [xespõw'der] **I.** *vt* **1.** to answer **2.** (*revidar*) to answer back **II.** *vi* to respond
respondões *m pl de* **respondão**
respondona *adj, f v.* **respondão**
responsabilidade [xespõwsabiʎi'dadʒi] *f* responsibility
responsabilizar [xespõwsabiʎi'zar] **I.** *vt* to hold responsible **II.** *vr:* ~-**se** **por a. c./alguém** to be responsible for sth/sb
responsável <-eis> [xespõw'savew, -ejs] *adj, mf* responsible
resposta [xes'pɔsta] *f* answer
ressaca [xe'saka] *f fig, inf* hangover
ressaltar [xesaw'tar] **I.** *vt* to highlight **II.** *vi* to stand out
ressecar [xese'kar] *vi* <c→qu> to dry out
ressentimento [xesẽjtʃi'mẽjtu] *m* resentment; **sem ~s** no hard feelings
ressonância [xeso'nɜ̃ŋsia] *f* resonance
ressonar [xeso'nar] *vi* to resound; (*roncar*) to snore
ressuscitar [xesusi'tar] *vt, vi* to resurrect
restabelecer [xestabele'ser] <c→ç> **I.** *vt* to reestablish **II.** *vr:* ~-**se** to be restored
restabelecimento [xestabelesi'mẽjtu] *m* **1.** (*da paz*) reestablishment **2.** MED restoration
restante [xes'tɜ̃ŋtʃi̥] *adj* remaining
restar [xes'tar] *vi* to remain
restauração <-ões> [xestawɾa'sɜ̃w, -'õjs] *f* restoration
restaurador(a) [xestawɾa'dor(a)] <-es> **I.** *adj* restoring **II.** *m(f)* restorer
restaurar [xestaw'ɾar] *vt* to restore
restinga [xes'tʃĩjga] *f* salt marsh
restituir [xestʃi̥tu'ir] *conj como incluir vt* to refund
resto ['xɛstu] *m* rest; **~s de comida** scraps of food
restrição <-ões> [xestɾi'sɜ̃w, -'õjs] *f*

restriction

restringir [xestrĩʃ'ʒir] <g→j> **I.** *vt* to restrict, to limit **II.** *vr:* ~**-se a a. c.** to limit oneself to sth

restrito, -a [xes'tritu, -a] *adj* limited

resultado [xezuw'tadu] *m* (*de acontecimento*) outcome; (*conseqüência*) result

resultar [xezuw'tar] *vi* **1.** (*dar resultado*) to result **2.** (*ser conseqüência*) to result from **3.** (*ter como efeito*) to result in

resumir [xezu'mir] **I.** *vt* to summarize **II.** *vr:* ~**-se** to limit oneself

resumo [xe'zumu] *m* summary

reta ['xɛta] *f* **1.** (*linha*) straight line **2.** (*estrada*) stretch

retaguarda [xeta'gwarda] *f* rear guard

retalho [xe'taʎu] *m* patch

retângulo [xe'tɜ̃ŋgulu] *m* rectangle

retardar [xetar'dar] *vt* to delay

retardatário, -a [xetarda'tariw, -a] *m, f* latecomer

reter [xe'ter] *irr como ter vt* **1.** (*dinheiro, informação*) to withhold **2.** (*uma pessoa*) to delay **3.** (*na memória*) to retain **4.** (*lágrimas*) to keep back

retida *adj v.* **retido**

retidão [xetʃi'dɜ̃w] *f sem pl* uprightness

retido, -a [xe'tʃidu, -a] *adj* retained

retificar [xetʃifi'kar] *vt* <c→qu> to rectify

retirada [xetʃi'rada] *f* **1.** (*de conta*) withdrawal **2.** MIL retreat

retirante [xetʃi'rɜ̃ŋtʃi] *mf* migrant

retirar [xetʃi'rar] **I.** *vt* **1.** (*uma queixa*) to withdraw **2.** (*tirar*) to take out of **II.** *vr:* ~**-se** (*da sala, festa*) to leave

retiro [xe'tʃiru] *m* retreat

reto ['xɛtu] *m* rectum

reto, -a ['xɛtu, -a] *adj* **1.** (*linha*) straight **2. ângulo** ~ right angle **3.** *fig* (*pessoa*) honest

retocar [xeto'kar] *vt* <c→qu> (*quadro*) to finish; (*a maquiagem*) to retouch

retomar [xeto'mar] *vt* to retake

retoque [xe'tɔki] *m* retouching, finishing touch

retorcer [xetor'ser] <c→ç> **I.** *vt* to twist **II.** *vr:* ~**-se de dor** to writhe in pain

retórica [xe'tɔrika] *f* rhetoric

retornar [xetor'nar] *vi* to return

retorno [xe'tornu] *m* return

retraído, -a [xetra'idu, -a] *adj* reserved

retrasado, -a [xetra'zadu, -a] *adj* **a semana retrasada** the week before last

retratar [xetra'tar] **I.** *vt* (*desenhar*) to portray **II.** *vr:* ~**-se** to recant

retrato [xe'tratu] *m* portrait

retribuição <-ões> [xetribui'sɜ̃w, -'õjs] *f* (*de um favor*) return; (*recompensa*) reward

retribuir [xetribu'ir] *conj como incluir vt* to return

retrô [xe'tro] *adj* retro

retroceder [xetrose'der] *vi* to retreat

retrocesso [xetro'sɛssu] *m* (*atraso*) backwardness

retrógrado, -a [xe'trɔgradu, -a] *adj*

backward

retroprojetor [xɛtroproʒe'tor] <-es> *m* overhead projector

retrospectiva [xetrospek'tʃiva] *f* retrospective

retrovisor [xetrovi'zor] <-es> *m* rear-view mirror

retumbante [xetũw'bɜ̃ŋtʃi̥] *adj* resounding

réu, **ré** ['xɛw, 'xɛ] *m, f* accused

reumatismo [xewma'tʃi̥zmu] *m sem pl* rheumatism

reunião <-ões> [xeuni'ɜ̃w, -'õjs] *f* meeting

reunir [xeu'nir] *vt* **1.** (*informações*) to gather **2.** (*pessoas*) to gather

reutilizar [xeutʃiʎi'zar] *vt* to reuse

revalidar [xevaʎi'dar] *vt* to revalidate

revanche [xe'vɜ̃ŋʃi] *f* revenge

réveillon [xevej'õw] *m* New Year's Eve party

revelação <-ões> [xevela'sɜ̃w, -'õjs] *f* **1.** revelation **2.** FOTO development

revelar [xeve'lar] **I.** *vt* **1.** (*segredo*) to reveal **2.** (*mostrar*) to display **3.** FOTO to develop **II.** *vr:* **~-se** to turn out to be

revelia [xeve'ʎia] *f* **à ~** in absentia

revenda [xe'vẽjda] *f* resale

revendedor(a) [xevẽjde'dor(a)] <-es> *m(f)* reseller, middleman

rever [xe'ver] *irr como ver vt* **1.** (*tornar a ver*) to see again **2.** (*para corrigir*) to revise

reverência [xeve'rẽjsia] *f* **fazer uma ~** to take a bow

reverso [xe'vɛrsu] *m* reverse

revertério [xever'tɛriw] *m inf* turnabout

revés [xe'vɛs] <-es> *m fig* setback

revestimento [xevestʃi'mẽjtu] *m* (*de objeto*) coating; (*de chão*) covering

revezar [xeve'zar] **I.** *vt* to alternate **II.** *vr:* **~-se** to take turns

revidar [xevi'dar] *vt* to reply in kind

revigorar [xevigo'rar] **I.** *vt* to renew **II.** *vr:* **~-se** to regain strength

revirado, **-a** [xevi'radu, -a] *adj* (*casa, quarto*) upside down; (*estômago*) upset

revirar [xevi'rar] *vt* **1.** (*os olhos*) to roll **2.** (*casa, gaveta*) to turn upside down **3.** (*estômago*) to upset

reviravolta [xevira'vɔwta] *f fig* about-face

revisão <-ões> [xevi'zɜ̃w, -'õjs] *f* **1.** (*de trabalho, livro*) revision; (*de texto*) proofreading; (*de publicação*) editing **2.** (*de automóvel*) overhaul(ing)

revisar [xevi'zar] *vt* to revise, to review

revisões *f pl de* **revisão**

revista [xe'vista] *f* **1.** PREN journal **2.** (*inspeção*) inspection **3.** TEAT **teatro de ~** musical comedy

revistar [xevis'tar] *vt* to search

revisto [xe'vistu] *pp de* **rever**

reviver [xevi'ver] *vt* to relive

revolta [xe'vɔwta] *f* revolt

revoltado, **-a** [xevow'tadu, -a] *adj* revolted

revoltante [xevow'tɜ̃ŋtʃi̥] *adj* revolting

revoltar [xevow'tar] **I.** *vt* to revolt **II.** *vr:* **~-se contra a. c./alguém** to revolt against sth/sb

revolução <-ões> [xevolu'sɜ̃w, -'õjs] *f* revolution

revolucionário, **-a** [xevolusjo'nariw, -a] *adj, m, f* revolutionary

revolver [xevow'ver] *vt* **1.** (*a terra*) to plow **2.** (*papéis*) to rummage through

revólver [xe'vɔwver] <-es> *m* revolver

reza ['xɛza] *f* prayer

rezar [xe'zar] *vt, vi* to pray

Rh [ɛxja'ga] *m* **fator** ~ Rh factor

riacho [xi'aʃu] *m* stream, creek

ribalta [xi'bawta] *f* footlights

ribanceira [xibɜ̃ŋ'sejɾa] *f* river bluff; (*precipício*) cliff

ribeirão <-ões> [xibej'ɾɜ̃w, -'õjs] *m* brook

ribeirinho, **-a** [xibej'ɾĩɲu, -a] *adj* **casa ribeirinha** riverbank house

ribeirões *m pl de* **ribeirão**

rica *adj, f v.* **rico**

ricaço, **-a** [xi'kasu, -a] *adj inf* filthy rich

rícino ['xisinu] *m* **óleo de** ~ castor oil

rico, **-a** ['xiku, -a] **I.** *adj* **1.** (*endinheirado*) wealthy **2.** (*variado, excelente*) rich **II.** *m, f* rich

ridícula *adj v.* **ridículo**

ridicularizar [xidʒikulaɾi'zar] *vt* to ridicule

ridículo [xi'dʒikulu] *m* **expor alguém/a. c. ao** ~ to expose sb/sth to ridicule

ridículo, **-a** [xi'dʒikulu, -a] *adj* ridiculous

rifa ['xifa] *f* raffle

rigidez [xiʒi'des] *f sem pl* **1.** stiffness **2.** *fig* severity

rigor [xi'gor] *m sem pl* **1.** (*de disciplina, regras*) strictness **2.** (*do inverno*) severity

rigoroso, **-a** [xigo'ɾozu, -'ɔza] *adj* **1.** (*regras*) strict **2.** (*inverno*) severe

rijo, **-a** ['xiʒu, -a] *adj* **1.** (*material*) stiff; (*carne*) tough **2.** (*pessoa*) inflexible

rim ['xĩj] <-ins> *m* kidney

rima ['xima] *f* rhyme

rímel <-eis> ['ximew, -ejs] *m* mascara

rinoceronte [xinose'ɾõwtʃi̥] *m* rhino(ceros)

rins *m pl de* **rim**

rio ['xiw] *m* river

Rio Branco ['xiw 'bɾɜ̃ŋku] *m* (City of) Rio Branco

Rio de Janeiro ['xiw dʒi ʒɜ'nejɾu] *m* (*estado*) (State of) Rio de Janeiro; (*cidade*) (City of) Rio de Janeiro, Rio

Rio Grande do Norte ['xiw'gɾɜ̃ŋdʒi du 'nɔrtʃi̥] *m* (State of) Rio Grande do Norte

Rio Grande do Sul ['xiw 'gɾɜ̃ŋdʒi du 'suw] *m* (State of) Rio Grande do Sul

riqueza [xi'keza] *f* **1.** (*material*) riches *pl* **2.** (*abundância*) wealth

rir ['xir] *irr vi* to laugh

risada [xi'zada] *f* laughter; **dar uma** ~ to chuckle

risca ['xiska] *f* **1.** stripe **2.** **cumprir a. c. à** ~ to follow sth to the letter

riscar [xis'kar] *vt* <c→qu> **1.** (*um papel*) to scribble on; (*superfície*) to scratch **2.** (*de uma lista*) to cross off **3.** (*um fósforo*) to strike

risco ['xisku] *m* **1.** (*traço*) line **2.** (*perigo*) risk; **correr o ~ de** to run the risk of
risível <-eis> [xi'zivew, -ejs] *adj* ludicrous
riso ['xizu] *m* laugh
risonho, -a [xi'zõɲu, -a] *adj* smiling
ríspida *adj v.* **ríspido**
rispidez [xispi'des] *f sem pl* harshness *no pl*
ríspido, -a ['xispidu, -a] *adj* (*pessoa*) gruff; (*palavras*) harsh
ritmado, -a [xitʃ'madu, -a] *adj* cadenced
ritmo ['xitʃmu] *m* rhythm; **~ cardíaco** heartbeat
ritual <-ais> [xitu'aw, -'ajs] *adj, m* ritual
rival <-ais> [xi'vaw, -'ajs] *mf* rival
rivalidade [xivaʎi'dadʒi] *f* rivalry
rixa ['xiʃa] *f* quarrel
robe ['xɔbi] *m* robe
robô [xo'bo] *m* robot
robusto, -a [xo'bustu, -a] *adj* robust
roça ['xɔsa] *f* backwoods plantation
rocambole [xokɜ̃ŋ'bɔʎi] *m* roll
roceiro, -a [xo'sejɾu, -a] *m, f* backwoodsman
rocha ['xɔʃa] *f* rock
rochedo [xo'ʃedu] *m* steep rock
roda ['xɔda] *f* **1.** TEC wheel **2.** (*grupo*) circle
rodada [xo'dada] *f* round
roda-gigante [xɔda-ʒi'gɜ̃ŋtʃi̥] <rodas-gigantes> *f* Ferris wheel
rodamoinho [xɔdamu'ĩɲu] *m* waterwheel
rodapé [xɔda'pɛ] *m* **1.** baseboard **2. nota de ~** footnote
rodar [xo'dar] **I.** *vt* to turn **II.** *vi* to roll
rodear [xodʒi'ar] *conj como passear vt* to surround
rodeios [xo'dejus] *mpl* **fazer ~** to beat around the bush
rodela [xo'dɛla] *f* round
rodízio [xo'dʒiziw] *m* **1.** AUTO "no driving day" **2. restaurante ~** *restaurant serving a rotation of roasted meats accompanied by a salad bar*
rodo ['xodu] *m* squeegee
rodopiar [xodopi'ar] *conj como enviar vi* to spin
rodovia [xodo'via] *f* highway
rodoviária [xodovi'aɾia] *f* bus station
rodoviário, -a [xodovi'aɾiw, -a] *adj* **guia ~** highway map; **terminal ~** bus terminal
roer [xo'er] *irr vt* to gnaw
rogado, -a [xo'gadu, -a] *adj* **fazer-se de ~** to play hard to get
rogar [xo'gar] *vt* <g→gu> to beg; (*suplicar*) to implore
roído, -a [xo'idu, -a] *adj* gnawed
rojão <-ões> [xo'ʒɜ̃w, -'õjs] *m* skyrocket; **agüentar o ~** *inf* to face the music
rolamento [xola'mẽjtu] *m* bearing
rolante [xo'lɜ̃ŋtʃi̥] *adj* rolling; **escada ~** escalator
rolar [xo'lar] *vt, vi* **1.** to roll; **~ na cama** to toss in bed **2.** *gír* (*acontecer*) to go on; **o que vai ~ hoje?** what's going on today? **3. ~ de rir** to die laughing
roleta [xo'leta] *f* roulette

R

rolha ['xoʎa] *f* cork stopper
rolo ['xolu] *m* **1.** roll; ~ **de macarrão** rolling pin **2.** TEC roller **3.** *inf* row
romã [xo'mɜ̃] *f* pomegranate
romance [xo'mɜ̃ŋsi] *m* **1.** novel **2.** (*amoroso*) romance
romancista [xomɜ̃ŋ'sista] *mf* novelist
romano [xo'mɜ̃nu] *adj, m* Roman
romântico, -a [xo'mɜ̃ŋtʃiku, -a] *adj, m, f* romantic
romantismo [xomɜ̃ŋ'tizmu] *m sem pl* romanticism
romaria [xoma'ɾia] *f* pilgrimage
rombo ['xõwbu] *m* hole; *fig* embezzlement
romeiro, -a [xo'mejɾu, -a] *m, f* pilgrim
romena *adj, f v.* **romeno**
Romênia [xo'menia] *f* Romania
romeno, -a [xo'menu, -a] *adj, m, f* Romanian
romeu-e-julieta [xo'mew-i-ʒuʎi'eta] <romeus-e-julietas> *m white cheese served with a slice of guava paste*
rompante [xõw'pɜ̃ŋtʃi] *m* impetuousness
romper [xõw'per] <*pp* roto *ou* rompido> **I.** *vt, vi* **1.** (*roupa*) to burst a seam; (*corda*) to break **2.** (*relações*) to break off with; ~ **um namoro** to split up **II.** *m* ~ **do dia** dawn, daybreak
rompimento [xõwpi'mẽjtu] *m* break
roncar [xõw'kar] *vi* <c→qu> **1.** (*durante o sono*) to snore; (*estômago*) to rumble **2.** (*motor*) to drone
ronda ['xõwda] *f* rounds *pl;* **fazer a** ~ to make the rounds
Rondônia [xõw'donia] (State of) Rondônia
ronronar [xõwxo'nar] *vi* to purr
roqueiro, -a [xo'kejɾu, -a] *m, f* (*músico*) rock musician; (*fã*) rock music fan
Roraima [xo'ɾajma] (State of) Roraima
rosa ['xɔza] **I.** *f* rose **II.** *adj inv* pink
rosado, -a [xo'zadu, -a] *adj* rosy, pink
rosário [xo'zaɾiw] *m* rosary
rosbife [xoz'bifi] *m* roast beef
rosca ['xoska] *f* **1. tampa de** ~ twist top **2.** (*pão*) ~ **de milho** twisted cornbread loaf
roseira [xo'zejɾa] *f* rosebush
rosnar [xoz'nar] *vi* to growl
rosto ['xostu] *m* face
rota ['xɔta] *f* (*de navio*) route
rotação <-ões> [xota'sɜ̃w, -'õjs] *f* rotation
rotativa *adj v.* **rotativo**
rotatividade [xotatʃivi'dadʒi] *f sem pl* turnover *no pl*
rotativo, -a [xota'tʃivu, -a] *adj* (*cargo*) rotating
rotatório, -a [xota'tɔɾiw, -a] *adj* rotational
roteador(a) [xotʃia'dor(a)] <-es> *m(f)* router
roteirista [xotej'ɾista] *mf* screenwriter
roteiro [xo'tejɾu] *m* (*de uma viagem*) itinerary; CINE, TV script
rotina [xo'tʃina] *f* routine procedure
rótulo ['xɔtulu] *m* label
roubado, -a [xo'badu, -a] *adj* robbed
roubalheira [xoba'ʎejɾa] *f* plunder
roubar [xo'bar] *vt, vi* to rob
roubo ['xowbu] *m* robbery
rouco, -a ['xoku, -a] *adj* hoarse

roupa ['xopa] *f* (*para vestir*) clothes; (*para lavar, passar*) laundry; ~ **de banho** bathing suit

roupão <-ões> [xo'pɜ̃wm -'õjs] *m* (*de banho*) bathrobe

rouquidão [xowki'dɜ̃w, -'õjs] *f sem pl* hoarseness

rouxinol <-óis> [xowʃi'nɔw, -'ɔjs] *m* nightingale

roxo, **-a** ['xoʃu, -a] *adj* **1.** purple **2. torcedor** ~ *inf* fanatic rooter

rua ['xua] *f* street; ~ **de mão única** one-way street

rubéola [xu'bɛwla] *f* German measles *pl*

rubrica [xu'brika] *f* (*assinatura*) signed initials

ruço ['xusu] *adj* **1.** (*cor*) light brown **2.** *inf* (*difícil: situação*) tough

rúcula ['xukula] *f* arugula *no pl Am*, rocket *no pl Brit*

rude ['xudʒi] *adj* **1.** (*superfície*) rough **2.** (*pessoa, resposta*) rude

rudeza [xu'deza] *f* (*de superfície*) roughness

ruela [xu'ɛla] *f* alley

ruga ['xuga] *f* wrinkle

ruge ['xuʒi] *m* rouge, blush

rugir [xu'ʒir] *vi* <g→j> to roar

ruído [xu'idu] *m* noise

ruidoso, **-a** [xui'dozu, -'ɔza] *adj* noisy

ruim ['xuĩj] <-ins> *adj* bad

ruínas [xu'inas] *fpl* ruins *pl*

ruindade [xuĩj'dadʒi] *f sem pl* badness

ruins *adj pl de* **ruim**

ruir [xu'ir] *conj como incluir vi* to crash to earth

ruivo, **-a** ['xujvu, -a] **I.** *adj* red-haired **II.** *m, f* redhead

rumar [xu'mar] *vt* **1.** (*navio*) to steer **2.** (*pessoa*) to go in the direction of

rumo ['xumu] *m* direction; **sem** ~ adrift

rumor [xu'mor] <-es> *m* **1.** (*ruído*) noise **2.** (*boato*) rumor

rumores *m pl de* **rumor**

ruptura [xup'tura] *f* rupture; (*de relações*) quarrel

rusga ['xuzga] *f* (*polêmica*) spat

russa *adj, f v.* **russo**

Rússia ['xusja] *f* Russia

russo, **-a** ['xusu, -a] *adj, m, f* Russian

rústico, **-a** ['xustʃiku, -a] *adj* rustic

S

S, **s** ['ɛsi] *m* S, s

sã *adj v.* **são**

sábado ['sabadu] *m* Saturday

sabão <-ões> [sa'bɜ̃w, -'õjs] *m* soap; ~ **em pó** laundry detergent

sabedoria [sabedo'ria] *f* wisdom

saber [sa'ber] *irr* **I.** *m* knowledge **II.** *vt* to know; **que eu saiba** as far as I know; **ele sabe falar inglês** he can speak English **III.** *vi* to be aware of

sábia *adj, f v.* **sábio**

sabido, **-a** [sa'bidu, -a] *adj* known

sábio, **-a** ['sabiw, -a] *m, f* wise person

sabões *m pl de* **sabão**

sabonete [sabo'netʃi] *m* (bar of) soap

sabor [sa'bor] <-es> *m* flavor

saborear [sabore'ar] *conj como passear vt* to savor; *fig* to enjoy

sabores *m pl de* **sabor**

saboroso, -a [sabo'rozu, -'ɔza] *adj* delicious

sabotar [sabo'tar] *vt* to sabotage

saca ['saka] *f* large sack

sacada [sa'kada] *f* balcony; (*marquise*) marquee

sacar [sa'kar] <c→qu> *vt* to take out; (*à força*) to rip out; (*dinheiro*) to withdraw

saca-rolhas ['saka-'xoʎas] *m inv* corkscrew

sacerdote, -tisa [saser'dotʃi̥, -'tʃiza] *m, f* priest *m*, priestess *f*

saciar [sasi'ar] *vt* to satisfy; (*sede*) to quench

saco ['saku] *m* **1.** bag; ~ **de plástico** plastic bag **2.** *inf* **puxar o ~ de alguém** to brown-nose sb *sl;* **estou de ~ cheio!** I've had it!; **não enche** [*ou* **torra**] **o ~!** get off my back!

sacode [sa'kɔdʒi] *3. pres de* **sacudir**

sacola [sa'kɔla] *f* shopping bag

sacrificar [sakrifi'kar] <c→qu> **I.** *vt* to sacrifice **II.** *vr:* **~-se** to sacrifice oneself

sacudir [saku'dʒir] *irr como subir vt* to shake

sadio, -a [sa'dʒiw, -a] *adj* healthy

safar-se [sa'far-se] *vr* to escape; (*esquivar-se*) to avoid

safra ['safra] *f* (*colheita*) harvest

Sagitário [saʒi'tariw] *m* Sagittarius

sagrado, -a [sa'gradu, -a] *adj* sacred

saguão <-ões> [sa'gwɜ̃w, -'õjs] *m* courtyard; (*de hotel*) lobby

saia ['saja] *f* skirt

saiba ['sajba] *1./3. pres subj de* **saber**

saída [sa'ida] *f* exit

sair [sa'ir] *irr* **I.** *vt* to leave; ~ **à noite** to go out at night; **ela está saindo com um colega da escola** she is dating a schoolmate **II.** *vi* (*disco*) to be released; **quanto sai esta blusa?** how much is this shirt? **III.** *vr* **~-se bem/mal em a. c.** to be successful/unsuccessful at sth

sal <-ais> ['saw, 'sajs] *m* salt

sala ['sala] *f* room; ~ **de aula** classroom

salada [sa'lada] *f* salad

salão <-ões> [sa'lɜ̃w, -'õjs] *m* salon; ~ **de cabeleireiro** beauty salon

salário [sa'lariw] *m* salary; ~ **mínimo** (monthly) minimum wage

saldar [saw'dar] *vt* (*dívida*) to settle; (*conta*) to pay (off)

saldo ['sawdu] *m* balance

saleiro [sa'lejru] *m* salt shaker

salgada *adj v.* **salgado**

salgadinhos [sawga'dʒĩɲus] *mpl* appetizers *pl*

Culture **Salgadinhos** are small pastries, generally served as appetizers and filled with chicken, heart of palm or bacalhau. The best known varieties are **empadinhas** (tiny empanadas), **coxinhas** (chicken wings), **croquettes**, and **pastéis** (turnovers).

salgado, -a [saw'gadu, -a] *adj* salty; (*preço*) expensive

salientar [saʎiẽj'tar] I. *vt* to point out II. *vr* ~-**se** to stand out
salmão <-ões> [saw'mɜ̃w, -'õjs] *m* salmon
salões *m pl de* **salão**
salpicar [sawpi'kar] *vt* <c→qu> to sprinkle
salsa ['sawsa] *f* parsley
salsicha [saw'siʃa] *f* frankfurter
salsichão [sawsi'ʃɜ̃w, -'õjs] *m* knackwurst
saltar [saw'tar] I. *vt* (*muro*) to jump over II. *vi* to jump; ~ **do ônibus** to get off the bus
saltitar [sawtʃi'tar] *vi* to skip
salto ['sawtu] *m* 1. leap; ~ **mortal** somersault 2. (*de calçado*) heel
salva ['sawva] *f* **uma** ~ **de palmas** a round of applause
salvador(a) [salva'dor(a)] <-es> *m(f)* savior
Salvador [sawva'dor] (City of) Salvador
salvaguardar [sawvagwar'dar] *vt* to safeguard
salvar [saw'var] <*pp* salvo *ou* salvado> I. *vt* (*pessoa*) to rescue; INFOR to save II. *vr* ~-**se de um acidente** to survive an accident
salva-vidas ['sawva-'vidas] *m inv* **barco** ~ lifeboat; (*pessoa*) lifeguard
salve ['sawvi] *interj* hail
salvo ['sawvu] I. *pp irr de* **salvar** II. *prep* except
salvo, -a ['sawvu, -a] *adj* saved; **são e** ~ safe and sound
samambaia [sɜmɜ̃ŋ'baja] *f* fern
samba ['sɜ̃ŋba] *m* samba

Culture Born in the mid-1910s at get-togethers of Bahian sweets vendors living in Rio de Janeiro, then the Federal District, samba was boosted into prominence by radio in the mid-1920's, prompting the formation of samba groups (**escolas de samba**). More than just a genre, **samba** has become part of Brazilian musical identity.

sambar [sɜ̃ŋ'bar] *vi* to dance samba
sambódromo [sɜ̃ŋ'bɔdrumu] *m* samba parade grounds
sanar [sɜ'nar] *vt* to remedy
sancionar [sɜ̃ŋsjo'nar] *vt* to sanction
sandália [sɜ̃ŋ'daʎia] *f* sandal
sanduíche [sɜ̃ŋdu'iʃi] *m* sandwich
sanear [sɜni'ar] *conj como passear vt* to remedy; *fig* to clean
sanfona [sɜ̃ŋ'fona] *f* accordion
sangrar [sɜ̃ŋ'grar] *vi* to bleed
sangrento, -a [sɜ̃ŋ'grẽjtu, -a] *adj* bloody
sangue ['sɜ̃ŋgi] *m* blood
sanguessuga [sɜ̃ŋgi'suga] *f* leech
sanguinário, -a [sɜ̃ŋgi'nariw, -a] *adj* (*pessoa*) bloodthirsty; (*ato*) bloody
sanitário [sɜni'tariw] *m* toilet
sanitário, -a [sɜni'tariw, -a] *adj* **vaso** ~ toilet
santa *adj, f v.* **santo**
Santa Catarina [sɜ̃ŋta kata'rina] *f* (State of) Santa Catarina
santidade [sɜ̃ŋtʃi'dadʒi] *f* holiness
santificado, -a [sɜ̃ŋtʃifi'kadu, -a] *adj* sanctified
santo, -a ['sɜ̃ŋtu, -a] I. *m, f* saint II. *adj* saint; **dia** ~ religious holiday

Santos ['sɜ̃ŋtus] (City of) Santos

são, sã ['sɜ̃w, 'sɜ̃] *adj* healthy

São Luís [sɜ̃w lu'is] (City of) São Luís

São Paulo [sɜ̃w 'pawlu] *m* (City/State of) São Paulo

sapataria [sapata'ɾia] *f* shoe shop

sapateiro, -a [sapa'tejɾu, -a] *m, f* shoemaker

sapato [sa'patu] *m* shoe

sapeca [sa'pɛka] *adj* mischievous

sapo ['sapu] *m* toad

saque ['saki] *m* withdrawal; (*esporte*) serve

saquear [saki'ar] *conj como passear vt* to loot

sarampo [sa'ɾɜ̃ŋpu] *m* measles *pl*

sarar [sa'ɾar] **I.** *vt* to cure **II.** *vi* to heal

sardento, -a [sar'dẽjtu, -a] *adj* freckled

sardinha [sar'dʒĩɲa] *f* sardine

sarjeta [sar'ʒeta] *f* gutter

satélite [sa'tɛʎitʃi̥] *m* satellite

satisfaça [satʃis'fasa] *1./3. pres subj de* **satisfazer**

satisfação <-ões> [satʃisfa'sɜ̃w, -'õjs] *f* satisfaction; **dar uma ~ a alguém** to offer sb an apology

satisfazer [satʃisfa'zer] *irr como fazer* **I.** *vt* to satisfy; **~ as exigências** to meet the demands **II.** *vi* to be enough **III.** *vr* **~-se com a. c.** to be content with sth

satisfeito, -a [satʃis'fejtu, -a] **I.** *pp de* **satisfazer** **II.** *adj* content; (*com comida*) to be full

saturado, -a [satu'ɾadu, -a] *adj* full; (*farto*) fed up

saudade [saw'dadʒi] *f* longing; **~s de casa** homesickness

> **Culture** **Saudade** refers to a melancholic sentiment brought on by the absence of someone or something, by being away from a place, or by the desire to relive certain past experiences.

saudar [saw'dar] *irr vt* to greet

saudável <-eis> [saw'davew, -ejs] *adj* healthy

saúde [sa'udʒi] *f* health; **estar bem/mal de ~** to be in good/poor health; **~!** (*ao brindar*) cheers!; (*ao espirrar*) gesundheit!, bless you!

se [si] **I.** *conj* if; **não sei ~ ele vem** I don't know whether he'll come **II.** *pron* himself, herself, itself, oneself **III.** *pron impess* it; **sabe-~ que ...** it is known that ...

sebe ['sɛbi] *f* hedge

seboso, -a [se'bozu, -'ɔza] *adj* greasy

seca ['seka] *f* drought

secador [seka'dor] *m* hair dryer

secadora [seka'doɾa] *f* (clothes) dryer

seção <-ões> [se'sɜ̃w, -'õjs] *f* part, section; **~ de artigos femininos** women's department

secar [se'kar] <c→qu> *vt, vi* to dry

seco, -a ['seku, -a] *adj* **1.** (*roupa*) dry; **lavar a ~** to dry-clean **2.** (*resposta*) rude

secreta *adj v.* **secreto**

secretaria [sekɾeta'ɾia] *f* registrar's office, secretariat

secretária [sekɾe'taɾia] *f* secretary; **~ eletrônica** answering machine

secreto, **-a** [se'krɛtu, -a] *adj* secret
século ['sɛkulu] *m* century
secundário, **-a** [sekũw'dariw, -a] *adj* secondary; (*de menor qualidade*) inferior
seda ['seda] *f* silk
sede[1] ['sɛdʒi] *f* center; (*de empresa*) headquarters
sede[2] ['sedʒi] *f* thirst; **estar com** [*ou* **ter**] ~ to be thirsty
sedentário, **-a** [sedẽj'tariw, -a] *adj* sedentary
sediar [sedʒi'ar] *conj como enviar vt* to host
sedimentar [sedʒimẽj'tar] *vt fig* to consolidate
sedoso, **-a** [se'dozu, -'ɔza] *adj* silky
sedutor(**a**) [sedu'tor(a)] <-es> **I.** *m(f)* seducer **II.** *adj* seductive
segredo [se'gredu] *m* secret; **guardar** ~ to keep a secret
seguida [si'gida] *f* **em** ~ next
seguido, **-a** [si'gidu, -a] *adj* continuous; **horas seguidas** consecutive hours
seguidor(**a**) [segi'dor(a)] <-es> *m(f)* follower
seguinte [si'gĩjtʃi] *adj* following, next
seguir [si'gir] *irr* **I.** *vt* to follow; (*um conselho*) to take **II.** *vi* (*pessoa*) to go ahead; ~ **em frente** to move forward
segunda [si'gũwda] *f* Monday; **viajar de** ~ to travel second class
segunda-feira [si'gũwda-'fejra] <segundas-feiras> *f* Monday
segundo [si'gũwdu] **I.** *m* second; **só um** ~! just a second! **II.** *prep* according to **III.** *adv* second
segundo, **-a** [si'gũwdu, -a] **I.** *num ord* second **II.** *adj* second
segura *adj v.* **seguro**
segurado, **-a** [sigu'radu, -a] *adj, m, f* insured
seguradora [sigura'dora] *f* insurance company
segurança [sigu'rɜ̃ŋsa] **I.** *mf* security guard **II.** *f* **1.** certainty, safety; **com** [*ou* **em**] ~ safely; **cinto de** ~ safety belt **2.** (*garantia*) assurance
segurar [sigu'rar] **I.** *vt* (*agarrar*) to grab; (*amparar*) to hold **II.** *vr:* ~**-se segure-se firme** hold on tight
seguro [si'guru] **I.** *m* insurance **II.** *adv* confidently
seguro, **-a** [si'guru, -a] *adj* **1.** (*sem perigo*) safe **2.** (*certo*) certain; ~ **de si** self-confident **3.** (*fixo*) firm
sei *1. pres de* **saber**
seio ['seju] *m* breast
seis ['sejs] **I.** *num card* six **II.** *m* six
seiscentos, **-as** [sejs'sẽjtus, -as] *num card* six hundred
seita ['sejta] *f* sect
seiva ['sejva] *f* sap
seixo ['sejʃu] *m* pebble
seja ['seʒa] **I. 1.** *subj de* **ser 2. não** ~ **por isso** don't mention it **II.** *conj* **ou** ~, ... in other words, ...
sela ['sɛla] *f* saddle
selar [se'lar] *vt* **1.** (*uma carta*) to stamp; (*lacrar*) to seal **2.** (*um cavalo*) to saddle
seleção <-ões> [sele'sɜ̃w, -'õjs] *f* **1.** choice **2.** ~ **brasileira** Brazilian national team

selecionar [selesjo'nar] *vt* to select
selim [se'ʎĩj] <-ins> *m* bicycle seat
selo ['selu] *m* **1.** (*de carta*) stamp; (*de lacre*) seal **2.** (*gravadora*) label
selva ['sɛwva] *f* jungle
selvagem [sew'vaʒẽj] <-ens> *adj* **1.** (*animal*) wild; (*tribo*) savage **2.** (*maneiras*) rude
sem ['sẽj] *prep* without; ~ **fim** endless; ~ **querer** accidentally; ~ **saber** unknowingly; ~ **que** +*subj* unless
semáforo [se'mafuru] *m* traffic light
semana [se'mɜna] *f* week
sem-cerimônia [sẽjseri'monia] *f* informality
semear [seme'ar] *conj como passear vt* (*um produto*) to produce; (*a terra*) to sow; *fig* to spread
semelhante [seme'ʎɜ̃ɲtʃi] *adj* similar; ~ **a** like
semente [se'mẽjtʃi] *f* seed
semestre [se'mɛstri] *m* half year
semi-analfabeto, -a [semjanawfa'bɛtu, -a] *m, f* semiliterate
semifinal <-ais> [semifi'naw, -'ajs] *f* semifinal
seminário [semi'nariw] *m* REL seminary; (*colóquio*) seminar
sem-nome [sẽj'nomi] *adj* unspeakable
sem-número [sẽj'numeru] *m inv* infinity; **um ~ de casos** countless cases
sempre ['sẽjpri] **I.** *m* always; **para (todo o)** ~ forever **II.** *adv* constantly; ~ **que** whenever; **como** ~ as always **III.** *conj* however
sempre-viva ['sẽjpri-'viva] *f* evergreen
sem-terra [sẽj'tɛxa] *mf inv* landless person
sem-teto [sẽj'tɛtu] *mf inv* homeless person
sem-vergonha [sẽjver'gõɲa] *mf inv* shameless [*o* impudent] person
senador(a) [sena'dor(a)] <-es> *m(f)* senator
senão [si'nɜ̃w] **I.** *conj* otherwise **II.** *prep* but; **não há ninguém ~ ele** there is no one but him
Senegal [sene'gaw] *m* Senegal
senha ['sẽɲa] *f* password; (*na fila*) number
senhor [sĩ'ɲor] <-es> *m* gentleman *m;* **sim, ~!** *form* yes, sir!; **o Senhor** the Lord
senhora [sĩ'ɲora] *m* lady *f;* **sim, ~!** yes, ma'am!; **Nossa Senhora** Our Lady; (**minha**) **Nossa Senhora!** *inf* dear God!

> **Culture** **senhor** and **senhora** are forms of address for unknown or elderly persons, along with "dona", "seu" and "senhor", examples: dona Júlia, seu Alfredo and senhor Almeida.

senhorio, -a [sẽɲoriw, -a] *m, f* landlord
senhorita [sẽɲo'rita] *f* unmarried girl, miss
sensação <-ões> [sẽjsa'sɜ̃w, -'õjs] *f* feeling
sensato, -a [sẽj'satu, -a] *adj* prudent
sensibilizado, -a [sẽjsibiʎi'zadu, -a] *adj* touching
sensibilizar [sẽjsibiʎi'zar] *vt* (*como-*

ver) to touch

sensível <-eis> [sẽj'sivew, -ejs] *adj* sensitive; (*assunto*) touchy

senso ['sẽjsu] *m* **bom** ~ common sense

sensual <-ais> [sẽjsu'aw, -'ajs] *adj* sensual

sentado, -a [sẽj'tadu, -a] *adj* seated

sentar [sẽj'tar] **I.** *vt* to sit **II.** *vr* **por favor, sente-se!** please, sit down!

sentenciar [sẽjtẽjsi'ar] *vt* to condemn

sentido [sĩj'tʃidu] **I.** *m* **1.** sense; **recuperar os ~s** to recover one's senses; **isso não faz** ~ that doesn't make any sense **2.** ~ **horário** clockwise; **em** ~ **contrário** in the opposite direction **II.** *adj* **ficar** ~ **com alguém** to be hurt by sb

sentimental <-ais> [sẽjtʃimẽj'taw, -'ajs] *adj* sentimental; **vida** ~ love life

sentimento [sẽjtʃi'mẽjtu] *m* feeling

sentimentos [sẽjtʃi'mẽjtu] *mpl* condolences

sentinela [sẽjtʃi'nɛla] *f* sentinel

sentir [sĩj'tʃir] *irr* **I.** *vt* to feel; (*lamentar*) to feel sorry for; **sinto muito!** I'm so sorry! **II.** *vi* to suffer **III.** *vr* **como é que você se sente?** how do you feel?

separar [sepa'rar] **I.** *vt* to separate; (*o lixo*) to sort **II.** *vr* **~-se** to get a divorce

sepulcro [se'puwkru] *m* tomb

sepultar [sepuw'tar] *vt* to bury

sepultura [sepuw'tura] *f* burial

sequer [si'kɛr] *adv* even; **nem** ~ not even

seqüestrar [sekwes'trar] *vt* (*pessoa*) to kidnap; (*avião*) to hijack; (*bens*) to seize

seqüestro [se'kwɛstru] *m* (*de pessoa*) kidnapping; (*de avião*) hijacking; (*de bens*) seizure

ser ['ser] *irr* **I.** *vi* to be; **ela é alta** she is tall; **é uma hora** it's one o'clock; **se eu fosse ele, não faria isso** if I were him, I wouldn't do that; **quanto é a entrada?** how much is admission?; **será que ela vem?** do you think she'll come?; **o que foi?** what happened?, what's wrong? **II.** *m* <-es> being; ~ **vivo** living thing

sereia [se'reja] *f* mermaid

serena *adj v.* **sereno**

serenar [sere'nar] *vi* to calm down

sereno, -a [se'renu, -a] *adj* serene

sereno [se'renu] *m* (night) dew

seres *m pl de* **ser**

Sergipe [ser'ʒipi] *m* (State of) Sergipe

séria *adj v.* **sério**

seriado [seri'adu] *m* series

série ['sɛrii] *f* sequence; **em** ~ in series; **segunda** ~ second grade; **fora de** ~ *fig* exceptional

sério, -a ['sɛriw, -a] *adj* (*honesto*) honest; (*assunto*) serious

sério ['sɛriw] *adv* **a** ~ seriously; **está falando ~?** are you serious?

sermão <-ões> [ser'mɜ̃w, -'õjs] *m* sermon

serpente [ser'pẽjtʃi] *f* serpent

serpentina [serpẽj'tʃina] *f* paper streamer

serra ['sɛxa] *f* saw; GEO mountain range

serragem [se'xaʒẽj] <-ens> *f* saw-

S

dust

serralheiro, **-a** [sexa'ʎejɾu, -a] *m, f* metalworker

serrar [se'xar] *vt* to saw

serraria [sexa'ɾia] *f* sawmill

serrote [se'xɔtʃi̥] *m* saw

sertão <-ões> [ser'tɜ̃w, -'õjs] *m* interior scrubland

servente [ser'vẽjtʃi̥] *mf* servant; (*de limpeza*) maid; (*operário*) assistant

serventia [servɛj'tʃia] *f* utility; **ter ~ para a. c.** to be useful for sth

Sérvia ['sɛrvia] *f* Serbia

serviço [ser'visu] *m* **1.** service; **~ militar (obrigatório)** (mandatory) military service; **elevador de ~** service elevator; **fora de ~** out of order **2.** (*de restaurante*) service charge **3.** (*trabalho*) work

servidor [servi'dor] <-es> *m* **~ público** civil servant; INFOR server

servir [ser'vir] *irr como vestir* **I.** *vt* to serve **II.** *vi* **para que serve isso?** what is that for?; **isso não serve para nada!** that is useless!; **esta saia não me serve** this skirt doesn't fit me **III.** *vr* **~-se** (*utilizar*) to make use of; **sirva-se!** help yourself!

sessão <-ões> [se'sɜ̃w, -'õjs] *f* meeting; (*de cinema*) showing

sessenta [se'sẽjta] *num card* sixty

sessões *f pl de* **sessão**

seta ['sɛta] *f* arrow

sete ['sɛtʃi̥] **I.** *num card* seven **II.** *m* seven

setecentos, **-as** [sɛtʃi̥'sẽjtus, -as] *num card* seven hundred

setembro [se'tẽjbɾu] *m* September

setenta [se'tẽjta] *num card* seventy

setentrional <-ais> [setẽjtɾjo'naw, -ajs] *adj* northerly

sétimo, **-a** ['sɛtʃimu, -a] *num ord* seventh

setuagenário, **-a** [setuaʒe'naɾiw, -a] *adj, m, f* septuagenarian

setuagésimo, **-a** [setua'ʒɛzimu, -a] *num ord* seventieth

seu, **sua** ['sew, 'sua] *pron poss* his, hers; **o ~ futuro** his/her future; **isto é ~?** is this yours?

severo, **-a** [se'vɛɾu, -a] *adj* severe

sexagenário, **-a** [seksaʒe'naɾiw, -a] *adj, m, f* sexagenarian

sexagésimo, **-a** [seksa'ʒɛzimu, -a] *num ord* sixtieth

sexo ['sɛksu] *m* sex; (*orgão*) genitals *pl;* **fazer ~** to have sex

sexta *num v.* **sexto**

sexta-feira ['sesta-'fejɾa] *f* Friday

sexto, **-a** ['sestu, -a] *num ord* sixth

sexual <-ais> [seksu'aw, -'ajs] *adj* sexual

shopping center ['ʃɔpĩj-'sẽjter] *m* (shopping) mall

shorts ['ʃɔrts] *m* shorts *pl*

show ['ʃow] *m* show; **dar um ~** *fig* to make a scene

si ['si] *pron pess* himself, herself, itself; **por ~ (só/mesmo/próprio)** for himself/herself/itself

Sibéria [si'bɛɾia] *f* Siberia

Sicília [si'siʎia] *f* Sicily

siderúrgica [side'ɾurʒika] *f* steel company

sido ['sidu] *pp de* **ser**

sidra ['sidɾa] *f* cider

sifão <-ões> [si'fɜ̃w, -'õjs] *m* siphon

siga ['siga] *1./3. pres subj de* **seguir**

sigiloso, **-a** [siʒi'lozu, -'ɔza] *adj* secret, confidential

sigla ['sigla] *f* acronym

significado [signifi'kadu] *m* meaning; **não tem** ~ it makes no sense

significar [signifi'kar] *vt* <c→qu> to mean

signo ['signu] *m* sign

sigo ['sigu] *1. pres de* **seguir**

silêncio [si'lẽjsiw] *m* quiet; **estar em** ~ to be quiet; **em** ~ silently

silencioso, **-a** [silẽjsi'ozu, -'ɔza] *adj* (*lugar*) quiet; (*pessoa*) silent

silício [si'ʎisiw] *m* silicon

silicone [siʎi'koni] *m* silicone

silvar [siw'var] *vi* to whistle

silvestre [siw'vɛstri] *adj* wild

silvícola [siw'vikula] *adj* savage

sim ['sĩj] **I.** *m* yes **II.** *adv* **acho que** ~ I believe so

símbolo ['sĩjbulu] *m* symbol

simétrico, **-a** [si'mɛtriku, -a] *adj* symmetrical

similar [simi'lar] <-es> *adj* similar

simpatia [sĩjpa'tʃia] *f* **ter** ~ **por a. c.** to have an affinity for sth

simpático, **-a** [sĩj'patʃiku, -a] *adj* nice

simpatizante [sĩjpatʃi'zɜ̃ŋtʃi] *mf* sympathizer

simpatizar [sĩjpatʃi'zar] *vt* ~ **com** (*pessoa*) to like; (*causa*) to sympathize with

simples ['sĩjplis] *adj inv* **1.** simple; **problema** ~ minor problem **2.** (*gente*) modest **3.** **bilhete** ~ single ticket

simplório, **-a** [sĩj'plɔriw, -a] **I.** *m, f* simpleton **II.** *adj* simple-minded

simulacro [simu'lakru] *m* sham

simular [simu'lar] *vt* to feign

simultâneo, **-a** [simuw'tɜniw, -a] *adj* simultaneous

sina ['sina] *f inf* luck; **é a minha** ~ it's my destiny

sinal <-ais> [si'naw, -'ajs] *m* **1.** indication; (**não**) **dar sinal de vida** to give (no) signs of life **2.** (*de trânsito*) traffic light **3.** ~ **de ocupado** busy signal **4.** **por** ~ by the way

sincero, **-a** [sĩj'sɛru, -a] *adj* sincere

sincronizado, **-a** [sĩjkroni'zadu, -a] *adj* synchronized, in sync *inf*

sindicalista [sĩjdʒika'ʎista] **I.** *mf* unionist **II.** *adj* union

sindicato [sĩjdʒi'katu] *m* labor union

síndrome ['sĩjdromi] *f* syndrome

sinfonia [sĩjfo'nia] *f* symphony

singelo, **-a** [sĩj'ʒɛlu, -a] *adj* simple

singrar [sĩj'grar] *vi* to sail

singular [sĩjgu'lar] *adj* individual; (*único*) unique; (*peculiar*) peculiar

sinistro [si'nistru] *adj* **1.** (*pessoa*) evil **2.** (*figura*) tragic **3.** (*local*) spooky

sino ['sinu] *m* bell

sinta ['sĩjta] *pp/3. pres subj de* **sentir**

sintético, **-a** [sĩj'tɛtʃiku, -a] *adj* (*borracha*) synthetic

sinto ['sĩjtu] *1. pres de* **sentir**

sintoma [sĩj'toma] *m* symptom

sintonizado, **-a** [sĩjtoni'zadu, -a] *adj* tuned in

sintonizar [sĩjtoni'zar] *vt* to tune

sinuca [si'nuka] *f* pool

sinuoso, **-a** [sinu'ozu, -'ɔza] *adj* wind-

ing
sinusite [sinu'zitʃi̥] *f* sinusitis
sirene [se'ɾeni] *f* siren
siri [si'ɾi] *m* crab
Síria ['siɾia] *f* Syria
sirva ['sirva] *1./3. pres subj de* **servir**
sirvo ['sirvu] *1. pres de* **servir**
sisal <-ais> [si'zaw, -'ajs] *m* sisal hemp
siso ['sizu] *m* **dente de** ~ *inf* wisdom tooth
sistema [sis'tema] *m* system
sistemático, -a [siste'matʃi̥ku, -a] *adj* systematic
sisudo, -a [si'zudu, -a] *adj* judicious
sitiado, -a [sitʃi'adu, -a] *adj* besieged
sitiante [sitʃi'ɜ̃ɲtʃi̥] *mf* ranch owner
sítio ['sitʃiw] *m* country house; ~ **arqueológico** archeological site
situação <-ões> [situa'sɜ̃w, -'õjs] *f* situation; **eles estão em boa** ~ they are well-off
situado, -a [situ'adu, -a] *adj* located
situar [situ'ar] **I.** *vt* to locate **II.** *vr:* ~**-se** to get one's bearings
skate [is'kejtʃi̥] *m* skateboard
smoking [iz'mokĩj] *m* tuxedo
só ['sɔ] **I.** *adj* **1.** (*sozinho*) alone **2.** (*solitário*) lonely **3.** (*único*) only; **uma** ~ **vez** just once **II.** *adv* solely; ~ **que** but; **estar** [*ou* **ficar**] **a** ~**s** to be by oneself; **ela** ~ **tem 12 anos** she is just 12 years old; ~ **agora** only now
soalho [su'aʎu] *m* wooden flooring
soar [so'ar] *vi* <*1. pess pres:* sôo> to sound
sob ['sob] *prep* under
sobe ['sɔbi] *3. pres de* **subir**
soberania [soberɜ'nia] *f* sovereignty
soberbo, -a [so'berbu, -a] *adj* **1.** (*magnífico*) superb **2.** (*altivo*) arrogant
sobra ['sɔbɾa] *f* **1.** extra; **tenho tempo de** ~ I have spare time **2.** ~**s** (*de comida*) leftovers *pl*
sobrado [so'bɾadu] *m* two-story house
sobrancelha [sobɾɜ̃ɲ'seʎa] *f* eyebrow
sobrar [so'bɾar] *vi* to be left over
sobre ['sobɾi] *prep* on top of, above; (*acerca de*) about
sobrecarregado, -a [sobɾikaxe'gadu, -a] *adj* (*pessoa*) overworked
sobrecarregar [sobɾikaxe'gar] *vt* (*um veículo*) to overload; *fig* (*uma pessoa*) to overwork
sobrecoxa [sobɾi'koʃa] *f* thigh
sobreloja [sobɾi'lɔʒa] *f* mezzanine
sobremesa [sobɾi'meza] *f* dessert
sobrenome [sobɾi'nɔmi] *m* surname
sobrepeso [sobɾe'pezu] *m* overweight
sobrepor [sobɾe'por] *irr como pôr vt* to overlap
sobreposto [sobɾe'postu] *pp de* **sobrepor**
sobrepujar [sobɾepu'ʒar] *vt* to exceed
sobressair [sobɾesa'ir] *conj como sair* **I.** *vi* to catch one's attention **II.** *vr:* ~**-se** to stand out
sobressalente [sobɾesa'lẽjtʃi̥] *adj* **peça** ~ spare part
sobressaltar [sobɾesaw'tar] **I.** *vt* to surprise; (*assustar*) to frighten **II.** *vr*

~-**se** to be startled

sobretaxa [sobɾi'taʃa] *f* (*imposto*) surtax; (*serviço*) surcharge

sobretudo [sobɾi'tudu] **I.** *m* overcoat **II.** *adv* above all

sobrevivência [sobɾevi'vẽjsia] *f* survival

sobrevivente [sobɾevi'vẽjtʃi̥] **I.** *mf* survivor **II.** *adj* surviving

sobreviver [sobɾevi'ver] *vi, vt* to survive

sobrevoar [sobɾevu'ar] *vt* <*1. pess pres* sobrevôo> to fly over

sóbria *adj v.* **sóbrio**

sobrinho, -a [su'bɾĩɲu, -a] *m, f* nephew *m,* niece *f*

sóbrio, -a ['sɔbɾiw, -a] *adj* sober

socar [so'kar] *vt* <c→qu> to punch

sócia *f v.* **sócio**

social <-ais> [sosi'aw, -ajs] *adj* social; **assistência** ~ social work; **camisa** ~ dress shirt; **elevador** ~ main elevator

sociável <-eis> [sosi'avew, -ejs] *adj* sociable

sociedade [sosje'dadʒi] *f* **1.** society; ~ **anônima** stock corporation **2.** (*entre sócios*) partnership

sócio, -a ['sɔsiw, -a] *m, f* (*nos negócios*) partner; (*de clube*) member

sociólogo, -a [sosji'ɔlogu, -a] *m, f* sociologist

soco ['soku] *m* blow

socorrer [soko'xer] **I.** *vt* to rescue **II.** *vr:* ~-**se a** to resort to

socorro [so'koxu] *m* help; **primeiros** ~**s** first aid; **pedir** ~ to ask for help

sódio ['sɔdʒiw] *m* sodium

sofá [so'fa] *m* sofa

sofisticado, -a [sofistʃi̥'kadu, -a] *adj* sophisticated

sofrer [so'fɾer] *vt* **1.** (*derrota*) to suffer **2.** (*acidente*) to have

sofrido, -a [so'fɾidu, -a] *adj* (*vida*) suffering; (*vitória*) hard-earned

sofrível <-eis> [so'fɾivew, -ejs] *adj* (*desempenho*) tolerable

software [sɔftʃiw'ɛr] *m* software *no pl*

sogro, -a ['sogɾu, 'sɔgɾa] *m, f* father-in-law *m,* mother-in-law *f;* ~**s** parents-in-law *pl*

soja ['sɔʒa] *f* soybean

sol <sóis> ['sɔw, -'sɔjs] *m* sun

sola ['sɔla] *f* sole

solar [so'lar] **I.** *m* mansion **II.** *adj* solar

solário [so'lariw] *m* sunroom

solavanco [sola'vɐ̃ŋku] *m* jolt

soldado [sow'dadu] *m* soldier

soleira [so'lejɾa] *f* threshold

solenidade [soleni'dadʒi] *f* solemnity

soletrar [sole'tɾar] *vt* to spell

solícita *adj v.* **solícito**

solicitação <-ões> [soʎisita'sɐ̃w, -'õjs] *f* request; (*de serviços*) application

solicitar [soʎisi'tar] *vt* **1.** to request; **solicitei para ela o dinheiro** I asked her for the money **2.** (*bolsa de estudos*) to apply for

solícito, -a [so'ʎisitu, -a] *adj* helpful

sólida *adj v.* **sólido**

solidário, -a [soʎi'dariw] *adj* solidary

sólido, -a ['sɔʎidu, -a] *adj* solid; (*empresa*) healthy; (*relação*) strong; (*argumento*) sound

solitário, -a [soʎi'tariw, -a] *adj* solitary

solo ['sɔlu] **I.** *m* soil **II.** *adj* solo

soltar [sow'tar] <*pp* solto *ou* soltado> *vt* to release; **me solta!** let me go!; ~ **o cabelo** to let one's hair down

solteiro, **-a** [sow'tejru, -a] **I.** *m, f* bachelor **II.** *adj* single

solto ['sowtu] *pp irr de* **soltar**

solto, **-a** ['sowtu, -a] *adj* (*parafuso*) loose; (*cabelo*) loose; (*pessoa*) footloose

solução <-ões> [solu'sɜ̃w, -'õjs] *f* solution

solucionar [solusjo'nar] *vt* to solve

soluço [so'lusu] *m* (*choro*) sob; (*fisiológico*) hiccup

soluções *f pl de* **solução**

solúvel <-eis> [so'luvew, -ejs] *adj* soluble; **café** ~ instant coffee

som ['sõw] <-ons> *m* sound; **aparelho de** ~ radio

soma ['soma] *f* sum

somar [so'mar] *vt* to add

sombra ['sõwbra] *f* shadow; **à** ~ in the shade; ~ **para os olhos** eye shadow

sombreado, **-a** [sõwbri'adu, -a] *adj* shaded

sombrio, **-a** [sõw'briw, -a] *adj* somber

some ['sɔmi] *3. pres de* **sumir**

somente [sɔ'mẽjtʃi̥] *adv* only

somos ['somus] *1. pl pres de* **ser**

sonâmbulo, **-a** [so'nɜ̃ŋbulu, -a] *m, f* sleepwalker

sonda ['sõwda] *f* catheter; ~ **espacial** space probe

sondagem [sõw'daʒẽj] <-ens> *f* exploratory investigation; **fazer uma** ~ to take a poll

sondar [sõw'dar] *vt* to probe; (*uma região*) to explore; (*uma pessoa*) to feel out

soneca [so'nɛka] *f* nap

sonegar [sone'gar] *vt* <g→gu> (*informação*) to conceal; (*impostos*) to evade

sonhador(a) [sõɲa'dor(a)] <-es> *m(f)* dreamer

sonhar [sõ'ɲar] *vt* to dream

sonho ['sɔɲu] *m* **1.** dream **2.** *doughnut filled with Bavarian cream*

sonífero [so'niferu] *m* sleeping pill

sono ['sonu] *m* sleep; **estar caindo** [*ou* **morrendo**] **de** ~ *inf* to be exhausted

sonolento, **-a** [sono'lẽjtu, -a] *adj* sleepy

sonoro, **-a** [so'nɔru, -a] *adj* resonant

sons *m pl de* **som**

sonso, **-a** ['sõwsu, -a] *adj* sly

sopa ['sopa] *f* soup

sopé [so'pɛ] *m* base

soprar [so'prar] **I.** *vt* to blow; (*vela*) to blow out **II.** *vi* to blow

sopro ['sopru] *m* **1.** (*vento*) wind **2.** (*hálito*) breath

sórdido, **-a** ['sɔrdʒidu, -a] *adj* filthy; (*pessoa*) vile

sorridente [soxi'dẽjtʃi̥] *adj* smiling

sorrir [so'xir] *irr como rir vi* to smile

sorriso [so'xizu] *m* smile

sorte ['sɔrtʃi̥] *f* luck; **boa ~!** good luck!

sorteio [sor'teju] *m* raffle

sortido, **-a** [sor'tʃidu, -a] *adj* assorted

sorver [sor'ver] *vt* to sip

sorvete [sor'vetʃi̥] *m* ice cream; (*de suco de frutas*) sherbet *Am,* sorbet *Brit*

sorveteria [sorvete'ria] *f* ice-cream parlor

sós ['sɔs] *m* **a** ~ alone

sósia ['sɔzia] *mf* lookalike

sossegar [suse'gar] <g→gu> **I.** *vt* to calm **II.** *vi* to calm down

sótão ['sɔtɜ̃w] *m* attic

sotaque [so'taki] *m* accent

soterrar [sote'xar] *vt* to bury

soturno, -a [so'turnu, -a] *adj* (*pessoa*) melancholy; (*local*) gloomy

sou ['so] *1. pres de* **ser**

soube ['sowbi] *1./3. pret perf de* **saber**

sova ['sɔva] *f* beating

sovaco [su'vaku] *m* armpit

sovina [so'vina] **I.** *mf* miser **II.** *adj* miserly

sozinho, -a [sɔ'zĩɲu] *adj* alone

Sr. [sĩ'ɲor] *m abr de* **senhor** Mr.

Sra. [sĩ'ɲɔra] *f abr de* **senhora** (*tratamento para mulher casada*) Mrs.; (*tratamento sem saber o estado civil*) Ms.

Srta. [sĩxo'rita] *f abr de* **senhorita** Miss

standard [is'tɜ̃ŋdardʒi] *adj inv* (*carro*) basic model

sua ['sua] *pron poss* his, her; **a** ~ **casa** his/her house; (**a**) ~ **mãe** your mother

suado, -a [su'adu, -a] *adj* sweaty

suar [su'ar] *vi* to sweat

suave [su'avi] *adj* (*material*) soft; (*cheiro*) pleasant; (*prestações*) manageable

suavizar [suavi'zar] *vt* (*a dor*) to soothe; (*um conflito*) to moderate

subalterno, -a [subaw'tɛrnu, -a] *adj* subordinate

subaquático, -a [suba'kwatʃi̥ku, -a] *adj* underwater

subdesenvolvido, -a [subdʒizĩjvow'vidu, -a] *adj* underdeveloped

subemprego [subĩj'pregu] *m* underemployment

subentendido, -a [subĩjtẽj'dʒidu, -a] *adj* implicit

subestimar [subestʃi'mar] *vt* to underestimate

subgerente [subʒe'rẽjtʃi̥] *mf* assistant manager

subida [su'bida] *f* (*ladeira*) hill; (*de preços*) rise

subir [su'bir] *irr* **I.** *vt* **1.** (*uma escada*) to climb; (*rua*) to walk up **2.** (*preços*) to increase **3.** (*no ônibus*) to get on **II.** *vi* to go up; (*temperatura*) to rise

súbito, -a ['subitu, -a] *adj* sudden

subjetivo, -a [subʒe'tʃivu, -a] *adj* subjective

subliminar [subʎimi'nar] *adj* subliminal

sublinhar [sublĩ'ɲar] *vt* to underline

sublocar [sublo'kar] *vt* <c→qu> to sublet

submarino [subma'rinu] *m* submarine

submergir [submer'ʒir] <*pp* submerso *ou* submergido> *vi, vt* to submerge

S

submeter [subme'ter] **I.** *vt* to submit **II.** *vr* ~-**s a alguém** to yield to sb
submetralhadora [submetraʎa'dora] *f* submachine gun
submisso, **-a** [sub'misu, -a] *adj* submissive
submundo [sub'mũwdu] *m* underworld
subnutrido, **-a** [subnu'tridu, -a] *adj* malnourished
subordinado, **-a** [subordʒi'nadu, -a] *adj* (*a um tema*) secondary; (*subalterno*) subordinate
subornar [subor'nar] *vt* to bribe
suborno [su'bornu] *m* bribery
subproduto [subpro'dutu] *m* by-product
subscrever [subskre'ver] <*pp* subscrito> **I.** *vt* to sign **II.** *vr:* ~-**se** to sign at the end
subseqüente [subse'kwẽjtʃi̥] *adj* subsequent
subsidiado, **-a** [subsidʒi'adu, -a] *adj* subsidized
subsídio [sub'sidʒiw] *m* subsidy; (*vencimentos*) salary
subsistir [subzis'tʃir] *vi* (*sobreviver*) to subsist
subsolo [sub'sɔlu] *m* basement
substância [subs'tɜ̃ŋsia] *f* substance
substancial <-ais> [substɜ̃ŋsi'aw, -'ajs] *adj* substantial
substantivo [substɜ̃ŋ'tʃivu] *m* noun
substituição <-ões> [substʃi̥tuj'sɜ̃w, -'õjs] *f* substitution; (*em funções*) shift
substituir [substʃitu'ir] *conj como incluir vt* to substitute
substrato [subs'tratu] *m* (*base*) basis; (*essência*) essence
subterfúgio [subter'fuʒiw] *m* excuse, subterfuge
subterrâneo [subte'xɜniw] *m* underground
subtrair [subtra'ir] *conj como sair vt* to subtract
suburbano, **-a** [subur'bɜnu, -a] **I.** *m, f* suburbanite **II.** *adj* suburban; *pej* in bad taste
subúrbio [su'burbiw] *m* suburb
subvencionado, **-a** [subvẽjsjo'nadu, -a] *adj* subsidized
subversivo, **-a** [subver'sivu, -a] *adj* subversive
subverter [subver'ter] *vt* to corrupt
sucata [su'kata] *f* scrap metal
suceder [suse'der] **I.** *vt* to succeed, to follow **II.** *vi* to happen **III.** *vr:* ~-**se** to come next
sucedido, **-a** [suse'dʒidu, -a] **I.** *pp de* **suceder II.** *adj* past; **ser bem-**~ to be successful
sucessivamente [susesiva'mẽjtʃi̥] *adv* successively
sucesso [su'sɛsu] *m* success; **fazer** [*ou* **ter**] ~ to be successful
suco ['suku] *m* juice
suculento, **-a** [suku'lẽjtu] *adj* juicy, succulent
sucumbir [sukũw'bir] *vi* to yield; (*morrer*) to die
sucuri [suku'ri] *f* anaconda
sucursal <-ais> [sukur'saw, -'ajs] *f* branch
Sudão [su'dɜ̃w] *m* Sudan
sudeste [su'dɛstʃi̥] *m* southeast

sudoeste [sudo'ɛstʃi̥] *m* southwest

Suécia [su'ɛsia] *f* Sweden

suéter [su'ɛter] *m* sweater

suficiente [sufisi'ẽjtʃi̥] *adj* enough; (*em escola*) satisfactory

sufocado, -a [sufo'kadu, -a] *adj* smothered

sufocante [sufo'kɜ̃ŋtʃi̥] *adj* (*calor*) stifling

sufocar [sufo'kar] <c→qu> *vi* to suffocate

sufoco [su'foku] *m inf* difficulty

sugar [su'gar] *vt* <g→gu> to suck

sugerir [suʒe'ɾir] *irr como preferir vt* to suggest

sugestão <-ões> [suʒes'tɜ̃w, -'õjs] *f* suggestion

sugiro [su'ʒiɾu] *1. pres de* **sugerir**

Suíça [su'isa] *f* Switzerland

suicida [suj'sida] *mf* suicide

suicidar-se [sujsi'darsi] *vr* to commit suicide

suíno [su'inu] I. *m* swine II. *adj* piggish

suja *adj v.* **sujo**

sujar [su'ʒar] I. *vt* to dirty II. *vr* **~-se** to get dirty

sujeira [su'ʒejɾa] *f* filth; *inf* dirty trick

sujeita *adj, f v.* **sujeito**

sujeitar [suʒej'tar] <*pp* sujeito *ou* sujeitado> I. *vt* to subject II. *vr:* **~-se** to submit

sujeito, -a [su'ʒejtu, -a] I. *m, f* individual II. *adj* **~ a** subject to

sujo, -a ['suʒu, -a] *adj* dirty; (*boca*) foul; (*pessoa*) underhanded

sul ['suw] *m* south

sulista [su'ʎista] I. *mf* southerner II. *adj* southern

suma ['suma] *f* **em ~** in short

sumário, -a [su'maɾiw, -a] *adj* brief

sumido, -a [su'midu, -a] *adj* **você andou ~!** you disappeared!

sumir [su'mir] *irr como subir vi* to disappear

sumo ['sumu] *adj* **assunto de suma importância** matter of supreme importance

súmula ['sumula] *f* summary

sunga ['sũwga] *f men's swimming bikini*

suntuoso, -a [sũwtu'ozu, -'ɔza] *adj* sumptuous

suor [su'ɔr] <-es> *m* sweat; *fig* hard work

superado, -a [supe'ɾadu, -a] *adj* (*modelo*) outdated; (*problema*) solved

superar [supe'ɾar] I. *vt* (*crise*) to overcome; (*expectavivas*) to surpass II. *vr* **~-se** to outdo oneself

superastro [supe'rastru] *m* superstar

superável <-eis> [supe'ɾavew, -ejs] *adj* surmountable

superávit [supe'ɾavitʃi̥] *m* ECON surplus

supercílio [super'siʎiw] *m* eyebrow

superdotado, -a [superdo'tadu, -a] *m, f* gifted

superestimar [supeɾestʃi'mar] *vt* to overestimate

superficial <-ais> [superfisi'aw, -ajs] *adj* superficial

superfície [super'fisii] *f* surface

supérfluo, -a [su'pɛrfluu, -a] *adj* superfluous

superinflação <-ões> [superĩjfla-

'sɜ̃w, -õjs] *f* hyperinflation *no pl*

superintendente [superĩjtẽj'dẽjtʃi̥] *mf* superintendent

superior(a) [superi'or(a)] *adj* **1.** (*mais alto*) higher; ~ **a** higher than; **o andar** ~ the upper floor **2.** (*quantidade*) greater

superlotado, -a [superlo'tadu, -a] *adj* overcrowded

supermercado [supermer'kadu] *m* supermarket

superpovoado, -a [superpovu'adu, -a] *adj* overpopulated

superproteger [superprote'ʒer] *vt* <g→j> to overprotect

supersônico [super'soniku] *adj* supersonic

supersticioso, -a [superstʃisi'ozu, -'ɔza] *adj* superstitious

supertime [super'tʃimi] *m* dream team

supervalorizar [supervalori'zar] *vt* to overrate

supervisionar [supervizjo'nar] *vt* to supervise

supetão [supe'tɜ̃w] *m* **de** ~ suddenly

suplantar [suplɜ̃ŋ'tar] **I.** *vt* to supplant **II.** *vr* ~**-se** to outdo oneself

suplementar [suplemẽj'tar] **I.** *vt* to supplement **II.** *adj* <-es> supplemental

suplente [su'plẽjtʃi̥] **I.** *mf* substitute **II.** *adj* alternate

suplício [su'plisiw] *m* torture; *fig* a pain (in the neck)

supor [su'por] *irr como pôr vt* to suppose; **supondo que ...** assuming that ...

suportar [supor'tar] *vt* (*um peso*) to support; (*agüentar*) to bear

suportável <-eis> [supor'tavew, -ejs] *adj* bearable

suporte [su'pɔrtʃi̥] *m* support

suposto, -a [su'postu, -'ɔsta] **I.** *pp de* **supor II.** *adj* alleged, hypothetical

supremo, -a [su'premu, -a] *adj* supreme

suprimento [supri'mẽjtu] *m* supply

suprimir [supri'mir] *vt* **1.** (*liberdades*) to repress **2.** (*a violência*) to suppress **3.** (*dor*) to relieve

suprir [su'prir] *vt* **1.** (*uma falha*) to make up for **2.** (*as necessidades*) to fulfill **3.** (*de alimentos*) to supply

surdo, -a ['surdu, -a] **I.** *m, f* deaf person **II.** *adj* deaf; (*som*) muffled

surfar [sur'far] *vi* to surf

surfe ['surfi] *m* surfing

surgir [sur'ʒir] *vi* <g→gu> (*problema*) to arise; (*aparecer*) to emerge

surpreendente [surpriẽj'dẽjtʃi̥] *adj* surprising

surpreender [surpriẽj'der] **I.** *vt* to surprise **II.** *vr* ~**-se com a. c./alguém** to be astonished by sth/sb

surpresa [sur'preza] *f* surprise

surpreso, -a [sur'prezu, -a] **I.** *pp irr de* **surpreender II.** *adj* surprised

surra ['suxa] *f* thrashing

surrar [su'xar] *vt* to beat; (*pelo uso*) to wear out

surrupiar [suxupi'ar] *conj como enviar vt inf* to steal

sursis [sur'sis] *m inv* reprieve

surtir [sur'tʃir] *vt* to give rise to; ~ **efei-**

to to take effect

surto ['surtu] *m* outbreak

surucucu *f* bushmaster (*large, venomous Brazilian snake*)

SUS ['sus] *m abr de* **Sistema Único de Saúde** Unified Health System

suscetível <-eis> [suse'tʃivew, -ejs] *adj* susceptible; **ser ~ de ...** to be subject to ...

suscitar [susi'tar] *vt* (*curiosidade*) to arouse; (*problema*) to cause; (*ódio*) to provoke

suspeita *adj, f v.* **suspeito**

suspeitar [suspej'tar] *vt* to suspect; **~ de a. c.** to be suspicious of sth

suspeito, -a [sus'pejtu, -a] **I.** *m, f* suspect **II.** *adj* suspicious

suspender [suspẽj'der] *vt* <*pp* **suspenso** *ou* **suspendido**> to suspend; (*reunião*) to postpone; (*um pedido*) to cancel

suspensa *adj v.* **suspenso**

suspensão <-ões> [suspẽj'sɜ̃w, -'õjs] *f* interruption; (*pagamento*) cancellation; (*de jogador*) suspension

suspense [sus'pẽjsi] *m* suspense

suspenso, -a [sus'pẽjsu, -a] **I.** *pp irr de* **suspender II.** *adj* (*no ar*) suspended; **estar ~** to be hanging; **ficar em ~** to be pending a solution

suspensões *f pl de* **suspensão**

suspirar [suspi'ɾar] *vi, vt* to sigh

sussurrar [susu'xar] **I.** *vt* to murmur **II.** *vi* to whisper

sustar [sus'tar] *vt* to stop payment (on)

sustentar [sustẽj'tar] **I.** *vt* **1.** (*estrutura*) to sustain **2.** (*uma idéia*) to support **3.** (*acusações*) to justify **II.** *vr:* **~-se** to support oneself

sustentável <-eis> [sustẽj'tavew, -ejs] *adj* sustainable

susto ['sustu] *m* fright; **levar um ~** to be startled; **pregar** [*ou* **dar**] **um ~ em alguém** to scare sb

sutiã [sutʃi'ɜ̃] *m* bra

sutil <-is> [su'tʃiw, -'is] *adj* **1.** (*pessoa*) sharp; (*comentário*) penetrating **2.** (*diferença*) subtle

sutis *adj pl de* **sutil**

T

T, t ['te] *m* T, t

tá ['ta] *interj inf abr de* **está bem** OK

tabaco [ta'baku] *m* tobacco

tabagista [taba'ʒista] *mf* heavy smoker

tabefe [ta'bɛfi] *m inf* slap

tabela [ta'bɛla] *f* (*quadro*) table; **~ de preços** price list

tabelado, -a [tabe'ladu, -a] *adj* (*preço*) listed

tabelião, -ã <-ães> [tabeli'ɜ̃w, -'ɜ̃, -'ɜ̃js] *m, f* notary public

tablete [ta'blɛtʃi] *m* tablet

tabu [ta'bu] *m* taboo

tábua ['tabwa] *f* board, plank; **~ de passar** (**roupa**) ironing board

tabuleiro [tabu'lejɾu] *m* **1.** (*bandeja*) tray **2.** (*de xadrez*) board

taça ['tasa] *f tb.* ESPORT cup

tacada [ta'kada] *f* (*golfe, bilhar*) stroke

tacar [ta'kar] <c→qu> *vt inf* to throw; ~ **a. c. em alguém** to throw sth at sb

taco ['taku] *m* (*de bilhar*) cue; (*de golfe*) club; (*de beisebol*) bat

Tadjiquistão [tadʒikis'tɜ̃w] *m* Tajikistan

tagarela [taga'rɛla] **I.** *mf* chatterbox **II.** *adj* garrulous

tailandês, -esa [tajlɜ̃'des, -'eza] *adj, m, f* Thai

Tailândia [taj'lɜ̃ŋdʒia] *f* Thailand

tailleur [taj'er] *m* woman's tailored suit

tais *mf pl de* **tal**

Taiwan [taju'ɜ̃] *m* Taiwan

taiwanês, -esa [tajwɜ'nes, -'eza] *adj, m, f* Taiwanese

tal ['taw] **I.** *pron dem* **o ~ professor** that professor **II.** *adv* **1.** (*sugestão*) **que ~ ... ?** how about ... ? **2. que ~?** what do you think? **3.** (*indeterminado*) **na rua ~** on such and such a street **4.** like, such; **~ pai, ~ filho** like father, like son

talão [ta'lɜ̃w] *m* **~ de cheques** checkbook

talco ['tawku] *m* talcum powder

talento [ta'lẽjtu] *m* talent

talentoso, -a [talẽj'tozu, -'ɔza] *adj* talented

talhado, -a [ta'ʎadu, -a] *adj* **1.** (*madeira*) carved **2.** (*leite*) sour

talharim [taʎa'rĩj] <-ins> *m* tagliatelle *pl*

talher [ta'ʎɛr] <-es> *m* silverware *Am,* cutlery *Brit*

talvez [taw'ves] *adv* maybe

tamanco [ta'mɜ̃ŋku] *m* *clog with leather toe covering*

tamanduá-bandeira [tamɜ̃ŋdu'a-bɜ̃ŋ'dejɾa] <tamanduás-bandeira(s)> *m* giant anteater

tamanho [tɜ'mɜ̃ɲu] *m* size

tamanho, -a [tɜ'mɜ̃ɲu, -a] *adj* such

tamanho-família [tɜ'mɜ̃ɲu-fɜ'miʎia] *adj* family-sized

também [tɜ̃ŋ'bẽj] *adv* also, too; **eu ~ não** me neither

tambor [tɜ̃ŋ'bor] <-es> *m* bass drum

tamborim [tɜ̃ŋbo'rĩj] <-ins> *m* tambourine

tampa ['tɜ̃ŋpa] *f* lid

tampão <-ões> [tɜ̃ŋ'pɜ̃w, -'õjs] *m* **1.** (*para os ouvidos*) plug **2.** (*absorvente*) tampon

tampar [tɜ̃ŋ'par] *vt* (*caixa*) to cover

tampo ['tɜ̃ŋpu] *m* (*da mesa*) top

tampões *m pl de* **tampão**

tanga ['tɜ̃ŋga] *f* (*na praia*) thong; (*povos indígenas*) loincloth

tangerina [tɜ̃ŋʒi'rina] *f* tangerine

tanque ['tɜ̃ŋki] *m* **1.** *tb.* MIL tank **2.** (*para lavar roupa*) wash tub

tanto ['tɜ̃ŋtu] **I.** *pron indef* so [*o* as] much; **um ~ a bit** **II.** *adv* **1.** (*temporal*) **demora ~!** it takes so long; **foi uma festa e ~!** it was quite a party!; **não é caso para ~** it isn't such a big deal **2.** (*comparação*) **~ ... como** [*ou* **quanto**] **...** both ... and ...; **~ faz** it makes no difference; **~ quanto pude/sei** as much as I could/I know; **~s** so many/much

tanto, -a ['tɜ̃ŋtu, -a] *adj* so; **trinta e ~s anos** thirty-odd years; **tanta gen-**

te so many people

tão ['tɜ̃w] *adv* so, as; **é ~ bonito!** it is so beautiful!

tapa ['tapa] *m* (*pancada*) slap

tapado, **-a** [ta'padu, -a] *adj pej, inf* **ser ~** to be dense

tapar [ta'par] *vt* (*fechar*) to close; (*panela*) to cover

tapear [tapi'ar] *conj como passear vt* **1.** (*enganar*) to trick **2.** (*dar tapa*) to slap

tapete [ta'petʃi] *m* rug

tarado, **-a** [ta'ɾadu, -a] **I.** *m, f* **~ sexual** sex maniac **II.** *adj* depraved

tardar [tar'dar] *vt* to delay; **o mais ~** at the latest

tarde ['tardʒi] **I.** *f* afternoon; **boa ~!** good afternoon! **II.** *adv* late

tardinha [tar'dʒĩɲa] *f* late afternoon

tarefa [ta'ɾɛfa] *f* task

tarifa [ta'ɾifa] *f* **1.** (*imposto*) tariff **2.** (*de serviço*) rate

tarimbado, **-a** [tarĩj'badu, -a] *adj* very experienced

tarô [ta'ɾo] *m* tarot

tartaruga [tarta'ɾuga] *f* turtle

tascar [tas'kar] <c→qu> *vt inf* (*tapear*) to slap

tatame [ta'tɜmi] *m* tatami

tática ['tatʃika] *f* tactics

tato ['tatu] *m* **1.** (*sentido*) sense of touch **2.** (*diplomacia*) tact

tatu [ta'tu] *m* armadillo

tatuador(**a**) [tatua'dor(a)] *m(f)* tattoo artist

tatuagem [tatu'aʒẽj] <-ens> *f* tattoo

tatu-bola [ta'tu-'bɔla] <tatus-bola(s)> *m* three-banded armadillo

tatuí [tatu'i] *m* mole crab

taturana [tatu'ɾɜna] *f* caterpillar

taurino, **-a** *adj, m, f* Taurus

taxa ['taʃa] *f* **1.** (*taxa*) fee **2.** **~s alfandegárias** customs duties **3.** (*índice*) rate; **~ de câmbio** exchange rate

taxar [ta'ʃar] *vt* (*pelo governo*) to tax

táxi ['taksi] *m* taxi

taxímetro [tak'simetɾu] *m* taximeter

taxista [tak'sista] *mf* taxi driver

tchau ['tʃaw] *interj* bye

tcheco, **-a** *adj, m, f* Czech; **a República Tcheca** the Czech Republic

te ['tʃi] *pron pess* **1.** (*obj dir*) you **2.** (*obj indir*) you, to you, for you; **eu te disse** I told you

teatro [tʃi'atɾu] *m* theater; **ir ao ~** to go to the theater; **peça de ~** play

tecer [te'ser] <c→ç> *vt* **1.** (*tecido*) to weave **2.** (*teia*) to spin

techno ['tɛknu] *adj, m inv* MÚS techno

tecido [te'sidu] *m* **1.** (*têxtil*) cloth **2.** BIOL tissue

tecla ['tɛkla] *f* key

teclado [te'kladu] *m* MÚS, INFOR keyboard

técnica ['tɛknika] *f* (*maneira*) technique

técnico, **-a** ['tɛkniku, -a] **I.** *m, f* technician **II.** *adj* technical

tecnologia [teknolo'ʒia] *f* technology; **~ de ponta** advanced technology; **alta ~** hi-tech

tecnológico, **-a** [tekno'lɔʒiku, -a] *adj* technological

tédio ['tɛdʒiw] *m* boredom

T

tedioso, **-a** [tedʒi'ozu, -'ɔza] *adj* tedious

teia ['teja] *f* web

teimar [tej'mar] *vi* to insist

teimoso, **-a** [tej'mozu, -a] *adj* stubborn

tel. [tele'foni] *m abr de* **telefone** tel.

tela ['tɛla] *f* **1.** (*de pintura*) canvas **2.** CINE, TV, INFOR screen

telão <-ões> [te'lɜ̃w, -'õjs] *m* motion-picture screen

tele ['tɛʎi] *f* state telephone company

telecomunicações [teʎikomunika'sõjs] *fpl* telecommunications

teleconferência [teʎikõwfe'ɾẽjsia] *f* teleconference

teleférico [tele'fɛɾiku] *m* (*fechado*) cable car; (*aberto*) chair lift

telefonar [telefo'nar] *vi* to telephone

telefone [tele'foni] *m* **1.** (*aparelho*) telephone; ~ **celular** cell phone *Am*, mobile (phone) *Brit*; ~ **sem fio** cordless phone **2.** *inf* (*número*) phone number

telefonema [telefo'nema] *m* (tele)phone call

telefonista [telefo'nista] *mf* (telephone) operator

telegrama [tele'gɾɜma] *m* telegram

telejornal <-ais> [tɛʎiʒor'naw, -'ajs] *m* TV news + *sing vb*

telenovela [tɛʎino'vɛla] *f* (TV) soap opera

telespectador(a) [telespekta'dor(a)] *m(f)* (TV) viewer

televisão <-ões> [televi'zɜ̃w, -'õjs] *f* television; ~ **a cabo** cable TV; ~ **em cores** color TV; ~ **por assinatura** pay-per-view TV; **aparelho de** ~ television set; **ver** ~ to watch TV

telhado [te'ʎadu] *m* roof

telões *m pl de* **telão**

têm *3. pess sing de* **ter**

tema ['tema] *m* (*assunto*) subject

temer [te'mer] *vi, vt* to fear

temor [te'mor] <-es> *m* fear

tempão [tẽj'pɜ̃w] *m inf* a long time

temperado, **-a** [tẽjpe'ɾadu, -a] *adj* **1.** (*comida*) seasoned **2.** (*clima*) temperate

temperamento [tẽjpeɾa'mẽjtu] *m* temperament

temperar [tẽjpe'ɾar] *vt* (*comida*) to season

temperatura [tẽjpeɾa'tuɾa] *f* temperature

tempero [tẽj'peɾu] *m* GASTR seasoning

tempestade [tẽjpes'tadʒi] *f* storm

tempestuoso, **-a** [tẽjpestu'ozu, -'ɔza] *adj* tempestuous

templo ['tẽjplu] *m* temple

tempo ['tẽjpu] *m* **1.** (*época*) time; **a** ~ in time; ~ **livre** free time; **em** ~ **integral** full-time; **dar um** ~ *inf* to take a break **2.** METEO **bom/mau** ~ good/bad weather; **o** ~ **fechou** it clouded over **3.** ESPORT **primeiro/segundo** ~ first/second half

temporada [tẽjpo'ɾada] *f* (*de turismo*) season

temporal <-ais> [tẽjpo'ɾaw, -'ajs] *m* storm

temporário, **-a** [tẽjpo'ɾariw, -a] *adj* temporary

tencionar [tẽjsjo'nar] *vt* to intend

tenda ['tẽjda] *f* (*para acampar*) tent

tendência [tẽj'dẽjsia] *f* (*predisposição*) tendency

tendencioso, **-a** [tẽjdẽjsi'ozu, -'ɔza] *adj* biased

tender [tẽj'der] *vt* to tend (to)

tenebroso, **-a** [tene'brozu, -'ɔza] *adj* gloomy

tenha ['tẽɲa] *1./3. pres subj de* **ter**

tenho ['tẽɲu] *1. pres de* **ter**

tênia ['tenia] *f* MED tapeworm

tênis ['tenis] *m inv* **1.** ESPORT tennis **2.** (*calçado*) sneakers *Am,* trainers *Brit*

tenista [te'nista] *mf* tennis player

tenro, **-a** ['tẽjxu, -a] *adj* tender

tensa *adj v.* **tenso**

tensão <-ões> [tẽj'sɜ̃w, -'õjs] *f* **1.** tension; ~ **nervosa** nervous tension **2.** (*voltagem*) voltage

tenso, **-a** ['tẽjsu, -a] *adj* (*músculo, situação*) tense; (*corda*) taut

tensões *f pl de* **tensão**

tentação <-ões> [tẽjta'sɜ̃w, -'õjs] *f* temptation

tentáculo [tẽj'takulu] *m* tentacle

tentador(**a**) [tẽjta'dor(a)] *adj* tempting

tentar [tẽj'tar] *vt* (*experimentar*) to try; ~ **fazer a. c.** to try to do sth

tentativa [tẽjta'tʃiva] *f* attempt

tênue ['tenuj] *adj* (*laços*) tenuous

teor [te'or] <-es> *m* (*conteúdo*) contents *pl*

teoria [teo'ria] *f* theory

teórico, **-a** [te'ɔriku, -a] **I.** *m, f* theorist **II.** *adj* theoretical

tépido, **-a** ['tɛpidu, -a] *adj* lukewarm

tequila [te'kila] *f* tequila

ter ['ter] *irr* **I.** *vt* **1.** *inf* (*haver*) **tem suco?** is there any juice? **2.** (*possuir, realizar*) to have; ~ **fome** to be hungry; **quantos anos você tem?** how old are you?; **tenho 30 anos** I am 30 (years old) **II.** *aux* (*part perf*) to have; (*obrigação*) ; ~ **de** [*ou* **que**] to have to

terapeuta [tera'pewta] *mf* therapist

terapia [tera'pia] *f* therapy

terça-feira [tersa-'fejra] <terças-feiras> *f* Tuesday

terceiro, **-a** [ter'sejru, -a] **I.** *m, f* **1.** third **2.** (*outra pessoa*) third party **II.** *num ord* third; **terceira idade** *inf* old age

terço ['tersu] *m* **1.** (*terça parte*) third **2.** REL rosary

terçol <óis> [ter'sɔw, -'ɔjs] *m* MED sty

Teresina [tere'zina] (City of) Teresina

térmico, **-a** ['tɛrmiku, -a] *adj* thermal

terminal <-ais> [termi'naw, -'ajs] **I.** *m* AERO, NÁUT terminal; ~ **de embarque/desembarque** departures/arrivals **II.** *adj* terminal

terminar [termi'nar] *vi, vt* (*reunião*) to end; (*barulho*) to stop

término ['tɛrminu] *m* end

termo ['termu] *m* **1.** (*fim*) end **2.** (*expressão*) term

termômetro [ter'mometru] *m* thermometer

termostato [termos'tatu] *m* thermostat

terna *adj v.* **terno**

terninho [tɛr'nĩɲu] *m* woman's suit

terno ['tɛrnu] *m* (*vestuário*) suit

terno, -a ['tɛrnu] *adj* tender

terra ['tɛxa] *f* **1.** (*poeira*) dirt; (*solo, planeta*) earth; **deslizamento de ~** landslide **2.** (*país*) **~ estrangeira** foreign land; **~ natal** homeland; **na minha ~** where I come from

Terra ['tɛxa] *f* ASTRON Earth

terraço [te'xasu] *m* terrace

terremoto [texe'mɔtu] *m* earthquake

terreno [te'xenu] *m* **1.** (*porção de terra*) piece of land; **~ para construção** construction site **2.** *fig* (*área*) ground; **ganhar/perder ~** to gain/lose ground

térreo ['tɛxiw] *m* ground

térreo, -a ['tɛxiw, -a] *adj* on the ground; **andar ~** first floor *Am*, ground floor *Brit*

terrestre [te'xɛstri] *adj* (*comunicações, transporte*) land

território [texi'tɔriw] *m* territory

terrível <-eis> [te'xivew, -ejs] *adj* terrible

terror [te'xor] <-es> *m* terror

terrorismo [texo'rizmu] *m* terrorism

terrorista [texo'rista] *adj, mf* terrorist

tesão <-ões> [te'zɜ̃w, -'õjs] *m chulo* **1.** (*sexual*) lust; **com ~** horny **2.** (*pessoa*) **ela é um ~** she's a real turn-on

tese ['tɛzi] *f* thesis; **em ~** in theory

tesoura [tʃi'zora] *f* scissors *no pl;* **~ de unhas** nail scissors; **uma ~** a pair of scissors

tesouro [tʃi'zoru] *m* (*objeto*) treasure; (*lugar*) treasury

testa ['tɛsta] *f* forehead

testamento [testa'mẽjtu] *m* will

testar [tes'tar] *vt* to test

teste ['tɛstʃi] *m* test

testemunha [tʃistʃi'mũɲa] *f* witness; **~ ocular** eyewitness

testemunhar [tʃistʃimũ'ɲar] **I.** *vt* (*presenciar*) to witness **II.** *vi* JUR to testify

testemunho [tʃistʃi'mũɲu] *m* JUR (*depoimento*) testimony

testículo [tes'tʃikulu] *m* testicle

teta ['teta] *f* teat; (*peito*) breast

teto ['tɛtu] *m* (*de casa*) roof; (*de sala*) ceiling; **os sem-~** the homeless

teu ['tew] *pron* (*antes do substantivo*) your; **isso é ~** this is yours; **tu e os teus** (*família*) you and yours

teve *3. pret perf de* **ter**

tevê [te've] *f abr de* **televisão** TV, telly *Brit*

texto ['testu] *m* text

textual <-ais> [testu'aw, -'ajs] *adj* (*literal*) word for word

textura [tes'tura] *f* texture

ti ['tʃi] *pron pess* (*obj ind*) you

tia *f v.* **tio**

Tibete [tʃi'bɛtʃi] *m* Tibet

ticar [tʃi'kar] <c→qu> *vt* to check *Am*, to tick *Brit*

tico ['tʃiku] *m inf* **um ~** a bit

tido, -a ['tʃidu, -a] **1.** *pp de* **ter** **2.** (*considerado*) considered

tietagem [tʃie'taʒẽj] <-ens> *f inf:* *cheering*

tiete [tʃi'ɛtʃi] *mf inf* (*fã*) fan

tigela [tʃi'ʒɛla] *f* (small) bowl

tigre, -esa ['tʃigri, -'eza] *m, f* tiger *m*, tigress *f*

tijolo [tʃi'ʒolu] *m* brick

til ['tʃiw] *m* tilde
timaço [tʃi'masu] *m inf* great team
time ['tʃimi] *m* team
tímido, -a ['tʃimidu, -a] *adj* shy
Timor Leste [tʃi'mor 'lɛstʃi̥] *m* East Timor
tímpano ['tʃĩjpɜnu] *m* eardrum
tingir [tʃĩj'ʒir] <g→j> *vt* to dye
tinha ['tʃĩɲa] *1./3. imperf de* **ter**
tinta ['tʃĩjta] *f* **1.** (*para pintar*) paint **2.** (*para tingir*) dye **3.** (*para escrever*) ink
tintim [tʃĩj'tʃĩj] *m* **1.** (*brinde*) cheers **2.** ~ **por** ~ in minute detail
tinto ['tʃĩjtu] *adj* **vinho** ~ red wine
tio, -a ['tʃiw, -a] *m, f* uncle *m,* aunt *f*
tio-avô, tia-avó ['tʃiw-a'vo, 'tʃia-a'vɔ] *m, f* great-uncle *m,* great-aunt *f*
típico, -a ['tʃipiku, -a] *adj* typical
tipo ['tʃipu] *m* **1.** (*gênero*) type **2.** (*sujeito*) a character
tipóia [tʃi'pɔja] *f* arm sling
tique ['tʃiki] *m* **1.** (*marca*) check *Am,* tick *Brit* **2.** ~ **nervoso** nervous twitch
tíquete ['tʃiketʃi̥] *m* (*ingresso*) ticket; (*da caixa*) receipt
tiquinho [tʃi'kĩɲu] *m inf* **um** ~ just a tiny bit
tira ['tʃiɾa] **I.** *f* (*de papel*) strip **II.** *m inf* (*agente de polícia*) cop
tira-gosto ['tʃiɾa-'gostu] *m* snack
tira-manchas ['tʃiɾa-'mɜ̃ŋʃas] *m inv* stain remover
tirar [tʃi'rar] *vt* **1.** (*roupa*) to take off **2.** ~ **dinheiro** to withdraw money **3.** (*mancha*) to remove **4.** (*fotografia, férias*) to take
tiro ['tʃiɾu] *m* shot
tiroteio [tʃiɾo'teju] *m* (*disparos*) shooting
titular [tʃi̥tu'lar] *mf* (*de conta*) holder; (*de time*) first-string player
título ['tʃitulu] *m* (*de texto, pessoa*) title
tive ['tʃivi] *1. pret perf de* **ter**
tivesse [tʃi'vɛsi] *1./3. pret subj de* **ter**
toa ['toa] *f* **à** ~ (*em vão*) in vain; (*desocupado*) at a loose end
toalete [tua'lɛtʃi̥] *m* restroom *Am,* toilet *Brit*
toalha [tu'aʎa] *f* towel; ~ **de banho** bath towel
tobogã [tobo'gɜ̃] *m* **1.** (*em piscina*) slide **2.** (*trenó*) toboggan
toca-CDs ['tɔka-se'des] *m inv* CD player
toca-discos ['tɔka-'dʒiskus] *m inv* record player
toca-fitas ['tɔka-'fitas] *m inv* cassette player
Tocantins [tokɜ̃ŋ'tĩjs] *m* (State of) Tocantins
tocar [to'kar] <c→qu> **I.** *vt* **1.** (*instrumento*) to play **2.** (*com a mão; comover*) to touch **3.** (*dizer respeito*) to concern **II.** *vi* (*telefone*) to ring **III.** *vr* (*dar-se conta*) to realize
toco ['toku] *m* **1.** (*de árvore, de membro*) stump **2.** (*de cigarro, de cheque*) stub
todo ['todu] **I.** *m* whole **II.** *adj* **1.** (*inteiro*) whole, all **2.** (*cada*) every **III.** *pron indef* ~**s** everybody

IV. *adv* 1. **ao** ~ in total; **de** ~ totally 2. all

tofu [to'fu] *m* tofu

tola *f, adj v.* **tolo**

tolerar [tole'ɾar] *vt* to tolerate

tolice [to'ʎisi] *f* foolishness

tolo, -a ['tolu, -a] I. *m, f* fool II. *adj* silly

tom ['tõw] <-ons> *m* (*de voz*) tone

tomada [to'mada] *f* 1. (*na parede*) outlet 2. MIL (*conquista*) capture

tomar [to'mar] *vt* (*remédio, caminho*) to take; (*café*) to drink; ~ **banho** to take a bath; (~ *conta de alguém/a. c.*) to take care of sb/sth; ~ **um susto** to be startled

tomara [to'maɾa] *interj* let's hope

tomate [to'matʃi̥] *m* tomato

tombo ['tõwbu] *m* fall, tumble

tomilho [to'miʎu] *m* thyme *no pl*

tona ['tona] *f* **vir à** ~ to surface

tonelada [tone'lada] *f* (metric) ton

tônico, -a ['toniku, -a] *adj* **água tônica** tonic water

tons *m pl de* **tom**

tonto, -a ['tõwtu, -a] *adj* 1. (*bobo*) foolish 2. (*zonzo*) dizzy

topar [to'par] *vt inf* ~ **fazer a. c.** to agree to do sth; ~ **com alguém** to bump into sb

topázio [to'paziw] *m* topaz

topo ['topu] *m* (*de lista*) top

toque ['tɔki] *m* 1. (*com os dedos*) touch 2. (*telefone*) ring

tórax ['tɔɾaks] *m* thorax

torção <-ões> [tor'sɜ̃w, -'õjs] *f* MED torsion

torcedor(**a**) [torse'dor(a)] *m(f)* ~ **de futebol** soccer fan

torcer [tor'ser] <c→ç> I. *vt* 1. (*um fio*) to twist; ~ **o nariz** *inf* to turn up one's nose 2. (*tornozelo*) to sprain II. *vi* ESPORT to root

torcicolo [torsi'kɔlu] *m* crick

torcida [tor'sida] *f* fans *pl;* ~ **organizada** FUT fan club

tornar [tor'nar] I. *vi, vt* to return II. *vr:* ~**-se** to become

torneio [tor'neju] *m* tournament

torneira [tor'nejɾa] *f* faucet *Am,* tap *Brit*

torniquete [torni'ketʃi̥] *m* 1. (*entrada*) turnstile 2. MED tourniquet

tornozelo [torno'zelu] *m* ankle

toró [to'ɾɔ] *m inf* (*chuva*) downpour

torrada [to'xada] *f* toast

torradeira [toxa'dejɾa] *f* toaster

torrar [to'xar] I. *vt* (*pão*) to toast; **um sol de** ~ a scorching sun II. *vi inf* ~ **o saco** [*ou* **a paciência**] to try sb's patience III. *vr* ~**-se ao sol** to bake in the sun

torresmo [to'xezmu] *m* pork cracklings

tórrido, -a ['tɔxidu, -a] *adj* torrid

torso ['torsu] *m* torso

torta ['tɔrta] *f* pie

torto, -a ['tortu, 'tɔrta] *adj* (*torcido*) crooked

torto ['tortu] *adv* **a** ~ **e a direito** indiscriminately; **responder** ~ to answer back

tortura [tor'tuɾa] *f* torture

torturar [tortu'ɾar] *vt* to torture

tosar [to'zar] *vt* (*cachorro*) to clip

tosco, **-a** ['tosku, -a] *adj* (*grosseiro*) coarse

tosse ['tɔsi] *f* cough

tossir [to'sir] *irr como dormir vi* to cough

tostar [tos'tar] *vt* (*pão*) to toast

total <-ais> [to'taw, -'ajs] *m, adj* total

totó [to'tɔ] *m inf* doggie

touca ['toka] *f* ~ **de banho**/**de natação** shower/swimming cap

toucinho [tow'sĩɲu] *m* bacon, streaky bacon *Brit*

toupeira [to'pejɾa] *f* ZOOL mole

tourada [to'ɾada] *f* bullfight

touro ['toɾu] *m* bull

Touro ['toɾu] *m* (*zodíaco*) Taurus

tóxico, **-a** ['tɔksiku, -a] **I.** *m, f* toxin **II.** *adj* toxic

toxicômano, **-a** [tɔksi'komɜnu, -a] *m, f* drug addict

TPM [tepe'emi] *f abr de* **tensão pré-menstrual** PMS

trabalhadeira [trabaʎa'dejɾa] *adj* hard-working

trabalhador(a) [trabaʎa'dor(a)] **I.** *m(f)* worker; ~ **autônomo** self-employed worker **II.** *adj* hard-working

trabalhão, **-eira** <-ões> [traba'ʎɜ̃w, -'ejɾa, -'õjs] *m, f inf* hard work

trabalhar [traba'ʎar] *vi, vt* to work

trabalheira [traba'ʎejɾa] *f v.* **trabalhão**

trabalhista [traba'ʎista] *adj* labor *Am*

trabalho [tra'baʎu] *m* **1.** work; ~ **braçal** manual labor; ~ **escolar** homework; ~ **de meio período** part-time job; ~**s domésticos** housework; **estar sem** ~ to be out of work **2.** (*esforço*) effort; ~ **de parto** labor

trabalhões *m pl de* **trabalhão**

trabalhoso, **-a** [traba'ʎozu, -'ɔza] *adj* laborious

traçar [tra'sar] <c→ç> *vt* **1.** (*linha*) to trace **2.** (*plano*) to outline

traço ['trasu] *m* **1.** (*risco*) line **2.** (*caráter*) trait **3.** (*vestígio*) trace

tradição <-ões> [tradʒi'sɜ̃w, -'õjs] *f* tradition

tradicional <-ais> [tradʒisjo'naw, -'ajs] *adj* traditional

tradução <-ões> [tradu'sɜ̃w, -'õjs] *f* translation

tradutor(a) [tradu'tor(a)] <-es> *m(f)* translator

traduzir [tradu'zir] *vt* to translate

tráfego ['trafegu] *m* traffic

traficante [trafi'kɜ̃ŋtʃi] *mf* trafficker; ~ **de droga** drug dealer

tráfico ['trafiku] *m* traffic

traga ['traga] *1./3. pres subj, 3. imper de* **trazer**

tragar [tra'gar] <g→gu> *vt* **1.** (*bebida*) to swallow **2.** (*cigarro*) to inhale

tragédia [tra'ʒɛdʒia] *f tb. fig* tragedy

trago ['tragu] *m* swig

trago ['tragu] *1. pres de* **trazer**

traição <-ões> [trai'sɜ̃w, -'õjs] *f* (*de amigo*) betrayal; (*de namorado*) infidelity

traiçoeiro, **-a** [trajsu'ejɾu, -a] *adj* (*ataque*) treacherous

traições *f pl de* **traição**

traidor(a) [trai'dor(a)] <-es> *m(f)* traitor

trailer ['trejler] *m* AUTO, CINE trailer

trair [tra'ir] *conj como sair vt* (*parceiro*) to be unfaithful to

traje ['traʒi] *m* (*de folclore*) costume; ~**s menores** underclothes; ~ **típico** national costume

trajeto [tra'ʒɛtu] *m* (*de viagem*) route

tramar [trɜ'mar] *vt* (*maquinar*) to scheme

trambique [trɜ̃ŋ'biki] *m inf* trick

tramóia [trɜ'mɔja] *f* (*ardil*) ruse

trampolim [trɜ̃ŋpu'ʎĩj] <-ins> *m* (*de piscina*) springboard

tranca ['trɜ̃ŋka] *f* (*de porta*) latch

trança ['trɜ̃ŋsa] *f* braid (of hair) *Am,* plait *Brit*

trancar [trɜ̃ŋ'kar] <c→qu> *vt* to lock (up)

tranco ['trɜ̃ŋku] *m* (*empurrão*) shove

tranqüilizante [trɜ̃ŋkwiʎi'zɜ̃ŋtʃi] *m* tranquilizer

tranqüilizar [trɜ̃ŋkwiʎi'zar] *vt* (*acalmar*) to calm down

tranqüilo [trɜ̃ŋ'kwilu] *adj* (*sossegado*) calm

transa ['trɜ̃ŋza] *f gír* (*caso*) affair

transação <-ões> [trɜ̃ŋza'sɜ̃w, -'õjs] *f* transaction

transar [trɜ̃ŋ'zar] **I.** *vt* **1.** *inf* (*gostar de*) to be into **2.** *inf* (*relações sexuais*) to have sex with **II.** *vi inf* to have sex

transatlântico [trɜ̃ŋza'tlɜ̃ŋtʃiku] *m* ocean liner

transbordar [trɜ̃ŋzbor'dar] *vi* (*líquido*) to overflow

transe ['trɜ̃ŋzi] *m* trance

transeunte [trɜ̃ŋze'ũwtʃi] *mf* passer-by

transexual <-ais> [trɜ̃ŋseksu'aw, -'ajs] *adj, mf* transexual

transferência [trɜ̃ŋsfe'rẽjsia] *f* transfer

transferir [trɜ̃ŋsfi'rir] *irr como preferir vt* to transfer

transformação <-ões> [trɜ̃ŋsforma'sɜ̃w, -'õjs] *f* transformation

transformar [trɜ̃ŋsfor'mar] *vt* to transform

transfusão <-ões> [trɜ̃ŋsfu'zɜ̃w, -'õjs] *f* transfusion

transgênico, -a [trɜ̃ŋ'ʒeniku, -a] *adj* transgenic

transgredir [trɜ̃ŋzgre'dʒir] *irr como preferir vt* (*lei, regras*) to break, to violate

transição <-ões> [trɜ̃ŋzi'sɜ̃w, -'õjs] *f* transition

transitar [trɜ̃ŋzi'tar] *vi* to pass

trânsito ['trɜ̃ŋzitu] *m* traffic

translúcido, -a [trɜ̃ŋz'lusidu, -a] *adj* translucent

transmissão <-ões> [trɜ̃ŋzmi'sɜ̃w, -'õjs] *f* **1.** (*doença*) transmission **2.** (*televisão*) broadcast; ~ **direta/ao vivo** live broadcast

transmitir [trɜ̃ŋzmi'tʃir] *vt* to transmit

transparecer [trɜ̃ŋspare'ser] <c→ç> *vt* to appear; **deixar** ~ **a. c.** to show

transparência [trɜ̃ŋspa'rẽjsia] *f* transparency

transparente [trɜ̃ŋspa'rẽjtʃi] *adj* transparent

transpiração <-ões> [trɜ̃ŋspira'sɜ̃w, -'õjs] *f* perspiration

transpirar [trɜ̃ŋspi'rar] *vi* (*pessoa*) to perspire

transplante [trɜ̃ŋs'plɜ̃ŋtʃi] *m* transplant

transportador(a) [trɐ̃ŋsporta'dor(a)] <-es> *m(f)* transporter

transportadora [trɐ̃ŋsporta'dora] *f* (*empresa*) carrier

transportadores *m pl de* **transportador**

transportar [trɐ̃ŋspor'tar] *vt* (*mercadorias*) to transport

transporte [trɐ̃ŋs'pɔrtʃi] *m* transportation; ~ **coletivo** public transportation

transtornado, -a [trɐ̃ŋstor'nadu, -a] *adj* (*perturbado*) upset

transtorno [trɐ̃ŋs'tornu] *m* (*planos*) setback

transversal <-ais> [trɐ̃ŋzver'saw, -'ajs] *adj* transversal; **rua** ~ side street

trapaça [tra'pasa] *f* swindle

trapaceiro, -a [trapa'sejru, -a] *m, f* cheat

trapezista [trape'zista] *mf* trapeze artist

trapinhos [tra'pĩɲus] *mpl inf* rags *pl;* **juntar os** ~ to tie the knot

traquéia [tra'kɛja] *f* trachea, windpipe

trarei [tra'rej] *1./3. fut pres de* **trazer**

traria [tra'ria] *1./3. fut pret de* **trazer**

trás ['tras] *adv* **de/para** ~ back; **deixar para** ~ to leave behind

traseira [tra'zejra] *f* rear

traseiro [tra'zejru] *m inf* behind

traseiro, -a [tra'zejru, -a] *adj* back

traslado [traz'ladu] *m* (*de passageiros*) transfer

tratado [tra'tadu] *m* **1.** (*convenção*) treaty **2.** (*estudo*) treatise

tratador(a) [trata'dor(a)] <-es> *m(f)* (*de cavalos*) groom, stablehand

tratamento [trata'mẽjtu] *m* treatment

tratar [tra'tar] *vt* **1.** (*paciente, água*) to treat **2.** (*lidar com*) to deal with

trato ['tratu] *m* **1.** (*acordo*) agreement **2.** (*tratamento*) treatment

trator [tra'tor] <-es> *m* tractor

trauma ['trawma] *m* trauma

traumatismo [trawma'tʃizmu] *m* traumatism

traumatizado [trawmatʃi'zadu] *adj* traumatized

traumatizar [trawmatʃi'zar] *vt* to traumatize

trava ['trava] *f* (*da porta*) safety lock

travado, -a [tra'vadu, -a] *adj* **1.** (*porta*) locked **2.** *inf* tongue-tied

travar [tra'var] *vt* (*porta*) to lock

travessa [tra'vɛsa] *f* **1.** (*rua*) side street **2.** (*para comida*) platter

travesseiro [travi'sejru] *m* pillow

travessia [trave'sia] *f* crossing

travessura [trave'sura] *f* prank

travesti [traves'tʃi] *m* transvestite

trazer [tra'zer] *irr vt* to bring

trecho ['treʃu] *m tb.* MÚS passage

treco ['trɛku] *m inf* **1.** whachamacallit **2.** (*ataque*) fit

trégua ['trɛgwa] *f* truce

treinado, -a [trej'nadu, -a] *adj* (*amestrado*) trained

treinador(a) [trejna'dor(a)] <-es> *m(f)* ESPORT coach

treinamento [trejna'mẽjtu] *m v.* **treino**

treinar [trej'nar] *vt* **1.** (*time*) to coach **2.** (*animal, voz*) to train

treino ['trejnu] *m* training session

trejeito [tre'ʒejtu] *m* (*tique nervoso*)

twitch

trela ['trɛla] *f* (*de cão*) lead

trem <-ens> ['trẽj] *m* train

trem-bala ['trẽj-'bala] <trens-bala(s)> *m* express train

tremendo, -a [tre'mẽjdu, -a] *adj* (*extraordinário*) tremendous

tremer [tre'mer] *vi* (*pessoa*) to tremble

tremido, -a [tre'midu, -a] *adj* (*letra, voz*) shaky; (*fotografia*) fuzzy

tremor [tre'mor] *m* (*voz, terra*) tremor

trêmulo, -a ['trɛmulu, -a] *adj* **1.** (*pessoa, voz*) shaky **2.** (*luz*) flickering

trenó [tre'nɔ] *m* sled; (*de renas*) sleigh

trens *m pl de* **trem**

trepar [tre'par] *vi, vt* to climb; ~ **com alguém** *chulo* to hump sb

três ['tres] **I.** *m* three **II.** *num card* three

treta ['treta] *f inf* (*ardil*) trickery

trevas ['trɛvas] *fpl* darkness *no pl*

trevo ['trevu] *m* BOT clover; ARQUIT intersection

treze ['trezi] *num card* thirteen

trezentos, -as [tre'zẽjtus, -as] *num card* three hundred

triagem [tri'aʒẽj] <-ens> *f* sorting

triângulo [tri'ɜ̃ŋgulu] *m* triangle

triatlo [tri'atlu] *m* triathlon

tribuna [tri'buna] *f* (*para espectadores*) stand; ~ **de honra** VIP stand

tribunal <-ais> [tribu'naw, -'ajs] *m* JUR court

tributação <-ões> [tributa'sɜ̃w, -'õjs] *f* taxation

tributário, -a [tribu'tariw, -a] *adj* (*relativo a imposto*) tax

tributável <-eis> [tribu'tavew, -ejs] *adj* taxable

tributo [tri'butu] *m* **1.** (*homenagem*) tribute **2.** (*imposto*) tax

tricentenário [trisẽjte'nariw] *m* tricentennial

tricô [tri'ko] *m* knitting; **fazer** ~ to knit

tricotar [triko'tar] *vi* to knit; *fig* (*mexericar*) to gossip

tridimensional <-ais> [tridʒimẽjsjo'naw, -'ajs] *adj* three-dimensional

trigêmeos [tri'ʒemiws] *mpl* triplets *pl*

trigésimo, -a [tri'ʒɛzimu, -a] *num ord* thirtieth

trigo ['trigu] *m* wheat

trilha ['triʎa] *f* (*caminho*) path; ~ **sonora** sound track

trilhão <-ões> [tri'ʎɜ̃w, -'õjs] *m* trillion

trilhões *m pl de* **trilhão**

trilíngüe [tri'ʎĩjgwi] *adj* trilingual

trilogia [trilo'ʒia] *f* trilogy

trimestral <-ais> [trimes'traw, -'ajs] *adj* quarterly

trimestre [tri'mɛstri] *m* trimester, quarter

trinca ['trĩjka] *f* **1.** (*baralho*) three of a kind **2.** (*rachadura*) crack

trinco ['trĩjku] *m* (*de porta*) latch

trinta ['trĩjta] *num card* thirty

trio ['triw] *m* trio; ~ **elétrico** *reg: in Bahia, a truck that plays loud carnival music in a parade*

tripa ['tripa] *f* GASTR tripe *no pl;* ~**s** guts

tríplex [tri'plɛks] *m inv* (*apartamento*)

three-story penthouse
triplicar [tripli'kar] <c→qu> *vt, vi* to triple
tripulação <-ões> [tripula'sɜ̃w, -'õjs] *f* crew
tripulante [tripu'lɜ̃ŋtʃi̥] *mf* (*de avião*) crew member
triste ['tristʃi̥] *adj* sad
tristeza [tris'teza] *f* sorrow
tristonho, -a [tris'tõɲu, -a] *adj* (*pessoa*) glum
triturador [tritura'dor, -a] <-es> *m* crusher; ~ **de lixo** garbage disposal
triturar [tritu'rar] *vt* (*esmagar*) to crush
triunfal <-ais> [triũw'faw, -'ajs] *adj* triumphal
triunfar [triũw'far] *vi* (*idéias*) to prevail
triunfo [tri'ũwfu] *m* triumph
trivial [trivi'aw] *m sem pl* home-cooked meal
trivial <-ais> [trivi'aw, -'ajs] *adj* trivial
triz ['tris] *m* **por um** ~ by a hair's breadth
troca ['trɔka] *f* exchange
trocadilho [troka'dʒiʎu] *m* pun
trocado [tro'kadu] *m* (small) change
trocado, -a [tro'kadu, -a] *adj* (*misturado*) mixed-up
trocador(a) [troka'dor(a)] *m(f)* ~ **de ônibus** (bus) conductor
trocar [tro'kar] <c→qu> **I.** *vt* **1.** (*carro, fralda*) to change **2.** (*dinheiro, cartas*) to exchange **II.** *vr* ~**-se** (*roupas*) to get changed
troco ['troku] *m* (*de pagamento*) change; **a** ~ **de** in exchange for
troço ['trɔsu] *m inf* **1.** (*coisa*) piece of junk **2. ter um** ~ to have a fit
troféu [tro'fɛw] *m* trophy
tromba ['trõwba] *f* **1.** (*de elefante*) trunk **2.** *inf* **ficar de** ~ to be in a bad mood
trombada [trõw'bada] *f* (*automóvel*) crash
trombadinha [trõwba'dʒĩɲa] *mf inf* pickpocket
trombar [trõw'bar] *vt tb. fig* to bump into
tronco ['trõwku] *m* trunk
trono ['tronu] *m* throne
tropeçar [trope'sar] *vt* <ç→c> to trip
tropeço [tro'pesu] *m fig* stumbling block
tropical <-ais> [tropi'kaw, -'ajs] *adj* tropical
trópico ['trɔpiku] *m* GEO tropic
trotar [tro'tar] *vi* to trot
trote ['trɔtʃi̥] *m* **1.** (*zombaria*) prank **2.** (*nos calouros*) hazing
trouxa ['troʃa] **I.** *f* (*de roupa*) bundle **II.** *adj* gullible
trouxe ['trosi] *1./3. pret perf de* **trazer**
trouxer [trow'sɛr] *1./3. fut. subj de* **trazer**
trouxesse [tro'sɛsi] *1./3. imperf subj de* **trazer**
trovão <-ões> [tro'vɜ̃w, -'õjs] *m* thunder
trovoada [trovu'ada] *f* clap of thunder
trovões *m pl de* **trovão**
trufa ['trufa] *f* truffle
trunfo ['trũwfu] *m* trump
truque ['truki] *m* trick
truta ['truta] *f* ZOOL trout
tu ['tu] *pron pess* you

tua ['tua] *pron poss v.* **teu**

tubarão <-ões> [tuba'ɾɜ̃w, -'õjs] *m tb. fig* shark

tuberculose [tuberku'lɔzi] *f* tuberculosis

tubo ['tubu] *m* **1.** (*cano*) pipe; ~ **de ensaio** QUÍM test tube **2.** (*bisnaga*) tube **3. os ~s** *inf* a fortune

tucano [tu'kɜnu] *m* toucan

tucano, -a *m, f* POL Brazilian Social Democrat

tudo ['tudu] *pron indef* **1.** all, everything; ~ **ou nada** all or nothing **2.** (*cumprimento*) ~ **bem?** how's everything?; ~ **bem** everything's fine

tufão <-ões> [tu'fɜ̃w, -'õjs] *m* typhoon

tufo ['tufu] *m* tuft

tufões *m pl de* **tufão**

tuim [tu'ĩj] *m small parakeet*

tule ['tuʎi] *m* tulle

tulipa [tu'ʎipa] *f* tulip

tumba ['tũwba] *f* tomb

tumor [tu'mor] *m* tumor

túmulo ['tumulu] *m* grave

tumulto [tu'muwtu] *m* commotion

tumultuado, -a [tumuwtu'adu, -a] *adj* turbulent

tumultuar [tumuwtu'ar] *vt* to stir up a commotion

túnel <-eis> ['tunew, -ejs] *m* tunnel

tungar [tũw'gar] <g→gu> *vt* to trick

túnica ['tunika] *f* tunic

Tunísia [tu'nizia] *f* Tunisia

tupi [tu'pi] *mf* Tupi

tupi-guarani [tu'pi-gwaɾɜ'ni] *adj, mf* Tupi-Guarani

tupiniquim [tupini'kĩj] <-ins> **I.** *mf* (*tribo*) the Tupiniquim **II.** *adj pej, inf* (*brasileiro*) Brazilian

turba ['turba] *f* (*em desordem*) mob

turbante [tur'bɜ̃ɲtʃi] *m* turban

turbilhão <-ões> [turbi'ʎɜ̃w, -'õjs] *m* (*de vento*) whirlwind; (*de água*) whirlpool

turbina [tur'bina] *f* turbine

turbinado, -a [turbi'nadu, -a] *adj inf* turbocharged

turbulência [turbu'lẽjsia] *f* turbulence

turbulento, -a [turbu'lẽjtu, -a] *adj* (*mar*) stormy

turco, -a ['turku, -a] **I.** *m, f* **1.** Turk **2.** *inf* Arab **II.** *adj* Turkish

turismo [tu'ɾizmu] *m* tourism; ~ **ecológico** eco-tourism; ~ **sexual** sex-tourism

turista [tu'ɾista] *mf* tourist

turístico, -a [tu'ɾistʃiku, -a] *adj* tourist

turma ['turma] *f* **1.** (*de escola*) class **2.** (*grupo*) group

turmalina [turma'ʎina] *f* tourmaline

turnê [tur'ne] *f* tour

turno ['turnu] *m* **1.** shift **2.** ESPORT round **3.** (*eleições*) **segundo** ~ second round

turquesa [tur'keza] *adj inv, f* turquoise

Turquia [tur'kia] *f* Turkey

turra ['tuxa] *f* argument

turrão, -ona <-ões> [tu'xɜ̃w, -'ona, -'õjs] *m, f inf* hard-headed person

turva *adj v.* **turvo**

turvar [tur'var] *vt fig* (*assunto*) to cloud

turvo, -a ['turvu, -a] *adj* (*rio*) murky

tussa ['tusa] *1./3. subj de* **tossir**

tusso ['tusu] *1. pres de* **tossir**
tutano [tu'tɜnu] *m* ANAT marrow; **ter ~** to have brains
tutela [tu'tɛla] *f* guardianship
tutor(a) [tu'tor(a)] <-es> *m(f)* **1.** JUR legal guardian **2.** (*em escola*) tutor
tutorial <-ais> [tutori'aw, -ajs] *adj* INFOR tutorial
tutu [tu'tu] *m* GASTR *dish made of beans, pork and cassava flour*
TV [te've] *f abr de* **televisão** TV

U

U, u ['u] *m* U, u
Ucrânia [u'krɜnia] *f* Ukraine
ué [u'ɛ] *interj* huh?
ufa ['ufa] *interj* phew!
Uganda [u'gɜ̃ŋda] *f* Uganda
ui ['uj] *interj* (*dor*) ouch!
uísque [u'iski] *m* whiskey
uivar [uj'var] *vi* to howl
última *adj v.* **último**
ultimamente [uwtʃima'mẽjtʃi̥] *adv* (*recentemente*) lately
últimas ['uwtʃimas] *fpl* **nas ~** on its last legs
último, -a ['uwtʃimu, -a] *adj* (*final*) last; **a última novidade/moda** the latest news/fashion; **pela última vez** for the last time; **nos ~s anos** in the last few years; **o ~ andar** the top floor
ultrapassado, -a [uwtrapa'sadu, -a] *adj* outdated
ultrapassar [uwtrapa'sar] *vt* (*automóvel*) to pass *Am,* to overtake *Brit*
ultra-som [uwtra'sõw] <-ons> *m* FÍS, MED ultrasound
ultravioleta [uwtravio'leta] *adj inv* ultraviolet
um, -a ['ũw, 'uma] **I.** *num card* one **II.** *art indef* **1.** (*certo*) a, an; **~ carro** a car; **~a maçã** an apple **2.** (*alguns*) some; **umas horas** a few hours **3.** (*aproximadamente*) about, around **4.** (*ênfase*) **estou com uma fome!** I'm starving! **III.** *pron indef* one; **~ atrás do outro** one after the other; **~ com o outro** with each other; **~ a** [*ou* **por**] **~** one by one
umbanda [ũw'bɜ̃ŋda] *f religion born of Bantu and spiritualist influences*
umbigo [ũw'bigu] *m* ANAT navel
umedecer [umide'ser] *vt* <c→ç> to moisten
úmida *adj v.* **úmido**
umidade [umi'dadʒi] *f sem pl* (*ar*) humidity
úmido, -a ['umidu, -a] *adj* (*ar*) humid; (*terra*) damp
unanimidade [unɜnimi'dadʒi] *f sem pl* unanimity *no pl;* **por ~** unanimously
unha ['ũɲa] *f* nail
união <-ões> [uni'ɜ̃w, -'õjs] *f tb.* POL union; **~ Européia** European Union
única *adj v.* **único**
unicamente [unika'mẽjtʃi̥] *adv* solely
único, -a ['uniku, -a] *adj* only; **preço ~** single price; **filho ~** only child
unida *adj v.* **unido**
unidade [uni'dadʒi] *f* **1.** unity **2.** (*peça*) unit; **~ de terapia intensi-**

va intensive care unit

unido, -a [u'nidu, -a] *adj* (*ligado*) close

uniforme [uni'fɔrmi] **I.** *m* uniform **II.** *adj* **1.** (*homogêneo*) uniform **2.** (*superfície*) even

uniões *f pl de* **união**

unir [u'nir] **I.** *vt* (*ligar*) to unite; (*esforços*) to join **II.** *vr:* **~-se** to unite; **~-se a a. c.** to join sth

unitário, -a [uni'tariw, -a] *adj* unitary; **preço ~** unit price

universal <-ais> [univer'saw, -'ajs] *adj* universal

universidade [universi'dadʒi] *f* university

universo [uni'vɛrsu] *m* universe

urbano, -a [ur'bɜnu, -a] *adj* urban

urgência [ur'ʒẽjsia] *f* **1.** urgency; **com ~** urgently **2.** MED emergency

urgente [ur'ʒẽjtʃi] *adj* urgent; **um pedido ~** a rush order

urina [u'rina] *f sem pl* urine *no pl*

urinar [uri'nar] *vi* to urinate

urrar [u'xar] *vi* to roar

urso *m* bear; **~ de pelúcia** teddy bear

urubu [uru'bu] *m* black vulture

Uruguai [uru'gwaj] *m* Uruguay

usado, -a [u'zadu, -a] *adj* used

usar [u'zar] **I.** *vt* **1.** (*utilizar*) to use **2.** (*óculos, roupa*) to wear **II.** *vr:* **~-se** (*roupa*) to wear out

Usbequistão [uzbekis'tɜ̃w] *m* Uzbekistan

usina [u'zina] *f* plant

uso ['uzu] *m* (*utilização*) use; **~s e costumes** customary practice

USP ['uspi] *f abr de* **Universidade de São Paulo** University of São Paulo

usuário, -a [uzu'ariw, -a] *m, f* user

úteis *adj pl de* **útil**

útero ['uteru] *m* ANAT uterus

UTI [ute'i] *f* MED *abr de* **unidade de terapia intensiva** ICU; **na ~** in intensive care

útil <-eis> ['utʃiw, -tejs] *adj* **1.** (*objeto, pessoa*) useful **2.** JUR **dia ~** working day

utilidade [utʃiʎi'dadʒi] *f* usefulness

utilitário [utʃiʎi'tariw] *m* sport-utility vehicle, SUV

utilização <-ões> [utʃiʎiza'sɜ̃w, -'õjs] *f* (*uso*) use

utilizar [utʃiʎi'zar] *vt* to use

uva ['uva] *f* grape

uva-passa <uvas-passas> *f* raisin

V, v ['ve] *m* V, v

vã ['vɜ̃] *adj v.* **vão**

vaca ['vaka] *f* cow

vacilar [vasi'lar] *vi* to waver

vacina [va'sina] *f* vaccine; **~ antitetânica** tetanus vaccine; **tomar uma ~** to get a shot

vacinação <-ões> [vasina'sɜ̃w, -'õjs] *f* vaccination

vacinado, -a [vasi'nadu, -a] *adj* vaccinated

vacinar [vasi'nar] *vt* to vaccinate

vácuo ['vakuw] *m tb. fig* vacuum

vadia *f, adj v.* **vadio**

vadiar [vadʒi'ar] *vi* to loaf (around)
vadio, -a [va'dʒiw, -a] *m, f* vagrant, tramp
vaga ['vaga] *f* vacancy; **preencher uma** ~ to fill a position
vaga *adj v.* **vago**
vagabundo, -a [vaga'bũwdu, -a] **I.** *m, f* tramp **II.** *adj* cheap
vaga-lume ['vaga-'lumi] *m* firefly
vagão <-ões> [va'gɜ̃w, -'õjs] *m* railroad car *Am,* railway carriage *Brit*
vagão-leito <vagões-leito(s)> [va'gɜ̃w-'lejtu, va'gõjz-] *m* sleeping car
vagão-restaurante <vagões-restaurante(s)> [va'gɜ̃w-xesto'ɾɜ̃ŋtʃi̥, va'gõjz-] *m* dining car
vagar [va'gar] <g→gu> *vi* to become vacant
vagaroso, -a [vaga'ɾozu, -'ɔza] *adj* slow
vagem ['vaʒẽj] <-ens> *f* green bean; (*se semente*) pod
vago, -a ['vagu, -a] *adj* (*lugar*) empty; (*idéia*) vague
vagões *m pl de* **vagão**
vaguear [vage'ar] *conj como passear vi* to wander about
vaiar [vaj'ar] *vt, vi* to boo
vaidoso, -a [vaj'dozu, -'ɔza] *adj* vain
vala ['vala] *f* trench
vale ['vaʎi] *m* **1.** GEO valley **2.** (*documento*) voucher
valente [va'lẽjtʃi̥] *adj* brave
valer [va'ler] *irr* **I.** *vi, vt* **quanto vale?** how much is it worth?; **isso não vale!** that doesn't count!; **fazer** ~ **a. c.** to enforce sth; (**não**) **vale a pena** it is (not) worth it **II.** *vr* ~**-se de a. c.** to rely on sth **III.** *adv* **para** ~ seriously
valete [va'lɛtʃi̥] *m* jack
válida *adj v.* **válido**
validade [vaʎi'dadʒi] *f sem pl* **data de** ~ (*de documento*) effective date; (*de alimento*) expiration date *Am,* expiry date *Brit*
válido, -a ['vaʎidu, -a] *adj* valid
valioso, -a [vaʎi'ozu, -'ɔza] *adj* valuable
valor [va'lor] <-es> *m* (*quantia*) amount; (*de objeto, pessoa*) value
valorizar [valoɾi'zar] *vt* to appreciate
válvula ['vawvula] *f* valve
vândalo, -a ['vɜ̃ŋdalu, -a] *m, f* vandal
vangloriar-se [vɜ̃ŋgloɾi'arsi] *vr* ~**-se de a. c.** to boast about sth
vanguarda [vɜ̃ŋ'gwarda] *f* **estar na** ~ to be at the forefront
vantagem [vɜ̃ŋ'taʒẽj] <-ens> *f* **contar** ~ to brag; **levar** ~ **sobre alguém** to take advantage of sb; **tirar** ~ **de a. c.** to make use of sth
vantajoso, -a [vɜ̃ŋta'ʒozu, -'ɔza] *adj* advantageous
vão, vã ['vɜ̃w, 'vɜ̃] *adj* **em** ~ in vain
vão ['vɜ̃w] <-s> *m* (*de escadas*) empty space
vapor [va'por] *m* steam; **a todo** ~ full speed ahead
vara ['vaɾa] *f* stick, stake
varal <-ais> [va'ɾaw, -'ajs] *m* clothesline
varanda [va'ɾɜ̃ŋda] *f* balcony
varejista [vaɾe'ʒista] *mf* retailer
varejo [va'ɾeʒu] *m* retail
variado, -a [vaɾi'adu, -a] *adj* varied
variar [vaɾi'ar] *vi, vt* to vary; (**só**) **para**

~ (just) for a change
variável <-eis> [vari'avew, -ejs] *adj* variable
varicela [vari'sɛla] *f* chickenpox
vário, -a ['variw, -ia] *adj* various; **~s** several
varíola [va'riwla] *f* smallpox
varizes [va'rizis] *fpl* varicose veins
varrer [va'xer] *vt* to sweep
varrido, -a [va'xidu, -a] *adj* **doido ~** loony *inf*
vasculhar [vasku'ʎar] *vt* to go through
vasilha [va'ziʎa] *f* container
vasilhame [vazi'ʎɜmi] *m* empty bottles *pl*
vaso ['vazu] *m* (*de flores*) vase; **~ sanitário** toilet bowl
vassoura [va'sora] *f* broom
vasto, -a ['vastu, -a] *adj* vast
vatapá [vata'pa] *m spicy fish and shrimp puree from Bahia*
vazamento [vaza'mẽjtu] *m* leak
vazar [va'zar] *vi* to leak
vazio, -a [va'ziw, -a] *adj* empty
veado [vi'adu] *m* deer; *chulo* queer
vedar [ve'dar] *vt* (*recipiente*) to seal; (*interditar*) to prohibit
veemente [vee'mẽjtʃi] *adj* vehement
vegetal <-ais> [veʒe'taw, -'ajs] *m, adj* vegetable
vegetariano, -a [veʒetari'ɜnu, -a] *adj, m, f* vegetarian
veia ['veja] *f* vein
veicular [veiku'lar] *vt* to broadcast
veículo [ve'ikulu] *m* vehicle
veio ['veju] *3. pret de* **vir**
vela ['vɛla] *f* candle
veleiro [ve'lejru] *m* sailboat
velejar [vele'ʒar] *vi* to sail
velha *f, adj v.* **velho**
velhice [ve'ʎisi] *f* old age *no pl*
velho, -a ['vɛʎu, -a] **I.** *m, f* old man *m,* old woman *f* **II.** *adj* old
velocidade [velosi'dadʒi] *f* velocity; **~ máxima** speed limit; **a toda ~** at full speed
velocímetro [velo'simetru] *m* speedometer
velório [ve'lɔriw] *m* wake
veloz [ve'lɔs] <-es> *adj* swift
veludo [ve'ludu] *m* velvet
vencer [vẽj'ser] <c→ç> **I.** *vt* (*campeonato*) to win; (*inimigo*) to overcome **II.** *vi* to win; (*pagamento*) to be due; (*prazo*) to expire
vencido, -a [vẽj'sidu, -a] *adj* (*dívida*) overdue
venda ['vẽjda] *f* sale; **~ à vista** cash sale; **estar à ~** to be for sale
vendaval <-ais> [vẽjda'vaw, -ajs] *m* gale
vendedor(a) [vẽjde'dor(a)] <-es> *m(f)* salesperson
vender [vẽj'der] *vt* to sell; **vende-se** for sale
vendido, -a [vẽj'dʒidu, -a] *adj* sold
veneno [ve'nenu] *m* poison
venerado, -a [vene'radu, -a] *adj* revered
Venezuela [venezu'ɛla] *f* Venezuela
venho ['vẽɲu] *1. pres de* **vir**
ventar [vẽj'tar] *vi impess* **está ventando** the wind is blowing
ventilado, -a [vẽjtʃi'ladu, -a] *adj* airy
ventilador [vẽjtʃila'dor] <-es> *m* fan

ventilar [vẽjtʃi'lar] *vt* to ventilate
vento ['vẽjtu] *m* wind
ventre ['vẽjtri] *m* belly
ventura [vẽj'tura] *f* **por** ~ by chance
Vênus *m* Venus
ver ['ver] *irr* **I.** *vi, vt* to see; ~ **televisão** to watch television; **até mais** ~ see you later; **vê se se comporta bem!** make sure you behave! **II.** *vr:* ~**-se** (*imaginar-se*) to see oneself; **ele vai se** ~ **comigo** I'll get back at him **III.** *m* **a meu** ~ in my opinion
veraneio [verɜ'neju] *m* summer vacationing *Am,* summer holidaying *Brit*
verão <-ões *ou* -ãos> [ve'rɜ̃w, -'õjs, -'ɜ̃ws] *m* summer
verba ['vɛrba] *f* budget, money
verbo ['vɛrbu] *m* verb
verborrágico, -a [verbo'xaʒiku, -a] *adj* prolix
verdade [ver'dadʒi] *f* truth
verdadeiro, -a [verda'dejru, -a] *adj* true
verde ['verdʒi] *adj* green
verdura [ver'dura] *f* greens *pl*
verdureiro, -a [verdu'rejru] *m, f* greengrocer
vereador(a) [verea'dor(a)] <-es> *m(f)* councilperson *Am,* local councillor *Brit*
vergar [ver'gar] <g→gu> *vt* to bend
vergonha [ver'gõɲa] *f* shame; **isso é uma** ~ that is a disgrace; **estar com** [*ou* **ter**] ~ to be embarrassed; **morrer de** ~ to be mortified
vergonhoso, -a [vergõ'ɲozu, -'ɔza] *adj* shameful
verídico, -a [ve'ridʒiku, -a] *adj* truthful
verificar [verifi'kar] <c→qu> *vt* to verify
vermelhidão [vermeʎi'dɜ̃w] *f sem pl* redness
vermelho [ver'meʎu] **I.** *m inf* **estar no** ~ to be in the red **II.** *adj* red
verminose [vermi'nɔzi] *f* worm infection
verniz [ver'nis] *m* varnish
verões *m pl de* **verão**
verossímil <-eis> [vero'simiw, -ejs] *adj* plausible
verruga [ve'xuga] *f* wart
versátil <-eis> [ver'satʃiw, -ejs] *adj* versatile
verso ['vɛrsu] *m* verse; (*de folha*) reverse side
verter [ver'ter] *vi, vt* (*líquido*) to spill
vertigem [ver'tʃiʒẽj] <-ens> *f* vertigo *no pl*
vesgo, -a ['vezgu, -a] *adj* cross-eyed
vesícula [vi'zikula] *f* ~ **biliar** gall bladder
vespa ['vespa] *f* wasp
véspera ['vɛspera] *f* eve
vespertino, -a [vesper'tʃinu, -a] *adj* **período** ~ afternoon
vestiário [vestʃi'ariw] *m* locker room *Am,* changing room *Brit*
vestibular [vestʃibu'lar] <-es> *m college entrance examination*
vestido [vis'tʃidu] *m* dress; ~ **de noiva** wedding dress
vestido, -a [vis'tʃidu, -a] *adj* dressed
vestígio [ves'tʃiʒiw] *m* trace
vestir [vis'tʃir] *irr* **I.** *vt* (*criança*) to dress; (*roupa*) to wear **II.** *vr:* ~**-se** to

get dressed

vestuário [vestu'ariw] *m* wardrobe

vetar [ve'tar] *vt* to veto

veterano, -a [vete'rɜnu, -a] *m, f* veteran

veterinário, -a [veteri'nariw, -a] *m, f* veterinarian, vet

véu ['vew] *m* veil

vexame [ve'ʃɜmi] *m* disgrace, scandal

vez ['ves] *f* time; **de ~ em quando** from time to time; **às/por ~es** sometimes; **cada ~ que ...** whenever; **da próxima ~** next time; **muitas ~es** often; **outra ~** again; **em ~ de** instead of; **um de cada ~** one at a time; **agora é a sua ~** now it's your turn

vezes ['vezis] *adv* MAT times

vi ['vi] *1. pret de* **ver**

via ['via] **I.** *f* **~ de acesso** access road; **por ~ aérea** by air mail **II.** *adv* via

viabilizar [viabiʎi'zar] *vt* to make feasible

viaduto [via'dutu] *m* overpass *Am,* flyover *Brit*

viagem [vi'aʒẽj] <-ens> *f* travel *no pl,* trip; **~ de ida e volta** round trip; **para ~** *inf* to go *Am,* take-away *Brit*

viajante [via'ʒɜ̃ŋtʃi] *mf* traveler

viajar [via'ʒar] *vi* to travel

viário, -a [vi'ariw, -a] *adj* highway *Am,* motorway *Brit*

viável <-eis> [vi'avew, -ejs] *adj* viable, feasible

víbora ['vibura] *f* viper

vibrar [vi'brar] *vi* to be thrilled; *(som)* to vibrate

vice-campeão, -ã <-ões> ['vi-si-kɜ̃ŋpi'ɜ̃w, -'ɜ̃, -'õjs] *m, f* runner-up

viciado, -a [visi'adu, -a] **I.** *m, f* addict **II.** *adj* addicted

vício ['visiw] *m* *(hábito)* vice; *(de drogas)* addiction

vida ['vida] *f* life; **com ~** alive; **ganhar a ~** to earn a living; **estar bem de ~** to be well off; **estar feliz da ~** to be overjoyed; **meta-se com a sua ~!** mind your own business!

videira [vi'dejra] *f* vine

vidente [vi'dẽjtʃi] *mf* clairvoyant

vídeo ['vidʒiw] *m* videocassette recorder, VCR

videoclipe [vidʒjo'klipi] *m* music video

videoclube [vidʒjo'klubi] *m* video rental store

videoconferência [vidʒjokõwfe'rẽjsia] *f* videoconference

videogame [vidʒjo'gejmi] *m* video game

vidraça [vi'drasa] *f* pane of glass

vidrado, -a [vi'dradu, -a] *adj inf* infatuated

vidro ['vidru] *m* glass

viela [vi'ɛla] *f* alley

viés [vi'ɛs] *m* **de ~** sideways

Vietnã [vjetʃi'nɜ̃] *m* Vietnam

viga ['viga] *f* beam

vigário [vi'gariw] *m* vicar

vigarista [viga'rista] *mf* confidence [*o* con] man

vigente [vi'ʒẽjtʃi] *adj* *(lei)* in force

vigésimo [vi'ʒɛzimu] **I.** *m* twentieth **II.** *num ord* twentieth

vigiar [viʒi'ar] **I.** *vt* to watch **II.** *vi* to

keep watch

vigilante [viʒi'lɜ̃ɲtʃi̥] I. *mf* guard *m* II. *adj* vigilant

vigília [vi'ʒiʎia] *f* vigil, watch

vigor [vi'gor] <-es> *m* vigor *Am;* **estar/entrar em** ~ to be in/to take effect

vigoroso, -a [vigo'rozu, -'ɔza] *adj* vigorous

vila ['vila] *f* small town

vilão, vilã <-ões> [vi'lɜ̃w, -'ɜ̃, -'õjs] *m, f* villain

vilarejo [vila'reʒu] *m* village

vim ['vĩj] *1. pret de* **vir**

vime ['vimi] *m* wicker

vinagre [vi'nagri] *m* vinegar

vinco ['vĩjku] *m* crease

vincular [vĩjku'lar] *vt* to bind (legally or morally)

vínculo ['vĩjkulu] *m* bond

vinda ['vĩjda] *f* arrival, return

vingança [vĩj'gɜ̃ŋsa] *f* revenge

vingar [vĩj'gar] <g→gu> I. *vt* to avenge II. *vr:* **~-se de alguém** to take revenge against sb

vingativo, -a [vĩjga'tʃivu, -a] *adj* vindictive

vinhedo [vĩ'ɲedu] *m* vineyard

vinho ['vĩɲu] *m* wine; ~ **branco/tinto** white/red wine

vinícola [vi'nikula] *adj* wine-growing

vinicultura [vinikuw'tura] *f* winemaking

vinte ['vĩjtʃi̥] I. *m* twenty II. *num card* twenty

violação <-ões> [viola'sɜ̃w, -'õjs] *f* violation

violão <-ões> [vio'lɜ̃w, -'õjs] *m* guitar

violar [vio'lar] *vt* (*lei*) to violate

violência [vio'lẽjsia] *f* violence *no pl*

violentar [violẽj'tar] *vt* (*sexualmente*) to rape

violento, -a [vio'lẽjtu, -a] *adj* violent

violeta [vio'leta] I. *f* BOT violet II. *adj inv, m* (*cor*) violet

violino [vio'ʎinu] *m* violin

violões *m pl de* **violão**

violoncelo [violõw'sɛlu] *m* cello

vir ['vir] *irr vi* to come; ~ **abaixo** to fall down; **de onde você vem?** where are you from?

virada [vi'rada] *f* **na ~ do século** at the turn of the century

vira-lata [vira'lata] *m* **cachorro ~** mutt

virar [vi'rar] I. *vt* to turn (over); (*tornar-se*) to become II. *vi* (*vento, tempo*) to change; ~ **à direita/esquerda** to turn right/left III. *vr:* **~-se** to turn; **~-se para o lado** to turn on one's side; **ela se vira muito bem** she manages very well

virgem ['virʒẽj] <-ens> *mf* virgin

vírgula ['virgula] *f* comma

virilha [vi'riʎa] *f* groin

virose [vi'rɔzi] *f* **ter uma ~** to have a virus infection

virtual <-ais> [virtu'aw, -'ajs] *adj* **realidade ~** virtual reality

virtuoso, -a [virtu'ozu, -'ɔza] *adj* virtuous

vírus ['virus] *m* virus

visado, -a [vi'zadu, -a] *adj* (*pessoa*) targeted

visão <-ões> [vi'zɜ̃w, -'õjs] *f* vision

visar [vi'zar] *vt* to aim (at)

vísceras ['viseɾas] *fpl* guts *pl*

viscoso, -a [vis'kozu, -'ɔza] *adj* viscous

viseira [vi'zejɾa] *f* visor

visionário, -a [vizio'naɾiw, -a] *m, f* visionary

visita [vi'zita] *f* visit; **temos ~s** we have company

visitante [vizi'tɜ̃ɲtʃi̥] *mf* visitor

visitar [vizi'taɾ] *vt* to visit

visível <-eis> [vi'zivew, -ejs] *adj* visible

vislumbrar [vizlũw'bɾaɾ] **I.** *vt* to glimpse **II.** *vi* to glimmer

visões *f pl de* **visão**

vison [vi'zõw] *m* mink

visor [vi'zoɾ] <-es> *m* display screen

vista *adj v.* **visto**

vista ['vista] *f* sight; **à primeira ~** at first sight; **em ~ de** in view of; **à ~** in cash; **até a ~!** see you later

visto ['vistu] **I.** *m* visa; **requerer um ~** to apply for a visa; **dar um ~ num documento** to initial a document **II. 1.** *pp de* **ver 2. ~ que** since

visto, -a ['vistu, -a] *adj* **ser bem/mal ~** to be highly/poorly regarded

vistoria [visto'ɾia] *f* inspection

vistoso, -a [vis'tozu, -'ɔza] *adj* eye-catching, showy

visual <-ais> [visu'aw, -ajs] **I.** *m* (*panorama*) view; *inf* (*pessoa*) look **II.** *adj* visual

vitamina [vitɜ'mina] *f* vitamin; **~ de frutas** smoothie *Am,* fruit shake *Brit*

vitela [vi'tɛla] *f* veal

vítima ['vitʃima] *f* victim

vitória [vi'tɔɾia] *f* victory

vitorioso, -a [vitoɾi'ozu, -'ɔza] *adj* victorious

vitral <-ais> [vi'tɾaw, -'ajs] *m* stained glass (window)

vitrina [vi'tɾina], **vitrine** [vi'tɾini] *f* display window

viu *3. pret perf de* **ver**

viúvo, -a [vi'uvu, -a] *m, f* widower *m* widow *f*

viva *f, adj v.* **vivo**

viva ['viva] *interj* hurray

viveiro [vi'vejɾu] *m* (*de plantas*) nursery

vivenciar [vivẽjsi'aɾ] *vt* to experience

vivenda [vi'vẽjda] *f* livelihood

viver [vi'veɾ] *vi, vt* to live; **~ bem/mal** to live well/poorly; **~ com alguém** to live with someone

víveres ['viveɾis] *mpl* provisions *pl*

vivido, -a [vi'vidu, -a] *adj* experienced

vivo, -a ['vivu, -a] **I.** *adj* alive **II.** *adv* **ao ~** live

vizinhança [vizĩ'ɲɜ̃ŋsa] *f* neighborhood *Am*

vizinho [vi'zĩɲu] *m* neighbor *Am*

voador [vua'doɾ] <-es> *adj* flying

voar [vu'aɾ] <*1. pess pres:* vôo> *vi* to fly; **ela saiu voando** she rushed off; **este ano voou** this year flew by

vocação <-ões> [voka'sɜ̃w, -'õjs] *f* vocation

você [vo'se] *pron pess* you

vocês [vo'ses] *pron pess pl* you *pl*

voga ['vɔga] *f* **estar em ~** to be in vogue

volante [vo'lɜ̃ŋtʃi̥] *m* steering wheel FUT defensive midfielder

vôlei ['volej], **voleibol** [volej'bɔw] *m*

volleyball

volta ['vɔwta] **I.** *f* turn; ~ **e meia** once in a while; **dar a** ~ **por cima** to get over it; **viagem de volta** return trip; **dar meia** ~ to turn back; **estar de** ~ to be back; **dar uma** ~ **a pé/de carro** to take a walk/ride **II.** *adv* **em** ~ **da casa** around the house; **por** ~ **das dez horas** around ten o'clock

voltar [vow'tar] **I.** *vt* to turn; ~ **a cabeça** to turn one's head **II.** *vi* to return; ~ **atrás** to change one's mind; ~ **a si** to come to (oneself); **ele não voltou a falar nisso** he never talked about that again **III.** *vr* ~**-se para alguém** to turn to sb

volume [vo'lumi] *m* volume

volumoso, -a [volu'mozu, -'ɔza] *adj* (*objeto*) bulky

voluntário, -a [volũw'tariw, -a] **I.** *m, f* volunteer **II.** *adj* voluntary

volúvel <-eis> [vo'luvew, -ejs] *adj* fickle

vômito ['vomitu] *m* vomit *no pl;* **ânsia de** ~ nausea

vontade [võw'tadʒi] *f* will; **força de** ~ willpower; **de boa/má** ~ willingly/unwillingly; **ter** ~ **de fazer a. c.** to feel like doing sth; **estar à** ~ to be at ease; **sirva-se à** ~ help yourself to as much as you want

vôo ['vou] *m* flight; **levantar** ~ (*avião*) to take off

voraz [vo'ras] *adj* voracious

vós ['vɔs] *pron pess* you

vosso ['vɔsu] *pron poss* your *sing;* **o** ~ **filho** your son; **a vossa casa** your house

votar [vo'tar] *vi* to vote

voto ['vɔtu] *m* **1.** vote; ~ **nulo/em branco** spoiled/blank vote **2.** (*promessa solene*) vow

votos ['vɔtus] *mpl* ~ **de felicidades** wishes of happiness *pl*

vou ['vow] *1. pres de* **ir**

vovó [vo'vɔ] *f* grandma

vovô [vo'vo] *m* grandpa

voz ['vɔs] *f* voice; **em** ~ **alta/baixa** loudly/quietly

vulcão <-ões> [vuw'kɜ̃w, -'õjs] *m* volcano

vulgar [vuw'gar] *adj* vulgar

vulgaridade [vuwgari'dadʒi] *f* vulgarity

vulgo ['vuwgu] *adv* (*conhecido*) aka

vulnerável <-eis> [vuwne'ravew, -ejs] *adj* vulnerable

vulto ['vuwtu] *m* indistinct image

vultoso, -a [vuw'tozu, -'ɔza] *adj* (*soma*) hefty

W

W, w ['dabliw] *m* W, w

walkie-talkie [wɔwki-'tɔwki] *m* walkie-talkie

walkman [wɔwk'mɛj] <-s> *m* Walkman®

windsurfe [wĩjdʒi'sɜrfi] *m sem pl* windsurfing *no pl*

workshop [worki'ʃɔpi] *m* workshop

X

X, x ['ʃis] *m* X, x; **cromossomo** ~ X chromosome; **raios** ~ x-rays; **o** ~ **do problema** the crux of the matter

xadrez [ʃa'dres] <-es> **I.** *m* (*jogo*) chess **II.** *adj* check(ed)

xale ['ʃaʎi] *m* shawl

xampu [ʃɜ̃ŋ'pu] *m* shampoo

xará [ʃa'ɾa] *mf* namesake

xarope [ʃa'ɾɔpi] *m* (*para a tosse*) cough syrup

xavecar [ʃa'vɛkar] *vt* <c→qu> (*paquerar*) to make a pass (at)

xaveco [ʃa'vɛku] *m* (*cantada*) pass

xereta [ʃe'ɾeta] **I.** *mf inf* (*bisbilhoteiro*) busybody **II.** *adj* nosy

xeretar [ʃeɾe'tar] *vt* to pry

xerocar [ʃeɾo'kar] <c→qu> *vt* to photocopy, to xerox

xerox [ʃe'ɾɔks], **xérox** *m sem pl* photocopy

xícara ['ʃikaɾa] *f* cup

xingamento [ʃĩga'mẽjtu] *m* curse

xingar [ʃĩŋ'gar] *vt* <g→gu> (*insultar*) to call names; (*usar palavrões*) to curse, to swear

xixi [ʃi'ʃi] *m sem pl, inf* pee

xô ['ʃo] *interj* ~**!** shoo!

Y

Y, y ['ipsilõw] *m* Y, y; **cromossomo** ~ Y chromosome

Z

Z ['ze], **z** *m* Z, z

zagueiro [za'gejɾu] *m* FUT fullback

Zaire ['zajɾi] *m* Zaire

Zâmbia [zaɜ̃ŋbia] *f* Zambia

zanzar [zɜ̃ŋ'zar] *vi* to roam

zapear [zapʒi'ar] *conj como passear vt, vi* TV to zap

zás ['zas] *interj* ~**!** wham!

zé ['zɛ] *m pej* ~ **mané** Joe Schmo *Am,* Joe Bloggs *Brit*

zebra ['zebɾa] *f* **1.** ZOOL zebra **2.** *inf* **deu** ~ things went wrong

zelador(a) [zela'dor(a)] *m(f)* (*de prédio*) superintendent *Am,* caretaker *Brit*

zé-ninguém ['zɛ-nĩj'gẽj] <zés-ninguéns *ou* zés-ninguém> *m* **um** ~ a nobody

zero ['zɛɾu] **I.** *m sem pl* zero; **começar do zero** to start from scratch **II.** *num card* zero

zero-quilômetro ['zɛɾu-ki'lometɾu] *adj inv* (*veículo*) brand new

ziguezague [zigi'zagi] *m* zigzag

Zimbábue [zĩj'bawi] *m* Zimbabwe

zíper ['ziper] <-es> *m* zipper

zoar [zu'ar] *vi* <*1. pess pres:* zôo> *inf* (*brincar*) to kid

zodíaco [zo'dʒiaku] *m* zodiac

zoeira [zu'ejɾa] *f* (*de crianças*) racket

zona ['zona] *f* **1.** zone; ~ **franca** duty-free zone **2.** (*confusão*) mess

zonzo, -a ['zõwzu, -a] *adj* dizzy

zoológico, -a [zoo'lɔʒiku, -a] *adj* zoological; **jardim** ~ zoo

zumbido [zũw'bidu] *m* (*de insetos*) buzz

zunir [zu'nir] *vi impess* (*vento*) to whistle

zunzum [zũw'zũw] <-uns> *m* (*ruído, boato*) buzz

zureta [zu'reta] *adj* (*fora do juízo*) touched

Verbos ingleses irregulares
English irregular verbs

Infinitive	Past	Past Participle
abide	abode, abided	abode, abided
arise	arose	arisen
awake	awoke	awaked, awoken
be	was *sing*, were *pl*	been
bear	bore	borne
beat	beat	beaten
become	became	become
beget	begot	begotten
begin	began	begun
behold	beheld	beheld
bend	bent	bent
beseech	besought	besought
beset	beset	beset
bet	bet, betted	bet, betted
bid	bade, bid	bid, bidden
bind	bound	bound
bite	bit	bitten
bleed	bled	bled
blow	blew	blown
break	broke	broken
breed	bred	bred
bring	brought	brought
build	built	built
burn	burned, burnt	burned, burnt
burst	burst	burst
buy	bought	bought
can	could	-
cast	cast	cast
catch	caught	caught
chide	chided, chid	chided, chidden, chid
choose	chose	chosen
cleave[1] (*cut*)	clove, cleaved	cloven, cleaved, cleft

cleave[2] (*adhere*)	cleaved, clave	cleaved
cling	clung	clung
come	came	come
cost	cost, costed	cost, costed
creep	crept	crept
cut	cut	cut
deal	dealt	dealt
dig	dug	dug
do	did	done
draw	drew	drawn
dream	dreamed, dreamt	dreamed, dreamt
drink	drank	drunk
drive	drove	driven
dwell	dwelt	dwelt
eat	ate	eaten
fall	fell	fallen
feed	fed	fed
feel	felt	felt
fight	fought	fought
find	found	found
flee	fled	fled
fling	flung	flung
fly	flew	flown
forbid	forbad(e)	forbidden
forget	forgot	forgotten
forsake	forsook	forsaken
freeze	froze	frozen
get	got	got, gotten *Am*
gild	gilded, gilt	gilded, gilt
gird	girded, girt	girded, girt
give	gave	given
go	went	gone
grind	ground	ground
grow	grew	grown
hang	hung, JUR hanged	hung, JUR hanged
have	had	had

hear	heard	heard
heave	heaved, hove	heaved, hove
hew	hewed	hewed, hewn
hide	hid	hidden
hit	hit	hit
hold	held	held
hurt	hurt	hurt
keep	kept	kept
kneel	knelt	knelt
know	knew	known
lade	laded	laden, laded
lay	laid	laid
lead	led	led
lean	leaned, leant	leaned, leant
leap	leaped, leapt	leaped, leapt
learn	learned, learnt	learned, learnt
leave	left	left
lend	lent	lent
let	let	let
lie	lay	lain
light	lit, lighted	lit, lighted
lose	lost	lost
make	made	made
may	might	-
mean	meant	meant
meet	met	met
mistake	mistook	mistaken
mow	mowed	mown, mowed
pay	paid	paid
put	put	put
quit	quit, quitted	quit, quitted
read [ri:d]	read [red]	read [red]
rend	rent	rent
rid	rid	rid
ride	rode	ridden
ring	rang	rung

rise	rose	risen
run	ran	run
saw	sawed	sawed, sawn
say	said	said
see	saw	seen
seek	sought	sought
sell	sold	sold
send	sent	sent
set	set	set
sew	sewed	sewed, sewn
shake	shook	shaken
shave	shaved	shaved, shaven
stave	stove, staved	stove, staved
steal	stole	stolen
shear	sheared	sheared, shorn
shed	shed	shed
shine	shone	shone
shit	shit, *iron* shat	shit, *iron* shat
shoe	shod	shod
shoot	shot	shot
show	showed	shown, showed
shrink	shrank	shrunk
shut	shut	shut
sing	sang	sung
sink	sank	sunk
sit	sat	sat
slay	slew	slain
sleep	slept	slept
slide	slid	slid
sling	slung	slung
slink	slunk	slunk
slit	slit	slit
smell	smelled, smelt	smelled, smelt
smite	smote	smitten
sow	sowed	sowed, sown
speak	spoke	spoken

speed	speeded, sped	speeded, sped
spell	spelled, spelt	spelled, spelt
spend	spent	spent
spill	spilled, spilt	spilled, spilt
spin	spun	spun
spit	spat	spat
split	split	split
spoil	spoiled, spoilt	spoiled, spoilt
spread	spread	spread
spring	sprang	sprung
stand	stood	stood
stick	stuck	stuck
sting	stung	stung
stink	stank	stunk
strew	strewed	strewed, strewn
stride	strode	stridden
strike	struck	struck
string	strung	strung
strive	strove	striven
swear	swore	sworn
sweep	swept	swept
swell	swelled	swollen
swin	swam	swum
swing	swung	swung
take	took	taken
teach	taught	taught
tear	tore	torn
tell	told	told
think	thought	thought
thrive	throve, thrived	thriven, thrived
throw	threw	thrown
thrust	thrust	thrust
tread	trod	trodden
wake	woke, waked	woken, waked
wear	wore	worn
weave	wove	woven

weep	wept	wept
win	won	won
wind	wound	wound
wring	wrung	wrung
write	wrote	written

Os verbos portugueses regulares e irregulares
Portuguese Regular and Irregular Verbs

Abreviaturas:

ut. subj.	futuro do subjuntivo
fut. pret.	futuro do pretérito
imp. subj.	imperfeito do subjuntivo
mper. afirm.	imperativo afirmativo
inf. pess.	infinitivo pessoal
m.-q.-perf.	mais-que-perfeito
pres. subj.	presente do subjuntivo
pret. imp.	pretério imperfeito do indicativo
pret. perf.	pretérito perfeito do indicativo

Os pronomes pessoais

Para melhor entendimento das tabelas a seguir, deve-se considerar:

alo	1ª pessoa do singular	**eu**
alas	2ª pessoa do singular	**tu**
ala	3ª pessoa do singular	**ele, ela, você, o senhor, a senhora**
alamos	1ª pessoa do plural	**nós**
alam	2ª / 3ª pessoa do plural	**eles, elas, vocês, os senhores, as senhoras**

A segunda pessoa do plural **vós** não é usada no português atual. Sendo assim, o plural da segunda pessoa do singular **tu** passa a ser **vocês.**

►Verbos regulares que terminam em *-ar*, *-er* e *-ir*

►falar

presente	pret. imp.	pret. perf.	m.-q.-perf.	futuro	
falo	falava	falei	falara	falarei	**gerúndio**
falas	falavas	falaste	falaras	falarás	falando
fala	falava	falou	falara	falará	
falamos	falávamos	falamos	faláramos	falaremos	**particípio**
falam	falavam	falaram	falaram	falarão	falado

fut. pret.	pres. subj.	imp. subj.	fut. subj.	imper. afirm.	inf. pess.
falaria	fale	falasse	falar		falar
falarias	fales	falasses	falares	fala	falares
falaria	fale	falasse	falar	fale	falar
falaríamos	falemos	falássemos	falarmos	falemos	falarmos
falariam	falem	falassem	falarem	falem	falarem

►vender

presente	pret. imp.	pret. perf.	m.-q.-perf.	futuro	
vendo	vendia	vendi	vendera	venderei	**gerúndio**
vendes	vendias	vendeste	venderas	venderás	vendendo
vende	vendia	vendeu	vendera	venderá	
vendemos	vendíamos	vendemos	vendêramos	venderemos	**particípio**
vendem	vendiam	venderam	venderam	venderão	vendido

fut. pret.	pres. subj.	imp. subj.	fut. subj.	imper. afirm.	inf. pess.
venderia	venda	vendesse	vender		vender
venderias	vendas	vendesses	venderes	vende	venderes
venderia	venda	vendesse	vender	venda	vender
venderíamos	vendamos	vendêssemos	vendermos	vendamos	vendermos
venderiam	vendam	vendessem	venderem	vendam	venderem

partir

presente	pret. imp.	pret. perf.	m.-q.-perf.	futuro	
parto	partia	parti	partira	partirei	**gerúndio**
partes	partias	partiste	partiras	partirás	partindo
parte	partia	partiu	partira	partirá	
partimos	partíamos	partimos	partíramos	partiremos	**particípio**
partem	partiam	partiram	partiram	partirão	partido

fut. pret.	pres. subj.	imp. subj.	fut. subj.	imper. afirm.	inf. pess.
partiria	parta	partisse	partir		partir
partirias	partas	partisses	partires	parte	partires
partiria	parta	partisse	partir	parta	partir
partiríamos	partamos	partíssemos	partirmos	partamos	partirmos
partiriam	partam	partissem	partirem	partam	partirem

Verbos regulares que terminam em *-air*

sair

presente	pret. imp.	pret. perf.	m.-q.-perf.	futuro	
saio	saía	saí	saíra	sairei	**gerúndio**
sais	saías	saíste	saíras	sairás	saindo
sai	saía	saiu	saíra	sairá	
saímos	saíamos	saímos	saíramos	sairemos	**particípio**
saem	saíam	saíram	saíram	sairão	saído

fut. pret.	pres. subj.	imp. subj.	fut. subj.	imper. afirm.	inf. pess.
sairia	saia	saísse	sair		sair
sairias	saias	saísses	saíres	sai	saíres
sairia	saia	saísse	sair	saia	sair
sairíamos	saiamos	saíssemos	sairmos	saiamos	sairmos
sairiam	saiam	saíssem	saírem	saiam	saírem

►Verbos regulares que terminam em *-ear*

►passear

presente	pret. imp.	pret. perf.	m.-q.-perf.	futuro	
passeio	passeava	passeei	passeara	passearei	**gerúndio**
passeias	passeavas	passeaste	passearas	passearás	passeando
passeia	passeava	passeou	passeara	passeará	
passeamos	passeávamos	passeamos	passeáramos	passearemos	**particípio**
passeiam	passeavam	passearam	passearam	passearão	passeado

fut. pret.	pres. subj.	imp. subj.	fut. subj.	imper. afirm.	inf. pess.
passearia	passeie	passeasse	passear		passear
passearias	passeies	passeasses	passeares	passeia	passeares
passearia	passeie	passeasse	passear	passeie	passear
passearíamos	passeemos	passeássemos	passearmos	passeemos	passearmos
passearão	passeiem	passeassem	passearem	passeiem	passearem

►Verbos regulares que terminam em *-oar*

►voar

presente
vôo
voas
voa
voamos
voam

▸Verbos regulares que terminam em *-oer*

▸doer

presente	pret. imp.	pret. perf.	m.-q.-perf.	futuro	
					gerúndio
					doendo
dói	doía	doeu	doera	doerá	
					particípio
doem	doíam	doeram	doeram	doerão	doído

fut. pret.	pres. subj.	imp. subj.	fut. subj.	inf. pess.
doeria	doa	doesse	doer	doer
doeriam	doam	doessem	doerem	doerem

▸roer

presente	pret. imp.	pret. perf.	m.-q.-perf.	futuro	
rôo	roía	roí	roera	roerei	**gerúndio**
róis	roías	roeste	roeras	roerás	roendo
rói	roía	roeu	roera	roerá	
roemos	roíamos	roemos	roêramos	roeremos	**particípio**
roem	roíam	roeram	roeram	roerão	roído

fut. pret.	pres. subj.	imp. subj.	fut. subj.	imper. afirm.	inf. pess.
roeria	roa	roesse	roer		roer
roerias	roas	roesses	roeres	rói	roeres
roeria	roa	roesse	roer	roa	roer
roeríamos	roamos	roêssemos	roermos	roamos	roermos
roerão	roam	roessem	roerem	roam	roerem

►Verbos regulares que terminam em *-uar*

►averiguar

pret. perf.	pres. subj.	imper. afirm
averigüei	averigúe	
averiguaste	averigúes	averigua
averiguou	averigúe	averigúe
avergiguamos	averigüemos	averigüemos
avergiguaram	averigúem	averigúem

►Verbos regulares que terminam em *-uir*

►incluir

presente	pret. imp.	pret. perf.	m.-q.-perf.	futuro	
incluo	incluía	incluí	incluira	incluirei	**gerúndio**
incluis	incluías	incluiste	incluiras	incluirás	incluindo
inclui	incluía	incluiu	incluira	incluirá	
incluímos	incluíamos	incluimos	incluíramos	incluiremos	**particípio**
incluem	incluíam	incluiram	incluiram	incluirão	incluído

fut. pret.	pres. subj.	imp. subj.	fut. subj.	imper. afirm.	inf. pess.
incluiria	inclua	incluísse	incluir		incluir
incuirias	incluas	incluísses	incluires	inclui	incluires
incluiria	inclua	incluísse	incluirem	inclua	incluir
incluiríamos	incluamos	incluíssemos	incluirmos	incluamos	incluirmos
incluiriam	incluam	incluíssem	incluirem	incluam	incluirem

Verbos regulares com alterações ortográficas

<c → qu> ficar

pret. perf.	pres. subj.	imper. afirm.
fiquei	fique	
ficaste	fiques	fica
ficou	fique	fique
ficamos	fiquemos	fiquemos
ficaram	fiquem	fiquem

<c → ç> agradecer

presente	pres. subj.	imp. afirm.
agradeço	agradeça	
agradeces	agradeças	agradece
agradece	agradeça	agradeça
agradecemos	agradeçamos	agradeçamos
agradecem	agradeçam	agradeçam

<ç → c> dançar

pret. perf.	pres. subj.	imp. afirm.
dancei	dance	
dançaste	dances	dança
dançou	dance	dance
dançamos	dancemos	dancemos
dançaram	dancem	dancem

<g → j> corrigir

presente	pres. subj.	imper. afirm.
corrijo	corrija	
corriges	corrijas	corrige
corrige	corrija	corrija
corrigimos	corrijamos	corrijamos
corrigem	corrijam	corrijam

►<g → gu> alugar

pret. perf.	pres. subj.	imper. afirm.
alu**gu**ei	alu**gu**e	
alugaste	alu**gu**es	aluga
alugou	alu**gu**e	alu**gu**e
alugamos	alu**gu**emos	alu**gu**emos
alugaram	alu**gu**em	alu**gu**em

►<i → í> proibir

presente	pres. subj.	imper. afirm
pro**í**bo	pro**í**ba	
pro**í**bes	pro**í**bas	pro**í**be
pro**í**be	pro**í**ba	pro**í**ba
proibimos	proibamos	proibamos
pro**í**bem	pro**í**bam	pro**í**bam

►<u → ú> saudar

presente	pres. subj.	imper. afirm
sa**ú**do	sa**ú**de	
sa**ú**das	sa**ú**des	sa**ú**da
sa**ú**da	sa**ú**de	sa**ú**de
saudamos	saudemos	saudemos
sa**ú**dam	sa**ú**dem	sa**ú**dem

►Verbos regulares com particípios irregulares

infinitivo	particípio
abrir	aberto
escrever	escrito

▸Verbos regulares com particípios duplos

infinitivo	particípio irreg.	particípio reg.
aceitar	aceito	aceitado
acender	aceso	acendido
assentar	assente	assentado
despertar	desperto	despertado
eleger	eleito	elegido
emergir	emerso	emergido
entregar	entreque	entregado
enxugar	enxuto	enxugado
expressar	expresso	expressado
exprimir	expresso	exprimido
expulsar	expulso	expulsado
extinguir	extinto	extinguido
fartar	farto	fartado
ganhar	ganho	ganhado
gastar	gasto	gastado
imergir	imerso	imergido
imprimir	impreso	imprimido
juntar	junto	juntado
libertar	liberto	libertado
limpar	limpo	limpado
matar	morto	matado
pagar	pago	pagado
prender	preso	prendido
salvar	salvo	salvado
secar	seco	secado
segurar	seguro	segurado
soltar	solto	soltado
submergir	submerso	submergido
sujeitar	sujeito	sujeitado
suspender	suspenso	suspendido

▶Os verbos irregulares

▶aprazer

presente	pret. imp.	pret. perf.	m.-q.-perf.	futuro	
					gerúndio
					aprazendo
apraz	aprazia	aprouve	aprouvera	aprazerá	
					particípio
aprazem	apraziam	aprouveram	aprouveram	aprazerão	aprazido

fut. pret.	pres. subj.	imp. subj.	fut. subj.	inf. pess.
aprazeria	apraza	aprouvesse	aprouver	aprazer
aprazeriam	aprazam	aprouvessem	aprouverem	aprazerem

▶caber

presente	pret. imp.	pret. perf.	m.-q.-perf.	futuro	
caibo	cabia	coube	coubera	caberá	**gerúndio**
cabes	cabias	coubeste	couberas	caberás	cabendo
cabe	cabia	coube	coubera	caberá	
cabemos	cabíamos	coubemos	coubéramos	caberemos	**particípio**
cabem	cabiam	couberam	couberam	caberão	cabido

fut. pret.	pres. subj.	imp. subj.	fut. subj.	imper. afirm.	inf. pess.
caberia	caiba	coubesse	couber		caber
caberias	caibas	coubesses	couberes	cabe	caberes
caberia	caiba	coubesse	couber	caiba	caber
caberíamos	caibamos	coubéssemos	coubermos	caibamos	cabermos
caberiam	caibam	coubessem	couberem	caibam	caberem

►construir

presente	pret. imp.	pret. perf.	m.-q.-perf.	futuro	
construo	construía	construí	construíra	construirei	**gerúndio**
constróis	construías	construiste	construíras	construirás	construindo
constrói	construía	construiu	construíra	construirá	
construímos	construíamos	construimos	construíramos	construiremos	**particípio**
constroem	construíam	construiram	construíram	construirão	construído

fut. pret.	pres. subj.	imp. subj.	fut. subj.	imper. afirm.	inf. pess.
construiria	construa	constuísse	construir		construir
construirias	construas	construísses	construires	constrói	construires
construiria	construa	construísse	construir	contrua	construir
construiríamos	construamos	construíssemos	construirmos	construamos	construirmos
construiriam	construam	construíssem	construírem	construam	construírem

►convergir

presente	pret. imp.	pret. perf.	m.-q.-perf.	futuro	
convirjo	convergia	convergi	convergira	comvergirei	**gerúndio**
converges	convergias	convergiste	convergiras	convergirás	convergindo
converge	convergia	convergiu	convergira	convergirá	
convergimos	convergíamos	convergimos	convergíramos	convergiremos	**particípio**
convergem	convergiam	convergiram	convergiram	convergirão	convergido

fut. pret.	pres. subj.	imp. subj.	fut. subj.	imper. afirm.	inf. pess.
convergiria	convirja	convergisse	convergir		convergir
convergirias	convirjas	convergisses	convergires	converge	convergires
convergiria	convirja	convergisse	convergir	convirja	convergir
convergiríamos	convirjamos	convergíssemos	convergirmos	convirjamos	convergirmos
convergiriam	convirjam	convergissem	convergirem	convirjam	convergirem

▶crer

presente	pret. imp.	pret. perf.	m.-q.-perf.	futuro	
creio	cria	cri	crera	crerei	**gerúndio**
crês	crias	creste	creras	crerás	crendo
crê	cria	creu	crera	crerá	
cremos	críamos	cremos	crêramos	creremos	**particípio**
crêem	criam	creram	creram	crerão	crido

fut. pret.	pres. subj.	imp. subj.	fut. subj.	imper. afirm.	inf. pess.
creria	creia	cresse	crer		crer
crerias	creias	cresses	creres	crê	creres
creria	creia	cresse	crer	creia	crer
creríamos	creiamos	crêssemos	crermos	creiamos	crermos
creriam	creiam	cressem	crerem	creiam	crerem

▶dar

presente	pret. imp.	pret. perf.	m.-q.-perf.	futuro	
dou	dava	dei	dera	darei	gerúndio
dás	davas	deste	deras	darás	dando
dá	dava	deu	dera	dará	
damos	dávamos	demos	déramos	daremos	particípio
dão	davam	deram	deram	darão	dado

fut. pret.	pres. subj.	imp. subj.	fut. subj.	imper. afirm.	inf. pess.
daria	dê	desse	der		dar
darias	dês	desses	deres	dá	dares
daria	dê	desse	der	dê	dar
daríamos	demos	déssemos	dermos	demos	darmos
dariam	dêem	dessem	derem	dêem	darem

▶dizer

presente	pret. imp.	pret. perf.	m.-q.-perf.	futuro	
digo	dizia	disse	dissera	direi	**gerúndio**
dizes	dizias	disseste	disseras	dirás	dizendo
diz	dizia	disse	dissera	dirá	
dizemos	dizíamos	dissemos	disséramos	diremos	**particípio**
dizem	diziam	disseram	disseram	dirão	dito

fut. pret.	pres. subj.	imp. subj.	fut. subj.	imper. afirm.	inf. pess.
diria	diga	dissesse	disser		dizer
dirias	digas	dissesses	disseres	diz	dizeres
diria	diga	dissesse	disser	diga	dizer
diríamos	digamos	disséssemos	dissermos	digamos	dizermos
diriam	digam	dissessem	disserem	digam	dizerem

▶dormir

presente	pret. imp.	pret. perf.	m.-q.-perf.	futuro	
durmo	dormia	dormi	dormira	dormirei	**gerúndio**
dormes	dormias	dormiste	dormiras	dormirás	dormindo
dorme	dormia	dormiu	dormira	dormirá	
dormimos	dormíamos	dormimos	dormíramos	dormiremos	**particípio**
dormem	dormiam	dormiram	dormiram	dormirão	dormido

fut. pret.	pres. subj.	imp. subj.	fut. subj.	imper. afirm.	inf. pess.
dormiria	durma	dormisse	dormir		dormir
dormirias	durmas	dormisses	dormires	dorme	dormires
dormiria	durma	dormisse	dormir	durma	dormir
dormiríamos	durmamos	dormíssemos	dormirmos	durmamos	dormirmos
dormiriam	durmam	dormissem	dormirem	durmam	dormirem

▶estar

presente	pret. imp.	pret. perf.	m.-q.-perf.	futuro	
estou	estava	estive	estivera	estarei	**gerúndio**
estás	estavas	estiveste	estiveras	estarás	estando
está	estava	esteve	estivera	estará	
estamos	estávamos	estivemos	estivéramos	estaremos	**particípio**
estão	estavam	estiveram	estiveram	estarão	estado

fut. pret.	pres. subj.	imp. subj.	fut. subj.	imper. afirm.	inf. pess.
estaria	esteja	estivesse	estiver		estar
estarias	estejas	estivesses	estiveres	está	estares
estaria	esteja	estivesse	estiver	esteja	estar
estaríamos	estjamos	estivéssemos	estivermos	estejamos	estarmos
estariam	estejam	estivessem	estiverem	estejam	estarem

▶fazer

presente	pret. imp.	pret. perf.	m.-q.-perf.	futuro	
faço	fazia	fiz	fizera	farei	**gerúndio**
fazes	fazias	fizeste	fizeras	farás	fazendo
faz	fazia	fez	fizera	fará	
fazemos	fazíamos	fizemos	fizéramos	faremos	**particípio**
fazem	faziam	fizeram	fizeram	farão	feito

fut. pret.	pres. subj.	imp. subj.	fut. subj.	imper. afirm.	inf. pess.
faria	faça	fizesse	fizer		fazer
farias	faças	fizesses	fizeres	faz	fazeres
faria	faça	fizesse	fizer	faça	fazer
faríamos	façamos	fizéssemos	fizermos	façamos	fazermos
fariam	façam	fizessem	fizerem	façam	fazerem

▶fugir

presente	pres. subj.	imper. afirm.	
fujo	fuja		**gerúndio**
foges	fujas	foge	fugindo
foge	fuja	fuja	
fugimos	fujamos	fujamos	**particípio**
fogem	fujam	fujam	fugido

▶haver

presente	pret. imp.	pret. perf.	m.-q.-perf.	futuro	
	havia **				**gerundio**
	havias				havendo
há *	havia	houve	houvera	haverá	
	havíamos				**particípio**
	haviam				havido

* No português atual o verbo haver é mais freqüentemente usado como sinônimo de existir e só é conjugado na terceira pessoa do singular e ** como sinônimo de ter como verbo auxiliar no pretérito mais que perfeito composto: eu *havia comprado* / eu tinha *comprado.*

fut. pret.	pres. subj.	imp. subj.	fut. subj.	imper. afirm.	inf. pess.
haveria	haja	houvesse	houver	haja	haver

▶haver

presente	pret. imp.	pret. perf.	m.-q.-perf.	futuro	
hei	havia	houve	houvera	haverei	**gerúndio**
hás	havias	houveste	houveras	haverás	havendo
há	havia	houve	houvera	haverá	
havemos	havíamos	houvemos	houvéramos	haveremos	**particípio**
hão	haviam	houveram	houveram	havereão	havido

fut. pret.	pres. subj.	imp. subj.	fut. subj.	imper. afirm.	inf. pess.
haveria	haja	houvesse	houver		haver
haverias	hajas	houvesses	houveres	há	haveres
haveria	haja	houvesse	houver	haja	haver
haveríamos	hajamos	houvéssemos	houvéramos	hajamos	havermos
haveriam	hajam	houvessem	houverem	hajam	haverem

▶ir

presente	pret. imp.	pret. perf.	m.-q.-perf.	futuro	
vou	ia	fui	fora	irei	**gerúndio**
vais	ias	foste	foras	irás	indo
vai	ia	foi	fora	irá	
vamos	íamos	fomos	fôramos	iremos	**particípio**
vão	iam	foram	foram	irão	ido

fut. pret.	pres. subj.	imp. subj.	fut. subj.	imper. afirm.	inf. pess.
iria	vá	fosse	for		ir
irias	vás	fosses	fores	vai	ires
iria	vá	fosse	for	vá	ir
iríamos	vamos	fôssemos	formos	vamos	irmos
iriam	vão	fossem	forem	vão	irem

▶ler

presente	pres. subj.	imper. afirm.	
leio	leia		**gerúndio**
lês	leias	lê	lendo
lê	leia	leia	
lemos	leiamos	leiamos	**particípio**
lêem	leiam	leiam	lido

▶odiar

presente	pret. imp.	pret. perf.	m.-q.-perf.	futuro	
odeio	odiava	odiei	odiara	odiarei	**gerúndio**
odeias	odiavas	odiaste	odiaras	odiarás	odiando
odeia	odiava	odiou	odiara	odiará	
odiamos	odiávamos	odiamos	odiáramos	odiaremos	**particípio**
odeiam	odiavam	odiaram	odiaram	odiarão	odiado

fut. pret.	pres. subj.	imp. subj.	fut. subj.	imper. afirm.	inf. pess.
odiaria	odeie	odiasse	odiar		odiar
odiarias	odeies	odiasses	odiares	odeia	odiares
odiaria	odeie	odiasse	odiar	odeie	odiar
odiaríamos	odiemos	odiássemos	odiarmos	odiemos	odiarmos
odiariam	odeiem	odiassem	odiarem	odeiem	odiarem

▶ouvir

presente	pret. ind.	imperativo	
ouço	ouça		**gerúndio**
ouves	ouças	ouve	ouvindo
ouve	ouça	ouça	
oivimos	ouçamos	ouçamos	**particípio**
ouvem	ouçam	ouçam	ouvido

▶pedir

presente	pres. subj.	imper. afirm.	
peço	peça		**gerúndio**
pedes	peças	pede	pedindo
pede	peça	peça	
pedimos	peçamos	peçamos	**particípio**
pedem	peçam	peçam	pedido

►perder

presente	pres. subj.	imp. afirm.	
perco	perca		**gerúndio**
perdes	percas	perde	perdendo
perde	perca	perca	
perdemos	percamos	percamos	**particípio**
perdem	percam	perca	perdido

►poder

presente	pret. imp.	pret. perf.	m.-q.-perf.	futuro	
posso	podia	pude	podera	poderei	**gerúndio**
podes	podias	pudeste	poderas	poderás	podendo
pode	podia	pôde	podera	poderá	
podemos	podíamos	pudemos	podêramos	poderemos	**particípio**
podem	podiam	puderam	poderam	poderão	podido

fut. pret.	pres. subj.	imp. subj.	fut. subj.	inf. pess.
poderia	possa	pudesse	puder	poder
poderias	possas	pudesses	puderes	poderes
poderia	possa	pudesse	puder	poder
poderíamos	possamos	pudéssemos	pudermos	podermos
poderiam	possam	pudessem	puderem	poderem

►polir

presente	pret. imp.	pret. perf.	m.-q.-perf.	futuro	
pulo	polia	poli	polira	polirei	**gerúndio**
pules	polias	poliste	poliras	polirás	polindo
pule	polia	poliu	polira	polirá	
polimos	políamos	polimos	políramos	poliremos	**particípio**
pulem	poliam	poliram	poliram	polirão	polido

fut. pret.	pres. subj.	imp. subj.	fut. subj.	imper. afirm.	inf. pess.
poliria	pula	polisse	polir		polir
polirias	pulas	polisses	polires	pule	polires
poliria	pula	polisse	polir	pula	polir
poliríamos	pulamos	políssemos	polirmos	pulamos	polirmos
poliriam	pulam	polissem	polirem	pulam	polirem

▶pôr

presente	pret. imp.	pret. perf.	m.-q.-perf.	futuro	
ponho	punha	pus	pusera	porei	**gerúndio**
pões	punhas	puseste	puseras	porás	pondo
põe	punha	pôs	pusera	porá	
pomos	púnhamos	pusemos	puséramos	poremos	**particípio**
põem	punham	puseram	puseram	porão	posto

fut. prêt.	pres. subj.	imp. subj.	fut. subj.	imper. afirm.	inf. pess.
poria	ponha	pusesse	puser		pôr
porias	ponhas	pusesses	puseres	põe	pores
poria	ponha	pusesse	puser	ponha	pôr
poríamos	ponhamos	puséssemos	pusermos	ponhamos	pormos
poriam	ponham	pusessem	puserem	ponham	porem

▶preferir

presente	pres. subj.	imper. afirm	
prefiro	prefira		**gerúndio**
preferes	prefiras	prefere	preferindo
prefere	prefira	prefira	
preferimos	prefiramos	prefiramos	**particípio**
preferem	prefiram	prefiram	preferido

▶prevenir

presente	pres. subj.	imper. afirm.	
previno	previna		**gerúndio**
prevines	previnas	previne	prevenindo
previne	previna	previna	
prevenimos	previnamos	previnamos	**particípio**
previnem	previnam	previnam	prevenido

▶querer

presente	pret. imp.	pret. perf.	m.-q.-perf.	futuro*	
quero	queria	quis	quisera	quererei	**gerúndio**
queres	querias	quiseste	quiseras	quererás	querendo
quer	queria	quis	quisera	quererá	
queremos	queríamos	quisemos	quiséramos	quereremos	**particípio**
querem	queriam	quiseram	quiseram	quererão	querido

*pouco usado

fut. pret.*	pres. subj.	imp. subj.	fut. subj.	imper. afirm.	inf. pess.
quereria	queira	quisesse	quiser		querer
quererias	queiras	quisesses	quiseres	quer	quereres
quereria	queira	quisesse	quiser	queira	querer
quereríamos	queiramos	quiséssemos	quisermos	queiramos	querermos
quereriam	queiram	quisessem	quiserem	queiram	quererem

*pouco usado

▶reaver

presente	pret. imp.	pret. perf.	m.-q.-perf.	futuro*	
	reavia	reouve	reouvera	reaverei	**gerúndio**
	reavias	reouveste	reouveras	reaverás	reavendo
	reavia	reouve	reouvera	reaverá	
reavemos	reavíamos	reouvemos	reouvéramos	reaveremos	**particípio**
	reaviam	reouveram	reouveram	reaverão	reavido

fut. pret.	imp. subj.	fut. subj.	inf. pess.
reaveria	reouvesse	reouver	reaver
reaverias	reouvesses	reouveres	reaveres
reaveria	reouvesse	reouver	reaver
reaveríamos	reouvéssemos	reouvermos	reavermos
reaveriam	reouvessem	reouverem	reaverem

*pouco usado

►refletir

presente	subj. pres.	imper. afirm.	
reflito	reflita		gerúndio
refletes	reflitas	reflete	refletindo
reflete	reflita	reflita	
relfetimos	reflitamos	reflitamos	particípio
refletem	reflitam	relflitam	refletido

►requerer

presente	pret. imp.	pret. perf.	m.-q.-perf.	futuro	
requeiro	requeria	requeri	requerera	requererei	**gerúndio**
requeres	requerias	requereste	requereras	requererás	requerendo
requer/ requere	requeria	requeriu	requerera	requererá	
requeremos	requeríamos	requeremos	requerêramos	requereremos	**particípio**
requerem	requeriam	requeram	requereram	requererão	requerido

fut. pret.	pres. subj.	imp. subj.	fut. subj.	imper. afirm.	inf. pess.
requereria	requeira	requeresse	requerer		requerer
requererias	requeiras	requeresses	requereres	requer/ requere	requereres
requereria	requeira	requeresse	requerer	requeira	requerer
requereríamos	requeiramos	requerêssemos	requerermos	requeiramos	requerermos
requereriam	requeiram	requeressem	requererem	requeiram	requererem

►rir

presente	
rio	**gerúndio**
ris	rindo
ri	
rimos	**particípio**
riem	rido

►saber

presente	pret. imp.	pret. perf.	m.-q.-perf.	futuro	
sei	sabia	soube	soubera	saberei	**gerúndio**
sabes	sabias	soubeste	souberas	saberás	sabendo
sabe	sabia	soube	soubera	saberá	
sabemos	sabíamos	soubemos	soubéramos	saberemos	**particípio**
sabem	sabiam	souberam	souberam	saberão	sabido

fut. pret.	pres. subj.	imp. subj.	fut. subj.	imper. afirm.	inf. pess.
saberia	saiba	soubesse	souber		saber
saberias	saibas	soubesses	souberes	sabe	saberes
saberia	saiba	soubesse	souber	saiba	saber
saberíamos	saibamos	soubéssemos	soubermos	saibamos	sabermos
saberiam	saibam	soubessem	souberem	saibam	saberem

►seguir

presente	pres. subj.	imperativo	
sigo	siga		**gerúndio**
segues	sigas	segue	seguindo
segue	siga	siga	
seguimos	sigamos	sigamos	**particípio**
seguem	sigam	sigam	seguido

▶sentir

presente	pres. subj.	imperativo	
sinto	sinta		**gerúndio**
sentes	sintas	sente	sentindo
sente	sinta	sinta	
sentimos	sintamos	sintamos	**particípio**
sentem	sintam	sintam	sentido

▶ser

presente	pret. imp.	pret. perf.	m.-q.-perf.	futuro	
sou	era	fui	fora	serei	**gerúndio**
és	eras	foste	foras	serás	sendo
é	era	foi	fora	será	
somos	éramos	fomos	fôramos	seremos	**particípio**
são	eram	foram	foram	serão	sido

fut. pret.	pres. subj.	imp. subj.	fut. subj.	imper. afirm.	inf. pess.
seria	seja	fosse	for		ser
serias	sejas	fosses	fores	sê	seres
seria	seja	fosse	for	seja	ser
seríamos	sejamos	fôssemos	formos	sejamos	sermos
seriam	sejam	fossem	forem	sejam	serem

▶subir

presente	imper. afirm.	
subo		**gerúndio**
sobes	sobe	subindo
sobe	suba	
subimos	subamos	**particípio**
sobem	subam	subido

▶ter

presente	pret. imp.	pret. perf.	m.-q.-perf.	futuro	
tenho	tinha	tive	tivera	terei	**gerundio**
tens	tinhas	tiveste	tiveras	terás	tendo
tem	tinha	teve	tivera	terá	
temos	tínhamos	tivemos	tivéramos	teremos	**particípio**
têm	tinham	tiveram	tiveram	terão	tido

fut. pret.	pres. subj.	imp. subj.	fut. subj.	imper. afirm.	inf. pess.
teria	tenha	tivesse	tiver		ter
terias	tenhas	tivesses	tiveres	tem	teres
teria	tenha	tivesse	tiver	tenha	ter
teríamos	tenhamos	tivéssemos	tivermos	tenhamos	termos
teriam	tenham	tivessem	tiverem	tenham	terem

▶trazer

presente	pret. imp.	pret. perf.	m.-q.-perf.	futuro	
trago	trazia	trouxe	trouxera	trarei	**gerúndio**
trazes	trazia	trouxeste	trouxeras	trarás	trazendo
traz	trazia	trouxe	trouxera	trará	
trazemos	trazíamos	trouxemos	trouxéramos	traremos	**particípio**
trazem	traziam	trouxeram	trouxeram	trarão	trazido

fut. pret.	pres. subj.	imp. subj.	fut. subj.	imper. afirm.	inf. pess.
traria	traga	trouxesse	trouxer		trazer
trarias	tragas	trouxesses	trouxeres	traz	trazeres
traria	traga	trouxesse	trouxer	traga	trazer
traríamos	tragamos	trouxéssemos	trouxermos	tragamos	trazermos
trariam	tragam	trouxessem	trouxerem	tragam	trazerem

►valer

presente	pres. subj.	imperativo	
valho	valha		gerúndio
vales	valhas	vale	valendo
vale	valha	valha	
valemos	valhamos	valhamos	particípio
valem	valham	valham	valido

►ver

presente	pret. imp.	pret. perf.	m.-q.-perf.	futuro	
vejo	via	vi	vira	verei	**gerúndio**
vês	vias	viste	viras	verás	vendo
vê	via	viu	vira	verá	
vemos	víamos	vimos	víramos	veremos	**particípio**
vêem	viam	viram	viram	verão	visto

fut. pret.	pres. subj.	imp. subj.	fut. subj.	imper. afirm.	inf. pess.
veria	veja	visse	vir		ver
verias	vejas	visses	vires	vê	veres
veria	veja	visse	vir	veja	ver
veríamos	vejamos	víssemos	virmos	vejamos	vermos
veriam	vejam	vissem	virem	vejam	verem

►vestir

presente	pres. subj.	imper. afirm.	
visto	vista		**gerúndio**
vestes	vistas	veste	vestindo
veste	vista	vista	
vestimos	vistamos	vistamos	**particípio**
vestem	vistam	vistam	vestido

►**vir**

presente	pret. imp.	pret. perf.	m.-q.-perf.	futuro	
venho	vinha	vim	viera	virei	**gerúndio**
vens	vinhas	vieste	vieras	virás	vindo
vem	vinha	veio	viera	virá	
vimos	vínhamos	viemos	viéramos	viremos	**particípio**
vêm	vinham	vieram	vieram	virão	vindo

fut. pret.	pres. subj.	imp. subj.	fut. subj.	imper. afirm.	inf. pess.
viria	venha	viesse	vier		vir
virias	venhas	viesses	vieres	vem	vires
viria	venha	viesse	vier	venha	vir
viríamos	venhamos	viéssemos	viermos	venhamos	virmos
viriam	venham	viessem	vierem	venham	virem

Numerals

Os Numerais

Cardinal numbers

Os numerais cardinais

zero	0	zero
one	1	um, uma
two	2	dois, duas
three	3	três
four	4	quatro
five	5	cinco
six	6	seis
seven	7	sete
eight	8	oito
nine	9	nove
ten	10	dez
eleven	11	onze
twelve	12	doze
thirteen	13	treze
fourteen	14	quatorze, catorze
fifteen	15	quinze
sixteen	16	dezesseis
seventeen	17	dezessete
eighteen	18	dezoito
nineteen	19	dezenove
twenty	20	vinte
twenty-one	21	vinte e um, a
twenty-two	22	vinte e dois, duas
twenty-three	23	vinte e três
twenty-four	24	vinte e quatro
twenty-five	25	vinte e cinco
thirty	30	trinta
thirty-one	31	trinta e um, a
thirty-two	32	trinta e dois, duas
thirty-three	33	trinta e três
forty	40	quarenta
forty-one	41	quarenta e um, a
forty-two	42	quarenta e dois, duas

fifty	50	cinqüenta
fifty-one	51	cinqüenta e um, a
fifty-two	52	cinqüenta e dois, duas
sixty	60	sessenta
sixty-one	61	sessenta e um, a
sixty-two	62	sessenta e dois, duas
seventy	70	setenta
seventy-one	71	setenta e um, a
seventy-two	72	setenta e dois, duas
seventy-five	75	setenta e cinco
seventy-nine	79	setenta e nove
eighty	80	oitenta
eighty-one	81	oitenta e um, a
eighty-two	82	oitenta e dois, duas
eighty-five	85	oitenta e cinco
ninety	90	noventa
ninety-one	91	noventa e um, a
ninety-two	92	noventa e dois, duas
ninety-nine	99	noventa e nove
one hundred	100	cem
one hundred and one	101	cento e um, a
one hundred and two	102	cento e dois, duas
one hundred and ten	110	cento e dez
one hundred and twenty	120	cento e vinte
one hundred and ninety-nine	199	cento e noventa e nove
two hundred	200	duzentos, -as
two hundred and one	201	duzentos, -as e um, a
two hundred and twenty-two	222	duzentos, as e vinte e dois, duas
three hundred	300	trezentos, -as
four hundred	400	quatrocentos, -as
five hundred	500	quinhentos, -as
six hundred	600	seiscentos, -as
seven hundred	700	setecentos, -as
eight hundred	800	oitocentos, -as
nine hundred	900	novecentos, -as

one thousand	1 000	mil
one thousand and one	1 001	mil e um, a
one thousand and ten	1 010	mil e dez
one thousand one hundred	1 100	mil e cem
two thousand	2 000	dois, duas mil
ten thousand	10 000	dez mil
one hundred thousand	100 000	cem mil
one million	1 000 000	um milhão
two million	2 000 000	dois milhões
two million, five hundred thousand	2 500 000	dois milhões e quinhentos, as mil
one billion	1 000 000 000	um bilhão (ou bilião)
one trillion (*Am, Brit*) one thousand billion (*Brit, dated*)	1 000 000 000 000	um trilhão (ou trilião)

Ordinal numbers / Os numerais ordinais

first	1st	1º, 1ª	primeiro, -a
second	2nd	2º, 2ª	segundo, -a
third	3rd	3º, 3ª	terceiro, -a
fourth	4th	4º, 4ª	quarto, -a
fifth	5th	5º, 5ª	quinto, -a
sixth	6th	6º, 6ª	sexto, -a
seventh	7th	7º, 7ª	sétimo, -a
eighth	8th	8º, 8ª	oitavo, -a
ninth	9th	9º, 9ª	nono, -a (ou noveno, -a)
tenth	10th	10º, 10ª	décimo, -a
eleventh	11th	11º, 11ª	décimo, -a primeiro, -a (ou undécimo, -a)
twelfth	12th	12º, 12ª	décimo, -a segundo, -a (ou duodécimo, -a)
thirteenth	13th	13º, 13ª	décimo, -a tercero, -a
fourteenth	14th	14º, 14ª	décimo, -a quarto, -a
fifteenth	15th	15º, 15ª	décimo, -a quinto, -a
sixteenth	16th	16º, 16ª	décimo, -a sexto, -a
seventeenth	17th	17º, 17ª	décimo, -a sétimo, -a
eighteenth	18th	18º, 18ª	décimo, -a oitavo, -a
nineteenth	19th	19º, 19ª	décimo, -a nono, -a

twentieth	20th	20º, 20ª	vigésimo, -a
twenty-first	21st	21º, 21ª	vigésimo, -a primeiro, -a
twenty-second	22nd	22º, 22ª	vigésimo, -a segundo, -a
twenty-third	23rd	23º, 23ª	vigésimo, -a terceiro, -a
thirtieth	30th	30º, 30ª	trigésimo, -a
thirty-first	31st	31º, 31ª	trigésimo, -a primeiro, -a
thirty-second	32nd	32º, 32ª	trigésimo, -a segundo, -a
fortieth	40th	40º, 40ª	quadragésimo, -a
fiftieth	50th	50º, 50ª	qüinquagésimo, -a
sixtieth	60th	60º, 60ª	sexagésimo, -a
seventieth	70th	70º, 70ª	septuagésimo, -a
seventy-first	71st	71º, 71ª	septuagésimo, -a primeiro, -a
seventy-second	72nd	72º, 72ª	septuagésimo, -a segundo, -a
seventy-ninth	79th	79º, 79ª	septuagésimo, -a nono, -a
eightieth	80th	80º, 80ª	octogésimo, -a
eighty-first	81st	81º, 81ª	octogésimo, -a primeiro, -a
eighty-second	82nd	82º, 82ª	octogésimo, -a segundo, -a
ninetieth	90th	90º, 90ª	nonagésimo, -a
ninety-first	91st	91º, 91ª	nonagésimo, -a primeiro, -a
ninety-ninth	99th	99º, 99ª	nonagésimo, -a nono, -a
one hundredth	100th	100º, 100ª	centésimo, -a
one hundred and first	101st	101º, 101ª	centésimo, -a primeiro, -a
one hundred and tenth	110th	110º, 110ª	centésimo, -a décimo, -a
one hundred and ninety-ninth	195th	195º, 195ª	centésimo, -a nonagésimo, -a quinto, -a
two hundredth	200th	200º, 200ª	ducentésimo, -a
three hundredth	300th	300º, 300ª	trecentésimo, -a
five hundredth	500th	500º, 500ª	qüingentésimo, -a
one thousandth	$1\,000^{th}$	1 000º, 1 000ª	milésimo, -a
two thousandth	$2\,000^{th}$	2 000º, 2 000ª	dois milésimos, -as
one millionth	$1\,000\,000^{th}$	1 000 000º, 1 000 000ª	milionésimo, -a
ten millionth	$10\,000\,000^{th}$	10 000 000º 10 000 000ª	dez milionésimos, -a

Fractional numbers		Números fracionários
one half	$\frac{1}{2}$	meio, -a
one third	$\frac{1}{3}$	um terço
one quarter	$\frac{1}{4}$	um quarto
one fifth	$\frac{1}{5}$	um quinto
one tenth	$\frac{1}{10}$	um décimo
one hundredth	$\frac{1}{100}$	um centésimo
one thousandth	$\frac{1}{1000}$	um milésimo
one millionth	$\frac{1}{1\,000\,000}$	um milionésimo
two thirds	$\frac{2}{3}$	dois terços
three quarters	$\frac{3}{4}$	três quartos
two fifths	$\frac{2}{5}$	dois quintos
three tenths	$\frac{3}{10}$	três décimos
one and a half	$1\frac{1}{2}$	um, -a e meio, -a
two and a half	$2\frac{1}{2}$	dois, duas e meio, -a
five and three eighths	$5\frac{3}{8}$	cinco inteiros e três oitavos
one point one	1.1/1,1	um vírgula um

Pesos e medidas

Weights and Measures

Sistema (de numeração) decimal

Decimal System

giga-	1.000.000.000	G	giga-
mega-	1 000 000	M	mega-
hectoquilo	100 000	hk	hectokilo-
miria-	10 000	ma	myria-
quilo-	1 000	k	kilo-
hect(o)-	100	h	hecto-
deca-	10	da	deca-
deci-	0,1	d	deci-
centi-	0,01	c	centi-
mili-	0,001	m	milli-
decimili-	0,000 1	dm	decimilli-
centimili-	0,000 01	cm	centimilli-
micr(o)-	0,000 001	µ	micro-

Tabelas de equivalência

Encontram-se aqui somente as unidades de medida imperial britânica e de medida "habitual" americana ainda em uso. Para converter uma unidade do sistema métrico em medida imperial ou "habitual", basta multiplicá-la pelo fator de conversão em **negrito.** Da mesma forma, a divisão da unidade de medida imperial pelo mesmo fator resultará em seu equivalente no sistema métrico

Conversion tables

Only Imperial and U.S. Customary measures still in common use are given here. To convert a metric measurement to imperial or U.S. Customary measures, multiply by the conversion factor in **bold.** Dividing an Imperial measurement by the same factor will give the metric equivalent.

Sistema métrico
Metric System

Sistema imperial
British Imperial System, U.S. Customary System

Medidas de longitude

Measures of Length

milha marítima	1 852 m	-	nautical mile			
quilômetro	1 000 m	km	kilometre *Brit*, kilometer *Am*	**0,62**	mile (=1760 yards)	m, mi
hectômetro	100 m	hm	hectometre *Brit*, hectometer *Am*			
decâmetro	10 m	dam	decametre *Brit*, decameter *Am*			
metro	1 m	m	metre *Brit*, meter *Am*	**1,09**	yard (= 3 feet)	yd
				3,28	foot (= 12 inches)	ft
decímetro	0,1 m	dm	decimetre *Brit*, decimeter *Am*			
centímetro	0,01 m	cm	centimetre *Brit*, centimeter *Am*	**0,39**	inch	in
milímetro	0,001 m	mm	millimetre *Brit*, millimeter *Am*			
micro	0,000 001 m	µ	micron			
milimicro, nanômetro	0,000 000 001 m	mµ	millimicron			
angstrom (*ou* angström)	0,000 000 000 1 m	Å	angstrom			

Medidas de superficie | Surface Measure

quilômetro quadrado	1 000 000 m^2	km^2	square kilometre	**0,386**	square mile (= 640 acres)	sq. m., sq. mi.
hectômetro quadrado, hectare	10 000 m^2	hm^2 ha	square hectometre, hectare	**2,47**	acre (= 4840 square yards)	a.
decâmetro quadrado, are	100 m^2	dam^2 a	square decametre, are			
metro quadrado	1 m^2	m^2	square metre	**1.196**	square yard (9 square feet)	sq. yd
				10,76	square feet (= 144 square inches)	sq. ft
decímetro quadrado	0,01 m^2	dm^2	square decimetre			
centímetro quadrado	0,000 1 m^2	cm^2	square centimetre	**0,155**	square inch	sq. in.
milímetro quadrado	0,000 001 m^2	mm^2	square millimetre			

Medidas de volume e capacidade

Measures of Volume and Capacity

quilômetro cúbico	1 000 000 000 m³	km³	cubic kilometre			
metro cúbico estéreo	1 m³	m³ st	cubic metre stere	**1,308** **35,32**	cubic yard (= 27 cubic feet) cubic foot (= 1728 cubic inches)	cu. yd cu. ft
hectolitro	0,1 m³	hl	hectolitre *Brit*, hectoliter *Am*			
decalitro	0,01 m³	dal	decalitre *Brit*, decaliter *Am*			
decímetro cúbico litro	0,001 m³	dm³ l	cubic decimetre litre *Brit*, liter *Am*	**0,22** **1,76** **0,26** **2,1** **4,23**	UK gallon UK pint US gallon US pint US cup	gal. pt gal. pt. or p. c.
decilitro	0,000 1 m³	dl	decilitre *Brit*, deciliter *Am*			
centilitro	0,000 01 m³	cl	centilitre *Brit*, centilter *Am*	**0,352** **0,338**	UK fluid ounce US fluid ounce	fl. oz.
centímetro cúbico	0,000 001 m³	cm³	cubic centimetre	**0,061**	cubic inch	cu. in.
mililitro	0,000 001 m³	ml	millilitre *Brit*, milliliter *Am*			
milímetro cúbico	0,000 000 001 m³	mm³	cubic millimetre			

Pesos | Weights

tonelada	1 000 kg	t	tonne	**0,98**	[long] ton *Brit* (= 2240 pounds)	
				1,1	[short] ton *Am* (= 2000 pounds)	
quintal métrico	100 kg	q	quintal			t.
quilograma, quilo	1 000 g	kg	kilogram	**2,2**	pound (= 16 ounces)	lb.
hectograma	100 g	hg	hectogram			
decagrama	10 g	dag	decagram			
grama	1 g	g	gram	**0,035**	ounce	oz.
quilate	0,2 g	-	carat			
decigrama	0,1 g	dg	decigram			
centigrama	0,01 g	cg	centigram			
miligrama	0,001 g	mg	milligram			
micrograma	0,000 001 g	µg	microgram			

Temperatura: Equivalência entre Celsius e Fahrenheit
Temperature: Conversion Between Celsius and Fahrenheit

Para converter uma temperatura em Celsius a Fahrenheit deve-se multiplicar por 1,8 e acrescentar 32. Para converter uma temperatura em Fahrenheit a centígrados deve-se tirar 32 e dividir por 1,8.

To convert a temperature in degrees Celsius to Fahrenheit, multiply by 1.8 and deduct 32. To convert Fahrenheit to Celsius, deduct 32 and divide by 1.8

PEQUENO MANUAL DE CONVERSAÇÃO PARA VIAGEM

MINI-PHRASEBOOK FOR TRAVELERS

Índice | Contents

Ao Conhecer pessoas	**Meeting People**
Cumprimentar	Greetings
Despedir-se	Saying goodbye
Fazer uma visita	Visiting
Pedir um favor	Requests
Agradecer	Thanks
Desculpar-se	Apology
Marcar um encontro	Dates
Comunicar-se	Communicating
Apresentar-se	Introducing oneself
Hospital	**Hospital**
Meios de transporte locais	**Local Transportation**
Transportes públicos	Public Transport
Táxi	Taxi
Polícia	**Police**
Correio	**Post Office**
Restaurante	**Restaurant**
Pedido	Ordering
A conta	The Bill
Reclamações	Complaints
Barco	**Ship**
A bordo	On Board
Informações	Information
Piscina	**Swimming Pool**
Esporte	**Sports**
Praia	**Beach**
Telefone	**Telephone**

Alojamento	Overnight Stay
Informações	Information
Camping	Camping
Hotel	Hotel
Chegada	Arrival
Saída	Departure
Reclamações	Complaints
Albergue da juventude	Youth Hostel
Diversões	**Entertainment**
Bar/Discoteca/Boate	Bar/Disco/Night club
Teatro/Shows/Cinema	Theater/Concert/Cinema
Agência de turismo	Tourist Information Office
Tempo	**Weather**
Alfândega	**Customs**
Controle de passaportes	Passport Control
Controle alfandegário	Customs Check

Médico	**Doctor**
Clínico geral	**GP**
Podia me indicar um bom... médico? pediatra? dentista?	Can you recommend a good ... doctor? pediatrician? dentist?
Onde é o consultório?	Where's the doctor's office (*Brit* the surgery)?
Quais são os horários de consulta?	What are the office (*Brit* surgery) hours?
O que está sentindo?	What's the trouble?
Não me sinto bem.	I don't feel well.
Estou com/tenho febre.	I've got a temperature.
Eu me sinto mal/enjoado/a com freqüência.	I often feel sick/faint.
Estou muito resfriado/a.	I've got a bad cold.
Estou com/tenho dor de cabeça/garganta.	I've got a headache/a sore throat.
Levei uma picada/mordida.	I've been stung/bitten.
O meu estômago está embrulhado.	I've got an upset stomach.
Estou com/tenho diarréia/prisão de ventre.	I've got diarrhea/I'm constipated.
Me machuquei/feri.	I've hurt myself.
Caí.	I fell down.
Acho que quebrei/fraturei o/a ...	I think I've broken my ...
Acho que torci o/a ...	I think I've sprained my ...
Dói aqui.	I've got a pain here.
Tenho pressão alta/baixa.	I've got high/low blood pressure.
Sou diabético/a.	I'm a diabetic.
Estou grávida.	I'm pregnant.
Tem um cartão de vacinação?	Have you got a vaccination card?
Preciso fazer um exame de sangue/urina.	I need to do a blood/urine test.
Poderia me receitar algo para ...?	Could you prescribe something for ...?
Aqui está o meu cartão de seguro de saúde internacional.	Here's my international medical insurance card.
Poderia me dar um atestado médico?	Can you give me a doctor's certificate, please?

Dentista	**Dentist**
Estou com/tenho uma dor de dente (horrível).	I've got a (terrible) toothache.
Este dente (de cima/de baixo/da frente/de atrás) está doendo.	This tooth (at the top/bottom/front/back) hurts.
Uma obturação caiu.	I've lost a filling.
Um dente quebrou.	I've broken a tooth.
Precisa ser obturado.	I'll have to fill it.
Precisa ser arrancado.	It'll have to come out.
Poderia me dar anestesia?	I'd like an injection, please.
Não quero anestesia.	I don't want an injection.

Carro/Moto/Bicicleta — Car/Motorbike/Bike

Informações	**Information**
Por favor, como faço para chegar a ...?	Excuse me, how do I get to ..., please?
Qual a distância até lá?	How far is it?
Poderia me mostrar a cidade/o caminho/isso no mapa?	Can you show me the town/the way/that on the map, please?
Com licença, este é o caminho para ...?	Excuse me, is this the way to ...?
Como faço para chegar á estrada para ...?	How do I get to the highway (*Brit* motorway) to ...?
Siga em frente até chegar a...	Straight ahead until you get to ...
No semáforo/sinal/farol vire à esquerda/direita.	Then turn left/right at the traffic lights.
Há uma estrada menos movimentada para...?	Is there a quiet road to ...?
Você está na estrada errada. Volte para	You're on the wrong road. Drive back to ...

Problemas com o carro	**Breakdown**
O meu carro enguiçou.	My car's broken down.
Um pneu furou.	I've got a flat tire.
Poderia mandar um mecânico/um guincho?	Could you send a mechanic/a tow truck, please?

Poderia me ceder um pouco de gasolina?	Could you lend me some gasoline (*Brit* petrol), please?
Poderia me ajudar a trocar o pneu?	Could you help me change the tire, please?
Estacionamento	**Parking**
Por favor, tem um estacionamento por aqui?	Excuse me, where can I park around here?
Posso estacionar o carro aqui?	Can I park my car here?
Há um encarregado de serviço?	Is there an attendant on duty?
Por quanto tempo posso deixar o carro aqui?	How long can I park here?
Quanto custa por...	How much is it per ...
hora?	hour?
dia?	day?
noite?	night?
O estacionamento fica aberto a noite toda?	Is the parking lot open all night?
Posto de gasolina	**Service station (*Brit* petrol station)**
Por favor, onde fica o posto de gasolina mais próximo?	Where's the nearest service station, please?
... por favor 20 dólares de ...	...30 dollars' worth of ...
gasolina,	gas [*Brit* petrol]
sem chumbo/super	unleaded/super,
diesel.	diesel,
	please
Por favor, completa.	Fill her up, please.
Poderia ver o óleo/calibrar os pneus?	Please check the oil/the tire pressure.
Gostaria de lavar o carro.	I'd like to have the car washed, please.
Gostaria de um mapa da região.	I'd like a road map of the area.
Por favor, onde fica o banheiro?	Where are the restrooms, please?
Acidente	**Accident**
Chame...	Please call ...
uma ambulância.	an ambulance.
a polícia.	the police.
os bombeiros.	the fire department (*Brit* fire brigade)

Tem uma caixa de primeiros socorros?	Do you have a first aid kit?
Foi minha/sua culpa.	It was my/your fault.
A senhora/o senhor/você ...	You ...
não respeitou a preferência.	didn't yield.
não sinalizou para mudar de pista.	didn't signal your lane change.
ia em excesso de velocidade.	were driving too fast.
vinha muito perto atrás de mim.	were following too close.
passou o sinal fechado.	ran a red light.
Eu vinha a... quilômetros por hora.	I was doing ... kilometrer per hour.
Poderia me dar o seu nome e endereço/os dados do seu seguro?	Please give me your name and address/the particulars of your insurance.
Você poderia ser minha testemunha?	Will you act as a witness for me?
Muito obrigado/a pela sua ajuda.	Thanks for your help.

Aluguel	**Rental**
Gostaria de alugar ...	I'd like to rent (*Brit* hire) ...
um carro/um jipe,	a car/a jeep,
uma moto,	a motorbike,
uma lambreta/vespa,	a scooter,
um mobilete,	a moped,
uma bicicleta	a bike
por... dias/uma semana.	for ... days/a week.
Quanto custa por dia/por semana?	How much does it cost per day/per week?
Quanto custa por quilômetro rodado?	How much do you charge per kilometer?
De quanto é o sinal?	How much is the deposit?
Este carro tem seguro total?	Does the vehicle have comprehensive insurance?
É possível devolver o carro em/no/na ...?	Is it possible to leave the car in ...?

Oficina	**Garage**
Há uma oficina por perto?	Is there a garage near here?
Pode vir comigo/me rebocar?	Can you come with me/give me a tow?
O carro/a moto não dá partida.	The car/The motorbike won't start.
Sabe qual é o problema?	Do you know what the problem is?

Tem algum problema com o motor.	There's something wrong with the engine.
Os freios ...	The brakes ...
não estão funcionando.	don't work.
estão falhando.	are faulty.
Está vazando óleo.	I'm losing oil.
Por favor, poderia dar uma olhada?	Could you have a look, please?
Por favor, troque as velas.	Change the spark plugs, please.
Tem peças de reposição para esse modelo?	Have you got spare parts for this model?
Faça somente os concertos necessários.	Just carry out the essential repairs, please.
Quando o carro/a moto vai ficar pronto/a?	When will the car/the motorbike be ready?
Quanto vai custar ?	How much will it be?

Banco	**Bank**
Por favor, onde tem um banco/uma casa de câmbio por aqui?	Where's the nearest bank/bureau de change?
A que horas abre/fecha o banco?	What time does the bank open/close?
Gostaria de trocar ... reais em dólares/libras.	I'd like to change ... Reals into Dollars/Pounds.
Qual a taxa de câmbio atual?	What's the current exchange rate?
Quantos dólares/Quantas libras obtenho com cem reais?	How many Dollars/Pounds do I get for a hundred Reals?
Gostaria de trocar este cheque de viagem.	I'd like to cash this traveler's check
Posso ver o seu passaporte/a sua carteira de identidade, por favor?	May I see your passport/I.D., please?
Assine aqui, por favor.	Sign here, please.
Vá até o caixa, por favor.	Go to the cash desk, please.
Como quer o dinheiro?	How would you like the money?
Somente em notas, por favor.	In bills, please.
Algum trocado também, por favor.	Some small change too, please.
Gostaria de três notas de cinqüenta dólares e o restante em notas menores, por favor.	I'd like three fifty-dollar bills and the rest in small bills, please.
Perdi os meus cheques de viagem.	I've lost my traveler's checks.

Atrações turísticas | Sightseeing

Excursão	Excursion
Quais são os lugares atrativos daqui?	What places of interest are there here?
Em que direção fica ...?	Which direction is ...?
Vamos passar por/pelo/pela...?	Will we pass through ...?
Vamos ver também...?	Are we going to see ..., too?
Quanto tempo livre vamos ter em/ no/ na ...?	How much free time have we got in ...?
Quando vamos voltar?	When are we going back?
Quando vamos estar de volta?	When will we be back?

Museu	Museum
A que horas abre o museu?	When's the museum open?
A que horas começa a visita guiada?	When does the tour start?
Há visita guiada também em português?	Is there a tour in Portuguese, too?
É permitido tirar fotos?	Are we allowed to take pictures here?
Esta/este é o/a...?	Is this ...?
Há um catálogo da exposição?	Is there an exhibition catalogue?

Compras | Shopping

Em geral	General
Horário do comércio	Opening hours
Aberto/Fechado	Open/Closed
Fechado para férias.	Closed for holidays.
Por favor, onde tem/há ...?	Excuse me, where can I find ...?
Poderia me indicar uma boa loja de ...?	Can you recommend a good ... shop?
Gostaria de ...	I'd like ...
Tem ...?	Have you got ...?
Poderia me mostrar ..., por favor?	Could I have a look at ..., please?
Não há nada mais barato?	Have you got anything cheaper?
Gostei. Vou levar.	I like it. I'll take it.
Quanto custa?	How much is it?
Aceitam cartão de crédito?	Do you take credit cards?

Farmácia	**Pharmacy (*Brit* Chemist)**
Onde fica a farmácia (de plantão) mais próxima?	Where's the nearest pharmacy (with 24-hour service)?
Poderia me dar algo para ..., por favor?	Can you give me something for ..., please?
Este remédio só pode ser vendido com receita.	You need a prescription for this.
Posso esperar?	Can I wait?
Quando posso vir pegar?	When can I pick it up?

Ônibus/Ônibus interurbano — Bus/Intercity Bus

Na estação rodoviária	**At the Bus Terminal**
Uma passagem de ida/ida e volta para..., por favor.	A one-way/round-trip ticket to ..., please.
Um lugar na janela?	A window seat?
Gostaria de uma passagem no horário das oito para ...	I'd like a ticket for the eight o'clock bus to ...
São vendidos lanches no ônibus?	Are snacks available on the bus...?
Onde vai a bagagem?	Where does the checked baggage go?
Gostaria de guardar esta mala.	I'd like to check this suitcase.
A que horas o ônibus chega em/no/na ...?	When will the bus arrive in ...?
Posso levar a minha bicicleta?	Where can I check my bike?
O ônibus de ... está atrasado?	Is the bus from ... running late?
Há uma balsa para ... ás ...?	Is there a ferry to … at ...?
De que plataforma sai o ônibus para ...?	Which bay does the ... train leave from?
O ônibus para ... vai sair com 10 minutos de atraso.	The bus to ...is 10 minutes late.

No ônibus	**On the bus**
Desculpe, este lugar está livre?	Excuse me, is this seat free?
Pode me ajudar, por favor?	Can you help me, please?
Posso abrir/fechar a janela?	May I open/shut the window?
Desculpe, este lugar é meu.	Excuse me, that's my seat.
Este ônibus para em/no/na ...?	Does this bus stop at/in ...?

Onde estamos agora?	Where are we now?
Quanto tempo vamos ficar parados aqui ...?	How long are we stopping here?
Vamos chegar no horário?	Are we on schedule?

Trem	**Train**
Uma passagem de primeira/segunda classe para...	A second-class/first class one-way tikket to ...
Duas passagens de ida e volta para ..., por favor.	Two round-trip tickets to ..., please.
Há passagens com volta no fim de semana mais baratas?	Are there cheap weekend returns?
Tem desconto para crianças/famílias numerosas/estudantes/a terceira idade?	Is there a discount for children/large families/students/seniors?
Gostaria de reservar um lugar no trem das ... horas para ...	I'd like to book a seat on the ... o'clock train to ...
Há um serviço de transporte de automóveis?	Is there a motorail service to ...?
Quanto custa por um carro e quatro pessoas?	How much is it for a car and four people?
Gostaria de guardar esta mala.	I'd like to chech this suitbag through.
A bagagem vai estar no trem das ... horas?	Will the luggage be on the ... o'clock train?
Quando vamos chegar em/no/na ...?	When will it arrive in ...?
Posso levar a minha bicicleta?	Where can I check in (*Brit* register) my bike?
O trem procedente de ... está atrasado?	Is the train from ... running late?
Há uma conexão para ... ?	Is there a connection to ...?
Há uma barca para ...	Is there a ferry at ...?
(Onde) tenho de trocar de trem?	(Where) Do I have to change trains?
De que plataforma sai o trem para ... ?	Which platform does the train to ... leave from?
O trem número ... procedente de ... está chegando na plataforma um.	Train number ... from ... is now arriving at platform one.
O trem procedente de ... está com um atraso de 10 minutos.	The train from ... is running 10 minutes late.
Embarcar!	All aboard!

No trem	**On the Train**
Desculpe, este lugar está livre?	Excuse me, is this seat free?
Poderia me ajudar, por favor?	Can you help me, please?
Posso abrir/fechar a janela?	May I open/shut the window?
Desculpe, este é um compartimento para não fumantes.	Excuse me this is a non-smoking section.
Desculpe, este é o meu lugar. Tenho uma reserva.	Excuse me, this is my seat. I've got a reservation.
Esse trem pára em/no/na ... ?	Does this train stop in ...?
Onde estamos agora?	Where are we now?
Quando tempo vamos ficar parados aqui?	How long are we stopping here?
Vamos chegar no horário?	Will we arrive on time?

Avião / Plane

Partida	**Departure**
Onde é o balcão da ...?	Where's the ... desk?
Onde é o balcão de informações da ...?	Where's the ... information desk?
A que horas sai o próximo avião para ...?	When's the next flight to ...?
Gostaria de reservar uma passagem de ida/ida e volta para ...	I'd like to book one-way/a return flight to ...
Há ainda lugar?	Are there still seats available?
Quanto custa uma passagem de classe econômica/primeira classe?	How much is an economy class/a first class ticket?
Quantos quilos (de bagagem) posso levar?	What's the baggage allowance?
Posso levar isso como bagagem de mão?	Can I take this as carry-on luggage?
Gostaria de cancelar/mudar a minha passagem.	I'd like to cancel/change my ticket.
A que horas tenho de estar no aeroporto?	When do I have to be at the airport?
O vôo para ... está atrasado?	Has the plane to ... been delayed?
O avião procedente de ... já aterrizou?	Has the plane from ... already landed?

Chegada	**Arrival**
Não consigo encontrar a minha bagagem/ mala.	I can't find my luggage/suitcase.
A minha bagagem/mala não chegou.	My luggage is missing.
A minha mala está danificada.	My suitcase has been damaged.
Onde posso fazer uma reclamação?	Where can I report it?
De onde sai o ônibus para o terminal de embarque?	Where does the Air Terminal bus leave from?

No avião	**On the plane**
Que rio é esse? Que praia é essa?	Which river is that? Which beach is that?
Que cidade é essa?	Which city/town is that?
Onde estamos agora?	Where are we now?
Quando vamos aterrissar em/no/na ...?	When do we land in ...?

Ao conhecer pessoas / Meeting people

Cumprimentar	**Greetings**
Bom dia!	Good morning!
Boa tarde!	Good afternoon!/Good evening!
Boa noite!	Good evening!
Olá!/Oi!	Hello!/Hi!
Como você se chama?	What's your name?

Despedir-se	**Goodbye**
Tchau/Até logo!	Goodbye!/Bye-bye!
Até breve!	See you soon!
Até mais tarde!	See you later!
Até amanhã!	See you tomorrow!
Boa noite!	Good night!
Divirta-se!	Have fun!
Boa viagem!	Have a good trip!
Ficaremos em contato.	I'll be in touch.

Fazer uma visita	**Visits**
Desculpe, aqui mora a ... /o...?	Excuse me, does … live here?
Por favor, gostaria de falar com o/a ...	Can I speak to …, please?
Quando ela/ele vai voltar?	When will she/he be back?
Posso deixar recado?	Can I leave a message?
Eu vou voltar mais tarde.	I'll come back later.
Entre, por favor.	Come in, please.
Com licença?	May I come in?
Não quer se sentar?	Please sit down.
A Paula manda lembranças.	Paula asked me to give you her regards.
Gostaria de tomar alguma coisa?	What can I offer you to drink?
Saúde!	Cheers!

Pedir um favor	**Requests**
Sim, por favor.	Yes, please.
Não obrigado/a.	No, thank you.
Posso?	May I?
Pode me ajudar, por favor?	Can you help me, please?

Agradecer	**Thanks**
Obrigado/a.	Thank you.
Muito obrigado/a.	Thank you very much.
Sim, por favor.	Yes, thank you.
Obrigado/a. Igualmente.	Thank you. The same to you.
Muito obrigado/a pela sua ajuda.	Thank you very much for your help.
De nada./Não há de quê.	Don't mention it./You're welcome.

Desculpar-se	**Apology**
Sinto muito.	I'm (so) sorry!
Tenho de pedir desculpas.	I must apologize.
Que pena!	What a pity!

Marcar um encontro	**Dates**
Você tem algum programa para amanhã?	Have you got any plans for tomorrow?
Vamos juntos?	Shall we go together?

Vamos sair essa noite?	Should we go out (together) tonight?
Vamos sair para jantar?	Can I take you out for dinner?
A que horas a gente se encontra?	When should we meet?
Vamos nos encontrar ... às nove. em frente ao cinema. na Praça ... no café.	Let's meet ... at nine o'clock. in front of the cinema. at ... Square. in the café.
Vamos nos ver de novo?	Can I see you again?
Espero que a gente se veja outra vez em breve.	I hope I'll see you again soon.
Muito obrigado/a por essa noite maravilhosa.	Thank you so much for a pleasant evening.
Por favor, me deixe em paz.	Please leave me alone.

Comunicar-se	**Communication**
Como, por favor?	Pardon?
Não estou entendendo. Pode repetir, por favor?	I don't understand. Would you repeat that, please?
Por favor, fale um pouco mais devagar/alto.	Would you speak a bit more slowly/a bit louder, please?
Você/a senhora/o senhor fala português? inglês? francês? italiano? espanhol?	Do you speak ... Portuguese? English? French? Italian? Spanish?
Falo só um pouco de ...	I only speak a bit of ...
O que quer dizer isso?	What does that mean?
Como se pronuncia esta palavra?	How do you pronounce this word?

Apresentar-se	**Introduction**
Como você se chama?	What's your name?
Me chamo ... / O meu nome é ...	My name is ...
(Muito) prazer!	How do you do?

Posso apresentá-la/-lo/apresentar você?	May I introduce you? This is ...
Este é o senhor/Esta é a senhora/senhorita X.	Mr/Mrs/Miss X.
Este é o meu marido.	my husband.
Esta é a minha mulher.	my wife.
Este é o meu filho./Esta é a minha filha.	my son/daughter.
Este é o meu irmão./Esta é a minha irmã.	my brother/sister.
Este é o meu namorado./Esta é a minha namorada.	my boyfriend/girlfriend.
Este é o meu companheiro./Esta é a minha companheira	my partner
Este é o meu colega./Esta é a minha colega de trabalho.	my colleague
Como vai?/Tudo bem?	How are you?
Bem, obrigado/a. E a senhora/o senhor/você?	Fine, thanks. And you?
De onde você é?	Where are you from?
Sou de ...	I'm from ...
Já está há muito tempo aqui?	Have you been here long?
Estou aqui desde ...	I've been here since ...

Hospital	**Hospital**
Quanto tempo vou ter de ficar aqui?	How long will I have to stay here?
Estou com dor.	I'm in pain.
Não consigo dormir.	I can't sleep.
Poderia me dar um analgésico/um comprimido para dormir, por favor?	Could you give me a painkiller/a sleeping pill, please?
Quando vou poder me levantar?	When can I get up?

Transporte local / Local Transportation

Transporte público	**Public Transport**
Que ônibus/metrô vai para...?	Which bus/subway (*Brit* underground) line goes to ...?
Por favor, onde é ...	Excuse me, where's the nearest ...
o ponto de ônibus mais perto?	bus stop?
a estação de metrô mais perto?	subway (*Brit* underground) station?

Que ônibus/linha de mêtro vai para ...?	Which line goes to ...?
Esse ônibus vai para ...?	Does this bus go to ...?
Esse ônibus pára em/no/na...?	Does this bus stop at ...?
A que horas sai o ônibus?	What time does the bus leave?
De onde sai o ônibus?	Where does the bus leave from?
Em que direção devo ir?	Which direction must I take?
Quantos pontos/quantas estações são?	How many stops is it?
Onde tenho de descer/fazer baldeação?	Where do I have to get out/transfer?
Poderia me avisar quando chegar, por favor?	Could you tell me when we're there, please?
Onde se compra a passagem?	Where can I buy a ticket?
Por favor, um bilhete simples/de ida e volta.	A one-way/return ticket to ..., please.

Táxi	**Taxi**
Desculpe, onde é o ponto de táxi mais perto?	Where's the nearest taxi stand (*Brit* taxi rank)?
Para a estação rodoviária/de metrô ..., por favor.	To the bus terminal/... subway station, please
Para o hotel ..., por favor.	To the ... Hotel, please.
Rua ..., por favor.	To ... Street, please.
Para ..., por favor.	To ..., please.
Quanto custa para ir até ...?	How much will it cost to ...?
Pode ficar com o troco.	Keep the change.

Polícia	**Police**
Por favor, onde é a delegacia de polícia mais próxima?	Where's the nearest police station, please?
Gostaria de fazer uma queixa de roubo.	I'd like to report a theft.
Me roubaram ...	My ...
a bolsa /a carteira.	handbag/wallet,
a máquina fotográfica.	camera,
o carro/a bicicleta.	car/bike has been stolen.
Meu carro foi arrombado.	My car has been broken into.
Levaram a/o ... do carro.	... has been stolen from my car.
Perdi ...	I've lost ...
Poderia me ajudar, por favor?	Can you help me, please?

Correio	**Post Office**
Onde é o correio mais próximo/a caixa de correio mais próxima?	Where's the nearest post office/mail box (*Brit* post box)?
Quanto custa uma carta/um postal para o Brasil/os Estados Unidos/ a Inglaterra ... ?	How much does a letter/a postcard to Brazil, the United States/England cost?
Três selos para o Brasil, por favor.	Three stamps for Brazil, please.
Gostaria de mandar esta carta... por via aérea. por Sedex.	I'd like to send this letter ... by airmail. by express.
Quanto tempo leva para chegar uma carta para o Brasil/os Estados Unidos/a Inglaterra?	How long does a letter to Brazil/the United States/England take?

Restaurante / Restaurant

Pedido	**Ordering**
Garçom, o cardápio, a carta de vinhos, por favor!	Waiter, could I have ... the menu, the wine list, please?
Vocês servem comida vegetariana?	Do you serve vegetarian meals?
Vocês têm pratos para crianças?	Do you serve children's meals?
O que recomenda como entrada/prato principal/sobremesa?	What can you recommend as an appetizer/as an entrée/for dessert?
Gostaria de ...	I'll have ...
Sinto muito, mas estamos em falta de ...	I'm afraid we've run out of ...
O que deseja beber?	What would you like to drink?
Um copo de ..., por favor.	A glass of ..., please.
Uma garrafa/meia garrafa de ..., por favor.	A bottle of/Half a bottle of ..., please.
Com gelo, por favor.	With ice, please.
Gostaria de ... em vez de ...	Could I have ... instead of ...?
Poderia nos trazer ..., por favor.	Could you please bring us ...?
Sou alérgico/a...	I'm allergic to ...
Quero o bife bem passado. ao ponto. mal passado.	I'd like my steak well-done medium rare

A conta	The bill
A conta, por favor!	Could we have the check (*Brit* bill), please?
Tudo junto, por favor.	Could we have that on one check, please?
Pode tirar as contas separadas, por favor?	Separate checks, please.
O serviço está incluso?	Is service included?
Isso não veio. O que veio foi ...	I didn't have that. I had ...
Para o/a senhor/a/você.	That's for you.
Pode guardar o troco.	Keep the change.

Reclamações	Complaints
Está faltando um/a ...	We need a/another ...
Você se esqueceu do meu/da minha ...?	Have you forgotten my ...?
Eu não pedi isso.	I'm afraid I didn't order that.
A comida está fria/muito salgada.	The food's cold/too salty.

Barco — Ship

A bordo	On board
Onde está a minha mala/bagagem?	Where's my suitcase/luggage?
Onde é o restaurante/salão?	Where's the restaurant/lounge?
A que horas servem as refeições?	When are the meals served?
Não estou me sentindo bem.	I don't feel well.
Tem algo para enjôo?	Could you please give me something for seasickness?

Informações	Information
Qual é a melhor maneira de chegar a ... de barco?	What is the best way to get to ... by ship?
De onde/Quando sai o próximo navio/a próxima barca para ...?	From where/When does the next ship/the next ferry leave for ...?
Quanto tempo leva a travessia?	How long does the crossing take?
Em que portos vamos parar?	Which ports do we call at?
Quando vamos desembarcar em ...?	When do we land at ...?
Gostaria de uma passagem para ..	I'd like a ticket to ...
Gostaria de uma passagem de ida e volta às ...	I'd like a ticket for the round trip at ... o'clock.

Piscina	**Swimming Pool**
Aqui tem ...	Is there
piscina?	an outdoor pool?
piscina coberta?	an indoor pool?
Aqui tem piscina de águas termais?	Are there thermal baths here?
Acesso permitido apenas para nadadores!	Swimmers only!
Proibido mergulhar!	No diving!
Proibido nadar!	No swimming!

Esporte	**Sports**
Que tipo de esportes se pode praticar por aqui?	Which athletic actitivies/facilities are there here?
Aqui tem campo de golfe/quadra de tênis/hipódromo?	Is there a golf course/tennis court/racecourse here?
Onde se pode pescar?	Where can I go fishing?
Gostaria de ver um jogo de futebol/uma corrida de cavalos.	I'd like to watch a soccer game/a horse race.
Quando/onde é?	When/Where is it?
Quanto custa a entrada?	How much does it cost to get in?
Onde posso alugar ...?	Where can I rent ...?
Eu jogo ...	I play ...
Posso jogar também?	Can I play too?

Praia	**Beach**
Aqui tem ouriços-do-mar/água-viva/algas?	Are there sea urchins/jellyfish/is there algae here?
A que distância da praia se pode nadar?	How far out can we swim?
A corrente é forte?	Is there a strong current?
É perigoso para as crianças?	Is it dangerous for children?
A que horas é a maré baixa/alta?	When's low/high tide?

Telefone	**Telephone**
Onde é o orelhão/o telefone público mais próximo?	Where's the nearest phone booth (*Brit* phone box)/public phone?
Um cartão telefônico, por favor.	Can I have a telephone card, please?
Tem uma lista telefônica?	Have you got a telephone directory?
Qual é o código DDD de ...?	What's the area code/national code for ...?

Gostaria de fazer uma ligação para ...	I'd like to make a call to ...
Por favor, gostaria de fazer uma ligação a cobrar.	I'd like to make a collect call [*Brit* reverse charge call].
Na cabine número ...	Booth number ...
Aqui fala o/a ...	This is ...
A linha está ocupada.	The line's busy (*Brit* engaged).
Alô, com quem falo, por favor?	Hello, who's speaking?
Por favor, gostaria de falar com a senhora .../o senhor....	Can I speak to Mr/Mrs/Miss ..., please?
Sim, é ele/ela.	Yes, speaking.
Posso deixar um recado?	Can I leave a message?

Alojamento / Overnight Stay

Informações	**Information**
Poderia me indicar ...	Can you recommend ...
um bom hotel?	a good hotel,
uma pensão?	a guesthouse,
uma pousada?	a bed and breakfast
É no centro/tranquilo/a?	Is it central/quiet?
Fica perto da praia?	Is it near the beach?
Tem um albergue da juventude/um camping por aqui?	Is there a youth hostel/a campsite here?

Camping	**Camping**
Tem um camping por aqui?	Is there a campsite nearby?
Tem um lugar para	Is there space for
um trailer?	a trailer (*Brit* caravan)/an RV (recreation vehicle)
uma barraca?	a tent?
Quanto custa por dia e por pessoa?	How much does it cost per day and person?
Quanto custa por ...	What's the charge for ...
carro?	a car?
trailer?	a trailer (*Brit* caravan)?
barraca?	a tent?

Vocês alugam chalés/trailers?	Do you rent chalets/trailers (*Brit* caravans)?
Há uma vendinha/uma lanchonete aqui?	Is there a food store/a snack bar here?
Onde são ... os banheiros? os chuveiros?	Where are ... the restrooms (*Brit* toilets)? the showers?
Onde posso trocar os bujões de gás?	Where can I exchange gas canisters?

Hotel

Hotel

Chegada	**Arrival**
Eu fiz uma reserva.	I've reserved a room.
Eu me chamo ...	My name is ...
Tem vaga ... para uma noite? para dos dias/uma semana?	Have you got any vacancies ... for one night? for two nights/a week?
Sinto muito, está tudo ocupado.	No, I'm afraid we're booked out.
Sim, senhor/senhora. Que tipo de quarto deseja?	Yes, Sir/Madam, what sort of room would you like?
um quarto de solteiro	a single room
um quarto de casal	a double room
um quarto de casal com duas camas	a double room with twin beds
com chuveiro	with a shower
com banheira	with a bathtub
com vista para o mar	with a view to the sea/ocean
Posso ver o quarto?	Can I see the room?
Podem pôr mais uma cama/uma cama de criança no quarto?	Can you put another bed/a children's bed in the room?
Quanto custa o quarto com ... café-da-manhã? meia pensão?	How much is the room with ... breakfast? breakfast and dinner?
A que horas é o café-da-manhã?	What time's breakfast?
Onde é o restaurante?	Where's the restaurant?
Podiam me acordar às ... da manhã?	Please, wake me up at ... o'clock in the morning.
Como funciona a/o ...?	How does ... work?

A minha chave, por favor.	My key, please.
Aqui tem serviço de correio?	Where can I mail (*Brit* post) this letter?
Onde posso alugar ... ?	Where can I rent ...?
Onde posso telefonar ... ?	Where can I make a phone call?
Saída	**Departure**
Vou embora amanhã às...	I'm leaving tomorrow at ... o'clock.
Até que horas preciso deixar o hotel?	When is check-out time?
Poderia preparar a conta?	Could you prepare the bill, please?
Vocês aceitam cheques?	Do you accept checks?
Posso pagar com cartão de crédito?	Can I pay with a credit card?
Poderiam descer a minha bagagem?	Please have my luggage brought down.
Poderia chamar um táxi para mim, por favor?	Could you call a taxi for me, please?
Muito obrigado/a por tudo.	Thank you very much for everything.
Até logo!	Goodbye!
Reclamações	**Complaints**
O quarto não está limpo.	The room hasn't been cleaned.
O chuveiro... O vaso, sanitário... O ar condicionado... A calefação... A luz ... A televisão ... não está funcionando.	The shower ... The lavatory... The air conditioning... The heating ... The light ... The television doesn't work.
Não tem água (quente).	There's no (hot) water.
O vaso sanitário/a pia está entupido/a.	The toilet/sink (*Brit* washbasin) is blocked.
Albergue da juventude	**Youth Hostel**
Gostaria de alugar roupa de cama/um saco de dormir.	Can I rent bed linen/a sleeping bag?
A porta da entrada fica aberta até à meia-noite.	The front door is locked at midnight.

Diversões	Entertainment
Bar/Discoteca/Boate	**Bar/Disco/Night club**
O que tem para fazer à noite aqui?	What is there to do in the evenings here?
Tem um bar legal por aqui?	Is there a good bar here?
Onde é que se pode dançar?	Where can I go dancing?
É preciso traje a rigor?	Is formal dress required?
A entrada dá direito a uma bebida.	One drink is included in the price of admission.
Vamos dançar?	Shall we dance?
Teatro/Show/Cinema	**Theatre/Concert/Cinema**
Que peça está em cartaz hoje à noite?	What's on (at the theater) tonight?
Que filme vai passar amanhã à noite?	What's on at the movies [*Brit* cinema] tomorrow night?
Poderia me recomendar uma boa peça de teatro/ um bom filme?	Can you recommend a good play/a good movie [*Brit* film]?
A que horas começa a sessão?	When does the performance start?
Onde posso comprar os ingressos?	Where can I get tickets?
Dois ingressos para essa noite/para amanhã à noite, por favor.	Two tickets for tonight/for tomorrow night, please.
Poderia me dar um programa, por favor?	Can I have a program, please?
Quando acaba a sessão?	When does the performance end?
Onde está o gurarda-volumes?	Where is the coat check?
Agência de turismo	**Tourist Information Office**
Gostaria de um mapa da cidade, por favor.	I'd like a map of the town/city, please.
Você tem folhetos sobre ... ?	Have you got brochures on ...?
Tem a programação para esta semana?	Do you have a schedule of events for this week?
Há passeios turísticos na cidade?	Are there sightseeing tours of the town/city?
Quanto custa o passeio turístico?	How much does the tour cost?

Tempo	Weather
Qual a previsão do tempo para hoje?	What's the weather going to be like today?
Vai estar bom.	It's going to be fine.
Vai chover.	It's going to be rain.
Qual é a temperatura agora?	What's the temperature today?
Trinta graus (centígrados).	It's thirty degrees Centigrade.
O tempo vai estar bom/chuvoso.	It's going to stay nice/wet.
Vai fazer mais calor/frio.	It's going to get warmer/colder.
Deve chover.	It's supposed to rain.
Está frio/calor/abafado.	It's cold/hot/muggy
Vamos ter uma pancada de chuva.	There's going to be a thunderstorm.
Como estão as estradas em/na/no ... ?	What are the roads like in ...?
As estradas estão alagadas/escorregadias/ interditadas.	The roads are flooded/slippery/ closed.
Há uma densa neblina na serra e a visibilidade está reduzida.	There is heavy fog in the mountains and visibility is restricted.
Houve um deslizamento de terra em/na/ no...	There has been a landslide in …

Alfândega / Customs

Controle de passaportes	Passport control
Passaporte, por favor.	Your passport, please.
O seu passaporte está vencido.	Your passport has expired.
A senhora/o senhor tem visto?	Have you got a visa?
Posso conseguir um visto aqui?	Can I get a visa here?

Controle alfandegário	Customs check
Tem algo a declarar?	Have you got anything to declare?
Não, só tenho alguns presentes.	No, I've only got a few presents.
Tenho de pagar imposto alfandegário por isso?	Do I have to pay duty on this?